Norman Mailer
OPOWIEŚĆ
OSWALDA

Norman Mailer
OPOWIEŚĆ OSWALDA

przełożyła
Agnieszka Pokojska

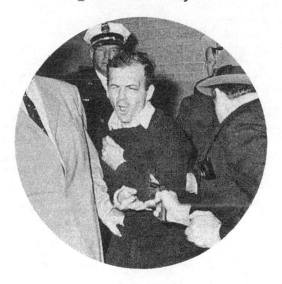

Warszawskie Wydawnictwo Literackie
MUZA SA

Tytuł oryginału: *Oswald's Tale*
An American Mystery
Projekt okładki: *Rosław Szaybo*
Redakcja: *Elżbieta Rawska*
Redakcja techniczna: Sepia Druk Sp. z o.o.
Korekta: *Magdalena Szroeder*

ISBN 83-7200-664-4

Warszawskie Wydawnictwo Literackie
MUZA SA
Warszawa 2001

Norris, mojej żonie,
za tę książkę i siedem innych,
które napisałem w ciągu pełnych szczęścia dwudziestu lat,
spędzonych razem

Wyrażam wdzięczność Larry'emu Schillerowi, mojemu utalentowanemu koledze, który towarzyszył mi w przeprowadzaniu wywiadów i dochodzenia, za sześć miesięcy wspólnej pracy w Mińsku i w Moskwie, a później w Dallas, gdzie staliśmy się sobie bliscy jak rodzina (i czasem kłóciliśmy się, jak to w rodzinie), oraz Judith McNally, mojej niezrównanej asystentce o zaletach tak licznych, że gdybym chciał je wymienić, zaważyłoby to na szacunku, jaki mam dla własnej osoby. Tak, Schillerowi i McNally składam wyrazy pełnej i bezwarunkowej wdzięczności. Gdyby nie oni, mógłbym nie mieć o czym opowiadać.

KONGRESMAN BOGGS: Dlaczego pani syn zbiegł do Związku Radzieckiego?

MARGUERITE OSWALD: Nie mogę na to odpowiedzieć jednym słowem. Opowiem wszystko od początku do końca, inaczej to nie będzie miało najmniejszego sensu. To właśnie robię od rana – opowiadam Komisji historię.

KONGRESMAN BOGGS: Może jednak postara się pani streszczać.

MARGUERITE OSWALD: Nie mogę się streścić. Powiem więcej – nie potrafię się streścić. Przecież moje życie i życie mojego syna – tak, jak je opowiem – przejdzie do historii.

fragment zeznania Marguerite Oswald
przed Komisją Warrena,
złożonego 10 lutego 1964 roku

SPIS TREŚCI

Tom pierwszy
Oswald i Marina w Mińsku

Tom drugi
Oswald w Ameryce

TOM PIERWSZY

OSWALD I MARINA W MIŃSKU

Część I

Dzieje Wali Jurjewny

1

Bączek*

Jako trzylatka Wala upadła na rozgrzany piec i poparzyła sobie buzię. Chorowała potem przez cały rok. Jej matka wkrótce zmarła i ojciec został sam z siedmiorgiem dzieci.

Podczas pogrzebu powiedział do Wali:

– Popatrz na mamę i zapamiętaj ją. – Ustawił dzieci wokół trumny i powtórzył: – Postarajcie się zapamiętać mamę.

Wszyscy siedmioro byli ubrani na czarno. Sukienkę Wali przyozdabiał jakby mały krzyżyk. To pamięta – i jeszcze to, jak jej siostry i bracia płakali. Ich matka zmarła przy porodzie ósmego dziecka.

Pożegnała się z życiem w szpitalu oddalonym o pięćdziesiąt kilometrów od domu. Gdy poczuła, że koniec się zbliża, poprosiła kogoś, by wezwał jej męża Jurę i przekazał, że ona chce mu coś powiedzieć. Czekała na niego, leżąc w łóżku, i nie spuszczała oczu z drzwi, a gdy się wreszcie otworzyły, miała dość sił tylko na to, by wyszeptać: „Jurij, proszę, opiekuj się dziećmi", i umarła. Dłużej nie miała siły żyć. Oczywiście nadal odwiedza Walę w snach.

Co prawda, Wala była piątym z kolei dzieckiem w rodzinie, lecz miała tylko jedną starszą siostrę, gdy ta zatem kilka lat później opuściła rodzinny dom, obowiązek zajęcia się nim spoczął na Wali. To była mimo wszystko dobra rodzina, wszyscy byli łatwi w pożyciu i mieli mniej więcej równe prawa. W wieku siedmiu lat Wala umiała już piec chleb w piecu, do którego bochenki wsuwało się na długiej drewnianej szufli. Domownikom jej chleb bardzo smakował.

Ojciec Wali był zwrotniczym; pracował na odcinku radzieckich linii kolejowych w rejonie Smoleńska, w miejscowości Pridnieprowsk. Ponieważ w domu nie było dorosłej kobiety, która zaopiekowałaby się dziećmi, Jurij ożenił się po raz drugi. Dzieci nie miały mu tego za złe, wręcz pokochały nową żonę taty; mówiły nawet do niej „mamo". Traktowała je dobrze, chociaż była słabego zdrowia

---

* Po rosyjsku Bączek to Wałczok – jest to więc także swojego rodzaju zdrobnienie imienia Wala (przyp. tłum.).

i miała za sobą już dwa małżeństwa. Jej jedyne dziecko z drugiego małżeństwa umarło, z Jurijem zaś nie miała dzieci.

Możliwe, że wyszła za ojca Wali, żeby nie spędzić reszty życia w kołchozie, lecz dzielić je z człowiekiem, któremu żona nie była potrzebna do pracy w polu. Czasami Wala zastanawiała się, dlaczego ojciec ożenił się z tą kobietą, która tak często choruje, leczy się nawet w szpitalu. Mimo jednak iż żona nie robiła w domu tyle, na ile liczył Jura, to jednak zastępowała dzieciom matkę, więc za każdym razem wyczekiwały jej powrotu do zdrowia. Naprawdę troszczyła się o dzieci Jurija. Gdy on wybierał się czasami do Smoleńska lub Witebska i wracał z jakimś smakołykiem, mówił jej: „Sama rozumiesz, mam tyle dzieciaków i są jeszcze takie małe... Tobie mogłem przywieźć tylko taki drobiazg", a ona nie robiła mu z tego powodu wyrzutów. Kiedy zaś nie było go w domu, zwykle dzieliła przysmak między dzieci, nigdy nie zatrzymywała go dla siebie. Mieszkała z nimi aż do śmierci; wszystkie dorastały przy niej. Mąż ją przeżył – zmarł w wieku siedemdziesięciu ośmiu lat. Tak więc Wala i jej rodzeństwo zawsze mieli ojca.

Wala była bardzo nieśmiała. Zawsze ogromnie ją martwiła blizna na policzku, która została jej po wypadku w dzieciństwie. W owych czasach nikt nie umiał dobrze leczyć oparzeń. Nałożono jej na policzek bandaż, który przysechł do rany, więc po zdjęciu go na twarzy pozostał ślad. Poza tym leczenie było bardzo, bardzo bolesne. Wala pamięta, że płakała przez okrągły rok. Słyszała, jak ludzie mówią między sobą: „Może byłoby lepiej, gdyby umarła, bo jak dziewczyna ma taką twarz, to nie znajdzie w życiu szczęścia". Twierdzi, że właśnie przez to stała się osobą skrytą i z nikim nie dzieliła się trapiącymi ją problemami. Nie była szczególnie uczuciowa. Wiele przeszła, lecz nigdy się nie buntowała, tylko czuła się nieszczęśliwa „w środku".

Dzieci w szkole jej nie dokuczały. Wala miała czterech braci, lepiej więc było jej się nie narażać. Ponieważ siostry i bracia byli zdrowi, darzyli Walę szczególnym uczuciem. Współczuli jej, bo przez cały rok chorowała, i widzieli, jak cierpi. Ojciec mówił jej: „Kiedy byłaś malutka, więcej czasu spędzałem z tobą niż z resztą moich dzieci. Przez ten rok ciągle nosiłem cię na rękach, tak strasznie płakałaś". Wala dorastała w przekonaniu, że blizna na jej policzku przesądza o tym, iż ona nigdy nie będzie piękną kobietą. Była zgrabna i miała ładne zęby, ale przez ten policzek nie uważała się za atrakcyjną. A jednak zawsze kręcili się koło niej mężczyźni. Dziwiło ją to. Podobała się i nie wiedziała dlaczego. Kiedyś nawet, gdy już jako mężatka jechała z Archangielska do męża do Mińska, a w owych czasach trudno było kupić bilet i musiała czekać w długiej kolejce do kasy, stał za nią jakiś kapitan, z którym rozmawiała przez trzy czy cztery godziny. W końcu kapitan powiedział: – Nie wiem, czy jest pani mężatką, czy nie, ale jeżeli może pani za mnie wyjść, to chodźmy do urzędu, ożenię się z panią. Pomyślała wtedy: „Mówi to, mimo że widzi, jaki mam policzek!". Miała wówczas dwadzieścia trzy, może dwadzieścia cztery lata. On traktował swe słowa jak najpoważniej. Wala oświadczyła jednak: – Jadę do męża. Jestem mężatką.

Może to dlatego, mówiła, że ludzie wiedzieli, iż umie dobrze prowadzić dom. Od dziecka się tym zajmowała. Dom Jurija, zawsze wzorowo wysprzątany, stanowiła izba przedzielona na pół – jedną część zajmowały dzieci, drugą on z żoną. Kuchni nie mieli – w pokoju Jurija stał piec i na nim Wala gotowała posiłki. W święta takie jak Nowy Rok ubraną choinkę stawiali w tej części izby, gdzie na trzech łóżkach spało siedmioro dzieci.

Na każdej stacji kolejowej, zwykle w pobliżu torów, stał domek, w którym na dole mieściła się kasa biletowa, a na piętrze mieszkał pracownik kolei z rodziną. Teraz Wala na widok małych stacyjek zawsze odczuwa smutek. Nie miała przyjemnego dzieciństwa, lecz nie wiadomo dlaczego lubi je wspominać, ten smutek wiąże się więc z minionymi dobrymi chwilami w jej życiu. To dla niej miłe uczucie.

W szkole średniej jako języka obcego uczyła się niemieckiego, lecz nauczyciele wciąż powtarzali, że faszyzm to reżim totalitarny, a oni żyją w socjalistycznej demokracji. Oczywiście z Niemcami nie miała kontaktu, dopóki w czerwcu 1941 roku nie pojawiła się w okolicy duża ich grupa. Pamięta, że zboże dojrzewało, a Niemcy byli już w Smoleńsku. Tak szybko tam dotarli. Wojska radzieckie zewsząd się wycofywały, pozostawiając za sobą czołgi. Niemców wciąż przybywało. Opanowali całą okolicę. Najpierw pojawiły się samoloty, potem też i sami Niemcy, ale na początku wszędzie były te samoloty, które zrzucały bomby. Na mosty, na ich stację kolejową, na spalone wsie. Niemcy zajęli wszystko. Wprowadzili własne prawa i nie pozwalali nawet wychodzić z domów i przejść kilku kilometrów bez specjalnych dokumentów.

Niemcy zabijali. Wieszali ludzi na drzewach. Wala na własne oczy widziała młodych partyzantów powieszonych na drzewach. Do dziś to widzi. Drzewa tworzyły aleję, a na tych drzewach wisieli młodzi mężczyźni. Czasami na jednym drzewie wisiało dwóch. Cała wioska poszła na to popatrzeć. Ludzie byli przerażeni, ale szli. Wala miała wtedy szesnaście lat, a Niemcy opanowali wszystko, co znała.

Jej ojciec pracował na kolei, Niemcy zaś, którym połączenia kolejowe były potrzebne, nakazali mu nie przerywać pracy. Więc pracował. Musiał przecież zarobić na życie. Ale gdzie indziej byli okrutni, spalili niejedną wieś. Rosjanie, którzy pracowali dla Niemców w tych wioskach, obawiali się, że może później za to zostaną ukarani. Z całą pewnością martwił się tym jej ojciec, chociaż nic nie mówił. Wszystkie dzieci się bały, że zostanie kiedyś ukarany, i rozmawiały o tym; później zastanawiały się, czy ukarze go Stalin. Rodzina Wali zawsze czuła się naznaczona. Wala jednak nigdy nie współpracowała z Niemcami – nigdy. Zawsze żyła uczciwie. Poza tym ci Niemcy pobili jej ojca.

Wciąż to pamięta. Mieli krowę, lecz brakowało im dla niej paszy. A po przejeżdżających pociągach czasami zostawało na peronach siano wymiecione z wagonów towarowych. Jej ojciec zbierał te resztki. Któregoś razu jadący pociągiem Niemcy uznali, że wygląda na Żyda, bo ma czarne włosy, czarną brodę i czarne oczy i nosi kapelusz. Było ich trzech. Bili go pięściami po twarzy, przez co stracił kilka zębów. Potem już zawsze coś z jego zębami było nie w porządku.

Gdy wreszcie dowlókł się tamtego wieczoru do domu, przeklinał tak, że Wala nigdy by tego nie powtórzyła. Same najgorsze wyzwiska. Okropne. Nie mogłaby wymówić tych słów na głos. Jurij nigdy nie zapomniał tego bicia. Przez dwa tygodnie nie mógł wyjść z domu. Później jednak, mimo strachu, znów chodził na stację po siano, bo krowa nie miała co jeść. Zawsze się bał, że znów zostanie pobity, no, ale w tamtych czasach wszyscy się bali.

Później Niemcy zabrali ojca Wali, jej braci i dwóch wujów. Budynku stacji wprawdzie nie spalili, ale za to wybili wszystkie szyby w oknach. Zgwałcili wiele kobiet. Jej macochy nie, bo nie była wystarczająco atrakcyjna, Wali i jej sióstr też nie, bo były jeszcze dziećmi. Potem chcieli podpalić ich dom, ale tylko podłożyli ogień i odeszli, a Wala miała akurat trochę wody do prania, więc zagasiła pożar. Sąsiedzi krzyczeli na nią i mówili, że gdyby zobaczył to jakiś Niemiec, spalono by pozostałe domy. To były bardzo ciężkie dni. Wszyscy zgromadzili się u nich na podwórzu, Niemcy zabili im psa, wszystkie wioski w okolicy ich stacji zostały spalone.

Ojciec i bracia Wali spędzili w niemieckim obozie półtora roku – siedzieli tam aż do końca wojny. Miała szczęście, że mogła ich widywać. Chodziła do nich z młodszą siostrą i macochą pieszo – trzydzieści pięć kilometrów. Czasami wolno im było przynosić ze sobą jedzenie. Zimą, gdy spadło dużo śniegu, rodzina Wali zabiła kilka świń i ukryła mięso. Dzięki temu macocha mogła je potem ugotować i zanosić jej ojcu i braciom. Tak naprawdę ona i Wala poświęcały dla nich własne porcje, ale mężczyźni z kolei upierali się, by wzięły trochę jedzenia z powrotem. Mimo to, wracając, zmuszone były żebrać na wiejskich drogach. Kiedy Wala miała piętnaście, szesnaście lat, ona i rodzeństwo zawsze byli głodni, nie mieli butów ani ubrań. Kiedyś usłyszała, jak ojciec mówi do macochy:

– Moje córki rosną i nie mają co na siebie włożyć. Weź mój garnitur. Może uda ci się go przerobić na sukienkę.

Gdy Wala miała piętnaście lat, a jej siostra czternaście, nosiły obie tak stare ubrania, że Niemcy wykrzykiwali za nimi wulgarne słowa, jakimi określa się w języku rosyjskim stare kobiety.

Pewnego dnia w czerwcu 1944 roku, zupełnie bez ostrzeżenia, Niemcy przyszli i zabrali Walę i jej rówieśnice, zaprowadzili je do pociągu, zapakowali do wagonów towarowych, zamknęli i wywieźli. Wszystkie dziewczęta płakały. Stało się to koło południa: zostały spędzone w gromadę i zaprowadzone na stację. Niemcy powiedzieli, że mają się nawet nie przebierać. Zabrali je tak, jak stały. Później dowiedziała się, że gdy ojciec wrócił z obozu i nie zastał jej w domu, padł na kolana i płakał. A ona została wraz z innymi dziewczętami wywieziona w wagonie towarowym. Żeby się załatwić, musiały zrobić dziurę w podłodze.

To był długi pociąg, a one wsiadły w pobliżu miejsca, gdzie pracowały w polu. Wchodząc do wagonów, musiały obyć się bez platformy, jaką podstawia się nawet krowom.

„Niemcy po prostu wepchnęli nas do środka i zamknęli drzwi. Nie krzyczeli, nie bili nas, ale zachowywali się bardzo surowo. W wagonach byli już ludzie z innych miejscowości; na każdej stacji jeszcze kogoś doładowywano. Po kilku takich przystankach zrobił się ścisk". Do końca życia nie zapomni, co widziała w tym pociągu. Żaden malarz by tego nie odmalował. Na wszystkich twarzach tylko strach, jakby uszło z nich życie, a zostało jedynie śmiertelne przerażenie. „W środku było ciemno. No i musieliśmy zrobić dziurę w podłodze". – Nie pamięta, jakiego użyli narzędzia; możc była już mała dziura i powiększyli ją rękami.

Z Polski Wala nie pamięta nic, nie widziała ani jednego miasta; wie tylko, że ktoś jej mówił, że przejeżdżają przez Polskę. Potem dotarli do obozu przejściowego, gdzie kazano im ustawić się w szeregu i zdjąć ubrania, sprawdzono im zęby jak koniom oraz inne części ciała, zrobiono zastrzyki, a wszyscy przez cały czas stali nago w szeregu, mężczyźni i kobiety. Nie wiedzicli, co zaraz nastąpi; stali nago, nie mając pojęcia, co ich czeka. Nie wstydziła się, bo wszyscy inni też byli nadzy, ale czuła się niezręcznic. Wala du dziś jest przekonana, że zastrzyk, który wtedy dostała, sprawił, że nigdy nie zaszła w ciążę.

Wreszcie dostali z powrotem swoje ubrania i znów jechali pociągiem, tym razem tydzień, mając tylko trochę jedzenia, parę łyżek zupy, i miejsca tyle, by usiąść na podłodze, jechało się więc lepiej niż z Białorusi do Polski. Ludzie jednak wciąż mieli ten straszny wyraz twarzy, jakby ich wieziono na śmierć. Nawet teraz Wala nie umie powstrzymać łez, gdy sobie to przypomina.

W końcu transport dotarł do Frankfurtu nad Menem. Zamieszkali w drewnianych barakach; był to obóz pracy. Słyszeli, że Niemcy spalili tysiące ludzi w olbrzymich piecach, lecz dziewczęta, z którymi przyjechała, były młode i miały pracować, a nie umrzeć, chociaż każdy, kto z wyglądu choć trochę przypominał Żyda, był narażony na niebezpieczeństwo.

Obozowe prycze były drewniane, nie dano koców ani poduszek, gdy więc tylko robiło się ciepło, więźniowie woleli spać pod gołym niebem. Po jakimś czasie dostali drewniane chodaki, wyściełane w środku skórą, oraz kaftany z naszytymi literami OST, by na pierwszy rzut oka można było poznać, że pochodzą ze Wschodu.

Codziennie o siódmej rano szli z położonego na wzniesieniu obozu do pociągu, który wiózł ich do Frankfurtu, gdzie przez cały dzień pracowali. Wracali dopiero późnym wieczorem. Wala przeżyła w obozie dziewięć miesięcy. Nigdy nie widziała, żeby ktoś został zastrzelony, ale kilka dziewcząt zmarło z powodu choroby i niedożywienia. W kwietniu 1945 roku nadszedł taki dzień, że pociąg po nich nie przyjechał i musieli iść do Frankfurtu pieszo. Było widać, że poprzedniej nocy amerykańskie samoloty zrzucały bomby; Wala dostrzegła spory kawałek szyn sterczący pionowo w górę. Bała się wrócić do obozu, obawiała się kolejnego bombardowania, postanowiła więc, że zostanie sama we Frankfurcie. Jej koleżanka wyruszyła w drogę powrotną. Nie minęło jednak kilka chwil, gdy Wala pomyślała: „Co ja tutaj sama pocznę?" – i dogoniła koleżankę. W obozie chodziły pogłoski, że czeka ich ewakuacja. Wszyscy się bali. Czy wsadzą ich do pieca i spalą?

Zaczęły się ucieczki. Wala wraz z innymi więźniami zeszła ze wzgórza, które było tak strome, że w niektórych miejscach trzeba było z niego zjeżdżać na pośladkach. Należało jeszcze przeciąć dolinę i mały las, minąć kilka domów. Pewien Niemiec, który uciekł razem z nimi, pokazał im schronienie w podziemnym spichrzu. Tam ukrywali się po ciemku przez dziesięć dni, aż do końca wojny.

Siedząc pod ziemią, Wala słyszała, że na górze szaleje koszmar. Gdy po dziesięciu dniach opuściła schron, nie wiedziała nawet, że wojna już się skończyła. Ów Niemiec ocalił ich grupę – obóz, w którym byli więzieni, został zniszczony podczas walk Niemców z Amerykanami. Wtedy właśnie po raz pierwszy w życiu Wala zobaczyła Amerykanów. Było wśród nich wielu Murzynów. Pamięta, że wyglądali sympatycznie – byli zadowoleni, pełni życia i bardzo dobrze zbudowani. Czuli się dumni z tego, że wyzwalają ludzi. Wtedy po raz pierwszy od roku Wala ujrzała uśmiechy na ludzkich twarzach. Jest pewna, że do śmierci nie zapomni tamtego dnia i tego, jakie to było uczucie wyjść na światło dzienne – jakby życie zaczęło się od nowa.

Wala pamięta jednego amerykańskiego oficera, który podszedł do niej, dał jej się napić z manierki i poczęstował dużym kawałkiem czekolady. Poznała wtedy smak czekolady. W manierce zaś było wino. A że alkoholu też nigdy wcześniej nie piła, nagle zrobiło jej się niedobrze. Tak więc, mimo że była szczęśliwa, musiała wymiotować.

Amerykańscy oficerowie mówili: „Nie musicie wracać do Rosji, możecie zostać tutaj; pomożemy wam znaleźć pracę". Lecz Wala czuła, że nie może zostać po amerykańskiej stronie. Kochała ojca i bardzo za nim tęskniła. Część jej towarzyszy, którzy też chcieli wracać, wysłano do obozu przejściowego dla rosyjskich przesiedleńców i tam, we Frankfurcie nad Odrą, czekali wraz z tysiącami rodaków. Znów był czerwiec. Wala pracowała na położonych nieopodal obozu łąkach. Najpierw oddzielała dobre siano od zgniłego, potem doiła krowy, później zaś została przeniesiona do niewielkiej wytwórni masła, a że była dobrą pracownicą, awansowała i kierowała zespołem. W wytwórni masła poznała mężczyznę, którego bardzo pokochała. On spędził tam jednak tylko dwa miesiące. Był to wysoki, nieśmiały, skromny i bardzo dobry człowiek. Trudno nawet powiedzieć, że chodzili ze sobą, ale spotykali się co dzień po pracy i się całowali. Nigdy nawet nie dotknął jej piersi. Oświadczył się jej; obiecał, że gdy wrócą do Rosji, to się pobiorą. Śniło jej się kiedyś, że się z nim całuje i całuje bez końca. Kiedy opowiedziała ten sen koleżankom, zinterpretowały to tak: „Słuchaj, to znaczy, że już go więcej nie zobaczysz". Okazało się to prawdą, bo potrzebowała go Armia Radziecka, a ona nawet nie miała się z nim jak pożegnać. Płakała wtedy. Bardzo go kochała, bo nikt nigdy nie był wobec niej tak delikatny. Byli ze sobą blisko przez dwa miesiące, a on ani razu nie zapytał, skąd Wala ma tę bliznę na policzku. Traktował ją tak, jakby była kimś wyjątkowym, mężczyzna zaś, którego poznała niedługo później i który miał zostać jej mężem, zapytał o jej policzek już podczas drugiego spotkania.

Wyszła za niego, lecz swobodniej czuła się z tamtym. Nigdy więcej go nie zobaczyła, choć korespondowali ze sobą. Pisywała nawet do swego przyjaciela, kiedy była już żoną tego drugiego, lecz później przestała. Ponieważ ów drugi mężczyzna wziął ją za żonę mimo jej policzka, czuła dla niego wdzięczność. Bała się go utracić. Dlatego przestała pisać listy do tamtego.

Później on napisał jej, że ożenił się z nauczycielką, że często chodzi z nią do kina i do teatru, i dodał: „Znaliśmy się tylko dwa miesiące, ale moje serce należy do ciebie". Mimo że ich związek nie miał w sobie śladu cielesności, Wala bardzo tego człowieka kochała i wierzy, że jeśli on jeszcze żyje, to nadal ją kocha.

Po jego odejściu wciąż pracowała w małej wytwórni masła. Co dzień przychodził tam po jedzenie pracujący w pobliskim szpitalu żołnierz i zanosił je człowiekowi, który miał zostać jej mężem. Wala zapytała go w końcu: „Komu to wszystko zanosisz?". On odpowiedział: „W szpitalu leży chory porucznik, to dla niego". Odparła więc: „Proszę go ode mnie pozdrowić i przekazać, że życzę mu szybkiego powrotu do zdrowia". Powiedziała to po prostu po to, żeby choremu zrobić przyjemność. Ale gdy żołnierz przyszedł następnego dnia, oznajmił: „Porucznik też cię pozdrawia".

Potem się okazało, że żołnierz powiedział przyszłemu mężowi Wali: „Pracuje tam jedna dziewczyna, bardzo miła i życzliwa, dała mi nawet jeść". Wkrótce wytwórnia masła znalazła się w gestii pewnego radzieckiego pułkownika i prędko okazało się, że jest on wysoki i wymagający jak Niemiec. Któregoś wieczoru pracownice postanowiły wybrać się do kina, ale Wala – nie pamięta teraz dlaczego – zdecydowała się zostać w domu. Może nie miała nastroju. Zobaczyła za oknem kogoś w skórzanej kurtce – tę skórzaną kurtkę Wala ma do dziś. Mężczyzna spojrzał na nią i zapytał: „Dlaczego nie poszłaś z nimi?". W tym momencie rozpoznał ją i dodał: „Poznajmy się wreszcie" – po czym, jak to mieli w zwyczaju oficerowie jego rangi, zaprosił ją do swojego biura. Siedzieli tam i rozmawiali. Poprosił: „Opowiedz mi o swoim życiu".

Opowiedziała mu wszystko. Później akurat nawinął się jego znajomy, który umiał grać na pianinie. Wtedy oficer zapytał ją, czy zatańczy. Poprosił ją do tańca, a potem powiedział: „Dziękuję za pozdrowienia". Dopiero wtedy Wala zrozumiała, że to on był tym chorym, któremu posyłała jedzenie.

Miał już żonę. To znaczy ożenił się w 1939 roku, lecz w ciągu czterech lat trwania wojny żona przysłała mu tylko jeden list, a potem rozwiodła się z nim, by wyjść za jakiegoś pilota. Opowiedział Wali o swoim życiu, a na końcu dodał, że nie miał z tamtą kobietą dzieci. Pokazał Wali jej zdjęcie. Była bardzo przystojna.

Ten oficer był od Wali starszy o piętnaście lat i szorstki w obejściu, ale w tańcu ujmująco uprzejmy. Już drugiego wieczoru jednak zapytał ją, co jej się stało w policzek, a Wali było przez to tak przykro, że kiedy została sama, przepłakała całą noc. Dopiero później mu się przyznała, że głęboko ją dotknęło, iż właściwie wcale jeszcze jej nie znał, a już całował i zadawał pytania.

Był bardzo inteligentny i miał dobre maniery. Po ślubie przekonała się, że jest niezwykle taktowny i właściwie nie sposób go nie kochać, ale to była inna miłość niż ta, którą przeżyła wcześniej. Pierwsza miłość to pierwsza miłość. Porucznik był wysoki, szczupły, przystojny, uprzejmy i imponował jej inteligencją nie tylko na pierwszej randce, ale podczas całego ich wspólnego życia. Zawsze zachowywał się w sposób spokojny, opanowany, bardzo elegancko. Pod koniec ich pożycia, kilka lat temu, kiedy był poważnie chory i miał wysoką temperaturę, wciąż jeszcze tak dbał o dobre maniery, że gdy przyjechała po niego karetka, zapytał: „Walu, jak myślisz, czy wypada pojechać bez krawata?". Nie wiedziała wtedy, czy ma się śmiać, czy płakać.

Spędzili razem w Niemczech dziewięć miesięcy. Poznali się w sierpniu 1945 roku, a pobrali w maju 1946. Ilja – bo tak się nazywał, Ilja Prusakow – zalecał się do niej jak należy. Opiekował się nią i był bardzo czuły. Nigdy nie myślała, że się pobiorą. Traktował ją bardzo uprzejmie, ona też go lubiła, on jednak często chorował. Na wojnie nabawił się jakiejś choroby. Kiedyś zabrano Ilję do szpitala, a ona nie mogła go znaleźć – tak trudno było załatwić odwiedziny. Gdy wrócił, powiedział jej: „Zrobiłaś dla mnie tak wiele, gdy byłem w potrzebie, że zawsze się będę tobą opiekował. Gdybyś się zgodziła, ożeniłbym się z tobą, ale jesteś taka młoda! Nie powinienem ci proponować małżeństwa, bo dzieli nas za duża różnica wieku. Może kiedyś sobie kogoś znajdziesz, a ja będę zazdrosny. Chciałbym się z tobą ożenić, ale decyzję pozostawiam tobie".

Tak, cierpiał na niebezpieczne zapalenie kości, a potem zapadł na jeszcze inną chorobę, podczas której trawiła go wysoka gorączka i znów musiał iść do szpitala, ale tym razem przesłał jej wiadomość. Poprosił, by przyniosła mu rosół z kurczaka. Kupienie kurczaka było niemożliwe, więc Wala znalazła Polkę, która znała niemiecki i zabrała ją do innego miasta, gdzie można było go dostać. Wala wróciła i ugotowała rosół. Potem Ilja poprosił ją o przyniesienie herbaty, tylko koniecznie gorącej, bo lepiej się czuł po wypiciu ciepłego napoju. Biegła więc do szpitala najszybciej, jak mogła, bo bała się, że herbata po drodze wystygnie. Zajmowała się także innymi rzeczami: reperowała ubrania Ilji i sprawiało jej to przyjemność. Miała ochotę to robić. Prusakow powiedział jej, że nawet jeśli ona nie zechce za niego wyjść, i tak zawsze będzie się nią opiekował. Powtarzał: „Zawsze będę ci pomagał; nauczę cię pisać na maszynie. Chciałbym, żebyś zawsze przy mnie była". Ale ona zgodziła się za niego wyjść. Spodziewała się jego oświadczyn.

Okazało się, że Ilja odniósł podczas wojny kilka poważnych ran. Nie dość, że nogę poraniły mu kule z karabinu maszynowego, to jeszcze, znajdując się w pobliżu centrum eksplozji, doznał wstrząsu mózgu.

W tym czasie zamknięto wytwórnię masła, a ponieważ Ilja chciał mieć Walę blisko siebie, załatwił jej pracę kucharki. Gotowała dla rosyjskich żołnierzy i oficerów.

Była tak pełna wdzięku i radości życia, rozpierała ją taka energia, że Ilja zaczął swoją wybrankę nazywać Bączkiem – przypominała mu bowiem tę wesołą, kolorowo pomalowaną zabawkę, która wiruje w zawrotnym tempie, ciągle jest w ruchu. Ona z kolei zwracała się do niego zdrobniale Iljeczka. Gdy zdecydowali się zalegalizować swój związek, Ilja pojechał do Poczdamu. Wala nie miała żadnej odpowiedniej sukienki, ale on kupił jej prześliczną suknię z haftem. Pamięta, że jechali pociągiem z Berlina i była bardzo szczęśliwa – miała pewność, że on się z nią ożeni, ponieważ powiadomił o tym swoich krewnych.

Po powrocie do Rosji zamieszkali z jego rodziną w Archangielsku, który leży daleko na północ od Zatoki Fińskiej. To już było trudniejsze. Nie byli, jak dotychczas, we dwoje, lecz stanowili część dużej rodziny. Ilja się nie zmienił, gdy tam zamieszkali – nigdy w życiu jej nie obraził ani nie znieważył, ona zaś wkrótce tak bardzo go pokochała, że kiedy wracał z pracy do domu, wpatrywała się w niego z takim podziwem, aż jego matka ją ostrzegała: „Nie okazuj, że jesteś taka szczęśliwa. Nie patrz tak na niego, bo coś się obróci na złe". Tak, niebezpiecznie było dać diabłu poznać, jak się jest szczęśliwą.

Z rodziną Prusakowów spędziła trzynaście lat. Było to dla niej naturalne. Ilja uprzedził ją przed ślubem, że nie opuści matki. Wala była więc przygotowana na to, że będzie dzielić życie z rodziną męża, nie swoją. Wiedziała też, że matka ma na Ilję duży wpływ. Swoją pierwszą żonę przywiózł z wakacji w kurorcie i to się jego matce nie spodobało. Jej zdaniem to postępowanie w złym guście, gdy mężczyzna jedzie na urlop na Krym, spotyka tam kobietę i zaraz się z nią żeni. Nie zna przecież tej osoby – co z tego, że dobrze się z nią bawił przez parę tygodni – a ona może podstępem wciągnąć go w małżeństwo. Matka Ilji utrzymywała, że to nie była poważna decyzja. Że to tylko namiętność, nie małżeństwo; jak się okazało, miała rację. Ten związek nie przetrwał wojny.

Gdy jednak Ilja przywiózł do domu Walę, Tatiana ją zaakceptowała. Podobnie siostry Ilji – w większym lub mniejszym stopniu. Ale wszystkich dziwiło, że Ilja, przystojny i wykształcony mężczyzna, ożenił się z kobietą, która ma ślad po oparzeniu na policzku. Wszyscy zadawali sobie pytanie, czy nie mógł znaleźć kogoś odpowiedniejszego. Oczywiście, stanowiło to temat wielu rozmów. Ilji podobały się młode kobiety, a ona była młoda.

Początkowo Wala nie mogła się przyzwyczaić do tak wykształconej rodziny jak Prusakowowie. Sama pochodziła przecież ze wsi. Później się z nimi oswoiła, ale na początku spełnianie ich oczekiwań nie było łatwe. Otaczało ją tak wiele nowych osób, że czuła się trochę jak schwytana w pułapkę. Ale starała się sprostać nowym wymaganiom, a matka Ilji, Tatiana, wiele ją nauczyła.

Tatiana była świetną kucharką, a ponieważ Wala spędzała z nią w kuchni mnóstwo czasu, wkrótce gotowała lepiej niż siostry Ilji. Ważne było to, że Ilja nigdy się nie tłumaczył, dlaczego ją poślubił, mówił tylko: „To kobieta, którą kocham" – i to wszystko. Przywiózł ją ze sobą z Niemiec. Jak się kobiety nie kocha, to się jej nie przywozi do domu.

Podczas pierwszych lat małżeństwa Wala chciała mieć dzieci i co miesiąc płakała, że nie jest w ciąży, a Ilja ją pocieszał. Teraz wątpi, czy on się wtedy naprawdę tym przejmował. Kiedy był stary, nieraz mawiał nawet: „Może to i dobrze, że nie mieliśmy dzieci. Rozejrzyj się tylko – w dzisiejszych czasach dzieci są przeważnie nieposłuszne".

W trzypokojowym mieszkaniu Tatiany zawsze było dużo ludzi. Pierwsze słowa, jakie Wala usłyszała od Tatiany, brzmiały: „Mam pięć córek. Ty będziesz szósta". To sprawiło jej tak wielką przyjemność, że zakochała się w Ilji po raz drugi, zdała sobie bowiem sprawę, że i bez niej miał szczęśliwe życie rodzinne, więc to, że ją wybrał, znaczy, że naprawdę kocha. Nie tylko, że jej potrzebuje. Poza tym jego rodzina żyła w zgodzie i miłości jak jej własna, ale w inny sposób, jakby subtelniej. Z większą kulturą. Mogła go więc kochać jeszcze bardziej, bo dzięki niemu jej życie stało się lepsze.

Ale nie cieszyła się zbyt wielką swobodą. Oczy wszystkich zawsze były na nią zwrócone. Pamięta nawet, że popłakała się kiedyś, gdy była z mężem w łóżku, bo czuła, że nie są sami.

Pewnego wieczoru wyciągnięto album ze zdjęciami i Wala nie mogła przestać myśleć o tym, że w jej rodzinie było inaczej – nigdy nie mieli zdjęć, byli na to za biedni. Poczuła się więc zakłopotana, gdy tak siedzieli przy dużym stole i matka Ilji, Tatiana, poprosiła ją: „Teraz opowiedz mi o sobie". Teściowa dodała też wtedy: „Wiesz, pierwsza żona Iljuszy została wychowana przez macochę".

Wali zrobiło się przykro, dotknęła stopą stopy męża pod stołem, a on w ten sam sposób dał jej znak, który odczytała: „Nie mów jej", więc nie powiedziała. Dopiero dużo później teściowa zapytała ją: „Dlaczego zawsze mówisz tylko o ojcu? Czemu nie opowiadasz nigdy nic o matce?". Wtedy Wala się przyznała, że i ją wychowała macocha.

Do rodziny Prusakowów w Archangielsku należała siostra Ilji, Kławdia, i jej dwoje dzieci – Marina i Pietia, z dwóch różnych związków. U matki mieszkały jeszcze dwie siostry Ilji, Musia i Luba, ale bez wątpienia najważniejszą osobą w domu była córeczka Kławdii, śliczna i bardzo mądra pięcioletnia Marina. Miała wielkie błękitne oczy. Babcia ją po prostu uwielbiała, zakochana po uszy we wnuczce. Marina nie była może dzieckiem nadmiernie rozpieszczonym, ale jednak dość rozpieszczonym. Niewątpliwie wychowywano ją z łagodnością, na którą surowy rodzic by sobie nie pozwolił. Ale Marina budziła sympatię, w szkole dostawała same bardzo dobre stopnie i przepadała za nią cała rodzina.

Nie miała ojca, tylko ojczyma, Aleksandra Miedwiediewa, który z początku traktował ją bardzo dobrze – nawet kiedy już urodziło się jego pierwsze dziecko z Kławdią, synek Pietia.

Co do biologicznego ojca Mariny, Wala nie wie do dziś, co się z nim stało. Zniknął bez śladu w roku 1941, zanim Marina przyszła na świat. Ilja nigdy nie komentował tego zdarzenia. Mówił tylko, że ojciec Mariny to sympatyczny mężczyzna, siostra zaś Ilji Musia, która go raz widziała, twierdziła, że był przystojny, miał ładne oczy, studia inżynierskie i nazywał się Nikołajew. Nikołajew pracował razem z Ilją przy budowie miasta w miejscu, gdzie niegdyś była tylko woda i bagno; dziś jest to miasto Siewierodwińsk, położone mniej więcej pięćdziesiąt kilometrów na północ od Archangielska.

Wala nie wyklucza, że rodzina Prusakowów nie chciała opowiadać o Nikołajewie w obawie przed kompromitacją. Może był żonaty z inną, zrobił tylko Kławdii dziecko i zwiał. Z drugiej strony, wszystko to działo się w czasach stalinowskich, Nikołajew mógł więc zostać aresztowany lub przesiedlony. Wala pamięta, że kiedy była mała, Stalin w jakimś przemówieniu wypowiedział następujące słowa: „Życie stało się lepsze i radośniejsze". Ktoś z tłumu, usłyszawszy to, dorzucił wtedy: „Tak, aż nam się chce płakać z tej radości". Znalazł się za to w więzieniu. To były straszne czasy. Ludzie nauczyli się zatem nie mówić wszystkiego. Jedno jest pewne – Ilja zawsze utrzymywał, że Nikołajew był dobrym człowiekiem.

Oczywiście, Wala nie bardzo się orientowała w tych zawikłanych sprawach. Siedziała w domu, którym zajmowała się razem z teściową. Ani wtedy, ani nigdy później nie była u Ilji w pracy. Pracował w MWD – Ministerstwie Spraw Wewnętrznych – i nigdy nie zmienił zajęcia. Nie wiedziała też dokładnie, na czym polegają jego obowiązki. Było jej wiadomo, że w fabrykach i obozach ludzie odpracowują wyroki. Ilja nigdy nie miał z nimi bezpośredniego kontaktu, kierował raczej sprawami produkcji. Nie zajmował najwyższego stanowiska, ale jego praca wiązała się z odpowiedzialnością i, zdaniem Wali, był z niej zadowolony. W każdym razie nigdy nie wspominał o jej negatywnych stronach.

Pomimo że mieszkali razem z rodziną, w Archangielsku nie było Wali źle, bo mieli z mężem osobny pokój. Wprawdzie nie mogli zachowywać się głośno, ale nietrudno się było do tego przyzwyczaić. Sam na sam bywali tylko latem, ale Wala nie wyczekiwała go z niecierpliwością, bo Ilja nie lubił chodzić na grzyby. Zresztą w lecie okropnie dawały się we znaki komary, nie można więc było pod pretekstem, że idzie się z mężem na grzyby, spędzić paru intymnych godzin na zielonych polanach.

Archangielsk nie był jeszcze wtedy dużym miastem i dróg też nie było tam wiele. Większość nieasfaltowana, co najwyżej wyłożona balami drewna. Dźwina miała taką głębokość, że statki żeglugi wielkiej mogły z Morza Białego wpływać do archangielskiego portu. Ale było o wiele za zimno. Ilja cierpiał na artretyczne zmiany kręgosłupa i powinien mieszkać w cieplejszym klimacie. Dlatego w roku 1951 przeprowadzili się do Mińska – najpierw Ilja, a miesiąc później Wala. Na początku mieli tylko jeden pokój i musieli we wspólnym mieszkaniu dzielić kuchnię z nieznajomą rodziną, ale później, dzięki pracy Ilji, żyło im się lepiej.

Wala nadal nie wiedziała, czym dokładnie zajmuje się jej mąż. Pracował w specjalnym wydziale MWD, powołanym do kontroli produkcji. Biuro Ilji mieściło się teraz w tym samym budynku co KGB, w ogromnym pięciopiętrowym żółtym gmachu, którego front zdobiły kolumny. Był to budynek rządowy w stylu klasycystycznym i przy swych olbrzymich gabarytach miał nieproporcjonalnie małe drzwi; tyle zauważyła Wala.

Ilja należał, rzecz jasna, do partii, ale nigdy nie rozmawiał z Walą na ten temat i nie prosił jej, by też wstąpiła w jej szeregi. Ściślej mówiąc, nigdy nie napomknął o tym ani słowem. Nie był, co prawda, jak to się mówi, radośnie „oddany" partii, ale zachowywał się odpowiedzialnie i lojalnie; regularnie płacił składki i robił to, czego od niego wymagano. Gdyby wszyscy komuniści byli tacy uczciwi jak Ilja, świat wyglądałby inaczej. Wala nigdy nie spotkała uczciwszego człowieka niż jej mąż.

Mińsk nie mógł się Wali nie spodobać. Podczas drugiej wojny światowej został dwukrotnie zniszczony – raz, gdy Niemcy weszli na Białoruś, i drugi, gdy trzy lata później wycofywali się do Polski. Wskutek tego w dziewięćdziesięciu procentach zrównano go z ziemią. Mimo to po wojnie, w roku 1945, władze podjęły decyzję, by odbudować miasto w tym samym miejscu, na ruinach, a nie gdzie indziej, choć to drugie rozwiązanie byłoby łatwiejsze. Do roku 1951, kiedy sprowadzili się tam Wala i Ilja, centrum miasta już całkowicie odbudowano w nowym stylu. Mińsk wyglądał zupełnie inaczej niż przed wojną; wtedy była to zaledwie większa mieścina, składająca się z niezliczonych drewnianych domków, opierających się jeden o drugi, teraz zaś miasto wyglądało okazale. Wzniesiono wiele pięcio- i sześciopiętrowych budynków, często z piaskowca – jak w Leningradzie, wiele kamienic, które wyglądały na stuletnie, oraz wytyczono szerokie aleje. W roku 1951 Mińsk był czysty, po gruzie i ruinach nie zostało ani śladu. Nie brakowało też jedzenia: czarnego i czerwonego kawioru, sera i wielu gatunków kiełbas. Wala i Ilja nie mieli dużo pieniędzy, ale starczało im na życie. Mieszkali blisko centrum, zbudowanego przez niemieckich więźniów, zanim ci odzyskali wolność i wrócili do swojego kraju. Nawet na matce Ilji, która początkowo nie chciała opuścić Archangielska, bo miała tam duże mieszkanie, za które nie musiała wiele płacić, Mińsk zrobił wrażenie. Gdy pomieszkała tam parę miesięcy, oznajmiła, że czuje się jak w niebie. Wkrótce zresztą małżonkowie przeprowadzili się. Zajmowali teraz dwa pokoje, i tak już zostało na długie lata; Tatiana, Wala i Ilja mieszkali tam we troje, dzieląc kuchnię z rodziną sąsiada – prokuratora, który miał troje dzieci. Stosunki sąsiedzkie zawsze układały się im dobrze; gdy się wyprowadzali, sąsiedzi żałowali tego, twierdząc, że drugi raz nie trafią na takich miłych ludzi. Ubikacja była, rzecz jasna, na podwórzu, nieraz trzeba było wychodzić przy temperaturze zero stopni i niższej, ale Wala czuła się silna i zdrowa. Od dzieciństwa była przyzwyczajona do chodzenia boso, ale teraz, gdy wstawała w nocy, Ilja też się budził i prosił ją, żeby włożyła buty. Jako dziecko chodziła na bosaka po śniegu, nie widziała więc potrzeby wkładania obuwia, by przejść trzydzieści metrów do ubikacji.

W tamtym okresie, to jest w latach 1955–1960, Wala wiedziała, że w produkcji, której dozoruje Ilja, są zatrudnieni więźniowie. Mąż nigdy jej o tym nie wspominał, ale czasami, gdy przychodzili do nich na kolację jego koledzy oficerowie, słyszała, o czym rozprawiają, i dowiedziała się, że mają do wykonania plan: ludzie muszą dobrze pracować, a produkcja osiągnąć określone rozmiary. Ale jako mąż i żona nigdy na ten temat nie rozmawiali.

Wala umiała dochować tajemnicy. Gdy się ją poprosiło, żeby czegoś nie powtarzała, zatrzymywała to dla siebie. Pewnego razu, kiedy Ilja był w delegacji, zatelefonował do niej i uprzedził, że przyjdzie jeden z jego kolegów, a Wala ma mu dać klucz od sejfu.

Wkrótce potem ktoś zapukał do drzwi. Był to mężczyzna w cywilnym ubraniu. Poprosił ją o klucz od sejfu. Przyszło jej wtedy do głowy, że ktoś mógł podsłuchać, jak rozmawiała przez telefon, poprosiła więc gościa, by pokazał jej dowód tożsamości. Dopiero gdy obejrzała dokument, dała mężczyźnie klucz.

Później tamten człowiek opowiadał Ilji: „Ale masz żonę! Kazała mi się wylegitymować!". Wala nie wiedziała, co jej mąż trzyma w sejfie, ale gdy kazał jej coś zrobić, robiła to jak należy.

Wala odwiedziła Leningrad tylko jeden jedyny raz; Marina miała wtedy jedenaście czy dwanaście lat. Kławdia mieszkała tam w jednym pokoju razem z mężem, Aleksandrem Miedwiediewem, i trojgiem dzieci. Gdy przyjechała Tatiana z Ilją i Walą, trudno było w ósemkę pomieścić się w ciasnym pokoiku. Tym trudniej, że matka Aleksandra Miedwiediewa nie lubiła Kławdii i nie podobało jej się to, że syn ożenił się z kobietą, która ma już dziecko z innym. Ta jego matka to była zresztą mądra kobieta, ale gruba i wredna, prawdziwa jędza. Sytuacja Mariny zupełnie się teraz zmieniła – dziewczynka już nie była oczkiem w głowie całej rodziny.

Aleksander dobrze traktował i Kławdię, i jej córkę, ale żyło im się niełatwo. Kławdia cierpiała na zaawansowany reumatyzm; Ilja powiedział kiedyś Wali, że siostra jest bardzo chora. Jednak stosunek ojczyma do Mariny zmieniał się, w miarę jak dorastały jego własne dzieci. Zaczął ją często karać, a ich stosunki jeszcze się pogorszyły, gdy umarła Kławdia, tuż przed szesnastymi urodzinami Mariny.

Dwa lata później Marina napisała list do Wali i Ilji. Pisała, że nie może już z ojczymem wytrzymać, i pytała, czy może przyjechać do Mińska i zamieszkać z nimi.

Wala wcale się tym nie ucieszyła. Nie okazywała tego, ale była już trochę zmęczona rodziną Ilji – przez te wszystkie lata często ktoś u nich mieszkał. Matka męża nawet zmarła u nich w domu. Przez ostatnie dziesięć miesięcy jej życia Wala opiekowała się teściową z takim poświęceniem, że przed śmiercią Tatiana powiedziała: „Żyłam tak długo tylko dzięki tobie, Walu". Ilja był głową dużej rodziny i Wala to zaakceptowała, chociaż miała poczucie, że dla niej ma czas tylko w łóżku.

Gdy jednak ujrzała Marinę na dworcu z jedną jedyną walizką, zrobiło jej się dziewczyny żal. Marina wyraźnie się cieszyła, że może zamieszkać w Mińsku. Była nieśmiała i – przez jakiś czas – bardzo posłuszna. Ot, po prostu sympatyczna osiemnastolatka. Miała naturalnie czerwone wargi, nigdy nie malowała ich szminką. Była przystojna, choć rzadko się uśmiechała – jeden z jej przednich zębów był nieco wysunięty do przodu. Wszystko by było dobrze, gdyby Wala nie musiała na stałe gościć w domu tego kolejnego członka rodziny męża.

Marina nie miała oczywiście pojęcia o pracach domowych. Gdy się ją o coś prosiło, starała się spełnić prośbę. Ale gotować nie umiała. Prała swoje rzeczy, ale to też robiła bardzo nieumiejętnie. Później, gdy dostała pracę w przyszpitalnej aptece, odpowiednią do jej leningradzkiego wykształcenia, zwykle wracała do domu zmęczona, więc nie obarczano jej żadnymi obowiązkami. Wolny czas mogła spędzać, chodząc do kina, do teatru, na tańce. Wala przecież nie pracowała zawodowo, zajmowała się domem. Od czasu do czasu zresztą Marina myła podłogi, czasami zmywała naczynia, a kiedy jadła sama, nigdy nie zostawiała po sobie brudnych talerzy. No i miała pracę. Farmaceuci byli potrzebni, a ona lubiła swoje zajęcie. Powtarzała więc Wali i Ilji, że będzie ich leczyć, bo miała wtedy dostęp do leków.

Jedyny problem, którego obawiała się Wala, stanowili chłopcy. Co prawda, Marina była wobec nich bardzo krytyczna: gdy tylko któryś powiedział coś nie tak czy ofiarował jej zbyt tani prezent, szedł w odstawkę. Marina opowiadała Wali, że w Leningradzie przestała się spotykać z pewnym mężczyzną, bo kupował jej tanie słodycze. Oczywiście tak wybredny gust był niezwykły u kogoś o jej pozycji. Dziewczyny takie jak Marina, z wykształceniem jedynie zawodowym, nie były tak poważane jak studentki uniwersytetu czy Instytutu Języków Obcych, zwykle nie miały więc szans na poważny związek z absolwentami najlepszych uczelni. Ale Marinie podobali się tylko ludzie wykształceni.

Wala nie pamięta, żeby Marina kiedykolwiek umówiła się z kimś przeciętnym. Miała wielu znajomych chłopaków – studentów, i razem z przyjaciółką Łarisą bywała u nich na przyjęciach. Całe swoje zarobki wydawała na stroje. Wala i Ilja nie oczekiwali zresztą, by płaciła coś na swoje utrzymanie. Czasami, gdy potrzebowała pieniędzy na kino czy teatr, zamiast kupować ubrania, sama je sobie szyła.

Była bardzo pracowita. Lubiła szyć i haftować. Ze starych futer Wali robiła sobie kapelusze.

Dużo także czytała, szczególnie Theodore'a Dreisera, który był wówczas w Związku Radzieckim popularny i którego uwielbiała. W ich mieszkaniu były zresztą setki książek, bo Ilja kupował komplety dzieł zebranych słynnych rosyjskich autorów. Wala czytała Czechowa, Tołstoja, Dostojewskiego, Turgieniewa, Gogola, Puszkina i Lermontowa. Ale Marina wolała od nich Dreisera. Takich pisarzy jak Czechow czytała z obowiązku w szkole.

Ogólnie rzecz biorąc, Wala nie żałowała, że Marina z nimi zamieszkała. Nie przeszkadzało jej to, że dziewczyna nie dokłada się do wydatków na życie, ponieważ gdy przyjechała, była tak biedna, że nie miała nawet bielizny, a zarabiała niewiele. Potrzebowała wszystkiego – butów, pończoch, odzieży – a Wala litowała się nad Mariną z powodu jej ciężkich przeżyć. Marina mówiła nawet Wali, że ją kocha. Że Wala jest pierwszą kobietą, która traktuje ją po ludzku i pozostawia jej tak dużą swobodę; a Wala też ją kochała i współczuła jej.

Ilja był znacznie surowszy. Martwił się, gdy Marina późno wracała do domu. Nie układało się między nimi najlepiej także dlatego, że Marina miała cięty język. Ilja lubił jednak jednego z jej adoratorów – Saszę, studenta medycyny, bardzo dobrze ułożonego młodego człowieka; nawet pijał z nim kawę. No i sprzeczki Mariny z Ilją nie zdarzały się znowu tak często, bo też dziewczyna wcale nie tak często wracała późno. Nie wtedy, kiedy on był w domu. Dłuższe wyjścia odkładała na czas, gdy Ilja wyjeżdżał w delegację i Wala zostawała sama. Marina opowiedziała jej, że kiedy w Leningradzie wracała późno, ojczym nie wpuszczał jej do domu i musiała spać na schodach. Wala rozpłakała się, gdy to usłyszała.

Zawsze ją dziwiło, dlaczego Marina nie poprosiła którejś z ciotek albo Ilji, żeby ją przygarnęli zaraz po śmierci Kławdii, kiedy ojczym tak źle ją traktował. „Czemu siedziała w Leningradzie tak długo, jeszcze dwa lata?" – zastanawiała się.

Gdy Marina wreszcie do nich przyjechała, nie umiała ukryć zazdrości. „Macie tutaj jak w raju" – powtarzała. Wala nigdy nie rozumiała tych zachwytów, bo za nią nikt niczego nie robił. Jeśli rzeczywiście było tak cudownie, jak twierdziła Marina, to tylko dzięki jej, Wali, ciężkiej pracy.

Marina właściwie nie sprawiała im kłopotu. Pokój zawsze utrzymywała w porządku, nie było też nigdy problemu z łazienką (która teraz już znajdowała się w mieszkaniu). Wala nie powiedziała jej też nigdy złego słowa z powodu późnych powrotów, bo miała do niej zaufanie. Dziewczyna odwdzięczała jej się zwierzeniami. Wala wiedziała więc zawsze, który chłopiec się Marinie podoba, a do którego jest nastawiona krytycznie.

Dlatego też Wali żal było Saszy, kiedy Marina źle się do niego odnosiła. Wala nie mogła znieść niegrzecznego zachowania wobec innych ludzi. I przecież Sasza zawsze przychodził z kwiatami i był dla Mariny taki miły. A ona tak go traktowała!

Sasza był tak zakochany w Marinie, że Ilja i Wala zaczęli go nazywać „zięciem". Któregoś dnia Wali zrobiło się go żal i powiedziała mu, że jeśli chce się z Mariną ożenić, musi zrozumieć, że w Leningradzie żyło jej się bardzo ciężko. Sasza odpowiedział na to: „Wcale mnie to nie interesuje".

Marina wróciła akurat wtedy do domu, usłyszała fragment ich rozmowy, wywołała Walę do kuchni i powiedziała, że wcale jej się to nie podoba. Potem oświadczyła Saszy, że nie chce go więcej widzieć.

Wala była tym przygnębiona, ale rozumiała, że mieszkając z ojczymem Marina przyzwyczaiła się rządzić własną osobą. Wala uważała, że nikt nie może mieć wpływu na postępowanie dziewczyny, bo jest ona przyzwyczajona do podejmowania ważnych decyzji bez pomocy ojca i matki. Wiedziała na przykład, że Marina pali. W Leningradzie ktoś poczęstował ją cienkimi, damskimi papierosami w ładnym opakowaniu. Wala o tym, że Marina pali, dowiedziała się od sąsiadki, która kiedyś widziała ją w restauracji. Marina miała szczęście, że wuj Ilja był wtedy w innym mieście. Walę bolał akurat ząb, zwróciła się więc do Mariny: „Wzięłam lekarstwo i wcale mi nie pomogło. Wciąż mnie boli. Daj mi papierosa". Marinę zamurowało. Po chwili odpowiedziała: „Nie mam papierosów". A Wala na to: „Nie kłam, dziecko. Masz w torebce, przynieś".

Marina zapytała: „Przeszukiwałaś moje rzeczy?". Wala odparła: „Wiem, że palisz, proszę cię więc o papierosa, bo boli mnie ząb. Nikotyna uśmierza ból". A gdy Marina dała jej papierosa, Wala powiedziała: „Radzę ci, rzuć to. Bo jak nie, to wuj Ilja się dowie".

Ale Wala wiedziała, że Marina jej nie posłucha. Lubiła palić. To był taki zachodni akcent, coś podniecającego. Jak włoskie kino. Marina po prostu uwielbiała filmy Felliniego.

Te filmy dawały jej do myślenia. Kiedyś nawet powiedziała Wali, że jej zdaniem, nie są z Ilją dobraną parą; oficerowie zawsze się żenią z kobietami wykształconymi. Wala do dziś to pamięta; głęboko ją uraziły te słowa.

Wala była mężowi wierna, a Marina nie mogła zrozumieć dlaczego. Chciała, żeby Wala wdała się w romans. Nawet ją do tego namawiała. Skoro nie mogła mieć dziecka z Ilją, to dlaczego nie chce spróbować z kimś innym? Czemu ma przez niego cierpieć? Zapewniała też, że gdyby przyszedł do Wali mężczyzna, ona usiadłaby przy drzwiach i pilnowała, czy Ilja nie nadchodzi. „Mogłabyś mieć romans i potem urodzić dziecko" – powiedziała. Wala odparła: „Nie, nie mogę. Gdyby Ilja się o tym dowiedział, toby mnie zabił". Ilja oczywiście bywał czasami surowy wobec Mariny, co dziewczynie naturalnie się nie podobało. Obraza jej osoby nikomu nie uchodziła na sucho. Pewnego razu Wala i Marina chciały kisić ogórki i dla dodania im aromatu potrzebowały liści czarnej porzeczki. Poszły więc pod teatr, gdzie rosły różne kwiaty oraz krzewy porzeczkowe, i zaczęły obrywać liście. Opiekunka skweru zwróciła im ostro uwagę mówiąc: „Jak śmiecie niszczyć krzewy? Nie wiecie, po co tu rosną? Że posadzono je dla ozdoby i że ma się nimi cieszyć całe miasto? A wy przychodzicie i niszczycie takie piękne rośliny". Marina odpowiedziała jej: „Wiesz, babciu, co chcemy zrobić? Zakisić ogórki. Chodź z nami, to dostaniesz trochę. Co ty tu właściwie robisz? Bo my nie robimy nic złego". Gdyby nie było z nią Mariny, Wala pewnie musiałaby zapłacić karę, ale Marina zawsze umiała bronić swoich decyzji i miała poczucie, że to, co robi, jest słuszne.

Któregoś dnia w marcu 1961 roku Ilja był gdzieś w delegacji i Marina wybrała się na tańce do Pałacu Związków Zawodowych; wróciła późno, obudziła Walę i wyszeptała jej do ucha: „Walu, wstawaj. Pokaż się z jak najlepszej strony, bo przyprowadziłam Amerykanina. Przyprowadziłam ci Amerykanina. Zrób dobrą kawę". Była cała w skowronkach i dodała jeszcze: „Chciałabym, żebyś się zachowywała jak dama".

Wala oczywiście trochę się wystraszyła. Gdyby Marina przekroczyła próg tego domu w towarzystwie Amerykanina dziesięć lat wcześniej, za życia Stalina, wszyscy troje trafiliby do więzienia. Teraz, w roku 1961, nastroje były już inne – miejsce Stalina zajął Chruszczow. Wala pamięta, że dlatego zbytnio się nie przejęła, wstała i zaparzyła kawę. Ten Amerykanin był miły, bardzo miły i schludnie ubrany. Nazywał się Alik, bo – jak się dowiedziała później – nikt nie umiał wymówić imienia Lee, żeby nie brzmiało to jak po chińsku: Li. Dopiero po jakimś czasie poznała nazwisko gościa w pełnym brzmieniu: Lee Harvey Oswald.

2

Zięciulek

Sasza Piskalew miał latem 1958 roku siedemnaście lat. Nie zdał egzaminu wstępnego na mińską Akademię Medyczną za pierwszym podejściem i był to dla niego potężny cios. Od dziecka marzył o tym, żeby zostać lekarzem. W dzieciństwie dużo chorował, dlatego od zawsze kochał i szanował ludzi w białych fartuchach i podobało mu się to, że przychodzili do niego, leczyli jego i innych. Człowiek, który potrafi chorych przywracać do zdrowia, to musi być nie byle kto. Zatem po oblaniu egzaminów postarał się o pracę asystenta w laboratorium profesora Bondarina. Bondarin był dla niego dobry. Mimo młodego wieku Saszy zawsze zwracał się do niego jak do dorosłego, imieniem i imieniem ojcowskim – Sasza Nikołajewicz, w skrócie Sanicz. W roku 1960 Sasza dostał się wreszcie na medyczne studia wieczorowe; w dzień nadal pracował u profesora Bondarina.

Zaprzyjaźnił się też z bratankiem profesora, Konstantinem Bondarinem. Kostia kończył jeszcze szkołę, gdy Sasza pracował, równocześnie jednak zdali egzamin na studia. Kostia miał też kolegę, który nazywał się Jurij Mierieżyński i był jedynym synem pary wysoko cenionych naukowców. Sasza nie bardzo miał czas zadawać się z dziećmi elity, które nie miały obowiązków – sam przecież musiał jednocześnie pracować i studiować – ale chodzili razem na niektóre zajęcia i niekiedy razem też spędzali czas po zajęciach.

Mniej więcej w tym czasie Sasza poznał Marinę – no i tak się zaczęło. Była od niego starsza o miesiąc czy dwa i bardziej doświadczona. Całkowicie go zafascynowała. Szybko oszalał na punkcie dziewczyny. Grał jej na pianinie, chodzili razem do kina i słuchali muzyki symfonicznej. Oboje najbardziej lubili Czajkowskiego. Miesiąc po tym, jak się poznali, Marina przedstawiła go swojej rodzinie – został zaproszony do jej wujostwa, którzy zajmowali trzypokojowe mieszkanie w pobliżu opery. Wala poczęstowała go herbatą i ciastkami. Sasza Marinę uwielbiał, ale nie rozmawiał z nią o małżeństwie, mimo że jej krewni szybko zaczęli mówić o nim „zięciulek". Sasza i Marina nie byli zaręczeni, ale wszyscy wiedzieli, że na to się zanosi. Sasza ochoczo się uczył i pracował, bo była w jego życiu Marina.

Żył od randki do randki. Dzięki temu łatwo przychodziła mu praca i nauka. Gdy odwiedzał Marinę w domu, jej ciotka stawiała na stole kanapki i ciastka i albo oglądała z nimi telewizję, albo zostawiała ich samych, żeby mogli posiedzieć sobie razem i się całować. Nic poza tym. Ta ciotka wydawała się prostą kobietą, ale pierwsze wrażenie okazało się mylne – była bardzo oczytana; zdaniem Saszy, wewnętrznie była znacznie bogatsza niż można było się spodziewać po jej wyglądzie.

Gdy Sasza spotykał się z Mariną, jego koledzy Jurij i Kostia umawiali się z coraz to innymi dziewczynami. Sasza sądzi, że śmiali się z jego poważnego podejścia; czasami z niego drwili, może próbowali też droczyć się z Mariną. Ale czuł, że mu zazdroszczą, bo ona była ze wszystkich najładniejsza. Nie sądzi, by kiedykolwiek drażnili się z nią na serio, bo Marina miała silny charakter i jeśli ktoś zachowywał się w nieodpowiedni sposób, mówiła mu po prostu: „Odczep się!". Nie odczuwał nigdy, że przyjaciele chcą mu Marinę odbić. Widzieli, że jest w niej po uszy zakochany, a sami, rzecz jasna, nie byli zakochani w nikim. Ale bardzo rzadko zabierał Marinę na spotkania z kolegami, bo nie chciał się nią z nikim dzielić. Może nawet trochę się bał, gdy była w ich towarzystwie.

Gdy spotykał się na mieście z Kostią i Jurijem, to pił, ale się nie upijał, i opowiadał trochę o Marinie, ale nie mówił o niej źle. Nigdy. To, co mu mówiła, zachowywał w sercu. Ale po prostu lubił ją chwalić, tak bardzo był w niej zakochany.

Poznał Marinę na którejś z zabaw studenckich w Instytucie Medycznym. Poprosił ją do tańca, potem jeszcze raz, a później zapytał, czy może ją odprowadzić do domu. Ona tańczyła bardzo dobrze, a on słabo, ale przy niej czuł się lepszym tancerzem niż przy innych, co było niezwykłe. Nie należał do osób, które interesują się salami balowymi. Tańczyć nauczył się sam; nie chodził na żadne kursy. Przez pierwszych parę minut czuł się więc trochę niezręcznie, potem jednak ona zaczęła prowadzić i jakby tchnęła w niego nowe życie. Mogli się wtedy poczuć ze sobą swobodniej. Nie był wysoki, ale wyższy od niej, nawet gdy miała buty na wysokich obcasach.

Było to latem 1960 roku, gdy miał dziewiętnaście lat. Inne dziewczyny odtąd dla niego nie istniały. Spotykali się z Mariną raz w tygodniu, spacerowali i rozmawiali o tym, gdzie pójdą następnym razem, na jaką operę czy przedstawienie, koncert czy balet. Oboje najbardziej lubili *Dziadka do orzechów*.

Za wszystko płacili po połowie. Rozumiała, że on jest studentem, a ona już zarabia. Raz więc on kupował bilety, a raz ona. Sasza pamięta, że bilety kosztowały w tamtych czasach koło jednego czy półtora rubla; choć mogli oszczędzać kupując miejsca na galeriach, to jednak zwykle decydowali się na pierwsze rzędy. Były drogie. Średnia dniówka robotnika wynosiła wtedy dwa ruble.

Saszę oczarowało zachowanie Mariny. Była inna niż pozostałe dziewczęta. Nawet maniery miała inne, no i ubierała się ze smakiem. W mieszkaniu, które zajmowała z ciotką i wujem, były wysokie sufity, duże pokoje i przyzwoity korytarz. Przypomina sobie, że gdy pierwszy raz do niej przyszedł, był onieśmielony, ale wyszła ciocia Wala, zaprosiła go do salonu i łatwo mu się z nią rozmawiało. Okazała się bardzo towarzyska.

Gdy wreszcie poprosił Marinę o rękę, powiedziała mu: „Poczekajmy trochę". Ale on był już gotów do żeniaczki. Nocami pracował jako pielęgniarz na oddziale intensywnej terapii i zarabiał około 150 rubli miesięcznie, więcej niż lekarz. Dlatego nie mógł się widywać z Mariną co wieczór – ciężko pracował po to, żeby móc miło spędzać z nią czas, a potem założyć dom. Mogli wynająć gdzieś jakiś kąt. Wala powiedziała, że mogą zamieszkać z nią, ale on koniecznie chciał mieć własne lokum.

Zwykle odprowadzał Marinę do domu po filmie czy koncercie i zostawał jakieś piętnaście, dwadzieścia minut. Pamięta, że mąż Wali, Ilja, podczas pierwszego spotkania wydał mu się przerażający. Był wysoki, szczupły, miał długi nos. Pułkownik Prusakow. Ale gdy otworzył usta, okazał się całkiem sympatyczny. W pierwszej chwili jednak Sasza poczuł się mały i trochę się bał. Wiedział przecież, gdzie pułkownik pracuje, a organy bezpieczeństwa budziły w nim lęk. Wydawało mu się, że mianem organów określa się zarówno KGB, jak i MWD, ale właściwie nie odróżniał jednego od drugiego. A ten wuj Ilja był taki wysoki i ascetyczny. Chyba wyczuł strach Saszy, bo gdy zaczął z nim rozmawiać, okazał się życzliwy i nie mówił tonem oskarżycielskim, tylko normalnym ludzkim głosem. Sasza odniósł wrażenie, że i wuj, i ciotka są dla Mariny bardzo dobrzy. Oczywiście, Ilji często nie było w domu, ale w jakimś sensie wyczuwało się jego obecność.

Kiedy Sasza przychodził po Marinę, by gdzieś z nią wieczorem wyjść, Wala mówiła: „Sasza, ale nie dłużej niż do jedenastej". Prusakowowie byli dla Mariny zupełnie jak matka i ojciec. Z początku Sasza nawet myślał, że to jej rodzice.

Prawie w ogóle nie wiedział, czym się zajmuje Ilja. Skąd tak młody człowiek mógł mieć pojęcie o tym, co się dzieje w organach? Wiedział tylko, że to coś, przed czym należy czuć respekt, i że Ilja ma wysoki stopień – na jego epoletach błyszczały gwiazdy. Na początku zresztą nie tylko Ilja budził w nim strach, trochę też onieśmielała go Marina. Dopiero potem, kiedy lepiej poznał Ilję, spotykał się z Mariną bez obaw. Prawdę mówiąc, wcale nie chciał wiedzieć, czym się Ilja zajmuje – było mu wszystko jedno, czy pilnuje więźniów, czy zarządza fabryką.

Raz zapytał o to Marinę, a ona powiedziała, że „lepiej nie wiedzieć". W owych czasach dla kogoś takiego jak Sasza KGB i MWD to było jedno i to samo – wielka czarna dziura.

Czasami Marina usiłowała opowiedzieć mu coś o swojej przeszłości, ale on zawsze jej przerywał. Nie interesowało go to. Później chciała z nim o tym rozmawiać jej ciotka, Sasza jednak uważał wdawanie się w tego rodzaju rozmowy za niegodne. Teraz jest zdania, że Wala chciała, by poznał historię Mariny, bo się bała, że jeśli on usłyszy ją od kogoś innego, może go to zranić.

Pamięta, że kiedyś przyszedł do Mariny do domu, bo nie zjawiła się na randce. Wala zaparzyła herbatę i zaczęli rozmawiać. Mariny nie było w domu. Wala opowiedziała mu o Leningradzie i o życiu, jakie Marina tam prowadziła, na co Sasza odparł, że go to nie interesuje, a w przyszłości chciałby się z nią ożenić. Nie obchodzi go to, co było kiedyś. Wtedy do domu weszła Marina i Wala oznajmiła jej: „Opowiedziałam Saszy wszystko". Marina, jak gdyby się tego spodziewała, zaczęła się odnosić się do Saszy bardzo chłodno. Najwyraźniej starała się od niego odsunąć. On uważa, że bała się jego reakcji. Przychodził do niej do pracy, wstępował do domu, ale ona go unikała. Marina lubiła kwiaty, a że jego matka miała duży ogród, nosił dziewczynie bukiety aż do jesieni. Ale ona nie chciała go widzieć. Wyczekiwał na nią pod apteką, aż kiedyś wreszcie złapał ją w drodze z pracy do domu, a ona zgodziła się, by jej potowarzyszył. Był mroźny zimowy wieczór. Poszli do małego parku koło opery. Ona oświadczyła mu, że miała bardzo ciężkie życie, że jest nikim, że do niczego się nie nadaje. „Nie jestem taka, jak myślisz. Nie jestem aniołem – powiedziała. – Ani odpowiednią dla ciebie dziewczyną". Potem dodała: „Musisz zniknąć z mojego życia".

Odniósł wrażenie, że ona chce się przed nim poniżyć, dlatego powtórzył: „Nie interesuje mnie twoja przeszłość – interesuje mnie tylko nasza teraźniejszość i nasza przyszłość". Teraz dopuszcza myśl, że po prostu chciała się go pozbyć, sądzi jednak, że nie spotykała się wtedy z nikim, kogo znał. Gdy usiłowała opowiedzieć mu o Leningradzie, nie mogła opanować emocji, płakała. A on wciąż powtarzał: „Jesteś dla mnie najważniejsza, zawsze będziesz. Nie chcę wiedzieć, co ci się kiedyś przytrafiło. Teraz jesteś moim życiem i zawsze będziemy ze sobą szczęśliwi".

Uspokoiła się. Później tamtego wieczoru całowali się i Marina powiedziała: „Nie jestem ciebie warta. Jestem zła". Ale on odpowiedział: „Kocham cię właśnie taką, jaka jesteś".

I tyle. Znów byli razem. Sasza wrócił do domu. Miał bardzo surową matkę i musiał wracać o określonej porze, lecz w cieplejsze wieczory Marina czasami odprowadzała go aż do drzwi, a potem on ją, i w ten sposób miło spędzali godzinkę czy dwie, wzajemnie się odprowadzając.

Szczęście, które zaczęło się dla Saszy latem 1960 roku, trwało – z tą jedną jedyną przerwą – do marca roku 1961, kiedy to odbył się bal studencki, urządzony przez Instytut Medyczny w Pałacu Związków Zawodowych. Sasza oczywiście zaprosił Marinę, był tam też Kostia Bondarin i Jurij Mierieżyński i – jak Sasza sobie przypomina – Jurij przyprowadził Amerykanina Alika. Kiedy wszyscy tańczyli, Alik poprosił Marinę. Sasza też z nią tańczył – zresztą wielu mężczyzn prosiło ją do tańca, a on nie zwracał na to specjalnej uwagi. Tańczyła i tyle. Lecz w ciągu następnych paru tygodni Marina zaczęła się od niego oddalać. Kiedy dzwonił, Wala mówiła, że jej nie ma. A kiedy przychodził do Mariny do apteki, znów starała się go unikać. Wiedział więc, że coś jest nie w porządku. Jak to się mówi w Mińsku, „przebiegł między nimi czarny kot". Wkrótce okazało się, że Saszę spotkał zawód miłosny. To był koniec. Jego życie i marzenia zawaliły się jak domek z kart. Do dziś go to boli.

Odgania ręką pozostałości uczucia, jak gdyby ten stary smutek, który ma już trzydzieści lat, znów mógł napełnić mu oczy łzami i odebrać mowę. „Już dobrze – mówi. – Przestaliśmy się spotykać, a jakiś miesiąc czy dwa miesiące później ktoś mnie zapytał: «Sasza, słyszałeś, że Marina wychodzi za tego Amerykanina?»".

Nie potrafił wyrzucić Mariny z serca. Za każdym razem, kiedy musiał coś kupić w jej aptece, wodził za nią oczami, gdy przechodziła. Nie płakał, ale czuł się tak, jakby w jego duszy siedział kocur i drapał ją pazurami.

3

Białe noce

Teraz, mając nieco ponad pięćdziesiąt lat, Marina wspomina swoją babkę jako snobkę. Nie wie, jakie Tatiana miała pochodzenie – możliwe, że chłopskie, jak właściwie wszyscy – ale była snobką. Może dlatego, że wyszła za mąż lepiej niż jej wiejskie krewne, za kapitana żeglugi wielkiej. Była kobietą silną. Jej postać jest w pamięci Mariny nawet wyraźniejsza niż postać matki. Babcia zawsze ładnie pachniała, czystością i świeżością. Była bardzo pruderyjna i przekonana o słuszności swoich opinii. A Marina była przecież dzieckiem kobiety niezamężnej, córki Tatiany – Kławdii. Tatiana nigdy jednak nie wyparła się ani córki, ani wnuczki.

Mieszkali wszyscy razem w Archangielsku. Marinę ciekawi, czy nadal jest to takie ładne drewniane miasto, jakie zachowała w pamięci. Ale, naturalnie, dziecku podoba się wszystko, choćby było nie wiem jak szkaradne. Dzieci lepiej też zapamiętują zapachy – są małe, dlatego łatwiej dochodzą do nich wonie kwiatów i ziół. Marina pamięta, że gdy poznała swojego ojczyma, Aleksandra Miedwiediewa, akurat bawiła się w parku. Podszedł wtedy do niej i powiedział: „Cześć. Jestem twoim tatusiem". Było to tuż po zakończeniu wojny w 1945 roku. Marina wciąż pamięta, jacy ludzie byli wtedy szczęśliwi i jaka sama była szczęśliwa.

Ale po wojnie miewała koszmary. Pamięta jeszcze, że dom babci był bardzo porządny. Gdy Marina miała pięć lat, nie cierpiała chodzić sama do ubikacji, dlatego że Bóg wszystko widzi. „Wstydziłam się. Gdyby tak Pan Bóg zobaczył, że robię siusiu – to przecież nieładnie". Kiedy ktoś przy niej przeklinał, starała się zasłaniać uszy, które ją paliły od brzydkich słów. Nigdy też nie umiała się zmusić do ich powtórzenia.

Babcia była religijna. Dla małej Mariny wszystko, co dobre, wiązało się z babcią, a cała reszta wydawała się sprawką diabła. Komsomoł i partia komunistyczna – bzdury.

Babcia powtarzała często: „Jak zechcę mieć w domu ikonę, to będę ją miała. Mogą nawet przyjść i mnie aresztować".

Babcia zawsze była dla Mariny najlepsza. Opowiadała jej bajki i kończyła je morałem. Uczyła ją prawdomówności. „To mi chyba pomaga żyć – twierdzi teraz Marina. – Nie żebym zawsze mówiła prawdę, ale źle się czuję, kłamiąc. I łatwo można mnie na łgarstwie przyłapać. Szybko się zdradzam".

Gdy zdarzało się dziewczynie nie posłuchać babci, za karę nie wolno jej było przez kilka dni wychodzić z domu. Matka Mariny nigdy nie odważyła się w takich wypadkach wtrącać.

Marina nie pamięta już, kiedy się dowiedziała, że Miedwiediew nie jest jej ojcem, tylko ojczymem. Wie tylko, że nie powiedziała jej tego matka. Któraś z koleżanek Mariny podsłuchała kiedyś rozmowę jej matki z babcią. Gdy powtórzyła Marinie treść rozmowy, ta zapytała matkę, czy to prawda. W odpowiedzi usłyszała tylko: „Teraz nie chcę o tym mówić. Porozmawiamy później". Marina twierdzi: „Chyba wszystkim się zdaje, że starsze dziecko lepiej potrafi to zrozumieć, ale ja czułam się oszukana i buntowałam się przeciwko matce. Karałam ją. Kochałam, ale specjalnie sprawiałam jej przykrość. Poddawałam ją próbom: jak daleko mogę się posunąć, żeby przekonać się o jej miłości? Mówiła mi: «Jak dorośniesz, wszystko ci wytłumaczę, na razie jesteś za mała». Wtedy uważałam, że to, co zrobiła, jest nieprzyzwoite, wręcz obrzydliwe".

Po śmierci matki Marina znalazła papiery, z których wynikało, że jej matka szukała Nikołajewa. Gdy zmarł Stalin, ogłoszono amnestię, więc Kławdia pisała do władz, szukała prawdziwego ojca córki. Marina pamięta, że chciała matkę ukarać nawet na łożu śmierci. Przynosiła do szpitala nieprzyjemne wieści od matki ojczyma, Jewdokii. Teściowa nie lubiła Kławdii. Nieraz kazała jej nawet przekazać, że Aleksander ugania się za spódniczkami – choć nigdy tego nie robił. Kłamała, ale Marina o tym nie wiedziała – myślała, że Jewdokia ma jakieś dowody. Oczywiście, pojmowała też, że jej matkę to zaboli. Powiedziała wtedy: „Cóż, tata pewnie spotyka się z kimś zdrowszym niż ty".

Wówczas matka się rozpłakała i rzekła: „Nie martw się, Marina, to już niedługo. Okaże się, kto nas naprawdę kochał". Tak właśnie powiedziała. „Miłość i nienawiść – mówi Marina – czasami trudno od siebie odróżnić. Nie nienawidziłam matki, pragnęłam, żeby mnie kochała. Nie chciałam się nią z nikim dzielić. Byłam zaborcza, tak to można ująć. A Jewdokia – okrutna. Była tak zła, że wiedziała, iż jej słowa najbardziej dotkną moją matkę, kiedy ja je wypowiem. Sam pan wie, jakie są nastolatki".

Po śmierci matki Marina nie godziła się na wracanie do domu o porze, którą wyznaczył jej ojczym. Czuła, że on potrzebuje kobiety, a ona jest mu tylko zawadą. Nie wie, czy to prawda, ale właśnie tak wtedy czuła. Gdy wracała późno, ojczym nie wpuszczał jej do mieszkania. Jednak tak strasznie rozpaczał po stracie jej matki, że nie uważała go za człowieka naprawdę bezdusznego. Dziś patrzy na niego innymi oczyma. „Teraz, kiedy mam pięćdziesiąt dwa lata, wczuwam się w rolę mojej matki. Po jej śmierci nie dawało mi spokoju to, co jej powiedziałam w szpitalu. Byli z ojczymem dla siebie czuli jak dwa gołąbki, a we mnie budziło to zazdrość". Była świadkiem zbyt wielu poufałych rozmów i gestów rodziców. Za każdym razem, gdy słyszała jęk sprężyn materaca, zakrywała uszy poduszkami. Nie umiała myśleć o swojej matce jak o kobiecie, dopóki sama nie została matką. Do tego czasu nie wiedziała, że kobiety mogą mieć takie potrzeby. Jak matka mogła pozwolić mężowi na zbliżenie, kiedy nie byli sami w pokoju? Co z tego, że światło było zgaszone. Marina nie była zażenowana ze względu na siebie, ale spała z nimi babcia i dziewczynka myślała: „A jeśli ona to słyszy?". Ponieważ wszyscy mieszkali w tym jednym pokoju, Marina uważała, że to, co rodzice robią, jest okropne, i wstydziła się za matkę. Zupełnie jak psy, jakby nie mogli poczekać. Nie zdarzało to się znowu tak często, ale...

Później, gdy Kławdia chorowała, Marina podsłuchała, jak matka Aleksandra mówiła mu: „No i po coś się żenił z taką? Mogłeś sobie wziąć zdrową kobitę. Po co się z nią tak cackasz?". Marina często myślała, że jeśli jej matka wyszła za Aleksandra w tym celu, by dać dziecku nazwisko, to niezbyt dobrze trafiła. Jej córka wciąż nazywała się Marina Prusakowa. Aleksander nigdy jej nie zaadoptował. Był to kolejny cios.

Po śmierci matki Marina nie miała w domu do kogo wracać. Może i była wolna, ale czuła się jak niewolnica. Nie wiedziała, co z tą wolnością robić.

Miała w sąsiedztwie koleżankę Irinę. Nie cieszyła się ona dobrą opinią i Marina o tym wiedziała, ale mimo to ją lubiła. Irina miała nieślubną córkę i pracowała na jej utrzymanie. Mężczyzna Iriny nie chciał się z nią ożenić. Mówił, że nie jest pewien, czy dziecko jest jego. Irina była młodą dziewczyną i świata poza tym człowiekiem nie widziała; gdy ten zobaczył, że jej córeczka jest do niego bardzo podobna, zmienił zdanie i gotów był się z Iriną ożenić. Wtedy jednak Irina powiedziała: „Nie, dziękuję. Zostałam zbyt mocno upokorzona". Dlatego mimo iż wszyscy powtarzali Marinie: „Nie zadawaj się z tą dziewczyną, to nic dobrego", i tak spotykała się z nią z dala od domu, gdzie mogły swobodnie rozmawiać. O jej podwójnym życiu dowiedziała się od niej samej: „Tak, od dziewiątej do piątej siedzę w pracy, ale wieczorami stroję się i sypiam z mężczyznami, głównie lekarzami i prawnikami. Płacą mi. Idę do łóżka z każdym chętnym, bo w ten sposób mogę zarobić na moją córeczkę. Tak bardzo ją kocham". Marina pomyślała sobie wtedy: „Co za oddana matka". Miała wówczas niecałe siedemnaście lat; Kławdia nie żyła już od roku.

Był kwiecień, jeszcze dwóch miesięcy brakowało do białych nocy, kiedy to nawet koło północy jest tak jasno, jak o zmierzchu. Marina wracała z rówieśnikami z wyprawy za miasto. Czekał na nią telegram – w Mińsku miał się odbyć pogrzeb jej babci, a ona nie miała pieniędzy na bilet. Był to dla niej cios w samo serce. Wszystko, co kochała, odeszło wraz ze śmiercią jej matki, a teraz, rok później, zabrakło też babci. Pomyślała o Irinie, która poświęciła swoją reputację dla dobra córki.

Pewnego razu, gdy była z Iriną w mieście, zrobiło się późno. Wiedziała, że jeśli wróci do domu po jedenastej, ojczym jej nie wpuści. Irina rzuciła: „Poznałam chłopaków, piłkarzy, którzy dopiero co przyjechali z Witebska. Przywieźli świeże owoce. Chodźmy do nich i napijmy się czegoś". Marina powiedziała, że nie będzie miała gdzie spać, bo ojczym nie otworzy jej drzwi od mieszkania. Któryś z piłkarzy to usłyszał i powiedział: „Tu jest dużo miejsca, możesz zostać, nie ma sprawy". Pomyślała więc, że posiedzi z nimi do rana i wtedy dopiero pojedzie do domu. W końcu ile można spać na klatce schodowej.

Ale ledwo zdążyła się rozebrać i położyć do łóżka w osobnym pokoju, otworzyły się drzwi, wszedł facet, cały goły, i rzucił się na nią. Walczyła z nim, mimo że był silny i wysportowany, i wreszcie wyskoczyła z łóżka i podbiegła do otwartego okna. Świecił księżyc, a ona, cała roztrzęsiona, stanęła przy oknie na czwartym piętrze i powiedziała: „Jeśli zbliżysz się o krok, wyskoczę". Naprawdę była gotowa raczej skoczyć z czwartego piętra niż ulec temu mężczyźnie. Możliwe, że krzyczała, bo zaraz zjawiła się reszta drużyny i wywlokła napastnika z sypialni. Marina cała się trzęsła, a oni ją uspokajali: „Nie przejmuj się, nic ci się nie stanie".

Kiedy zdarzało jej się wieczorem spóźnić tylko o pięć czy dziesięć minut, Aleksander otwierał jej drzwi; jeśli zaś więcej – nie miała ochoty wysłuchiwać jego chrzanienia. Na klatce spała może dziesięć razy. Miała nadzieję, że nie zobaczy jej tam sprzątaczka; rodzinie przyniosłoby wstyd, że tak źle Marinę traktują. Te noce po prostu przesiedziała na schodach – nie mogła spać. Albo szła do Iriny.

To było lato przyjemnego leniuchowania – do czasu rozmowy z matką Iriny. Pracowała ona w lombardzie i Marina, która nie miała co robić, czasami przesiadywała u niej całymi dniami. Przychodzili młodzi chłopcy, dawali coś w zastaw i flirtowali z nią, a ona czasami się z którymś umawiała, szła do restauracji, jadła posiłek, który jej fundowano, potem wracała do Iriny i spała z nią w jednym łóżku. To się ciągnęło przez – sama już nie wie – miesiąc? Może dwa tygodnie? A może dwa miesiące? Nieważne. Któregoś dnia matka Iriny wzięła Marinę do kuchni i powiedziała: „Mój mąż zginął na wojnie i zostałam sama z dwójką dzieci. Musiałam pracować, żeby na nie zarobić. Nie przeszkadza mi to, że trochę u nas pomieszkasz; wiem, że masz ciężką sytuację w domu. Ale żebyś tak miała dłużej jeść przy moim stole i mnie wykorzystywać – co to, to nie. Znajdź sobie jakąś pracę. Jesteś tu mile widziana, ale nie jako wieczny gość".

Marina zrobiła się czerwona jak burak – kobieta miała rację. Przeprosiła i nigdy więcej nie została w tym domu na noc.

To była terapia wstrząsowa, lecz matka Iriny naprawdę wyświadczyła jej przysługę. Było to tuż po tym, jak Marina została wyrzucona ze szkoły farmaceutycznej. Opuściła zbyt dużo zajęć. Poza tym nie czuła się dobrze. Podejrzewała, że to niedobór witamin czy coś w tym rodzaju. Miała półpasiec; do dziś ma na głowie i na całym ciele blizny po dużych krostach. Musiała chodzić do kliniki, zwanej Lecznicą Chorób Zakaźnych i Wenerycznych. Gdy czekała w kolejkach po lekarstwo, słyszała, jak ludzie szepczą: „Taka młoda!", i zrozumiała, że myślą, iż zaraziła się chorobą weneryczną. Prawda była taka, że naświetlano ją lampami i dawano zastrzyki glukozy i witamin. Była straszliwie niedożywiona. Nic miała żadnej choroby wenerycznej, skąd, nigdy w życiu, ale bolało ją, że ludzie tak myślą.

Ponad rok wcześniej, zanim jeszcze zaczęły się jej poważne problemy z ojczymem, zakochała się w pewnym chłopcu. Miała szesnaście lat i przyjechała do Mińska na wakacje – dwa lata wcześniej, nim przeprowadziła się tam na stałe. Poznała chłopca, który nazywał się Władimir Kruglow. Ponieważ z powodu upału wszystkie okna w mieszkaniu Wali były pootwierane na oścież, Marina słyszała, jak piętro wyżej Władimir gra na gitarze. Wiedziała od Wali, że czuje się w Mińsku samotny. Był od niej starszy, studiował na uniwersytecie leningradzkim, lecz ponieważ w kółko grał na gitarze, Marina wyobraziła sobie, że to serenady dla niej. No i się zakochała.

Któregoś wieczoru wybrała się z Władimirem do kina; kiedy wyszli, na dworze lało jak z cebra i Władimir powiedział, że ma kolegę, który mieszka niedaleko. Poszli więc do niego, wytarli się do sucha ręcznikami, usiedli obok siebie i wtedy po raz pierwszy Marina się całowała. Po raz pierwszy w życiu. Rozpłakała się. Miała dopiero szesnaście lat. Władimir zapytał: „Co się dzieje?". Marina odpowiedziała: „Wołodia, nikt mnie wcześniej nic całował". On na to: „Gdybym wiedział, nigdy bym tego nie zrobił. Skąd mogłem wiedzieć, że tak zareagujesz?". Ale ona była zakochana, zostali więc jeszcze jakiś czas, choć Marina śmiertelnie się bała. Następnego dnia wcześnie rano, koło piątej, wyszła się przejść i mówiła sobie, że nigdy już nie umyje sobie twarzy, bo musi na zawsze zachować ten pierwszy pocałunek.

Gdy po wakacjach wróciła do Leningradu, nie układało jej się najlepiej. Wróciła do szkoły farmaceutycznej, lecz ojczym już pomału zaczął ją izolować. Przy stole przypadały jej same okrawki. Dostawała trochę pieniędzy od babci, niewielkie kieszonkowe do podziału z młodszym bratem i siostrą, ale teraz, kiedy była głodna i jadała obiady na mieście przez dwa lub trzy dni z rzędu, zostawała na długo bez grosza. Musiała znaleźć jakieś wyjście. Po tej okropnej leningradzkiej zimie dużo zaczęło się dziać. Nastała ładna wiosna i szalone lato. Marina wciąż pamięta, że jedna z nocy, którą spędziła z Edim, mężczyzną dwa razy od niej starszym, skończyła się dopiero rano. Zeszli ze statku i zobaczyli puste ulice, na których widać było tylko sprzątaczy; słońce było już wysoko; wszystko lśniło. Oboje byli w świetnych nastrojach, bo w piękną białą noc popłynęli aż do Zatoki Fińskiej. Przez cały czas przygrywała muzyka, można się było wytańczyć i trochę poprzytulać.

Gdy mijali targ, Edi powiedział: „Mam ochotę kupić ci kwiaty", i wybrał bukiet, a potem skakali przez kałuże. To ich miasto było takie wesołe. Nagle zobaczyła ojczyma. Szedł prosto na nich, więc szybko schowała się w bramie najbliższej kamienicy.

Powiedziała Ediemu, że gdyby ojciec ją zobaczył, pewnie pomyślałby sobie różne rzeczy. Skąd mógłby wiedzieć, że to było prawie zupełnie niewinne? Tylko się całowali i pieścili, nic poza tym. Ale wstydziła się tego, czego ojczym by się domyślał. Pewnie wziąłby ją za dziwkę. Przez te kwiaty. No i przez to, że była w towarzystwie mężczyzny tak wcześnie rano.

Wróciła do domu i chciała się położyć spać, lecz do pokoju wszedł Aleksander ze słowami: „Ty jeszcze w łóżku? Wstawaj!". A potem: „Wynoś się stąd!". I nazwał ją dziwką. Wtedy już miała pewność, że jednak widział ją z Edim. Dodał: „Nie chcę cię więcej widzieć w moim domu. Nie chcę cię znać". Ona odparła: „Nie możesz mnie wyrzucić". On na to: „Masz krewnych w Mińsku. Jedź do nich". Marina powiedziała: „Nie chcę stąd wyjeżdżać. Poskarżę się na milicji, że jesteś okrutny i bezduszny i każesz mi opuścić dom wbrew mojej woli". Na co usłyszała: „Świetnie, idź na milicję, a powiem ci, kim naprawdę był twój ojciec".

W tym momencie ojczym opanował się i wyszedł. Na tym się skończyło. Nigdy nie dowiedziała się niczego więcej o swoim prawdziwym ojcu.

Nadal widywała się z Edim, który pracował w studiu filmowym w Leningradzie. Był Gruzinem, miał wąsy i ciemną karnację. Lubiła go. Nie umawiali się codziennie, spotykała się też z innymi, ale z nikim na serio. Była bardzo wybredna.

Oczywiście, zdarzali się wśród nich prości chłopcy, którzy zapraszali ją na kolację i których potem udawało jej się pozbyć. Była zadowolona, że może coś zjeść. Wręcz podekscytowana. Czuła jednak, że kiedyś wpadnie przez to w kłopoty. Najpierw zjeść z mężczyzną kolację, a potem trzymać go na dystans – to wcale nie takie proste. Mimo wszystko wciąż pozostawała dziewicą. Myślała, że doczeka się swojego księcia, hołdów i kwiatów. Niestety. Byli to zwyczajni prostacy.

Edi Dżuganian wydawał się naprawdę miły. Któregoś dnia poszła do niego do mieszkania, żeby zostawić mu wiadomość. Gdy się o niego dowiadywała, ktoś zapytał: „Czy to ten, co ma małego synka?". Okazało się, że jest żonaty i mieszka w Leningradzie razem z żoną. Marina nie wiedziała, jak się żonie tłumaczył – może mówił, że po całych nocach kręci film. A może był tego lata wolny, bo wysłał żonę z synkiem na daczę i miał cały czas dla siebie. Bawił się nią. Napisała do niego pełen oburzenia list i nie chciała go więcej widzieć.

Po tym wszystkim była zbyt rozbita, by iść do pracy. Sypiała wtedy u Iriny. Któregoś wieczoru poszły razem na randkę z afgańskim klientem Iriny, który zwabił Marinę do swojego pokoju hotelowego. Powiedział, że idzie tam tylko na chwilę, może chciałaby z nim wejść i coś przekąsić, podczas gdy on będzie się przebierał. I zgwałcił ją. Wziął Marinę siłą – tak straciła dziewictwo. Kiedy było już po wszystkim, powiedział: „Nie wiedziałem, że jesteś dziewicą. Chcę forsę z powrotem". W ten sposób dowiedziała się, że zapłacił Irinie z góry. Kiedy od niego wyszła, Irina zapytała: „A coś ty myślała? Że będziesz wiecznie się mnie trzymać i żyć na mój koszt, nie dając nic w zamian?". Wtedy właśnie porozmawiała z nią poważnie matka Iriny.

Marina czuła się kobietą upadłą. Tamtego lata spotykała się też jednak z chłopcami, którzy zapraszali ją na pikniki, na biwaki w podleningradzkich lasach ze wspólnymi śpiewami przy ognisku. Śpiewali przez całe białe noce. Niektórzy muzycy brali ze sobą prostytutki, ale ona trzymała się z porządnymi młodymi ludźmi. Którejś nocy na pikniku odbyła się nawet orgia, ale ona siedziała i rozmawiała z tymi porządnymi, a rano wszyscy razem wykąpali się w jeziorze. Całowała się, to wszystko. Spędzała tak całe soboty i niedziele, a gdy wracała do domu, myślała o zmarłej babci i o tym, że przed jej śmiercią nawet do niej nie pisała, bo wstydziła się tego, jak żyje; dostawała od niej przecież kieszonkowe i nawet za to nie dziękowała. Nie mogłaby spojrzeć Tatianie w oczy, nawet poprzez słowa listu. Zawiodła babcię. To było straszne. Czuła się jak dziwka, bo naciągała mężczyzn na kolacje. Teraz na dodatek przez głupotę straciła dziewictwo z tym Afgańczykiem i nie miała pracy; zresztą nie chciała pracować – chciała się bawić. Za nic nie pozwoliłaby, żeby babcia to wiedziała. Nie była godna jej miłości. Babcia umarła, a ona nie mogła nawet pojechać na pogrzeb. Patrzyła na siebie w lustrze i zadawała sobie pytanie: „Co ja ze sobą zrobiłam?".

Gdy więc matka Iriny wytknęła jej życie na cudzy koszt, Marina zdecydowała, że musi wziąć się w garść. Znalazła sobie pracę w szkolnej stołówce. Wycierała tam stoły i zamiatała podłogę. Któregoś dnia, gdy sprzątała, do stołówki wpadło trzech czy czterech spóźnionych chłopców. Popatrzyli na nią – byli od niej młodsi, jeszcze dzieciaki, ale w ładnych mundurkach, tacy rozpieszczeni synalkowie bogatych rodziców – i któryś z nich powiedział: „Zobaczcie, taka ładna dziewczyna, a trzyma miotłę". Nie mogła przestać o tym myśleć. Była dla tych chłopców pośmiewiskiem. Jej przeznaczeniem nie było zamiatanie podłóg. Zmieniła więc pracę – poszła do innej szkoły, której dyrektor ją polubił i zainteresował się nią. Załatwił jej pracę w aptece i Marina znów zapisała się do szkoły wieczorowej dla farmaceutów. Nie mogła uwierzyć, że aż tyle się wydarzyło podczas tej wiosny i lata; ale teraz nadszedł okres spokoju, a także jej ostatnia zima w Leningradzie. Pracowała, uczyła się i dużo czasu spędzała z Olegiem Tarusinem, niezwykle miłym chłopcem, i jego rodziną. Uważa, że byłaby dla niego dobrą żoną, tyle że bardziej lubiła jego rodziców niż jego samego. Podobał jej się, rzecz jasna, ale nie wyobraża sobie, by mogła oszaleć na jego punkcie. Rodzice Olega ją pokochali, traktowali jak córkę, której nigdy nie mieli. Po raz pierwszy od śmierci matki Marina poczuła się kochana i czas – w porównaniu z poprzednim latem – płynął jej spokojnie. A jednak gdy skończyła szkołę, zaczęła się zastanawiać nad wyjazdem do Mińska. Małżeństwo z Olegiem byłoby pójściem na łatwiznę, poza tym uważała, że nie może zostać w Leningradzie, gdzie wspomnienia kłuły ją jak rozżarzone ostrza. Ponadto Edi, z którym się wciąż spotykała, doradzał jej wyjazd. Mówił, że Marina zbyt łatwo się zakochuje i że jeśli zostanie, narobi sobie poważnych kłopotów. Mniej więcej w tym czasie usiłował ją zgwałcić pewien piłkarz. Wróciła do domu o dziewiątej rano, pożyczyła brakujące jej do biletu dziesięć rubli, spakowała się w jedną torbę i pojechała, by zamieszkać z Walą i Ilją. Uznała, że Edi ma rację. Leningrad nie był dla niej właściwym miejscem.

Część II

Oswald w Moskwic

1

Piękna mowa Szekspira

Z dziennika Oswalda:

<u>16 października 1959</u>

Przyjechałem z Helsinek pociągiem; powitał mnie przedstawiciel Inturistu i zawiózł autem do hotelu „Berlin". Zameldowałem się jako student, który wykupił luksusowy pięciodniowy pobyt turystyczny. Poznałem moją pilotkę Rimmę Szyrakową. (Wyjaśniłem jej, że chcę się ubiegać o obywatelstwo radzieckie).

Rimma uwielbiała mówić po angielsku. Teraz przychodzi jej to z trudnością, fakt, ale gdybyśmy chcieli, moglibyśmy przeprowadzić ten wywiad co do słowa po angielsku. Rimma mówi, że dla Rosjan rok 1957 był prawdziwie ekscytujący. Po długich przygotowaniach w Moskwie zorganizowano wtedy festiwal, który miał służyć nawiązaniu stosunków między obcokrajowcami a Rosjanami. Było to, jak nam wyjaśniła, najistotniejsze z wydarzeń prowadzących do zmian w Związku Radzieckim. W roku 1957 Rimma miała dwadzieścia lat, była studentką moskiewskiego Instytutu Języków Obcych, poznawała wielu nowych ludzi, rozmawiała z cudzoziemcami i uczyła dzieci angielskiego.

W tamtym roku panowała atmosfera swobody. Młodzi ludzie ze Związku Radzieckiego i innych krajów razem spędzali czas. Młodzież za granicą dowiedziała się o tym i chciała odwiedzać Kraj Rad. Dlatego w roku 1959 powołano do życia Inturist, który miał się zajmować wizami i obsługą wycieczek. Instytucja potrzebowała wielu pilotów i przewodników – i tak Rimma tam trafiła.

Na samym początku nowi pracownicy chodzili na kursy, gdzie uczono ich, jak mają dobrze wykonywać swoją pracę. Polegało to na przyswajaniu sobie odpowiednich, niezbędnych dla przewodnika wiadomości. Rimma na przykład zdawała egzamin z oprowadzania po kremlowskim skarbcu. Było to w czerwcu 1959 roku i ci, którzy ów egzamin zdali, już w lipcu zostali przyjęci do pracy; większość stanowili jej koledzy i koleżanki ze studiów w Instytucie Języków Obcych.

We wrześniu prawie wszyscy zostali – by posłużyć się językiem, jeśli chodzi o wyrazistość, godnym Szekspira – wywaleni z roboty. Do pracy na stałe zaangażowano tylko takich jak Rimma, którzy wykazali się znakomitą pamięcią.

Jesienią i zimą 1959 roku przyjechało niewielu turystów, lecz ogólnie rzecz biorąc, w ciągu całego roku przewinęło się całkiem sporo Amerykanów; w sierpniu na przykład przybyła delegacja biznesmenów. Pod opiekę Rimmy dostało się siedemnastu „chłopaków" (w ten sposób o sobie mówili). Byli to gubernatorzy z siedemnastu południowych stanów USA, siedemnastu ważnych facetów, z których każdy miał aparat fotograficzny. Rosjanie w tamtych czasach nie umieli sobie wyobrazić Amerykanina bez aparatu fotograficznego.

Rimma zaś była wówczas ładną, smukłą blondynką. Oprócz angielskiego, znała też arabski i kiedyś towarzyszyła delegacji wysokich urzędników ze Zjednoczonych Emiratów Arabskich. Byli z niej zadowoleni ci ministrowie, naprawdę ważne osobistości, wszyscy co do jednego, i powtarzali jej, że jest bardzo dobra w tym, co robi.

Pod koniec pobytu zabrała ich wieczorem do Teatru Wielkiego. Przedstawienie skończyło się o jedenastej i dla Rimmy był to najwyższy czas, by wracać do domu. Dla tamtych Arabów właściwie też. Lecz oni nagle zaczęli ją wypytywać, gdzie mogliby jeszcze pójść. Była zaszokowana. „Jak to? – zapytała. – Wieczór się skończył. Trzeba iść spać". Ale oni zaczęli mówić coś o tym, że może są jakieś restauracje (chodziło im o nocne lokale ze striptizem). Ofuknęła ich: „Jesteście panowie nieprzyzwoici. Pokazywaliście mi zdjęcia żon i dzieci, macie takie wspaniałe żony, a chcecie się zabawiać z kobietami – powinniście się wstydzić!". Co z tego, że byli dygnitarzami – Rimma dalej ich beształa, mówiąc: „U nas nie ma czegoś takiego. Co sobie panowie myślą o moim kraju i o mnie?".

Następnego dnia rano żaden z nich słowem się do niej nie odezwał. Nie powiedzieli nawet „dzień dobry". Przełożony udzielił jej nagany: „Jak śmieliście? Czy wiecie, z jakimi ludźmi macie do czynienia?". Co miała powiedzieć? Nie leżało w jej charakterze pobłażanie takim sprawom. Była młoda i bardzo atrakcyjna, choć szpecił ją trochę pieprzyk na nosie wielkości gumki na końcu ołówka. Pamięta nawet, jak taki pieprzyk nazywa się po angielsku – *wen*.

Do jej codziennych obowiązków należało meldowanie się co rano w centralnej administracji hotelu „National". Tam przewodnicy dostawali listę turystów przybywających do Moskwy. Kiedyś, w październiku 1959 roku, dokładnie 16 października, Rimma poznała nazwisko mężczyzny, którego miała oprowadzać po Moskwie przez pięć dni. Gdy go po raz pierwszy zobaczyła, była zdumiona. Nie dość że luksusowo podróżował, to i całą wycieczkę wykupił w wersji de luxe. A na to stać tylko bogaczy. Prawdziwych bogaczy! W końcu kto może sobie pozwolić, by przyjechać na pięć dni do Moskwy i przez cały ten czas żyć na najwyższej stopie? Spodziewała się więc kogoś zupełnie innego, jakiegoś dżentelmena, podobnego może trochę do tamtych siedemnastu amerykańskich gubernatorów, chociaż nawet oni nie wybrali wersji de luxe, tylko pierwszą klasę. De luxe oznaczało dwa pokoje na osobę, cały apartament. To naturalne zatem, że spodziewała się nietuzinkowego człowieka w średnim wieku. Amerykańskiego dandysa!

Gdy jednak stawiła się na umówione spotkanie w holu hotelu „Berlin", zastała tam tylko szczupłego chłopca średniego wzrostu, w krótkim granatowym płaszczu wojskowym i ciężkich wojskowych butach na grubej podeszwie. W zupełnie zwyczajnych butach. Według jej wyobrażenia ktoś, kto podróżował de luxe, nie mógł tak wyglądać, po prostu nie mógł! A ten chłopiec był na dodatek blady, okropnie blady. Można powiedzieć, że wyglądał na przygnębionego i zdenerwowanego – tak, na zdenerwowanego, nawet bardzo. Nie był spokojny ani opanowany.

Przedstawiła się i powiedziała mu pokrótce, co zaplanowała na czas jego pobytu. Inturist zwykle układał programy dla wycieczek, lecz ten chłopiec był sam, wszystko więc miało odbywać się indywidualnie. Zaproponowała mu zwiedzanie miasta. Mówił spokojnie, ale na początku, jak gdyby dzieliła ich ściana. Nie znał ani słowa po rosyjsku, dlatego Rimma chciała rozmawiać z nim po angielsku o załatwieniu biletów do tego czy tamtego teatru i przedstawiła mu listę wartych zobaczenia zabytków, on jednak nie wykazywał najmniejszego zainteresowania wycieczkami. Pierwszego dnia pojechali samochodem marki Volvo z kierowcą na objazd Moskwy i zatrzymywali się w różnych miejscach. Ostatnim przystankiem był Plac Czerwony, lecz przez całe półtorej godziny inicjatywa pozostawała w rękach Rimmy. Gość nie przerywał jej opowieści o historii miasta; nie zadawał żadnych pytań. Dość nietypowe jak na turystę.

Po porannej przejażdżce wrócił do hotelu „Berlin" i zjadł samotnie posiłek. Rimma powiedziała, że przyjdzie po niego później. Po południu chciała mu pokazać Kreml. Dostrzegła w tym chłopcu coś takiego... może trochę dziwnego, ale był miły, uprzejmy i zachowywał się coraz naturalniej.

Rimma była jedynaczką i rodowitą moskwianką, co napełniało ją prawdziwą dumą. Urodziła się w Moskwie, podobnie jak jej matka, dziadek i dalsi przodkowie. Nie mogła się więc doczekać, by pokazać temu chłopcu swoje miasto. Może następnego dnia wybierze się z nim do Galerii Trietiakowskiej i opowie o obrazach. Lecz po południu tego pierwszego dnia on zaczął mówić o sobie, ostatecznie więc nie poszli na Kreml. Wolał porozmawiać.

Oczywiście nie poszła do jego apartamentu – tego by nigdy nie zrobiła, nie było to zresztą dozwolone. Wyszli na miasto, a że było ciepło, usiedli gdzieś na ławce i on powtórzył: „Jeśli nie ma pani nic przeciwko temu, wolałbym dzisiaj niczego nie zwiedzać". Takie zachowanie nie kłóciło się z regulaminem Inturistu, było dopuszczalne, lecz zwykle patrzono na nie niezbyt przychylnym okiem.

Na początek powiedział parę słów o sobie: że pochodzi z Teksasu, że służył w oddziałach desantowych w piechocie morskiej i postanowił wybrać się do Związku Radzieckiego i zobaczyć, jak tu jest. Czytał bowiem, jak jej powiedział, że ludziom żyje się tutaj dobrze, pożytecznie i spokojnie.

W owym okresie Rimma była wielką patriotką, naprawdę wielką, całym sercem więc zgadzała się z tym, co mówił. Powiedziała mu: „Oczywiście, że nasz kraj jest najlepszy na świecie, więc słusznie pan zrobił, że tu przyjechał". Miała też wrażenie, że chłopak stara się do niej zbliżyć, bo ona jest osobą, z której można wyciągnąć wiele informacji na temat, jak się żyje w Związku Radzieckim. Cieszyła się, że jej kraj mu się podoba, ale nigdy w życiu by się nie spodziewała, że powie coś takiego.

Zaczął od wygłoszenia opinii, że wojna jest zła, bo ginie wielu niewinnych ludzi. Im dłużej rozmawiali, tym bardziej się stawał przyjacielski i zrozumiała, że chce jej opowiedzieć jak najwięcej o tym, jaki jest jego punkt widzenia.

Potem powiedział, że ma taki plan, aby nie wracać do USA, że powrót tam nie miałby sensu. Już miał wszystko poukładane w głowie. Chciał zostać. Podał powody. Wydały jej się rozsądne. Poinformował Rimmę, że jego matka ponownie wyszła za mąż i założyła nową rodzinę, dlatego on już jej nie interesuje. Nikogo tam nie interesuje. A gdy odbywał służbę na Dalekim Wschodzie, napatrzył się na ogromne cierpienie i śmierć wielu ludzi, za co wini Stany Zjednoczone. Jak twierdził, jego ojczyzna wywołuje niesprawiedliwe wojny, w których on nie zamierza uczestniczyć. Z tego, co mówił, odniosła wrażenie, że brał udział w walce, że bił się w obronie swojego kraju – z całą pewnością starał się wywrzeć takie wrażenie, a ona mu wierzyła i współczuła, przyznawała rację. Co prawda, wydawało się jej nadzwyczaj dziwne, że tak mówi, ale była pewna, że ma rację. Powiedziała mu więc, że podziela jego zdanie, że na świecie nie powinno być niesprawiedliwych wojen i że zabijanie ludzi jest wbrew naturze. On powtórzył, że chce zostać w ZSRR. Że odpowiada to jego poglądom politycznym.

Rimma była zdziwiona, wręcz zaszokowana. Ta sytuacja wykraczała daleko poza codzienną rutynę. Na szkoleniach o czymś takim nawet nie wspominano. Pomogła chłopakowi napisać list do władz radzieckich i nadała go na poczcie. On zresztą nie nalegał, by to zrobiła – postąpiła zgodnie z własną wolą. Później jednak, gdy rozmawiała o tym ze swoją szefową, ta nie była zadowolona. Powiedziała: „No i coś ty zrobiła? Przyjechał przecież do nas jako turysta. Niech pozostanie turystą".

Rimma była dość przybita, bo uważała, że szefowa wybiera najłatwiejsze wyjście. Panowała wszechwładna biurokracja. Oczywiście, że tak. Ale Rimma dobrze znała swoich rodaków. W większości byli powolni. Nie chciało im się nic robić. Mówili: „Praca nie zając, nie ucieknie, po co mam się spieszyć?". Takie nastawienie zdecydowanie przeważało. Lecz Rimma nie traciła nadziei, że jej szefowa skontaktuje się z kimś wyżej postawionym i że tam, na górze będą wiedzieli, co robić.

Mówię jej [Rimmie], że chcę się ubiegać o obywatelstwo radzieckie. Jest zdumiona, ale zgadza się pomóc. Zwraca się do szefa biura Inturist, potem pomaga mi napisać do władz radzieckich list z prośbą o przyznanie obywatelstwa.

2

Idiota

Aleksander Simczenko był kierownikiem OWIR-u – wydziału paszportowo-wizowego. Kilkadziesiąt lat po sprawie, pamiętając jeszcze trochę angielski, opowiadał nam: „Mogę panom szczerze powiedzieć, że wtedy wszyscy pracownicy Inturistu byli pod obserwacją i kontrolą naszego KGB. Gdyby KGB chciał znać czyjąś opinię o Iksie, którego oprowadzaliśmy po Moskwie, nie można było powiedzieć: «Nie chcę o tym mówić». Nawet jeśli się danego turystę lubiło, trzeba było przedstawić swoją opinię o nim. Gdy dzwonili oficerowie z KGB, przedstawiali się tylko imieniem i patronimikiem, nigdy nie podawali nazwiska. Na przykład: «Tu Giennadij Pietrowicz. Interesuje nas taki to a taki»".

Aleksander rozumiał to, rzecz jasna. Uczono ich wtedy, że większość obcokrajowców to szpiedzy. Musiał więc akceptować pewne wymagania, które mu stawiano – wiązały się one z jego stanowiskiem. O ile dobrze pamięta, nigdy się nie zdarzyło, żeby jego raport był nieścisły. Dokładnie referował Giennadijowi Pietrowiczowi swoje opinie na temat poszczególnych osób. Raporty składał telefonicznie.

Aleksander był wówczas członkiem partii, lecz teraz może się przyznać, że bał się do niej wstąpić, mimo iż zdawał sobie sprawę, że dla jego przyszłości to konieczne. Bał się, bo myślał, że w podaniu będzie musiał napisać, iż podczas pierwszej wojny światowej jego ojciec był carskim oficerem. Mimo iż nie wstąpił do białej armii po rewolucji bolszewickiej, przeprowadził się wraz z rodziną na wieś, z której pochodził, i pomagał w założeniu tam kołchozu, nie udało mu się uniknąć aresztowania. Aresztowano go w roku 1930. Został wprawdzie dość szybko zwolniony, lecz Aleksander mimo wszystko się bał. Gdy więc jako student czwartego roku Instytutu Języków Obcych został zagadnięty przez funkcjonariusza służby bezpieczeństwa, który oświadczył mu: „Musisz wstąpić do partii", Aleksander poradził się ojca, jak ma wypełnić formularz. Ojciec odparł: „Zanim się urodziłeś w 1925 roku, byłem chłopem. Napisz więc, że jestem chłopem, a nie oficerem". Aleksander czuł jednak, że balansuje na krawędzi przepaści. Stalin nie żył dopiero od kilku lat. Ale okazało się, że ojciec miał rację. Aleksander został przyjęty do partii i mógł się dalej kształcić na wydziale filologicznym Uniwersytetu Moskiewskiego. Po ukończeniu studiów miał problemy finansowe, ale przeczytał gdzieś, że Inturist przyjął właśnie pierwszą grupę zagranicznych turystów. Zgłosił się więc natychmiast i został trzynastym tłumaczem biura. W październiku 1959 roku był już dyrektorem oddziału amerykańsko-kanadyjskiego OWIR-u i zwierzchnikiem około trzydziestu osób.

Aleksander miał już pewne doświadczenie w postępowaniu z obcokrajowcami, którzy chcieli się ubiegać o obywatelstwo radzieckie. Dziewięćdziesiąt dziewięć procent z nich to byli ludzie z zaburzeniami psychiki. Pamięta, że pewnego dnia zadzwonił do niego z Placu Czerwonego milicjant i oznajmił: „Mamy tu obywatelkę amerykańską, która rozdaje ulotki przed mauzoleum Lenina", na co Aleksander powiedział, żeby przyprowadzili ją do niego do biura i przynieśli również ulotki. Był na nich tekst wydrukowany po rosyjsku: „Drodzy obywatele radzieccy, pomóżcie mi uzyskać radzieckie obywatelstwo". Aleksander powiedział wówczas Amerykance, że musi się zwrócić z tą prośbą do radzieckiej ambasady w Waszyngtonie, na co ta odparła: „Już się do nich zwracałam, ale powiedzieli mi: «Proszę jechać do Związku Radzieckiego, tam pomoże pani Inturist»". Aleksander wyjaśnił jej, że Inturist zajmuje się tylko turystami, którzy zachowują się jak turyści. Pozostałym zawsze doradza się powrót i zgłoszenie do ambasady Związku Radzieckiego w ich własnym kraju. Gdy nalegają, że chcą swe sprawy załatwić w Moskwie, kieruje się ich do Prezydium Dumy, mieszczącego się w sąsiednim budynku, a stamtąd odsyłani są z powrotem do Inturistu. Z kolei w ambasadzie Związku Radzieckiego w Waszyngtonie petenci słyszą zawsze: „Proszę udać się do Moskwy w charakterze turysty i na miejscu zwrócić się o pomoc do Inturistu".

Oczywiście Aleksander często słyszał od pracowników KGB o takich przypadkach. Ale nigdy nie spotkał osobiście oficera KGB; zawsze był to tylko głos w słuchawce. Jeżeli nie dzwonił sam Giennadij Pietrowicz, to jeden z jego zastępców, który mówił: „Nie znam was, ale Giennadij Pietrowicz polecił mi zadzwonić…". Po takim wstępie rozmowa toczyła się dalej. Aleksander słuchał uważnie i starał się być pomocny.

Z nazwiskiem Lee Harvey Oswald zetknął się po raz pierwszy, kiedy otrzymał telefoniczną informację, że pewien młody Amerykanin stara się o uzyskanie obywatelstwa radzieckiego. Gdy usłyszał, że Amerykanin ma na imię Lee, pomyślał: „To chińskie imię; może jest z pochodzenia Chińczykiem". Ale zaraz się zreflektował: „Oswald – to nie brzmi po chińsku". Zatem nie zdziwił się, gdy do jego gabinetu wszedł młody człowiek w towarzystwie dwóch ładnych dziewcząt z Inturistu, Rimmy i Rozy. Wyglądał na zupełnie przeciętnego Amerykanina.

Był miły, uśmiechnięty, starał się wywrzeć dobre wrażenie i rzeczywiście takowe wywarł. Uśmiechał się. Był ubrany w krótką czarną budrysówkę, robiony na drutach golf, na szyi miał srebrny łańcuszek z blaszką, na której wygrawerowane było jego imię, a na palcu pierścionek z oczkiem. Sprawa była niecodzienna, dlatego Aleksander bał się za długo z nim rozmawiać, zamienił z Amerykaninem tylko parę słów i uprzejmie poprosił go, żeby wyszedł. Wcale nie miał ochoty telefonować do kogoś na górze i prosić o pomoc, bo zapytaliby tylko: „Po co w ogóle dzwonicie w takiej sprawie?".

Tak było wiele lat później, kiedy do Moskwy po raz pierwszy przyjechał szef sieci restauracji McDonalda i oświadczył Aleksandrowi, że chciałby otworzyć filie restauracji w całym Związku Radzieckim. Kiedy Aleksander zadzwonił do odpowiedniego wydziału Rady Miejskiej, usłyszał: „Co? Co wy wyprawiacie? Chcecie stracić pracę? Po co w ogóle dzwonicie do nas w takiej sprawie?". Dlatego właśnie w sprawach nietypowych Aleksander wolał wstrzymać się od telefonowania do kogokolwiek.

Zapytał Oswalda, co to za imię Lee, i Amerykanin odpowiedział: „Pewnie na cześć dziadków. A może to imię irlandzkie". Potem Aleksander pomyślał, że Oswald brzmi podobnie do hiszpańskiego Osvaldo, zapytał więc „Habla espanol?", na co Oswald odpowiedział: „Nie, nie". Oświadczył, że chce zostać w Związku Radzieckim, ponieważ czuje sympatię do tego kraju; czytał Lenina, Stalina, gazety i czasopisma. Aleksander pomyślał, że wiedza Amerykanina na temat ZSRR może nie być dogłębna; pewnie coś tam czytał, ale niezbyt wnikliwie. Odpowiedział mu więc: „Nie możemy nic dla pana zrobić". Wtedy trudno było uzyskać zgodę na przedłużenie pobytu; wszystko musiało być uzgadniane z dużym wyprzedzeniem przez biuro podróży. Inturist nie mógł nic załatwić od ręki. Aleksander znał wiele przypadków, kiedy ludzie chcieli przedłużyć pobyt, lecz nie można było zapewnić im wyżywienia, rozrywek, biletów do teatrów, czy na balet, zwiedzania i wycieczek – należało to wszystko załatwić z odpowiednim urzędem dużo wcześniej. Poza tym Aleksander wiedział, że gdyby jakiś wysoki urzędnik chciał, by Oswald został, już by podjęto w tej sprawie jakieś kroki. Ponieważ zaś Lee Oswald został rutynowo skierowany do niego, znaczyło to, że nikt nie jest nim zainteresowany. Aleksander zakładał, że KGB wie o Oswaldzie więcej niż on i że to nie jego sprawa.

Mimo to jednak sytuacja była niecodzienna, a Oswald starał się być miły, tak, uśmiechał się, był wprost czarujący, bardzo spokojny – tak, tak, ładniutki jak nastolatek. I nie miał żadnego nakrycia głowy, był dość biednie ubrany. Aleksander i te dwie dziewczyny z Inturistu zgodzili się co do tego, że trzeba mu kupić czapkę. Nie dostanie zgody na pobyt, trzeba się więc przynajmniej o niego zatroszczyć. Zadbać, żeby nie marzł.

Aleksander pomyślał też, że w pewnym sensie Oswald jest jakby aktorem, bo w obecności każdego zachowuje się nieco inaczej, tak, właśnie. Na przykład, jak mamInsynek, przyzwyczajony, że wszystko robi za niego mamusia.

Następnego ranka Lee zapytał Rimmę: „Jak pani sądzi, dostanę zgodę?", a ona odpowiedziała, że nie wie, ale jeśli o nią chodzi, zrobi wszystko, żeby mu pomóc. Czuła się teraz chłopakowi bliższa. Stał się dla niej jakby członkiem rodziny. Nie była w nim zakochana, ale wyczuwała, że on może coś czuć do niej, będąc absolutnie pewnym, że z jej strony nie spotka go nic złego. Był miły i swobodny, a ona pewnie zachowywała się trochę bardziej kokieteryjnie wówczas, kiedy była młoda. Chyba tak. Nie może powiedzieć, żeby jej się podobał – nie był w jej typie. Może i nawiązała się między nimi nić wzajemnej sympatii, ale do pocałunku nie doszło. Była dla niego bardziej jak siostra. Znalazł się w trudnej sytuacji życiowej; potrzebował kogoś. A w kim miał szukać oparcia, jak nie w niej? Tak więc zostali przyjaciółmi. Ona czuła się zdenerwowana i niespokojna. Myślała, że reakcja władz nastąpi szybciej. Że wykażą większe zainteresowanie. Ale przez cały dzień nic się nie wydarzyło.

Nazajutrz, 18 października, wypadała niedziela. Był to trzeci dzień pobytu Oswalda w Moskwie i zarazem jego urodziny. Z jego paszportu Rimma dowiedziała się, że skończył dwadzieścia lat, ale wyglądał na młodszego. Dała mu w prezencie powieść Dostojewskiego *Idiota*. Odwiedzili też razem mauzoleum Lenina na Placu Czerwonym. Zachowywał się normalnie. Czekał na wiadomość, lecz w niedzielę się nie doczekał. W poniedziałek też nie. Żadnych nowych wieści. A raporty trzeba było składać.

Odkąd powiedział jej, że pragnie zostać w Związku Radzieckim, każdego popołudnia zdawała raport przed odpowiednimi ludźmi. Chodziło o jego los, to było bardzo ważne. Dziwiła się, że sprawa Oswalda zdaje się nie zwracać niczyjej uwagi.

Dzisiaj zastanawia się, jaką wartość przedstawiała dla swoich przełożonych jako źródło informacji – młoda dziewczyna, która nigdy wcześniej nie zetknęła się z takim przypadkiem. Przynajmniej była szczera. Ale trudno powiedzieć, jakie było zdanie KGB.

W niedzielę i w poniedziałek Oswald mówił, że mógłby zdradzić parę sekretów. Służył w wojsku i miał niejedno do opowiedzenia. Rimma udała się do przełożonych i zameldowała, że Oswald jest gotów mówić na interesujące ich tematy. Zna się na samolotach; wspomniał coś o jakichś urządzeniach. Powiedział, że chciałby się spotkać z kimś wysoko postawionym. W odpowiedzi Rimma usłyszała jedynie: „Weźcie go jeszcze na jakąś wycieczkę". Myślała, że może ludzie z organów już zdążyli mu się przyjrzeć. Ale może chcieli mu się jeszcze przypatrzyć.

We wtorek wieczorem powiedziano jej, że Oswald nie będzie mógł zostać w Związku Radzieckim, że jego wniosek został odrzucony. Nie mogła mu przekazać od razu tak niepomyślnych wieści. Zaczekała do rana dnia następnego.

Był zaszokowany. Bardzo przygnębiony, bardzo spięty. Starała się go uspokoić, ale nic do niego nie docierało, jakby umarł. Cały ranek spędził razem z nią. Kompletnie przybity. Namówiła go, żeby po południu wyszli gdzieś razem.

Po obiedzie czekała na niego w hotelu; zwykle był punktualny – jeśli miał się stawić o dziewiątej, to był o dziewiątej; jeśli o czternastej, to o czternastej. Poza tym tamtego popołudnia czekał na niego samochód z kierowcą – a o samochód wcale nie było wtedy łatwo, należało załatwić rezerwację dużo wcześniej. Dlatego o wpół do trzeciej była już tak zdenerwowana i zmartwiona, że bez pozwolenia udała się do jego pokoju.

Recepcjonistka powiedziała, że Oswald musi być jeszcze u siebie, bo nie oddał klucza.

Rimma poprosiła ją, żeby jej towarzyszyła. Zapukały. Nikt się nie odezwał. Drzwi były zamknięte od środka i nie dało się ich otworzyć zapasowym kluczem. Wezwały kogoś z ochrony hotelu, przyszedł też należący do personelu ślusarz, ale i on miał trudności z otwarciem drzwi. W końcu obaj mężczyźni wyważyli je z takim impetem, że z rozpędu wpadli do pokoju. Nikogo nie zobaczyli. Rimma, która weszła po nich, też nic nie zauważyła. Mężczyźni poszli na lewo, do łazienki. Rimma nie wie, czy znaleźli go w wannie, czy na podłodze; z pokoju nie było tego widać, zresztą nie chciała wiedzieć. Wyszli i powiedzieli: „Wezwijcie karetkę". Rimma zeszła na dół do telefonu i niedługo potem jakiś milicjant powiedział jej, że Oswald podciął sobie żyły. Powiedział „żyły", ale ona nie wie, czy w obu rękach, czy w jednej. „To stary włoski sposób" – usłyszała jeszcze. Rimma była wystraszona, to jasne, ale również zadowolona. Myślała, że z moralnego punktu widzenia to dobrze, że zjawiła się, kiedy nie było jeszcze za późno. Gdy wynoszono go na noszach, widziała, że jest ubrany. Ubranie miał suche. Leżał nieprzytomny na noszach, a ona siedziała przy nim w karetce. Z przodu siedział kierowca i mężczyzna, który pomagał mu nieść nosze. Była z Oswaldem z tyłu sama, a on wyglądał tak źle i mizernie. Miał zapadnięte policzki i siną twarz, jakby miał zaraz umrzeć. Jeśli rzeczywiście by umarł, jej kraj znalazłby się w tarapatach, wybuchłby skandal między ZSRR a USA. Turyści odwiedzają ostatnio Związek Radziecki, ale jeśli jeden z nich by umarł, to inni baliby się przyjechać. Zwłaszcza wobec tej ogromnej nieufności między dwoma mocarstwami Amerykanie mogą pomyśleć, że Oswald został zamęczony przez władze radzieckie.

Jazda karetką trwała dość długo, bo zostali skierowani do szpitala im. Botkina, który Rimma uważała za jeden z najlepszych w Moskwie. Był położony daleko od hotelu „Berlin", ale mieli tam dobrych lekarzy oraz specjalny oddział dla dyplomatów i obcokrajowców. Gdy jednak dotarli na miejsce, nie przyjęto ich na ten oddział, tylko na zwykły oddział zamknięty. Dla chorych psychicznie.

W izbie przyjęć położono Oswalda na wózku i zrobiono mu zastrzyk. Gdy otworzył oczy już po zabiegu, z początku nie mógł zrozumieć, gdzie jest, ale Rimma zaczęła do niego mówić: „Wszystko w porządku. Jesteśmy w dobrym szpitalu. Proszę się nie martwić" – powiedziała. I pogłaskała go po głowie. Była bardzo delikatna. Spojrzał na nią, ale się nic nie uśmiechnął. Ponieważ już go pozszywali, na lewej ręce koło nadgarstka miał bandaż. Na prawej ręce nic. Tylko na lewej. Siedziała przy nim od przyjęcia do szpitala około czwartej po południu chyba do dziesiątej wieczorem. Prosił, żeby nie odchodziła, więc została. Sześć godzin.

Leżał na sali z Rosjanami. Rimma powiedziała im, że to miły Amerykanin, ale nie wspomniała o tym, że usiłował się zabić. Powiedziała tylko, że ona jest z Inturistu, a on zachorował – żadnych szczegółów. Kazała mu się zachowywać spokojnie. Zapytał, czy jeszcze do niego przyjdzie, a ona powiedziała, że tak. Jutro rano. Na pewno.

<u>21 października</u>

18.00

Dowiedziałem się, że muszę wyjechać jutro o ósmej wieczorem, kiedy kończy mi się wiza. Szok! Moje marzenia! Wróciłem do pokoju. Mam jeszcze 100 dolarów. Dwa lata czekałem, żeby tu przyjechać. Tak moje największe marzenia legły w gruzach przez jakiegoś drobnego urzędnika. Za dużo planowałem!

19.00

Zdecydowałem ze sobą skończyć. Zanurzyłem ręce w zimnej wodzie, żeby złagodzić ból. Podciąłem żyłę w lewej ręce. Potem zanurzyłem ją w wannie pełnej gorącej wody. Myślałem: „Kiedy Rimma przyjdzie i znajdzie mnie nieżywego, przeżyje wielki szok". Gdzieś w tle grały skrzypce, a ja patrzyłem, jak wypływa ze mnie życie. Myślałem: „Jak łatwo umrzeć" i „słodka jest śmierć przy dźwiękach skrzypiec". Koło ósmej Rimma znalazła mnie nieprzytomnego (woda w wannie była już krwawoczerwona). Krzyczała (to pamiętam) i pobiegła po pomoc. Przyjechała karetka, zabrano mnie do szpitala, gdzie założyli mi pięć szwów. Biedna Rimma siedziała przy mnie i tłumaczyła (mój rosyjski wciąż jest bardzo słaby) do późnego wieczora. Powiedziałem jej: „Proszę iść do domu". Byłem w złym nastroju, ale została ze mną. Jest moją „przyjaciółką", jak mówi. Ma silną wolę. Dopiero teraz zauważyłem, że jest ładna.

Moskiewska lekarka nie chce podać swojego nazwiska, ale może nieoficjalnie powiedzieć, że miała dyżur w szpitalu im. Botkina, gdy 21 października o czwartej po południu przyjęto tam Oswalda. Nie wieczorem. O czwartej po południu. Ma teraz siedemdziesiąt lat, ale – jak większość Rosjanek w jej wieku – wygląda na mniej. Można by ją wziąć za zadbaną pięćdziesięciopięciolatkę – jest niska, krępa, dość przystojna, elegancka i pewna siebie. Powtarza, że nie życzy sobie rozgłosu. Rzeczywiście dobrze pamięta tamten dzień.

To nie była poważna rana, mówi. Ot, takie tam draśnięcie. Przeciął sobie lewą rękę nad nadgarstkiem; szybko wstał z łóżka. Nie przeleżał nawet jednego dnia. Gdy przyszła go zbadać, był pełen życia, rozmawiał z innymi pacjentami na oddziale. Po rosyjsku porozumiewał się ledwo-ledwo, ale był bardzo komunikatywny.

Znajdował się w tak dobrej formie, że gdyby był Rosjaninem, wypisano by go ze szpitala od razu. Takie przypadki w ten właśnie sposób załatwiano. Jego rana to było tylko draśnięcie – do żyły nie doszedł.

Jak wygląda badanie psychiatryczne? Wypytuje się pacjenta o jego rodzinę i koleje życia. Potem przechodzi się do motywów, dla których chciał popełnić samobójstwo. Lekarz stara się wyczuć, w jakim ten człowiek jest nastroju. Czy w jego umyśle nadal panuje mrok, czy też pacjent wraca już do równowagi? Ludzie albo są wdzięczni za ocalenie im życia, albo się irytują. To ważne rozróżnienie. Jemu tak naprawdę nie było po co zadawać pytań, bo to nie była prawdziwa próba samobójcza. Najwyraźniej chciał coś zademonstrować. I zostać w Moskwie. Powiedział nawet: „Boję się wracać". Ale nie mówił dlaczego.

Nasza rozmówczyni kiwa głową nad sprawozdaniem psychiatry z izby przyjęć, podpisanym przez doktor Michajłową. Stwierdza się w nim, że pacjent żałuje swojego postępku i chce wrócić do domu. No tak, ale to było w izbie przyjęć. Kilka godzin później już nie chciał wracać. Zdarza się, że pacjentom w szpitalu zmieniają się reakcje.

W sprawozdaniu inncgo lekarza czytamy: „Bardzo wyraźne pragnienie pozostania w Związku Radzieckim. Brak zaburzeń psychosomatycznych, niegroźny".

W izbie przyjęć odnotowano, że rana miała trzy centymetry długości. Sala operacyjna wymierzyła ją na pięć centymetrów, co wymagało założenia czterech, może pięciu szwów. Występuje jednak zgodność co do tego, że rana nie była głęboka.

Nie prosił Rimmy, żeby przyniosła mu coś z pokoju hotelowego, ale ona rozejrzała się tam następnego dnia i zauważyła, że miał ze sobą tylko ciemnozielony sweter i dwie koszule, nic więcej. Może co wieczór jedną prał. W każdym razie zawsze starannic czesał włosy i czyścił swoją jedyną parę butów.

Rimma przyniosła mu książkę, którą dostał od niej na urodziny, *Idiotę*. Może dając mu ją, przepowiedziała Lee przyszłość. Ponieważ jego imię ani trochę nie przypominało imion rosyjskich, teraz zaczął się przedstawiać jako Alik (to była sugestia Rimmy).

Zastała go na tej samej sali, gdzie leżał poprzedniego wieczoru; siedział na łóżku, wyglądał dobrze. Jego sąsiedzi od razu jcj powiedzieli: „Wszystko jest w porządku, nie ma się co martwić. My się tu Alikiem zajmiemy – to równy chłopak". Znów spędziła przy nim cały dzień, nie poszła do biura – tam i bez niej wszystko szło jak nalezy.

Była zadowolona – Alik tak się ucieszył na jej widok, że aż się zarumienił. Rimma wierzyła, że teraz władze zmienią zdanie i coś zrobią. Powinny. Przecież nie pozwolą mu zginąć.

Gdy wieść o wypadku Oswalda dotarła do Aleksandra, był strasznie wstrząśnięty. Strasznic. Bardzo silnie. Jeżeli ten chłopak czuje, że nie może wrócić, myślał, to może ktoś go w tych Stanach śledzi czy coś takiego. Oswald nie powiedział tego wprost, ale dał do zrozumienia, że boi się tam wracać.

Kiedy na trzeci dzień Rimma odwiedziła Alika i zapytano ją, kim dla niego jest, powiedziała: „Swojaczką", co przecież oznacza kogoś bliskiego lub członka rodziny, i ją samą to rozśmieszyło. Cóż to za rodzina – sami wariaci. I ona z takimi teraz przestawała. Wyjaśniła Alikowi, że nie uważa go za wariata, wręcz przeciwnie, ale że muszą go przebadać. Swoją drogą, podejrzewała po cichu, że niektórzy psychiatrzy mogą być z KGB. Nie wykluczała tego.

3

Roza, Rimma i Richard Snyder

22 października
Jestem sam z Rimmą wśród psychicznie chorych. Ona dodaje mi otuchy i strofuje mnie. Mówi, że załatwi mi przeniesienie na inny oddział (nie dla wariatów), gdzie dobrze karmią.

23 października
Już na nowym oddziale. (Przestronny, dobre jedzenie). Ale pielęgniarki są wobec mnie nieufne. (Wiedzą).

23 października, popołudnie
Odwiedziła mnie Roza Agafonowa z hotelowego biura turystycznego. Bardzo piękna, znakomicie mówi po angielsku, bardzo wesoła i uprzejma. Dzięki niej cieszę się, że żyję.

Roza, wówczas dwudziestoośmioletnia, była nie tylko bardzo ładna, ale zajmowała także wysokie stanowisko starszego tłumacza w biurze Inturistu w hotelu „Berlin". Ale nie oprowadzała ani grup, ani turystów indywidualnych. Zajmowała się wizami, paszportami, biletami kolejowymi, biletami do teatru, wycieczkami i pilotami. Jej zakres obowiązków obejmował też specjalne okazje. Wizyta u Oswalda zaliczała się właśnie do tej ostatniej kategorii. Mimo iż personel Inturistu starał się nie rozmawiać o Amerykaninie, który usiłował popełnić samobójstwo, to jednak kilka dni po tym wydarzeniu Roza otrzymała od przełożonego polecenie: „Weźcie jeden z naszych samochodów, kupcie w restauracji jakieś owoce, zabierzcie Rimmę i odwiedźcie Lee Oswalda w szpitalu Botkina".

Roza pamięta, że Oswald miał na sobie szpitalną piżamę i bandaż na ręce; nie sądzi jednak, by stracił dużo krwi, bo wyglądał dobrze. Trochę sobie pożartowali. Nie chciała poruszać żadnych osobistych kwestii, rozmawiali więc na tematy ogólne. Wizyta trwała może pół godziny. Potem wyszła razem z Rimmą. Czekał na nie samochód.

25 października
Szpitalna rutyna. Wizyta Rimmy po południu.

26 października
Popołudnie. Przyszła Rimma.

27 października
Lekarz zdjął mi szwy „tępymi" nożyczkami.

28 października, środa

Ze szpitala pojechałem samochodem Inturistu do hotelu „Berlin". Potem przeniosłem się do „Metropolu". Rimma powiadomiła mnie, że biuro paszportowo-ewidencyjne chce się ze mną skontaktować w sprawie mojej przyszłości.

Potem przyjechała po mnie samochodem i pojechaliśmy do tego biura. Czekało tam czterech urzędników (żadnego wcześniej nie widziałem). Pytali, jak moja ręka, powiedziałem, że OK. Zapytali, czy chcę wrócić do ojczyzny; ja na to, że nie, że chcę uzyskać obywatelstwo radzieckie. Zapewnili, że zobaczą, co się da zrobić [...]. Robili notatki. „Jakie macie papiery, by udowodnić, kim jesteście?". Przedstawiłem im dokument zwolnienia z piechoty morskiej. Powiedzieli: „Czekajcie na odpowiedź". Zapytałem, kiedy ją dostanę. „Nieprędko".

Później przyszła Rimma, żeby sprawdzić, co ze mną. Poczułem się urażony i byłem dla niej niemiły.

29 października

Pokój nr 214, hotel „Metropol"

Czekam. Martwię się. Jem raz dziennie, nie odchodzę od telefonu. Martwię się. Cały czas czekam, jestem stale ubrany do wyjścia.

31 października

Podjąłem decyzję. O dwunastej dostałem paszport, spotkałem się z Rimmą i chwilę porozmawialiśmy. Poradziła mi, żebym siedział spokojnie i dobrze się odżywiał. Nie powiedziałem jej, co chcę zrobić, bo wiem, że by tego nie pochwaliła. Po jej wyjściu odczekałem parę minut i złapałem taksówkę. „Do ambasady amerykańskiej" – rzuciłem. Byłem na miejscu o wpół do pierwszej. Wszedłem, powiedziałem recepcjonistce, że chcę się widzieć z konsulem. Wskazała na dużą księgę i powiedziała: „Jeśli jest pan turystą, to proszę się tu wpisać". Wyjąłem mój amerykański paszport i położyłem przed nią. „Przyszedłem zrzec się obywatelstwa amerykańskiego" – powiedziałem rzeczowo. Wtedy wstała i udała się do gabinetu Richarda Snydera, pełniącego wówczas funkcje amerykańskiego konsula generalnego w Moskwie. Snyder poprosił, żebym usiadł. Skończył pisać na maszynie list i wtedy zapytał, w jakiej sprawie przychodzę. Powiedziałem mu, że postanowiłem się ubiegać o obywatelstwo radzieckie i chciałbym legalnie zrzec się obywatelstwa amerykańskiego. Jego asystent (teraz konsul generalny) McVikar oderwał się od pracy i popatrzył na mnie.

Snyder notował moje dane, zadawał pytania. Ostrzegał mnie przed podejmowaniem jakichkolwiek kroków, póki Sowieci nie rozpatrzą pozytywnie mojego wniosku, mówił, że jestem głupcem i że załatwienie formalności związanych ze zrzeczeniem się obywatelstwa trochę potrwa. (Innymi słowy, odmówił mi zgody na zrzeczenie się obywatelstwa). Oświadczyłem zdecydowanie: „Nie zmienię zdania. Od dziś nie uważam się już za obywatela amerykańskiego". Po czterdziestu minutach Snyder powiedział: „To wszystko – chyba że chce się pan z nami podzielić swoimi marksistowskimi poglądami". „Chcę się zrzec obywatelstwa". „Nie dziś" – odmówił mi ostatecznie.

Wyszedłem z ambasady nabuzowany przez tę ostrą wymianę zdań, i wróciłem do hotelu. Teraz czuję, że moje wysiłki nie poszły na marne. Po takiej demonstracji wiary w ZSRR Rosjanie już na pewno uznają mnie za swojego.

Z zeznania złożonego przed Komisją Warrena 9 czerwca 1964 roku:

COLEMAN: Dlaczego nie załatwił pan wtedy sprawy tak, jak chciał?

RICHARD SNYDER: [...] nie wydawało mi się to rozsądne [...] W służbie konsularnej przyjmuje się zasadę, że jeśli przychodzi człowiek, obywatel, i chce się zrzec swojego obywatelstwa, to nie daje mu się od razu papierów do podpisania. To przecież bardzo poważny krok, w istocie krok, po którym nie ma odwrotu, i jeżeli nie można zrobić nic więcej, trzeba się chociaż upewnić, czy ten człowiek wie, co robi. Przede wszystkim wyjaśnia mu się znaczenie takiego aktu, po drugie – teraz będę mówił we własnym imieniu (w tej kwestii nie mogę się wypowiadać w imieniu służby konsularnej) – daje się petentowi trochę czasu; jeśli to możliwe, prosi się go, by przyszedł za parę dni. A wszystko po to, by się upewnić – chociaż upewnienie się właściwie nie znaczy – że dany osobnik nie działa wyłącznie pod wpływem impulsu.

31 października, 14.00
Pukanie do drzwi. Reporter nazwiskiem Goldstene chciał przeprowadzić ze mną wywiad. Byłem zdumiony. „Jak pan się dowiedział?...". „Dzwonili do mnie z ambasady" – wyjaśnił. Wyprosiłem go. Usiadłem i po chwili zrozumiałem, że to jeden ze sposobów wywarcia na mnie nacisku – powiadomienie moich krewnych w Stanach drogą doniesień prasowych. Podadzą to „do wiadomości publicznej".

Pół godziny później zjawiła się kolejna dziennikarka, pani Mosby. Odmówiłem wywiadu, po czym tylko odpowiedziałem na kilka krótkich pytań. Dziwi mnie to zainteresowanie mną. Nie odbieram telefonów, nawet żeby sprawdzić, kto dzwoni. Ta skierowana na mnie uwaga wprawia mnie w zakłopotanie.

COLEMAN: Panie Snyder, może pan powiedzieć Komisji, na czym polegała sprawa Petrullego?

RICHARD SNYDER: Tak, sprawę Petrullego pamiętam dość dokładnie.

Pan Petrulli, obywatel amerykański, [...] będąc w Moskwie, ubiegał się o obywatelstwo radzieckie i spotkał się ze mną w sprawie zrzeczenia się obywatelstwa amerykańskiego. Zgodnie z moimi przekonaniami, które wyłożyłem panom wcześniej, nie udzieliłem mu na to zgody za pierwszym razem, lecz dopiero podczas następnej jego wizyty w konsulacie, gdy niezmiennie obstawał przy swojej decyzji.

Sprawa ta zakończyła się dość szybko – po poddaniu pana Petrullego kilkutygodniowej obserwacji władze radzieckie zdecydowały, że nie chcą, by został obywatelem Związku Radzieckiego ani posiadaczem prawa pobytu [...]. Jakiś czas później dowiedzieliśmy się [...] że pan Petrulli został zwolniony z sił zbrojnych [...] z powodu choroby psychicznej. Szef sekcji konsularnej radzieckiego Ministerstwa Spraw Zagranicznych któregoś dnia wezwał mnie do siebie i powiedział, że pan Petrulli przekroczył określony w wizie czas pobytu w Związku Radzieckim [...] i zwrócił się „z prośbą, by zostały podjęte kroki zmierzające do natychmiastowego wydalenia go z kraju".

Powiedziałem, że, o ile wiem, pan Petrulli nie jest już obywatelem amerykańskim, ponieważ w mojej obecności zrzekł się swojego obywatelstwa.

Urzędnik radziecki odpowiedział mniej więcej tymi słowy: „Nas nie interesuje nic ponadto, że przyjechał tu z paszportem amerykańskim, i dlatego prosimy, abyście go państwo stąd zabrali".

[Decyzją Departamentu Stanu] zrzeczenie się obywatelstwa przez pana Petrullego zostało uznane za nieważne, ponieważ okazał się on osobą niepoczytalną [...] i został odesłany drogą morską do domu.

Jak mówiłem, sprawę Petrullego przypomniałem sobie bardzo dokładnie, gdy pojawił się u mnie pan Oswald.

1 listopada

Kolejni dziennikarze. Dzwonił brat i matka. Teraz czuję się nieco bardziej ożywiony i nie tak samotny.

FORD: Czy [Oswald] był zadowolony, czy też niezadowolony z wyniku rozmowy z panem?

RICHARD SNYDER: Wydaje mi się, że raczej niezadowolony [...]. Bardzo możliwe, że w przekonaniu Oswalda to miała być jego wielka chwila na arenie dziejowej. Może rozważał to przez dłuższy czas – [...] tak utrzymywał – i dlatego moja ówczesna odmowa mogła dla niego stanowić przeszkodę, na którą był zupełnie nieprzygotowany.

4

Wiadomo coś w mojej sprawie?

Wciąż nie wiedział, czy będzie mógł zostać w Związku Radzieckim. Rozważali z Rimmą różne warianty. Ona raczej czarno widziała sytuację. Nie miał pieniędzy. W „Metropolu" nie zajmował już wprawdzie tak luksusowego apartamentu, jak w hotelu „Berlin", ale i tak pokój był dość przyzwoity. Tyle że teraz zrobiło się zimno. Jeszcze nie nadeszła zima, nie spadł śnieg, ale na dworze panował chłód. Skończyły się wycieczki, skończyło się zwiedzanie, skończyły się pieniądze na jedzenie. Kto miał zapłacić za hotel Oswalda?

Poszła do Rozy i obydwie poruszyły temat opłakanego zasobu garderoby Lee w rozmowie z Aleksandrem, który w rezultacie przystał na zakup porządnej czapki w centralnym domu towarowym – GUM-ie. Czapka ogromnie przypadła Lee do gustu, chciał nawet uścisnąć i ucałować Rozę i Rimmę. Był bardzo uradowany. Wylewny, właśnie. Tak jest, uczuciowy. A Aleksander nie bał się kupić czapki, ponieważ – to jasne – miał zamiar zameldować o tym w raporcie.

9 listopada do Lee Oswalda na adres ambasady amerykańskiej w Moskwie przyszedł telegram z bazy powietrznej w Tachikawa w Japonii. Nadawcą był sierżant John E. Pic. Oto tekst telegramu:

PROSZĘ PRZEMYŚL TO JESZCZE SKONTAKTUJ SIĘ JEŚLI MOŻESZ ŚCISKAM JOHN.

John McVickar, pracownik ambasady amerykańskiej w Moskwie, sporządził notatkę do akt Oswalda:

09.11.1959
Zaniosłem przepisaną na maszynie wiadomość, którą przysłał Pic (przyrodni brat Oswalda), do hotelu „Metropol", by dostarczyć ją Oswaldowi. Poszedłem prosto do jego pokoju (nr 233) i kilkakrotnie zapukałem, ale nikt nie odpowiadał. Sprzątaczka powiedziała mi, że on jest w pokoju, wszedł tylko na chwilę do toalety [...]. Postanowiłem nie zostawiać mu tej wiadomości, lecz wysłać ją listem poleconym. Wychodząc, zadzwoniłem do jego pokoju z recepcji, lecz nadal nikt się tam nie zgłaszał.

McV.

2–15 listopada
Dni absolutnej samotności. Odprawiałem wszystkich dziennikarzy, nie odbierałem telefonów. Nie wychodziłem z pokoju. Męczyła mnie biegunka.

W hotelu „Metropol" Rimma odwiedzała go już w pokoju. Teraz mogła. Obowiązywały nowe zasady, jak gdyby to była zupełnie inna sprawa. Miała za zadanie się nim opiekować. Już nie był turystą. Traktowano sprawę bardzo poważnie – ona też. Dlaczego definitywnie nie rozwiązano tej kwestii? Lee był bardzo zdenerwowany. Powiedział jej, że wszystkie swoje pieniądze wydał na wycieczkę w wersji de luxe. Zrobił to celowo. Podróżując indywidualnie, nie w grupie, zwracał na siebie większą uwagę i dzięki temu mógł wprowadzić w życie swój plan.

Związek Rimmy z Lee stał się znacznie bliższy. Był dla niej teraz prawie jak ktoś z rodziny – ale nie jak brat i nie jak sympatia – coś pomiędzy. Próbował ją nawet pocałować, ale ona sobie tego nie życzyła. Nigdy się z nim nie pocałowała, ani razu. To byłby – jak powiedzieliby Anglicy – przejaw złych manier. Ludzie, którzy się tak zachowywali, mogli stracić pracę. Oczywiście, jako kobieta mogła się z nim całować, jeśliby tego chciała, ale nie chciała. Ani trochę. Miała narzeczonego, młodego inżyniera po studiach w moskiewskim Instytucie Energetyki, z którym widywała się raz na tydzień. Bardzo ją kochał. Poza tym sytuacja Alika nie pozwalała na to, by zachowywać się beztrosko. Konsekwencje niewłaściwego zachowania mogły być skomplikowane. Któryś z rosyjskich pisarzy powiedział kiedyś: „Lepiej umrzeć niż pocałować nie kochając" – i porządne dziewczyny też były tego zdania. Skoro nie kochała Lee i nie chciała zbliżenia, to nie powinna się z nim całować. Głaskała go więc po rękach. To powinno wystarczyć. Taki był jej tok rozumowania.

Poza tym musiała wysyłać raporty i trzymać się faktów, zawsze ściśle trzymać się faktów. Jak więc mogłaby się z nim całować? Miałaby to potem odnotowywać w raporcie? Jej zdaniem Alik był w porządku, chciał zostać zaakceptowany w jej ojczyźnie; starała się stworzyć jego korzystny obraz, cały czas trzymając się faktów. Czasami pisała raport codziennie, czasami raz w tygodniu – to zależało od tego, ile uzyskała informacji. Nikt jej nie polecał, by donosiła co dzień, koniecznie jednak wtedy, kiedy uznawała to za wskazane. To były bardzo trudne dni.

Ale musi powiedzieć jedno: zajęcie w Inturiście niezmiernie jej się podobało, było pełne przygód i wiązało się z patriotycznym obowiązkiem, z chronieniem władzy i kraju. Rimma uważała, że wykonuje bardzo odpowiedzialną pracę, która służy ojczyźnie. Gdy więc dzieliła się z szefem swoją opinią o Oswaldzie, robiła to po to, by umożliwić władzom podjęcie słusznej decyzji w sprawie Amerykanina. Pracownicy KGB potrzebowali inteligentnych raportów. Chcieli poznać jak najwięcej cech różniących tę osobę od innych. Rimmie nie wydawało się wprawdzie, by Lee mógł być amerykańskim szpiegiem, ale przecież nigdy w życiu nie widziała szpiega. Dlatego wbrew swoim osobistym poglądom musiała być ostrożna. Gdyby dziś pracowała w Inturiście, mogłaby swojego podopiecznego zanalizować, ale wtedy pytano ją jedynie: „Czy spotykał się z kimś w waszej obecności?". Nie zadano nigdy pytania, czy – jej zdaniem – czegoś nie ukrywa. Powiedziałaby im, że nie; że jest uczciwym człowiekiem i chce zostać w Związku Radzieckim. Ale nikt jej nie pytał o zdanie. I, rzecz jasna, to od KGB, a nie od Inturistu, zależała ostateczna decyzja w sprawie Lee. Zresztą nie miała pojęcia, jak spędzał wolny czas po kolacji. Wiedziała, co robił między dziewiątą rano a piątą po południu – ale nie po kolacji.

15 listopada

Zdecydowałem się udzielić wywiadu. Miałem wizytówkę pani Mosby, więc zadzwoniłem do niej. Przyjechała natychmiast. Opowiedziałem swoją historię, pozwoliłem na robienie zdjęć. Pozmieniała relację i wysłała bez mojej zgody – nie dała mi tekstu do przeczytania i autoryzacji. Ale to zainteresowanie sprawiło, że znów czuję się trochę lepiej.

<u>16 listopada</u>

Przyszedł do mnie do pokoju urzędnik radziecki i zapytał, jak mi się wiedzie. Poinformował mnie, że mogę zostać w Związku Radzieckim, póki nie zdecydują, co ze mną zrobić. To pocieszająca wiadomość.

Tego samego dnia spotkała się z Oswaldem Priscilla Johnson McMillan, która później napisała książkę *Marina and Lee*. Zgodził się również i jej udzielić wywiadu. Oto on:

Dopiero co wróciłam ze Stanów Zjednoczonych i 16 listopada udałam się do biura konsularnego ambasady amerykańskiej, jak to mają w zwyczaju amerykańscy dziennikarze, by odebrać swoją pocztę. John McVickar powitał mnie słowami: „Aha, w twoim hotelu mieszka teraz młody Amerykanin, który chce zostać w ZSRR. Z n a m i nie chce rozmawiać, ale z tobą może zechce, bo jesteś kobietą".

Okazało się, że McVickar miał rację. W hotelu „Metropol" poszłam do pokoju Oswalda na drugim piętrze – piętro niżej niż mój. Zapukałam i otworzył mi młody mężczyzna [...]. Ku mojemu zdziwieniu, chętnie przystał na wywiad i powiedział, że przyjdzie do mojego pokoju między ósmą a dziewiątą wieczorem. Stawił się zgodnie z umową, ubrany w ciemnoszary garnitur, białą koszulę z ciemnym krawatem i kamizelkę z brązowego kaszmiru. W jego wyglądzie nie zauważyłam nic niezwykłego – przeciwnie, Oswald przypominał studenta ze Wschodniego Wybrzeża z lat pięćdziesiątych. Wielu tak się nosiło. Różnił się od nich jedynie sposobem mówienia – miał lekki południowy akcent.

Usadowił się w fotelu, podałam mu herbatę zrobioną na małej maszynce elektrycznej, która stała na podłodze, [a on] zaczął relację – spokojnie, bez emfazy i z rzadka tylko zdradzając gestem lub ledwo zauważalną zmianą tonu, że to, o czym w danej chwili mówił, miało dla niego szczególne znaczenie.

Podczas naszej rozmowy Lee wciąż wracał do tego, co nazywał „niezgodnym z prawem" potraktowaniem go w ambasadzie [...]. Mówił, że gdy tylko zostanie obywatelem radzieckim, pozwoli „swoim władzom", czyli władzom radzieckim, załatwić tę sprawę w jego imieniu.

Ton Lee był jednostajny, niemal bez wyrazu; i mimo iż zdawałam sobie sprawę, że jego słowa są gorzkie, to jakoś [...] nie wywarł na mnie wrażenia człowieka w pełni dorosłego, ponieważ faktem, który rzucał się w oczy i przyćmiewał niemal wszystkie pozostałe prawdy o nim, była jego młodość. Wyglądał na mniej więcej siedemnaście lat. Pełen dumy, jak mały chłopiec, opowiadał mi o swojej jedynej samodzielnej wycieczce po Moskwie. Przeszedł cztery przecznice do domu towarowego „Dietskij Mir" z artykułami dla dzieci i kupił sobie lody. Nie wierzyłam własnym uszom. Przyjechał, by zostać w tym kraju na zawsze, a do tej pory odważył się oddalić zaledwie o cztery przecznice od hotelu.

Zdumiewał mnie jego całkowity brak ciekawości, radosnego podniecenia czy ducha przygody. A jednak Lee budził we mnie szacunek. Ten samotny, wystraszony chłopak mierzył się z biurokracją drugiego co do wielkości światowego mocarstwa, i to bez niczyjej pomocy [...].

„Wierzę, że to, co robię, jest słuszne" – mówił. Powiedział też, że rozmawia ze mną, bo chce dać Amerykanom „trochę do myślenia".

Mijały dni, a odpowiedzi wciąż nie było. Rimma spędzała z Alikiem każdy dzień roboczy. Dłużyły się te dni nie do zniesienia. On był podenerwowany, nie wiedział, co ze sobą zrobić, a ona nawet nie próbowała go uczyć podstaw rosyjskiego, ponieważ – z psychologicznego punktu widzenia – nie był to dobry czas na naukę. Jej zdaniem, Lee za dużo czasu spędzał w pokoju, ciągle myślał i myślał. Nie wiedziała nawet, czy czyta książkę, którą dostał od niej w prezencie – *Idiotę*. Może trochę szokował go tytuł; tak, mógł się zastanawiać, czy to nie jest aluzja do niego. A może Dostojewski był dla niego za trudny. Alika nie interesowało nic poza jego własnym losem. Był bardzo skupiony na sobie.

Czasami mówił, że wszyscy ludzie to bracia i siostry i że Rosjanie chcą lepszego losu dla świata niż Amerykanie. Ale Rimma czuła, że doszedł do tych wniosków, nie znając zbyt wielu faktów. Były to bardzo powierzchowne stwierdzenia. Nienaturalne. Niezbyt głębokie.

Nie powiedziała mu jednak tego, ponieważ łatwo go było zranić. On też zdawał sobie z tego sprawę. Wiedziała, że nigdy jej nie obraził, ponieważ mogłaby mu odpowiedzieć tak, iż wyszłoby na jaw to, że myśli tylko o sobie i że nie powinien się zachowywać tak, jak się zachowuje. Człowiek musi znać swoje miejsce – była gotowa mu oznajmić, gdyby spróbował być dla niej niemiły – a ty jesteś nikim.

„Wiadomo coś w mojej sprawie?" – pytał ją wciąż. Zadawał zawsze to samo pytanie. A jej się czasami zdawało, że może on jej się oświadczy. Ale się nie oświadczył. Chyba wiedział, że ona się nie zgodzi. Wiele razy jednak mówił, jak dobrze się z nią czuje, jaki jest szczęśliwy. Gdy szła do przełożonego i pytała, jak wygląda sytuacja Oswalda, on zadawał jej zawsze to samo pytanie: „W jaki sposób ten człowiek potrafi na siebie zarobić?". Niestety, taki sposób nie istniał – Lee nic nie umiał.

Wreszcie przełożony powiedział Rimmie, że ponieważ Oswald nie ma już prawie pieniędzy, powinien się przeprowadzić do mniejszego pokoju. Znaleźli dla niego taką dziuplę – bardzo ciasną i skromną. Poziom jego życia zdecydowanie się obniżał. Coraz bardziej i bardziej. Co w rzeczywistości oznaczało pięcie się w górę – im wyższe piętro, tym mniejszy pokój.

Rimma nie jadała z nim nawet posiłków. Nie mogła sobie pozwolić na obiady w hotelu, chociaż dzięki swoim znakomitym wynikom w pracy zarabiała 100 rubli miesięcznie. Stołowała się w tańszych lokalach. Później, kiedy już nie stać było Oswalda na płacenie za posiłki w hotelowej restauracji, przełożeni zawyrokowali: „posiłki specjalne". Gorszej jakości. Oczywiście, nie zawsze był w ponurym nastroju. Czasami bywał romantyczny, żartował, ale najczęściej musiała go rozweselać. Mówił, że jeśli zostałby w jej ojczyźnie, to zamieszkałby w Moskwie. Oczywiście, gdyby się z nią ożenił, byłoby mu znacznie łatwiej. Ale nigdy z nim na ten temat nie rozmawiała. Nie sądzi, żeby jedynie udawał, że jest w niej zakochany; czuła, że jego uczucia są szczere. Nie sypiał dobrze. Rozmyślał nad swoim położeniem. Bez przerwy. W rosyjskim w ogóle nie robił postępów.

17 listopada – 30 grudnia

Kupiłem sobie dwa samouczki do nauki rosyjskiego. Zmuszałem się, by codziennie przez osiem godzin się uczyć. Siedziałem w pokoju, czytałem i wkuwałem na pamięć słówka. Wszystkie posiłki jadłem w pokoju. Rimma to załatwiła. Na zewnątrz było bardzo zimno, więc przez te półtora miesiąca rzadko wychodziłem na dwór. Z nikim się nie widywałem, z nikim nie rozmawiałem, tylko od czasu do czasu z Rimmą, która wydzwaniała w mojej sprawie do ministerstwa. Zapomnieli o mnie, czy co? W grudniu w ogóle nie płaciłem za hotel, ale Rimma powiedziała im, że spodziewam się dużej sumy ze Stanów. Zostało mi 28 dolarów. W tym miesiącu zostałem wezwany do biura paszportowego, gdzie przyjęło mnie trzech urzędników. Zadawali mi te same pytania, na które odpowiadałem miesiąc wcześniej. Wyglądało to tak, jakby nie znali mojej sprawy.

Przez cały ten czas Oswald nie miał towarzystwa. Może ktoś go odwiedzał wieczorami, kiedy jej już nie było. Rimma nie wie na pewno – ale chyba wtedy starał się spotykać z ludźmi. Czasami mówił jej, że rozmawiał z Rosjanami, z kimś więc musiał się widywać. Może z sąsiadami z piętra.

Gdyby dysponował większą gotówką, możliwe, że zachowywałby się trochę inaczej, ale nie miał ani ciepłych ubrań, ani pieniędzy. Padał śnieg, on nie znał Moskwy, nie mówił po rosyjsku. Tylko tyle: „Jak się wymawia to słowo?", „Jak to będzie po rosyjsku?".

Przez większość czasu był w złym nastroju. Jego pokój znajdował się na którymś z wyższych pięter. Nie było tam pokoi dla cudzoziemców – to było piętro dla Rosjan, pracowników hotelu. Przeniesiono go tam ze względów oszczędnościowych bądź też dla lepszej obserwacji. „Może to był prawdziwy powód, nie zaprzeczam. Może". Rimma nie wie, bo dziewczyny w Inturiście nigdy nie rozmawiały o „przygotowywaniu" pokoi. Nie mówiło się o takich rzeczach; nie przyzwyczajały się do myślenia w ten sposób.

Wreszcie któregoś dnia pod koniec grudnia 1959 roku, tuż przed Nowym Rokiem, Rimma została wezwana do głównego biura Inturistu i poinformowana, że Oswald zostanie odesłany do Mińska. Gdy mu to przekazała, był tak zawiedziony, że aż się rozpłakał, tak, łzy leciały mu z oczu. Chciał mieszkać w Moskwie, nie w Mińsku, ale równocześnie cieszył się, że zostaje, odczuwał ulgę i radość. Oczywiście, że był szczęśliwy. Cały promieniał. Nie ukrywał tego. Ale mimo to był zmartwiony, że musi jechać do Mińska.

Nie miał pojęcia, gdzie leży to miasto. Nigdy o nim nie słyszał. Rimma powiedziała mu, że to dobre miejsce, co zresztą było prawdą. Często zabierała obcokrajowców do Mińska na wycieczki. Podobał jej się tamtejszy najnowszy hotel „Mińsk". Mówiła, że ludzie są tam lepsi niż gdzie indziej. Ale on był załamany. Chciał, żeby towarzyszyła mu w całonocnej podróży pociągiem z Moskwy do Mińska, chociaż już dotarło do niego, że nie wszystko jest takie proste, jak mu się wcześniej zdawało – sytuacja była poważniejsza niż sądził. Kiedy decydował się w Ameryce na wyjazd do Rosji, musiał być jak dziecko, ale przez tych parę tygodni wydoroślał. Teraz więc rozumiał, że nawet jeśli Rimma miałaby ochotę na ten wyjazd, to nie mogłaby rzucić pracy i z nim pojechać. Zdawał sobie sprawę, że to niemożliwe. Wiedział, że w tym kraju wszystko traktuje się bardzo serio.

31 grudnia

Stary rok pożegnałem w towarzystwie Rozy Agafonowej w hotelu „Berlin". Dla niej to był normalny dzień pracy. Siedziałem z nią, póki nie minęła północ. Dała mi małego pajacyka Buratino.

5 stycznia

Poszedłem do Czerwonego Krzyża w Moskwie po pieniądze [i] dostałem 5000 rubli, potężną sumę! W fabryce w Mińsku będę zarabiał 700 rubli na miesiąc.

7 stycznia

Pojechałem pociągiem z Moskwy do Mińska na Białorusi. Rachunek za hotel wyniósł 2200 rubli, bilet kosztował 150 rubli, mam więc jeszcze dużo pieniędzy i nadziei. Napisałem listy do matki i brata, w których oświadczyłem: „Nie chcę się z wami już nigdy kontaktować. Zaczynam nowe życie i nie chcę żadnych zaszłości".

Rimma pamięta, że w dniu jego wyjazdu do Mińska, kiedy się z nim żegnała, padał śnieg. Oboje płakali.

Ale nie napisała do niego. Dziewczętom z Inturistu nie wolno było pisywać listów do cudzoziemców, którymi się opiekowały, i Rimma nie mogła tej zasady złamać.

FORD: Gdyby pan wiedział, że Oswald znalazł się w Mińsku, jak by pan zareagował?

RICHARD SNYDER: Dobrze mu tak.

FORD: Dlaczego pan tak mówi?

RICHARD SNYDER: Nie był pan w Mińsku [...]. Prowincjonalne miasta w Związku Radzieckim są nieporównanie bardziej zacofane niż stolica, a i stolica, proszę mi wierzyć, pod wieloma względami ustępuje najbardziej zabitej dechami amerykańskiej dziurze.

Różnica między dużymi a małymi miastami, jak również między małymi miastami a wsiami, oznacza jakby olbrzymi krok wstecz w czasie. A dla człowieka, który żył w społeczeństwie amerykańskim, stały pobyt w Mińsku czy innym prowincjonalnym mieście ZSRR to przeżycie dość przygnębiające [...].

FORD: Czy był pan w Mińsku?

RICHARD SNYDER: Kiedyś miałem tam przesiadkę i jakąś godzinę spacerowałem po mieście.

Część III

Praca i sympatie Oswalda

1

Igor

W roku 1993 trudno było ocenić, jak Igor Iwanowicz Guzmin wyglądał za młodu, ponieważ jego powierzchowność wskazywała dokładnie na to, kim był obecnie – emerytowanym generałem kontrwywiadu KGB, potężnym starcem o dużej, czerwonej twarzy, która mogła należeć równie dobrze do szefa nowojorskiej policji, Irlandczyka z pochodzenia. Od orlego nosa wzwyż twarz ta była imponująca, zwłaszcza jasnobłękitne oczy, gotowe błysnąć iskrą prawości, lecz od ust w dół widać było po niej zepsucie: potężny drugi podbródek – typowa szyja szefa policji.

Igor Iwanowicz Guzmin, urodzony w roku 1922, pracował w mińskim KGB od roku 1946 do 1977. Początkowo został tam wysłany przez moskiewską centralę, by dokonać „wzmocnienia kadr", i pozostawał w tym mieście przez ponad połowę swojej pięćdziesięcioletniej czynnej służby. Zaczynał na stanowisku szefa kontrwywiadu w Mińsku, awansował na szefa całego wydziału, wreszcie został dyrektorem departamentu na Białorusi. Mimo iż stanowisko w Mińsku objął ponad rok po zakończeniu okupacji hitlerowskiej, w rozmowie z nami powiedział, że co czwarty obywatel republiki białoruskiej poległ w walce, w niemieckich obozach koncentracyjnych lub w innych okolicznościach. Na tym poprzestał. Podkreślał, że odbudowa Mińska dokonywała się w trudnych warunkach. Nie dość zniszczeń wojennych, to w dodatku jeszcze ludność została skorumpowana przez Niemców. To jasne, że wszystkich policjantów, miejscowe oddziały wojska, wioskowych przywódców, czyli wszystkich tych, których podczas okupacji Białorusi mianowali na stanowiska Niemcy, postrzegano po wojnie jako kolaborantów lub agentów faszystowskich. Dlatego KGB musiał usunąć wszystko, co można by uznać za przeszkodę w odbudowie. Wielu ludzi nie chciało ponosić konsekwencji swoich kolaboranckich działań, stworzyli więc podziemie, co przysporzyło służbie bezpieczeństwa pracy – trzeba było uwolnić społeczeństwo od zagrożenia przez te ukryte siły. Roboty był huk. Uporano się z tym wszystkim dopiero w roku 1953.

Igor Iwanowicz nie pamięta jednak zadania, które przysporzyłoby mu choć w przybliżeniu takich problemów, jakie zaczęły się rodzić przed przyjazdem

Oswalda. Repatrianci byli wprawdzie rozsiani po całej Białorusi i Ukrainie, ale byli Białorusinami – a Oswald przysłanym na stały pobyt do Mińska imigrantem politycznym. Oczywiście przybywali już wcześniej do Mińska agenci obcych wywiadów – brytyjskiego, amerykańskiego czy niemieckiego. Zjawiali się drogą powietrzną, lądując na spadochronach, lub przekradali się przez granicę – w taki czy inny sposób przedostawali się na terytorium kraju. Wiele zadań miejscowego KGB wiązało się z demaskowaniem, aresztowaniem i oddawaniem takich ludzi pod sąd. Tylko w roku 1951 zrzuconych zostało na Białoruś na spadochronach czterech agentów amerykańskich, lecz przypadek Oswalda był najwyraźniej inny, szczególny.

Zanim jeszcze Oswald przybył do Mińska w styczniu 1960 roku, do gabinetu Igora Iwanowicza zdążyły już dotrzeć raporty od moskiewskich urzędników z Inturistu, miał więc do dyspozycji materiały wyjaśniające, dlaczego ów młody Amerykanin dostał zezwolenie na stały pobyt w Związku Radzieckim. Było to jednak dossier nader skromne. Oswald miał osiąść w Mińsku i do miejscowych władz należało zaopiekowanie się nim. Igor miał za zadanie sprawdzić, czy Lee Harvey Oswald rzeczywiście jest tym, za kogo się podaje. Dokumentem największej wagi był więc ten, w którym stwierdzano, że na najwyższych szczeblach podjęto decyzję o zezwoleniu Oswaldowi na pozostanie w ZSRR po próbie samobójczej, mimo podejrzenia, iż było to z góry ukartowane posunięcie. Jak więc można się było spodziewać, moskiewska centrala wydała rozporządzenie: wszcząć śledztwo w sprawie Oswalda.

Iwan Iwanowicz Guzmin wyznaczył pracownika, który miał zostać oficerem prowadzącym, czyli zajmować się na co dzień dochodzeniem w tej sprawie. Był to inteligentny i kompetentny mężczyzna nazwiskiem Stiepan Wasiljewicz Grigorjew. Oto powody, dla których Guzmin wybrał właśnie jego: Stiepan Wasiljewicz był Białorusinem urodzonym w obwodzie mohylewskim, znał więc doskonale miejscowe zwyczaje, sposób życia i tak dalej. Co ważniejsze, był profesjonalistą. Przeprowadzał już przesłuchania ujętych szpiegów niemieckich i brytyjskich. Miał szczególną zdolność lokalizowania, a następnie rozpracowywania podejrzanych obywateli, którzy zostali na Zachodzie po roku 1945, lecz z różnych powodów wrócili do kraju jako repatrianci i musieli zostać sprawdzeni. Stiepan znał też trochę angielski, a nawet gdyby się okazało, że w stopniu niedostatecznym do tłumaczenia dokumentów, ktoś mógłby mu pomagać – przekładać, na przykład, listy do Oswalda ze Stanów na rosyjski.

Profesjonalizm Stiepana był niekwestionowany. Błyskawicznie zatwierdzono jego kandydaturę. Uchodził za człowieka poważnego, o chłodnym analitycznym umyśle, zrównoważonym charakterze, cierpliwego, lubiącego dogłębnie badać każdy problem. „W pracy naszych oficerów nie obowiązuje limit godzin, a Stiepan Wasiljewicz nieraz siedział przez okrągłą dobę, tyle, ile było trzeba, i nigdy się nie skarżył. Świetnie się z nim pracowało. Poza tym – ciągnął Igor – dobrze go znałem. Mieszkaliśmy w tym samym bloku, znałem jego żonę i dzieci, byłem więc spokojny o jego życie prywatne". Stiepan miał składać raporty Igorowi, ten – przekazywać je szefowi białoruskiego kontrwywiadu, a ów z kolei – szefowi moskiewskiej centrali. Można więc powiedzieć, że tylko trzy szczeble w hierarchii władzy dzieliły Stiepana od „szczytu" w Moskwie.

Igor Iwanowicz dodał, że nie bez powodu zachowywano aż tak wielkie środki ostrożności w sprawie Lee Harveya Oswalda. Już wstępna analiza przeprowadzona w Mińsku zasygnalizowała istnienie sprzecznych hipotez. Trzeba było, na przykład, wyjaśnić sprawę służby Oswalda w amerykańskiej piechocie morskiej. W kręgach kontrwywiadu przyjęło się uznawać za pewnik, że FBI i CIA rekrutują część swoich sił właśnie spośród marines. Oswald powiedział również pewnym ludziom w Moskwie, że jest obyty z elektroniką i radarami. Wiedza tego rodzaju nie była obca agentom wywiadu.

Drugi wariant zakładał, że Oswald ma nastawienie prokomunistyczne, jest marksistą. Po zbadaniu sprawy okazało się jednak, że bynajmniej nie zna biegle teorii marksizmu-leninizmu. Wzbudziło to poważne podejrzenia.

Kolejnym zadaniem było sprawdzenie, czy Amerykanie nie nauczyli go władać rosyjskim i czy nie ukrywa on swojej znajomości języka. Dowiedzenie tego było trudne, lecz możliwe poprzez wnikliwą obserwację jego postępów w nauce rosyjskiego. Takie zadanie stało więc przed jego przyszłym nauczycielem języka. Osoba ta musiałaby stwierdzić, czy Oswald przeskakuje od lekcji do lekcji z podejrzaną łatwością, czy też, przeciwnie, nauka sprawia mu prawdziwe trudności. Tę kwestię koniecznie należało wyjaśnić.

Pojawił się też kolejny wariant: KGB sprawdzał ostatnio legalne drogi przedostania się do pewnego kraju, by się przekonać, z jakimi trudnościami wiązałoby się umieszczenie tam swoich agentów. Igor musiał więc wziąć pod uwagę możliwość, że CIA wysłała Lee Oswalda do Moskwy, by sprawdzić, jak można legalnie dostać się na terytorium Związku Radzieckiego. Czy Oswald testował tylko sposób, w jaki Amerykanie mogliby przerzucać agentów do zadań specjalnych?

Poza tym, patrząc na sprawę z czysto ludzkiego punktu widzenia, Oswald otrzymał przecież status potencjalnego imigranta. Należało mu zatem stworzyć dogodne warunki bytowania, by nie rozczarował się realiami życia w Związku Radzieckim. W roku 1960 poziom życia w Mińsku był na tyle wysoki, że nie dawał powodu do rozczarowania społeczeństwem komunistycznym. Poza tym miasto wielkości Mińska, z tłumem przechodniów na ulicach, odpowiadało organom bezpieczeństwa ze względu na ich własne cele. Takie warunki znacznie ułatwiają obserwację.

Słowem, dochodzenie było zaplanowane w najdrobniejszych szczegółach. Oficerowie śledczy postawili sobie dwojaki cel: z jednej strony, nie przeoczyć niczego podejrzanego w zachowaniu Lee Harveya Oswalda, z drugiej zaś, nie ograniczać jego wolności osobistej. Ogromnie pociągała ich też możliwość rozmowy z nim, lecz przez wzgląd na podstawową interesującą ich kwestię – czy

Oswald jest, czy też nie jest szpiegiem – musieli z niej zrezygnować. Bezpośredni kontakt zniweczyłby ich starania o uzyskanie obiektywnych danych za pomocą bardziej wyrafinowanych metod śledczych.

2

Oficer prowadzący

Stiepan Wasiljewicz otrzymał wiadomość o przyjeździe Oswalda do Mińska z dwudniowym zaledwie wyprzedzeniem.

Minimalna była również liczba szczegółów dotyczących służby wojskowej Oswalda w Stanach Zjednoczonych. Miejsce tych informacji zajął opis jego przybycia do Moskwy, zachowania po podcięciu sobie żył i uporu w kwestii pozostania w Związku Radzieckim.

Istniała specjalna droga, którą kursowała korespondencja pomiędzy Mińskiem a moskiewską centralą. Tą drogą Stiepan otrzymał wiadomość o służbie Oswalda w jednostce marines w Japonii, lecz nie uznał jej za godną szczególnej uwagi. Pewnie kontrwywiad wojskowy już się tym zajął i nie oczekiwał od KGB pomocy.

Z drugiej strony Oswald najwyraźniej nie był kimś pierwszym lepszym. „Z materiałów nadesłanych przez lekarzy, którzy leczyli go w szpitalu im. Botkina, jasno wynikało – mówił Stiepan – że ponieważ nic nie jest w stanie odwieść Oswalda od zamiaru zamieszkania w naszym kraju, może on – w razie ponownej odmowy władz – ponownie podjąć próbę samobójczą". Oczywiście równie prawdopodobny był wariant, że jego uparte pragnienie pozostania w Związku Radzieckim wiąże się z jakimś zadaniem specjalnym, zleconym przez Amerykanów – ale jakie miałoby to być zadanie? Do służby w marines zgłosił się w wieku siedemnastu lat. Teraz nagle zbuntował się przeciw wszystkiemu, co amerykańskie. To wysoce podejrzane. Możliwe, że testował jakąś nową metodę amerykańskich służb wywiadowczych.

Gdy oficerowie KGB poddawali kogoś obserwacji z zamiarem zdemaskowania go, nie wolno im było podejmować żadnych działań, mogących obudzić czujność tej osoby. Stiepan podporządkował się decyzji Igora, by nie żądać od Oswalda formalnego sprawozdania z jego służby w piechocie morskiej. Ważniejsze było udowodnienie, czy jest on agentem, czy nie. Nie było się co spieszyć z wydobywaniem z niego mało istotnych informacji wojskowych, które zresztą bez wątpienia uzyskała już Armia Radziecka. A nawet jeśli mógłby przekazać coś użytecznego, trzeba było z tego zrezygnować, byle tylko nie budzić podejrzeń.

Gdy wszystko to zostało już ustalone, Stiepan zabrał się do rozpracowywania powierzonej mu sprawy.

3

Alosza

W roku 1960 Stalina – nazwana tak na cześć Józefa Wissarionowicza – pełniła funkcję kierownika biura Inturistu w hotelu „Mińsk" i zwierzchniczki dwóch tłumaczek. Była już wówczas mężatką i matką rocznej córeczki. Jej mąż wykładał w mińskim Instytucie Języków Obcych. Stalina znała angielski i niemiecki, oczywiście białoruski, a do tego jeszcze czeski, polski i trochę jidysz. Jako dziecko mieszkała z Żydami po sąsiedzku.

Przed rokiem 1959 w Mińsku w ogóle nie było Inturistu, była więc organizatorką ich biura. Hotel „Mińsk", w którym się ono mieściło, był nowym budynkiem, wzniesionym po wizycie Chruszczowa w mieście, zwrócił on bowiem w trakcie wizyty uwagę, że miastu brakuje dobrego hotelu. Nim „Mińsk" rozpoczął działalność, Stalinę i dwóch innych pracowników, kierownika hotelu i sekretarza do spraw mińskich hoteli, wysłano na szkolenie do Moskwy. Wtedy właśnie Stalina dowiedziała się, że w Inturiście, na takim stanowisku jak ona, nie pracuje się w wyznaczonych godzinach, lecz w razie potrzeby należy poświęcić na to całe dnie. Jeśli przyjedzie wielu turystów, ona musi być do ich dyspozycji nawet w nocy, lecz będzie mogła to sobie wynagrodzić w okresach mniejszego ruchu. Czyli gdyby nagle zjawiła się grupa turystów z Brześcia czy z Finlandii, ktoś mógłby zadzwonić do niej do domu i powiedzieć: „Stalino Iwanowno, czy może nam pani pomóc?". Wtedy ma rzucić wszystko i biec do biura.

Jednego przypadku nie zapomni do końca życia. Przyjechała samochodem pewna para – Kanadyjczyk z dziewczyną, węgierską modelką – i chciała zamieszkać w jednym pokoju. Administrator hotelu powiedział: „Nie jesteście państwo małżeństwem, musicie więc zająć osobne pokoje". Na to ta młoda dama nic chciała się zgodzić. Strasznie się złościła. Kanadyjczyk zgodził się na warunki Inturistu, bo nie chciał wywołać skandalu, ale jego dziewczyna była wściekła. Dlatego gdy on dostał apartament, a ją umieszczono w zwykłym jednoosobowym pokoju, otworzyła drzwi na oścież, przysunęła do nich łóżko, rozebrała się do naga, położyła się na nim, zapaliła papierosa i zaczęła się wydzierać na całe gardło. Oczywiście Inturist nie życzył sobie skandalu, więc wezwano Stalinę, by jak najszybciej przyjechała. Problemy, jakich mogła nastręczyć taka sytuacja, były dość liczne. Wśród gości hotelowych było wówczas wielu Finów, a oni pili – i to pili na tyle dużo, że wyzbywali się wszelkich zahamowań. Chodzili nawet zupełnie goli po korytarzach. Ta Węgierka leżała nago, a na tym samym piętrze co ona mieszkało wielu Finów; niektórzy też nie mieli już nic na sobie i tak snuli się po hotelu. Stalina koniecznie musiała z nią porozmawiać. Widząc ją, Węgierka spytała: „Coś ty za jedna?", a na prośby Staliny, żeby się ubrała, bo jako kobieta nie powinna się tak zachowywać, odpowiedziała, wymyślając jej od kurew. Stalina przypomina sobie też, że padło pod jej adresem wyzwisko „kawał rosyjskiej świni". Węgierka leżała więc nago w obecności mężczyzn i wyzywała Stalinę od najgorszych. Potem powiedziała: „Nie ważcie mi się zamykać tych drzwi. Jeżeli mój chłopak nie weźmie mnie do apartamentu, ci Finowie mogą tu przychodzić i po kolei się ze mną kochać".

Co można było zrobić? Nawet Kanadyjczyk nie mógł dziewczyny uspokoić. Stalina sprawiła, że parę usunięto z hotelu.

Z Amerykanami sprawa się miała inaczej. W owym czasie stosunki między ZSRR a USA nie były najcieplejsze, lecz charakteryzował je wzajemny podziw. Stalina została wychowana na osobę gościnną, poza tym wojnę spędziła w sierocińcu i pamięta, jak po jej zakończeniu przybyła pomoc humanitarna z Ameryki – orzechy, cukier, czekolada, łóżka (łóżka, pomyśleć tylko!) i odzież. Naturalnie więc Ameryka kojarzyła jej się jak najlepiej. Dlatego też, gdy pojawił się Lee, nie była wobec niego sztywna czy oficjalna, lecz szczera i otwarta. Widziała, że on czuje, że z jej strony nic mu nie grozi. Poza tym ściągnął do Mińska 7 stycznia, dokładnie w dzień jej urodzin. To dopiero! Spotkanie było im widać pisane.

Stiepan mówi, że Lee Harveyowi Oswaldowi nikt nie towarzyszył w podróży z Moskwy. Na dworzec kolejowy w Mińsku wyszły po niego dwie kobiety z białoruskiego Czerwonego Krzyża i zabrały go do hotelu. Stiepan nie zna nawet nazwisk tych kobiet. W nikim nie wzbudził zdziwienia fakt, że Oswald podróżuje w pojedynkę; najwyraźniej służba bezpieczeństwa nie brała pod uwagę możliwości jego ucieczki z pociągu. Skoro tak bardzo chciał zostać w ZSRR, dlaczegóż by miał uciekać? Nawet przy założeniu, że Amerykanie wysłali go po to, żeby zbiegł i został nielegalnym imigrantem, wysiadka z pociągu na którejś z pośrednich stacji byłaby najgłupszym i najbardziej prymitywnym z możliwych posunięć. Oswald szybko dostałby się w ręce służby bezpieczeństwa. To już CIA musiała wiedzieć z doświadczenia. Bezpieka namierzała nawet ludzi, którzy skakali nocą z samolotów.

Stiepan nie wie, czy Oswald podróżował pierwszą, czy drugą klasą; pewne jest to, że w chwili jego przybycia do Mińska rozpoczęto obserwację. Jeszcze na dworcu. Dosłownie od pierwszej minuty jego pobytu.

<u>8 stycznia</u>
Spotkałem się z merem miasta, towarzyszem Szarapowem, który życzył mi miłego pobytu w Mińsku, obiecał mi „wkrótce" darmowe mieszkanie i ostrzegł mnie przed nieokrzesanymi obywatelami, którym zdarza się obrażać obcokrajowców.

Z OBSERWACJI KGB PRZEPROWADZONEJ W GODZ. 8.00–23.00
DNIA 9 STYCZNIA 1960 ROKU
O godz. 10.00 Lee Harvey wszedł do hotelu „Mińsk", podszedł do administratora i zaczął z nim o czymś rozmawiać. Potem udał się na trzecie piętro, usiadł na korytarzu i zaczął rozmawiać z tłumaczką imieniem Tania. Dołączył do nich inny pracownik hotelu.

Po rozmowie trwającej ok. 40 minut Lee Harvey wszedł do swojego pokoju (nr 453).

O godz. 11.40 opuścił hotel i szybkim krokiem ruszył ulicą Swierdłowa w kierunku sklepu mięsnego. Gdy znalazł się w sklepie, pobieżnie przyjrzał się wyłożonym towarom, po czym wyszedł i skierował się w stronę ulicy Kirowa. Dotarł do skrzyżowania z placem Dworcowym, zatrzymał się, obejrzał gablotę z fotografiami zaplecza technicznego białoruskiego dworca, potem zbliżył się do restauracji „Raduga", zatrzymał się tam na chwilę, następnie wszedł do sklepu spożywczego przy ulicy Kirowa, przyglądając się uważnie innym klientom. Obejrzał sklep, wyszedł, nie dokonawszy zakupów, i udał się do księgarni, gdzie chodził wzdłuż półek, nie zatrzymując się przy żadnej, a po opuszczeniu księgarni ruszył szybkim krokiem. W hotelu był z powrotem o godz. 12.25.

O godz. 16.40 Lee Harvey opuścił swój pokój i zszedł do restauracji hotelu „Mińsk". Usiadł przy wolnym stole i czekał na kelnerkę. (W restauracji obserwacja była niemożliwa, ponieważ było tam zbyt mało ludzi).

Restaurację opuścił po ok. 45 minutach i wrócił do swojego pokoju. Nie opuszczał go do 23.00, kiedy to zawieszono obserwację do następnego ranka.

10 stycznia

Cały dzień dla siebie. Spacerowałem po mieście. Ładne jest.

Z OBSERWACJI KGB PRZEPROWADZONEJ W GODZ. 8.00–24.00
DNIA 10 STYCZNIA 1960 ROKU

O godz. 11.00 Lee Harvey opuścił hotel „Mińsk" i poszedł do domu towarowego. Udał się do działu elektrycznego, zapytał o coś sprzedawcę, wyjął z kieszeni pieniądze i podszedł do kasjera tego działu. Za nic nie płacił, tylko włożył pieniądze z powrotem do kieszeni i zaczął chodzić po parterze domu towarowego, oglądając różne towary. Później wrócił do działu elektrycznego, zapłacił 2 ruble 25 kopiejek za wtyczkę do gniazdka, włożył ją do kieszeni i wszedł na pierwsze piętro. Tam przez jakiś czas chodził po dziale z konfekcją, oglądał garnitury, wreszcie szybkim krokiem opuścił sklep. Był z powrotem w hotelu o godz. 11.25.

O godz. 12.45 wyszedł z pokoju i zszedł do restauracji. Usiadł przy wolnym stole i zaczął jeść. (Podczas posiłku obserwacji nie prowadzono, ponieważ poza Lee Harveyem na sali nikogo nie było).

O godz. 13.35 Lee Harvey opuścił restaurację i udał się do swojego pokoju.

O godz. 18.10 znów zszedł do restauracji. Usiadł przy wolnym stole, zjadł posiłek, opuścił restaurację o godz. 18.45, pojechał windą na trzecie piętro i wszedł do pokoju.

Nie opuszczał pokoju do godz. 24.00, kiedy to zawieszono obserwację do rana.

Ponieważ Stalina sama była niska, Oswald wydawał jej się wysoki. Uważała, że jest nieszczęśliwy, jak ptak, który wypadł z gniazda. Zwykle cudzoziemcy byli dobrze ubrani, a on nie – chyba stale nosił jeden i ten sam garnitur.

Dali mu jednoosobowy pokój, taki jak obywatelom radzieckim. Nic nadzwyczajnego. Prawdopodobnie dlatego, że miał w ZSRR zamieszkać na stałe. Dlatego właśnie Stalina miała wrażenie, że oddano go jej pod opiekę, ale nie była z tego powodu niezadowolona – uważała się za osobę solidną i stateczną. On jej potrzebował. Był zupełnie bezradny, jeśli chodzi o poruszanie się po mieście. Ponieważ zaś wzbudzał w niej matczyne uczucia, postanowiła sama oprowadzić go po Mińsku.

Typowy niedorajda. Trzeba go było poganiać, żeby cokolwiek zrobił. Stalina mieszkała dwa domy od hotelu, widywanie się więc było w miarę łatwe. Chciała, żeby Oswald czuł się w Mińsku dobrze. Szybko zaczęła nazywać go Aloszą, ponieważ to imię cieszyło się poważaniem. Obeliski ku czci radzieckich żołnierzy, którzy wyzwolili Bułgarię, Bułgarzy przezwali „aloszami". Była o tym nawet kiedyś piosenka. Stalina nie pamiętała innego Aloszy – tego z *Braci Karamazow* – i śmiała się, gdy jej o nim przypomnieliśmy. Broń Boże nie uważała swojego Aloszy za świętego, ale łączyły go z nią więzi niemal rodzinne. Nie zgubiła kilogramów, które przybyły jej w czasie ciąży, i uważa, że musiała się Aloszy zdawać starsza, niż w istocie była; miała zaledwie dwadzieścia osiem lat, a on chyba brał ją za sympatyczną mężatkę w średnim wieku. Oczywiście zdawał sobie sprawę, że jeśli cokolwiek chce w Mińsku zdziałać, nie może się obyć bez jej pomocy. Po niedługim czasie więc sam zaczął do niej przychodzić. Wprawdzie trochę o sobie mówił, ale mimo to wydawał jej się młodzieńcem skrytym, bardzo skrytym. Pamięta, że w dniu ich spotkania, a może dzień później, zwróciła się do niego, mówiąc: „Przecież musisz mieć jakiś plan. Jak zamierzasz żyć?". Odpowiedział na to, że chce studiować, i zapytał, jakie są w Mińsku szkoły wyższe. Wolałby jakąś uczelnię humanistyczną, nie ścisłą. Ponieważ sama ukończyła miński Instytut Języków Obcych i miała tam znajomości, zasugerowała mu, żeby się tam zapisał. Pomysł przypadł mu do gustu. Ale parę dni później przyszedł i powiedział: „Pracuję w fabryce radioodbiorników przy ulicy Krasnej".

11 stycznia

Byłem w Mińskiej Fabryce Radioodbiorników, w której mam pracować. Poznałem tam imigranta z Argentyny, Aleksandra Zigera, który jest z urodzenia polskim Żydem, wyemigrował do Argentyny w 1938 roku, a w 1955 roku wrócił w ojczyste strony (dziś ta część Polski należy do Białorusi). Mówi po angielsku z amerykańskim akcentem. W Argentynie pracował w jakiejś amerykańskiej firmie. Jest wykwalifikowanym inżynierem, kieruje tu całym działem, ma dobrze ponad czterdzieści lat, uprzejmy, sympatyczny. Zdaje się, że chce mi coś powiedzieć.

Z CHRONOLOGII KGB

13.01.60 Zgodnie z rozkazem nr 6 (12.01.60), Oswald został zatrudniony jako regulator pierwszego stopnia w warsztacie eksperymentalnym przy Mińskiej Fabryce Radioodbiorników.

Z OBSERWACJI KGB PRZEPROWADZONEJ W GODZ. 8.00–24.00
DNIA 13 STYCZNIA 1960 ROKU

O godz. 8.00 rozpoczęto obserwację u wejścia do Fabryki Radioodbiorników, gdzie obecnie pracuje Lee Harvey.

O godz. 16.25 Lee Harvey opuścił fabrykę i poszedł ulicą Krasną i Zacharowa w kierunku przystanku trolejbusowego linii numer 2, nie odzywając się do nikogo, dojechał do przystanku przy Wołodarskiego, tam wysiadł i wszedł do hotelu. Była wtedy godzina 17.00. Udał się prosto do swojego pokoju [...].

O godz. 21.55 opuścił pokój i zszedł do restauracji, gdzie usiadł przy wolnym stole, zamówił u kelnerki posiłek, zjadł, zapłacił i wrócił do pokoju o godz. 22.25.

Nie wychodził z pokoju. O godz. 24.00 zawieszono obserwację do rana.

Igor Iwanowicz twierdzi, że KGB nie miał bezpośrednio do czynienia z wyborem miejsca pracy czy mieszkania dla Oswalda. Tego rodzaju sprawy leżały w gestii Rady Ministrów. Służby bezpieczeństwa nawet nie zapytano o zdanie. Taka była polityka. Choćby nie wiadomo jak ostrożnie ludzie Igora zabrali się do lokowania go w miejscu pracy, zawsze istniała szansa, że Oswald by się o tym dowiedział – a to całkowicie pomieszałoby im szyki. Teraz zaś, gdy dostał pracę montera w „Horyzoncie" i miał dostęp do urządzeń radiokomunikacyjnych, można było otwarcie przyznać, że KGB było to nawet na rękę. Jeśli Oswald jest specjalnie przeszkolonym agentem, można będzie obserwować, jak fachowo obchodzi się ze sprzętem radiowym w różnych warunkach. W owym czasie miński „Horyzont", a przynajmniej warsztat, gdzie pracował Oswald, nie był ściśle chroniony. Fabryka współpracowała jednak od czasu do czasu z sowieckimi tajnymi służbami, można więc było sprawdzić, czy Oswald stara się przeniknąć do tego rodzaju siatek.

To był duży zakład, zajmował powierzchnię około osiemdziesięciu tysięcy metrów kwadratowych, a na jego terenie znajdowała się plątanina uliczek, baraków oraz dwu- i trzypiętrowych budynków, postawionych w różnych latach; było tu mnóstwo zaułków, samochodów dostawczych i ciężarówek – wszystko to razem wzięte przypominało staroświeckie i nieco podupadłe studio filmowe.

13–16 stycznia

Pracuję jako „kontroler"; robotnik; płaca – 700 rubli miesięcznie, praca – łatwizna. Szybko uczę się rosyjskiego. Wszyscy są teraz serdeczni i mili. Poznaję wielu rosyjskich robotników w moim wieku. Są bardzo różni. Chcą się o mnie wszystkiego dowiedzieć, zaproponowali nawet, że zorganizują wiec, na którym miałbym przemawiać. Grzecznie odmówiłem.

4

Oswald przy warsztacie

Dwudziestokilkuletnia Katia pracowała w „Horyzoncie" sześć lat. Urodzona w kołchozie, wciąż jeszcze czuła się wieśniaczką. Była więc bardzo cicha, ale także, mimo swej nadmiernej chudości i nieśmiałości, bardzo ładna. Nigdy ani słowem nie odezwała się do Oswalda, tylko mu się przyglądała. Teraz jest tęższa, urodziła kilkoro dzieci, nabrała śmiałości, ale wtedy była taką cichą myszką. Rok za rokiem ciężko pracowała, w białym fabrycznym kitlu i chustce na głowie, żeby włosy nie dostały się do maszyny. Gdy do pracy przyszedł Alik, Katia wcale nie była zdziwiona – zwyczajny młody chłopak, wyglądem nie różniący się od jej rodaków, nic szczególnego.

Z jednym wyjątkiem. Ten Amerykanin wiecznie narzekał, że mu zimno. W warsztacie było ciepło, ale mówił, że na dworze zawsze marznie. Za każdym razem, kiedy otwierał usta, wzbudzał śmiech. Tak kaleczył rosyjski, że wszyscy się śmiali – nie złośliwie, tylko z sympatią. Starał się dobrze wymawiać słowa, ale ciągle się mylił. To ich śmieszyło.

Sonia, która pracowała obok Katii, też za młodu była ładna, chociaż musiała iść do pracy w „Horyzoncie" w roku 1952, gdy miała szesnaście lat. Jej matka miała pięcioro dzieci i chronicznie brakowało jej pieniędzy, Sonia musiała więc zacząć zarabiać. W roku 1960 została skierowana do warsztatu eksperymentalnego, co dowodziło, że znała się na swojej pracy.

Pamięta, że zobaczyła Lee Harveya Oswalda podczas jego pierwszego dnia w pracy; mężczyźni pracujący w warsztacie otoczyli go kołem i zadawali mu pytania. „Macie tam w Ameryce krowy? A świnie macie?". Nie rozumiał, co do niego mówią, pokazywali mu więc na migi, naśladowali zwierzęce odgłosy i Lee się śmiał.

Sonia pamięta, że był bardzo drobnej budowy, lecz miał mocny kark. Był cudzoziemcem, dlatego nikt nie miał nic przeciwko niemu – traktowali go zwyczajnie, po prostu jak cudzoziemca.

Stanisław Szuszkiewicz widywał już wcześniej Amerykanów, lecz ten osobnik wydał mu się ukształtowany na modłę radziecką. Nosił futrzaną czapkę, jak rosyjscy żołnierze, z typowego szarego futra, i w dodatku nosił ją tak, jakby się w niej urodził.

Było to w lutym 1960, Szuszkiewicz był świeżo po dyplomie uniwersyteckim. Kierownictwo „Horyzontu" uznało jego znajomość angielskiego za biegłą, choć tak naprawdę lepiej radził sobie ze słowem pisanym niż z konwersacją. Tak czy owak, dwa dni po przybyciu Oswalda do fabryki towarzysz Libiezin, sekretarz partii w fabryce, potężny mężczyzna (zarówno ze względu na tuszę, jak i odpowiedzialne stanowisko), zlecił Szuszkiewiczowi zadanie: nauczcie tego człowieka naszej rosyjskiej mowy. Do tej pory z Amerykanami Szuszkiewicz miał do czynienia jedynie na konferencjach naukowych i sympozjach. Teraz czekał go pierwszy tak bezpośredni kontakt. Potraktował to więc trochę jak rozrywkę i pamięta wiele szczegółów. Nie należał do partii, lecz został nauczony, że Amerykanie zawsze przedstawiają niewielkie, ale konkretne zagrożenie: można im mianowicie zupełnie nieświadomie udzielić ważnych informacji. Z drugiej strony zaś, ponieważ oficjalnie przekazano mu polecenie partii, by nauczyć tego człowieka rosyjskiego, mógł spotykać się z Amerykaninem, nie narażając się na kłopoty w życiu osobistym. Stanisław był podekscytowany.

Potencjalne problemy redukował dodatkowo fakt, że polecono mu pracować wespół z innym Rosjaninem znającym angielski. Było jasne, że partia nie chce, by Szuszkiewicz i Oswald przebywali ze sobą sam na sam. Przecież Szuszkiewicz był inżynierem ze sporym stażem, miał na swoim koncie wynalezienie różnych urządzeń, a w „Horyzoncie" znalazł się dlatego, że wymagała tego jego praca badawcza. W tamtych czasach, nim otrzymało się dyplom i tytuł doktora, trzeba było odbyć praktykę w zakładzie przemysłowym.

Lekcje odbywały się po pracy. Oswald przychodził do Szuszkiewicza z innego budynku na terenie fabryki. Pierwsze polecenie, które przyszły nauczyciel otrzymał od Libiezina, brzmiało: „Nie rozmawiajcie na temat jego życia przed przyjazdem tutaj". Wskutek tego ich rozmowa nigdy nie stała się osobista. Szuszkiewicz uczył, jak odmieniać czasowniki, i od czasu do czasu próbował zapoznać Amerykanina z językiem potocznym.

Oswald nie robił wrażenia spiętego czy nieprzyjaznego. Nie był podejrzliwy, tylko zamknięty w sobie, i nigdy nie wyrażał wdzięczności za lekcje. Ale to nie było istotne. Szuszkiewicz go nie lubił. Wychowany w poszanowaniu tradycyjnych wartości, uważał, że nie ma nic gorszego niż zdrajca. Człowiek, który zdradził jedną stronę, na pewno zdradzi i drugą. Ale zadanie wyznaczono mu odgórnie, pilnował się więc, by Oswald nie domyślił się, co on o nim sądzi.

Zresztą Oswald swoim zachowaniem nie mógł zmienić poglądu Szuszkiewicza. Nie okazywał ani krzty wyobraźni, odrobiny emocji czy cienia uśmiechu. Lekcje nie budziły w nim wielkiego entuzjazmu; Oswald uważał, że rosyjski jest trudny.

Doszedł do poziomu, kiedy rozumiał, co nauczyciel do niego mówi, jeśli ten mówił powoli, sam zaś pomagał sobie gestykulacją, wypisywał słowa na karteczkach i od czasu do czasu posługiwał się słownikiem. Wprawdzie Szuszkiewicz wolałby więcej rozmawiać z Oswaldem po angielsku, ale ich relacja miała pozostać jednostronna. Nie przyszło mu nigdy do głowy, aby się martwić tym, że Oswald może od niego wyciągać techniczne sekrety. Może to nieskromne, ale uważał się za człowieka inteligentnego i nie sądził, by Oswald mógł go tak podejść.

Ani na chwilę nie nawiązała się między nimi nić sympatii. Oswald był zawsze czysty i schludny. Większość ludzi wstydziłaby się włożyć żołnierską czapkę, a on umiał ją nosić. Może jakoś specjalnie ją modelował – w każdym razie wyglądał w niej jak dżentelmen.

W końcu zaczął Szuszkiewicza irytować. Dostawał dobrą pensję, ale nie przykładał się do pracy jak inni, którzy zarabiali mniej od niego. Szuszkiewicz pamięta, że raz zwrócił się do swojego pomocnika i powiedział: „Słuchaj, mamy dziś dużo do roboty, musimy się pospieszyć. Dajmy trochę Amerykaninowi, niech nam pomoże". Pomocnik odpowiedział na to: „Nie ma sensu, spartaczy robotę".

Tyle mniej więcej pamięta Stanisław Szuszkiewicz, dziś przewodniczący Rady Najwyższej Białorusi, dawnej republiki radzieckiej.

Stalina też poduczała go rosyjskiego, za co nie dostała ani kopiejki. Lekcje odbywały się podczas kilkukilometrowych spacerów, na które woziła swoją córeczkę w wózku aż do stadionu. Lee lubił dzieci i sprawiała mu przyjemność zabawa z dziewczynką, był jednak człowiekiem skomplikowanym, bardzo łatwo ulegającym nastrojom. Czasami wzruszał się do łez, kiedy indziej zaś pozostawał całkowicie zamknięty w sobie, jakby nic nie czuł. A jednak mówił do niej „mamo", chociaż była od niego tylko siedem czy osiem lat starsza.

W pierwszych dniach pracy przychodził z fabryki zbyt zmęczony, by cokolwiek robić, po prostu wykończony. Nie szedł nawet do swojego pokoju, tylko wpadał do niej do biura, rzucał się na jedyny fotel i mówił: „Mamo, jestem tak zmęczony, że nie mam nawet siły iść po klucz i otworzyć sobie drzwi".

Odpowiadała mu wtedy: „Przystałeś do naszego społeczeństwa, żeby budować socjalizm, nie powinieneś więc czuć zmęczenia, tylko dumę".

A on na to: „Najpierw muszę coś zjeść i odpocząć, dopiero potem może będę mógł budować socjalizm". I pokazywał jej swoje buty, liche i zniszczone. Skarżył się: „Na dworze jest mróz. Zimno mi w tych butach". Kiedyś świadkiem takiej rozmowy była dziewczyna z Inturistu i Oswald powiedział do niej: „Chcesz prezent ode mnie? Dam ci te buty, żebyś wiedziała, w jak zniszczonym obuwiu chodzą Amerykanie", na co ona odparła: „Niepotrzebne nam takie prezenty. Całe życie nosimy zniszczone rzeczy. Dla nas to żadna nowość".

5

Echo z getta

Rodzice Maksa Prochorczyka zostali żywcem pogrzebani w mińskim getcie podczas drugiej wojny światowej, gdy Maks miał cztery lata. Wychowywał go więc wuj, nie Żyd, lecz Rosjanin – był dla Maksa wujem, bo ożenił się z siostrą jego matki. Chłopiec nie wiedział zbyt wiele o getcie, w którym się urodził – zresztą nie chciał wiedzieć; do dziś go to boli. Gdy krewni chcieli mu coś o tym opowiedzieć, mówił: „Nie chcę tego słuchać". Mimo to wszyscy w Mińsku wiedzieli. Po tym getcie pozostała jedna jedyna krzywa uliczka, biegnąca w dół zbocza. Nadal stoją przy niej stare drewniane domy, a u jej wylotu znajduje się miniaturowy skwer, o wymiarach sześć na dziewięć metrów, ze sporym dołem pośrodku, powstałym po usunięciu spalonych tam ciał.

W roku 1941 rozstrzelanych i pochowanych zostało tam około stu, może ponad stu Żydów. Ludzie widzieli, jak ziemia się ruszała, gdy przysypywano dół piachem – to szamotali się ci, których grzebano żywcem. Pomału jednak oznaki życia zamierały. Wreszcie ziemia znieruchomiała.

Maksa wyciągnął z getta ów wuj Rosjanin, który służył w partyzantce i wkrótce potem został zabity przez Niemców. Wdowa po nim miała oprócz matki Maksa jeszcze jedną siostrę, która również zginęła z rąk Niemców. Wdowiec po niej, który też nie był Żydem, tylko Rosjaninem, przekradł się do Mińska i ożenił się z ciotką Maksa. W ten sposób rodzina nadal była rodziną. Zimą 1942 roku musieli jednak opuścić Mińsk. Zbiegli do położonego za miastem lasu i tam się kryli aż do roku 1944. Wrócili do miasta na kilka dni przed ostatecznym wyjściem Niemców. Nie zostali poinformowani dokładnie. Myśleli, że armia radziecka już wyzwoliła Mińsk. Ale nie – dotarli do miasta tuż przed zakończeniem oblężenia. Było niebezpiecznie. Niemcy bombardowali ruiny miasta, sowieci też. Rodzina Maksa pojawiła się w Mińsku, gdy na dachy spadały bomby.

Był koniec czerwca. Odnaleźli siostrę ojca Maksa, która wyglądała jak herszt bandy zbójców. Była to twarda kobieta. Załatwiła sobie fałszywe rosyjskie dokumenty, by nie wyszedł na jaw fakt, że jest Żydówką. Kiedy wszyscy już się wyściskali i wycałowali, położyli się spać na klepisku. Byli tak zmęczeni, że w nocy nie budził ich nawet huk bomb zrzucanych na otaczające ich ruiny.

Po dwudniowym bombardowaniu o dziewiątej rano do Mińska wjechały trzy radzieckie czołgi i nagle nastała ogromna cisza. Przerażająca cisza. Wszyscy byli przygotowani na najgorsze. Z początku sądzili, że to niemieckie czołgi. Nagle chłopcy podnieśli krzyk. Ale radzieccy żołnierze nie wyszli z czołgów. Też byli ostrożni. Lufy na wieżyczkach wciąż obracały się powoli z lewa na prawo. Wreszcie oczom wszystkich ukazały się ciężarówki i kolumny czołgów. Żołnierze rzucali z nich chleb grupkom żywiołowo witających ich dzieci.

Wyzwoleniu miasta jednak nie towarzyszyła radosna wrzawa. Prawdziwy front już dawno przesunął się daleko na zachód od Mińska, który był oblegany całymi tygodniami, póki Niemcy się nie poddali.

Maks nie czuł nic na widok niemieckich jeńców. Niewiele pamięta z tego okresu, kiedy razem z tymi Niemcami odbudowywali Mińsk. Pamięta za to dobrze, że był głodny. Stale wtedy brakowało żywności. Dopiero później, pod koniec lat pięćdziesiątych, wreszcie było jedzenia pod dostatkiem. Miał siedemnaście lat, gdy podjął pracę w fabryce torebek i garniturów. Pracował tam, póki nie powołano go do służby w Armii Czerwonej w roku 1956.

Przez trzy i pół roku służył w piechocie w Mongolii. Potem zaczął pracować w „Horyzoncie". W wojsku odbył praktykę zawodową, zatem, rozpoczynając pracę w warsztacie eksperymentalnym, nie stąpał po nieznanym gruncie.

W drugim dniu pracy poznał Lee Harveya Oswalda. Pamięta, że było to pod koniec stycznia, kiedy jeszcze nikogo nie znał. Przydzielono mu warsztat i narzędzia, a że wiedział, co ma robić, zabrał się do mierzenia sztancą i dobierania odpowiednich średnic. Podczas przerwy obiadowej uznał, że może wyjść na papierosa. Wśród robotników panował niepisany zwyczaj, że jeśli któryś odchodził od warsztatu, a drugi chciał skorzystać z jego maszyny, powinien zaczekać na powrót i zgodę tamtego. Gdy zaś Maks podszedł z powrotem do swojego warsztatu, zastał narzędzia ułożone inaczej, niż je zostawił, a element, nad którym pracował, przesunięty. Było to jego pierwsze zadanie i chciał się wykazać przed majstrem fachowością. Robotnik pracujący przy sąsiedniej maszynie wskazał na Oswalda: „To on". Oswald stał tyłem do Maksa, Maks klepnął go więc w ramię i zapytał: „Co ty wyprawiasz?". Tamten odpowiedział mu nie po rosyjsku, co Maksa zdumiało i zaszokowało. Nie wiedział, co to wszystko ma znaczyć. Wtedy tamten odwrócił się i chciał Maksa odsunąć – nie popchnąć, tylko odsunąć, ale wyglądał na rozgniewanego. Może dla niego to też był pechowy dzień. Zrobił gest, jakby mówił: „Przesuń się", i to Maksa jeszcze bardziej rozzłościło. Złapał tego faceta za klapy i popchnął na kolumnę. Robotnicy momentalnie otoczyli ich i rozdzielili, zaraz też z krzykiem nadbiegł sekretarz partii w „Horyzoncie", Libiezin. Zabrał Maksa na górę, do majstra. Wyjaśnił też, że ten facet, na którego się rzucił z pięściami, przyjechał z Ameryki.

Potem przyprowadzili Oswalda na górę, przedstawili go i kazali Maksowi przeprosić Amerykanina. Uprzejmie, stanowczo powiedzieli mu: „On jest tu nowy. Nie zna zasad, więc go przeproście. To wyście zaczęli". Maks nie chciał się zgodzić.

A ten facet cały czas siedział, jakby go to w ogóle nie obchodziło, jakby nic do niego nie docierało. Prochorczyk powiedział w końcu: „Dobrze, przeproszę go, ale nie podam mu ręki. Na to może przyjdzie czas później". Aż się w nim gotowało. Zwierzchnicy mówili mu: „Jesteście sobie równi. On jest Amerykaninem, wy Rosjaninem, obaj jesteście ludźmi pracy". Maks odparł: „Obraził mnie, więc to on powinien mnie przeprosić". Może gdyby Oswald mówił po rosyjsku, mogliby się dogadać. Ale Maks został wmanewrowany w dziwną sytuację. Znalazł kompromisowe wyjście – wstał, położył rękę na piersi i skłonił głowę – tylko głowę. Ponieważ Oswald nie rozumiał języka gestów, pomyślał, że Maks go przeprosił. W dalszym ciągu milczał, wreszcie wyszedł z Libiezinem. Potem przez dłuższy czas Maks nie miał z Oswaldem nic do czynienia.

Stalina zdawała sobie sprawę, że nie powinna utrzymywać zbyt bliskich kontaktów z cudzoziemcami. Poprosiła więc koleżankę tłumaczkę, Tanię, żeby wybrała się gdzieś z Aloszą. Tania znała angielski, Stalina zaproponowała więc, by Alosza zaprosił ją do kina.

Okazało się to jednak dość skomplikowane. Tania była miłą, beztroską dziewczyną, choć niezbyt wykształconą – ale osoba pochodząca z inteligencji mogłaby odnosić się do Oswalda z wyższością. Mieszkała z matką, która była portierką. Mimo wszystko jednak nie można powiedzieć, żeby pierwsze spotkanie poszło jak z płatka. Alosza zaprosił Tanię na film, ale w końcu nie obejrzeli go razem, ponieważ w tym samym podwórzu mieściły się dwa kina i on poszedł do jednego, a ona czekała pod drugim. Nazajutrz przyszedł do Staliny i zapytał: „Mamo, z jakimi dziewczynami mnie umawiasz? Wystawiła mnie do wiatru – nie przyszła". Tania z kolei powiedziała: „On się nie zjawił". Na następny dzień umówili się, że pójdą do kina „Lato", lecz okazało się, że w Mińsku są dwa kina o tej nazwie, na domiar złego na dwóch krańcach miasta. Znów się więc minęli. Lee aż kipiał: „Mamo, czy ona mnie wodzi za nos?"

W końcu wszystko się ułożyło i zaczęli ze sobą chodzić. Kilka tygodni później Lee przyszedł do Staliny i powiedział: „Co za dziewczynę mi dałaś? Chciałem ją pocałować, a ona: «Nie ma tak dobrze. Najpierw się pobierzmy, potem będziemy się całować»".

Z OBSERWACJI KGB PRZEPROWADZONEJ W GODZ. 7.00–23.00
DNIA 30 STYCZNIA 1960 ROKU

O godz. 7.30 Lee Harvey opuścił hotel, poszedł na przystanek przy Wołodarskiego, wsiadł do trolejbusu numer 1 i nie odzywając się do nikogo, dojechał do placu Zwycięstwa, wysiadł i ulicami Zacharowa i Krasną poszedł do pracy. W pracy był o godz. 7.45.

O godz. 14.05 Lee Harvey wyszedł z fabryki „Horyzont", szybkim krokiem udał się na plac Zwycięstwa, wsiadł do jadącego akurat trolejbusu numer 2, kupił bilet i nie odzywając się do nikogo, dojechał na przystanek przy Wołodarskiego, wysiadł i był w hotelu „Mińsk" o godz. 14.20 [...].

O godz. 17.55 Lee Harvey zszedł do holu, poszedł do fryzjera, ostrzygł włosy i wrócił do pokoju.

Z pokoju nie wychodził do godz. 23.00. Obserwację zawieszono do rana.

Stalina pamięta, że nie minęło parę tygodni, a Alosza zdążył znaleźć sobie anglojęzycznego kolegę, studenta medycyny nazwiskiem Titowiec. Titowiec rzeczywiście bardzo dobrze mówił po angielsku, często przychodził do hotelu po Aloszę i potem razem gdzieś szli. Alosza poczuł się swobodniej. Nie jak przez tych pierwszych parę dni, kiedy był, jak to się mówi, „nie w sosie". A jakiś tydzień czy dwa tygodnie później Stalina zobaczyła Aloszę z jeszcze innym kolegą, sympatycznym blondynem, Pawłem Gołowaczowem. Podobnie jak wielu mieszkańców Mińska słyszała o Pawle Gołowaczowie, bo jego ojciec był słynnym generałem sił powietrznych. A teraz on się kolegował z Aloszą.

Oczywiście Alosza jako Amerykanin wzbudzał zainteresowanie – bo nie dość, że był prawdziwym Amerykaninem, to jeszcze do tego kawalerem. Zdarzało się nawet, że do hotelu przychodziły dziewczyny i pytały: „Jak można go poznać?".

6

Podwójny bohater

Igor zawsze dokładnie sprawdzał pracę Stiepana Wasiljewicza dotyczącą Oswalda. Trzeba się było liczyć z tym, że oficer prowadzący może czegoś w porę nie dostrzec, Igor nie poprzestawał więc na otrzymywanych od Stiepana raportach, lecz starał się także udzielać mu konkretnych wskazówek.

Zaznaczył przy okazji, iż nadzorował jednocześnie wiele innych spraw, należy więc rozumieć, że mimo iż z każdą z nich był obeznany, to oficer prowadzący nią żył, rozpatrywał każdy szczegół, dokonywał ocen i dopiero wtedy przedstawiał propozycje działania. Zatem de facto sprawę prowadził Stiepan.

„Oczywiście, że zdarzało się nam popełniać błędy – mówił Igor. – Czasami podejmowaliśmy działania zbyt późno, nie zapobiegliśmy niektórym poczynaniom Oswalda. Widać nikt nie jest doskonały".

Igor doskonale pamięta po dziś dzień sytuację, kiedy to Stiepan nie podjął odpowiednich kroków, by odseparować Oswalda od pewnego osiemnastolatka pracującego w fabryce, jedynego syna pewnego generała sił powietrznych, dwukrotnie odznaczonego Bohatera Związku Radzieckiego. Syn jednak nie był podobny do ojca – miał „naturę dysydenta" i trochę handlował na czarnym rynku. Igor i jego współpracownicy obawiali się więc, że młody Gołowaczow może ulec wpływom wyszkolonego agenta, który pewnie będzie chciał go przestawić na zachodni sposób myślenia.

Libiezin, ów potężny człowiek odpowiedzialny za słuszną linię ideologiczną środowiska, przechodził obok stanowiska pracy Pawła i zapytał: „Czy ktoś tu zna trochę angielski?". Tak się złożyło, że angielski znał tylko Paweł. Mógł się wprawdzie do tego nie przyznawać, a jednak skinął głową w odpowiedzi na pytanie sekretarza. Libiezin zaprowadził go do Oswalda i tak ci dwaj się poznali.

Paweł uczył się angielskiego od piątej do dziesiątej klasy, ale co to za nauka w szkole! W pierwszej chwili Oswald zrobił na nim wrażenie kosmity, który ni stąd, ni zowąd wylądował w ich fabryce. Ale, powiedział sobie Paweł, to nie żaden diabeł, tylko człowiek, tak jak ja. Czas pokaże, co on za jeden, w każdym razie nie ma w nim nic odpychającego.

Mniej więcej w tym właśnie czasie rozpoczęła się kampania Chruszczowa na rzecz pokoju i przyjaźni między narodami. Społeczeństwo stawało się bardziej otwarte. Należy wciąż pamiętać o specyfice tamtego okresu. W każdym razie dwa dni po pierwszym spotkaniu Paweł i Lee rozmawiali już ze sobą, każdy z kieszonkowym słownikiem w ręce. Naturalnie Paweł nie wiedział, że ich znajomość będzie kiedyś istotna, nie robił więc notatek. Zresztą później przez wiele lat chciał o tym wszystkim zapomnieć. Naprawdę starał się wymazać to z pamięci. Nie ma więc zbyt wyraźnych wspomnień, a zmyślać nie chce. Mógłby sklecić historyjkę o tym, jak to chodzili z Oswaldem na podryw, ale po co, skoro nie chodzili.

Zwykle towarzyszył Oswaldowi w warsztacie, pomagał mu dogadywać się z innymi robotnikami, gdy jakaś praca wymagała objaśnień. Na początku Amerykanin znał dosłownie parę słów na krzyż. Paweł musiał wyjaśnić mu słowo „spadać" – wziął do ręki pudełko zapałek i upuścił. W ten sposób nauczył Lee piosenki *Spadają liście*.

Kilku robotników miało do Oswalda wrogie nastawienie, ale tylko kilku. Na przykład Wiktor, kompletny głąb, niewysoki, lecz bardzo silny. Wiktor wciąż powtarzał: „Ci amerykańscy imperialiści! Gdybym miał broń, powystrzelałbym ich co do jednego". Po prostu głąb. Miał jasny obraz tego, kto jest jego wrogiem. Raz wszczął bójkę z Lee, ale momentalnie zostali rozdzieleni. Paweł nie przypomina sobie, żeby Lee rwał się do bitki. Może i miał takie skłonności, ale był dość drobnej budowy.

Oczywiście, gdyby Wiktor posunął się do czegoś więcej, Paweł odciągnąłby go od Oswalda. Na tyle Lee mógł z jego strony liczyć. Wprawdzie Paweł nie nazwałby Lee przyjacielem, ale tylko dlatego, że w Rosji słowo „przyjaciel" jest święte. Dla przyjaciela Rosjanin gotów jest oddać nie tylko ostatnią koszulę, ale i życie. A naturalnie, jeśli się tak do tego podchodzi, to niewielu ludzi określa się mianem przyjaciół. Za szczęściarza mógł uważać się ten, kto miał choćby jednego. Pozostali to koledzy. W tym sensie Lee był dla Pawła kolegą. Może nawet czymś więcej, ale jeszcze nie przyjacielem.

Przez długi czas Paweł widywał się z Lee tylko w pracy. Nie chodził z nim na spacery ani nic w tym rodzaju. Podjął pracę w „Horyzoncie" z konieczności – odkąd wyrzucono go z Komsomołu, musiał od nowa wyrabiać sobie reputację, by móc iść na studia. Wyjeżdżając z Moskwy, dostał ze szkoły opinię, z którą nie przyjęto by go chętnie nawet do więzienia.

Widywał się więc z Lee przez dłuższy czas wyłącznie w pracy. Od czasu do czasu spotykali się na obiedzie albo w domu niejakich Zigerów, Argentyńczyków. I to wszystko. Ponieważ ich stanowiska pracy dzieliło nie więcej niż pięć metrów, po robocie nie pałali chęcią spotkania. Mogli przecież rozmawiać w fabryce. Jeśli Oswald wychodził gdzieś wieczorami, to do sobie znanych miejsc. Chadzał własnymi drogami, jak kot.

Któregoś wieczoru, niecałe dwa tygodnie od poznania Lee, wracającego z pracy Pawła zaczepił tuż przed bramą jego domu jakiś nieznajomy. Pokazał legitymację KGB.

Paweł zaproponował: „Może porozmawiamy u mnie? Jest zima".

Nieznajomy odrzekł: „Nie. Porozmawiajmy tutaj".

Ale było na to naprawdę za zimno. Paweł był przemarznięty do szpiku kości. Przekonał więc rozmówcę, by jednak weszli do domu.

Rozmawiali w pokoju Pawła. Gość wyjął pięć zdjęć i pokazując je, za każdym razem pytał: „Tego znacie?", a Paweł za każdym razem mówił: „Nie. Nie znam żadnego z nich. Co to za jedni?". W odpowiedzi usłyszał: „Zdrajcy". Przy czym gość spojrzał na Pawła tak znacząco, jak gdyby chłopak wbrew swoim zapewnieniom wszystkich ich świetnie znał.

Paweł oświadczył: „Marnuje pan czas. Nigdy w życiu nie widziałem tych ludzi. Dziwię się, że pan mnie o nich pyta".

Wtedy tajniak wyjął zdjęcie Oswalda i powiedział: „Z łatwością nawiązaliście kontakt z tym Amerykaninem, wiedzcie jednak, że wasza ojczyzna wymaga teraz, żebyście przekazywali nam o nim informacje. Musimy wiedzieć, jakim jest człowiekiem. Potrzebujemy waszej pomocy". Paweł ani trochę nie czuł się patriotą, ale zdawał sobie sprawę, że służby bezpieczeństwa wymuszą na nim współpracę. To był rozkaz. Nawet ludzie sporo od niego starsi drżeli ze strachu na widok legitymacji KGB. Paweł miał osiemnaście lat i śmiertelnie się bał. Ów strach zadziałał w jego przypadku znacznie skuteczniej niż poczucie patriotycznego obowiązku.

Paweł nie patrzył na zegarek, ale rozmowa trwała około godziny. Padło wiele pytań. Oficer KGB przez jakiś czas krążył wokół tematu, nim wreszcie przeszedł do sedna sprawy: „Oswald pochodzi z innego, wrogiego nam kraju". Nie mógł się wyrazić jaśniej. Był od Pawła na oko dwa razy starszy, niski, krępy, bystrooki – Białorusin, który nie okazywał uczuć ani emocji, zwyczajny niewysoki mężczyzna o gładkiej, okrągłej twarzy, długim, ostrym nosie i równie ostrym spojrzeniu ciemnych oczu. Ten nos go nie zawodził. Bezbłędnie wywęszył nim wszelkie nieścisłości, jakich dopuścił się w rozmowie Paweł.

Ale nie groził mu, oznajmił jedynie: „Chciałbym się z wami co jakiś czas spotykać. Nazywam się Stiepan Wasiljewicz".

Z wypowiedzi Igora: „Teraz możemy otwarcie się do tego przyznać – byli ludzie, którzy mieli za zadanie śledzić Oswalda, i tacy, co mieli za zadanie się z nim przyjaźnić. Szczególnie skrupulatnie sprawdzaliśmy, czy nie stara się on nawiązać osobistego kontaktu z innymi agentami. Byliśmy ciekawi, czy coś wskazuje na zaplanowane spotkanie".

Plan Igora polegał na tym, żeby sprawdzając różne hipotezy, przekonać się, czy Oswalda interesują tajemnice wojskowe, państwowe czy też gospodarcze. Igor chciał się również dowiedzieć, czy Oswald ustalił sposób porozumiewania się z obcym wywiadem – przez radio, pocztę czy kurierów. KGB usiłował także dociec, czy Oswald ma jakiś system szyfrowania tajnych pism. Igor Iwanowicz gotów był osobiście sprawdzać jego listy – gdyby jakieś wysyłał – by upewnić się, że między linijkami nie ma jakichś zakodowanych informacji. Później, gdy Oswald kupił sobie radio, sprawdzono je i od tamtej pory czujnie wypatrywano u niego oznak umiejętności posługiwania się szyfrem.

W ciągu pierwszych dwóch miesięcy nie wydarzyło się nic podejrzanego, lecz jeśli Oswald istotnie był amerykańskim agentem, to naturalne, że nie wykonywałby nieprzemyślanych ruchów. Czasami zdarza się, że człowiek nie będący agentem robi coś, co budzi podejrzenia – to dość częste zjawisko. Oswald zaś nie wzbudzał nawet nieuzasadnionych podejrzeń. Poddając go wnikliwej obserwacji, oficerowie KGB zaczęli mieć wrażenie, że Amerykanin się po prostu leni i w dodatku jest niesłychanie oszczędny – nie pije, nie pali, rozsądnie wydaje pieniądze na kino i teatr. Zarabiał miesięcznie 70 rubli (po denominacji), drugie 70 rubli jako zapomogę od Czerwonego Krzyża, co daje razem 140 rubli, równowartość 1400 rubli w starej walucie, czyli całkiem sporą sumę. Stiepan na przykład zarabiał tylko 80 rubli, a wystarczało mu to na życie. Inny przykład: Oswald nie miał telefonu, a do KGB nigdy nie doszły słuchy, że chciałby go mieć. Gdy musiał dzwonić, korzystał z budki telefonicznej. Wprawdzie lepiej by było, gdyby chciał mieć aparat w domu, ale przecież nie można mu go było zainstalować, skoro nie wyraził takiego życzenia.

Z RAPORTU KGB Z DNIA 18 LUTEGO 1960 ROKU

Ani podczas obserwacji, ani w rozmowie „L" nie zauważył, by OSWALD wzbudzał swoim zachowaniem podejrzenia. Praca niezbyt go interesowała i często wypowiadał komentarze typu: „Po co piłuję ten metal, przecież nie będę inżynierem. Moim marzeniem jest znać języki, i to dobrze". (Nie mówił, jakie konkretnie). Podczas rozmowy zachowuje się z rezerwą, udziela krótkich odpowiedzi, jest opanowany.

Jak opowiadał „L", raz czytali razem z OSWALDEM w „Prawdzie" przemówienie prezydenta EISENHOWERA, w którym starał się on wykazać techniczne zacofanie Związku Radzieckiego w stosunku do Stanów Zjednoczonych. OSWALD stwierdził, że EISENHOWER kłamie, że postęp techniczny w ZSRR wcale nie jest mniejszy niż w USA.

OSWALD prawie nigdy nie rozmawia o życiu w swoim kraju ani o tym, jak trafił tutaj, do ZSRR. Czasami podczas przerwy obiadowej zamienia parę słów z młodymi ludźmi obojga płci i porównuje życie w obu krajach. Jednak również i w takich sytuacjach wyraża się pozytywnie o pozycji klasy robotniczej w ZSRR.

Wkrótce okazało się jednak, że robotnik z niego żaden. Nie szanował swojej pracy. Igor widział wyraźnie, że nie wykazywał nią najmniejszego zainteresowania, a jego zachowanie i postawa często były powodem do skarg.

Ponieważ Igora i Stiepana nie zadowalał wizerunek Oswalda jako przeciętnego człowieka, zastanawiali się, czy nie występują u niego jakieś zaburzenia psychiki. Z drugiej strony, to wszystko mogło być tylko mistyfikacją. Znów brali pod uwagę dwie wykluczające się hipotezy: albo Oswald jest agentem obcego wywiadu, albo nie jest, tylko po prostu cierpi na jakąś chorobę psychiczną. Zaczęli bacznie analizować sytuacje, w których mogło wyjść na jaw, czy Lee Harvey Oswald istotnie jest szpiegiem.

Na przykład gdy Oswald nawiązał kontakt z Pawłem Gołowaczowem, Igor i jego ludzie starali się dowiedzieć, czy Amerykanin wykorzysta swojego nowego kolegę jako drogę dojścia do jego ojca, generała Gołowaczowa, który był w posiadaniu wielu ważkich tajnych informacji.

„Rozumieją panowie – mówił Paweł trzydzieści lat później – mieliśmy tu, w Rosji, walkę klasową i klasową nienawiść, ale także najzwyklejszą ludzką zawiść". Sam często padał jej ofiarą. Różni ludzie wciąż mu powtarzali: „Chciałbym mieć takiego ojca, jak ty masz. Zostałbym wtedy Napoleonem. Cały świat stałby przede mną otworem, gdybym miał takiego ojca jak twój!". Jeszcze w latach szkolnych, kiedy podczas zabawy chłopcy łamali jakiś zakaz i wszyscy byli za to jednakowo odpowiedzialni, winą obarczano Pawła. By naszkicować portret ojca na odpowiednim tle, Paweł opowiedział trochę o wojnie. Nadszarpnęła ona nieco system nerwowy generała. Tak naprawdę lubił swoje dzieci, ale – szczerze mówiąc – był też despotą, jak to prawdziwy wojskowy: wszystko musiało być zrobione na czas i jak należy, a Paweł od urodzenia czuł się, jak sam to określił, demokratą.

Podczas wojny jego ojciec był kapitanem, pilotem helikoptera szturmowego. Większość jego zadań polegała na osłanianiu bombowców, ale kiedy Paweł czytał sprawozdania z lotów ojca, odkrył, że cztery czy pięć razy wybrał się on na „polowanie".

Pilotów przedstawiano do odznaczenia złotą gwiazdą Bohatera Związku Radzieckiego, gdy mieli na koncie piętnaście zestrzelonych niemieckich samolotów. By dostać odznaczenie drugiego stopnia – dwukrotnego Bohatera Związku Radzieckiego – należało wykazać się jakimś szczególnie bohaterskim czynem, czymś niespotykanym. Na przykład, pewien kapitan, widząc, że jeden z jego ludzi zmuszony jest do awaryjnego lądowania na polu, sprowadził swój samolot na ziemię tuż obok uszkodzonej maszyny kolegi i później odpierał ataki niemieckiej piechoty tak długo, póki nie zdołał przenieść rannego pilota do swojego samolotu i wzbić się w powietrze. Za to właśnie otrzymał wysokie odznaczenie.

Ojciec Pawła był o krok od wygrania bitwy powietrznej na wysokości ponad trzech tysięcy metrów, gdy nagle skończyła się amunicja. Mimo to udało mu się zniszczyć maszynę wroga, odcinając jej śmigłem ogon. Uszkodził przy tym wprawdzie swój samolot, lecz wylądował cały i zdrowy. Ten czyn zapewnił mu drugą złotą gwiazdę.

Ojciec Pawła należał do partii. Podczas wojny był to patriotyczny obowiązek, ale później... Paweł nie wiedział, czy ojciec jest partią rozczarowany, czy też z niej dumny. Nigdy na ten temat nie mówił. Oczywiście w kręgu rodzinnym takich spraw raczej się nie porusza w rozmowie. W systemie jednopartyjnym z członkostwa w partii się nie rezygnowało. Równałoby się to samobójstwu.

Tak czy owak, ojciec kazał Pawłowi wstąpić do Komsomołu. Gdy się wejdzie między wrony, trzeba krakać jak i one. Słowem, generał nie był dysydentem i nie chciał, żeby był nim Paweł. Ale u nich w domu nigdy nie mówiło się o polityce. Rodzice Pawła wyznawali zasadę: myśl, co chcesz, ale głośno o tym nie mów.

Ojciec wprawdzie nie lubił dawać synowi kieszonkowego, lecz nie żałował pieniędzy na jego techniczne hobby. Paweł kleił więc modele statków i samolotów, a od ojca dostawał wszystko, co mogło rozwinąć jego zdolności w tym kierunku. Nigdy nie odczuwał braku miłości ze strony ojca i matki.

Ponieważ ojciec był wojskowym, musieli się wciąż przeprowadzać. W ciągu dziesięciu lat Paweł jedenaście razy zmieniał szkołę. Najpierw chodził do szkoły w miejscowości Monino, potem w Rydze, potem w Tukumsie, potem na Półwyspie Kolskim, znów w Moninie i tak dalej, a od wiosny 1957 roku w Moskwie. Jedenaście szkół w ciągu dziesięciu lat. Po ukończeniu dziesiątej klasy wyprowadził się od rodziców i przyjechał do Mińska. Odtąd już zawsze był samodzielny.

Ku cichemu rozczarowaniu ojca, nie pociągała Pawła kariera wojskowa. W roku 1956, podczas rewolucji na Węgrzech, w telewizji pokazywano poćwiartowane przez Węgrów ciała radzieckich żołnierzy. Dwa lata później, w roku 1958, rodzina Pawła sąsiadowała z generałem, którego syn służył na Węgrzech. Opowiadał on Pawłowi, jak prowadził czołg w czasie powstania i otoczył go tłum Węgrów. Żeby się wydostać, musiał się przezeń przedrzeć, i na gąsienicach czołgu zostały potem ludzkie wnętrzności. Gdy ów młody oficer powrócił do Moskwy, był siwy jak gołąb. Nie był bliskim przyjacielem Pawła, ale niewątpliwie wpłynął na jego życie.

Paweł rozmawiał z ojcem o karierze wojskowej, ponieważ w jednej ze szkół, do których chodził, zajął pierwsze miejsce w konkursie strzeleckim. Ojciec był oczywiście bardzo dumny i chciał zrobić z niego lotnika, lecz u nich w rodzinie nikt nikogo do niczego nie zmuszał. Odmowa Pawła była w dużym stopniu spowodowana wspomnieniem gąsienic czołgu na Węgrzech, ale jeszcze bardziej możliwością zamieszkania w Mińsku. Jego ojciec, jako jeden z bohaterów narodowych Białorusi – a tytuł dwukrotnego Bohatera Związku Radzieckiego otrzymało tylko czterech rodowitych Białorusinów – w dowód uznania dostał od republiki willę na własność. Rodzice Pawła zamienili ją później na mieszkanie tuż przy placu Zwycięstwa, ładne i wysokie cztery pokoje w budynku zaprojektowanym dla mińskiej elity.

Gdy wprowadził się tam Paweł, mieszkanie zajmowała już siostra jego matki wraz z dwoma synami. Naturalnie mieszkali tam nadal; dla Pawła tak czy owak pozostawało jeszcze mnóstwo miejsca.

Interesował się techniką radiową, praca w „Horyzoncie" była więc jak najbardziej zgodna z jego zainteresowaniami. Uważa jednak, że fabryka była dość prymitywna. Prawdziwą wiedzę mógł zdobyć tylko na politechnice. Chciał się kształcić na inżyniera. Wprawdzie dobrze wykwalifikowany robotnik zarabiał więcej niż dyplomowany inżynier (to była, według Pawła, dysproporcja typowa dla systemu panującego w ZSRR), ale zawsze wykształcenie poszerza horyzonty umysłowe.

Paweł oglądał kiedyś francuski film o inżynierze, który przyjeżdża do zabitej deskami wioski, gdzie ludzie boją się duchów. Ma za zadanie dokonać eksplozji, by umożliwić przyszłą budowę tamy, ale wieśniacy boją się podkładać dynamit ze strachu przed złymi duchami. Inżynier musi więc w końcu wszystko zrobić sam.

Paweł chciał zostać takim właśnie inżynierem – człowiekiem, który potrafi pracować nie tylko za biurkiem, ale również własnymi rękami. Przykładał się zatem do nauki. Przez trzy semestry oprócz pracy w fabryce miał jeszcze zajęcia na politechnice – w fabryce pracował siedem godzin przez sześć dni w tygodniu, a cztery popołudnia tygodniowo poświęcał na studia wieczorowe. Tak więc, jeśli chodzi o seks, musiał czekać na nadejście lata. Wyjeżdżał wtedy razem z rówieśnikami pomagać kołchoźnikom w pracach polowych i uwalniał się spod kontroli rodziny. Rosjanie nie kochali się, tak jak Amerykanie, na tylnych siedzeniach samochodów, podkreślił Paweł, tylko na wolnym powietrzu, podczas grzybobrania. W tamtych czasach miał jeszcze złote włosy i cudowne mieszkanie, calutki pokój dla siebie, ale ponieważ tak ciężko pracował, mało czasu poświęcał dziewczętom, szczególnie zimą – w takie mroźne wieczory jak ten, kiedy czekał na niego funkcjonariusz KGB.

To był dziki kraj; Paweł nie miał pewności, jak zareagują na tę wizytę jego rodzice. Car Piotr Wielki przywiązał kiedyś jakiegoś chłopa do niedźwiedzia i wrzucił ich razem do stawu. Stojący na brzegu ludzie pękali ze śmiechu. Pawła kusiło, żeby powiedzieć ojcu o gościu z KGB, ale w końcu zdecydował, że lepiej trzymać język za zębami. Ojciec mógłby zareagować podobnie jak Piotr Wielki.

16 marca

Dostałem małe mieszkanko, pokój z kuchnią i łazienką w pobliżu fabryki, z cudownym widokiem [...] na rzekę, prawie za darmo. 6 rubli miesięcznie. Dla Rosjanina to szczyt marzeń.

Zdaniem Staliny to, że Oswald dostał mieszkanie, było czymś niezwykłym. W jego fabryce, tak jak i w każdym innym zakładzie pracy, istniały listy oczekujących na mieszkanie, więc jak mógł je otrzymać poza kolejnością? A na liście byli i weterani wojenni, i inwalidzi, i rodziny wielodzietne. Brano też pod uwagę długość stażu w „Horyzoncie".

Odkąd Lee się wprowadził do tego mieszkania, bardzo rzadko się ze sobą kontaktowali. Ściślej mówiąc, on nie odezwał się do niej ani słowem przez ponad rok, do kwietnia 1961 roku.

Aż do tego czasu Stalina nie wiedziała na przykład, że Alosza zamierza się ożenić. Przyszedł do niej z wizytą po ponad roku i powiedział: „Mamo, żenię się". Ona zapytała wtedy: „Ale jak to? Nie znasz przecież dobrze rosyjskiego. Jak się z nią dogadujesz? Ona zna angielski?".

Alosza uśmiechnął się i odpowiedział: „Dwa zwroty: «Zgaś światło» i «Pocałuj mnie»".

Igor twierdzi, że Oswald dostał mieszkanie na mocy decyzji kierownictwa fabryki, służba bezpieczeństwa nie miała z tym nic wspólnego. Oczywiście znalezienie mieszkania nie było sprawą łatwą, ponieważ jednak chodziło o Amerykanina szukającego azylu politycznego, władze najwyższe postanowiły stworzyć mu dogodne warunki. Radzieckie instytucje miały mu okazać ludzką twarz.

Miński KGB otrzymał również z centrali w Moskwie rozkaz, by „właściwie Oswalda ukierunkować". Co to miało znaczyć? Igor wyjaśnił: „Gdy bierzemy kogoś pod obserwację, czy to podejrzewając go o szpiegostwo, czy o dysydencką działalność antyradziecką, zawsze dokładamy starań, żeby ten ktoś, że tak powiem, wyszedł na ludzi. Oczywiście skoro Oswald przybył tu, by zdobyć wiedzę na temat komunizmu i naszego socjalistycznego stylu życia, trzeba to było wziąć pod uwagę. Bo jeżeli istotnie chciał brać udział w budowie socjalizmu, należało nim odpowiednio pokierować. Dlatego właśnie otrzymał specjalną miesięczną zapomogę od Czerwonego Krzyża w wysokości równowartości jego pensji oraz mieszkanie i pracę. Celem tego było umożliwienie mu odnalezienia się w systemie socjalistycznym. Nie chcieliśmy myśleć o nim wyłącznie w kategoriach negatywnych, ale dać mu realną szansę podążenia we właściwym kierunku".

Jednak podejrzenia wzbudziła niechęć Amerykanina do pracy. „Dla nas praca to podstawa, a ten brak chęci do pracy podważał prawdziwość zapewnień Oswalda o zainteresowaniu naszym krajem" – powiedział Igor.

Przez cały czas zamieszkiwania w hotelu Oswald ani razu nie zaprosił Pawła. Najbardziej godny zapamiętania osobisty kontakt we wczesnym okresie ich znajomości nastąpił w połowie marca, kiedy to Oswald dostał mieszkanie i Paweł wraz z innymi kolegami pomagał mu wnosić meble. Przyszła też Tania, tłumaczka z Inturistu. Paweł nie zdziwił się szczególnie, że Lee dostał mieszkanie z balkonem i pięknym widokiem. „Psim swędem", jak to się mówi, ale w końcu to nie była Pawła sprawa. Zresztą on sam miał znacznie lepsze warunki mieszkaniowe.

Mieszkanie Oswalda to był pokój o wymiarach niecałe pięć metrów na trzy i mała kuchenka. Po wstawieniu łóżka nie zostało dużo wolnego miejsca. Łóżko było fabryczne. Skoro już o tym mowa, to stół i krzesła też dała mu fabryka. Oczywiście nie płacił za to mieszkanie dużo. Zdaniem Pawła czynsz był symboliczny. Mieszkanie miało jeszcze dwa plusy: balkon i jeden z najładniejszych widoków Mińska. Po drugiej stronie ulicy rozciągał się park. Wzdłuż ulicy Kalinina płynęła Świsłocz, kręta i spokojna rzeczułka, którą sobie upodobały łabędzie. Położona w takiej okolicy kamienica Oswalda prezentowała się z zewnątrz elegancko, wręcz okazale; fasadę zdobiły wysokie kolumny, po każdej stronie balkonu jedna. Podobnie jak mieszkanie Pawła, dom Oswalda usytuowany był w najlepszej dzielnicy miasta. Ale w środku – nie było to nic specjalnego.

7

Przyjęcia u Zigerów

Paweł – jak już mówił – tamtego roku rzadko wychodził z domu wieczorami, ale raz Lee zabrał go ze sobą do Zigerów, swoich znajomych Argentyńczyków.

Pawłowi spodobało się u nich. Podejmowali gości kawą i winem w niezwykle elegancki sposób. Podawali napoje na tacy. Nie zachowywali się jak Rosjanie. Atmosfera była swobodna. Oprócz matki i ojca były tam dwie córki oraz kilku młodych ludzi. Było wesoło i ciekawie, chociaż próbując po raz pierwszy wina u Zigerów, Paweł skrzywił się, jak wszyscy Rosjanie. Było to wino wytrawne, a w Mińsku pijało się przeważnie słodkie.

Tamtego lata córki Zigerów opalały się w bikini na balkonie i szokowały tym sąsiadów. Wywołały skandal na całą kamienicę. Ich zachowanie było podwójnie skandaliczne, ponieważ nie dość, że Zigerowie byli cudzoziemcami, to na domiar złego Żydami.

Paweł twierdzi, że Lee nigdy nie chodził z żadną z córek Zigerów, ale też żadna z nich mu się nie podobała. Młodsza, Anita, była zbyt potężna, zbyt grubokoścista, z kolei zaś starsza, która może i pasowałaby do Lee, zdążyła już wyjść za mąż. Miała na imię Eleanora. Zdaniem Pawła Lee lubił dziewczęta filigranowe, pełne wdzięku. Najpierw zjawiła się Ella, potem Marina – obie szczupłe, delikatne, eleganckie.

Przez jakiś czas Lee chyba interesował się Albiną, dużą dziewczyną, zawsze zapraszaną na przyjęcia do Zigerów. Ale Paweł przypomniał sobie, że w roku 1960, kiedy oni wszyscy byli młodzi, Albina nie była ani tak potężna jak dziś, ani jej włosy nie były tak wściekle pomarańczowe; nie, wtedy była wysoką, szczupłą blondynką o wydatnym biuście, ogólnie się zatem podobała.

Rodzina Albiny miała podczas wojny ciężkie życie, a i po wojnie biedowała i nie najlepiej jej się wiodło. Pod koniec lat pięćdziesiątych jednak los tych ludzi trochę się poprawił. Albina pracowała wtedy na mińskiej poczcie głównej i tam właśnie poznała Anitę Ziger. Młodzi ludzie – twierdzi Albina – zawsze wyśmiewali się ze sposobu ubierania Anity. Nosiła ona buty na wysokich obcasach i luźne spodnie i jako Argentynka wyglądała na taką, co to potrafi tańczyć tango (zresztą rzeczywiście potrafiła).

Albina poznała najpierw don Alejandro Zigera i jego żonę, a dopiero później Anitę. Zigerowie dostawali paczki z Argentyny i zadaniem Albiny było pomaganie im w wypełnianiu deklaracji celnych i w innych biurokratycznych procedurach. Widać robiła to dobrze, bo Zigerowie zaprosili ją do siebie, podali jej adres, powiedzieli nawet: przyjdź w najbliższą niedzielę. Ale Albina nie skorzystała z zaproszenia. Nie miała dość pieniędzy na kupno odpowiedniego prezentu. W Rosji nigdy nie idzie się w odwiedziny z pustymi rękami, a ona wstydziła się kupić coś taniego. Dlatego wcale nie poszła.

Kiedy Anita przy następnej okazji zjawiła się na poczcie, zaprosiła Albinę do kina. Poszły na jakiś film niemiecki, tylko we dwie, i Albina nie czuła się dobrze, bo Anita była od niej o wiele lepiej ubrana. Ale była wesoła, ciągle żartowała, znała mnóstwo dowcipów. Po filmie zaprosiła Albinę do domu i nie było tam bynajmniej nic nadzwyczajnego. Zwyczajny „kołchoz". Zigerowie mieli, jak wszyscy, jeden pokój. Wtedy jeszcze z mieszkaniami było strasznie ciężko. W tym pokoju stało tylko jedno łóżko, drugie, na którym sypiała Anita – w przedpokoju. Standard. Druga córka Zigerów, Eleanora, już z nimi nie mieszkała. Wyszła za mąż i zamieszkała w Pietrowsku. Albina podejrzewa, że rodzina jej męża źle ją tam traktowała. Don Alejandro załatwił więc w Mińsku dwupokojowe mieszkanie, pojechał do Pietrowska i zabrał stamtąd Eleanorę, która nigdy już nie wróciła do męża. Rozwód dostała, nie wyjeżdżając z Mińska. Była to szczupła, ładna kobieta. I miała przyjemny głos.

Nowe mieszkanie Zigerów było urządzone inaczej niż mieszkania Rosjan. „Wnętrze latynoamerykańskie – mówi Albina. – Mieli duże łóżko. Przywieźli je sobic z Ameryki Południowej, bo Rosjanie nie produkują dużych łóżek. Przepięk ne. Materac też był stamtąd i też piękny, kolorowy, wyszywany w róże i inne kwiaty, istne cudo". W tamtych czasach wszystkiego brakowało, a Zigerowie to byli ludzie bardzo praktyczni. Robili na drutach swetry i sprzedawali je znajomym Rosjanom. Z podróży zostały im ogromnc kufry z prawdziwej skóry – cięli ją na kawałki i sprzedawali szewcom na buty. Don Alejandro był człowiekiem pomysłowym i zaradnym.

W mieszkaniu stało też brązowe pianino. Anita umiała na nim wszystko zagrać – *Sonatę księżycową*, *Barkarolę*, Vivaldiego, Czajkowskiego i mnóstwo melodii południowoamerykańskich, w tym także i tanga. Zigerowie mieli też radio z gramofonem. Albina po raz pierwszy znalazła się w domu tak pełnym muzyki, życia, energii, radości. Niespodziewanie odkryła w sobie innego człowieka, ciekawego świata, i poczuła, że chce podróżować i poznawać ludzi.

Zigerowie mieli przyjaciół, też argentyńskich imigrantów, i na przyjęciach często wspólnie wspominali piękne ulice, po których niegdyś spacerowali, i eleganckie sklepy w Buenos Aires. Jak oni za tym swoim krajem tęsknili!

Anita chodziła do wyższej szkoły muzycznej w Mińsku, a ponieważ na rodzinne przyjęcia zapraszała swoich szkolnych znajomych, zawsze pełno było muzyki i ciekawych ludzi. Wśród nich znalazł się też Lee Harvey Oswald, na którego wszyscy mówili Alik. Zaprosił go don Alejandro, bo znali się z pracy – obaj pracowali w fabryce radioodbiorników. Albina coraz bardziej lubiła tego Alika. Był samotnym młodym mężczyzną i w marcu dostał ładne mieszkanie. Kiedy ją tam zaprosił, czuła się nawet trochę przygnębiona, bo sama nigdy w życiu tak nie mieszkała. Mógł więc słusznie uważać się za dziecko szczęścia, rozpieszczane przez los; może dlatego w pracy nie wykazywał entuzjazmu.

Kiedyś powiedział jej: „Wszystkim dziewczynom w fabryce się podobam. Kiedy przechodzę przez podwórze, one siedzą i powtarzają «Alik, Alik»".

Albina nie chce zdradzić, czy trudniej było odmówić jemu niż innym mężczyznom, ale może powiedzieć na pewno, że odmowa nie poszła mu w smak. Kiedy powiedziała mu u niego w mieszkaniu „nie", strzelił palcami i zaklął. Po angielsku. *Dammit!* Znała to słowo. Nie wyrażał gniewu, tylko rozczarowanie. Dotknął jej i powiedział: „Głupia, nie wiesz, co tracisz". To rosyjskie wyrażenie: „Głupia, nie wiesz, co tracisz".

Może istotnie nie wiedziała, bo później rzeczywiście go straciła. Nie odebrała jej Alika kobieta. Miała poczucie, że utraciła go przez mężczyznę. To nie był romans, ale tamten zapraszał go na przyjęcia, poznawał z ludźmi. A może dlatego, że sam dobrze mówił po angielsku.

To był jej kolega Ernst Titowiec – jeśli można go w ogóle nazwać jej kolegą. Chodzili razem do szkoły. Sama poznała go z Alikiem. Ernsta znała od piętnastego roku życia i w szkole czasami siedzieli w jednej ławce.

Zawsze jej się wydawało, że Ernst, zwany też Erichem, to trochę dziwak i w dodatku niezbyt zabawny, ale ogólnie w porządku. Niektórzy uczniowie mówili o nim, że jest zmanierowany. Nikt za nim szczególnie nie przepadał, może dlatego, iż zawsze chciał pokazać, że jest lepszy. Angielski rzeczywiście bardzo go interesował. Oczywiście każdy powinien znać ten język, ponieważ mówi nim połowa świata. Człowiek inteligentny i kulturalny musi znać co najmniej jeden język obcy. Ale Titowiec chciał sprawiać wrażenie kogoś nieprzeciętnego i zawsze robił wszystko po swojemu. Nie uganiał się za spódniczkami, zajmował się głównie swoim hobby – grał w szachy, interesował się muzyką. Wtedy, kiedy Albina poznała go z Alikiem, studiował na akademii medycznej. Wkrótce już żałowała, że ich ze sobą skontaktowała. Alik często przychodził do Zigerów i spędzał z nią dużo czasu, a odkąd anektował go Ernst, bywał w innych miejscach. Pewnego razu, rok później, Ernst zabrał go tam, gdzie Alik poznał swoją przyszłą żonę, i wtedy miłość Albiny na zawsze się skończyła, znikła.

Pamięta, że kiedyś w styczniu, wkrótce po poznaniu Alika, spacerowała z Anitą i innymi znajomymi Argentyńczykami i niedaleko placu Zwycięstwa wpadli na Ericha. On podszedł do niej i powiedział: „Cześć, co słychać, jak żyjesz, kto to są ci ludzie?". To dlatego, że usłyszał, jak Argentyńczycy mówią w obcym języku, po hiszpańsku. Albina nie rozumiała hiszpańskiego, więc tylko słuchała. On zapytał jeszcze: „A kto to jest ten człowiek? Amerykanin, prawda? Możesz mu mnie przedstawić?". Ona zapytała: „Po co?". A on odparł: „Wiesz, że strasznie mi zależy na ćwiczeniu angielskiego. Często chodzę do mojego nauczyciela i pytam go o różne rzeczy, ale on nie zawsze ma czas". Odpowiedziała więc: „Przepraszam cię, muszę najpierw zapytać resztę, czy chcą być przedstawieni. Czuję, że nie mogę cię tak po prostu przy nich przedstawić".

Wtedy wtrąciła się Anita, z natury wesoła i otwarta: „Kim jest ten chłopak?". I Albina powiedziała: „Przyszły lekarz, chce, żebym go przedstawiła…".

Anita powiedziała: „W porządku, zaproś go do nas, potańczymy i pogadamy". Zigerowie nie znali słowa „strach". Może dlatego mieli później trudności z uzyskaniem wizy wyjazdowej z powrotem do Argentyny. Zawsze mówili, co myśleli. I czasami źle się wyrażali o życiu w Związku Radzieckim.

1 maja

Święto Pierwszego Maja to mój pierwszy wolny dzień. Wszystkie fabryki itp. pozamykane. Spektakularna parada wojskowa. Wszyscy robotnicy maszerowali przed trybuną, machając flagami, portretami pana Ch. itp. Ja uczciłem święto na sposób amerykański, wylegując się dłużej w łóżku. Wieczorem byłem na przyjęciu u córek Zigera, przyszło około czterdziestu osób, w tym wielu Argentyńczyków z pochodzenia. Tańczyliśmy, bawiliśmy się i piliśmy mniej więcej do drugiej. O tej porze impreza się skończyła. Eleanora Ziger, starsza córka, 26 lat, rozwiedziona, utalentowana śpiewaczka. Anita Ziger, 20 lat, bardzo wesoła, niezbyt atrakcyjna, ale polubiliśmy się. Jej chłopak Alfred jest Węgrem, małomównym, wiecznie zamyślonym – zupełne przeciwieństwo Anity. Ziger radził mi wracać do Stanów. To pierwszy krytyczny głos, jaki słyszałem. Szanuję Zigera, to człowiek światowy. Mówi mi dużo rzeczy o ZSRR, o których nie wiedziałem. Zaczynam czuć w środku niepokój, to prawda!

Z OBSERWACJI KGB PRZEPROWADZONEJ OD GODZ. 7.00
DNIA 1 MAJA 1960 ROKU DO GODZ. 1.50 DNIA 2 MAJA 1960 ROKU

O godz. 10.00 Lee Harvey wyszedł z domu numer 4 przy ul. Kalinina i poszedł na plac Zwycięstwa, gdzie przez 25 minut przyglądał się przechodzącemu pochodowi. Potem wrócił na ulicę Kalinina i spacerował tam i z powrotem nad brzegiem rzeki Świsłocz. Wrócił do domu o godz. 11.00.

Między godz. 11.00 a 13.00 kilkakrotnie wychodził na balkon swojego mieszkania. O godz. 13.35 opuścił dom, na placu Zwycięstwa wsiadł do trolejbusu numer 2, pojechał na plac Centralny, wysiadł z pojazdu ostatni i ulicami Engelsa, Marksa i Lenina udał się do piekarni przy prospekcie Stalina.

Tam zakupił 200 g ciastek waniliowych, potem wszedł do lokalu „Wiesna", w części samoobsługowej posilił się kawą z pasztecikiem i pospieszył w kierunku kina „Centralnego". Obejrzawszy afisze, kupił gazetę młodzieżową, po raz drugi odwiedził piekarnię, natychmiast z niej wyszedł, wsiadł do trolejbusu numer 2 w kierunku placu Zwycięstwa i był w domu o godz. 14.20.

O godz. 16.50 Lee Harvey opuścił swój dom i udał się do domu numer 14 przy ulicy Krasnej. (Mieszkanie imigranta z Argentyny – Zigera).

O godz. 1.40 Lee Harvey wraz z innymi mężczyznami i kobietami, wśród których były córki Zigera, opuścił mieszkanie Zigera i wrócił do domu. W tym momencie zawieszono obserwację do rana.

8

Zadurzenie w Elli

Paweł zauważył, że Lee zaczął spędzać w „Horyzoncie" coraz więcej czasu z dziewczyną nazwiskiem Ella German. Często go widywał przy jej stanowisku pracy i wielokrotnie jedli razem obiad. Lee nigdy nie mówił o tej znajomości, ale w jego naturze nie leżała wylewność w okazywaniu uczuć. Zresztą nie przyznawał się, nawet kiedy był z jakąś dziewczyną w łóżku. Była taka jedna, wielka jak kobyła – Magda. Była łatwa. Niektórzy mówili, że to wina jej męża. Mężczyźni na nocnej zmianie czasami spierali się, czyja kolej wskoczyć do łóżka Magdy. Ważyła 120 kilo. Nazywali ją Nasza Kobyła, Nasza Lodówka.

Paweł nie sądzi, by Lee sypiał z Magdą, ale jest świadkiem, że wcale nie padał na kolana przed Ellą, by poszła z nim do łóżka. A może się to wydawać podejrzane, kiedy dwoje ludzi spotyka się pięć razy na tydzień. Paweł uważa, że Ella była na swój sposób interesująca, ale to Żydówka. Nie, nie jest antysemitą, po prostu ona akurat nie była w jego typie.

LUŹNA KARTKA (nie wchodząca w skład oficjalnego dziennika)

Czerwiec

Ella German – żydowska piękność o jedwabistych czarnych włosach i ciemnych oczach, skórze białej jak śnieg, pięknym uśmiechu i z gruntu dobrej, choć nieprzewidywalnej naturze. Jej jedyną wadą jest to, że w wieku 24 lat wciąż jest dziewicą, i to dlatego, że tego chce. Poznałem ją, kiedy przyszła do pracy w mojej fabryce. Zwróciłem na nią uwagę, może nawet zakochałem się w niej w chwili, gdy ją zobaczyłem.

Teraz, w wieku pięćdziesięciu pięciu lat, Ella mówi cicho i starannie dobiera słowa. Ma delikatne, ptasie rysy twarzy i koronę ciemnych, siwiejących włosów.

Twierdzi, że nie miała ciekawego dzieciństwa, bo jako dziecko była bardzo nieśmiała. Zawsze robiła to, co jej kazano, i dużo siedziała w domu. Nawet gdy była już nastolatką, koledzy mówili jej, że cała jest zakompleksiona. Może więc – zasugerowała – wcale nie okaże się dla nas ciekawą rozmówczynią.

Pamięta, że miała cztery latka, gdy wybuchła wojna. Mieszkała razem z dziadkami w małej mieścinie, Mohylewie. Podczas pierwszego bombardowania miasteczka tak się wystraszyła, że zupełnie nic z niego nie pamięta. Dopiero babcia jej opowiedziała, co się wtedy działo.

Babcia była bardzo krzepka. Pracowała przy ćwiartowaniu bydlęcych tusz i Ella jako małe dziecko nabożnie podziwiała jej siłę. Gdy niemieckie samoloty zaczęły zrzucać bomby, Ella po prostu „skoczyła na babcię", jak to ujęła, zarzuciła jej ręce na szyję i nie puszczała. Babcia musiała ją przez calutki dzień nosić na szyi. Inne dzieci płakały, rozmawiały, a Ella nie odezwała się ani słowem. Niektórzy rodzice pokazywali ją innym: „Popatrzcie tylko! To dziecko wcale nie okazuje emocji". Myśleli, że Ella jest silna, jednak teraz wiadomo, że była w ciężkim szoku.

Ella była z pochodzenia Żydówką, ale nie miało to dla niej większego znaczenia. Jej babcia, która wychowała się w bardzo religijnej rodzinie, opowiadała jej o tałesach i jarmułkach, ona jednak nigdy nawet nie widziała tych rzeczy na własne oczy.

W odróżnieniu od babci, która się opiekowała dziewczynką, matka Elli żyła własnym życiem. Była wtedy wolna, ponieważ ojciec Elli umarł, i chciała sobie po raz drugi jak najlepiej ułożyć życie. Miała dobry głos, ale nie udało jej się zrobić kariery. Całymi dniami pracowała, a wieczorami często wychodziła z jakąś koleżanką do kina czy nocnego klubu; właściwie ciągle zajęta, nie poświęcała dzieciom zbyt wiele uwagi. Była bardzo ładna i miała wyrazistą osobowość, a jednak wbrew oczekiwaniom bliskich nie została piosenkarką ani aktorką. Ostatecznie zarabiała na życie śpiewaniem w chórze. Dzieciństwo Elli pełne było różnego rodzaju kłopotów.

Kiedyś matka została wyrzucona z pracy. Nie wychodziła wtedy przez parę dni z domu i bez przerwy płakała. Miała na utrzymaniu dwoje dzieci i rodziców. Dziadek Elli był chory, ale regularnie wychodził z domu, kupował coś za niższą cenę, a potem szedł na targ i starał się sprzedać to drożej.

Dzieci jak to dzieci, mówi Ella, tak naprawdę nie dociera do nich tragizm wielu wydarzeń. Teraz wprawdzie widzi, że wiodła dość żałosny żywot, ale wtedy nigdy nie czuła się nieszczęśliwa. W szkole inne dzieci nie były od niej bogatsze, wszyscy byli równi. Miała kolegów i koleżanki; przeżyła wiele szczęśliwych chwil. Śpiewała i bawiła się w gronie rówieśników. Ponadto u nich w rodzinie zawsze obecny był teatr. Znali kilku aktorów, dyskutowali na temat ich gry. W życiu Elli nie było ani jednego roku, kiedy by nie wybrała się do teatru.

Matka pozostawała dla niej tajemnicą. Nawet jako szesnasto- czy siedemnastolatka Ella nie miała pojęcia o jej życiu prywatnym. Ponieważ zaś matka była piękna, bardzo uczuciowa i romantyczna, wciąż czekała na swojego „księcia", na kogoś, kto dorósłby do jej oczekiwań. Może dlatego nigdy powtórnie nie wyszła za mąż. A może dlatego, że gdy mężczyźni przychodzili z wizytą i widzieli w jednym pokoju dwoje dzieci i dwoje staruszków, skutecznie studziło to ich zapały.

Gdy Ella podrosła, lubiła tańczyć walca, ale wkrótce jej ulubionym tańcem stał się fokstrot. Słyszała o amerykańskiej orkiestrze Glena Millera, a potem widziała pana Millera i jego orkiestrę w filmie pod tytułem *Sun Valley Serenade* (Serenada w Dolinie Słońca). Pamięta też, że podobał jej się amerykański film *Dwunastu gniewnych ludzi*, bo mogła przyjrzeć się różnicom w zasadach działania sądów w ZSRR i USA. Potem już nie wierzyła w to, co mówiło się o Ameryce – że bogaci stanowią małą grupkę, a większość to ludzie biedni. Pamięta, że w tamtych czasach chodziły słuchy, że w Ameryce nawet bezrobotni żyją na takim poziomie, jak pracujący Rosjanie. Ale z drugiej strony Ella wierzyła, że rząd Stanów Zjednoczonych może wszcząć wojnę.

Oczywiście nie interesowała się specjalnie techniką czy polityką. Kiedy chodziła z koleżanką do kina, film poprzedzała dziesięciominutowa kronika pokazująca radzieckie osiągnięcia w rolnictwie i przemyśle, a potem sprawozdania z demonstracji i życia bezrobotnych w krajach kapitalistycznych. Zwykle spóźniały się z koleżanką o kwadrans, żeby opuścić kronikę i zdążyć akurat na początek filmu.

Uwielbiała wszystkie filmy z Deanną Durbin – piękna kobieta, romantyczne historie, eleganckie stroje, ładne meble. Ta strona życia pociągała ją znacznie bardziej niż polityka, zresztą już wtedy, jako czternastolatka, rozumiała, że z polityką jest coś nie w porządku. Pamięta, że kiedyś podczas spaceru z koleżanką powiedziała: „Moim zdaniem Stalin nie wie, co się dzieje w kraju, bo otrzymuje fałszywe raporty". To była jej bliska koleżanka, więc podzieliła się z nią taką myślą. W domu nie mogłaby tego powiedzieć, ale koleżanka była tego zdania co ona. Zdążyły się już napatrzeć, jak niżsi rangą urzędnicy kłamią wyżej postawionym, zawsze ukazując swoją pracę z jak najlepszej strony, więc na wyższych szczeblach pewnie ludzie tak samo kłamią Stalinowi.

Mało która z jej koleżanek interesowała się polityką. Bardziej zaprzątały je randki z chłopcami. Przez to Ella była trochę na uboczu, ale godziła się z tym. Z mężczyznami zaczęła się spotykać bardzo późno – na pierwszą randkę poszła, mając dziewiętnaście lat. Nie czuła się z tego powodu gorsza. Nie uważa się za osobę zawistną. Może nie jest zupełnie pozbawiona zawiści, ale prawie. Lubiła też mieć kontakt z dziewczynami bardziej od niej doświadczonymi. Przychodziły do niej, zwierzały się i dzięki nim uczyła się życia, a one musiały mieć kogoś, przed kim się mogły wygadać. Koleżanka powiedziała jej kiedyś: „Wiesz co, podoba mi się jeden chłopak i chcę go poznać, ale to nie takie proste. Możesz spróbować ze mną? Przejdziemy się koło jego domu, a nuż go spotkamy". Wtedy Ella bez namysłu włożyła płaszcz i poszła z koleżanką, bo rozumiała, jak ważne było dla niej poznanie tego chłopaka. I ani razu nie przeszło jej przez myśl, że może sama mu się spodoba". Nie, po prostu chciała jak najlepiej dla koleżanki.

Wtedy matka wciąż jeszcze była dla Elli wcieleniem doskonałości, choć interesowała się tylko sobą. Dziś Ella lituje się nad nią. Matka nigdy nie miała normalnego życia. Ella jest nauczycielką, mieszka teraz ze swoją córką i wnukiem i martwi się, czy poświęca im dostatecznie dużo czasu. Mówi, że nauczyciele są trochę stuknięci. Nie dość, że dają z siebie tak wiele dzieciom innych ludzi, to jeszcze w domu sprawdzają zeszyty i nie mają czasu dla własnych synów i córek. Ale Ella swoim dzieciom gotowała i prowadziła normalny dom, tak jak to robiła jej babcia.

Był jednak w jej życiu taki okres, kiedy rozważała, czy nie zostać aktorką, jak matka, i dużo grała w publicznym teatrze, lecz ostatecznie zdecydowała, że pójdzie na uniwersytet.

Nie zdała jednak egzaminu wstępnego. Dostała niedostateczną ocenę z języka białoruskiego. Wszystkie pozostałe oceny miała bardzo dobre. Ponieważ nie mogła sobie pozwolić na czekanie przez cały rok, by ponownie zdawać białoruski, wraz z wieloma innymi, którzy się nie dostali na miński uniwersytet, we wrześniu zaczęła się rozglądać za jakąś pracą w fabryce i została przyjęta na praktykę do „Horyzontu". Nadal starała się dostać na studia, ale przez dwa lata nic z tego nie wychodziło. Po śmierci Stalina kwitło łapówkarstwo. Członkowie uczelnianej komisji rekrutacyjnej powiedzieli jej nawet, że dostają listy z nazwiskami tych, którzy mają zostać przyjęci. Jeżeli czyjeś nazwisko nie figurowało na liście, a egzamin poszedł mu dobrze, zadaniem komisji było wstawić do pracy pisemnej błędy. Ella wie, że po dwóch latach nauki białoruskiego była naprawdę dobra, a mimo to wciąż dostawała dwóje.

Brała kiedyś udział w konkursie recytatorskim i jeden z jurorów chciał przyznać jej główną nagrodę, ale – jak się dowiedziała później – odrzucono jej kandydaturę, ponieważ nie była Białorusinką. Nie należała do „kadry narodowej", dlatego nie mogła reprezentować Mińska w konkursie ogólnokrajowym. Żydów postrzegano jako przedstawicieli innej narodowości, nawet jeśli byli komunistami. A jako przedstawiciele innej narodowości nie mogli reprezentować Białorusi. Ten incydent nie dodał jej pewności siebie.

W fabrykach jednak dużo zależało od kierownika: jeśli nienawidził Żydów, można było mieć problemy. Ale nie wszyscy byli antysemitami. Jeśli szef okazał się w porządku, w fabryce żyło się i pracowało całkiem przyjemnie. W „Horyzoncie" Ella nie miała kłopotów.

Gdy wreszcie zaczęła umawiać się na randki, nie były to randki w ścisłym znaczeniu tego słowa. Chłopcy czasami kupowali bilety do opery i zapraszali ją, ale zdarzało się, że i przez miesiąc musieli ją namawiać, żeby zgodziła się pójść. Uważa, że bardzo powoli dojrzewała.

Gdy poznała Lee, miała już dwadzieścia trzy lata i wiele randek za sobą. Umawiała się nieraz z kimś kilka razy, ale zdawała sobie sprawę, że nic do tego człowieka nie czuje, po co więc ciągnąć to dalej? A z drugiej strony, nudno było siedzieć w domu. Czasami zatem spotykała się z mężczyznami, mimo iż wiedziała, że raczej nic z tego nie będzie.

Nie opuszczała jej wola zdobycia wyższego wykształcenia. W ziszczeniu tych marzeń pomogło jej nowe zarządzenie, wydane przez białoruskiego ministra edukacji: jeśli ktoś przepracował dwa lata w fabryce, ma pierwszeństwo na liście kandydatów.

Dzięki temu Ella nie dość, że dostała się na uniwersytet, to jeszcze otrzymała stypendium i mogła rzucić pracę w fabryce. Jednak po dwóch latach zawaliła jeden egzamin i odebrano jej stypendium. Musiała się zatem przenieść ze studiów dziennych na wieczorowe i wrócić do pracy w „Horyzoncie". Przyjęto ją zresztą z powrotem z otwartymi ramionami. Była już tam dobrze znana, bo brała udział w koncertach amatorskich. Personalny powiedział jej nawet, że przydzieli ją do dobrego działu montowania radioodbiorników.

Pamięta, że pierwszego dnia została przedstawiona Lee, a potem on przez cały tydzień przyglądał jej się podczas przerwy obiadowej. Ella wiedziała, że jeśli do niego podejdzie i o coś poprosi, spodoba mu się to, mimo iż o jego przyjaźń zabiegała niejedna dziewczyna. Ella zauważyła, że gdy przechodził przez fabrykę, wiele dziewcząt woła: „Cześć, Alik!", jakby był kimś wyjątkowo ważnym.

Tak się złożyło, że miała wtedy zadane przetłumaczenie na konkretny dzień kilku stron angielskiego tekstu, nie musiała się więc uciekać do pretekstów, by poprosić go o pomoc. Naprawdę jej potrzebowała. Chociaż nie przedstawi jej to w korzystnym świetle, Ella przyznaje, że czasami wykorzystywała mężczyzn do wyświadczania jej drobnych przysług. Był na przykład taki inżynier, za którym szczególnie nie przepadała, ale mimo że nie miała najmniejszego zamiaru z nim chodzić, prosiła go o pomoc w rysunku technicznym, z którym sobie nie radziła. Do Lee jednak nie żywiła negatywnych uczuć. A ponieważ ona mu się najwyraźniej podobała, czemu nie miała go poprosić o pomoc w tłumaczeniu? Kiedy to zrobiła, uśmiechnął się i umówił z nią na popołudnie w małym warsztacie. Ella nie spodziewała się, że poza nimi ktoś tam jeszcze będzie, ale okazało się, że kilku robotników nie wyszło. Usiadła razem z Lee przy stoliku, na którym stało grające radio.

Lee rozłożył kartki i wyłączył radio, nie pytając nikogo o zgodę. Maks Prochorczyk, który tam między innymi pracował, był oburzony. Podszedł do stolika i włączył radio z powrotem. Lee je wyłączył, Maks znowu włączył. Lee wyłączył je i powiedział: „Rosyjska świnia". Wtedy Maks odszedł jak niepyszny.

Dla Elli nie było to miłe. Lee wyłączył radio w obecności kilku osób, ponieważ ona musiała się uczyć, ale przecież każdy dobrze wychowany człowiek zrobiłby na jego miejscu dokładnie to samo. Była wtedy po jego stronie.

Początkowo nie wydał jej się zbyt bystry. Słabo mówił po rosyjsku i wszystko brał za żart, wszystko go śmieszyło. Dużo się więc razem śmiali, być może za dużo. Ale gdy zaczęła częściej się z nim spotykać, zaciekawiły ją rozmowy na temat jego kraju.

Wkrótce zaczął zapraszać ją do kina. Często chodzili na spacery do parku, gdzie przesiadywali na ławkach. Niekiedy żartował: „Wiesz, jestem dobrą partią. Mam mieszkanie".

Chodzenie z Amerykaninem miało dla niej posmak nowości, a ona była z natury ciekawa. Poza tym Lee nie sprawiał najmniejszych problemów. Nie był agresywny. Inaczej by się z nim nie spotykała. Niektórzy mężczyźni byli w stosunku do niej natarczywi, a on nie. I oczywiście nie miał kłopotów finansowych; poza tym dawał jej do zrozumienia, że jest całkiem nieźle ustosunkowany. Znał przewodniczącego rady miasta, Szarapowa. „Gdybyśmy czegoś w przyszłości potrzebowali – mówił – zawsze mogę iść do mera. On nam wszystko załatwi". Lee wydawał jej się więc pewny siebie i wesoły. Miał poczucie humoru i dlatego dużo się śmiali. Wtedy wśród przyjaciół nazywano ją *chachatuszka* – śmieszka. Tak mówi się o kimś, kto umie się cieszyć życiem. Nie prowadzili z Lee trudnych, głębokich dyskusji, rozmawiali normalnie jak młodzi ludzie. Ona lubiła sobie z niego żartować. Nie złośliwie, tylko tak, żeby go trochę podrażnić.

Przez cały ten czas spotykali się mniej więcej dwa razy w tygodniu, ale codziennie jedli razem obiad w fabrycznej stołówce. Zwykle siedzieli przy stole sami – pozostali szanowali ich prywatność i nie próbowali się do nich przyłączać.

Nigdy nie myślała: „Bardzo bym chciała bywać w jakimś większym gronie". Lubiła być z nim sam na sam. To był jej styl umawiania się z mężczyznami. Zawsze spotykała się z nimi w ten sposób. W rezultacie prawie nie wiedziała, jakich Lee ma przyjaciół ani z kim poza nią spędza wolny czas.

Kiedyś, gdy byli razem w teatrze, podszedł do nich mężczyzna nazwiskiem Erich Titowiec i zaczął rozmawiać z Lee. Na nią nawet nie spojrzał. Jakby była meblem. Oni sobie rozmawiali, a ona stała obok i przyglądała się Erichowi. Miał dwadzieścia kilka lat, był przystojnym, dobrze zbudowanym blondynem. Wystające kości policzkowe. Wyglądał jak amerykański model z czasopisma, a Lee za to jak Rosjanin – musiał się wysilać, żeby zrozumieć, co Erich do niego mówi. Oczywiście Erich mówił po angielsku tak, jak go nauczono w szkole – poprawnie, niemal zbyt wyszukanie. A Lee używał języka potocznego.

Erich zrobił na niej wrażenie. Był pierwszą osobą, która mówiła po angielsku, nie będąc studentem Instytutu Języków Obcych. Gdy później podzieliła się tą uwagą z Lee, on powiedział: „Chciałbym tak mówić po rosyjsku, jak Erich mówi po angielsku".

Mimo wszystko Ella nie może powiedzieć, żeby zapałała sympatią do kolegi Lee. Niełatwo polubić kogoś, kto cię traktuje jak powietrze. Lee nigdy o nim nie mówił. Było jasne, że jest osobą, która wyraźnie oddziela poszczególne dziedziny swego życia. Dlatego trudno mu było zaufać.

Ella uważa, że Lee wiedział o tym, że ona jest Żydówką, może nawet od pierwszej randki, ale o ile pamięta, wspomniał o tym tylko raz. Było to wtedy, kiedy uświadomił sobie, że ona wcale nie pali się do małżeństwa z nim. Przez wiele miesięcy nie poruszali tej kwestii bezpośrednio, ale kiedyś powiedział jej: „Wiem, że jesteś Żydówką, a ludzie nie lubią Żydów. Ale mnie to nie przeszkadza". W ten sposób mówił nie wprost: „To by mnie nie odwiodło od małżeństwa z tobą".

Przed nim oświadczało się Elli już kilku mężczyzn. Jeden jej się podobał – kapitan, który miał służyć na Kamczatce, ale Ella nie była zdecydowana i nie pojechała z nim; był też chłopak, z którym chodziła przez rok, on też poprosił ją o rękę. Lee nie był więc pierwszy. Zresztą może i był w niej zakochany, ale ona w nim nie. Dobrze się czuła, darząc kogoś po prostu sympatią, tym bardziej że czuła, iż Lee jest wbrew pozorom bardzo samotny. Było jej więc go żal i wiedziała, że jeśli z nim zerwie, będzie jeszcze bardziej samotny. Dlatego nie przestawała się z nim spotykać. Ale była świadoma, że nie czuje do niego tego, co trzeba, żeby iść z kimś do ołtarza.

Lee powiedział jej kiedyś, że ona wie o nim więcej niż ktokolwiek inny. Zdziwiła się więc, gdy po latach się dowiedziała, że jego matka wciąż żyje – mówił bowiem wtedy, że umarła. A także, że on nigdy nie wróci do Ameryki.

Pewnego razu, tuż po tym, jak zaczęli ze sobą chodzić, był dość podenerwowany. To było wtedy, kiedy do Mińska dotarła wiadomość, że nad terytorium rosyjskim został strącony amerykański samolot wywiadowczy U-2, a jego pilot, Francis Gary Powers, pojmany. Lee zapytał ją: „Co o tym sądzisz, Ella? Czy może się to na mnie odbić, dlatego że jestem Amerykaninem?". Powiedziała mu, żeby się o siebie nie martwił, bo nikt nie może powiedzieć, że jest za to odpowiedzialny. Starała się go uspokoić, mówiła do niego łagodnym tonem. Nie była przekonana o swojej racji, ale pragnęła go podtrzymać na duchu. To była najbardziej romantyczna chwila, jaką dotąd razem przeżyli.

Lee przyznał się, że kiedy mieszkał w Moskwie, bardziej bał się Amerykanów niż Rosjan. Powiedział jej, że władze radzieckie wysłały go do Mińska, bo tutaj miał być bezpieczny. Mówił: „Tu, w Mińsku, jestem niewidzialny. Ale kiedy przyjechałem do Moskwy, naprawdę wyróżniałem się z tłumu". Opowiadał, jak ogromnie Amerykanie się nim interesowali, jak na niego polowali i chcieli go zabić. Pomyślała, że być może w zamian za radzieckie obywatelstwo zaoferował jakieś informacje, które Amerykanie woleli trzymać w tajemnicy. Mówił: „Jeśli wrócę do Ameryki, oni mnie zabiją".

Był przez to bardziej interesujący, ale ona nie wierzyła, że to prawda. Myślała, że to takie sobie gadanie. Nie grzeszył też zanadto odwagą. Ella pamięta taki epizod: szli kiedyś ulicą prowadzącą do jej domu i nagle podbiegła do nich jakaś dziewczyna, wołając: „Napadli mnie, ukradli torebkę, pomocy!". Rosjanin w takiej sytuacji raczej rzuciłby się łapać złodzieja, a Lee tylko pocieszał tę dziewczynę. Ella powiedziała: „Cóż, chyba nie odzyskamy jej torebki, złodzieje nie będą na nas czekali". Lee zapytał nawet, czy nie mogliby pójść inną drogą.

Rzeczywiście poszli okrężną drogą i wszystko się dobrze skończyło, tyle tylko że ta dziewczyna strasznie to przeżyła. Przecież straciła torebkę. Gdy Ella później wracała myślą do tego zdarzenia, doszła do wniosku, że może Lee jest trochę tchórzem. Albo – jeśli rzeczywiście było tak, jak mówił, to znaczy, że w Moskwie Amerykanie chcieli go zabić – myślał, że i tutaj ktoś stara się go sprowokować. Dlatego unikał kłopotów. I nigdy nie rozmawiał na tematy polityczne. Raz zdecydowała się zapytać go, dlaczego tylu Amerykanów chce wojny, a on jej odpowiedział: „Amerykanie tak naprawdę nie rozumieją, czym jest wojna, bo nigdy walki nie toczyły się na ich ziemi". Ona powiedziała wtedy: „Ja za to wiem, czym jest wojna. Jest zła". A on odparł krótko: „Tak, tak, masz rację. Wiem, ile wycierpiałaś".

Poza tym rozmawiali na różne tematy. Ale podczas letnich wieczorów zdarzały się też chwile, kiedy po prostu siedzieli na ławce i milczeli, jakby oboje byli Rosjanami. Czuła, że on wszystko rozumie, ale jest bardzo zamknięty w sobie. Nawet po kilku miesiącach spotykania się z nim, po jakichś ośmiu miesiącach, wciąż jeszcze nie poznała go na wylot. Nigdy nie okazywał po sobie emocji. Zawsze był taki sam – łagodny, uśmiechnięty, miły, bez huśtawki nastrojów. Właściwie tylko dwa razy się pokłócili. Oczywiście, ona też była łatwa w kontaktach. Ludzie mówili jej nawet: „To żadna sztuka cię rozbawić. Wystarczy kiwnąć palcem, a już się śmiejesz. Straszna z ciebie śmieszka". Możliwe, że była nazbyt skora do śmiechu.

Gdy ponad trzydzieści lat później czytała jego dziennik, nie mogła wprost uwierzyć, jak zachwiane miał poczucie czasu. Napisał, że poznali się po lecie 1960 roku, choć znali się już w maju tego roku, kiedy został strącony ten amerykański samolot U-2, i rozmawiali o Garym Powersie. Jakże mało wiedziała o Lee i jak mało on wiedział o niej!

Z OBSERWACJI KGB PRZEPROWADZONEJ W GODZ. 12.00–24.00

W SOBOTĘ, DNIA 2 LIPCA 1960 ROKU

O godz. 14.30 Lee Harvey wyszedł z pracy i udał się na obiad do baru samoobsługowego przy placu Zwycięstwa. Zjadł posiłek i wrócił do domu o godz. 15.00.

O godz. 16.00 wyszedł z domu, wsiadł do trolejbusu numer 1 na placu Zwycięstwa i pojechał na plac Centralny, nie płacąc za przejazd. Wysiadł z pojazdu tylnymi drzwiami i poszedł do kiosku numer 1 na ulicy Marksa.

Kupił tam jakąś gazetę i poszedł do sklepu spożywczego numer 13 przy prospekcie Stalina. Nic nie kupił, wyszedł ze sklepu, poszedł do domu towarowego. Pooglądał towary w dziale tworzyw sztucznych i, nic nie zakupiwszy, wyszedł, poszedł do kwiaciarni, potem do piekarni, a potem do kawiarni „Wiesna". Z kawiarni wyszedł po pięciu minutach, wsiadł do trolejbusu numer 1 na przystanku Komsomolskaja, wysiadł na placu Zwycięstwa i był z powrotem w domu o godz. 16.50.

O godz. 20.20 Lee Harvey wyszedł z domu i szybkim krokiem poszedł do Opery. Przed głównym wejściem zaczął chodzić tam i z powrotem. Po dziesięciu minutach skierował się w stronę placu, tam na głównej alejce spotkał się z nieznaną nam kobietą, pseudonim „Dora". Przywitali się, podając sobie ręce, i zaczęli rozmawiać. Po trzyminutowej rozmowie rozstali się bez pożegnania. „Dora" poszła do domu numer 22 przy ulicy Ławsko-Nabiereżnej, a Lee Harvey został na placu. Po dwudziestu minutach „Dora" wróciła, powiedziała mu coś i razem poszli do kina „Cyrk", trzymając się za ręce.

Obejrzeli wywieszone afisze, po czym przez około 35 minut spacerowali po prospekcie Stalina, rozmawiając o czymś.

O godz. 21.45 Lee Harvey i „Dora" poszli do kina „Cyrk". Lee Harvey okazał bilety, po czym zajęli miejsca w dziesiątym rzędzie i zaczęli oglądać amerykański film pełnometrażowy *Lili*. O godz. 23.45, po filmie, powoli poszli w kierunku domu numer 22 przy ulicy Ławsko-Nabiereżnej, pod domem rozmawiali przez około 15 minut, po czym się rozstali.

„Dora" (nad której identyfikacją pracujemy) weszła do domu, a Lee Harvey poszedł do siebie. Był w domu o godz. 24.00. Wtedy zawieszono obserwację do rana.

Okazało się, że „Dora" to Ella.

Czerwiec–lipiec
Letnie miesiące pięknie zielone. Lasy sosnowe ogromne. Wiele niedziel spędzam miło pod Mińskiem z Zigerami, którzy mają samochód, moskwicza [...].

Później tamtego lata Paweł wybrał się z Oswaldem popływać łódką. Lee lubił wodę, ale co do wiosłowania, nie miał nic przeciwko temu, by zajął się tym kto inny. Na przykład Paweł.

Z OBSERWACJI KGB PRZEPROWADZONEJ W GODZ. 8.00–23.00
W NIEDZIELĘ, DNIA 3 LIPCA 1960 ROKU

O godz. 10.35 Lee Harvey wyszedł z domu, wsiadł do trolejbusu numer 6 na placu Zwycięstwa, kupił bilet i wysiadł tylnymi drzwiami na przystanku Komsomolska. Poszedł prosto do piekarni, kupił sobie kawałek ciasta i szklankę kawy, posilił się i wyszedł. Na zewnątrz rozejrzał się, poszedł do kina „Centralnego", kupił w kiosku gazetę młodzieżową, przejrzał ją i zawrócił w kierunku domu. Na rogu prospektu Stalina i ulicy Komsomolskiej zatrzymał się, znów przejrzał gazetę, zgniótł ją i wyrzucił do śmietnika. Potem poszedł do domu towarowego, oglądał artykuły gospodarstwa domowego, wyszedł, kupił jakąś gazetę w kiosku numer 1 i wrócił do domu.

O godz. 13.30 Lee Harvey po raz drugi wyszedł z domu, powoli poszedł do sklepu papierniczego przy ulicy Gorkiego, gdzie zakupił przenośne radio, i wrócił do domu. Po 30 minutach znów wyszedł z domu, wsiadł do trolejbusu linii numer 1 na placu Zwycięstwa, wysiadł tylnymi drzwiami na przystanku Komsomolska i poszedł do działu płytowego w domu towarowym, gdzie przez 20 minut przeglądał listy płyt, nic nie kupił, wyszedł ze sklepu i poszedł do sklepu elektronicznego numer 71. Tam Lee Harvey kupił kilka płyt, po czym wsiadł do tramwaju linii numer 7 na przystanku przy placu Zwycięstwa i nie odzywając się do nikogo dojechał do przystanku Opera, wysiadł, wszedł do sklepu papierniczego i spożywczego. Spacerem wrócił do domu o godz. 15.45.

Lee Harvey nie wychodził z domu do godz. 23.00, kiedy zakończono obserwację.

A oto raport służbowy złożony przez Tanię, pracownicę mińskiego Inturistu, 8 lipca 1960 roku.

RAPORT SŁUŻBOWY
8 lipca 1960 roku

W wyniku wspólnych spotkań informatorka nawiązała dobre stosunki z Lee Harveyem. On uważa informatorkę za osobę, z którą może miło spędzać czas. Nie wykazywał żadnego zainteresowania życiorysem informatorki, z wyjątkiem wieku. Lee Harvey wydaje się dość zadowolony ze swojego mieszkania i wygód, które tam ma. Jest wciąż nieurządzone, ale dla kawalera w zupełności wystarczy. Gdy informatorka była w mieszkaniu Lee Harveya, on zapytał w rozmowie: „Dlaczego nie interesują cię moje wrażenia dotyczące Związku Radzieckiego?". Informatorka odpowiedziała: „Myślę, że prędzej czy później się nimi ze mną podzielisz...". I Lee Harvey zaczął się ze mną dzielić wrażeniami. Jego opowieść składała się z entuzjastycznych reakcji na radziecką rzeczywistość. Zwróciwszy uwagę na jego nowe dwie pary butów z cholewami, informatorka zapytała ze zdumieniem: „Po co ci one?". On odpowiedział: „Kocham wszystko, co rosyjskie; chcę wyglądać jak Rosjanin".

Dzieląc się spostrzeżeniami na temat znajomych, pokazał informatorce kilka zdjęć, na których pozował w towarzystwie przyjaciół, jakiegoś Argentyńczyka i jego żony. Po informował ją również, że ma jeszcze jednego przyjaciela, Rosjanina, inżyniera, który pracuje z nim w fabryce. Ogólny rozwój Lee Harveya, zakres jego zainteresowań, wydały się informatorce dość ograniczone. Ma bardzo nikłe pojęcie o sztuce, muzyce, malarstwie, nie mówiąc już o teorii marksizmu-leninizmu. Zamierza dostać się do Instytutu Języków Obcych i, poza angielskim, uczyć się niemieckiego w indywidualnym toku studiów.

W zachowaniu Lee Harveya zauważa się usilne dążenie do nawiązywania znajomości z dziewczętami (szczególnie z blondynkami dobrze znającymi angielski), jak również swego rodzaju wyrachowanie graniczące ze skąpstwem. Potrafi on, na przykład, umówić się z dziewczyną na randkę, a potem sam iść do restauracji, rozumując, że będzie go to mniej kosztowało. Aranżował wiele spotkań z informatorką, ponieważ może odwiedzać ją w pracy i do niej dzwonić. Informatorka skłania się ku hipotezie, że Lee Harvey ochłódł ostatnio w staraniach o nią, gdyż jego roszczenia (twierdził, że „po pół roku spotykania się zasłużył na pocałunek") nie zostały uwzględnione. Udał, że uraziło go to czy też spra wiło mu przykrość, i odtąd rzadziej odwiedza informatorkę.

Tego lata Oswald wprowadził w swoim mieszkaniu ulepszenia. Nieduże, stopniowo. Kupił sobie, na przykład, tani segregator na płyty oraz adapter.

Dowiedziawszy się, że Paweł dość dobrze zna się na krótkofalarstwie, zapytał go, czy nie mógłby mu zrobić krótkofalówki. Stacje lokalne nadawały wiadomości tylko po rosyjsku. Paweł powiedział, że mógłby mu wprawdzie taki aparat sklecić, ale nie należałby on do najpiękniejszych – wszystkie części miałby na wierzchu. Wtedy Oswald kupił sobie radio, ładne i zgrabne jak damska torebka. Miało fale długie, średnie, a na falach ultrakrótkich, na częstotliwości 257 megaherców, nadawany był Głos Ameryki. Ponieważ zaś program był w całości po angielsku, nawet nie starano się go zakłócać.

Ludzie zastanawiali się nad tym, czy Oswald nie jest szpiegiem, ale Paweł pamięta, jak Lee przyszedł kiedyś do niego z prościutkim radzieckim aparatem fotograficznym, bo nie umiał założyć do niego filmu. Paweł musiał mu pokazać, jak to się robi. Innym razem Oswald kupił sobie radio i usiłował włożyć do niego baterie, ale nawet przy tak nieskomplikowanym zadaniu poprzerywał kilka drucików. Jeszcze inny przykład: lubił słuchać Głosu Ameryki, ale nie wiedział, jak dostroić radio, żeby odbiór był lepszy. Żeby dało się tego słuchać, Paweł pomajstrował scyzorykiem przy jakiejś części i trochę ją przesunął. W ogóle jest zdania, że gdyby Oswald rzeczywiście był Jamesem Bondem, to przyjechałby do ZSRR, umiejąc radzić sobie z takimi drobiazgami.

Z CHRONOLOGII KGB

4 IX 60 Oswald obejrzał film *Wiatr* w kinie „Letnim"

4 IX 60 Oswald uczestniczył w zabawie dla młodzieży w Domu Oficera

6 IX 60 Oswald obejrzał film *Babette idzie na wojnę* w kinie „Mir"

7 IX 60 Oswald obejrzał film *Duch partyzanta* w kinie „Pobieda"

8 IX 60 Oswald po raz drugi obejrzał film *Babette idzie na wojnę* w kinie „Mir"

9 IX 60 Oswald obejrzał film *Dowódca oddziału* w kinie „Letnim"

Między 4. a 9. września obejrzał pięć filmów, z tego jeden dwukrotnie, i wszystkie, z wyjątkiem jednego, były filmami wojennymi. W sierpniu kupił sobie strzelbę i wstąpił do działającego przy „Horyzoncie" koła łowieckiego. Na polowanie jednak wybrał się po raz pierwszy dopiero 10 września, z głową nabitą – jak można przypuszczać – wyobrażeniami siebie samego jako uczestnika akcji filmów wojennych.

Do tego czasu Stiepan zdążył nadać Oswaldowi kryptonim, którym mieli się odtąd posługiwać jego obserwatorzy: „Lichoj". Brzmi to podobnie jak Lee Harvey, a znaczy po rosyjsku „dzielny". Dowodzi to poczucia humoru KGB. Lichoj chyba nigdy nie robił nic poza tym, że chodził do pracy, na spacery i na zakupy.

Z OBSERWACJI KGB PRZEPROWADZONEJ W GODZ. OD 13.00 DO 15.00
DNIA 10 WRZEŚNIA 1960 ROKU

O godz. 14.30 Lichoj wyszedł z pracy i szybkim krokiem poszedł do domu.

O godz. 14.55 wyszedł z domu, niosąc w pokrowcu strzelbę i częściowo wypełnioną siatkę na zakupy i udał się pod główne wejście do fabryki.

Tam Lichoj podszedł do grupki siedmiu mężczyzn, z których kilku także miało strzelby, i zaczął z nimi rozmawiać.

Po około 15 minutach Lichoj i pozostali mężczyźni wsiedli do pojazdu o numerach rej. BO 18-89 i o godz. 15.20 opuścili miasto, jadąc ulicą Starożewską i Dołginowskim Traktem.

Za zgodą kierownika departamentu obserwację Lichoja zawieszono do dnia 17 września 1960 roku.

Leonid Stiepanowicz Cagiko, który przez całe życie był tokarzem, zainteresował się łowiectwem około roku 1955. Co roku po 15 sierpnia można było polować na ptactwo, a we wrześniu na kaczki, kuropatwy, ptactwo wodne. W październiku na lisy. Na wilki można było polować przez okrągły rok, ale już na niedźwiedzie trzeba było mieć specjalne pozwolenie, bo gruby zwierz był zwykle zarezerwowany dla towarzyszy partyjnych wyższego szczebla.

W owym czasie do koła należało może pięćdziesięciu członków. Mieli swojego przewodniczącego, który zbierał składki i zdobywał pozwolenia na polowanie na łosia, czasami nawet na niedźwiedzia, chociaż za niedźwiedzia trzeba było dużo płacić, około 150 rubli.

Gdy na początku lat sześćdziesiątych do pracy w fabryce przyszedł Lee Oswald, Cagiko poznał go już pierwszego dnia. To było niemal święto. Wszyscy podchodzili do tego Amerykanina, jak mogli najprędzej, żeby go poznać. Podczas przerw Oswald często siedział z nogami na stole i kiedyś ktoś go zapytał: „Dlaczego tak siedzicie?", a on odpowiedział: „To strajk. Ja tu strajkuję". Zażartował sobie. Doszli do wniosku, że pewnie wszyscy Amerykanie kładą nogi na stół. Taki widać mają zwyczaj.

W „Horyzoncie" były sekcje – koszykówki, piłki nożnej, siatkówki. A niektórzy co niedziela jeździli na polowania. Nieważne było, czy coś upolują – chodziło o kontakt z naturą. Gdy więc Oswald zapytał jednego z robotników, czy mógłby się z nimi zabrać, ten odpowiedział: „Jasne". Z rozsądku nie brali ze sobą dużo jedzenia ani żadnej wódki czy innego alkoholu, ponieważ nie chcieli wracać z pustymi rękami, bez zdobyczy. Pokonywali długie dystanse, przechodzili przez kołchozy, pola i wioski i tereny słabo zalesione.

Tamtego dnia polowali na zające. Nie było jeszcze śniegu, zatem, by je wytropić, musieli zwierzęta wypłaszać. Szli gęsiego, Oswald jako przedostatni, Cagiko na końcu. Oswald trzymał strzelbę na ramieniu. Nagle zając dosłownie wyskoczył mu spod nóg, wtedy Lee krzyknął: „Aaa!", i wystrzelił w powietrze. Cagiko powiedział: „Oswald, bo jeszcze mnie zastrzelisz!". A Oswald na to: „Ten zając mnie przestraszył". Później trafiła mu się jeszcze jedna okazja i znów spudłował.

Fakt, że niecelnie strzelał i nie potrafił sam dostroić sobie radła, budziły czujność Igora i Stiepana. Jak to możliwe, żeby były żołnierz amerykańskiej piechoty morskiej z cenzusem strzelca wyborowego swojego korpusu – tak, KGB zdobył informację, że był wcale niezłym strzelcem – aż tak pudłował?

Naturalnie służby bezpieczeństwa zaczęły się mieć na baczności, gdy tylko zostały poinformowane o tym, że Oswald kupił sobie strzelbę myśliwską i mógł niejednokrotnie mieć okazję jeździć z kołem łowieckim w tereny, gdzie znajdowały się również obiekty wojskowe. Myśliwym był wzbroniony wstęp na pewne tereny w określonych okolicach; do niektórych ogrodzeń nie wolno im się było nawet zbliżać. Jeśli Oswald to agent, ma z pewnością specjalny sprzęt i używa go do rejestrowania wojskowych przekazów radiowych czy działań nuklearnych. Dzięki takiemu sprzętowi można zebrać sporo informacji.

Nadeszły raporty, ale wzbudziły tylko zdumienie pomieszane z niewiarą. Strzelał fatalnie. Gdyby tylko mieli wtedy pojęcie, że Oswald zostanie niedługo oskarżony o popełnienie zbrodni – i to jakiej – dokładniej przyjrzeliby się jego umiejętnościom strzeleckim. Ale wiedząc to, co wiedzieli, nie podjęli szczególnych starań, by się przekonać, czy jest znakomitym strzelcem, który tylko udaje kiepskiego, czy też był tego dnia autentycznie niedysponowany.

Sierpień – wrzesień

W miarę jak robię postępy w rosyjskim, coraz jaśniej zdaję sobie sprawę, w jakim społeczeństwie żyję. Wspólna gimnastyka, obowiązkowe zebrania po pracy, zwykle poświęcone indoktrynacji politycznej. Również obowiązkowa obecność na wykładach, wysłanie w niedzielę całego kolektywu (z wyjątkiem mnie) do kołchozu na wykopki. Zbieranie plonów to „patriotyczny obowiązek". Zdaniem robotników (choć głośno tego nie mówią), to strata czasu. Nie wydają się zbyt entuzjastycznie nastawieni do żadnego z tych „kolektywnych" obowiązków, co jest zrozumiałe [...].

Październik

Początek jesieni; moją obawę przed kolejną rosyjską zimą łagodzi pyszne złoto i purpura białoruskiej jesieni. W ostatnich tygodniach obfitość śliwek, brzoskwiń, moreli i czereśni. Mam zdrową opaleniznę i pękam od świeżych owoców, których o innych porach roku nie można tu dostać.

18 października

Dwudzieste pierwsze urodziny obchodziłem z Tanią, Pawłem i Ellą na małym przyjęciu u mnie. Ella [to] bardzo atrakcyjna rosyjska Żydówka, z którą od jakiegoś czasu chodzę. Też pracuje w mojej fabryce. Tania i Ella były o siebie zazdrosne. Podobało mi się to. Obie były u mnie po raz pierwszy. I Ella, i Paweł podarowali mi popielniczki (a nie palę). Było dużo śmiechu.

9

Ella i Lee

Po pół roku znajomości z Ellą Lee zaprosił ją do siebie do domu. Był tam już Paweł i dziewczyna z Inturistu, Tania. Później dołączyła do nich dziewczyna, która nazywała się Inna Taczina. Paweł zniknął na chwilę i wrócił razem z nią. Powiedział: „No, Lee, ciesz się! Patrz, kogo ci przyprowadziłem. Innę!".

Ella przeżyła szok. Przez pół roku Lee nie umawiał się z żadną dziewczyną z fabryki poza nią. Nie miała więc pojęcia, że spotyka się z innymi kobietami. Wprawdzie zakładała, że tak – i rozumiała to – ale ze sposobu, w jaki Paweł ogłosił przyjście Inny, jasno wynikało, że zażyłość Lee z nią jest innego rodzaju. To Ellę zabolało. Lee już od jakiegoś czasu dawał jej do zrozumienia, że ma co do niej poważne zamiary, ale jeśli rzeczywiście myślał o niej serio, to czemu zadawał się z tamtą?

Wywołało to kłótnię. Ella strasznie się rozgniewała i wyszła, a Lee razem z nią. Powiedziała mu: „Słuchaj, skoro chcesz się zabawiać z Inną, nie jestem ci tu do niczego potrzebna. Lepiej by było, gdybym została w domu". On odpowiedział: „Innę przyprowadził Paweł. Ja, jak widziałaś, przez cały wieczór byłem z tobą i teraz też zostawiłem Innę i Pawła". Przekonał ją. Powtórzył: „Zostawiłem swoich gości. Odprowadzę cię do pracy". Miała wtedy nocną zmianę i przyszła na jego urodziny przed pracą. „To powinno cię przekonać, że jesteś dla mnie najważniejsza".

Później Ella często przypominała mu o Innie. Drażniła się z nim: „Więc jest w twoim życiu inna kobieta?", a on odpowiadał: „Nie rozumiesz, że tylko ciebie naprawdę kocham? Ona mnie po prostu pociąga". Ella wyznawała taką filozofię: „Młody mężczyzna ma swoje potrzeby. Skoro ja nie chcę ich zaspokajać, to zaspokaja je z kim innym, normalna rzecz". Nigdy nie kochała nikogo na tyle, by czuć się zazdrosna o wszystko, co ta osoba robi, także o fizyczny kontakt z innymi. Nie było to dla niej tak ważne, jak prawdziwa miłość.

Zresztą Innę przyprowadził Paweł, a Ella tak naprawdę Pawła nie lubiła. W „Horyzoncie" zdarzył się mały incydent i od tamtej pory Paweł miał złą reputację. Wraz z kilkoma dziewczętami pracował przy strojeniu radioodbiorników. Czasami trafiały im się takie, które bardzo trudno było dostroić, nie odbierały dobrze, były głuche. Takim odbiornikom, zwanym „trumnami", trzeba było poświęcić bardzo dużo pracy i czasu, by jako tako brzmiały. A gdy płaca wraz z premią zależy od liczby nastrojonych odbiorników na dzień, każde wadliwe radio oznacza niższą wypłatę. Któregoś wieczoru jedna z dziewcząt pracujących z Pawłem zorientowała się, że opuszczając warsztat, zostawiła radio, nad którym prawie skończyła pracować, a wróciwszy, zastała je całkowicie głuche. Tymczasem Paweł przez cały czas oddawał dużo dobrze nastrojonych odbiorników. Podejrzewano więc, że kiedy Paweł przyszedł do pracy na swoją zmianę, podmienił prawdopodobnie jej radio na „trumnę". Dziewczyny uważały, że mężczyźnie by tego nie zrobił, bo mężczyźni są dokładniejsi, pamiętają, co stroili poprzedniego dnia. A dziewczęta zapominają, bo nie zaprzątają sobie tym głowy. Dlatego właśnie, Elli zdaniem, dziewczyny łatwiej było oszukać.

Ta historia nabrała rozgłosu. Zwołano zebranie, na którym miało zostać osądzone zachowanie Pawła. Obecny był nawet jego ojciec, generał. Ze łzami w oczach prosił: „Proszę, wybaczcie mu. Towarzysze, proszę, nie niszczcie mu życiorysu. To się już więcej nie powtórzy".

Naturalnie, po tym incydencie Ella nie ceniła Pawła zbyt wysoko. Zrozumiałaby, gdyby był obciążony dużą rodziną i naprawdę nie miał co do garnka włożyć – dla dobra własnych dzieci można tak postąpić; ale Paweł okradał biedne dziewczyny, które zarabiały mniej od niego. Nie był zatem w jej oczach porządnym człowiekiem, a teraz na dodatek przyprowadził Innę i powiedział: „To jest dziewczyna dla ciebie, Lee". Ella miała też poczucie, że może Paweł jej nie akceptuje, bo jest Żydówką. Mówiono, że w jego kręgach, wśród radzieckich wojskowych, antysemickie poglądy są znacznie częstsze niż wśród cywilów.

W listopadzie zaczyna się już zima. Jestem coraz bardziej samotny. Mimo że zdobyłem Innę Taczinę, dziewczynę z Rygi, studentkę mińskiego konserwatorium. Po kilkutygodniowym romansie rozstaliśmy się.

LUŹNA KARTKA (nie wchodząca w skład oficjalnego dziennika)
Inna Taczina [...] Poznałem ją w roku 1960 u Zigerów; rodzina (która wysłała ją do Mińska) najwyraźniej zamożna. Inna lubi modne ubrania, ładne buty i bieliznę. W październiku 1960 zbliżyliśmy się ze sobą, czego ukoronowaniem był stosunek 21 października. Okazała się dziewicą i to było bardzo podniecające. Spotkaliśmy się jako kochankowie cztery czy pięć razy, ostatni raz 4 listopada 1960 roku. Po ukończeniu konserwatorium wróciła do Rygi.

10
Zdrawstwuj

Tamtej jesieni Albina zauważyła, że Zigerowie chyba znaleźli się w kłopotach. Nagle zaczęli odnosić się do wszystkich bardzo podejrzliwie. Zachowywali się wręcz tak, jak gdyby ktoś na nich donosił. A oto jak do tego doszło. Mieli w Wilnie kuzyna, który chciał ich odwiedzić, ale nie dostał pozwolenia na wizytę w Mińsku. Zigerowie wsiedli zatem do swojego moskwicza i pojechali po niego do Wilna. Ale w drodze powrotnej zatrzymała ich milicja. Trzeba było okazać dokumenty, a ten ich kuzyn nie miał odpowiednich papierów. Stracili więc cały dzień na posterunku milicji, wyjaśniając sprawę. Aż strach pomyśleć, o ile gorzej mogło się to skończyć. Zigerowie byli strasznie rozeźleni. Skąd ci milicjanci wiedzieli, że mają zatrzymać właśnie ich? Pewnie któryś z ich znajomych wygadał się komuś, że jadą po tego kuzyna do Wilna. Albina zauważyła, że od tamtego zdarzenia przestali zapraszać Ernsta, a po jakimś czasie także wiele innych osób. Ernst nie zdziwił się nawet, ale też Zigerowie nigdy go szczególnie nie obchodzili. Jego celem było poznanie Alika, a to niezaprzeczalnie osiągnął, czego Albina nie mogła nie zauważyć – rzadko bowiem widywała teraz i jednego, i drugiego.

Igor powiedział, że w sprawie Oswalda naturalnie kwestią pierwszej potrzeby było znalezienie ludzi mówiących po angielsku. „Choć Oswald coraz lepiej opanowywał język rosyjski, musieliśmy skontaktować go z ludźmi, którzy mogliby rozmawiać z nim po angielsku na tematy osobiste. Inaczej przecież nie da się rozpracować podejrzanego, trzeba znać jego język. Zwerbowaliśmy więc ludzi, którzy potrafili rozmawiać z Oswaldem w jego ojczystym języku".

Trzeba było znaleźć kogoś takiego, kto zna angielski na tyle dobrze, by zaprzyjaźnić się z Oswaldem, spędzać z nim wolny czas i być powiernikiem Amerykanina. „Byliśmy gotowi szukać ludzi w naszym mińskim Instytucie Języków Obcych". Uwaga tajnych służb skupiała się więc na studentach anglistyki. „Założyliśmy – mówił Igor – że dziewczęta z Instytutu mogą nas informować o zachowaniu Oswalda. Kontrwywiad kontrolował cały ten proces i był na bieżąco o wszystkim informowany". Oczywiście Titowiec pomógł Lee nawiązywać i utrzymywać kontakty ze studentkami Instytutu. A gdy byli sam na sam, nagrywał kasety, by – jak mówił Oswaldowi – móc ćwiczyć amerykańską wymowę i poprawić swoją znajomość potocznego języka.

ZAPIS PROGRAMU TELEWIZYJNEGO *Frontline* pt. *Kim był Lee Harvey Oswald?*
nadanego przez stację PBS w listopadzie 1993 roku

NARRATOR (głos): Zaprzyjaźnił się z Ernstem Titowcem [...]. Titowiec nagrywał Oswalda, by uczyć się akcentu z południa Stanów.

OSWALD (głos): Drzwi knajpy Henry'ego otworzyły się i do środka weszli dwaj mężczyźni. „Co podać?" – zapytał ich George.

TITOWIEC: Dawałem mu [...] różne kawałki do czytania, z *Otella* Szekspira, z Hemingwaya.

OSWALD (głos). Siedzieli przy barze i czytali menu. Zza baru przyglądał im się Nick Adams.

NARRATOR. Titowiec przeprowadzał również z Oswaldem wywiady na niby. Teraz po raz pierwszy publicznie odtwarza się te taśmy. W jednym z wywiadów Lee grał rolę zabójcy.

TITOWIEC: Opowiesz nam o swoim ostatnim zabójstwie?

OSWALD (głos): To była młoda dziewczyna. Przechodziła pod mostem, niosąc bochenek chleba. Po prostu poderżnąłem jej gardło, od ucha do ucha.

TITOWIEC (głos): Dlaczego?

OSWALD (głos): To jasne – miałem ochotę na ten chleb.

TITOWIEC (głos): Aha. *(pauza)* A jak uważasz – które swoje zabójstwo uważasz za naj... za najsłynniejsze?

OSWALD (głos): Kiedy zabiłem ośmiu facetów na Bowery*, na chodniku. Wałęsali się tam bez celu, a że nie spodobały mi się ich gęby, to ich wszystkich wystrzelałem z karabinu maszynowego. Było o tym głośno; pisali o zdarzeniu we wszystkich gazetach *(śmiech)*.

TITOWIEC: Po prostu świetnie się bawiliśmy i pękaliśmy ze śmiechu.

Igor nie wyklucza możliwości, że nagrania Oswalda mówiącego po angielsku zostały dokładnie przeanalizowane pod kątem autentyczności jego południowego akcentu; przebadano również kasety, na których Oswald mówi po rosyjsku, by wykryć, czy zna on rosyjski lepiej niż się do tego przyznaje.

Stiepan dodał: „Bardzo ważne jest sprawdzanie informacji po dwa razy. Zawsze staraliśmy się połączyć obserwację podejrzanego z raportami od naszych informatorów, oraz tym, czego zdołaliśmy się dowiedzieć dzięki wynalazkom technicznym. W ten sposób mogliśmy stopniowo nabierać zaufania do naszych informatorów. Jakkolwiek – ciągnął – stwarzanie sztucznych sytuacji, przeprowadzanie eksperymentów w celu stwierdzenia, czy rzeczywiście istnieje powód, by daną osobę podejrzewać, to ogromne ryzyko. Podejrzany mógłby zainteresować się tym przypadkowo albo z ciekawości, a to by pokrzyżowało zamiary kontrwywiadu. W ten sposób moglibyśmy sami wszystko popsuć". Zdaniem Stiepana dobrze się złożyło, że dane mu było badać naturalne zachowanie Oswalda. „Gdyby, na przykład, dotarła do nas wiadomość, że Lichoj czyni starania, by spotkać się z naukowcem danej specjalności, moglibyśmy takie spotkanie zaaranżować". Ale Oswald nie podejmował tego rodzaju kroków. Funkcjonariusze KGB badali więc incydenty, do których dochodziło w sposób naturalny, poddawali je dokładnej analizie i zwykle nie znajdowali prawie nic, co mogłoby budzić podejrzenia. Oswald nigdy nie próbował nawiązywać jakichś specjalnych znajomości czy przedostawać się na teren tajnych obiektów wojskowych; nie okazywał takich zamiarów. Jak dotąd, w każdym razie.

15 listopada

W listopadzie poznałem cztery dziewczyny z pokoju 212 w akademiku Instytutu Jęz. Obcych. Nel jest bardzo interesująca, tak samo jak Tomka, Tomis i Ala. Zwykle chodzę do akademika z kolegą, który bardzo dobrze mówi po angielsku. Ernst Titowiec jest na czwartym roku medycyny. To inteligentny facet. W akademiku siedzimy sobie w szóstkę i godzinami gadamy po angielsku.

Zdaniem Pawła dziewczyny z Instytutu Języków Obcych były może bardziej chętne, jeśli chodzi o kontakty seksualne. Miały inną psychikę. Poznawały obce języki, musiały się choć trochę przestawić na inny sposób myślenia, obcą mentalność, były więc bardziej ciekawe życia. Pozwalano im oglądać zagraniczne fil-

---

* Nowojorska dzielnica tanich przybytków rozrywki, przyciągająca wagabundów (przyp. tłum.).

my. Pod każdym względem wydawały się bardziej otwarte – paliły papierosy, piły, czytały wielkie dzieła literatury. Popularnością wśród nich cieszył się Erich Maria Remarque. Hemingway pisał o kobietach swobodnie żyjących przed ślubem w powieści *Słońce też wschodzi*. Może starały się przejąć ten styl. Przynajmniej niektóre.

Inna Pasienko – nie mylić ze znajomą Oswalda Inną Taczyną – studiowała na pierwszym roku w Instytucie Języków Obcych i miała bzika na punkcie angielskiego. Gdy tylko słyszała, że ktoś mówi po angielsku, cieszyła się, że może przynajmniej posłuchać. (Jej drugim hobby było pływanie i była w owym czasie mistrzynią Białorusi w stylu dowolnym i motylkowym).

Pewnej soboty wybrała się z koleżanką na koncert do filharmonii. Podczas pierwszej przerwy usłyszały dwóch mężczyzn rozmawiających po angielsku. Jeden z nich, brunet, miał szary garnitur, drugi – ciemny; jak się Inna wkrótce dowiedziała, pierwszy to był Oswald, a drugi Erich Titowiec. Inna podeszła do Titowca i zagadnęła: „Przepraszam, proszę mi powiedzieć, czy mam rację: pan jest Rosjaninem mówiącym po angielsku, a pan – prawdziwym Anglikiem albo – nie wiem – może Amerykaninem?". Erich odpowiedział: „Obaj jesteśmy Anglikami", a Oswald sprostował: „Nie, nie, nie, proszę mu nie wierzyć". Było jasne, że nie podobało mu się, że Erich powiedział „my". Miał przecież własną tożsamość. Inna powiedziała: „Proszę mnie nie oszukiwać", Erich jednak się upierał: „Nie, nie, obaj jesteśmy Anglikami", ale ona słyszała jego obcy akcent, ponieważ jej ulubionym przedmiotem była fonetyka. Później obroniła nawet pracę doktorską z angielskiej fonetyki.

Zaczęli rozmawiać i Inna zaproponowała: „Spotkajmy się po koncercie". Spotkali się i razem przeszli od filharmonii do placu Zwycięstwa, w pobliżu którego mieścił się Instytut Języków Obcych. Inna mieszkała zaledwie o pięć minut drogi stamtąd. Dała im swój numer telefonu i Erich powiedział: „Na pewno zadzwonimy i wpadniemy do ciebie". Obie z Galą były w siódmym niebie, bo przez pół godziny rozmawiały po angielsku. Gala mieszkała w akademiku, a Inna w domu rodziców, gdzie do dziś mieszka wraz z matką i całą rodziną.

Nazajutrz, w niedzielę, Erich zadzwonił i zapytał, czy mogą wpaść. Inna zaprosiła też Galę. Była tylko jedna trudność: ojciec Inny był pułkownikiem i ważną figurą w partii, wielkim patriotą. Nie zniósłby pod swoim dachem żadnego obcokrajowca. Nawet słuchanie radia budziło podejrzenia. Ale wtedy nie było go w domu, była tylko matka, dlatego po południu przyszli Erich i Lee, a potem dołączyła do nich jeszcze Gala.

Przedstawiając się matce Inny, Lee przywitał ją słowem *zdrawstwuj* zamiast *zdrawstwujtie*. Matka wzięła potem Innę do kuchni i zapytała: „Gdzieś ty poznała tak źle wychowanego chłopaka, który nie wie nawet, jak się należy zwracać do dorosłych?", a Inna odpowiedziała: „Mamo, on nie jest Rosjaninem – to Amerykanin". Matka zbladła i powiedziała: „Zabierz go stąd, bo ojciec niedługo wróci". Ale Inna odparła: „Nie, mamo, to nie wypada. Nie będziemy hałasować. Poprzeglądamy sobie słownik i posłuchamy muzyki". Na to matka się zgodziła: „Dobrze, ale tylko dopóki ojciec nie wróci".

Słuchali muzyki, pili herbatę i dużo rozmawiali. Inna pamięta, że pytała Lee, jak to się stało, że tu przyjechał, a on odpowiedział, że wybrał Mińsk, bo to ładne miasto. Najpierw chciał jechać do Leningradu, ale się rozmyślił. „Tu jest spokojniej, klimat łagodniejszy. Wolałem Mińsk". Gdy zapytała go, gdzie mieszka, powiedział, że tuż przy placu Zwycięstwa, i dodał: „Może wpadniecie do mnie? Mam dużo angielskich książek". Gala i Inna chętnie się zgodziły. Goście zdążyli wyjść przed powrotem ojca Inny do domu.

Lee chciał, żeby odwiedziła go sama Inna, ale na to nie pozwoliłoby jej wychowanie. Powiedziała: „Wezmę ze sobą Galę", na co się zgodził. Złożyły mu wizytę kilka dni później. Przyszły przed zapadnięciem zmierzchu.

Inna do dziś pamięta swoje podekscytowanie. Myślała: „Idę do mieszkania, które będzie pełne angielskich książek" – to był tak naprawdę główny powód odwiedzin, bo Lee nie zrobił na niej właściwie szczególnego wrażenia. Oczekiwała, że zobaczy na jego półce Hemingwaya i Faulknera albo coś zakazanego, jakąś niemal niemożliwą do zdobycia lekturę, ale dobrze pamięta, że gdy otworzył im drzwi i weszły do środka, ujrzały tylko kuchenkę, a na lewo od wejścia mały pokoik. W kącie tego pokoju stał mały... nie można nawet powiedzieć, że regał, to było po prostu kilka desek. Na samym dole leżały gazety, półka wyżej była pusta, a na najwyższej stały dzieła Marksa i Lenina po angielsku. I to wszystko. Łóżko wypełniało niemal cały pokój – żelazne, wojskowe, przykryte szarym kocem w białe pasy. Ponieważ dziewczyny ciągle stały, wreszcie usiadły na łóżku, a on poszedł zrobić herbatę. Herbata była niedobra, to Inna pamięta. Postawił ją na stołku koło łóżka.

Po jakimś czasie Inna zapytała, wskazując na tomy Marksa i Lenina: „Takie rzeczy czytasz?", a on odpowiedział: „Uważam, że to ciekawe, a ty nie?". Inna wyjaśniła: „My się tego wszystkiego uczyliśmy po rosyjsku, po co mielibyśmy to czytać po angielsku?". On powiedział: „Ja tego nigdy wcześniej nie czytałem i uważam, że to bardzo ciekawe".

Był schludny. Inna pamięta, że w mieszkaniu panował porządek. Lee miał na sobie szare spodnie, koszulę w prążki i niebieski krawat. Był z tego mieszkania bardzo zadowolony, mówił, że płaci za nie tylko siedem rubli. Dziewczynie akurat to, rzecz jasna, jakoś nadzwyczajnie nie imponowało, ponieważ jej rodzina mieszkała w dużym, ładnie urządzonym mieszkaniu, gdzie na cztery osoby przypadały aż trzy pokoje.

Mimo wszystko jednak wizyta wywarła na niej wrażenie. Po raz pierwszy w życiu widziała prawdziwego Amerykanina, a fascynowały ją wszelkie różnice między akcentem brytyjskim a amerykańskim. W dodatku ten Amerykanin zwrócił na nią uwagę. Nawet Gala to później potwierdziła. Ale on jako mężczyzna zupełnie Inny nie interesował. Była nim zaciekawiona, ale jej nie pociągał.

Gdy poskarżył się, że jest samotny i nie ma co robić, zaproponowała: „To chodźmy znowu do mnie", ale on odpowiedział: „Twój ojciec jest zbyt surowy". I dodał jeszcze: „Nie, nie, do ciebie już nie". Potem zwrócił się do Gali: „Chciałbym zobaczyć ten wasz Instytut". To było Innie na rękę, bo znaczyło, że będzie jeszcze mogła powprawiać się w angielskim.

Wprowadzenie Lee do akademika nastręczało trochę trudności. Wówczas przy wejściu za każdym razem trzeba było okazywać legitymację. Musieli to robić nawet studenci Instytutu, którzy nie mieszkali w domu akademickim. Wejście na teren akademika było zawsze ryzykowne. Studentki Instytutu traktowano jak nowicjuszki w zakonie. Dużą wagę przywiązywano do ich wychowania ideologicznego. Miały przecież dostęp do zachodniej literatury i filmów, wolno im było słuchać zagranicznych audycji radiowych.

Gala jednak przemyciła Oswalda do swojego akademika, ostrzegłszy go wcześniej: „Bądź cicho. Nie odzywaj się". Portierowi powiedziała, że chłopak jest jej krewnym. Sporo ryzykowała. Gdyby ją przyłapano, odebrano by jej na jakiś czas comiesięczne stypendium. Udało jej się jednak wprowadzić go bezpiecznie, a potem stało się to czynnością niemal rutynową.

Inna przypomina sobie jedno z takich ich spotkań: Oswald przebywał w pokoju z sześcioma dziewczętami, stanowił centrum zainteresowania. Siedział przy stole wraz z kilkoma dziewczynami i grali w taką grę: on otwierał podany przez nie ciemnobrązowy słownik, *Miller's English Dictionary*, i na chybił trafił wybierał jakieś słowo, a potem któraś z nich miała je podać po rosyjsku. Ta, która siedziała akurat najbliżej Lee, sprawdzała czy odpowiedź jest dobra. Zaśmiewali się do łez przy tej zabawie ze słownikiem. Chłopak miał lekki południowy akcent i, ku ogólnej uciesze, jedna z dziewcząt korygowała je go wymowę.

Przez następny miesiąc bywał u nich częstym gościem. Dziewczyny czasami nawet chciały, żeby już sobie poszedł, ale on wolał zostać. Kilka z nich bało się, że zostaną przyłapane, zamykały więc drzwi na klucz. Starali się zresztą nie robić hałasu. Śmiali się cicho, były to właściwie bardziej uśmiechy niż śmiech. Inna pamięta, że Lee wydawał się zadowolony z akceptacji dziewcząt. Czuła też, że po części jego chęć bycia z nimi przez cały czas wynikała z tego, iż miał dość Ericha. Jej zdaniem Oswald chciał sobie sam wybierać przyjaciół.

W każdym razie, nawet znajdując się w centrum zainteresowania, nie był zupełnie swobodny. Oczywiście było to zainteresowanie szczególnego rodzaju. Gdy jej koleżanki mówiły: „Nie widziałyśmy go już trzy dni", Inna wiedziała, o kogo chodzi. Nie tylko bały się wypowiadać jego imię, ale również zostawać z nim sam na sam – bo a nuż ktoś by doniósł, że jedna z nich miała randkę z obcokrajowcem? Zawsze o tym pamiętały. Nie należał wprawdzie do mężczyzn, którzy wzbudzają strach – przeciwnie, to raczej on był nieśmiały wobec kobiet. Jedyną, z którą poczynał sobie śmielej, była Nella Korbinka, której Inna nie znała zbyt dobrze.

Zdaniem Inny dziewczęta z Instytutu dość szybko znużyły się Lee. Przyzwyczaiły się do niego i prawie nie zwracały na niego uwagi jako na mężczyznę. Nie miał nic nowego do powiedzenia. Mówił o swojej rodzinie i opowiadał dowcipy, ale dosyć głupawe. Nie było o czym dyskutować. Wspominał Innie o tym, jak to szanuje swoją matkę, ale ona podejrzewa, że mówił o matce ciepło tylko dlatego, że ona tak bardzo szanowała własnych rodziców.

Po jakimś czasie straciły Oswalda z oczu, ale żadna specjalnie się tym nie przejęła. Niektóre studentki twierdziły, że Oswald przychodził do nich do Instytutu tylko dlatego, że nie chciały się z nim umawiać żadne inne dziewczyny.

LUŹNA KARTKA (nie włączona do oficjalnego dziennika)
Nella Korbinka. Potężna, około 1,75 metra wzrostu, 75 kilo wagi, zbudowana proporcjonalnie, duże sterczące piersi, śliczne szerokie biodra o bardzo przyjemnych proporcjach, z pochodzenia chłopka, urodzona w jakiejś wiosce koło polskiej granicy. Łagodna, miła, kobieca, mądra, namiętna, uparta. Połączenie wszystkich najlepszych cech kobiecych z wielkim rosyjskim sercem. Poznałem ją przez Tomkę, sąsiadkę z akademika. Nella, Tomka i trzy inne dziewczyny z mińskiego Instytutu mieszkały w jednym pokoju w akademiku niedaleko placu Zwycięstwa. Zacząłem zwracać uwagę na Nellę dopiero po tym, jak rozeszły się nasze drogi z Inną Tacziną.

11

Rozbite koryto

Gdy Lee chciał rozmawiać o planach na wspólną przyszłość, Ella zmieniała temat. Gdyby godziła się na rozmowę, mógłby to odczytywać jako gotowość wyjścia za niego za mąż. Może jej brak zainteresowania go martwił, choć tak czy owak, z natury nie był natarczywy. W końcu jednak zaczął na nią naciskać.

Pytał: „Chcesz wiedzieć, dlaczego tu przyjechałem?". Ale ona nie zadawała mu zbyt wielu pytań. Bała się, że uzna ją za osobę, która stara się wyciągnąć od niego informacje. Zresztą tak została wychowana: kobietom nie wypada pytać, wypytywanie to przejaw złych manier. Sam więc zaczął jej o sobie mówić. No i naciskać na nią.

Początkowo rozmawiali na błahe tematy w sposób miły i żartobliwy. Po obejrzeniu filmu przypominali sobie wszystkie dowcipy. To było zabawne. Czasami, wygłupiając się, mówili od rzeczy. Kiedyś wdali się w dyskusję o mowie żab. Ona się upierała, że żaby mówią „kum". A on na to: „Nie, żaby mówią «frok»". Śmieszyło ich to.

Ale potem Lee zaczął poruszać poważniejsze tematy. Nie chciał zostać w Mińsku. Twierdził, że to prowincjonalna mieścina. Kiedyś mieszkał w Nowym

Orleanie – to dopiero było miasto. Podzielił się z nią swoim marzeniem. Powiedział: „Być może wyjadę do innego kraju socjalistycznego. Na przykład do Czechosłowacji. Co ty na to, żeby się przeprowadzić do Pragi?".

Miał swoją dumę. Nie chciał dostać od Elli kosza. Ona uważa, że dlatego nigdy nie oświadczył jej się wprost. Mawiał tylko: „Jaki macie tu zwyczaj? U nas w Ameryce chłopak daje dziewczynie srebrny pierścionek zaręczynowy, który potem zamienia się na złotą obrączkę. A u was jak jest?". Może oczekiwał, że ona zapyta: „Dlaczego interesuje cię to, jak się w Rosji zawiera ślub?", ale nigdy nie powiedział po prostu: „Chcę, żebyś została moją żoną".

Pewnego razu pokazał jej swoje papiery zezwalające na pobyt w ZSRR i oznajmił: „Niedługo będę musiał podjąć ważną decyzję. Będzie zależała od ciebie. Chciałabyś zamieszkać w Pradze? Bo jeśli tak, to nie przyjmę radzieckiego obywatelstwa. Ale jeśli chcesz zostać tutaj, to tylko powiedz, a ja je przyjmę – wszystko zależy od ciebie". W grudniu powiedział jej, że dokumenty ważne są do 4 stycznia następnego roku – jeszcze tylko przez kilka tygodni. Musi zdecydować, co zrobić ze swoim życiem, z początkiem nowego roku 1961.

Nurtowało ją pytanie: dlaczego przyjechał do ZSRR i dlaczego teraz chce się stąd wynieść? Powiedział jej: „Nie rozumiesz tego. W naszym kraju ludzie podróżują, przenoszą się z miejsca na miejsce – po prostu nie rozumiesz". Ale ona mu nie ufała. Poza tym tak naprawdę Lee nie był w jej typie. Lubiła mężczyzn barczystych.

Z OBSERWACJI KGB PRZEPROWADZONEJ W GODZ. 8.00–24.00 DNIA 23 GRUDNIA 1960 ROKU

O godz. 11.30 Lichoj wyszedł z domu, poszedł na przystanek na placu Zwycięstwa, wsiadł do autobusu linii numer 5, dojechał do przystanku Komsomolska, wysiadł i wszedł do domu towarowego. W dziale artykułów męskich kupił żyletki do golenia, później w dziale nakryć głowy przymierzył czapkę, jednak jej nie kupił. Poszedł do działu cukierniczego. Tam posilił się szklanką kawy i ciastkiem i udał się w kierunku Głównego Urzędu Pocztowego. Po drodze wstępował do kilku sklepów z artykułami przemysłowymi. Doszedł do poczty, podszedł do kiosku z prasą radziecką, oglądał gazety, lecz żadnej nie kupił. Wyszedł, wsiadł do trolejbusu numer 3 i dojechał do placu Centralnego. Tam przesiadł się na trolejbus numer 1, dojechał do placu Zwycięstwa, wysiadł z pojazdu i wszedł do baru samoobsługowego, zjadł obiad, wyszedł i był z powrotem w domu o godz. 12.45. […].

O godz. 20.45 wyszedł z domu i skierował się na wschód, do domu numer 22 m. 2 przy ulicy Ławsko-Nabiereżnej. Po dziesięciu minutach wyszedł stąd razem z Dorą. Rozmawiając o czymś, spacerowali po nabrzeżu rzeki Świsłocz i o godz. 21.15 dotarli do domu obserwowanego.

O godz. 23.00 Lichoj i Dora wyszli z mieszkania Lichoja i powoli szli nabrzeżem rzeki Świsłocz, rozmawiając. Po drodze Lichoj co jakiś czas brał Dorę za rękę i obejmował ją. O godz. 23.40 doszli do domu numer 22 przy ulicy Ławsko-Nabiereżnej, gdzie się pożegnali i rozeszli. Dora weszła do ww. domu, a Lichoj wrócił do siebie o godz. 23.55, kiedy to zawieszono obserwację do rana.

Gdy ją całował, nie było jej to niemiłe, bo go lubiła. Ale ponieważ nie była w nim zakochana, nie stanowiło to dla niej jakiegoś niezwykłego przeżycia. Nigdy nie obawiała się go jako mężczyzny. Pod tym względem był bez zarzutu. Bardzo delikatny. Ani razu się go nie przestraszyła. Ale mimo wszystko przez cały ten czas, kiedy z nim chodziła – od maja do stycznia – nie ufała mu. Ktoś jej powiedział, że Lee jest amerykańskim szpiegiem. Pomyślała wtedy: „Może chce się ze mną ożenić tylko po to, żeby zostać w tym kraju. Mówi, że mnie kocha, a to wcale nieprawda".

Nigdy nie przyszło jej do głowy: „Może pojadę do Pragi i wszystko się ułoży. A jeśli nie, to się rozwiodę". Dla Elli małżeństwo to decyzja na całe życie. A swojego męża chciała kochać i ufać mu. Bo jak inaczej można się razem wybierać do zupełnie innego świata?

W końcu Lee stał się natarczywy. Powiedział: „Musisz się zdecydować, czy chcesz za mnie wyjść, czy nie", a gdy poprosiła o czas do namysłu, powiedział: „Nie, muszę podjąć decyzję do 4 stycznia". Przez to stała się jeszcze bardziej nieufna. Powtórzyła mu: „Wiesz, że też cię lubię, ale potrzebuję czasu do namysłu". Na ogół stara się nie obrażać ludzi, którzy są dla niej mili.

Pokłócili się jeszcze raz, tym razem o noc sylwestrową. Zaprosił ją na jakieś przyjęcie, dlatego zrezygnowała z innego zaproszenia. Ale w ostatniej chwili powiedział, że jednak to przyjęcie się nie odbędzie. I tak oto nie mieli dokąd pójść na sylwestra, by przywitać nowy rok.

Jest takie rosyjskie wyrażenie: „rozbite koryto". Oznacza rozczarowanie i zawód. Ktoś chce się zabrać do jedzenia, a tu przed nim tylko stłuczony talerz. Ella rozgniewała się, że nie mają gdzie się podziać w sylwestrowy wieczór; powiedziała Lee: „Zawiodłam się na tobie". Wcześniej nigdy tak do niego nie mówiła, może z wyjątkiem zajścia z Inną Taczyną. Wtedy zniósł to spokojnie, ale teraz, podobnie jak ona, dał się ponieść emocjom. Powiedział wreszcie: „Udajesz tylko, bawisz się mną. Ciągle grasz!". Równało się to oskarżeniu, że jej uczucia nie są autentyczne. Rozeszli się.

Ponieważ Ella nie wybierała się ostatecznie na żadną zabawę, pomogła matce w sprzątaniu i w kuchni przed wizytą rodziny. Około ósmej wieczorem zdrzemnęły się trochę, jak to Rosjanie mają w zwyczaju, żeby móc się bawić do rana. Goście mieli się zjawić koło jedenastej, ale już po dziewiątej zadzwonił dzwonek do drzwi. Ella, zaspana, poszła otworzyć. Na progu ujrzała Lee w jego rosyjskiej czapce, która jej się nigdy nie podobała, ale jego napawała dumą. Stał wyprostowany, ręce trzymał z tyłu. Powiedział: „Wiesz, Ellu, w Ameryce największym świętem jest Boże Narodzenie, a wasz Nowy Rok to jak nasze Boże Narodzenie. Dlatego właśnie przyszedłem. Nie chcę w taki dzień czuć się samotny, więc jestem". Dodał: „W Stanach mamy taki zwyczaj, że dajemy sobie prezenty", i podał jej dużą bombonierkę, ozdobioną cukrową figurką. Wzięła podarek i powiedziała: „Zaczekaj, tylko to odłożę". Poszła do matki i powiedziała: „Dostałam to od mojego chłopca z Ameryki. Mogę go zaprosić na wieczór?". Matka odparła: „Tak, oczywiście".

Wróciła więc i zapytała Lee: „Miałbyś ochotę spędzić ten wieczór z moją rodziną?", a on ucieszył się z propozycji.

Gdy przyszedł ponownie koło jedenastej, w szarym garniturze i krawacie, wyglądał bardzo przyzwoicie. Wkrótce zjawili się też bracia matki Elli, którzy służyli niegdyś w marynarce, wraz z żonami. Przynieśli ze sobą gitary. To była bardzo muzykalna rodzina. Wprawdzie nie wszyscy mieli dobre głosy, ale w śpiewach chóralnych brzmieli nieźle. Śpiewali i stepowali na klatce schodowej. Stepowanie w zachodnim stylu było niezmiernie popularne wśród radzieckich marynarzy, dlatego też wujowie Elli doskonale je opanowali. Kroki były trudne, ale radzili sobie po mistrzowsku. Wszystko to stworzyło iście szampańską atmosferę. Matka Elli tańczyła w rytm pieśni cygańskich. A Lee i Ella tylko się przyglądali. Ona wstydziła się popisywać w domu, bo nie dorównałaby rodzinie.

Przed wyjściem Lee podzielił się z nią wrażeniami. Podobała mu się atmosfera, podobało mu się to, że wszyscy siedzieli przy stole, jedli i pili, tańczyli, a o północy otworzyli szampana. Nie całowali się, bo to nie należy do rosyjskich zwyczajów noworocznych. A od północy do rana wychodzili też parę razy na dwór, rzucali śnieżkami, gonili się po śniegu, potem wracali i znowu jedli. Wszyscy sobie trochę podchmielili – Ella nigdy nie widziała Lee Oswalda tak wstawionego, jak wtedy. Przedstawiała go krewnym i znajomym, którzy przychodzili, siadali razem z nim przy stole i wznosili toasty, żegnając się ze starym rokiem: „Żegnaj, stary roku, czas na ciebie". Wszyscy z nim rozmawiali, traktowali go jak Rosjanina, który dołączył do ich rodzinnego grona. Byli nim zaciekawieni, ale nie okazywali nadmiernego zainteresowania; matka Elli też zachowywała się naturalnie. Podchodziła do sprawy tak: to, że Ella spotyka się z jakimś mężczyzną, nie znaczy jeszcze, że za niego wyjdzie.

<u>1 stycznia</u>
Nowy rok powitałem w domu Elli German. Wydaje mi się, że jestem w niej zakochany. Ona odrzuca moje bardziej zdecydowane zaloty; jedliśmy i piliśmy w towarzystwie jej rodziny w bardzo gościnnej atmosferze. Do domu przyszedłem pijany i szczęśliwy. Przechodząc przez rzekę, postanowiłem się Elli oświadczyć.

Na drugi dzień matka Elli, która nigdy nie wtrącała się do życia córki, powiedziała: „Ellu, to twoja sprawa – sama wybierzesz. Ale chcę, żebyś wiedziała, że w roku 1939 człowiek mógł zostać aresztowany tylko za to, że urodził się w Polsce". Dokładnie tak powiedziała. Dało to Elli sporo do myślenia.

<u>2 stycznia</u>

Po miłym spacerku do kina z trzymaniem się za ręce wróciliśmy do domu. Tam, stojąc w progu, oświadczyłem się jej. Po chwili wahania odrzuciła moje oświadczyny. Ja ją naprawdę kocham, ale ona mnie nie. Ale oprócz tego podała inny powód: jestem Amerykaninem i kiedyś mógłbym tutaj tylko za to zostać aresztowany; podobnie wojna polsko-bolszewicka w latach dwudziestych spowodowała aresztowanie wszystkich obywateli ZSRR pochodzenia polskiego. „Wiesz, jaka jest sytuacja na świecie, za dużo przemawia przeciwko tobie, a ty nawet nie masz o tym pojęcia". Stałem jak słup. Śmiała się, że nie mogę odejść. (Byłem tak zdumiony, że nie wiedziałem, co myśleć). Zdałem sobie sprawę, że nigdy nie traktowała mnie poważnie, wykorzystywała tylko fakt, że jestem Amerykaninem, by wzbudzić zazdrość innych dziewcząt, sądzących, że jestem inny niż Rosjanie. Cierpię.

Tego wieczoru, kiedy ostatecznie rozmówili się w sprawie jego ubiegania się o radzieckie obywatelstwo, Ella powiedziała wreszcie: „Alik, chyba tracisz tylko czas, umawiając się ze mną. Nie mogę za ciebie wyjść. Nie przyjmuj więc obywatelstwa radzieckiego. Chyba powinniśmy ze sobą zerwać, bo później może być to trudniejsze". A on odparł na to szarmancko: „Sam rozumiem, że powinienem przestać pić. Ale wino tak mi smakuje, że jeszcze przez jakiś czas nie chcę sobie odmawiać tej przyjemności".

A jednak, o ile Ella sobie przypomina, widzieli się wtedy po raz ostatni. Ona przystała na jeszcze jedno spotkanie, ale on się nie zjawił. W pracy udawał po prostu, że jej nie widzi.

Igor twierdzi, że jego służby miały do tej sprawy bardzo ludzkie podejście. „Dostał kosza, ale nie szalał z tego powodu – zdaje się, że nawet nie chował urazy. Rzecz jasna, przez jakiś czas był przygnębiony, ale nie przejawiało się to w jego zachowaniu. Nie przestał przychodzić do pracy, nie zachorował, nie rzucił się w wir uciech – nic z tych rzeczy". Gdyby w tamtym momencie podjął jakieś ryzykowne działania, powiedzmy, poprosił kogoś, żeby przekazał coś komuś innemu, kontrwywiad natychmiast zacząłby się mieć na baczności. Ale nic takiego się nie zdarzyło.

Jedenastego stycznia, po zerwaniu z Lee, o którym wszyscy już wiedzieli, Ella poleciała na dziesięciodniowy urlop do Leningradu. W „Horyzoncie" chodziły na jej temat przeróżne słuchy: ludzie mówili, że Ella i Lee przestali się spotykać, a ona pojechała do Leningradu, żeby zrobić skrobankę. Ella mówiła sobie w duchu: „Jakby nie można było tego zrobić w Mińsku! Bzdura!".

Wszyscy jednak trwali w przekonaniu, że ponieważ spotykała się z Amerykaninem, uprawiała z nim seks. Żaden Amerykanin – powtarzano jej – inaczej nie chodziłby z tobą przez tak długi czas. W Ameryce są burdele, i oni tam zawsze mają ochotę na seks. Gdy więc Ella przestała się umawiać z Lee, miała złą opinię. Ale było to dziwne, bo on właśnie bał się ją urazić zbyt natrętnym zachowaniem. Był wrażliwy – właśnie, był wrażliwy.

3 stycznia

Cierpię przez Ellę. Kocham ją, ale co mogę poradzić? Wszystko przez tę atmosferę strachu, która panuje w Związku Radzieckim.

4 stycznia

Rok po otrzymaniu dokumentów zezwalających na pobyt zostałem wezwany do biura paszportowego i zapytany, czy chcę ubiegać się o obywatelstwo (radzieckie). Mówię, że nie – chcę tylko przedłużyć wizę pobytową, zgadzają się na to i mam teraz wizę ważną do 4 stycznia 1962.

LUŹNA KARTKA (nie wchodząca w skład oficjalnego dziennika)

Nella z początku nie zwróciła mojej uwagi, bo urodę ma dość przeciętną, a poza tym jest przerażająco potężna, ale od razu poczułem, że to osoba serdeczna, a jej uczucia są proporcjonalne do ciała – to jednak odkryłem dopiero po dłuższym czasie. Po niezobowiązującym romansie, który ciągnął się do stycznia, a nawet do lutego, pozostawaliśmy w przyjacielskich stosunkach. Od maja 1961 roku, czyli od mojego ślubu, już się nie spotykaliśmy.

Ta kartka jest jedynym konkretnym dowodem życia erotycznego Lee w Mińsku przed poznaniem Mariny dwa i pół miesiąca później, 17 marca 1961 roku. Wszystko wskazuje na to, że przez pierwsze czternaście miesięcy pobytu Oswalda w Mińsku Inna Taczina i Nella były jedynymi kobietami, z którymi sypiał.

Czy w owym okresie obcował też z mężczyznami, to kwestia, którą KGB godzi się omówić tylko pośrednio. Zresztą zeznania Stiepana i Igora często sobie wzajemnie przeczyły. To o tyle zrozumiałe, że z jednym rozmawialiśmy w Mińsku, a z drugim w Moskwie, a poza tym od tamtych wydarzeń upłynęło ponad trzydzieści lat.

W odpowiedzi na pytanie o biseksualność Oswalda Igor Iwanowicz powiedział, że Lee nie był mężczyzną „czystym" i że nie odmawiał, gdy okazja sama akurat się trafiała, co nie zdarzało się często.

Zdaniem Stiepana zaś Oswald nie wykazywał żadnych dewiacji. Stiepan powiedział to zupełnie szczerze. Obserwatorzy zauważyli, że przed ślubem z Mariną „czasami spotykał się z dziewczętami i zabierał je do domu, ale Bóg jeden wie, co tam robili. Niekiedy odprowadzał je potem do najbliższego przystanku tramwajowego". Pod tym względem wiódł zwyczajne, normalne życie, przynajmniej tak, jak rozumiało się je w ZSRR. Skoro podobało mu się dużo dziewcząt, to znaczy, że był po prostu prawdziwym mężczyzną. W przeciwnym razie dziewczyny nie chciałyby się z nim umawiać. „Poza tym homoseksualistę można łatwo rozpoznać po zachowaniu – mówił Stiepan – po zainteresowaniach, po głosie. Homoseksualiści zwykle mają wysoki głos, w którym jest coś kobiecego. Kobietami interesują się tylko dla zasady; oczy świecą im się dopiero na widok mężczyzn, szczególnie takich – przepraszam za brzydkie słowo – z dużymi tyłkami. Stale krążą po szaletach publicznych i tam odbywają stosunki. Homoseksualistów wyróżniają więc pewne stałe, charakterystyczne cechy, które mogą posłużyć do identyfikacji. U Oswalda nie zaobserwowaliśmy takich cech. Ja przez cały czas byłem na nie wyczulony, ponieważ zanim zająłem się jego sprawą, prowadziłem inną, w którą wplątany był homoseksualista. Wiedziałem o tych rzeczach niejedno".

Część IV

Przyjaciele i sympatie Mariny

1

Janina i Sonia

Marina miała w pracy koleżanki, które za nią przepadały. Janina Sabieła pracowała w aptece przy Trzeciej Klinice na ulicy Lenina dziesiąty rok, kiedy Marina przeprowadziła się z Leningradu do Mińska. Janina uważała ją za dziewczynę bardzo atrakcyjną, o bogatym życiu wewnętrznym i dobrze wychowaną. Twardą, a mimo to dość otwartą. Janina zaczęła pracować w aptece w bardzo młodym wieku, dlatego dzieląca dziewczęta różnica wieku nie była duża, zaledwie kilka lat – Janina miała dwadzieścia cztery lata, a Marina osiemnaście. Marina była jednak bardzo dobra w swoim zawodzie, a w oczach starszej koleżanki nad wiek dojrzała. Janina czuła, że jej samej brakuje obycia w towarzystwie, na przykład, umiejętności nawiązywania kontaktów z ludźmi. Wychowywała się na białoruskiej prowincji, w okolicy Mohylewa, a Marina, mieszkanka Leningradu, zdobyła zupełnie inne doświadczenie. Nawet leningradzkie dzieci wiedziały chyba więcej o różnych sprawach niż ludzie z pozostałych regionów kraju. W dawnej stolicy jest tyle muzeów! Janina została bliską koleżanką Mariny, miały wiele wspólnych tematów.

Kiedyś, gdy Marina pracowała już w aptece od mniej więcej pół roku, wyjechała razem z Janiną i grupą znajomych za miasto na sobotę i niedzielę. Wszystko było w jak najlepszym porządku – dziewczęta spały razem w jednym łóżku, w czym nie było nic złego, i zbliżyły się ze sobą; dużo rozmawiały. Janina pamięta, że Marina opowiadała jej o tym, jak krzyczał na nią ojczym. Wyzywał ją od dziwek, chociaż ona wcale taka nie była – była zwyczajną, sympatyczną dziewczyną. Janina to jednak rozumiała, bo jej ojciec też chował dzieci surowo i czasami na nie krzyczał, ale Janina po prostu puszczała ojcowskie tyrady mimo uszu. Rosjanie na prowincji często używają obelżywych słów, Janina nie brała więc wszystkich wyzwisk dosłownie. Znała przecież Marinę i wiedziała, jaka jest naprawdę.

Sonia urodziła się w Zabolacie, wiosce oddalonej o 150 kilometrów od Mińska; oboje jej rodzice byli Białorusinami. Ojciec zarządzał gospodarstwem rolnym, matka pracowała jako dojarka. Sonia była najstarsza z ośmiorga dzieci; została ochrzczona w cerkwi prawosławnej. W wioskach zresztą wszystkich chrzczono, czasami nawet odbywało się przyjęcie. Po ceremonii spraszało się do domu gości – sąsiadów i krewnych – i przygotowywało poczęstunek. Członkowie partii nie przychodzili, chyba że należeli do rodziny. Zresztą nie przywiązywano szczególnej wagi do tego, czy chrzest się odbył, czy też nie. Chodziło głównie o to, by z okazji narodzin dziecka wszyscy mogli trochę poświętować.

Po ukończeniu technikum Sonia została skierowana do pracy w aptece przy Trzeciej Klinice w Mińsku. Tam właśnie poznała Marinę. Pamięta, że Marina zawsze ubierała się trochę lepiej niż inne. Nie zarabiała więcej, ale ponieważ wikt miała zapewniony u ciotki, na pewno wydawała pieniądze na ubrania. Mimo to była szczodra, nie skąpa. Jeśli miała pieniądze, a ktoś akurat chciał pożyczyć parę rubli, to nie było sprawy, dawała mu tę sumę. Kiedy się poprosiło, nie myślała: „A może sama będę niedługo potrzebowała tych pieniędzy?", tylko po prostu pożyczała. Była też prostolinijna: mówiła prawdę w oczy, zamiast szeptać o kimś za jego plecami. Nie bała się nawet mówić bez ogródek z ludźmi postawionymi wyżej od siebie. Oświadczała po prostu: „To i to jest mi potrzebne do pracy".

Praca w aptece trwała od dziewiątej do szesnastej, zatrudnionych było około piętnastu dziewcząt, każda zajmowała się czym innym. Sonia, na przykład – materiałami sterylnymi; Marina miała najczęściej do czynienia z receptami od okulistów. Każda jednak mogła przejąć obowiązki innej, gdyby zaszła taka potrzeba. Marina była dobrą pracownicą, nawet bardzo dobrą.

2

Sąsiedzi

Ilja miał w MWD kolegę, oficera Michaiła Kuzmicza – lekarza, który mieszkał naprzeciwko Prusakowów. Gdy przychodziło na przyjęciach wyśpiewywać arie, Misza Kuzmicz nie miał sobie równych. Jako młody człowiek tryskał energią. Studiując w Instytucie Medycznym, zbierał celujące oceny. Nie mając jeszcze dwudziestu lat, był już lekarzem wojskowym i podczas Wielkiej Wojny Narodowej został wysłany na zachodni front.

Później został wykładowcą i naukowcem – wszystkim po trosze, jak mówił. Ponieważ rozmawiał z nami głośno, jego żona – ładna blondynka o okrągłej twarzy, imieniem Ludmiła, też lekarz – zadrwiła z niego łagodnie. „Misza jest taki ożywiony – powiedziała – bo wydaje mu się, że jeśli będzie mówił po rosyjsku głośniej, to panowie zrozumieją".

Ludmiła to starsza siostra Larysy, serdecznej przyjaciółki Mariny z czasów, kiedy obie miały po naście lat i Marina przyjeżdżała czasami do Mińska. Ojciec Ludmiły i Larysy był represjonowany w roku 1937. Został aresztowany w rocznicę urodzin Ludmiły, 2 lutego. Kiedyś, wiele lat później, Ludmiła dostała z Jałty pocztówkę z życzeniami urodzinowymi od brata. Oprócz życzeń napisał jej: „Pamiętam wszystko, co się łączy z tą datą". Ona też pamiętała. Dzięki temu była wrażliwa na uczucia innych ludzi.

Czasami podczas odwiedzin u brata Ludmiła prosi, by poczytał jej stare listy. Zgromadził wielki album korespondencji i zdjęć. Gdy dochodzi do roku 1937, Ludmiła płacze. Miała trzech starszych braci, którzy bardzo ją kochali. Była czwartym dzieckiem swoich rodziców i mimo iż w rodzinie obchodziło się urodziny wszystkich, to jej zawsze szczególnie uroczyście. Drugiego lutego przychodzili goście – po południu dzieci, a wieczorem dorośli. Tamtego dnia w roku 1937 wszyscy czekali na powrót jej ojca z pracy, ale on nie przychodził. Późnym wieczorem rozległo się pukanie do drzwi. Matka otworzyła, a tam stał ojciec pod eskortą milicjantów. Przeprosił wszystkich za to, że zjawia się w taki sposób.

Zajmował wówczas bardzo wysokie stanowisko – dyrektora ogromnej wytwórni wyrobów mięsnych na rosyjskim Dalekim Wschodzie. Milicjanci zaczęli przeszukiwać mieszkanie, nie zważając na obecność zebranych – przesuwali meble, otwierali szuflady. Po gościach zresztą w mig nie zostało ani śladu.

W więzieniu ojciec nie był wprawdzie torturowany, ale też nie było mu łatwo. Może maltretowano go mniej niż innych dzięki temu, że był osobą dość znaną, ale tak czy owak, musiał na przykład całymi nocami klęczeć w kącie celi czy znosić sypanie tytoniem w oczy. Trudno to jednak było porównać z tym, jak w tym samym więzieniu traktowano innych ludzi. Jego na ogół tylko znieważano.

Byli ludzie, którzy wciąż żywili dla niego szacunek. Którejś nocy matce Ludmiły przekazano wiadomość, że ma przyjść do więzienia. Mąż chce jej coś przekazać. Oto co napisał. „Za parę dni zabiorą mnie do mojej fabryki, chcą dowieść, że popełniłem pewne wykroczenia. Aby się obronić, będę potrzebował następujących dokumentów [...]". Zarzucano mu wyekspediowanie wagonu zepsutego mięsa.

Po piętnastu miesiącach od aresztowania nie dość, że pozwolono mu wrócić do domu, to jeszcze z powrotem objął dotychczasową posadę. Przez wiele lat ciężko pracował, a potem, w 1941 roku – czternaście lat po Ludmile – przyszła na świat Larysa i rozpoczęła się wojna z Niemcami.

Mimo iż jej ojciec zajmował wysokie stanowisko, nie należał do partii, chociaż dobrze wiedział, jak wygląda sytuacja polityczna. Ludmiła pamięta, że gdy tylko słyszał w radiu propagandowe kawałki, których po prostu nie mógł znieść, mówił do niej: „Maleńka, podaj no tłuczek do kartofli". Miało to znaczyć: „Gdybyśmy tak mogli zgnieść cały ten bezsens na miazgę!". Nienawidził wojny i tak bardzo kochał swoich trzech synów, że w dniu, gdy się rozpoczęła, płakał i powtarzał: „Utracę moich synów". Znów był człowiekiem, z którym się liczono, zdołał więc uchronić od powołania do wojska najmłodszego Juzika, który dopiero co ukończył szkołę średnią. On jednak sam zgłosił się na ochotnika i cztery miesiące później zginął. Gdy matka Ludmiły otrzymała zawiadomienie o jego śmierci, była tak przerażona, że nie powiedziała nic mężowi. Gdy nie mogła pohamować żalu, szła do sąsiadów, żeby się u nich wypłakać, a w domu udawała, że nic się nie stało. Ale ojciec Ludmiły coraz bardziej się zamartwiał: dlaczego od czterech miesięcy nie dostali od Juzika żadnego listu? Poszedł do zakładowego sekretarza partii i zaczął się skarżyć: „Dlaczego nie dostaję żadnych listów?". A sekretarz odpowiedział: „Jak to dlaczego nie dostajecie listów? Nie wiecie, że Juzik nie żyje?".

Ojciec wrócił do domu i dostał zawału serca. Cztery miesiące później zmarł. Kolejny brat także zginął na froncie. Matka Ludmiły straciła dwóch synów i męża. Dwóch synów i męża w ciągu zaledwie półtora roku. To były ciężkie czasy.

Ponad czterdzieści lat temu Misza, wówczas dwudziestodziewięcioletni specjalista w dziedzinie radiologii, miał się stawić o drugiej w nocy w biurze mińskiego wiceministra zdrowia. Stalin nie sypiał w nocy, a więc urzędy również pracowały, zamykano je w godzinach, kiedy Stalin kładł się spać. Druga w nocy nie była porą niezwykłą. Misza nie miał pojęcia, dlaczego został wezwany, lecz wkrótce po przyjściu usłyszał charakterystyczny zwrot: „Powszechnie uważa się, że powinniście…". Po takim początku urzędnik zwykle przedstawiał szczegółowe aspekty owej „powszechnej" opinii. Oczywiście człowiek nigdy nie wiedział, od kogo właściwie taka czy inna sugestia pochodzi. Mógłby to być nawet minister republiki, w każdym razie wyższy urzędnik mówił tylko: „Powszechnie uważa się…". Jak gdyby cały kraj zgodnie podzielał tę opinię. Pewnym można było być tylko jednego – że pochodzi ona od osób wysoko postawionych. W przypadku Miszy owo powszechne mniemanie wspierało propozycję pracy: „Pragniemy, byście objęli kierownictwo departamentu zdrowia w białoruskim Ministerstwie Spraw Wewnętrznych". Oznaczało to, rzecz jasna, że Misza ma zostać przeniesiony służbowo do MWD.

Był, przynajmniej we własnym odczuciu, zbyt młody na takie stanowisko. Nadawałby się raczej ktoś z większym doświadczeniem w zarządzaniu. Misza próbował więc przekonać wiceministra, że nie może się podjąć tego zadania; że jest lekarzem i chce nim pozostać, nie ma też ochoty nikim kierować. Wiceminister powiedział: „Damy wam mieszkanie". Misza odparł: „Nie proszę o mieszkanie. Mamy z żoną pokój w centrum, piętnaście metrów kwadratowych". Ale minister się upierał: „Jesteście młodym małżeństwem. Będziecie mieli dzieci".

Gdy Misza wciąż się nie zgadzał na objęcie proponowanego stanowiska, wiceminister powiedział: „Doktorze Kuzmicz, dlaczego nie chcecie awansować? Awansujemy was". Misza powtórzył, że chce tylko wykonywać swój zawód, leczyć ludzi. Wiceminister oświadczył: „Ponieważ jesteście człowiekiem niezależnym, możecie tak zorganizować sobie życie, żebyście mogli zajmować się i pełnieniem funkcji kierowniczych, i badaniami naukowymi". Namawiał Miszę przez czterdzieści minut.

Obok wiceministra siedział personalny, który na koniec otrzymał polecenie: „Postarajcie się sprawdzić, kto jeszcze się nadaje do tej pracy. Jeśli znajdzie się na Białorusi ktoś bardziej odpowiedni niż Misza, to damy tamtemu tę pracę. A jeśli nie znajdziecie nikogo lepszego, to nawet do mnie nie przychodźcie. Mianujemy wtedy Miszę".

Po rozmowie Misza wziął personalnego na bok i poprosił: „Postarajcie się kogoś znaleźć", ale ten odpowiedział: „Już sprawdziłem wszystkie swoje listy, nie mam zamiaru zaczynać od początku. Łatwiej mi będzie sporządzić umowę dla was. Jutro otrzymacie nominację". W ten sposób Misza został zatrudniony w MWD i w roku 1953 pracował z Ilją Prusakowem.

Misza mówił, że Prusakow był szefem departamentu kontrolującego produkcję mebli przez więźniów. Wymagało to od niego między innymi zdolności koordynowania zdolnych do pracy ludzi w miejscowych gułagach z dostawami surowca, a było to zadanie nieludzko trudne, ponieważ drewno transportowano z jednej części Rosji, resztę surowców z innej; on zaś miał te materiały sprowadzać ściśle według planu, żeby robotnicy co dzień mieli niezbędne im do pracy farby, drewno, klej. Zebranie tego wszystkiego naraz było nie lada osiągnięciem.

Ponieważ Misza i Ilja byli mniej więcej równi rangą w MWD, nie był więc niczym niezwykłym fakt, że zajęli sąsiadujące ze sobą mieszkania o podobnej powierzchni. Misza jednak lubił Prusakowa nie tylko jako sąsiada; uważał go za niezwykłą osobowość. Jak by to powiedzieć? Prusakow nie był taki jak inni. Wzbudzał szacunek. Nigdy dużo nie mówił, znał swoją wartość; wysoki, szczupły, wykształcony, nosił się z godnością. Mimo nieprzeciętnej inteligencji nie był snobem. Miał długi, wąski nos. Znał własną wartość. Misza twierdzi, że Ilja był dumny ze swojej pracy, nigdy się nie spóźniał – zawodowy oficer. Jeszcze podczas służby w armii zdobył wiele odznaczeń, i to nie tylko za dobre sprawowanie – nie, nie. Ilja miał autentyczne odznaczenia wojenne: Order Lenina, Order Czerwonej Gwiazdy, który jest bardzo wysokim odznaczeniem; został nawet przedstawiony do Bohatera Związku Radzieckiego za udział w ataku nad rzeką Szczarą. Na pogrzebie Ilji w roku 1989 za trumną niesiono na poduszce Order Czerwonego Sztandaru. Według radzieckiego zwyczaju, tak odbywa się ostatnie pożegnanie wojskowych, którzy za życia zdobyli wysokie odznaczenia.

Ilja jednak nigdy nie przypinał orderów do piersi. I nie wahał się podważać słuszności decyzji swoich zwierzchników, jeśli w jego odczuciu nie odpowiadały one panującym zasadom.

Nie było wątpliwości co do tego, kto rządzi w domu Prusakowów. Misza podał przykład: pewnego upalnego letniego popołudnia, gdy obaj skończyli pracę i szli do domu, Misza zaproponował: „Chodź, kupimy arbuzy", a Ilja odrzekł na to: „Wala kupi". Skoro Wala nie pracuje, on nie ma zamiaru dźwigać do domu arbuzów, to jej obowiązek.

Naturalnie Misza nie poznał Ilji do końca. W tamtym okresie zwierzchnikami w MWD byli w większości ludzie prości – wrócili z odznaczeniami z Wielkiej Wojny i pozajmowali wysokie stanowiska. A Ilja nie dość, że był dobrze wykształcony, to jeszcze zawiesił na swoich drzwiach mosiężną wizytówkę, na której wyryto dużymi literami INŻYNIER PRUSAKOW. Przed rewolucją często używało się tytułów naukowych i umieszczało się je na wizytówkach, ale ludziom nie spodobało się, kiedy zrobił to Ilja. Wyśmiewali się z niego za plecami, aż wreszcie wyczuł tę ogólną niechęć i zdjął wizytówkę z drzwi.

Mieszkając naprzeciwko siebie, Ludmiła i Wala często się widywały. Ludmiła widziała, że jej sąsiadka nie ma bynajmniej łatwego życia. Miała pod opieką nie tylko Ilję, ale i jego matkę, i siostrę Lubę, które z nimi mieszkały; obie zresztą traktowały Walę trochę z góry. Ona nie była wprawdzie osobą skłonną do żalenia się sąsiadom, ale Ludmile czasami o tym opowiadała – jej mieszkanie było jednym z niewielu miejsc, gdzie Wala mogła otwarcie mówić o swoich bolączkach.

Najdotkliwiej raniło ją to, że była traktowana jak *domrabotnica*, służąca. Ilja zwykle nie okazywał jej czułości ani serdeczności; rzecz oczywista, że cierpiała z tego powodu. Wiele lat później sytuacja się zmieniła. Gdy umarła matka Ilji, a Marina wyjechała, Ilja zdał sobie sprawę, o ile jest od żony starszy. Przez ostatnie dziesięć lat życia ciężko chorował i wtedy stali się sobie z Walą dużo bliżsi. Zrozumiał wreszcie, jak bardzo ta kobieta była dla niego ważna i jak troskliwie się nim opiekowała, jakich dokonywała cudów, by zdobywać dla niego szczególnie pożywne jedzenie.

Wala jednak zawsze robiła wszystko, by zachować pozory – sprawiała nawet wrażenie dość pewnej siebie. W rzeczy samej pewna była tylko jednego – że jej rodzina się nie rozpadnie. Nigdy się nie obawiała, że Ilja zostawi ją dla innej kobiety.

Wówczas, we wczesnych latach pięćdziesiątych, nie było jeszcze telewizji, zazwyczaj więc rodzina Ludmiły i Prusakowowie zbierali się wieczorami przy stole i Misza czytał na głos. Często uczestniczyła w tych spotkaniach matka Ilji, Tatiana. Ubrana zwykle na ciemno i zawsze elegancka, była osobą bardzo religijną, regularnie chodziła do cerkwi i miała w swoim pokoju ikonę. Ilja należał wprawdzie do partii, lecz nigdy się temu nie sprzeciwiał, ponieważ ikona wisiała w pokoju matki, na jej prywatnym terytorium.

Tatiana została pochowana przy swojej cerkwi. Nabożeństwo było wyjątkowo uroczyste. Organizacją pogrzebu zajęła się Wala, obecny był oczywiście Ilja i jego siostry Luba i Musia. Tatiana przyjaźniła się z pewnym młodym księdzem, z którym wiązała ją głęboka więź duchowa; gdy umierała, poprosiła go do siebie na rozmowę. Nikomu nic się z tego powodu nie stało. Ludmiła i Misza też

132

poszli tego dnia do kościoła i nie bali się. Ale Ludmiła nie pamięta ani jednego innego pogrzebu tego rodzaju.

Stawili się wszyscy koledzy Ilji z MWD – a ściślej wszyscy, z wyjątkiem najwyższych zwierzchników. Musiało być na tym pogrzebie ze trzydzieści osób. Nikt nie płakał ani nie okazywał emocji. Może ludzie nie mogli uwierzyć, że naprawdę są w cerkwi.

Po śmierci Tatiany powoli, acz nieuchronnie odpowiedzialność za wszystko przejmowała Wala. Przyjęcia urządzane przez Ilję zawsze się udawały, jedzenie przygotowane przez Walę było wyjątkowo smaczne – bez wątpienia okazała się dobrą gospodynią. Przyznała się kiedyś Ludmile, że mimo iż bywali u niej bardzo mili ludzie, nigdy nie udało jej się gościć takich znakomitości, jakie przychodziły do Ludmiły, na przykład białoruskiego ministra kultury. Zawsze pojawiały się u niej mniej więcej te same twarze; Wala wkładała nawet na ogół tę samą suknię – starała się tylko przypinać do niej coraz to inny kwiat.

Ogółem życie toczyło się gładko aż do końca 1959 roku, kiedy to przyjechała Marina, by na stałe zamieszkać z Prusakowami. Wraz z nią pojawiły się nowe problemy.

3

Larysa

Larysa, młodsza o czternaście lat siostra Ludmiły, jest dziś kobietą piękną, wręcz oszałamiająco piękną. Zachowuje się z rezerwą, lecz często się uśmiecha, co jest jawnym dowodem szczęśliwego dzieciństwa, jakie przypadło jej w udziale. Ponieważ u nich w domu panowało ogromne zagęszczenie – matka Larysy mieszkała razem z siostrą i jej mężem na dziewięciu metrach kwadratowych – postanowiono, że Larysa zamieszka z Ludmiłą i jej mężem Miszą, których wprost uwielbiała.

We wczesnej młodości Larysa chciała zostać lekarzem. Pragnęła dorównać Ludmile. W szkole szło jej dobrze, ale będąc w dziewiątej klasie odkryła, że nie potrafi znieść widoku krwi. Dlatego nigdy nie mogłaby wejść do prosektorium czy do kostnicy. Od tamtego czasu szerokim łukiem omijała Instytut Medyczny. Przecież w tym budynku znajdowały się ludzkie zwłoki.

Spotykała się z wieloma chłopcami i niektórych lubiła bardziej niż innych, ale wszyscy w zasadzie należeli do tej samej paczki. Pewien chłopak, Misza Smolski – nie mylić z mężem Ludmiły, Miszą Kuzmiczem – był duszą ich towarzystwa, kimś wyjątkowym. Interesował się kulturą Zachodu. Ubierał się modnie, ale nie krzykliwie. Tworzyli cudowną paczkę – wiedzieli, jak umilać sobie czas. Dużo tańczyli, założyli nawet zespół taneczny „Mińszczanka". Larysa jeździła z zespołem na występy do innych republik. Była wtedy szczupła, bardzo szczupła.

Z Mariną znały się od dawna. Poznała ją jako trzynastolatkę, która w roku 1954 przyjechała z Leningradu do Mińska z wizytą do babci. Było to wtedy, kiedy sąsiadowali z Prusakowami.

Larysa podziwiała Marinę, która w wieku trzynastu lat była bardzo ładna, bardzo tajemnicza i bardzo bystra. Wystarczyło na nią raz spojrzeć, a już coś człowieka do niej ciągnęło. Zostały więc przyjaciółkami. Wtedy wśród dziewcząt dużą popularnością cieszył się haft, więc sporo haftowały, dużo też spacerowały i chodziły do kina. A gdy Marina musiała wracać do Leningradu, żeby znów zamieszkać z matką i ojczymem, Larysie trudno się było z nią rozstać.

Marina ponownie przyjechała do Mińska na wakacje w roku 1957. Była teraz dziewczyną bardziej praktyczną, dojrzałą. Larysa wciąż chodziła z głową w chmurach, ale Marina, wówczas szesnastoletnia, wiedziała już co nieco o życiu. Zmarła jej matka, a Larysa po wyrazie oczu koleżanki widziała, że ta strata pozostawiła w niej ślad.

W roku 1959 Marina na stałe zamieszkała z Walą i Ilją. Znów przyjaciółki miały siebie blisko, wystarczyło tylko przejść przez korytarz. Obie były zapalonymi miłośniczkami opery i nie opuściły żadnej mińskiej premiery. „Poziom życia był wtedy inny – mówi Larysa. – Nie było najgorzej. Można było dostać wędzonego łososia i różne gatunki ryb, w sklepach z odzieżą też raczej było w czym wybierać. W tamtym czasie mieliśmy ładne obuwie z importu, modne ubrania i nie brakowało dobrych rzemieślników".

„Jeśli chodzi o edukację seksualną – nie było wtedy żadnej, kompletnie żadnej. Rodzice nigdy na ten temat nie mówili, a w szkole też niczego nie uczono – Boże broń!". Mimo iż Ludmiła była lekarzem, nie wyjaśniła siostrze nic ponadto, że w okresie dojrzewania w organizmie kobiety zachodzą zmiany. Ani słowa o życiu płciowym. Zgodnie z tradycją dziewczęta wychowywano w przekonaniu, że w małżeństwie nie chodzi o seks, ale o poczucie bezpieczeństwa, wpajano im romantyczne wzorce. „Możesz się w mężczyźnie zakochać, całować się z nim, ale nie będziesz wiedziała, co się tak naprawdę dzieje, póki nie zjawi się dziecko. Tak mniej więcej wyglądało to uświadamianie" – mówi Larysa.

Marina wiedziała na ten temat więcej, no, ale ona przecież była z Leningradu. Mimo to jednak nigdy nie rozmawiały o seksie. Jeśli mówiły o jakimś chłopaku, to tylko o tym, czy dobrze całuje. Rozstrzygały też kwestię jego dobrego zachowania: czy przynosi kwiaty? Czy wstaje, kiedy wchodzisz do pokoju? Jeśli tego nie robił, Larysa przestawała zwracać na danego chłopca uwagę, choćby był nie wiadomo jak przystojny. Uważa, że właśnie dobre maniery stanowiły jeden z powodów, dla których Marinę ciągnęło do paczki Miszy Smolskiego. Wychowana w Leningradzie, była pod tym względem bardziej wymagająca niż dziewczyny, z którymi pracowała w aptece, tak więc towarzystwo Larysy i jej przyjaciół wydawało się Marinie pewnie ciekawsze. Mimo wszystko jednak pragnienie poznawania inteligentnych mężczyzn nie zaślepiało ich na tyle, by nie zwracały uwagi na sposób ubierania się: czy nosi czyste białe koszule? Czy ma buty wyczyszczone do połysku?

Larysa i Marina pojechały przywitać nowy rok 1960 na daczy Miszy Smolskiego przy ulicy Kryżowka. Zaraz po wejściu Marina powiedziała: „Chłopcy, tylko proszę, bez świńskich kawałów! To jest bardzo skromna dziewczyna". Marina traktowała przyjaciółkę tak, jakby ta była krystalicznie czystym źródłem, przynajmniej w ten sposób Larysa widzi to dzisiaj. Była naiwna i może Marina widziała, że jeśli Larysa kocha, to szczerze. Może tylko powiedzieć, że ta ich zabawa sylwestrowa był bardzo ożywiona i przyszło mnóstwo wykształconych młodych ludzi. Larysa nigdy jej nie zapomni.

Misza przyszedł wcześniej i odświętnie udekorował daczę – postawił małą choinkę, nakrył stół. Wszystko było cudowne. Żartowali, rozmowy skrzyły się dowcipem; mieli zarówno rosyjskie, jak i zachodnie nagrania. Ponieważ wszyscy byli dobrymi tancerzami, tańczyli fokstroty, tanga, walce, nawet charlestony.

Było sześć dziewcząt i trochę więcej chłopców; każda dziewczyna tańczyła z każdym chłopakiem. Nie było tak, żeby sobie wybierać ulubionego partnera; Larysa pamięta, że raczej bawili się całą grupą. Wszyscy zostali na noc – ale oczywiście było to całkiem niewinne: dziewczęta spały z dziewczętami, chłopcy z chłopcami. Następnego wieczoru, pierwszego stycznia, kiedy wracały pociągiem z daczy Miszy, Marina mówiła trochę o chłopcu, który jej się na tej zabawie spodobał. Był to Żyd nazwiskiem Leonid Gelfant. Miał dwadzieścia trzy lata, a mimo to zwrócił uwagę na Marinę. Zdaniem Larysy, był w porównaniu z nimi strasznie stary.

Larysa pamięta, że Wala czuła się za Marinę odpowiedzialna i nie chciała, żeby dziewczyna zadawała się z nieodpowiednim towarzystwem. Gdy więc Marina zamierzała gdzieś wyjść, ciocia Wala zawsze pytała: „Czy Lala też idzie?". Ponieważ jeśli była z nią Larysa, znaczyło to, że wszystko będzie w porządku. Larysa nie wie, jak to wyrazić, ale właściwie nie miała doświadczenia z mężczyznami i wcale go nie szukała. Dla niej liczyła się moralność; cała reszta wydawała jej się okropna. W noc poślubną trzeba było być dziewicą.

4

Misza

Mówiąc o sobie, Misza Smolski – elegancki w młodości, a dziś zeszpecony popsutymi zębami – podkreśla, iż obecnie należy z przekonania do mniejszości narodowej litewskich Tatarów na Białorusi. Jego korzenie, których badaniu z pasją się oddaje, sięgają bardzo starej, piętnastowiecznej rodziny. Przodkowie Smolskiego należeli do szlachty i mieli rodowy herb.

Misza został wychowany jak wszyscy obywatele radzieccy, to znaczy nauczył się być posłuszny i nie zadawać wielu pytań. Prawdę mówiąc, razem z przyjaciółmi spędzał czas wolny, myśląc o dziewczynach; pod koniec lat pięćdziesiątych i w latach sześćdziesiątych niebezpiecznie było dyskutować o polityce. Gdy mieli po dwadzieścia lat, rozmawiali tylko o tym, gdzie się napić i z kim się umówić.

Pochodził wprawdzie z rodziny wielodzietnej, ale że ojciec był budowniczym i dobrze zarabiał, Misza chodził zawsze dobrze ubrany. Gdy był młody, miał jasne blond włosy i gorącą krew. Mówi, że późne lata pięćdziesiąte i sześćdziesiąte to był czas, kiedy on kochał wszystkich i wszyscy jego kochali.

Marinę poznał przez swojego kolegę Władimira Krugłowa, w którym ona się wtedy trochę podkochiwała. Kiedyś nawet wybrali się we trójkę do Leningradu – Krugłow, Marina i on. Ona wracała właśnie z wakacji do domu ojczyma. Misza mówi, że Leningrad go urzekł: „Możecie sobie to wyobrazić? Człowiek idzie przed siebie, a tu wciąż budynki, budynki, budynki – jakby się ugrzęzło w kamiennej puszczy. Potem przechodzi się pod łukiem i niespodziewanie widzi się przestrzeń, niewyobrażalną przestrzeń – jest tak ogromna, że po ujrzeniu tylu wąskich ulic nie można jej nawet ogarnąć myślą. Budowniczy tego miasta to musieli być wielcy ludzie".

Nie powiedziałby, żeby Marina cieszyła się wówczas dużym powodzeniem. Fakt, była dość pociągająca i niektórzy młodzi ludzie nie mogli się jej oprzeć, ale to nie znaczy, że miała adoratorów na pęczki. Najbardziej interesujące było w niej to, że pochodziła z Leningradu. Mińsk był wtedy dziurą zabitą deskami.

Misza zabierał Marinę do kina, wybierali się razem na wycieczki statkiem po rzece – można było wtedy potańczyć i posłuchać Bacha, Prokofiewa i Elvisa Presleya. W tamtych czasach Misza nosił obcisłe spodnie i buty na grubych podeszwach – może jako wyraz protestu. Był też fanem klasycznego jazzu – Armstronga, Sidneya Beceta, Goodmana, Binga Crosby'ego, Franka Sinatry.

Nie, z pewnością jego paczka nie była święta. Ale z Mariną się przyjaźnili i nie plotkowali na swój temat – byli ponad to. Okazała się fajnym kompanem, lubił jej towarzystwo, dużo się razem śmiali. A jednak był zdania, że przez te swoje ciężkie przejścia z ojczymem Marina była osobą głęboko nieszczęśliwą.

5

Leonid

Leonid Gelfant ukończył szkołę średnią, gdy miał zaledwie szesnaście lat, i odtąd pracował w Mińsku, zawsze w branży architektonicznej. Teraz jest w swoim fachu od trzydziestu trzech lat i jego prace można zobaczyć dosłownie wszędzie, ale zawsze najbliżej czuł się związany z Mińskiem.

Jako szesnastolatek był zamknięty w sobie, ogromnie nieśmiały. Mimo to jednak wiedział, co chce w życiu osiągnąć i jaki mieć zawód. Nigdy nie interesowały go sport ani turystyka, lubił za to literaturę i operę. Został wychowany w konserwatywnej rodzinie lekarskiej. Jego rodzice wprawdzie nie byli religijni i nie przestrzegali żydowskiej tradycji, z wyjątkiem tych świąt, na które przygotowywało się specjalne potrawy, ale ojciec Leonida ukończył cheder i mówił trochę po hebrajsku i w jidysz. Wtedy jednak ludzie wykształceni nie wychowywali dzieci w atmosferze religijnej. W trzynaste urodziny rodzina złożyła Leonidowi życzenia, ale nie urządziła mu bar micwy.

Przyjaźnił się z Miszą Smolskim, który zawsze tryskał energią. Na zabawie sylwestrowej na daczy rodziców Miszy Leonid poznał Marinę. Miał wówczas dwadzieścia trzy lata i nie myślał jeszcze o żeniaczce. Nie spotykał się nawet z wieloma dziewczętami – wciąż był nieśmiały. Z tej zabawy pamięta jedynie kilka szczegółów.

Widzi pokój, w którym stoi piec. Na zewnątrz jest mróz, ale w pokoju panuje przyjemne ciepło, bo w piecu buzuje ogień. Następnie przypomina sobie, że widzi ten sam piec, ale teraz do grona gości dołączyła dziewczyna. To Marina, szczupła, o wielkich, świetlistych oczach, stoi koło pieca. Tylko tyle pamięta. Było może z piętnaście osób.

Marina patrzyła w szczególny sposób. Niby zwyczajnie, a jednak pociągająco. Była w niej jakaś bezbronność. Dodawało to dziewczynie wyjątkowego wdzięku. Drżały jej wargi i miała lekko zaczerwieniony nos, bo zawsze było jej zimno – należała do tych osób, którym zawsze jest zimno – i specyficznie pachniała, co ją krępowało. Gdy się pracuje w aptece, zapach lekarstw wnika we włosy i ubranie. Ona tego nie cierpiała. Jemu osobiście wcale to nie przeszkadzało. Wydawało mu się nawet, nie wiadomo czemu, zaletą. Podobało mu się. Może przyciągało go do niej także i to, że ona nie miała domu, była sierotą.

Gelfant w przeciwieństwie do Mariny miał kochającą rodzinę. Jego ojciec, mężczyzna taktowny, przystojny i czarujący, był bez reszty oddany domowi i dzieciom. Leonid siebie także uważa za człowieka, który chciałby żyć tak, jak jego ojciec. Marina i on mieli więc zupełnie różną sytuację środowiskową i emocjonalną i różne cele. Gdy się poznali, była to sympatyczna niespodzianka, ale on nigdy nie myślał o wspólnej przyszłości. Można to nazwać sylwestrową przygodą. W nowy rok człowiek zawsze spodziewa się cudu. Ponieważ Marina wyglądała na osobę potrzebującą opieki, wzbudziła w Leonidzie pragnienie okazania jej czułości i starania.

Ich związek – którego nigdy nie określał mianem romansu – trwał około pół roku, ale nie bez przerwy. Zdarzały się okresy, kiedy nie widywali się nawet przez kilka tygodni. Do sytuacji intymnych doszło może pięć razy, nie więcej. Wówczas nie chciał, żeby sprawy toczyły się szybciej. To był niewinny związek.

6

Inessa

Z początkiem roku 1959 Inessa już pracowała. Ukończyła technikum budowlane i mieszkała z rodzicami i rodzeństwem. Jej ojciec był inżynierem w białoruskim Ministerstwie Budownictwa, a matka zajmowała się domem. Inessa mówi, że jej rodzina miała grono kulturalnych przyjaciół i niewątpliwie wysokie ambicje intelektualne.

Nie przypomina sobie, w jakich okolicznościach poznała Marinę, ale możliwe, że w stołówce, prawdopodobnie w roku 1960. Pamięta jednak pierwsze wrażenie: czerwone wargi bez szminki, naturalnie czerwone usta. Przez to właśnie Inessa uznała ją za atrakcyjną. Nie można nawiązać przyjaźni w okresie tak krótkim jak dwa lata, bo zwykle więcej czasu potrzeba, by podzielić się wszystkimi problemami, jednak Inessa czuła się bliską koleżanką Mariny. Były dla siebie jak siostry. Odwiedzały się wzajemnie, razem chodziły na zakupy; czasami Marina była zapraszana na kolację czy na przyjęcia urządzane przez rodziców Inessy, które wówczas należały do rodzinnej tradycji. W czasie tych wieczorków zwykle dyskutowano o sztuce, a także o polityce, a Marina starała się, jak mogła, by jakoś się znaleźć. Przez to, że czuła się trochę nie na miejscu, wydawała się Inessie jeszcze bliższa. W rezultacie tej bliskości Marina zaczęła wtajemniczać ją w niektóre „mroczne sekrety swojego życia". Zwierzała się z pewnych rzeczy, których Inessa nie zamierza powtarzać. Może tylko powiedzieć, że było to „jak płacz duszy. Bardzo przykre przeżycie".

Inessa mówi, że ponieważ Marina dzieliła się z nią swymi najgłębszymi tajemnicami, to wciąż zajmuje w jej sercu szczególne miejsce.

7

Kostia

Doktor Konstantin Bondarin jest szczupłym, schludnym mężczyzną ze złamanym bokserskim nosem, w tak znakomitej formie, że wygląda w równej mierze na sportowca, co na lekarza. Odwiedziliśmy go w jego gabinecie w klinice, ponieważ przyjęcie sylwestrowo-noworoczne 1961 roku (tego samego wieczoru, kiedy Lee Oswald był w domu Elli) odbyło się w mieszkaniu, w którym siedemnastoletni Kostia mieszkał razem z babcią. Był tam zaproszony między innymi Sasza Piskalew, który przyprowadził ze sobą Marinę. Wtedy akurat babcia Kostii leżała w szpitalu, nadarzyła się więc sposobność, by powitać nadchodzący rok w ścisłym gronie przyjaciół. Było ich razem ośmioro – Sasza, Marina, Anatolij Szpanko, kolega z Instytutu Medycznego, dziewczyna dla niego do pary, jeszcze jedna dla Konstantina, i jakaś para znajomych Anatolija, których imion Kostia sobie nie przypomina. Puszczali kasety, głównie Elvisa Presleya, i na początku wieczoru dużo tańczyli i pili, mniej więcej do drugiej w nocy, kiedy to Kostia i Marina zniknęli w sypialni. Nie mieli szans wiele nabroić, bo Sasza zaraz zaczął się dobijać do drzwi. Konstantin musiał wyjść i go uspokoić. Był zawadiaką – lubił się boksować – ale nie wszczynał, broń Boże, żadnej bójki. Co to, to nie. Ale i tak przez to, że im przeszkodzono, Marinie przeszła wszelka ochota na pieszczoty. Umówili się więc, że spotkają się następnego wieczoru, w Nowy Rok, na moście koło stacji kolejowej.

Ponieważ Sasza został u niego na noc i obudził się z kacem, porozmawiali rano o Marinie. Sasza mówił, że to piękna kobieta i że jest jej szczerze oddany. Konstantin widział jednak, że po zeszłej nocy Sasza czuje się niepewny i zraniony tym, że Kostia znalazł się z nią sam na sam. Starał się nawet dojść, co się tak naprawdę stało, ale Kostia powiedział: „Nic. Za dużo wypiłeś i wyobrażałeś sobie nie wiadomo co".

Wieczorem, z butelką szampana pod pachą, Kostia spotkał się z Mariną na moście i zabrał ją do mieszkania kolegi. Z własnego nie mógł skorzystać, ponieważ u jego współlokatora, Anatolija Szpanki, wciąż jeszcze byli goście. Koledze powiedział tylko, że potrzebuje mieszkania na trzy godziny.

Ogólnie rzecz biorąc, jasne było, że Marina przygotowała się na tę randkę. Już o siódmej, kiedy spotkali się na moście, zaczęły się pocałunki i czułości. W mieszkaniu kolegi włączyli muzykę i pili szampana. Od poprzedniego wieczoru, gdy z nią tańczył, wiedział, że dziewczyna nie będzie stawiać najmniejszego oporu. I był gotów, chociaż, rzecz jasna, nie było mowy o tym, żeby pójść prosto do łóżka. Rosjanki tego nie robią. Potrzebny im jest psychologiczny wstęp. Rozmawiali więc o wielu rzeczach naraz, taka sobie swobodna pogawędka. Nawet gdy wytęży pamięć, nie potrafi sobie przypomnieć niczego konkretnego, poza tym, że z jego strony to był flirt. Prawił Marinie komplementy i pochlebnie porównywał z innymi. O ile pamięta, starał się nie rozmawiać o jej życiu prywatnym. Nie poruszali tematu Saszy. Ona powiedziała tylko, że niewiele do niego czuje; w każdym razie nie chciała mówić o tym, co ich łączy. Kostia widział zresztą, że do pewnego stopnia wciąż jest Saszą zainteresowana. Przynajmniej jako kandydatem na męża. To stało się jasne później, kiedy zaczęła chodzić z Anatolijem Szpanką, potem chyba z Jurijem Mierieżyńskim. Kosti wydaje się, że wtedy robiła wszystko, żeby wyjść za mąż.

Nie przyszło mu do głowy, że sam mógłby się zakochać w Marinie. Tak czy owak, na pewno nie od razu. Raczej dopiero po długiej znajomości. No i pozostawał jeszcze jeden szkopuł: ona była jednak dziewczyną Saszy. Prawdę mówiąc, nie wiedział, jak długo będzie się z nią spotykał.

Tamtego wieczoru jednak dużo czasu poświęcił na to, żeby ją uwieść. Godzinę i dwadzieścia minut, może nawet więcej. Oboje wiedzieli, do czego sprawy zmierzają, dlatego się nie spieszyli; on nie patrzył na zegarek. Był pewien, że wszystko się skończy sukcesem.

Kostia miał zaledwie siedemnaście lat i trochę się bał. Wyczuwał, że ona jest kobietą doświadczoną, nie wiedział więc, czy przypadnie jej do gustu, i dlatego był nieco skrępowany. Teraz, trzydzieści lat później, śmieje się z tego. „Bardzo młody człowiek, który jest nadmiernie podniecony i czuje się stremowany, jest jak zając. A to może w kobiecie wzbudzić negatywną reakcję". Starała się go uspokoić, przekonać, że wszystko będzie dobrze, żeby się nie denerwował. Może dlatego preludium trwało tak długo. Chciał iść z nią do łóżka od razu, ale powstrzymywał go brak pewności siebie. Stłumił jednak lęk za pomocą szampana i znów był pewien, że wszystko dobrze się skończy. Wreszcie pogasili światła. Ona czekała, aż on ją rozbierze, a to poszło dość szybko. Podłoga błyskawicznie zasłana została częściami garderoby. Swoje ubranie też szybko zrzucił.

Po co mężczyzna kocha się z różnymi kobietami, jeśli nie dla zdobycia nowych doświadczeń życiowych? W tym też sensie, ponieważ doświadczenie Konstantina było wówczas bardzo małe, Marina sprawiła, że ma on teraz co wspominać. Jej ekstrawaganckie zachowanie i mimikę w łóżku. Kochali się drugi raz, nie trzeba go było do tego zachęcać. Nie uprawiała miłości francuskiej, ale uwielbiała być całowana, a całowanie młodej kobiety o gładkiej, niezwykle delikatnej skórze jest bardzo podniecające. Całując Marinę, całując całe jej ciało, udawało się ją doprowadzić do ekstazy. Była bardzo pobudliwa – tak przynajmniej myślał. Spał już wcześniej z kilkoma kobietami, ale to był pierwszy raz, kiedy naprawdę się podniecił; jego pierwsze przeżycie erotyczne z młodą kobietą. Wszystkie poprzednie partnerki były od niego o wiele starsze. Zdumiało go widoczne podniecenie Mariny, gdy zaczął ją całą całować.

Mimo wszystko jednak Marina zdawała sobie sprawę, że jeśli chodzi o te rzeczy, on jest nadal smarkaczem. Nie była całkowicie zaspokojona. Choć włożył w kochanie się z nią dużo wyobraźni, zdawało mu się (i taka była prawda), że jej do końca nie zadowolił. Gdy się rozstawali, zachowywała się z większą rezerwą niż na początku.

Jemu wówczas nawet się nie śniło, że kobiety mogą przeżywać orgazm. Marina nie wstydziła się Kosti, ubierała się na jego oczach. On byłby szczęśliwy, mogąc podtrzymać tę znajomość, ale gdy podszedł do dziewczyny i chciał ją pogłaskać, powiedziała: „Nie, nie, nie – nie tak prędko". Zrozumiał wtedy, że coś jej się nie spodobało, że dalszego ciągu nie będzie. Pośpiech, z jakim się zebrała do wyjścia, był dla niego wyraźnym znakiem. Pozwoliła mu się odprowadzić tylko do mostu, gdzie spotkali się wcześniej tamtego wieczoru.

8

Jurij Mierieżyński

„Moja opowieść będzie okropnie nudna – mówi Jurij – nieciekawa".

To przystojny mężczyzna koło pięćdziesiątki, mógł mieć kiedyś urodę gwiazdora filmowego. Teraz jest jednak wyniszczony chorobą i przygarbiony. Na spotkanie z nami przyjechał specjalnie z oddalonego o kilkaset kilometrów szpitala i cały dzień pił. Wieczorem nadal pije z opryskliwą dumą Rosjanina, który swoją męskość ocenia liczbą setek wódki zaprawionych silnymi emocjami.

Mówi po rosyjsku, wtrącając angielskie zwroty, opowiada o swojej historii, dumny, agresywny i przepełniony niechęcią wobec wydarzeń, które ma zrelacjonować.

„Moja opowieść będzie okropnie nudna, nieciekawa. Mieszkałem z rodzicami w budynku zwanym Domem Naukowca, koło mińskiego dworca kolejowego. Mówię panom, to powinno nosić tytuł „Historia dzieci pochodzących z elity" Mój ojciec był wielkim naukowcem; wpisał się w historię naszej radzieckiej nauki. Matka tak samo – miała tytuł Honorowego Naukowca Republiki Białoruskiej. Zaraz gdy tylko Gagarin poleciał w sputniku w kosmos, przeprowadzono wywiad z moją matką, z moim ojcem, nawet ze mną.

Długo będę opowiadał o sobie. Gdy byłem mały, grałem w mieszkaniu w piłkę. Było to mieszkanie pierwszego sekretarza Komunistycznej Partii Białorusi, a można w nim było grać w nogę, bo pokoje były na tyle duże. Moja matka była członkiem delegacji do ONZ, razem z Chruszczowem.

Lubiłem Elvisa Presleya. Wszystko jedno, rock czy jazz. Liczyło się to, że coś przyszło z Zachodu. Lubiłem Ellę Fitzgerald i Louisa Armstronga – ale najbardziej Elvisa Presleya". Słuchał przeważnie gotowych nagrań, ale też i radia – BBC, Głosu Ameryki. Bardzo interesowały go wtedy stroje, był zawsze dobrze ubrany.

„Studiowałem wówczas w mińskim Instytucie Medycznym. Był taki zwyczaj, że po powrocie z zagranicznego wyjazdu prominenci wygłaszali wykład. Raz moja matka przygotowała wykład, który wygłosiła w naszym Pałacu Związkowym, ilustrując go slajdami. Była to duża sala, zgromadziło się może z pięćset osób. Ktoś do mnie wtedy podszedł – był to Lee Oswald. Przedstawił się jako Alik Oswald. Powiedział, że pochodzi z Ameryki, i zaczął mówić po angielsku. Wtedy mój angielski był całkiem niezły".

Po wykładzie matki Jurija młodzi ludzie poszli na tańce piętro wyżej, gdzie zabawa była już w toku. Alik zainteresował się Mariną. „Była osobą bardzo atrakcyjną, robiła wrażenie. Jak to się mówi? Podobała się. Wyglądała nie najgorzej – nie miała nic z szarej myszki. Była, jak my to określamy, *efiektnaja*. Tamtego wieczoru widocznie wyglądała najpiękniej, jak było to możliwe; nie widziałem jej takiej nigdy przedtem, a znałem ją wcześniej. Znałem ją też później. Ale nigdy nie wyglądała tak atrakcyjnie jak tamtego wieczoru. To było jak dar od Boga – było w tym coś nieziemskiego".

Pytanie: Czy używała szminki?

Jurij Mierieżyński: Miała zawsze umalowane usta.

Pyt.: Zawsze?

JM: Tak.

Pyt.: To ciekawe; słyszeliśmy, że Marina w ogóle nie używała szminki.

JM: Była bardzo atrakcyjna. Efektowna.

Pyt.: Długo ją pan znał?

JM: Nieważne – dzień, dwa dni, rok – na tyle długo, żeby wiedzieć, jaka jest. Była kobietą, nie dziewczyną. Nie młodą kobietą. Była starsza. Mieliśmy już dość jej seksowności.

Pyt.: „Mieliśmy dość jej seksowności"? My? Proszę o ścisłość.

JM: Nie wiem, jak inni, mogę mówić tylko za siebie. Ja nigdy nie byłem z nią w łóżku. Ale mogłem ją mieć – nawet na schodach.

Pyt.: Mógł ją pan mieć, jak i gdzie pan chciał?

JM: Tak, jasne.

Pyt.: Pańscy koledzy z nią sypiali?

JM: Oczywiście.

Pyt.: Jest pan pewien?

JM: Jasne, że tak.

Pyt.: Pytam dlatego, że autorce swojej biografii, Priscilli Johnson McMillan, Marina powiedziała, że wychodząc za mąż, była dziewicą.

JM: Mówiłem już panom, że ta biografia nie jest zbyt dokładna.

Pyt.: Chciałem się upewnić.

JM: Miała dobę na wyniesienie się z Leningradu za uprawianie prostytucji z obcokrajowcem i przyjechała do Mińska.

Pyt.: Za uprawianie prostytucji? Dosłownie?

JM: Z obcokrajowcem. Wtedy przyjechała do Mińska. Bo tu mieszkał jej wuj. Miała szczęście.

Pyt.: Była w aż takich tarapatach?

JM: My w Rosji mówimy na to „sto pierwszy kilometr" – to znaczy, że nie wolno osiedlić się bliżej niż w odległości stu kilometrów od ośrodka, z którego jest się wyrzuconym. Tak jak ona z Leningradu.

Pyt.: Chcielibyśmy tę sprawę wyjaśnić.

JM: Teraz mamy inny system.

Pyt.: Kto panu powiedział, że Marina była w Leningradzie prostytutką?

JM: Uważam to pytanie za zbyt osobiste.

Pyt.: Zadam je w takim razie inaczej.

JM: Nie, słusznie postawił pan takie pytanie. Przyjechała tu razem z czterema innymi osobami, cała czwórka została przysłana z Leningradu. Ona była częścią grupy. Dwóch mężczyzn, dwie kobiety. Ale wuj pracował w MWD, dlatego przyjechała do Mińska, a nie wysłano jej na sto pierwszy kilometr. To oznacza wyrąb drzewa w lesie.

Pyt.: Obóz pracy?

JM: Zajęcie dla prostytutek i bezrobotnych. Na tak ciężką robotę skazywano ludzi z wielkich miast. Wtedy każdego można było oskarżyć o każdy rodzaj prostytucji. Ją regularnie widywano w hotelu „Leningrad" i kazano się stamtąd natychmiast wynieść ze względu na obcokrajowców. Widywano ją w ich towarzystwie i polecono jej opuścić miasto.

W Mińsku wylądował też jeden jej znajomy, facet wyższy i potężniejszy niż ja. Przezywali go *Kondomczyk*, od kondomu. Kupował tanio kondomy – po cztery kopiejki za sztukę – i szczotki do ubrań. Potem robił w każdej prezerwatywie cztery dziurki, wyjmował włosie ze szczotek i wkładał w te dziurki, a potem na tę prezerwatywę z włosami naciągał jeszcze jedną. Sprzedawał to prostytutkom, było sporo chętnych. Ludzie kupowali ten wynalazek za ciężkie pieniądze. Dlatego właśnie nosił przydomek *Kondomczyk* – bo sprawiał kobietom przyjemność, dokładnie. Wtedy nawet prezerwatywy miały wąsy. Tak go przezywali, *Kondomczyk*. Zgarniał kupę pieniędzy, rzecz jasna. I kobiety za nim przepadały.

Jak twierdzi Jurij, problem polegał na tym, że on i jego paczka mieli Mariny wyżej uszu. Nie wiedzieli, jak się jej pozbyć. Była dobra w łóżku, ale czasami mężczyznę odrzuca, kiedy kobieta ma zawsze rozłożone nogi. Nie przejmowała się czymś takim jak reputacja.

Zapytaliśmy Jurija, w jaki sposób udawało jej się ukryć tę opinię o sobie, odkąd poznała na tańcach Lee?

Jurij na to: „Zrozumcie, panowie, jesteśmy w tym pomieszczeniu we trzech, tak? Wchodzi kobieta. Potem zjawia się czwarty facet, któremu ta kobieta zaczyna się podobać. Nie powie mu się: «Słuchaj, wiesz co, tyle a tyle razy się z nią pieprzyłem, w tylu różnych pozycjach…». Takich rzeczy się nie mówi. Jeden Sasza nie był jej kochankiem. On chciał się z nią żenić. Był w niej po uszy zakochany. Wszyscy ją pieprzyli, tylko nie Sasza".

Jurij powiedział, że Marina miała w aptece dostęp do alkoholu. On się nie chce chwalić, ale może powiedzieć, że jako mężczyzna zadowalał wszystkie kobiety i Marina przynosiła mu z pracy duże butle alkoholu.

Zapytany o Lee, pospieszył z wyjaśnieniem. „Tworzymy grupę, jest nas dziesięciu, a oprócz tego jedna, dwie, trzy, dziesięć kobiet, i wszystkie są piękne. Zawsze się koło nas kręcą, dotykają nas. I wszyscy w grupie się z nimi pieprzą. O pierwszej jeden, potem drugi – wszyscy o tym wiemy. To żadna tajemnica. Jesteśmy tymi kobietami zmęczeni. Nudzą nas".

Dlaczego więc Lee zainteresował się Mariną poważnie?

Jurij odpowiedział: „Każdej kobiecie trafia się taki rodzynek".

Kostia Bondarin opowiedział Anatolijowi Szpance o swojej przygodzie z Mariną. Nie wie, kiedy ona umówiła się z Anatolijem na pierwszą randkę, ale było to zaledwie kilka tygodni później. Następnie Kostia poznał ją z Jurijem Mierieżyńskim.

Kostia wie, że Jurij twierdzi, iż z nią spał, ale wcale nie ma pewności, czy to prawda. Faktem jest, że kochał się z nią Anatolij Szpanko. Tyle Kostia wie na pewno. Tola to poważny człowiek i, w odróżnieniu od Jurija, nigdy nie rozpowiadał na prawo i lewo o swoich romansach. Jurij był w końcu w wieku Kosti, miał siedemnaście lat, całkiem prawdopodobne więc, że mówił: „Pieprzyłem się z nią, naprawdę się z nią pieprzyłem", ale Kostia mu nie wierzył. Tola i Marina rzeczywiście za sobą szaleli i Kostia nie sądzi, by Marina pozwoliła, by wszedł między nich Jurij.

Później Kostia istotnie słyszał o tym, że Marina została przymusowo wydalona z Leningradu, podobno za utrzymywanie kontaktów z pewnym Gruzinem, jakiś nieprzyjemny incydent w hotelu. Nie przypomina sobie teraz, czy mówił mu o tym Sasza, czy Jurij, ale słyszał wtedy tę historię, tyle pamięta. W tamtych czasach to było normalne – jeśli władza coś przeciwko komuś miała, dawano mu dobę na spakowanie się i wyniesienie. No, ale oczywiście wuj Mariny, który pracował w MWD w Mińsku, pomógł zatuszować sprawę. Takie przynajmniej chodziły słuchy. Może to wszystko jest po prostu przesadnie wyolbrzymione. Nietrudno było taką sprawę wyolbrzymić.

9

Anatolij

Anatolij Szpanko to potężny, ociężały mężczyzna o grubo ciosanej twarzy, którego zdaje się oszołamiać – czy tylko absorbować? – odpowiedzialność jego własnej pracy. Jest lekarzem na południu Białorusi, przy granicy z Ukrainą, i zajmuje się ofiarami Czarnobyla. Po katastrofie przeszły nad tamtą częścią republiki chmury radioaktywnego pyłu. Z tego powodu – a może nie tylko z tego – Szpanko już o dziesiątej rano pije i śpiewa rosyjskie pieśni tubalnym, nieco monotonnym głosem. Na twarzy ma nieprzytomny uśmieszek.

W dzieciństwie żyło mu się lepiej niż teraz. Był bardzo dumny z ojca, który był maszynistą kolejowym na Syberii, a później na Białorusi. Gdy Anatolij był mały, ojciec sadzał go obok siebie w parowozie, pozwalał mu dmuchać w gwizdek i trzymać rękę na korbce.

Wiele lat później, po szkole średniej, Anatolij i jego dwaj koledzy chcieli studiować w Instytucie Medycznym i zamieszkać w Mińsku. Zgłosili się więc na egzaminy wstępne. Umówili się jednak z góry, że jeśli choć jeden z nich obleje, wszyscy trzej wrócą do rodzinnego Homla. I dokładnie tak się stało: jeden z nich nie dostał się na studia i cała trójka wróciła do domu. Anatolij zdał dobrze, lecz skoro zawarli z przyjaciółmi umowę, to jej dotrzymał. Ponieważ skończył już szkołę, został powołany do Armii Radzieckiej i służył trzy lata – 1957, 1958 i 1959. W ostatnich miesiącach służby koszarował niedaleko Mińska i pozwolono mu ponownie zdawać egzamin do mińskiego Instytutu Medycznego. Ze wszystkich trzech egzaminów dostał najwyższe oceny – piątki.

Gdy wspomina Marinę, pamięta przede wszystkim bardzo, bardzo miłą kobietę. Chce podkreślić, że ona nigdy go nie obraziła i on jej też nie. W ogóle zwykł traktować przedstawicielki płci pięknej z ogromnym szacunkiem, ale gdy kobieta jest nieuprzejma – a niektóre umieją być bardzo wyszczekane – mierzy ją tylko wzrokiem i rezygnuje z jej towarzystwa. Bez ostrzeżenia. Mówi, że podobają mu się kobiety łagodne i skromne.

Do studiów podchodził poważnie – można nawet powiedzieć, że zbyt poważnie. Mieszkał wtedy w małym pokoiku. Pozwalał sobie tylko na dwie godziny spaceru tygodniowo. Cały wolny czas poświęcał na naukę. W tamtych czasach łatwo było o wynajęcie pokoju – nie mieszkania; wiele rodzin miało do odstąpienia jeden pokój. On zamieszkał u bezdzietnego małżeństwa. Na drugim roku jednak przeniósł się do mieszkania w pobliżu Instytutu – ściśle mówiąc, do domu Konstantina – i zaczął mieć więcej czasu dla siebie. Mógł znacznie częściej spotykać się z rówieśnikami.

Nie umawiał się z jedną dziewczyną, lecz z kilkoma. Wówczas kobiety były tolerancyjne – można było chodzić z dziewczyną, a ona nie mówiła: „Nie zapraszaj do kina innej". Do każdej kobiety podchodził inaczej. Z jedną mógł iść do kina i wiedział, że nie może jej nawet pocałować; z inną szedł do kina i ostro się całowali. Rozpiętość była duża – od łagodnych pieszczot do pójścia na całość; nie rządził tym żaden system.

W Instytucie Medycznym studiowało wówczas znacznie więcej kobiet niż mężczyzn, studenci płci męskiej mieli więc zwykle duży wybór. Do uczelnianej tradycji należało dobranie sobie partnera spośród studentów Instytutu. Praktycznie wykluczone było jednak współżycie i mieszkanie razem w czasie studiów. Anatolija dotyczyło to w szczególny sposób, ponieważ był we władzach organizacji komsomolskiej. Na zebraniach Komsomołu można było dostać naganę za prowadzenie nieodpowiedniego trybu życia. Nie obowiązywał już kult Stalina, ale wciąż istniał kult Komsomołu, a Anatolij był komsorgiem, czyli podlegała mu połowa organizacji. Był sekretarzem potoku. *Potok* składał się z pięciuset studentów, a kto stał na ich czele, mógł się w przyszłości spodziewać szczególnych awansów. Po ukończeniu studiów zwykli studenci byli na ogół wysyłani w różne zapyziałe zakątki ZSRR, ale członkowie Komsomołu mieli jakieś prawo wyboru. Niektórych nawet pytano: „Dokąd chcielibyście pojechać?". Gdy skierowano to pytanie do Anatolija, on odpowiedział również pytaniem: „A gdzie jest potrzebny lekarz?".

Jeśli zaś chodzi o kobiety, mówi, że gdy ktoś otwarcie żył z kobietą, stale był na językach. Te rzeczy robiło się więc w ukryciu. Komu by się uśmiechało zostać głównym obiektem dyskusji na zebraniu Komsomołu piętnującym nieodpowiednie zachowania seksualne? Biologiczną potrzebę trzeba było zaspokoić, ale robiło się to po kryjomu. Nikt nie musiał wiedzieć, z kim się człowiek w tym celu spotyka.

Marina była jedną z pierwszych dziewcząt, które Anatolij poznał. Początek studiów był dla niego tak trudny, że przez cały rok 1959 prawie w ogóle nie umawiał się na randki. Ale w roku następnym, tak, Marina była jedną z pierwszych.

Nie może o niej powiedzieć złego słowa – była po prostu zwyczajną dziewczyną, prostą, naturalną, miłą. Traktował ją jak kobietę. Pamięta tylko tyle, że nie było między nimi żadnych złych uczuć – ani z jej strony, ani z jego.

Książka Priscilli Johnson McMillan *Marina and Lee* wzbogaca ten dość skąpy opis, ukazując punkt widzenia Mariny:

> [...] Zgodziła się iść na sylwestra z Saszą, ale obiecała sobie, że będzie tańczyć z każdym, kto się nawinie [...]. Tamtego wieczoru znalazła się w ramionach Anatolija Szpanki, drągala o rozwichrzonych ciemnoblond włosach i o szerokim, ujmującym uśmiechu. Tola, jak wkrótce zaczęła go nazywać, miał dwadzieścia sześć lat, studiował medycynę i odbył już służbę w wojsku. Był w stosunku do niej niestały, lecz zawsze grzeczny i od pierwszego pocałunku – kiedy to stali na słabo oświetlonym podwórzu, dookoła nich wirowały płatki śniegu, a w bramie skrzypiała latarnia – zakochała się w nim do szaleństwa. „Był niezwykłym człowiekiem – wspomina Marina. – Uczciwym we wszystkim, co robił".
>
> Istniało jednak pewne ale. Mimo iż Anatolij tak bardzo ją pociągał, nie uważała go za przystojnego. Nie podobało jej się też, jak się ubierał. Nie pasował po prostu do stworzonego przez nią wizerunku samej siebie – dziewczyny, która spotyka się tylko z przystojniakami. Nie chcąc się wystawić na pośmiewisko i obawiając się drwin znajomych, spotykając się z nim, przemyślnie kluczyła po mało uczęszczanych uliczkach, jak gdyby ich romans należało zachować w tajemnicy. Ale gdy Tola całował, zapominała o swoich zastrzeżeniach. Jego pocałunki sprawiały, że kręciło jej się w głowie. Wreszcie się oświadczył, ale okazało się, że istnieją pewne przeszkody. Anatolija dzieliło od ukończenia studiów jeszcze dwa czy trzy lata, nie miał grosza przy duszy i – co gorsza – mieszkania Marina poradziła się Wali i Ilji. „Nie, moja droga – powiedział Ilja. – Niech najpierw skończy studia. Potem dopiero można mówić o małżeństwie".

Anatolij pamięta pocałunki na słabo oświetlonym podwórku, ale twierdzi, że nie padał wtedy śnieg. Wszystko już było ośnieżone. Nie przypomina sobie szczegółów – to była rutyna, zwykła rzecz. Szczegóły pamięta się wtedy, gdy zdarza się coś nadzwyczajnego.

Dowiedziawszy się, że Marina pamięta jego pocałunki, powiedział: „Chyba więc jej się podobały, cha-cha-cha". I zaraz dodał: „Staram się być rzetelny. Nie chcę zmyślać. Przykro mi, że nie potrafię panom pomóc".

W odpowiedzi na pytanie, dlaczego Marina określiła go jako „niezwykłego człowieka, uczciwego we wszystkim, co robi", rzekł: „Pewnie powiedział jej tak któryś z moich kolegów. Nie mogła wyciągnąć takiego wniosku z mojego zachowania, musiała to od kogoś usłyszeć". I dodał: „Dlatego właśnie wszyscy chcieli, żebym został sekretarzem Komsomołu – wielu kolegów było ode mnie młodszych i nie służyło w armii". Gdy więc on mówił: „To jest słuszne", inni często się z nim zgadzali. Zapytany, czy ogólnie cieszy się opinią człowieka uczciwego, odparł: „Nawet dziś". Zapytany zaś o to, jak się w młodości ubierał, powiedział: „Ubraniami nigdy nie zawracałem sobie głowy. Jeśli ktoś mi mówił: «Nie podoba mi się, jak jesteś ubrany», odpowiadałem: «Dobra, to kup mi rzeczy, które ci się podobają, a ja będę je nosił»". Nie stroił się specjalnie, by się przypodobać kobietom. Oto co o tym sądzi: kobiecie powinna się podobać dusza mężczyzny, a nie ubranie, które ma on na sobie. „Mamy w Rosji takie powiedzenie, że człowieka wita się, sądząc po tym, jak jest ubrany, ale zanim mu się powie «do widzenia», szanuje się go za to, co reprezentuje".

O ile sobie przypomina, nigdy nie usłyszał o Marinie złego słowa. Nikt mu nie mówił, że miała jakąś przeszłość w Leningradzie. „Znając mnie, wiedząc, jaki jestem, koledzy nie przekazywali mi plotek. W ten sposób nie mogli zyskać mojej sympatii". Plotkarzom powiedziałby tak: „«Chcecie o tej osobie rozmawiać? To przyprowadźcie ją tu i wtedy mówcie, co macie do powiedzenia, ale skoro jest nieobecna, nie chcę nic o niej słyszeć». Taką miałem zasadę".

Nie spali ze sobą. Mówi, że nie odczuwali takiej potrzeby. Nie przypomina sobie, żeby się jej oświadczał. Jeśli jako powód odrzucenia oświadczyn podała brak mieszkania, nie była to do końca prawda. Miał bowiem w Mińsku ciotkę, która była właścicielką domu i ziemi. Na jej działce stał jeszcze jeden nieduży dom, w tym czasie pusty. Jeśli więc naprawdę chciałby się żenić, mógłby zamieszkać z żoną w tym małym domku. Przed ślubem jednak nigdy by tam dziewczyny nie przyprowadził, ze względu na ciotkę. Byłoby to dla niej obraźliwe.

Zapytany, czy był bardziej moralny niż koledzy, odpowiedział: „W tamtych czasach – u nas była to epoka Chruszczowa – byli tacy mężczyźni jak ja, ale niewielu, niewielu". Za żonę chciał pojąć kobietę prostą, zwyczajną, bardzo ludzką. Marina nadawałaby się na żonę dla niego. Uważa, że jeśliby się jej oświadczył i został odrzucony, to potem śmiałby się z tego.

Trudno mu uwierzyć w to, że w marcu 1961 roku, podczas dawno zapomnianej zabawy, zorganizowanej przez związki zawodowe, Marina umówiła się z nim na dziesiątą wieczorem przed Pałacem Związkowym. Nie rozumie, jak by to mogło być możliwe. Dłużej niż pięć minut na dziewczyny nie czekał. Może dziesięć, ale nigdy więcej. Jeśli spóźniała się ponad dziesięć minut, odchodził i tyle. Może poszedł na zabawę wcześniej, a o dziesiątej tylko po Marinę wyskoczył, ale nie wydaje mu się to prawdopodobne. Wówczas chyba dużo dziewczyn się w nim kochało. To zresztą nie żadna megalomania. Miński Instytut Medyczny był bardzo prestiżową uczelnią, studenci medycyny zatem ogólnie mieli powodzenie u kobiet.

Gdy usłyszał, że zdaniem Mariny, tamtego wieczoru się pokłócili (on powiedział: „Muszę z tobą porozmawiać", a ona odparła: „Nie mogę teraz rozmawiać, nie widzisz? Idź sobie"), powiedział, że nie przypomina sobie, żeby ona kiedy-kolwiek zwracała się do niego nieuprzejmie. Ale to prawda, że zniknęła z jego życia, a pojawiła się w życiu innego – za którego później miała wyjść za mąż. Teraz Anatolij interpretuje to w ten sposób: „Miała dziewczyna szczęście – wyszła za swojego mężczyznę i jest szczęśliwa. Nie czekała na mnie. Znalazła innego – to i dobrze".

Oczywiście jest zdumiony, że taka mała miłostka wzbudza tak duże zainteresowanie. Dziwi go to; jest zaszokowany, że ktoś przyjechał aż z Ameryki, by pytać go o dziewczynę, z którą się w końcu nie ożenił. Gdy napomknęliśmy o powodzie wizyty, spytał: „Jej mąż jest oskarżony o zabicie kogoś?". I dodał: „Proszę nie zapomnieć powiedzieć mi kogo, bo się przejąłem. Denerwuję się. Kto został zabity?".

Zapewniliśmy go, że nie wpłynie to na jego życie i że później mu wszystko wyjaśnimy. Teraz, jeśli nie ma nic przeciwko temu, chcielibyśmy ciągnąć naszą rozmowę dalej.

Przypomnieliśmy mu, że dzwonił do Mariny i prosił o spotkanie, ale ona powiedziała, że związała się z kimś na serio. Anatolij pamięta, że rozmawiał z nią potem tylko raz, kiedy spotkali się na ulicy, i ona oświadczyła, że być może pojedzie do Ameryki. Zażartował wtedy: „Weź mnie ze sobą". Wyjaśnił: „Mogłem sobie pozwolić na takie żarty. Z moim charakterem nietrudno powiedzieć: «Fajnie, że ci się ułożyło. Weź mnie ze sobą»".

Sasza mówi: „Wiecie panowie co, ja ją wciąż podziwiam. Jak już może zauważyliście, w ogóle szanuję kobiety i zawsze byłem zdania, że kobietę należy głaskać z włosem, nie pod włos. I trzeba ją kochać".

A jakie ma odczucia co do zakończenia całej historii? „Teraz rozumiem, że traktowała mnie po prostu jak młodego chłopaczka. Myślę, że gdyby była cierpliwa i na mnie zaczekała, jej życie byłoby znacznie szczęśliwsze niż tam, w Ameryce. Bo wszystko, co chciałem poświęcić jej, poświęciłem swojej rodzinie. Myślę, że może teraz Marina czuje się w głębi serca bardzo nieszczęśliwa. Jeśli się panowie z nią spotkacie, przekażcie jej, proszę, serdeczne pozdrowienia od Saszy i powiedzcie, że nie mam jej niczego za złe, chociaż przeżyłem z jej powodu bardzo przykre chwile.

Gdy się z nią spotykałem, zdawało mi się, że ma dla mnie jakieś uczucie, ale teraz okazało się, że nigdy moich uczuć nie odwzajemniała i z tym jest mi się najtrudniej pogodzić. Wtedy jednak byłem młody. Myślę, że dobrze zrobiła, że wyszła za obcokrajowca i wyjechała za granicę".

Kiedy ze sobą zerwali, Sasza pogrążył się w depresji. Nie szła mu nauka. To był ciężki okres. Ale powoli, kroczek po kroczku, z tego wyszedł. Zajęło mu to półtora roku. Później poznał swoją przyszłą żonę i przez całe życie był z nią szczęśliwy. Dziękował nam za odwiedziny. Mówił, że wnieśliśmy w jego prowincjonalne życie trochę urozmaicenia.

Część V

Konkury i ślub

1

Alik

17 marca
Wybrałem się z Erichem na potańcówkę organizowaną przez związki zawodowe. Było nudno, ale pod koniec zostałem przedstawiony dziewczynie we francuskiej fryzurze, czerwonej sukience i białych butach. Tańczyłem z nią i zapytałem, czy mogę ją odprowadzić do domu. Odprowadziłem ją wraz z pięcioma innymi adoratorami [...]. Od razu się sobie spodobaliśmy. Dała mi swój telefon i odjechała taksówką z jakimś dawniejszym znajomym. Wróciłem do domu piechotą.

RANKIN: Gdzie go pani poznała? [...].

MARINA OSWALD: W Pałacu Związków.

RANKIN: Co to za miejsce? [...].

MO: Czasami odbywają się tam zebrania. Czasami wynajmują go różne instytucje [...] żeby urządzać bankiety [...]. Poszłam tam z moimi znajomymi z Instytutu Medycznego i jeden z nich przedstawił mi Lee.

RANKIN: Jak się nazywał ten znajomy?

MO: Jurij Mierieżyński [...].

RANKIN: Czy wiedziała pani, że Lee Oswald jest Amerykaninem i czy to miało dla pani znaczenie?

MO: Był dzięki temu, rzecz jasna, bardziej interesujący. Nieczęsto spotykało się Amerykanów.

Ze wspomnień, które przygotowała Marina dla FBI:

Anatolij był dość brzydki (jeśli chodzi o wygląd, ma, moim zdaniem, coś wspólnego z Melem Ferrerem*). Wstydziłam się z nim pokazywać między ludźmi – głupia koza. Bałam się, że moi znajomi by mówili: „Ale ta Marina ma brzydkiego chłopaka". Dlatego też rozmawialiśmy raczej przez telefon, ale za to po dwie, trzy godziny – bardzo, bardzo ciekawie się z nim rozmawiało [...]. Bardzo kochał matkę i niezwykle czule o niej mówił. To mi się podobało. Ja nie miałam już matki i przyjemnie mi było patrzeć, jak ten duży, zupełnie dorosły mężczyzna odnosi się do matki niczym małe dziecko. Nie każdy potrafi to tak otwarcie okazywać [...].

Anatolij chciał się ze mną ożenić, ale nie zgodziłam się, ponieważ był jeszcze studentem, a [...] oczekiwanie, aż skończy studia, wydawało się młodej dziewczynie zbyt długie [...].

Któregoś dnia Sasza zaprosił mnie na wieczorek w Instytucie, a wiedziałam, że będzie tam też Anatolij. Widzicie państwo, jaka była ze mnie trzpiotka. Sasza dał mi zaproszenie i kazał obiecać, że przyjdę. Anatolij zaś zagroził, że jeśli przyjdę z Saszą, nie będzie się już więcej chciał ze mną spotykać i przestaniemy się przyjaźnić. Ale mnie się wydawało, że potrafię wszystko jakoś tak urządzić, żeby żaden z nich nie poczuł się urażony [...].

Coś zatrzymało mnie dłużej w pracy i dość późno przyszłam do domu; dwie godziny zajęło mi ubieranie się. Długo siedziałam przed lustrem, w końcu całkiem odeszła mi ochota na strojenie się i włożyłam zwykłą sukienkę, w której chodziłam po domu. Wuj [...] zaczął się ze mnie śmiać: „Warto było tak długo się stroić przed lustrem?". Wreszcie coś mi kazało wybrać się na tę potańcówkę wbrew mojej woli. Mogę zupełnie szczerze powiedzieć, że czułam tamtego wieczoru coś niezwykłego, ale nie zwracałam na to uwagi. Ku mojemu zdumieniu, Sasza na mnie czekał. Stał na mrozie bez płaszcza. Co dziesięć minut wybiegał, by wypatrywać, czy się przypadkiem nie pokazałam [...]. Tańcząc, starałam się wypatrzyć Anatolija, ale ktoś mi powiedział, że wyszedł, kiedy zobaczył mnie z Saszą. Bardzo mnie to przygnębiło.

Sasza był tam ze swoimi kolegami z Instytutu. Jeden z nich przedstawił mnie Lee, którego nazywał Alikiem [...], a gdy Lee poprosił mnie do tańca i zaczęliśmy rozmawiać, pomyślałam, że pewnie pochodzi z któregoś z krajów nadbałtyckich, bo mówił z obcym akcentem. Jednak w trakcie wieczoru dowiedziałam się, że jest Amerykaninem [...].

Od razu mi się spodobał. Był uprzejmy i rycerski i czułam, że ja też mu się podobam [...]. Dużo później, już po ślubie, Lee powiedział mi, że zwrócił na mnie uwagę, jak tylko weszłam na salę. Proszę nie myśleć, że mam o sobie szczególnie dobre mniemanie czy że jestem pod jakimś względem niezwykła – to pewnie dlatego, że [...] dopiero co weszłam z mrozu [a] wtedy [inne] dziewczyny były już zmęczone, a ja dopiero co zdjęłam płaszcz – dlatego wyglądałam świeżo [...]. Pamiętam, że miałam na sobie moją ulubioną sukienkę z czerwonego chińskiego brokatu (Lee też ją potem lubił), a włosy uczesane à la Brigitte Bardot. Nawet się sobie tamtego wieczoru podobałam. Widzicie państwo, przechwalam się, ale piszę dokładnie to, co czułam [...].

---

* Amerykański aktor (role m.in. w *Wojnie i pokoju*, *Słońce też wschodzi*) i reżyser (przyp. tłum.).

Później […] całą grupą poszliśmy do domu Jurija, którego matka była wtedy w Stanach […]. Pamiętam, że Jurij z Alikiem trochę się posprzeczali, bo Alik […] mówił o swoim kraju bardzo przychylnie i bardzo ciekawie. Było mi przyjemnie, że stara się ukazać swoją ojczyznę z jak najlepszej strony. Gdy później go zapytałam, czy mu się podoba Ameryka, powiedział, że tak, ale nie pod każdym względem; nie podobało mu się, na przykład, bezrobocie, dyskryminacja, to, że zdobycie wykształcenia kosztuje mnóstwo starań i pieniędzy, wysokie koszty leczenia, gdy się zachoruje. Ale z wielką dumą mówił, że w Ameryce są ładniejsze mieszkania, i nie tak zatłoczone, i że w sklepach jest niesłychany wybór towarów, trzeba tylko mieć pieniądze. Mówił też, że w Ameryce jest większa demokracja i że każdy może powiedzieć to, co myśli, w prasie, radiu czy telewizji […].

Tamtego wieczoru Sasza i Alik odprowadzili mnie do domu. Kilka chwil byłam z Lee sam na sam na ulicy i wtedy on zapytał, gdzie się może ze mną spotkać. Powiedziałam, że pewnie znów przyjdę na tańce w to miejsce, gdzie się poznaliśmy, ale niczego nie obiecywałam. Tydzień później znów wybrałam się z koleżanką, żeby potańczyć, i Lee też tam był. Wieczorem przyszedł ze mną do domu i przedstawiłam go ciotce. Podobały jej się jego skromność i uprzejmość, a także schludność. Powiedziała mi ze śmiechem, że w mojej kolekcji brakowało tylko Amerykanina.

Przed poznaniem Alika, kiedy to miewała po kilka romansów naraz, Marina żyła w strachu, choć mimo wszystko czuła, że ma nad mężczyznami władzę. Oczywiście, łatwo było się zakochać, a ona tego pragnęła. Była zakochana w miłości. Za osiemnastolatków myślą hormony. W tym wieku człowiek przypomina dumne młode zwierzę w okresie godowym, spotyka różne osoby i zakochuje się w nich, ponieważ jest na to nastawiony. Jeden podoba się dlatego, że przepuszcza dziewczynę przodem w drzwiach, zachowuje się po dżentelmeńsku; drugi dlatego, że szczerze kocha. Marina chciała mężczyzny, który byłby zarazem romantyczny i zaradny życiowo, godny podziwu, miły i kochający. Miała Anatolija, który jednym pocałunkiem sprawiał, że czuła, jak świat wiruje jej pod stopami. Człowiek wreszcie uświadamia sobie, że nikt nie może spełnić wszystkich warunków, że nie znajdzie partnera, jakiego sobie wymarzył.

Nie chciała mówić o swoich doświadczeniach. Caryca Katarzyna miała kochanków na pęczki, a nikt jej się nie czepiał; nie znaczy to, że Marina ich miała na pęczki – tego nie powiedziała. Po prostu nie chciała rozmawiać o seksie. Wszyscy tylko węszą za świństwami, a potem mieszają człowieka z błotem. Nie o to chodzi, że zrobiła coś, czego się wstydzi, nie, nic strasznie złego, ale wie, że gdy przyjechała do Mińska, przydałby jej się ktoś do udzielania dobrych rad. Bo wcale nie miała takiego wielkiego doświadczenia. Może mężczyźni brali ją za kogoś, kim nie była.

Rozmawiała ze swoim kolegą Miszą Smolskim, który nigdy jej nawet nie tknął, z którym byli po prostu na stopie koleżeńskiej. Powiedział jej: „Daj spokój, nawet cię nie dotknę. Nie jesteś Anitą Ekberg". To wyjaśniło sprawę. Powiedział jeszcze: „Marina, pewien facet rozpuszcza plotki, że z nim sypiasz. To prawda czy nie?". Odpowiedziała mu tak: „Misza, no, sam powiedz, co mogę zrobić, skoro nie mam nic na sumieniu? Jeśli facet kłamie, trudno chodzić od drzwi do drzwi i tłumaczyć, że jestem niewinna".

Misza oświadczył: „Nie mogę mu wprawdzie dać w gębę, bo to nie moja sprawa – to znaczy, ona nie jest jego dziewczyną – ale powiem mu, że to łgarstwo".

Nie wiedziała, dlaczego Mierieżyński – jeżeli to był on – w ten sposób się o niej wyrażał. Może dlatego, że był wiecznie pijany i lubił robić zamieszanie. Może dlatego, że go odrzuciła. Czy to o nim mówił Misza? Czuła się publicznie znieważona.

Teraz jej reputacja przypominała wstrętne, zbrukane ubranie, na które była skazana. Na przykład, Lee Harvey Oswald. Próbował się do niej dobierać, kiedy osiem dni później znów się spotkali na sobotnich tańcach w Pałacu Związkowym. Tego wieczoru wzięła go ze sobą do domu, by poznał Walę, ponieważ Ilja wyjechał.

Alik chciał u niej przenocować. Udawał, że o tej porze nie jeżdżą już autobusy – może mógłby się przespać u niej? Pewnie pomyślał, że jest łatwa. Wyprawiła go do domu. Powiedziała, że może przecież wrócić pieszo. Ale zbytnio się na niego nie gniewała. Przecież tamtego wieczoru, kiedy miała na sobie czerwoną sukienkę, uparła się, żeby wszyscy poszli do baru i napili się szampana. Może Lee pomyślał, że ona należy do dziewcząt, które nie mogą się bawić bez alkoholu, ale jej chodziło tylko o to, żeby spotkać Anatolija i udowodnić mu, że będzie z nią rozmawiał niezależnie od tego, czy przyszła z Saszą, czy nie. Anatolij jednak traktował ją jak powietrze, dokładnie tak, jak zapowiedział. Wróciła więc ze znajomymi do Pałacu Związkowego i resztę tamtego piątkowego wieczoru przetańczyła z Lee. Trochę jak gdyby Marinę drażnił. „W Ameryce – mówił – tańczy się tak", i przyciągał ją bliżej do siebie. Ale nie zdecydowanym ruchem, nie, po troszku.

Przez cały czas zastanawiała się: „Jak udowodnię Anatolijowi, że nie może mnie odtrącić, jakbym była śmieciem?". Poza tym żal jej było Saszy. Padł ofiarą jej strategii. Gdy więc Anatolij zachowywał się tak, jakby jej w życiu na oczy nie widział, uwolniło ją to od obsesji na jego punkcie, w każdym razie na ten wieczór.

Zaczęła ze wszystkimi flirtować, w tym także i z Lee. Pewnie sobie o niej nie wiadomo co pomyślał! Może właśnie dlatego spodziewał się o tyle więcej, niż dostał te osiem dni później, kiedy to przyprowadziła Lee do domu, by go przedstawić Wali. Powiedział nawet: „Kręci się koło ciebie tylu facetów, że pomyślałem sobie, że jesteś... no wiesz...". I do tego jeszcze była w tej czerwonej sukience. Może rzeczywiście wyróżniała się w tłumie.

Teraz, patrząc wstecz, może powiedzieć, że Lee ją intrygował. Miał głębokie podejście do życia. Gdyby był jakimś głupim Jasiem, jednym z tysięcy tępawych robociarzy, nigdy by się z nim nie umówiła. Bardzo zresztą szanuje robotników fabrycznych, ale nie umawiała się z nimi na randki. Bo o czym mogłaby z takim facetem rozmawiać? Oni podszczypują dziewczyny na oczach wszystkich – prostacy. Dlatego trzymała się od nich z dala. Żadnych robotników – co to, to nie. Trzeba starać się wejść w towarzystwo o klasę wyżej. Nawet jeśli się jest praktycznie nikim. Nie miała zamiaru się cofać. Lee wprawdzie pracował w fabryce, ale miał głębokie podejście do życia. I nie chodziło tylko o jego zainteresowanie polityką. Babcia nauczyła ją, czym jest polityka: nie tykaj tego, to nie będziesz śmierdzieć. Ale tak czy owak, każdy dorosły, nawet jeśli nie chce należeć do żadnego ugrupowania politycznego, interesuje się tym, co się dookoła niego dzieje, a Lee należał do grupki jej znajomych, których interesował mechanizm funkcjonowania świata.

Po tym wieczorze, kiedy to kazała mu iść pieszo do domu, umówił się z nią na następny tydzień. Ale po kilku dniach ciocia Wala powiedziała jej: „Nie zgadniesz, kto dzwonił. Ten twój Amerykanin". Nie mógł przyjść. Zachorował i leżał w szpitalu na obrzeżach miasta. Marina niezbyt się tym przejęła. Gdy zadzwonił, by powiedzieć Wali o swojej chorobie, Marina była właśnie na randce z Anatolijem. Lee jej się podobał, ale nie traktowała go poważnie jako kandydata na swojego chłopaka. Nadawał się w sam raz na jeden wolny wieczór.

Miał infekcję ucha, na tyle poważną, że musiał przebywać w szpitalu. Jak powiedział jej później, od dziecka miał problemy z uszami, a jako mały chłopiec przeszedł operację wydłutowania wyrostka sutkowatego.

Wala zasugerowała: „Może go odwiedzisz? Nie ma tutaj nikogo z rodziny, a teraz jest przecież Wielkanoc. Wiem, że w Ameryce świętuje się Wielkanoc. Będzie zadowolony i wzruszony". Zapakowała kilka kawałków ciasta i powiedziała Marinie: „Pokaż mu, że Rosjanie mają serce".

Gdy Marina dotarła wreszcie do tego szpitala – musiała długo jechać tramwajem – Lee ucieszył się na jej widok. Nie spodziewał się odwiedzin. Jak niskie musiał mieć o niej mniemanie! I był w siódmym niebie, bo przyniosła mu morele w puszce. Powiedział jej, że to jego ulubiony deser. Musiała to intuicyjnie wyczuć.

Wizyta była jednak smutna. Lee źle wyglądał, jak to chory, i miał blady uśmiech. Nie mogła powiedzieć, żeby fizycznie jej się podobał. Pod koniec wizyty ją pocałował (zapytawszy najpierw o pozwolenie) i ten pierwszy pocałunek też nie przypadł jej do gustu. Poczuła coś niemiłego. Jakby ostrzeżenie, żeby dać sobie spokój. Natychmiast z tym skończyć. Zadała sobie pytanie: „Czy chcę dalej ciągnąć tę znajomość?". Nigdy wcześniej o tym nie myślała, ale na podstawie pierwszego pocałunku można wiele powiedzieć. Czy naprawdę chciała lepiej poznać Lee? Chyba nie. A jednak jej umysł był nim zaprzątnięty. Lee był taki delikatny. Marina pamięta, że ten jego pocałunek nie był zwykłym cmoknięciem w policzek, ot, dzięki, że przyszłaś – nie, Lee najwyraźniej czegoś oczekiwał. Ale nie pachniał jak Rosjanin. Nie przesiąkł nawet zapachem szpitala. Jego skóra miała dziwny zapach. Owszem, pachniał mydłem i innymi kosmetykami, ale i tak pod tym wszystkim wyczuwało się jego własny zapach. Całując Alika, poczuła się nieprzyjemnie. Nie pachniał świeżym powietrzem i słońcem.

Później powoli przekonała się do zapachu jego ciała. Wciąż go czuła, ale w końcu zaakceptowała. Jeśli się kogoś kocha, akceptuje się takie rzeczy.

To było śmieszne. Codziennie po pracy szła do niego z wizytą. Mogła wchodzić do szpitala o każdej porze dnia i nocy. Dniem odwiedzin była niedziela, ale jako że ona była ubrana w biały fartuch z apteki przy Trzeciej Klinice, nie miała z wejściem najmniejszych problemów.

Jeszcze go nie kochała, ale niewątpliwie mu współczuła. Był taki samotny. Potrafiła to zrozumieć. Samotność, co prawda, towarzyszy na co dzień wielu ludziom, ale nie jest to dobry towarzysz. Wali też było go bardzo żal.

Jeszcze w szpitalu Lee powiedział Marinie, że chce się z nią zaręczyć i że nie powinna się spotykać z innymi mężczyznami. „Obiecałam mu to, ale nie traktowałam tego poważnie". Nie kochała go – jeszcze nie; wciąż tylko mu współczuła. Ale przecież był Amerykaninem. Nie odmawia się, jeśli Amerykanin mówi coś o zaręczynach; w każdym razie nie od razu.

W dniu, kiedy wyszedł z Czwartej Kliniki, Wala zaprosiła go na kolację, na której tym razem miał być Ilja.

Podobało się Marinie to, jak Alik zachowywał się w stosunku do jej wuja. Z wielką godnością. Powiedział Ilji, że przyjechał, by zamieszkać w Rosji na stałe. Był gotów ciężko pracować. Ilja powiedział, że jeśli tak, to on mógłby mu pomóc ułożyć sobie życie. A Marina widziała, że Wala myśli, że owszem, mogliby mu trochę pomóc, bo nie ma w Mińsku nikogo, a oni stanowiliby dla niego wsparcie.

Walę zupełnie oczarował. Był bardzo delikatny. Pocałował ją w zdrowy policzek i powiedział: „Dziękuję, kolacja była wspaniała". Rzeczywiście była, więc ładnie, że to powiedział.

Po kolacji Ilja ostrzegł go: „Bądź ostrożny z tą dziewczyną. Ona ma pstro w głowie". Czy to nie okropne? Była osobą poważną. Chciałaby nawet mieć pstro w głowie – bawić się – ale zawsze czuła się za siebie odpowiedzialna albo odzywało się jej sumienie. Nigdy nie potrafiła sobie powiedzieć: „A, co tam!" – i nigdy nie mówiła. Może wyglądało to inaczej z punktu widzenia Ilji, bo w jednym tygodniu podobał jej się jeden chłopak, w drugim inny; ale Marina miałaby w zanadrzu następujący argument: „Wciąż szukam. Spotykam kogoś, a on okazuje się idiotą. Zaprasza mnie na kolację i chce, żebym to ja płaciła. Albo bez przerwy odchrząkuje, bo jest śpiewakiem operowym. Przez cały wieczór tylko odchrząkiwał". Owszem, znała takiego kogoś, umówiła się z nim na randkę. „Miał ładny kaszmirowy płaszcz i szal". Gdy się wybrali do restauracji, którą on zaproponował, pomyślała: „Może przynajmniej teraz pokaże jakąś klasę", ale on zjadł i powiedział: „Zapomniałem portfela. Ty zapłać, a ja ci załatwię bilety na moją operę". Gdy poszła na tę operę, okazało się, że on gra rolę jednego z żołnierzy i stoi w tylnych rzędach chóru – to mi dopiero Caruso! Oczywiście musiała z nim zerwać.

Nie, nie chce mówić o okresie, kiedy Alik się o nią starał. Nie było w tym nic nadzwyczajnego. Wszystkie konkury wyglądają tak samo: człowiek stara się pokazać z jak najlepszej strony. Problem polega na tym, że nie można poznać tej drugiej osoby, póki się z nią nie weźmie ślubu i nie przeżyje pierwszej doby razem.

Innym jednak chętnie opowiadała o zalotach Alika. Koleżanki, a szczególnie Larysa, namawiały ją do podtrzymywania tej znajomości. Zdaniem Larysy fakt, że Marina ma chłopaka Amerykanina, wyróżniał ją spośród innych dziewcząt. Poza tym on miał własne mieszkanie. Gdy zaprosił Marinę do siebie następnego dnia po kolacji u Wali i Ilji, Marina przyszła razem z Saszą, Jurijem i Larysą. W większej grupie zawsze raźniej. Larysa dobrze się o nim wyrażała. Miał takie eleganckie maniery.

2

Odrobinę szarmancki

Sasza przypomina sobie ten wieczór u Alika. Amerykanin mieszkał w okazałym budynku, ale nie miał przyjemnie urządzonego lokum. Rosjanie mówią na takie wnętrza: nieprzytulne, biurowe.

Alik dobrze mówił po rosyjsku – wprawdzie z obcym akcentem, ale zupełnie nieźle. Nastawił *Pierwszą symfonię* Czajkowskiego; gdy słuchali, opowiedział historię swojego życia. Służył w wojsku w Azji, ale wojna mu się nie podobała, nie chciał brać w niej udziału. Postanowił więc zamieszkać na stałe w Związku Radzieckim i został skierowany z Moskwy do Mińska. Obecnie pracuję w fabryce radioodbiorników „Horyzont" jako „inżynier". Mieli butelkę radzieckiego szampana. Sasza polubił Alika – uważał, że jest bardzo zrównoważony, nie poddaje się niepotrzebnym emocjom. Oswald nie palił, ale lubił, gdy inni zaciągali się dymem – albo tak się Saszy tylko wydawało. Jego mieszkanie wyglądało ubogo. Stół nie był wypolerowany jak należy. Krzesła proste, zwyczajne, a półka sklecona z kilku desek.

Alik miał jednak sporą kolekcję płyt, longplayów, wszystkie z muzyką klasyczną. Posiedzieli u niego jakieś półtorej godziny. Gdy wychodzili, musiało być już koło wpół do dziesiątej. Sasza ponaglił Marinę: „Odprowadzę cię, bo jutro rano muszę iść do pracy, ty zresztą też musisz wcześnie wstać".

I w tym momencie dał [nam] znak, żebyśmy wyłączyli dyktafon. Wówczas opowiedział następującą historię: gdy po odprowadzeniu Mariny wrócił do siebie, pod domem czekał na niego samochód, który zabrał go do biura KGB. Tam kazano mu wysłuchać kasety z nagraniem tego, co on i inni mówili podczas wizyty u Lee. Nikt mu nie wyjaśnił, o co chodzi, nie wdawano się w żadne szczegóły. Funkcjonariusze powiedzieli mu tylko, że chcą, by donosił, kiedy tylko wyrażą takie życzenie.

„Wizyta" odbyła się w suterenie budynku KGB przy ulicy Lenina. Sasza został przywieziony tam samochodem, ale wracać musiał pieszo, dobre kilka kilometrów. Gdy wreszcie wszedł do domu, matka zbeształa go za trzymanie się z kolegami z wysoko postawionych rodzin, inteligentami, szczególnie z Jurijem i Kostią Bondarinem. Powiedziała: „Słuchaj, ty pochodzisz z chłopów. Nie powinieneś się zadawać z takimi ludźmi. Jeszcze będziesz miał przez to kłopoty".

Rozmówcom z Ameryki powiedział, że od tamtego czasu przestał się spotykać z Mariną, ponieważ ona chodziła z Lee; przestał się też spotykać z Jurijem i Kostią Bondarinem, którzy – jak sądzi – również zostali wezwani do KGB. Tak jakby żaden z nich nie chciał się widywać z pozostałymi, żeby nie musieć na siebie nawzajem donosić. Można powiedzieć, że mieli teraz wspólny język, który obchodził się bez słów.

Ani Igor, ani Stiepan nie przyznają, żeby początkowo wykazywali więcej niż zdawkowe zainteresowanie Lee i Mariną. Gdy jednak ich związek szybko zwieńczył ślub, to owszem – przyznał Igor – nie sypiali po nocach najlepiej i czuli się trochę winni, że nie podjęli żadnych kroków, by romans Oswalda i Mariny Prusakowej nie przerodził się w nic poważniejszego.

Na pytanie, jakie kroki mogli podjąć, Igor udzielił przemyślanej odpowiedzi. Dał do zrozumienia, że były dziewczyny, niekiedy zresztą całkiem atrakcyjne, które służby bezpieczeństwa mogły w którymś momencie wezwać na pomoc. Może któraś odciągnęłaby Oswalda od Mariny. Mogliby również spróbować poznać Marinę z jakimś odpowiednim mężczyzną, pociągającym i wyszkolonym w tego rodzaju działalności. Jednakże nie zrobili tego. To byłaby mimo wszystko zbyt wielka ingerencja. Dali więc Oswaldowi i Marinie szansę na kontynuowanie znajomości. Aż tu nagle przyszła wiadomość o ślubie, niemal bez ostrzeżenia. Kolejne problemy. Czy informacje będą teraz przeciekać do Oswalda przez Marinę? Było to możliwe, miała przecież wuja, pułkownika Prusakowa, w MWD. By zabezpieczyć się przed tego rodzaju niepożądanymi sytuacjami, nieco później zmuszeni byli skontaktować się osobiście z Ilją Prusakowem.

W tamtym okresie żyli więc w ogromnym napięciu i faktem jest, że Stiepan nie zawsze dobrze sypiał w nocy. Igor zresztą też.

Niemal trzy lata później Marina spisała wspomnienia z pierwszych dni życia z Lee:

Lee miał dużo płyt z muzyką klasyczną i uwielbiał ich słuchać, kiedy byliśmy sami. Nie przepadał za głośnym towarzystwem, wolał raczej spędzać czas ze mną sam na sam. Pamiętam jeden wieczór, kiedy piliśmy herbatę, jedliśmy ciastka i całowaliśmy się. (Proszę wybaczyć tę frywolność i złożyć ją na karb mojego młodego wieku). Ta herbatka bardzo mi smakowała. Nigdy później nie piłam już tak dobrej herbaty ani nie jadłam tak pysznych ciastek – cha-cha! Lee powiedział, że chce się ze mną ożenić i zostać ze mną na zawsze. Miał takie milutkie mieszkanko [...] z oddzielnym wejściem – w sam raz dla dwojga, szczególnie młodych. Powiedziałam mu, że za niego wyjdę (bo wtedy już byłam w nim zakochana), ale że powinniśmy poczekać parę miesięcy, bo wstyd by mi było przed znajomymi, że tak prędko bierzemy ślub. Ale Lee zgodził się zaczekać tylko do pierwszego maja [i] zasadził w doniczkach na balkonie kwiaty na cześć tego, że zgodziłam się za niego wyjść.

18–31 marca
Spacerujemy. Mówię jej trochę o sobie. Ona dużo opowiada o sobie. Nazywa się Marina N. Prusakowa.

1–30 kwietnia
Oficjalnie ze sobą chodzimy i postanawiam, że muszę ją mieć. Ona mnie trzyma na dystans, więc 15 kwietnia się oświadczam. Przyjmuje oświadczyny.

„No tak, odkąd Lee wyszedł ze szpitala, zaczęliśmy się ze sobą spotykać" – powiedziała Marina trzydzieści lat później. Ale nie co wieczór – dopóki nie przyjęła oświadczyn Alika, nadal widywała się z Anatolijem. Ale potem z Anatolijem koniec.

Nie chodziło tylko o to, że Lee był schludny i uprzejmy. Podobali jej się ludzie, którzy byli czyści, którzy się kąpali i mieli czyste myśli. Przyznaje się: lubiła krochmal, a Lee miał krochmalone koszule. Mimo wszystko jednak czuła się wolna. Mogła przestać się z nim spotykać, kiedy tylko chciała – tak jej się zdawało. Dlatego wciąż umawiała się z Anatolijem. Ale nigdy nie poszła z nim do łóżka.

„Cóż – mówiła – po pierwsze, w Rosji nie ma tak znów wiele okazji, by znaleźć się sam na sam. Gdy poznałam Anatolija, była zima. Dlatego głównie się całowaliśmy. A on dobrze całował. Tak to ujmę". Nigdy nie uważała się za „seksowną". Już prędzej za zmysłową. Jej celem nie było pójście na całość w seksie. Nie chodziło jej o szczytowanie. „Interesowało mnie to, co przedtem". Ale z Anatolijem, po raz pierwszy w życiu, pragnęła czegoś więcej. Tyle że to się nigdy nie spełniło.

Z drugiej strony, Lee wyraźnie chciał się z nią przespać. Czasami szli do jego mieszkania i sprawy zachodziły tak daleko, że właściwie nie było odwrotu. Raz wyrzucił ją za drzwi i krzyknął: „Dobra! Albo zostajesz, albo się wynoś!". Wyniosła się. Ale nie był gwałtowny. Coś, co jej się w nim szczególnie podobało, i w Anatoliju też, to preludium, rozmowa. Nie była to sprawa czysto fizyczna – chodź tu, daj buzi i już. W czasie rozmowy człowiek się stopniowo podnieca.

„Wydaje mi się, że to właśnie lubiłam w Lee, zanim się pobraliśmy. Że był odrobinę szarmancki".

Był więc łagodny i miły, ale jeśli chodzi o seks, także trochę agresywny. „A jak panowie myślicie, dlaczego wziął ze mną ślub?" – zapytała. Pokiwała głową. „Cóż, nasz kochany prezydent Ford rozgłosił wszem i wobec, że Lee był impotentem, a to nieprawda [...]. I takim ludziom powierza się urząd prezydenta. Przykro mi. Nie żywię dla pana Forda ani cienia szacunku".

Z raportu FBI dotyczącego rozmowy z Mariną Prusakową dnia 1 grudnia 1963:

MARINA oświadczyła, że jej wuj i ciotka nie byli przeciwni OSWALDOWI, a nawet wydawali się zadowoleni, że ograniczyła liczbę sympatii do jednej. Nie mieli do OSWALDA żadnych zastrzeżeń i powiedzieli jej, że musi sama zadecydować [...]. Pozwolenie na zawarcie związku małżeńskiego zostało wydane [przez urząd stanu cywilnego] w ciągu siedmiu dni, a później trzeba było odczekać trzy kolejne dni, by dopełnić wymaganego dziesięciodniowego okresu oczekiwania. Zostali ogłoszeni mężem i żoną przez urzędnika urzędu stanu cywilnego dnia 30 kwietnia 1961 roku [i] jej wujostwo wyprawili w mieszkaniu przyjęcie weselne. Zaproszono na nie wspólnych znajomych.

MARINA twierdziła, że nie była przesłuchiwana i że jedynym dokumentem potrzebnym do zawarcia ślubu było oświadczenie zamiaru wstąpienia w związek małżeński, który został zawarty dziesięć dni później [...].

Ze wspomnień Mariny:

[...] Był to jeden z najszczęśliwszych dni mojego życia. Alik też, jak sądzę, był szczęśliwy, że pozwolono nam się pobrać. Uspokoił się dopiero w dniu ślubu; przedtem codziennie chodził do ZAGS-u (urzędu stanu cywilnego), by pytać, czy nie musimy mieć zezwolenia. Dopiero po weselu wreszcie do niego dotarło, że to, czego pragnęliśmy, naprawdę się ziściło [...]. Pamiętam, że [w dniu ślubu] Lee kupił mi wczesne żonkile i poszliśmy ze znajomymi do urzędu. Wróciliśmy też pieszo; słońce świeciło; tej ciepłej niedzieli świat był piękny.

3

Noc poślubna

Któregoś dnia, mniej więcej rok po przeniesieniu się Lee z hotelu „Mińsk" do własnego mieszkania, Stalina usłyszała, że się ożenił. Etażowa zapytała ją: „Słyszała pani? Ten Amerykanin ożenił się z Rosjanką. Jedną z naszych". Dodała jednak: „To zepsuta dziewczyna. Dziwka z Leningradu". Ta plotka rozeszła się po Mińsku. Stalina przypomniała sobie, że Alik powiedział jej, co mówiła ta dziewczyna: „Zgaś światło i pocałuj mnie". Szanująca się młoda kobieta by tak nie powiedziała. Szanujące się młode kobiety, jeśli znały angielski, potrafiły powiedzieć coś więcej. Rosyjskie dziewczyny wychowywano tak, by nie prowokowały mężczyzn. Seks polegał na przyjaźni i czułości, był tylko częścią miłości. Wiele kobiet nie słyszało nawet o istnieniu kobiecego orgazmu. Bo i po co im ta wiedza?

„Zgaś światło i pocałuj mnie" – to było niesłychane. Basta! Stalina wcale nie miała ochoty poznać tej młodej kobiety.

Na początku ciotka i wuj uważali, że Marina umawia się ze zbyt wieloma mężczyznami. Kiedy zaś ograniczyła ich liczbę do dwóch i chciała wyjść za mąż, Ilja musiał z kolei powiedzieć: „Nie spiesz się. W co ty się pakujesz? Powinnaś tego człowieka lepiej poznać. Znacie się tak krótko".

Mimo to w dniu ich ślubu był miły. Powiedział Marinie: „Może faktycznie jesteś już na to gotowa. Kochajcie się. Teraz, gdy jesteście małżeństwem, powinniście prowadzić spokojne życie. Nie ściągnijcie na siebie wstydu. Po prostu żyjcie tak, żeby ludzie widzieli, że dobrze wam się wiedzie".

W aptece Sonia po raz pierwszy usłyszała o Oswaldzie, gdy Marina powiedziała jej: „Poznałam jednego Amerykanina, Alika. Nazywam go Alka". Później, po niedługim czasie, Sonia dowiedziała się, że tych dwoje zaczęło się ze sobą spotykać. Gdy więc Marina oznajmiła koleżankom, że Alka się jej oświadczył, dziewczyny pomyślały sobie: no tak, wujek Mariny ma wysokie stanowisko, a my jesteśmy zwykłymi, prostymi ludźmi. Skoro on pozwala im na małżeństwo, to jakim prawem my byśmy miały mieć coś przeciwko? Gdy dziewczęta napomknęły, że to przecież cudzoziemiec, Marina wyjaśniła: „On nie wróci do Ameryki".

Ani jedna z koleżanek z apteki nie została zaproszona na wesele, no, ale to nie było wielkie przyjęcie – nie bankiet w restauracji, gdzie zaprasza się mnóstwo gości. Tylko najbliższa rodzina, najbliżsi przyjaciele.

Konstantin Bondarin zauważył, że w tym czasie, kiedy Jurij Mierieżyński przyjaźnił się z Lee, zawsze gdy wracał do domu ze spotkania, na którym obecny był Amerykanin, ktoś go śledzi. A zatem w ogóle przestał się z Lee kontaktować.

Dlatego też Kostia nie przyszedł na ślub Mariny. „Rozmawiałem na ten temat z Jurijem. Powiedziałem mu: «Mamy cienie»".

Co się zaś tyczy Mariny, zdaniem Kosti, dążyła ona do wytyczonego celu, a Lee był ofiarą numer jeden.

Bo przecież tylko ofiarą można nazwać osobę, którą ktoś inny traktuje jako środek do celu. To, że Marina szukała męża, było jasne dla każdego mężczyzny, który się z nią zetknął. Najodpowiedniejszym jednak byłby dla niej Tola Szpanko.

Inessa nie przypomina sobie, kiedy po raz pierwszy obiło jej się o uszy imię Alik, ale był taki okres, kiedy Marina jakby zniknęła i ona wcale jej nie widywała. Dlatego wieść o tym, że ma wyjść za Amerykanina, dość Inessę zdziwiła.

Marina nigdy szczegółowo jej się nie zwierzała, ale dzieliła się z nią niektórymi swoimi uczuciami. Inessa miała poczucie, że koleżanka jest jakoś fizycznie zbrukana i że może ten brud pełznie w stronę jej duszy, ale jeszcze jej nie skalał.

„Nie można być nieczystym cieleśnie – takie jest moje zdanie – a w duszy pozostać porządnym i uczciwym człowiekiem. Nie, to niewłaściwe słowa. Jakby to powiedzieć? W każdym razie Marina jest mi droga i widziałam w niej coś dobrego" – powiedziała Inessa.

„Spowiadała mi się; mówiła z wielkim bólem, z ogromnym bólem, proszę mi wierzyć. Obawiam się, by nie wydać się osobą zbyt pewną siebie, ale wydaje mi się, że mnie potrzebowała. Nie przechodziła od razu do rzeczy. Mówiła i mówiła, a dopiero po pewnym czasie wyłaniało się z tego potoku słów coś konkretnego. Z tego zwierzyła mi się, zanim wyszła za mąż. Czuła się całkowicie samotna, jak gdyby nikomu na świecie nie była potrzebna".

Inessa wiedziała, że tuż przed ślubem Marina martwiła się, że podczas nocy poślubnej wyjdzie na jaw prawda o jej przeszłości. W rozmowie z Inessą powiedziała, że wie, co zrobić, żeby Lee się nie dowiedział. Trudno jej było szczegółowo drążyć ten temat, ponieważ dotyczył on spraw cielesnych, ale później Marina powiedziała, że wszystko poszło dobrze i Lee myśli, że była dziewicą. Wykorzystała swoją wiedzę zawodową – tak, zrobiła to.

Inessa oświadczyła: „Oczywiście, że byłam zaszokowana, ale jej nie osądzałam". Nie wiedziała, jak coś takiego może się udać. Ale Marina powiedziała, że przecież pracuje w aptece i zna leki, dzięki którym, jeśli się je zastosuje, można spowodować napięcie i skurcz odpowiednich mięśni. Gdy więc w noc poślubną pan młody konsumował małżeństwo, odczuwała ból. Nie trzeba było grać. Krew niekoniecznie musiała się pokazać, sam ból wystarczył, by przekonać każdego świeżo upieczonego męża. „Pamiętam, że Marina mi to mówiła".

Już po ślubie Marina powiedziała Inessie, że wszystko poszło dobrze, i była z tego powodu szczęśliwa. Nie dlatego, że on okazał się w łóżku bohaterem, ale dlatego, że udało jej się go oszukać, że była dziewicą.

Inessa twierdzi, że Marina stała się dobrą i porządną żoną. Małżeństwo ją zmieniło. Zawsze chciała mieć własny dom i teraz tego dopięła. Zdołała się ustatkować.

Pyt.: Jedna z osób odpowiedziała na nasze pytanie w ten sposób: „Mają panowie rację, Marina nie była dziewicą w noc poślubną. Martwiła się, że to wyjdzie na jaw, poszła do apteki i coś sobie zaaplikowała. Dla dobra swojego małżeństwa".

Marina: W porządku.

Pyt.: Dokładnie tak zostało to powiedziane.

MARINA: No więc dobrze, to prawda. I co z tego? Chyba jesteście zboczeni, pięć dni marnujecie na to, żeby namówić kogoś do rozmowy na ten temat [...]. Czy to nie przesada?

PYT.: Mówię pani, co usłyszeliśmy, rozmawiając z innymi osobami. Paweł opowiedział nam o incydencie, który miał miejsce w fabryce radioodbiorników, kiedy to kilku robotników podeszło do Lee i zaczęło się z nim drażnić, mówiąc: „I co, była ta twoja żonka dziewicą czy nie? Ile krwi było na prześcieradle?" Nie dowiedzieliśmy, co na to odpowiedział.

MARINA: Ja też nie wiem.

PYT.: Zdaje się, że nikt nie pamięta, jaką Lee dał wtedy odpowiedź. Nie wiemy więc, czy to go dręczyło. Ważne wydaje nam się to, czy za każdym razem, kiedy się ze sobą nie zgadzaliście, kiedy się sprzeczaliście...

MARINA: Wiem tyle, co i pan.

PYT.: Nie interesuje nas seks jako taki, ale informacja, czy mąż był świadom pani przeszłości. Jaki to miało na niego wpływ? Pani koleżanka powiedziała, że zależało pani na małżeństwie. Powiedziała to z przekonaniem. Że zrobiła pani tamto dla dobra małżeństwa.

MARINA: Przynajmniej poważnie do tego podchodziłam.

PYT · Właśnie. To nam pomogło zrozumieć, że traktowała pani małżeństwo poważnie.

MARINA: Chciałam mieć rodzinę. Było to dla mnie cholernie ważne.

PYT.: Powiem wszystko, co wiemy, żebyśmy nie mieli poczucia, że coś przed sobą nawzajem ukrywamy. Inessa powiedziała nam podczas tej samej rozmowy, będąc pani bardzo oddana i mając wielką sympatię dla pani, że przywiozła pani z Leningradu ciężkie brzemię. Także o tym, jak ciężko się pani żyło w Leningradzie z ojczymem, że zmuszona była pani prowadzić życie, które nie stanowiło powodu do dumy.

MARINA: Nie był to mój wybór.

PYT.: Inessa wyjaśniła nam, jak to panią dręczyło, że w Leningradzie żyła pani w ten sposób i do czego się pani musiała uciekać, by przeżyć, by móc jeść, mieć gdzie spać [...].

MARINA: Nigdy w życiu nie przyjęłam pieniędzy.

PYT.: Wierzymy pani, oczywiście.

MARINA: Szukałam miłości nie tam, gdzie trzeba, i czasami przychodziło mi za to zapłacić. Zostałam zgwałcona przez cudzoziemca.

PYT.: Proszę?

MARINA: Zostałam zamknięta w pokoju. On przekręcił klucz w zamku. A na korytarzach hotelowych zwykle siedzą etażowe i mają klucze gości, których nie ma w pokojach. Nie mogłam krzyczeć. Myślałam: co ta kobieta sobie o mnie pomyśli? Dlatego tylko się broniłam. W końcu przyciągnął mnie siłą do siebie. Potem powiedział: „Gdybym wiedział, że jesteś dziewicą, zostawiłbym cię w spokoju". Lee nie pytał mnie o to, a w noc poślubną udawałam. Byłam przerażona, w kółko myślałam tylko o tym, co zrobię, gdy nadejdzie ta noc. Co innego mogłam wymyślić? Odtąd zaczęłam nowe życie. Chciałam być porządna i okropnie się bałam. Ale Lee nie pytał.

PYT.: Nigdy nie zapytał, czy jest pani dziewicą?

MARINA: Podziękował mi za to. Wtedy pomyślałam: „O Boże. Udało się... teraz znów jestem czysta".

PYT.: Racja.

MARINA: Przez całe życie chciałam taka właśnie być... A Lee przyszedł z pracy i powtórzył mi, co oni sobie tam opowiadali, śmiał się i mówił, jakie to barbarzyńskie, jakie wstrętne. A ja powiedziałam: „Nie mów im o nas. Nie chcę być tematem rozmów". A raz, teraz sobie przypominam, kłóciliśmy się, a on wymamrotał pod nosem: „Jasne, moja ty dziewico". A ja na to: „Owszem. Udowodnij, że nią nie byłam". Wtedy dał spokój.

30 kwietnia

Po siedmiodniowym oczekiwaniu, spowodowanym przez mój zagraniczny paszport, dostaliśmy w urzędzie stanu cywilnego pozwolenie na zawarcie małżeństwa. Świadkami były dwie koleżanki Mariny. Ślub odbył się w domu ciotki Mariny. Wyprawiliśmy wesele dla około dwudziestu osób – przyjaciół i sąsiadów, którzy życzyli nam szczęścia (mimo mojego pochodzenia). Dla Rosjan musiało to być niecodzienne wydarzenie, bo w ZSRR cudzoziemcy są rzadkością, nawet turyści. Po wieczorze wypełnionym jedzeniem i piciem, podczas którego wujek Ochlapus wywołał bójkę i z powodu przeciążenia wysiadł bezpiecznik, pożegnaliśmy się i zrobiliśmy piętnastominutowy spacer do domu. Mieszkaliśmy blisko siebie. Kiedy weszliśmy do mieszkania, była północ.

4

Młodzi małżonkowie

Teraz Marina ocenia, iż wyszła za mąż głównie dlatego, że chciała mieć kogoś, do kogo by należała, i założyć rodzinę. Małżeństwo to była świętość. Zawierało się je raz na całe życie. Dlatego, oczywiście, chciała być czysta w noc poślubną. To jasne. W Rosji tradycją jest to, że mężczyzna bierze za żonę dziewicę, ale Amerykanie tego nie rozumieją. Ich poglądy w tej kwestii nie były znane. Może im aż tak nie zależy.

Powtórzyła: Lee lubił się śmiać z tego, jakie barbarzyńskie obyczaje panują na wsi, wśród rodzin chłopskich. Żeby pokazywać zakrwawione prześcieradła!

Pamięta, że jeszcze będąc w Leningradzie, jako czternastolatka, marzyła o zamążpójściu. O księciu na białym koniu. Żadnego brudu, nic z tych rzeczy. Tak więc gdy – jakby to powiedzieć – otworzyły jej się oczy na rzeczywistość, nie była na nią przygotowana. Możliwe, mówiła, że tak jest z każdą dziewczyną.

Kiedy już zostali oficjalnie ogłoszeni mężem i żoną w ZAGS-ie i wbito jej odpowiednią pieczątkę do dowodu osobistego, przypadkowo wpadła jej w oczy data urodzenia Alika: rok 1939. Zrozumiała wtedy, że kłamał, mówiąc, że ma dwadzieścia cztery lata. Miał dopiero dwadzieścia jeden. Powiedziała wtedy: „Gdybym o tym wiedziała, nie wyszłabym za ciebie". To był tylko żart, ale on się przyznał, że niepokoiło go, czy Marina będzie go poważnie traktować. W końcu przecież sama mówiła, że Sasza ma tylko dwadzieścia lat, a ona nie zamierza wychodzić za dzieciaka.

Na ich wesele Wala przygotowała prawdziwą ucztę: sałatkę z krabów, salami, czarny kawior, czerwony kawior, pasztety. Poza tym zrobiła faszerowaną rybę: skórę zachowała w całości, mięso ugotowała, zmełła, przyprawiła i już bez ości włożyła na powrót do skóry. Ryba wyglądała normalnie, a w środku nie było ani jednej ości. Można było ją po prostu kroić i jeść. Tak się Wala postarała.

Marina ubłagała wcześniej ciotkę, żeby darowali sobie weselny zwyczaj wołania: „Gorzko, gorzko!". Ale gdy siedzieli przy stole i jedli, ktoś udał, że zakrztusił się pieprzem, wszyscy więc zaczęli wołać: „Gorzko!", i Marina oblała się rumieńcem. Musiała teraz całować Lee za każdym razem, gdy ktoś krzyknął „Gorzko!". Później tańczyła ze wszystkimi, a Erich Titowiec, Paweł i Alik śpiewali *Chattanooga Choo-Choo*. Następnego ranka Wala weszła do mieszkania młodej pary i rozbiła o podłogę talerz, co narobiło tyle hałasu, że umarłego by obudziło. Wyjaśniła Alikowi: „To taki rosyjski zwyczaj".

Na weselu Marina wstydziła się za męża cioci Musi, Wanię, który się spił. (Lee przezwał go Ochlapusem!). Jak zwykle, nie znał umiaru. Taki głupek! Pił jak kogut i wydzierał się na gości. Marina była zażenowana. „Pomyślałam, że mój mąż będzie w duchu zadawał sobie pytanie: «Do jakiej ja rodziny wszedłem?»". Strasznie to było krępujące".

W nocy, gdy wrócili do mieszkania Lee, wokół łóżka stało pełno kwiatów, które przyniosły Wala i Larysa. Na poduszce leżała nocna koszula Mariny.

Nie mieli prawdziwego miodowego miesiąca. Spędzili po prostu dwa dni w łóżku, przyzwyczajając się do siebie. Co ma powiedzieć? Prawie się nie znali. Nie mogli się wdawać w poważne dyskusje. Trochę rozmawiali, trochę się obserwowali – i tak to pomaleńku szło; nie robili z tego problemu. Pomaleńku. To, co się wyczytało w romansach, to nie dość; zawsze chce się czegoś więcej. Ale seks nie był romantyczny. Ubrania się brudziły.

Jeszcze jedno: Lee nie był wstydliwy. Chodził po mieszkaniu nago, jakby to nie było nic wielkiego. Ją to zdumiało – że mężczyzna może czuć się dobrze bez ubrania. Ale nigdy nic na ten temat nie powiedziała. Jednak jak na mińskie wyobrażenia, wydawał się ekshibicjonistą. Jeśli taki był amerykański styl zachowania, to czuła się doprawdy zaskoczona. Lee nie wstydził się nawet zostawiać otwartych drzwi, gdy był w łazience. W Rosji to nie do pomyślenia. Marina starała się wyczuć, czego on od niej oczekuje. Nie wiedziała, czego jej mężczyzna chce, musiała się tego dopiero nauczyć.

Jak się wkrótce dowiedziała, koledzy Lee w fabryce w kółko rozmawiali o seksie. Był to dla nich temat numer jeden. Właśnie dlatego Marina nigdy nie chciała się spotykać z robotnikami – przez tę ich mentalność. Gdy Alik śmiał się z czegoś, co oni opowiadali, mówiła: „Tylko nie opowiadaj im, jak się kochamy. Ani mi się waż".

Nie dość, że pierwszą kobietą Alika była Japonka, to jeszcze mówił, że nigdy nie miał żadnej Amerykanki. Tylko Japonki i Rosjanki. Marina zastanawiała się, czy mu nie brakuje doświadczenia z Amerykankami. Może powinien najpierw spróbować z dziewczyną ze swojego kraju? Nie wiedziała wcześniej, czego ma się spodziewać po tych pierwszych dniach małżeństwa. Żyła w pewnego rodzaju euforii. Nareszcie była mężatką! Na dodatek wyszła za Amerykanina. Miała w końcu to cholerne własne mieszkanie, o którym zawsze marzyła. Bóg się do niej uśmiechnął. Nareszcie! Kiedyś, rok czy dwa lata wcześniej, przechodziła z Larysą koło tej właśnie kamienicy. Z zewnątrz wyglądała przepięknie, miała wysokie balkony pomiędzy dwiema białymi kolumnami. Marina wskazała jeden z balkonów palcem i powiedziała: „Chciałabym tu mieszkać". Powiedziała to, zanim jeszcze poznała Lee. Zapytała nawet Larysę: „Nie znasz kogoś, kto tu mieszka?". Larysa odparła, że nie.

6 maja 1961

Myślimy o naszej przyszłości. Mimo iż ożeniłem się z Mariną, by dokuczyć Elli, okazuje się, że jestem w swojej żonie zakochany.

Jakiś tydzień po ślubie młodych Wala powiedziała: „Pokaż no, niech zobaczę twoją wypielęgnowaną rączkę", a Marina pokazała jej dłoń w opłakanym stanie: wszystkie paznokcie miała połamane od szorowania kamiennej posadzki na balkonie i pastowania podłóg. W tamtej chwili zadała sobie w duchu pytanie: „Czy na tym właśnie polega małżeństwo? Że ma się połamane paznokcie? O Boże!"

Przez pierwszych kilka dni – bo na dłużej nie mogli się zwolnić z pracy – wylegiwali się w łóżku i wstawali dopiero późnym popołudniem. Miesiąc miodowy poświęcili na seks; poznawali nawzajem siebie i swoje potrzeby. Marina czuła się tak, jakby wszystko jej było wolno. Nie myślała o problemach łóżkowych – teraz też nie ma ochoty o tym rozmawiać. Wiadomo, zawsze oczekuje się fajerwerków – a tu nic z tego. Myślała, że może to przyjdzie z czasem. Ale niestety. Trudno. Nie wiedziała jednak, czy to, co czuje, to ma być wszystko, dlatego w łóżku każda rzecz stanowiła problem. Nie wiedziała, co ma robić, a Lee był zawsze napalony. Później, gdy bywała zmęczona czy miała zły nastrój, nie kryła się z tym, tylko otwarcie mówiła: „Nie chcę się z tobą kochać, bo znów czuję się wykorzystywana. Co mi z tego przyjdzie? Ty może i owszem, ale ja nic z tego nie mam". Nawet jeśli było to dla niego w pewnym sensie obraźliwe, starał się jakoś zała godzić sprawę. „No, nie bądź taka – mówił. – Przecież wiesz, że cię kocham". Udawał małego chłopca i żartował. Czasami pozwalała się przebłagać. Uważa, że lubiła się kochać, ale ma opory przed mówieniem o tym. „Jacqueline Kennedy nikt nie pyta, jaki Jack Kennedy był w łóżku". A ona musi opisywać tak intymne rzeczy, jak to jest mieć kogoś w sobie. Seks jako taki to nic zdrożnego, chyba że pozwala się innym patrzeć – wtedy jest poniżający. Ale niezależnie od ich problemów zadawano jej pytanie, czy Lee był homoseksualistą. Odpowiadała na to, że będąc z nim, nigdy nie miała poczucia, że pociągają go mężczyźni, nigdy. Może w innych okolicznościach mógł być gejem, ale nie u jej boku.

Lee lubił wystawać przed lustrem i podziwiać swoje ciało, to fakt. „W ogóle nie był wstydliwy – mówiła Marina. – Podobał się sobie. Nie był wprawdzie wysoki, ale za to dobrze zbudowany. Miał zgrabne nogi. Wiedział, że mi się podobają, więc żartował. «Nie wydaje ci się, że mam boskie nogi?». Był łasy na komplementy. Dużo się śmialiśmy. Zdarzają się takie związki". Jej zdaniem, naprawdę pociągały go kobiety. Tak uważa.

Gdy dowiedziała się, jak to Lee miesiącami chodził z Ellą, nawet nie próbując jej tknąć, do niczego jej nie przymuszał, Marina zapytała, czy to możliwe, że Ella wstydziła się mówić. „Rozumiecie panowie, jestem teraz świętsza niż byłam kiedyś". A potem pomyślała: „A może aż tak bardzo mu się podobała, że jeśli go nie pragnęła, to nie naciskał?".

Lee opowiedział jej z wielkim podziwem o ślicznej Japonce, która była jego pierwszą kobietą. Marinie odcisnął się w umyśle obraz pięknego orientalnego kwiatu, za którym Lee wciąż tęsknił. Była zazdrosna. To jasne. Żyło w nim wspomnienie pięknej kobiety. Czy chciał jej, Marinie, dać coś do zrozumienia? Miała zwracać większą uwagę na urozmaicenia w seksie? Nauczyć się nowych pozycji? Chciała być lepsza, gdy Lee – zawsze z ogromną przyjemnością – opisywał rozkosze, jakich dostarczała mu owa nieznajoma japońska piękność.

5

Pierwsze dni małżeństwa

Wala uważała teraz Marinę już nie za dziewczynę, lecz za młodą kobietę. Kiedyś Marina powiedziała ciotce: „Może i mój mąż pracuje w fabryce, ale nigdy nie widziałam go brudnego. Wraca z pracy taki czysty, jakby był inżynierem".

Wala chciała, żeby mieszkanie Mariny i Lee było tak samo czyste jak Lee, często więc przychodziła pomagać w sprzątaniu. Kiedyś przyszła nawet, by umyć balkon – była to długa, żmudna i brudna robota. Pracowała już od trzech godzin, gdy Alik wrócił z „Horyzontu" na obiad. Marina postawiła jedzenie na stole, ale nie poprosiła ciotki, by usiadła razem z nimi. Później Wala powiedziała Marinie: „Nie jestem ani głodna, ani biedna, ale do dobrego obyczaju należy zaproponowanie poczęstunku, jeśli ktoś u ciebie sprząta. A wy, proszę, siedzicie sobie i jecie i nawet nie poprosicie, żebym usiadła. Trudno!". Marina widocznie powtórzyła to mężowi, bo od tamtej pory, gdy tylko Wala do nich przychodziła, Alik skakał koło niej i pytał: „Ciociu, masz ochotę na to? A na to masz ochotę?". Może chcieli tamtego wieczora pobyć wreszcie ze sobą sam na sam, ale mimo wszystko po wyszorowaniu balkonu Wala nie zasłużyła na to, żeby być potraktowana jak służąca.

Ze wspomnień Mariny:

> Maj był naszym miesiącem miodowym. Oboje oczywiście pracowaliśmy, ale popołudnia od piątej i całe niedziele mieliśmy wyłącznie dla siebie. Jadaliśmy w restauracjach, przede wszystkim dlatego, że nie miałam czasu na gotowanie obiadów […], a po drugie dlatego, że nie umiałam dobrze gotować […].
>
> Oboje uwielbialiśmy muzykę klasyczną. Mieliśmy dużo płyt Czajkowskiego, bo był to ulubiony kompozytor Alika, a także Griega, Liszta, Rimskiego-Korsakowa i Schumanna. Ulubioną operą Lee była *Dama pikowa*. W Rosji nakręcono na jej podstawie film, przepiękny film. Lee był na nim cztery czy pięć razy. Zaczęłam nawet być o tę operę zazdrosna. Po przyjściu z pracy natychmiast nastawiał płytę i przesłuchiwał ją nie raz, lecz kilka razy. Często chodziliśmy [również] do opery, do teatru, na koncerty czy do cyrku […] wielu moich znajomych zazdrościło mi takiego życia. Lee bardzo chciał mieć dziecko i martwił się, gdy miesiąc miodowy dobiegł końca, a ja nie byłam w ciąży.

I Lee, i Wala chcieli, żeby Marina od razu zaszła w ciążę. Przez pierwszy miesiąc jednak nic się nie wydarzyło i oboje byli w równym stopniu rozczarowani. Wala powiedziała nawet: „Mieliśmy nadzieję, że urodzisz dziecko, ale ty pewnie jesteś taka jak twój wujek, niezdolna do zapłodnienia". A minął ledwie miesiąc! Lee chciał mieć syna. Dałby mu na imię David. Ich syn – jak zapewniał Marinę – miał pewnego dnia zostać prezydentem Stanów Zjednoczonych. I za każdym razem, gdy Marina szła do łazienki, a przynajmniej kiedy zbliżał jej się okres, nie pozwalał jej zamykać za sobą drzwi. Chciał wiedzieć na pewno, kiedy zacznie się miesiączka. Gdy go zapytała, dlaczego jej nie ufa, odpowiedział: „No wiesz, pracujesz w szpitalu. Jeślibyś nie chciała dziecka, mogłabyś sobie załatwić zabieg. Dlatego chcę wiedzieć". Nie uraziło jej to; ona też pragnęła mieć dziecko. Myślała, że Alik się wygłupia, puściła więc to mimo uszu. Powiedziała nawet: „Dobra, nie zamykajmy drzwi" – potraktowała to jako żart. Oświadczyła mu: „Lee, chcę dziecka tak samo jak ty. Nie zrobię żadnego głupstwa". Nie było to zresztą nic wielkiego. Nie stał nad nią i nie mówił: „Chcę patrzeć, jak siusiasz" – nie, ujął to delikatniej. Wreszcie nadeszła późna wiosna i Marinę przepełniała nadzieja: „Będę miała dziecko, będę miała rodzinę". Chciała, żeby byli tak szczęśliwi, jak to tylko możliwe.

Maj

Po wielkiej miłości do Elli przyzwyczajenie się do Mariny było bardzo bolesne, tym bardziej że prawie co dzień widywałem Ellę w fabryce, ale z upływem dni i miesięcy coraz bardziej przyzwyczajałem się do mojej żony [...]. Ona od samego początku była we mnie po uszy zakochana. Przejażdżki łódką po Jeziorze Mińskim, spacery w parku, wieczory w domu albo u cioci Wali – tak minął maj.

W pierwszych tygodniach małżeństwa Lee czekał na żonę pod apteką i razem szli do domu, a gdy nadchodził wieczór, wychodził na balkon i oglądał przez lornetkę dalekie widoki. Późnym wieczorem zmywał naczynia po śniadaniu, a w te dni, kiedy mieli ciepłą wodę, robił pranie. Wchodząc bramą od ulicy Kalinina, Marina już na parterze słyszała, jak jej mąż cztery piętra wyżej śpiewa *Burłaków na Wołdze*. Do chóru by go nie przyjęto, ale w śpiew wkładał całe serce, poza tym głos miał przyjemny. I sam prał swoje robocze ubrania. Nie chciał, by żona dotykała jego brudów.

Któregoś dnia klecił jakiś mebel i uderzył się młotkiem w palec. Marina wiedziała, że go to musi boleć i – dacie wiarę? – sama też poczuła ból. Jak kochała, to na całego. Czuła, jak w bólu łączą się ich dusze. Oczywiście Lee lubił też, żeby się nim opiekować. Gdy bandażowała mu palec, zachowywał się jak mały chłopiec.

Prędko się zorientowała, że jej mąż nie lubi swojej pracy. Twierdził, że nie jest tam lubiany ani szanowany. Marina nie wiedziała, w jakiej mierze było to prawdą. Lee grał. To odkryła bardzo szybko. Może udawał nawet wobec niej.

Kilka tygodni po ślubie przyszły listy z Ameryki i w jednym z nich było zdjęcie Marguerite Oswald. Ubrana w biały fartuch pielęgniarki, siedziała na krześle. „To moja matka" – powiedział Lee. Przyjrzał się zdjęciu uważnie i powiedział: „Trochę przytyła. Dawniej nie była taka pulchna". I tyle. Marina powiedziała: „Mówiłeś mi, że twoja matka nie żyje". On odparł: „Nie chcę o niej rozmawiać".

Nie wiedziała, jak ma na to zareagować. Mówił jej, że jest sierotą. Pomyślała sobie: „O, ja głupia! Wierzyłam, że to znak, że Bóg zesłał mnie, sierocie, drugą sierotę".

Ze wspomnień Mariny:

> Jakoś tak w połowie czerwca byliśmy nad Jeziorem Mińskim [...] wygrzewaliśmy się na słońcu i pływaliśmy. To był cudowny dzień [i] Lee powiedział, że jest pewien, że [...] będziemy mieli dziecko. Nie uwierzyłam w to, ale tydzień później zemdlałam w kawiarni. Myślę, że to był pierwszy znak [...]. No i ogromna radość dla nas i dla mojej cioci [...], ale lekarze powiedzieli mi, że mogę stracić dziecko, bo mam krew bez czynnika Rh. Lee bardzo się tym zmartwił, ale kiedy zrobił sobie badanie krwi, okazało się, że on też ma Rh minus. Bardzo niewielki procent ludzi ma krew Rh minus, i ten niezwykły zbieg okoliczności – że Rh minus mają mąż i żona – szalenie nas ucieszył.

Dobre znaki są ważne. Umożliwiają przebaczenie. Można powiedzieć, że czynnik Rh okazał się decydujący. Może faktycznie Bóg przeznaczył Lee dla pewnej dziewczyny z Leningradu.

<u>Czerwiec</u>
Ciąg dalszy maja, z tym że jesteśmy sobie coraz bliżsi i teraz bardzo mało myślę o Elli [...].

6
Z powrotem do Ameryki

Gdy Marina zaszła w ciążę, Lee któregoś wieczoru pokazał jej słynny podręcznik doktora Spocka. Nie wiedziała, czy miał go ze sobą cały czas, czy też poprosił matkę, żeby im go przysłała. Co dzień tłumaczył jej jakiś fragment i swoimi słowami (choć prawa autorskie należały do doktora Spocka) opowiadał o tym, jak się rozwija embrion. Rozpierała go duma. Bawił się w lekarza i Marina czuła, że stają się sobie bliżsi. Zrobił nawet postępy w rosyjskim. Rozwijał się.

Lubiła jego zwyczaj odkładania wszystkiego na bok, kiedy zabierał się do czytania. Nic go nie mogło rozpraszać, gdy czytał. Był wprawdzie na bakier z ortografią, ale można mu to wybaczyć. Rosyjski to trudny język. Nawet nie wszyscy rodowici Rosjanie umieją ortograficznie pisać. Nie był też mocny w gramatyce, ale mówić, owszem, mówił. Bardzo się do tego przykładał. Zacinał się naprawdę rzadko. Co prawda, nie miał dużego zasobu słów, ale za to niezłą wymowę.

Ale Marina jednak była w ciąży – a „to zupełnie inny język". Czasami czuła, że w ogóle nie są sobie bliscy. Z każdym tygodniem to wrażenie się pogłębiało. Może to normalny objaw? „Nadal mnie kochasz – mówił jej Lee. – To tylko zaburzenia hormonalne". Czuła do niego lekki wstręt. Gdy go lepiej poznała, doszła do wniosku, że jest skąpy. Chciała jakoś urządzić mieszkanie, ale on uparcie na to nie pozwalał. „Nie – upierał się. – Mamy wszystko, czego nam trzeba". Tak, to prawda, ale ona chciała uczynić ich gniazdko bardziej przytulnym, a on trzymał kasę żelazną ręką.

Nie podobało jej się to. Oddawała mu swoją pensję i nie miała własnego grosza. Nie było tak, że oboje mogli korzystać ze wspólnych pieniędzy. Wszystko miał on.

Przed ślubem nie widziała potrzeby, by jedno musiało kontrolować drugie; ale była po prostu niedoświadczona. Sądziła, iż będzie mogła nadal być sobą, i nawet przez myśl jej nie przeszło, że mąż będzie jej mówił, co ma robić. Wierzgała, gdy starał się nad nią dominować. Zanim się pobrali, to ona kontrolowała sytuację; po ślubie zasady się zmieniły. Mimo wszystko jednak wciąż często się zdarzało, że bywała mile zaskoczona. Słuchali na przykład muzyki klasycznej w radiu, a on wiedział, czyjego utworu właśnie słuchają. Bardzo często bawili się w zgadywankę: ona mówiła, że to ten a ten kompozytor, on zaś, że inny; i wiele razy on miał rację. To było wspaniałe. Umiał rozpoznać, czy dany utwór jest dziełem Bacha, Chopina czy Wagnera.

Lee nauczył ją też grać w remika. U nich w domu w Archangielsku babcia nie pozwalała na grę w karty. Z kart to jeno diabeł ma uciechę. Dlatego Marina nigdy nie interesowała się grami karcianymi, a teraz grywała z Lee w remika. Zazwyczaj ją ogrywał. Cieszyło go to: „Widzisz, znów wygrałem!". Wydawało się to dla niego ważne. A jej było wszystko jedno. Ktoś przecież musi przegrywać.

Czasami przez okamgnienie – przez krótką chwilę – widziała, jaki jej mąż jest naprawdę. A potem znów zakładał maskę. Wstydził się okazać bezbronność. Mógł być sobą tylko w chwilach intymnych – mały chłopczyk, który chce zwrócić na siebie uwagę. A potem udawał, że niczego nie potrzebuje. „Izolował się – mówiła Marina – i grał przed ludźmi. Nie traktował ich jak istot ludzkich".

Któregoś dnia, kiedy miały się odbyć wybory powszechne, o siódmej rano zapukali do nich ludzie zatrudnieni w komisji wyborczej. Lee kazał im odejść – było za wcześnie. Gdy przyszli jeszcze raz, nie chciał im otworzyć. Krzyczał w kółko: „To wolny kraj!". Oni stali za drzwiami, a on prawił im kazania. Marina nie pamięta, czy sama poszła w końcu głosować, czy nie, ale Lee powtarzał jej, że w radzieckiej konstytucji jest napisane, że to wolny kraj. Nikt nie ma prawa na siłę zaciągać człowieka do urn wyborczych. Z samego rana więc musiała wysłuchać wykładu o polityce. Oczywiście nigdy nie wczytywała się w radziecką konstytucję. To znaczy, uczyła się jej w szkole, zdała nawet z niej egzamin, ale teraz nie pamięta ani słowa. Mąż musiał ją więc uczyć o systemie panującym w jej własnym kraju i mówić, że konstytucja nie jest przestrzegana jak należy.

Lubił też, żeby była w domu, kiedy on wraca z pracy. Jeśli przyszła choć dziesięć minut po nim, był rozdrażniony. „Gdzie byłaś? – pytał. – Dlaczego się spóźniasz?". Marina myśli, że może właśnie od tego zaczęła się jego kontrola nad nią. Lee miał w fabryce ściśle określone godziny pracy, ona w aptece też, ale czasami wstępowała do sklepu, trudno więc było przewidzieć, które z nich pierwsze znajdzie się domu.

W czasie ciąży bardzo wyczulił jej się węch. Cuchnęły jej ściany, a nawet balkon, gdy otwierała drzwi balkonowe. Wciąż czuła kuchenne zapachy. Nie miała też apetytu. No i Lee. Nawet jeśliby go wykąpać we wrzątku, nadal wydzielałby ten swój charakterystyczny zapach. Dlatego w drugim miesiącu ciąży, kiedy zaczął być jej trochę niemiły, wyszukiwała powody do kłótni. I zastanawiała się, czy dobrze zrobiła, wychodząc za niego za mąż – czy to nie był błąd? Może wcale tego człowieka nie kochała.

W niedługim czasie dowiedziała się, że Lee ma nie tylko matkę, ale też żonatego i dzieciatego brata. Nagle się okazało, że jej mąż posiada całkiem sporą rodzinę – zaczął dostawać więcej listów. Ponieważ nie znała angielskiego, nie wiedziała, co w nich jest, ale pewnej niedzieli się dowiedziała. Lee obudził się i zapytał ją: „Gdybym mógł wrócić do Ameryki, pojechałabyś ze mną?". „Żartujesz sobie" – odpowiedziała. On odparł: „Nie, nie żartuję, istnieje taka możliwość. Nie wiem, czy coś z tego wyjdzie, ale jeśli tak, pojechałabyś wtedy ze mną?". Poczuła wówczas, że Lee naprawdę ją kocha. Odpowiedziała jednak: „Nie wiem. Boję się". Wzięła głęboki oddech i dodała: „Dobrze. Pojadę".

Rozmowa nie była taka krótka – trwała może godzinę, a może wracali do niej przez kilka dni – ale w końcu Marina wyraziła zgodę. Lee powiedział: „Powiedziałem facetom w ambasadzie amerykańskiej, że chcę się zrzec mojego paszportu. Może więc nie pozwolą mi wrócić. Mogą zaistnieć komplikacje. Będę musiał napisać niejeden list. Moja matka nam pomoże. To co, pojedziesz?". Gdy wreszcie powiedziała „tak", usłyszała: „Nie chcę, żebyś mówiła o tym cioci Wali ani nikomu z rodziny. Tak samo w pracy. Na razie. Bo może nic z tego nie wyjdzie".

Marina nie wierzyła, że to się może spełnić. Nawet później, gdy musiała wypełniać formularze, wciąż jeszcze nie wierzyła. Marząc o poślubieniu cudzoziemca, nie brała pod uwagę wyjazdu z kraju. Pragnęła po prostu znaleźć mężczyznę z własnym mieszkaniem. Nie chciała gnieździć się u kogoś. To była dla niej największa zaleta małżeństwa: własne mieszkanie. A wyjście za cudzoziemca dodatkowo jej pochlebiało i miało w sobie coś z przygody. Czasami marzyła: jak by to było cudownie popracować parę lat w Czechosłowacji... Albo w NRD... Kupić sobie fajny samochód, ładnie się ubierać. Mając Amerykanina za męża, mogła mówić dziewczynom w pracy: „Widzicie, kogo ja mam? A wy macie tylko rosyjskie zera". One pytały wtedy: „A twój mąż niby nie jest robotnikiem?". Ona na to: „To się nie liczy. Jest cudzoziemcem. Nazywa się Lee Oswald, a nie jakiś tam Wania".

Ale teraz nowe perspektywy zaczęły ją przerażać. Wyjechać do Ameryki! Było to tym straszniejsze, że nie mogła o niczym powiedzieć rodzinie, a i w pracy musiała trzymać język za zębami. W lipcu Alik powiedział, że być może będzie musiał po cichu wyskoczyć do Moskwy do ambasady amerykańskiej. Zastanawiała się, czy przyjdzie po nią wtedy KGB, czy może wezwą ją, gdy będzie w pracy? Nie wiedziała, w jaki sposób KGB nawiązuje kontakty.

Nie miała też pojęcia, że jej mąż przez połowę zimy korespondował z urzędnikami amerykańskimi w Moskwie. Ponad miesiąc przed ich pierwszym spotkaniem, już na początku lutego 1961 roku, wysłał do ambasady list z prośbą o zwrócenie mu paszportu, który zostawił na biurku Richarda Snydera pod koniec października 1959 roku. Snyder wysłał mu odpowiedź, w której zaproponował, by Oswald wybrał się do Moskwy i omówił z nim tę sprawę osobiście. Od tamtej pory byli w kontakcie. Przez wszystkie lata małżeństwa Oswald nieraz jeszcze miał okłamać żonę, ale chyba żadne późniejsze kłamstwo nie było tak poważne, jak jego decyzja o ukryciu przed przyszłą żoną oraz Walą i Ilją faktu, że duchowo był już nieodwołalnie w drodze powrotnej do Ameryki.

Część VI

Początek długiej podróży do domu

1

Kilka słów od autora

Do tej pory niemal wszyscy znajomi Oswalda byli Rosjanami. Gdy jednak zainteresowanie Lee przeniosło się z rosyjskich kolegów, przyjaciół i sympatii na przedstawicieli amerykańskich władz, jego uwagę w coraz większym stopniu pochłaniała biurokracja USA i ZSRR.

Zajmijmy się więc tym. Ta książka odkrywa przecież właśnie drobne prawdy z różnych punktów widzenia. Obserwujemy w niej nasz obiekt (jak KGB określało śledzonego przez siebie człowieka), patrzymy, jak wchodzi w coraz to inne relacje z coraz to innymi ludźmi, tworząc niepowtarzalne układy, niczym w kalejdoskopie. W ten sposób mamy nadzieję wniknąć w duszę Lee Harveya Oswalda.

Gdy się weźmie pod uwagę różnorodne interpretacje jego osobowości i postępowania, Oswald istnieje jako prawie niewidzialny bohater całego wachlarza krańcowo różnych scenariuszy – od scenariusza Marka Lane'a, który gotów jest na powrót wszcząć dochodzenie, do Geralda Posnera, który zrobiłby wszystko, by je zamknąć. Nie sposób wymienić z nazwiska nawet ułamka tej nieskończonej niemal liczby adeptów sztuki pisarstwa faktograficznego, którzy ukazywali osobę Oswalda jako ogniwo takiego czy innego spisku.

Może więc bardziej na miejscu będzie pytanie: jakim człowiekiem był Oswald? Czy potrafimy współczuć mu z powodu jego problemów, czy też w końcu będziemy go postrzegać jako jedną z kosmicznych omyłek natury, jako potwora?

W tym miejscu – równie dobrze, jak gdzie indziej – można się przyznać, że aby dotrzeć do istoty jego człowieczeństwa, dopuszczono się pewnych drobnych nieścisłości. Tak jak fotografie zanurza się w odczynnikach, by kontury nabrały wyraźnego zarysu, tak listy i pisma Oswalda zostały poprawione pod względem ortografii i interpunkcji. Oswald był dyslektykiem i czasami popełniał tak liczne błędy, że ta korespondencja zamiast wyrażać jego osobowość, jedynie ją zacierała – gdyby sądzić po najgorzej napisanych listach, wydawałby się przygłupim analfabetą. Biorąc jednak pod uwagę fakt, że miał wówczas dopiero ledwo ponad dwadzieścia lat, można by w nim nawet nie bez pewnej racji widzieć młodego intelektualistę. By się o tym przekonać, warto zajrzeć do apendyksu. To, że nie miał szczególnie szerokich horyzontów intelektualnych, także jasno wynika z jego listów, nawet w wersji poprawionej, ponieważ zaś dajemy mu w tym względzie fory, by móc dokładniej przyjrzeć się działaniu jego umysłu, podkreślmy, jak wielkim kalectwem jest dysleksja dla człowieka mającego zadatki na dobrego polemistę. To inwalidztwo tak tragiczne, jak reumatyzm palców dla wirtuoza skrzypiec. (W skład apendyksu wchodzi również krótka rozprawka o schorzeniach towarzyszących dysleksji, pióra doktora Howarda Rome'a z kliniki Mayo w USA, napisanej dla potrzeb Komisji Warrena.)

Może dopiero pod koniec książki okaże się, czy taki sposób podejścia do sprawy – próba zgłębienia natury człowieka przed ustaleniem ostatecznej wersji wydarzeń – jest skuteczny w dociekaniu, jak i dlaczego zginął prezydent Kennedy. Do tego czasu jednak wciąż będziemy pytać, kto za tym stał i jaka działała tu konspiracja. Ludzki umysł praktycznie nie godzi się na przyjęcie wersji, że nie liczący się człowieczyna, sam jak palec, powalił tytana w otoczeniu swych legionistów, swych limuzyn, tłumu swoich zwolenników i swojej ochrony. Jeśli takie zero unicestwiło przywódcę najpotężniejszego narodu świata, prowadzi to do wniosku, że żyjemy w świecie chaosu i absurdu. Problem więc do pewnego stopnia się zawęża: jeśli uznamy, że Oswald sam zabił Kennedy'ego, spróbujmy przynajmniej zrozumieć, czy był on zabójcą realizującym swoją wizję, czy też mordercą, który żadnej wizji nie miał. Musimy mu się przyjrzeć z punktu widzenia wielu ludzi – najpierw w ZSRR, a zaraz potem w Ameryce – a nawet spróbować go obejrzeć przez okulary biurokracji. Aż nazbyt często nie mamy do dyspozycji nic prócz tego. Zechciejmy więc zrozumieć, że dla dobra publicznego zawsze istotne jest rozróżnienie, czy akt morderstwa jest nieplanowany i bezmyślny, czy też jest krzykiem gniewu płynącego z przepełnionego goryczą serca człowieka opanowanego obsesją niesprawiedliwości.

Dotarliśmy wreszcie do filozoficznego sedna naszych dociekań: oto wiemy już, że łatwiej przyjdzie nam się pogodzić z nagłą śmiercią tak wielkiego człowieka, jak John Fitzgerald Kennedy, jeśli okaże się, iż jego zabójcę możemy postrzegać jako postać tragiczną, a nie absurdalną.

Zasadniczą rolę odgrywa tu fakt, że gatunek literacki, którego przedstawiciele zajmują się tego rodzaju problemami, do cna przeżarty jest absurdem. Fundamentem, na którym opieram to stwierdzenie, jest wciąż potężniejąca góra śmieci postmodernistycznego dziennikarstwa, w którym wszystko jest równie uprawnione i nic nie podlega ocenom moralnym.

2

Korespondencja

13 lutego do ambasady amerykańskiej wpłynął list Lee Harveya Oswalda o treści zdumiewającej zarówno dla Departamentu Stanu USA, jak i dla funkcjonariuszy KGB. Wysłany z Mińska z datą 5 lutego 1961 roku, list ów po ośmiu dniach dotarł do Richarda Snydera w Moskwie.

Mimo iż wydaje się absolutnie niemożliwe, by Igor i Stiepan nie przechwycili wówczas korespondencji od swojego zbiega numer jeden, nie byli chętni do wyjawienia, jak wówczas zareagowali. Jednak, znając z ich opowieści stosunek obu do tej sprawy, można założyć, iż niewątpliwie postanowili czekać i obserwować bieg wydarzeń.

Oto wspomniany list Oswalda:

Szanowni Państwo,

[...] proszę o rozpatrzenie mojej prośby o zwrócenie mi amerykańskiego paszportu.

Pragnę powrócić do Stanów Zjednoczonych, to znaczy powrócić pod warunkiem rezygnacji władz z jakiegokolwiek postępowania karnego wobec mojej osoby. Jeśli uzyskam decyzję pozytywną, to będę mógł zwrócić się do władz radzieckich z prośbą o zezwolenie na wyjazd. Gdybym mógł im okazać amerykański paszport, jestem przekonany, że uzyskałbym wizę wyjazdową.

Tutejsze władze nie naciskały, bym przyjął obywatelstwo radzieckie. Mieszkam tu posiadając tymczasowe dokumenty przysługujące cudzoziemcom.

Nie wolno mi wyjechać z Mińska bez odpowiedniego pozwolenia, dlatego piszę, zamiast zjawić się osobiście.

Mam nadzieję, że skoro ja pamiętam o swoich obowiązkach względem Ameryki, to i Wy spełnicie swój obowiązek wobec naszej ojczyzny i zrobicie wszystko, co w Waszej mocy, by mi pomóc, ponieważ jestem obywatelem USA.

Z poważaniem
Lee Harvey Oswald

Ambasada amerykańska w Moskwie zwlekała z odpowiedzią, aż wreszcie 28 lutego pocztą dyplomatyczną zwróciła się z prośbą o instrukcje do Departamentu Stanu USA:

[...] zaproszenie z ambasady może ułatwić mu podróż do Moskwy. Jeżeli więc Departament Stanu nie będzie miał co do tego zastrzeżeń i pod warunkiem, że ambasada będzie w miarę pewna, iż Oswald nie popełnił żadnego czynu kwalifikującego go do pozbawienia obywatelstwa, możemy mu w ostateczności przesłać paszport amerykański pocztą, jeżeli ma mu to pomóc w ubieganiu się o radziecką wizę wyjazdową.

Ambasada pragnęłaby zostać poinformowana, czy Oswald będzie z jakiegokolwiek powodu postawiony w stan oskarżenia z chwilą wjazdu na teren pozostający pod jurysdykcją Stanów Zjednoczonych, a jeśli tak, to czy istnieją powody, by go o tym nie informować.

W zastępstwie ambasadora

Edward L. Freers,

doradca ministra

Odpowiedź do Oswalda Richard Snyder wystosował jeszcze tego samego dnia, 28 lutego:

Szanowny Panie Oswald,

Otrzymaliśmy Pański list dotyczący powrotu do Stanów Zjednoczonych [...].

Ponieważ kwestia Pańskiego statusu obywatela amerykańskiego może zostać ostatecznie rozstrzygnięta wyłącznie na podstawie osobistej rozmowy, proponujemy, by stawił się Pan w ambasadzie w dogodnym dla pana terminie. Dział konsularny ambasady otwarty jest od godz. 9.00 do 18.00 [...].

Warto tu zamieścić wymianę zdań między Geraldem Fordem z Komisji Warrena a Richardem Snyderem:

FORD: [Pańska odpowiedź] została wysłana z ambasady po piętnastu dniach.

RICHARD SNYDER: Proszę pamiętać, że dla mnie, jako urzędnika, pan Oswald nie miał pierwszeństwa przed innymi petentami ambasady. Zresztą mimo iż urzędnik konsularny stara się być w tych sprawach tak obiektywny, jak to tylko możliwe, w rzeczywistości bardzo trudno jest nie podchodzić do tego osobiście.

Muszę powiedzieć, że pan Oswald nie miał powodu, by oczekiwać ode mnie szczególnych względów.

Oswald z kolei też zdawał się nie uważać sprawy za pilną. 12 marca, zaledwie pięć dni przed pierwszym spotkaniem z Mariną na potańcówce w Pałacu Związkowym, odpisał na list Snydera z 28 lutego. Z tonu jego odpowiedzi możemy wywnioskować, że spodziewa się przechwycenia i przeczytania listu przez KGB, dobiera więc słowa tak, by były możliwie najmniej irytujące.

Szanowni Państwo,

W odpowiedzi na niedawno otrzymany list oświadczam, iż nie jestem w stanie przyjechać do Moskwy jedynie w celu przeprowadzenia rozmowy.

Wydaje mi się, że w swoim ostatnim liście wyraziłem się jasno, iż nie mogę bez pozwolenia opuścić Mińska.

Również w Stanach Zjednoczonych, jak mi się zdaje, istnieje prawo regulujące przemieszczanie się z miasta do miasta obywateli pochodzących z krajów socjalistycznych.

Nie uważam, by stosowne było ubieganie się o zgodę na wyjazd z Mińska w celu złożenia wizyty w ambasadzie amerykańskiej. W każdym razie oczekiwanie na wydanie zgody bardzo długo trwa, a jak zauważyłem, miejscowe władze wahają się nawet, czy nadawać sprawie bieg.

Nie mam zamiaru zagrozić sam mojej obecnej pozycji, a jestem pewien, że i Państwo by sobie tego nie życzyli.

Nie rozumiem, dlaczego wszelkich wstępnych pytań nie można ująć w formie kwestionariusza i przesłać mi go. Rozumiem, iż osobisty kontakt niewątpliwie nastręcza pracownikom ambasady mniej trudności niż prowadzenie korespondencji, jednakże zdarzają się przypadki, w których trzeba stosować inne metody.

Z poważaniem
Lee Oswald

Ostatni akapit listu Oswalda wydaje się co najmniej ironiczny; odpowiedź Snydera z 24 marca była sucha.

Szanowny panie Oswald,

[...] Jak już napisałem w poprzednim liście, ostatecznej oceny Pańskiego obecnego statusu obywatela amerykańskiego dokonać można wyłącznie na podstawie osobistej rozmowy [...].

Proponujemy, by z odpowiednim wyprzedzeniem poinformował nas pan o planowanej wizycie w ambasadzie, by zapewnić sobie bezzwłoczną rozmowę, poza godzinami urzędowania lub w ich czasie. Niniejszy list może Pan przedstawić władzom w Mińsku, ubiegając się o pozwolenie na podróż do Moskwy [...].

3

Biurokratyczne sondowanie

Teraz Departament Stanu musi się zmierzyć z kwestią formalną: jaki jest właściwie status Oswalda? Jeżeli nie zrzekł się obywatelstwa, to jak ma otrzymać z powrotem paszport? Czy można go przesłać do Mińska pocztą? Poważna sprawa. Dokument może przecież zostać przechwycony i zastąpiony falsyfikatem. Laboratoria KGB z pewnością dysponują równie dobrym sprzętem, jak FBI i CIA.

27 marca Departament Stanu przesłał instrukcje do ambasady amerykańskiej w Moskwie:

[...] jeżeli jesteście w pełni przekonani, że [Oswald] w żaden sposób nie kwalifikuje się do pozbawienia obywatelstwa, wolno wam przedłużyć ważność jego amerykańskiego paszportu do chwili bezpośredniego powrotu do Stanów Zjednoczonych i – z zachowaniem odpowiednich środków ostrożności – przesłać mu paszport pocztą.

Departament Stanu nie jest upoważniony do informowania pana Oswalda o tym, czy po upragnionym powrocie do USA zostanie oskarżony o ewentualne przestępstwa, naruszające prawo Stanów Zjednoczonych lub prawa poszczególnych stanów [...].

Cztery dni później, 31 marca, biurokratyczny unik „niebycia upoważnionym do informowania pana Oswalda" musi zderzyć się z przekonywającym powodem wydania mu pozwolenia na powrót do Stanów Zjednoczonych. Pewien urzędnik Departamentu Stanu, o nazwisku Hickey, wysłał poufne wewnętrzne memorandum do kolegi nazwiskiem White:

[...] uważa się, że nawet spore ryzyko, związane z przesłaniem paszportu pocztą [...] z powodzeniem zrównoważy okazja do uzyskania od p. Oswalda informacji dotyczących jego życia w Związku Radzieckim. Zatem w najlepiej pojętym interesie Stanów Zjednoczonych uważa się, że powinniśmy zrobić wszystko, co w naszej mocy, by ułatwić Oswaldowi przyjazd do Stanów Zjednoczonych. A posiadanie przez niego paszportu może ułatwić mu zdobycie pozwolenia na wyjazd.

Będzie to tkwiło w podtekście wielu przyszłych listów. Ponieważ zaś każda ze stron miała głęboko zakorzenione mylne pojęcie o drugiej, obie oddałyby wiele, by uzyskać choć garstkę informacji o życiu codziennym przeciwnika. W Departamencie Stanu narośnie w końcu pokaźna sterta sprzeciwów, precedensów, kruczków prawnych, rozkazów, list sankcji i przypadków ich zniesienia, lecz spod całej tej sterty papieru przeziera fakt: Oswald jest potrzebny. Informacje o życiu w Związku Radzieckim, jakie można by od niego uzyskać, mają taką wagę, że dzięki nim zdoła on pokonać sporo biurokratycznych przeszkód. Ale nim to wreszcie nastąpi, nieźle się przy tych przeszkodach namęczy!

25 maja do ambasady przychodzi list od Oswalda datowany jedynie „maj 1961". Ponad miesiąc minął, nim odpisał na list Snydera, pamiętajmy jednak, że to początkowy okres małżeństwa z Mariną.

Szanowni Państwo!

W odpowiedzi na list z dnia 24: rozumiem powody przemawiające za koniecznością osobistej rozmowy w ambasadzie, chciałbym jednak wyjaśnić, że nie proszę wyłącznie o prawo powrotu do Stanów Zjednoczonych, lecz również o pełną gwarancję, że cokolwiek się stanie, nie zostanę oskarżony za żadne działania z tym związane. Wynikało to jasno z mojego pierwszego listu, choć w mojej korespondencji z ambasadą nawet oględnie do tego nie nawiązałem. Jeśli jednak są Państwo przekonani, że warunek ten nie może zostać spełniony, to nie widzę powodu kontynuowania korespondencji. W takim wypadku postaram się poprosić krewnych w Stanach Zjednoczonych, by postarali się coś wskórać w Waszyngtonie.

Co do przyjazdu do Moskwy – musiałaby to być moja własna inicjatywa, jeśli jednak uznałbym, że ryzyko wdania się w niezręczną sytuację jest tego warte, tobym je podjął. Poza tym od czasu napisania ostatniego listu ożeniłem się.

Moja żona jest Rosjanką urodzoną w Leningradzie. Jej rodzice nie żyją. Jest gotowa wyjechać ze Związku Radzieckiego i zamieszkać w Stanach Zjednoczonych.

Nie wyjadę stąd bez żony, zatem należałoby poczynić starania, żeby mogła opuścić ZSRR równocześnie ze mną [...].

Z powodu tej dodatkowej komplikacji proponuję, by sprawdzili Państwo, co się da zrobić, nim odpiszą mi Państwo na list i poinformują, jakie mam poczynić kroki.

Uważam, że wypowiedziałem się w tym liście szczerze. Mam nadzieję, że Państwo odpłacą mi tym samym.

Z poważaniem
Lee Harvey Oswald

Nie wiadomo, jaka konkretnie była reakcja Departamentu Stanu na tę „dodatkową komplikację", ale można się domyślać, że trudno im było o niecodziennym petencie zapomnieć. Sytuacja stawała się coraz bardziej napięta.

4

Znowu w Moskwie

Biorąc pod uwagę ślimacze tempo korespondencji ze Snyderem oraz to, że wciąż nie przesyłano Oswaldowi paszportu, staje się oczywiste, że prawdopodobnie będzie on musiał zaryzykować nielegalną wycieczkę do Moskwy, by złożyć wizytę w ambasadzie amerykańskiej. Ależ to istna rosyjska ruletka!

W dokumencie przesłanym w maju 1964 roku przez J. Lee Rankina z Komisji Warrena do Abrama Chayesa w Departamencie Stanu oceniono tę sytuację w długi czas po podjęciu ryzyka:

PYTANIE

Akta wskazują na fakt, iż Lee Harvey Oswald uważał, że nie może wyjechać z Mińska do Moskwy w celu omówienia z urzędnikami amerykańskimi swojego powrotu do Stanów Zjednoczonych bez uprzedniego zezwolenia na wyjazd od władz radzieckich w Mińsku [...]. Czy dysponuje Pan jakimiś informacjami bądź spostrzeżeniami dotyczącymi praktycznej strony takiej podróży, jeśli miałby ją podjąć obywatel radziecki czy też osoba znajdująca się w takim położeniu jak Oswald?

ODPOWIEDŹ

Na tym polu nie można wprowadzać uogólnień. Z przesłuchań ludzi mieszkających niegdyś w Związku Radzieckim i uważanych przez tamtejsze władze za „bezpaństwowców"
wynika, iż bez zezwolenia milicji nie wolno im było opuszczać miejscowości, w których
mieszkali. Ubiegający się o takie zezwolenie zobowiązani byli wypełnić kwestionariusz,
w którym należało podać powód i cel podróży, długość pobytu, adresy osób, które zamie-
rzało się odwiedzić itd.

Wiemy jednak, że mimo tych wymagań przynajmniej jedna osoba „bezpaństwowa"
często podróżowała bez pozwolenia władz. Twierdzi ona, że milicjanci z posterunków
przy dworcach kolejowych zwykle sprawdzali papiery co dziesiątego podróżnego, ale że
łatwo było takiej kontroli uniknąć. Te zaś osoby, które zostały przyłapane na łamaniu
owego nakazu, były eskortowane przez milicję do swojej miejscowości i skazywane na
krótki pobyt w areszcie oraz grzywnę. Wyroki bywały surowsze, jeśli wykroczenie popeł-
niono kilkakrotnie.

To istotnie doskonały przykład rosyjskiej ruletki. Jeśli sprawdzany jest co dziesiąty pasażer, to szanse Oswalda są jak 9 do 1. Ponieważ zaś Oswald musi przecież też wrócić do Mińska, jego szanse zmniejszają się nieco i wynoszą 9 do 2.
Jeśli w magazynku jest sześć komór, a tylko jedna kula, to szansa, że po naciś-
nięciu spustu pozostanie się przy życiu, wynosi 5 do 1. Można jednak z dużą
dozą pewności założyć, że jeśli miałoby się naprawdę zagrać w rosyjską ruletkę, prawdopodobieństwo śmierci na miejscu, w każdym razie jeśli jego miarą
miałby być strach, byłoby równe szansie przeżycia.

To samo można powiedzieć o podróży Oswalda do Moskwy. Przez pierwsze
miesiące ciąży Mariny, aż do początku lata, Oswald żył z dręczącą go myślą, że
musi się odważyć na podjęcie tego ryzyka. A ani na jego nastrój, ani na pewność siebie zapewne nie działała dobrze świadomość, że człowiekiem, z którym
nieuchronnie musi się w ambasadzie spotkać, będzie Richard Snyder.

Czerwiec

Postanowiłem wziąć dwutygodniowy urlop i pojechać do Moskwy (bez zezwolenia milicji), do ambasady amerykańskiej, by dopilnować zwrócenia mi paszportu i załatwić, żeby moja żona mogła razem ze mną wjechać do Stanów.

Wcześniej, jeszcze w zimie, na przełomie lat 1960 i 1961, Oswald chciał się wybrać na autokarową wycieczkę do Moskwy z kolegami z fabryki, lecz to mu się
nie udało. Koledzy po prostu pojechali, nie informując go o swoich planach.
„Uważaliśmy wówczas – mówi Igor – że Oswald nie powinien znaleźć się w tej
grupie pracowników „Horyzontu". Igor może wyliczyć swoje zastrzeżenia: co tak
naprawdę Oswald zamierzał w Moskwie robić? Może miał odwiedzić jakąś kryjówkę, gdzie mógłby otrzymać sprzęt czy instrukcje albo nadać jakieś informacje
przez radio. Może odwiedziłby skrzynkę kontaktową i coś w niej zostawił? Po-

nieważ zaś miński KGB raczej nie mógł sobie pozwolić na wydatki związane z wysłaniem do Moskwy ludzi, którzy mieliby Oswalda śledzić, a z kolei moskiewska centrala zapewne nie byłaby zachwycona zakusami na jej budżet, miński KGB powziął decyzję o uniemożliwieniu Oswaldowi udziału w wycieczce.

Gdy jednak Oswald wybrał się do Moskwy podczas swojego czerwcowego urlopu w roku 1961 i złożył wizytę w ambasadzie amerykańskiej, by omówić swój powrót do USA, nie wzbudził podejrzeń. Ostatecznie, teraz przecież – jak słusznie zauważa Igor – wiedzieli już, że nie podoba mu się u nich, z politycznego punktu widzenia nie było więc powodu, by go zatrzymywać. Pomimo sprzyjających warunków, jakie stworzyli dla niego Rosjanie, wciąż nie chciał przyjąć radzieckiego obywatelstwa. A zatem trudno. Niech sobie wraca do Ameryki. KGB nie miał zamiaru przeszkadzać mu w nielegalnej podróży do Moskwy, ponieważ z korespondencji Oswalda wiedział już, jakie on ma intencje. Gdyby nie mieli w KGB pojęcia, dokąd i po co się wybiera, to owszem, podjęliby odpowiednie kroki. Ale cel Oswalda był oczywisty.

Okazało się jednak, że mimo wszystko pozostawał wówczas w Moskwie pod obserwacją. Można jednak powiedzieć, że nie zrobił nic, co wzbudziłoby podejrzenia, twierdzi Igor.

8 czerwca
Wyleciałem samolotem z Mińska o 11.20. Po łzawym i pełnym niepokoju pożegnaniu z żoną, dwie godziny i dwadzieścia minut później byłem już w Moskwie [...]. Z lotniska dostałem się do centrum, trudno się było poruszać, taki panował ruch. Dopiero o trzeciej po południu dotarłem do ambasady. Była sobota – a jeśli już jest po godzinach urzędowania? Po wejściu do środka zastałem puste gabinety, ale udało mi się skontaktować te lefonicznie ze Snyderem (bo cały personel mieszka w budynku ambasady). Zszedł, żeby się ze mną przywitać, uścisnął mi dłoń. W rozmowie poradził mi, żebym przyszedł w poniedziałek z samego rana.

5

Francuski szampan

Lee tak się bał, że zostanie aresztowany za próbę dostania się do Moskwy, że wciąż analizował swoje położenie, mówi Marina. Wypisywał sobie na kartce wszystkie jego plusy i minusy, by przemyśleć wszelkie możliwe warianty działania.

W czerwcu, po podjęciu ostatecznej decyzji, wciąż nie wiedział, czy wejścia do ambasady amerykańskiej nie zagrodzą mu radzieccy wartownicy. Marina zastanawiała się później, czego jej mąż bał się bardziej: że Sowieci nie pozwolą mu wyjechać czy że Amerykanie przymkną go za wyjawienie poufnych informacji.

Sama zresztą też się bała. Spodziewała się, że Lee zostanie przyłapany na podróżowaniu bez zezwolenia.

Jego jednak nic nie mogło powstrzymać. Powiedział jej: „Nie przeżyję kolejnej rosyjskiej zimy".

Tyle się działo naraz! 8 czerwca, tego samego dnia, kiedy Alik poleciał do Moskwy, w pracy był do niej telefon. Usłyszała w słuchawce: „Marina, tu Lonia". Głos z przeszłości. „Co robisz dziś wieczorem?" – zapytał Leonid Gelfant, jej elegancki znajomy, młody architekt, z którym spotkała się jakieś sześć razy, zanim poznała Lee. Zapytała go: „Po co dzwonisz? Wiesz przecież, że jestem mężatką". Odpowiedział: „Jest sobota; pomyślałem, że spróbuję". Marina na to: „Tak się składa, że mój mąż wyjechał. Nie robię nic konkretnego. Idę po pracy do domu, wezmę prysznic, posiedzę sobie spokojnie". On zaproponował: „Może zjesz ze mną kolację? Mam francuskiego szampana". Dodał jeszcze, że pod nieobecność kolegi zamieszkał w jego gustownie urządzonym mieszkaniu i że miło by mu było przyjąć ją w takim otoczeniu.

Marina wystroiła się więc i poszła z Lonią do kina, a później do mieszkania jego kolegi. Postanowiła, że zrobi próbę. Może wcale nie kochała Lee? Może jednym z powodów spotkania z Gelfantem był strach przed wyjazdem do Ameryki? Może zastanawiała się, czy ten jej dawny znajomy wciąż ma u niej szanse: podobał jej się, był Żydem, miał wspaniałe maniery. Może gdyby ją naprawdę bardzo mocno kochał, rozwiodłaby się z Lee? Pod koniec wieczoru jednak musiała mu powiedzieć, że jest jeszcze za młody na małżeństwo.

Czuła się brudna. Palił ją wstyd. Biegiem wróciła do domu. „Jak mogłam – zadawała sobie w kółko pytanie – jak mogłam zdradzić Lee?". Gdy dobiegła do domu, omal nie zwymiotowała. Klęczała na podłodze w łazience. Do dziś nie lubi wspominać tamtego dnia; „chociaż czas to gorzkie lekarstwo, jest lekarstwem najskuteczniejszym" – mówi.

Leonid przyznaje, że niezbyt obchodził go fakt, iż Marina jest mężatką. Za ważniejszy uznał fakt, że tamtego wieczoru była czarująca, kobieca i czuła i nie mieli żadnych złych wspomnień z przeszłości, które mogłyby to popsuć. Oczywiście nawet nie wspomnieli o jakimś ewentualnym romansie. Pomyślał, że Marina może się poczuć tym urażona. Ponieważ nie był zainteresowany dalszymi kontaktami z nią, nie zadawał jej osobistych pytań i nie dowiedział się, że jest w ciąży. Gdy nagle zmarkotniała – co i kiedyś zdarzało się dość często – uznał, że jest po prostu taka jak zawsze. Nie miał wrażenia, że Marina sądzi, iż popełniła błąd.

Gdy przypomniano Gelfantowi o tym, co Marina powiedziała mu na odchodnym – że jest jeszcze zbyt młody na małżeństwo – odparł, że ponieważ żyła wówczas z Lee, prawdopodobnie miała większe doświadczenie niż on. Poza tym nie powiedziała nic, co by go uraziło. Wcale nie czuł się źle potraktowany. Był wtedy zupełnie zielony i dopiero wchodził w świat seksu. Był jej raczej wdzięczny za pomoc.

Nigdy pochopnie nie podejmował decyzji o pójściu z kobietą do łóżka. Lubił – jak by to powiedzieć? – wiązać się emocjonalnie. Z jedną pojechał nawet kiedyś na Kaukaz i wcale się z nią nie kochał. Nadal był romantykiem i szukał swojej księżniczki, osoby, która będzie mu odpowiadała i intelektualnie, i uczuciowo, swojej drugiej połówki pomarańczy. Dlatego Marina mogła być w jego życiu jedynie epizodem.

6

Reisefieber

POCZTA DYPLOMATYCZNA WYŁĄCZNIE DO UŻYTKU WEWNĘTRZNEGO
Depesza Służb Zagranicznych 11 lipca 1961
NADAWCA: Ambasada amerykańska, Moskwa Dep. nr 29
ODBIORCA: Departament Stanu, Waszyngton
TEMAT: Obywatelstwo i paszporty: Lee Harvey Oswald

Lee Harvey OSWALD złożył wizytę w ambasadzie 8 lipca z własnej inicjatywy w związku z pragnieniem powrotu do Stanów Zjednoczonych wraz z małżonką.

OSWALD [...] został szczegółowo wypytany o to, co robił, odkąd przyjechał do Związku Radzieckiego. Nie udowodniono mu żadnego działania, mogącego spowodować utratę amerykańskiego paszportu. Okazał używany w Związku Radzieckim paszport „bezpaństwowca" [...] nr 311479 [...], który jest dowodem *prima facie*, że władze radzieckie nic uważają go za obywatela ZSRR. Oswald twierdził, że wbrew treści oświadczenia złożonego przez niego w ambasadzie 31 października 1959 roku [...] w rzeczywistości nigdy nie ubiegał się o obywatelstwo radzieckie [...].

Oswald oznajmił też, iż odkąd przyjechał do ZSRR, nigdy nie został wezwany do złożenia oświadczeń w radiu czy w prasie ani też do bezpośredniego kontaktu ze słuchaczami, oraz że nigdy oficjalnie nie mówił nic, co mogłoby przemawiać na jego niekorzyść, a dotyczyło początkowego zamiaru osiedlenia się na stałe w Związku Radzieckim [...]. Zapytany o oświadczenie, złożone 31 października 1959 roku przed urzędnikiem ambasady, że gotów jest dobrowolnie udzielić Związkowi Radzieckiemu informacji, jakie zdobył, pracując na stanowisku operatora radaru w piechocie morskiej, Oswald odparł, że w rzeczywistości władze radzieckie nigdy nie przesłuchiwały go w sprawie jego życia i osobistych doświadczeń przed przyjazdem do ZSRR, a i on sam nigdy nie dostarczał takich informacji żadnym organom władzy. Twierdził ponadto, iż wątpi, czy na prośbę władz radzieckich rzeczywiście by tych informacji udzielił – wbrew temu, co mówił w ambasadzie.

Oswalda wyraźnie niepokoiła kwestia, czy w razie powrotu do USA nie zostanie osadzony na dłuższy czas w więzieniu za znaczne przedłużenie pobytu w Związku Radzieckim.

Nieoficjalnie uspokojono go, że na podstawie zgromadzonych danych ambasada nie uważa za prawdopodobne, by został ukarany tak surowo, jak sobie to najwidoczniej wyobraża. Jednakże dobitnie podkreślono fakt, iż ambasada nie może zagwarantować mu w tej kwestii [całkowitej] pewności [...]. Oswald stwierdził, że to rozumie. Był po prostu zdania, że we własnym dobrze pojętym interesie nie może wracać do Stanów Zjednoczonych, jeśli oznaczałoby to dla niego kilkuletnie więzienie. Zwlekał ze zwróceniem się do władz radzieckich [...], póki „nie wyjaśni sobie, jak sprawy stoją".

30 kwietnia 1961 roku Oswald wstąpił w związek małżeński z Mariną Nikołajewną PRUSAKOWĄ, technikiem dentystycznym. Stara się teraz załatwić przyjazd żony do Moskwy, żeby mogła lada dzień stawić się w ambasadzie na rozmowę w sprawie wydania wizy.

Oswald planował wystosowanie podania o wizę wyjazdową niezwłocznie po powrocie do Mińska, czyli za kilka dni. W tym celu zwrócono mu jego amerykański paszport po uprzednim przedłużeniu jego ważności wyłącznie na bezpośredni powrót do Stanów Zjednoczonych [...]. Uznaliśmy, że bez okazania amerykańskiego paszportu Oswald miał niewielką szansę osiągnąć cokolwiek u radzieckich urzędników [...].

Dwadzieścia miesięcy przeżytych w radzieckiej rzeczywistości wyraźnie pozytywnie wpłynęło na dojrzałość Oswalda. Wyznał otwarcie, że dostał porządną nauczkę i że całkowicie wyzbył się złudzeń dotyczących Związku Radzieckiego, a jednocześnie na nowo zrozumiał i docenił Stany Zjednoczone i znaczenie wolności. Arogancja i brawura, cechujące go podczas pierwszej wizyty w ambasadzie, znikły niemal bez śladu [...].

9 lipca
Dostałem paszport, ściągnąłem do Moskwy Marinę.

14 lipca
Wracamy z Mariną do Mińska.

15 lipca
Marina doznała w pracy szoku, [że] wszyscy wiedzą o tym, że była w ambasadzie amerykańskiej. Jakiś [radziecki] urzędnik z Moskwy zadzwonił do niej do pracy. Przełożeni zwołali zebranie i usiłowali ją zastraszyć. Było to pierwsze z serii wielu działań indoktrynacyjnych.

ADRESAT: Ambasada amerykańska, Moskwa
15 lipca 1961

Szanowni Państwo,
Zgodnie z otrzymanymi od Państwa wskazówkami piszę, by poinformować, jak postępuje sprawa naszych wiz.
Odwiedziliśmy miejscowy OWIR i wizyta okazała się dość owocna. Jednakże w miejscu pracy moją żonę poddano niespotykanym i brutalnym szykanom. Gdy byliśmy w Moskwie, jej przełożeni zostali powiadomieni o tym, że wraz ze mną udała się ona do am-

basady celem uzyskania wizy. W związku z tym zwołano zebranie, na którym, jak zwykle, ostrzegano przed „wrogami ludu", a moja żona – mimo nieobecności – otrzymała naganę. Współpracownikom wydano zakaz rozmawiania z nią. Taktyka ta jednak okazała się nieskuteczna – moja żona wyszła z całej sytuacji bez szwanku, nie narażając się na dalsze nieprzyjemności.

Nadal staramy się o wizę i będziemy Państwa na bieżąco informować o postępach w tej sprawie.

Szczerze oddany

Lee H. Oswald

Z ZAPISU ROZMÓW SPORZĄDZONEGO PRZEZ KGB
OBIEKT: OLH-2658
DNIA 17 LIPCA 1961

(W tych zapisach inicjały OLH [Oswald, Lee Harvey] zostały zmienione na LHO. Marinę zawsze określano słowem ŻONA. Stiepan podkreślił te wypowiedzi, które uznał za istotne dla swoich potrzeb, a wszelkie komentarze kursywą pochodzą od obserwatora KGB i autora transkrypcji. Obserwację przeprowadzano przez specjalnie wywierconą dziurkę w ścianie wynajętego w tym celu pokoju, sąsiadującego z mieszkaniem Oswalda).

LHO: Nie mogę ci powiedzieć, co masz zrobić. Rób, co chcesz. Możesz jechać ze mną.

ŻONA: Nie chcę.

LHO: Dlaczego?

ŻONA: Boję się po prostu.

LHO: To naturalne.

ŻONA: Nie znam Ameryki, znam tylko Rosję... Ty możesz wrócić do swojej rodziny... A ja nie wiem, jak tam będzie. Gdzie znajdziesz pracę?

LHO: Coś sobie znajdę, na pewno. Mogę robić wszystko. Taki mam zawód.

ŻONA: A jak ja tam będę traktowana?

(radio zagłusza rozmowę; nie dało jej się zrozumieć w całości)

Z ZAPISU ROZMÓW SPORZĄDZONEGO PRZEZ KGB
OBIEKT: OLH-2658
OKRES: 19 LIPCA 1961

ŻONA: Umiesz się tylko nade mną znęcać...

(LHO wychodzi; krzyczy coś z kuchni)

ŻONA: Znajdź sobie dziewczynę, która umie gotować... Ja pracuję i nie mam czasu smażyć dla ciebie kotletów. Zupy nie chcesz, kaszy nie chcesz, delikatesów ci się zachciewa!

LHO: Mogę zjeść w restauracji.

ŻONA: A idź do diabła! Kiedy wreszcie dasz mi spokój? Pewnie nigdy się nie doczekam dnia, gdy wreszcie zostawisz mnie w spokoju.

LHO: Ale ty kompletnie nic nie potrafisz zrobić.

ŻONA: Daj mi spokój!

Kiedyś wpadła na ulicy na Miszę Smolskiego, który zapytał, jak jej się układa z mężem. Odpowiedziała: „Bardzo źle". Misza zapytał: „Skoro tak, to dlaczego się tak szybko zdecydowałaś na ślub?". Ona odparła: „Nie, to dobry chłopak, ale mamy kłopoty z jedzeniem". Wtedy w sklepach było dużo produktów, ale co tak naprawdę jedzą ludzie w Mińsku? Ziemniaki, słoninę, kiszone ogórki, kiszoną kapustę, wołowinę, wieprzowinę, baraninę, a z drobiu indyki i gęsi. Nie sposób było dostać jedzenia, które on lubił. Alik na przykład mówił: „Mam ochotę na kukurydzę", a na Białorusi kukurydzę uprawiało się tylko dla bydła. Powiedziała więc Miszy: „Można powiedzieć, że to kwestia różnic kulturowych".

Z ZAPISU ROZMÓW SPORZĄDZONEGO PRZEZ KGB

OBIEKT: OLH-2658

DNIA 21 LIPCA 1961

LHO: No i czego płaczesz? *(pauza)* Mówiłem ci już, że płacz nic nie pomoże.

(Żona płacze)

Nigdy nie mówiłem, że jestem aniołem.

(Żona płacze, LHO ją uspokaja)

ŻONA: *(przez łzy)* Dlaczego za ciebie wyszłam? Oszukałeś mnie.

LHO: Nie masz o co płakać. Wiem, sama nie rozumiesz, czemu płaczesz.

ŻONA: *(przez łzy)* Znajomi mnie nie poznają.

LHO: I co? Ja też schudłem, tak czy nie?

ŻONA: *(płacze)* Dlaczego za ciebie wyszłam?

LHO: No i co mam zrobić? To moja wina, że masz dużo pracy? Nigdy nie gotujesz, a inne kobiety gotują. A ja nic na to nie mówię. Nie krzyczę. Nigdy nic nie robisz, nie chcesz nawet zrobić prania. Co ty takiego robisz? W kółko tylko powtarzasz, jaka jesteś zmęczona pracą.

ŻONA: Nie miałam chwili odpoczynku.

LHO: Co ja na to poradzę?

(pauza)

ŻONA: Już wszystko szło tak dobrze, a ostatnio nic się nie udaje, wszystko się odmieniło. Takiego mężczyzny jak ty nie da się zadowolić.

(cisza)
Później, tego samego wieczoru

LHO: Co? Chyba żartujesz!

ŻONA: Chcę spać, daj mi spokój! [...]. Brutal z ciebie! Jestem zmęczona. Przysięgam, jestem zmęczona.

LHO: A co takiego robiłaś, że jesteś zmęczona? Nic nie robiłaś. Nic nie ugotowałaś.

ŻONA: Musi ci wystarczyć stołówka.

LHO: A kto mi upierze koszule i skarpety?

ŻONA: Wszystko jest uprane, wstań i zobacz. Wyjedziesz i będzie ci źle samemu, zobaczysz. Daj mi święty spokój. Czego ty właściwie ode mnie chcesz? No, czego? O Boże, przestań mnie dręczyć. Już niedługo będziesz mnie miał i wszystko się skończy.

(pauza)

ŻONA: Śmiejesz się, ale później będziesz płakał... *(pauza)* Nie mam teraz ochoty. Jestem zmęczona.

LHO: Co takiego robiłaś, że jesteś zmęczona?

ŻONA: Nie rzucaj tym...

LHO: A co mam robić? *(przedrzeźnia żonę)* „Nie mam ochoty!" No, co mam powiedzieć? Zresztą zostaniemy tu jeszcze cztery, może pięć miesięcy.

ŻONA: Ja zostaję. Dam sobie z dzieckiem radę.

LHO: Zwariowałaś?! *(krzyczy)* Jak ci nie wstyd! Dziecko bez ojca! Wstydź się! *(śmieje się)* Wciąż jesteś moją żoną, jedziesz ze mną. Kiedy wyjadę, wyślę ci zaproszenie.

ŻONA: Pojedziesz sam.

LHO: Wstydź się! Sama nie wierzysz w to, co mówisz...

ŻONA: Nie będę się zaklinać. Powiedziałam, że nie jadę, i koniec.

LHO: Jesteś moją żoną, pojedziesz razem ze mną.

ŻONA: Nie.

LHO: Dlaczego?

ŻONA: Wystarczy, że ja wiem dlaczego.

LHO: No, dlaczego? Sama nie wiesz. No widzisz. Ty wiesz, ilu tam mieszka cudzoziemców?

ŻONA: Nie przyjmą mnie, nie stworzą mi tam odpowiednich warunków. Ambasada amerykańska się mną nie zajmie.

LHO: Dlaczego tak myślisz? Przecież napisałem, że się zobowiązuję. (Notatka na lewym marginesie: „Oczywiście zobowiązuje się zaspokajać wszystkie jej potrzeby w Stanach Zjednoczonych"). Wiesz, że jesteś moją żoną i że pojedziesz ze mną. Kiedy tu przyjechałem, też było mi ciężko.

ŻONA: To zupełnie co innego.

LHO: Ale ja się zobowiązuję! Zrobię wszystko.

(pauza)

ŻONA: Nie przekonasz mnie.

(pauza)

LHO: Jesteś po prostu uparta.

ŻONA: A ty wiecznie krzyczysz *(radio zagłusza rozmowę)*.

Gdy Inessa poznała Lee Oswalda, nie wydał jej się wprawdzie nieuprzejmy, lecz wielce podejrzliwy. Zamienili ze sobą kilka słów, po czym on usiadł na krześle i zagłębił się w jakichś komiksach, które przysłał mu brat z Ameryki. Inessa przez ten czas rozmawiała z Mariną.

Jednak po którejś z rzędu wizycie podejrzenia Alika rozwiały się. Niedługo potem Inessa jadała już razem z nimi w kuchni. Tak naprawdę, nawet jej się to podobało, że nie był otwarty od samego początku, ale czekał i obserwował. Wydaje jej się, że prawdopodobnie nie wierzyłaby w jego szczerość, gdyby od razu był zbyt miły. Uważała, że Lee nadaje się na męża Mariny. Nie trzeba mu było przypominać o spełnianiu domowych obowiązków. A o Rosjanach niezbyt często można to powiedzieć.

Czuła się jednak dość skrępowana, gdy ni stąd, ni zowąd Lee mówił na głos, co mu się w Związku Radzieckim podoba, a co nie. Robił to na dodatek otwarcie, nigdy nie zniżał głosu do szeptu. Były jeszcze inne drobiazgi. Nie może powiedzieć, by całkowicie go aprobowała, nawet jeśli to rzeczywiście chodziło o drobnostki. Wściekał się, jeżeli obiad nie znalazł się na stole o określonej porze. Zdaniem Inessy, Marina nie pasowała do jego amerykańskich wyobrażeń o roli żony. Gdy się kłócili, w oczach Inessy byli jak dwoje dzieci, jedno bardziej uparte od drugiego. Lubiła ich oboje i z obojgiem dobrze się czuła i – chociaż może to łut szczęścia – przy niej nigdy poważnie się nie kłócili. Przypomina sobie, że Marina irytowała się, kiedy Alik czytał te swoje amerykańskie komiksy i nagle wybuchał głośnym śmiechem. Z drugiej zaś strony, Marina uważała, że jej mąż jest zbyt pedantyczny, oraz skarżyła się Inessie, że rozczarował ją jego poziom umysłowy.

Miał też fatalne nawyki. Zupełnie jak jakiś robotnik czy nieokrzesany ciura. Ciągle psuł powietrze. Było to szokujące, a dla niego tak naturalne, jak picie wody.

Mimo wszystko Inessa zawsze czuła, że Alik jest spokojniejszy niż Marina. Był bardzo zorganizowany (jeszcze gdyby nie te gazy…). Lubił perfekcję we wszystkim i Marina często narzekała na tę jego cechę. Ogólnie jednak Inessa nigdy tak naprawdę nie sądziła, by Marina była w nim po uszy zakochana. Uważa, że to Alik ją bardziej kochał.

Z ZAPISU ROZMÓW SPORZĄDZONEGO PRZEZ KGB
OBIEKT: OLH-2658
DNIA 24 LIPCA 1961

21.20

Żona: Alik! Zapomniałam wyprasować prześcieradła – patrz, jedno leży tam. Alik! Zobacz, jakie mam gorące uszy.

(*żartują, śmieją się*)

LHO: Niezłe piosenki śpiewają.

Żona: Jest jakiś festiwal. Wszyscy jadą do Moskwy i mogą mówić, co im się podoba. Kiedyś nic nie można było powiedzieć – ani na ulicy, ani w tramwaju, ani w trolejbusie. Za życia Stalina w każdym domu był mikrofon i nic nie można było powiedzieć. Dzisiaj to co innego.

LHO: Tak, tak, malutka.

Z ZAPISU ROZMÓW SPORZĄDZONEGO PRZEZ KGB
OBIEKT: OLH-2658
DNIA 26 LIPCA 1961

LHO: Mówisz, że było zebranie?
Żona: Tak.
LHO: Gdzie?
Żona: U nas w klinice.

(*pauza*)

Rozumiesz, byliby zadowoleni, gdybym powiedziała: nie, nie jadę, nie opuszczę ojczyzny. Nie wolno im mówić prawdy. Tak naprawdę, nie powinnam im w ogóle nic mówić. Mogłam powiedzieć, że jestem w takiej sytuacji, że nie wiem, co mam robić.

LHO: A oni co mówili?
Żona: Że jestem chamką… A ja im na to, że nie potrzebuję od nich dobrych referencji, że nie zależy mi na ich zdaniu… Jeśli będzie trzeba, wyjadę ze złą opinią. Oświadczyłam im, że nie popełniłam żadnego przestępstwa. Powiedziałam, że bardzo lubię dziewczyny z pracy, że jestem dobrą koleżanką i że oddałabym im wszystko, bo to szczere, dobre dziewczyny (*pauza*). Wygarnęłam wszystko. Jeśli wy mnie nie lubicie, to i ja was nie lubię – nie moja strata.
LHO: I ty… (*nie kończy zdania*).
Żona: […] Chcą mnie wyrzucić […]. Powiedzieli, że w Komsomole nie ma miejsca dla takich jak ja, że powinnam być wyrzucona. A ja na to, że nie ma sprawy, że się cieszę… Dlaczego nie chcecie [należeć do Komsomołu]? – pytali mnie chyba milion razy. Bo mi się tam nie podoba, bo mnie to nudzi. To dlaczego nie powiedzieliście tak wcześniej? Bo nie chciałam, żeby ludzie myśleli, że jestem inna… Mówiłam wiele rzeczy, które powinnam była zachować dla siebie, ale nie mogłam się powstrzymać. [Pytali mnie] co myślę o Komsomole. Odpowiedziałam, że Komsomoł to Komsomoł. (*pauza*) Jestem teraz elementem antyradzieckim. To im ułatwi zadanie.

(*pauza*)

A potem, wiesz co, zapytali mnie jeszcze, co mnie łączy z tym mężczyzną, z którym byłam w Moskwie. Ktoś wtedy powiedział, że to mój mąż…
LHO: (*śmieje się*)
Żona: A kim jest ten wasz małżonek, jakim jest człowiekiem? Mówię, żeby lepiej zapytali o to MWD. A dlaczego MWD, jeśli możemy zapytać was? A ja na to: bo ja mogę wam nie odpowiedzieć…
LHO: Wiedzą, że najważniejsze jest to, że chcę stąd wyjechać.

ŻONA: Tęskni za swoją ojczyzną – powiedziałam im – każdy tęskni za swoją ojczyzną. A nie próbowaliście przekonać go, żeby tu został? Nie – mówię. Potem [...] powiedziałam, że nie wydaje mi się, że tam będzie lepiej, że nie szukam niczego lepszego. Jadę po prostu z moim mężem. Możliwe, że tam będzie gorzej... Powiedziałam, że przecież ani ja, ani oni tam nie byli, skąd więc możemy cokolwiek wiedzieć? [...].

(*pauza*)

Powiedziałam, że nie zostawię męża samego. Że jest dobrym człowiekiem i jestem z niego zadowolona [...], że liczy się dla mnie bardziej niż ich opinia [...]. Zachowałam się arogancko, nawet bardzo. Zapytałam: co zrobicie, wezwiecie ludzi, którzy wystawili mi dobre referencje, i nakrzyczycie na nich? [...]. Proszę, żebyście ich nie prześladowali... To już lepiej mnie udzielcie nagany...

Szanujemy was i lubimy – oni na to. – Tam nie będziecie mieć takich przyjaciół jak my. A ja na to: Wcale nie chcę mieć takich przyjaciół. Dobrze wiem, jak bardzo mnie lubicie.

LHO: Nie martw się, wszystko będzie dobrze...

(*pauza*)

ŻONA: Teraz najważniejsze to wyjechać.

LHO: Wiem – wyjeżdżamy, nie trzeba nam skandali...

(*pauza*)

ŻONA: Nie szukaj prawdy, i tak jej nie znajdziesz. Nauczyła mnie tego moja matka...

LHO: Wszystko będzie dobrze.

ŻONA: Tak myślisz?

(*pauza*)

ŻONA: Czemu jest mi smutno? Przecież mąż nie wyrzuca mnie z domu.

LHO: Kocham cię.

ŻONA: Teraz tak mówisz, a potem będziesz mówił, że mnie nie kochasz.

LHO: Twój mąż cię kocha [...].

Koleżanka Mariny, Sonia, oczywiście należała do Komsomołu. Było to praktycznie nieuniknione. W ZSRR mówiło się: najpierw się rodzisz, potem idziesz do szkoły, zostajesz pionierem, wreszcie komsomolcem. Jak każdy.

Zdaniem Soni jednak wykluczenia z Komsomołu nie traktowano wcale jako takiej znów wielkiej sprawy. Można je było zignorować. Gdyby Marina zmieniła zdanie i została w Związku Radzieckim, sprawa Komsomołu nie obciążyłaby jej życiorysu. To nie to samo, co wykluczenie z partii – to była rzeczywiście poważna sprawa. Ale Komsomoł... człowiek jest młody. Wszyscy myślą, że może popełnił omyłkę, że zbłądził. Sonia uważa, że Marina martwiła się głównie o to, czy decyzja o wyjeździe do Ameryki jest słuszna, czy nie. Komsomoł nie był aż tak ważny. Zresztą w Komsomole obowiązywała zasada, że kto wyjeżdżał za granicę, i tak przestawał być członkiem. Oddawało się legitymację. Ta organizacja nie chciała mieć członków w innych krajach. Mogłoby to spowodować problemy międzynarodowe.

Z ZAPISU ROZMÓW SPORZĄDZONEGO PRZEZ KGB
OBIEKT: OLH-2658
DNIA 29 LIPCA 1961

(*LHO całuje żonę*)

LHO: Chodź, połóż się tu, koło mnie.

(*cisza*)
19.40

Żona: Boże, masz takie pogniecione spodnie.
LHO: Bo już dawno ich nie prasowałaś.
Żona: Prasowałam je cztery dni temu.
LHO: Tydzień temu.
Żona: No to co? Mógłbyś je nosić i tydzień, ale ty się w nich wylegujesz.
LHO: Spokojnie…
Żona: Drań z ciebie! (*piszczy*). To prawda, co mówią, że mężczyźni przed trzydziestką nie mają mózgu. (*śmieje się*) Aj! […] (*śmiech*). Co zrobiłeś?

(*idą do łóżka*)

LHO: Nie dotykaj mnie, niech cię cholera.
Żona: Nie, to ciebie niech cholera weźmie. Za chwilę odetnę ci pewną część ciała. O mamo.

(*śmieją się*)
(*rozmawiają o ciąży, żona opowiada o rozmowie z lekarzem*)

Żona: Kiedy dziecko zacznie się ruszać, będzie to równiutko połowa ciąży. Najwyżej jeden dzień w tę czy w tamtą stronę. Dlaczego mi się wydaje, że wszystko brzydko pachnie – moje ubrania, poduszka, kołdra? Wyglądam okropnie. Wszystkie kobiety wyglądają okropnie w ostatnich miesiącach [ciąży]. A jak będę umierać, kto mnie uratuje? Mam wąskie biodra.
LHO: Ja.
Żona: Lekarze nie umieją sobie poradzić, a ty będziesz umiał.
LHO: Nie trać głowy, młoda damo. Jesteś prawdziwą damą. Taka się urodziłaś. Dobranoc. To wszystko.

23.00
(*zapada cisza*)

Marina poprosiła o radę Tamarę Aleksandrownę, która matkowała dziewczętom w aptece i w najdrobniejszych szczegółach znała życie każdej z nich. Marina zapytała: „Tamaro Aleksandrowno, czy na moim miejscu pojechałaby pani z mężem do Ameryki, czy nie?". Rozmawiała też o tym z Janiną i innymi. Wiele z nich było młodymi mężatkami, dlatego Marina często słyszała rady tego rodzaju: „Ja znam swojego męża na wylot i z nim bym pojechała do Ameryki. A czy ty swojego znasz wystarczająco dobrze? Musisz sobie odpowiedzieć na to pytanie". Mówiły jej: „Przemyśl swoją sytuację. Teraz pracujesz w kraju socjalistycznym, wyjedziesz do kraju kapitalistycznego. Oni tam mają inną kulturę, inne zwyczaje. Poradzisz sobie z tym? Jeżeli uważasz, że tak, to w porządku, ale decyzję podejmujesz na własne ryzyko". Janina nie chciała brać odpowiedzialności za udzielanie bardziej konkretnych rad. Zresztą może Marina już podjęła decyzję.

Nikt zbytnio nie przejął się tym, że została wykluczona z Komsomołu. Komsomoł nie miał innego wyjścia. Ale co to kogo obchodziło? Wyrzucenie z Komsomołu to nie było nic wielkiego. Do tej organizacji należało się tylko dlatego, że nie można było nie należeć.

Jak mówi Inessa, Wala jako jedyna z całej rodziny odwiedzała Marinę po jej wyznaniu, że stara się o wyjazd do Ameryki razem z Lee. Nie przychodziły z wizytą ani siostry Ilji, ani sam Ilja. Tylko Wala.

W pracy Marina też miała problemy, przypomina sobie Inessa. Komsomoł najpierw chciał odwieść ją od wyjazdu, a potem wypytywał, czy Lee nie jest amerykańskim szpiegiem. Marina kazała im nie wtykać nosa w nie swoje sprawy. Może to pozostałość jej trudnej leningradzkiej przeszłości, w każdym razie była w jej zachowaniu pełna wyższości władczość; nikomu nie pozwoliłaby się upokorzyć.

Ale Komsomoł nie dopuścił, by dostała podwyżkę. Została pominięta przy awansie i niewątpliwie czuła się przez to pokrzywdzona.

Inessa sądzi, że gdyby była na miejscu Mariny, też nie chciałaby dłużej zostać w Rosji. Tamtejszy system nie obszedł się z nią sprawiedliwie.

7

O podsłuchiwaniu chwil intymnych

Paweł zawsze uważał, że Marina ma w wyrazie twarzy coś takiego jak Erich – wyrachowanie. Ale mówi, że to dlatego, że nie był na nią przygotowany. Poznał ją późno – dopiero na ślubie; zresztą bynajmniej nie polubił jej od pierwszego wejrzenia.

Widział ją wszystkiego może ze dwadzieścia razy i była dla niego jedynie żoną kolegi, niczym więcej. Nie żywił wobec niej złych uczuć – po prostu patrzył na nią jak na materac z łóżka kolegi. Tego określenia nauczył się w „Horyzoncie", który – może dlatego, że pracowało tam tak wielu Żydów – miał opinię najweselszej fabryki w Mińsku. W fabrykach traktorów i sprzętu wojskowego, rzecz jasna, było zupełnie inaczej, no, ale tam nie wolno było zatrudniać Żydów.

Paweł nigdy nie widział, żeby Lee się na żonę mocno zdenerwował, ale bardzo mu się nie podobało, że Marina pali. Gdy więc tylko Paweł i Marina wychodzili razem na balkon, żeby sobie zapalić, Paweł trzymał jej papierosa, aby wyglądało na to, że to on pali, a nie ona. Jego zdaniem, Marina zaciągała się lekko i delikatnie, jak adeptka jogi.

Niedługo po ślubie Lee i Mariny Paweł wybierał się do Chabarowska w odwiedziny do rodziców. Wtedy wezwał go na spotkanie Stiepan. „Powiedzcie Oswaldowi – nakazał mu – że wasz ojciec jest generałem sił powietrznych i że ma dużą władzę. Zwróćcie uwagę, czy go to zainteresuje".

Gdy przy najbliższej okazji Stiepan zapytał Pawła o reakcję Oswalda, ten powiedział: „W ogóle nie zareagował".

Oswald puścił uwagę Pawła mimo uszu, ale Marina zapytała: „A dlaczego mu to mówisz?". Wtedy stało się dla niego jasne, że dziewczyna przejrzała jego grę i zgadła, iż on jest wtyczką. Nie wiedział tylko, czy to dlatego, że była bystra, czy też po prostu informacja o jego ojcu bardziej zaciekawiła ją niż Lee.

Ogólnie rzecz biorąc, Paweł nie uważa się jednak za aktywnego informatora organów. Nigdy nie złożył pisemnego raportu, a gdy już musiał udzielać informacji, starał się je ograniczać do minimum. Poradził nawet Lee, żeby z nikim nie rozmawiał. Potem dodał jeszcze: „Ja ci to otwarcie mówię, inni wcale nie muszą tego robić". Była to najodważniejsza wypowiedź, na jaką mógł sobie pozwolić.

Przez cały tamten rok i jeszcze później Paweł musiał spotykać się ze Stiepanem, zwykle na ulicy czy w parku. Uważa, że może byłoby lepiej, gdyby powiedział ojcu o tej sytuacji, bo wiedział, że przecież prędzej czy później KGB do niego dotrze. Już słyszał w wyobraźni głos jakiegoś niższego rangą oficera KGB, porucznika czy kapitana: „Towarzyszu generale, a co sądzicie na temat swojego syna?".

Paweł nie był w najmniejszym nawet stopniu patriotą; czuł się jak szmata. Dlatego właśnie ostrzegł Oswalda. Wiedział, że jest ktoś jeszcze, że KGB korzysta z jakiegoś innego źródła informacji, znacznie bliższego i bardziej pewnego – ale tamten ktoś nie przyznałby się Lee, że współpracuje z organami.

Nie udało się dotrzeć do informacji, kiedy w mieszkaniu Oswalda został założony podsłuch. Najstarsze z przekazanych przez KGB zapisy rozmów pochodzą z połowy lipca, kiedy to Lee wrócił już z wyprawy do ambasady amerykańskiej. To jednak o niczym nie przesądza, kwestia wciąż pozostaje otwarta. Czy podsłuch został założony na początku marca 1960 roku, zanim Oswald się tam wprowadził, czy kiedy indziej (ale przed lipcem 1961 roku)? Niewykluczone też, że z uwagi na to, iż wydatki związane z obsługą instalacji podsłuchowej dość mocno obciążały budżet, miejscowy oddział KGB zdecydował się na założenie podsłuchu dopiero podczas czterodniowej lipcowej nieobecności Oswalda i jego żony, którzy byli wówczas w Moskwie.

W rozmowie z nami Igor powiedział, że odkąd Lichoj się ożenił, konieczne stało się zdobycie maksimum informacji na temat Mariny. Czy byłaby, na przykład, zdolna do wyciągania od wuja tajemnic państwowych i przekazywania ich Oswaldowi?

Zakładając podsłuch, funkcjonariusze organów zazwyczaj wynajmowali pokój w mieszkaniu nad albo obok mieszkania delikwenta. Zwykle nie przedstawiało to trudności, gdyż w większych mieszkaniach zawsze były pokoje do wynajęcia. W przypadku Oswalda sprzęt zainstalowano najpierw w pokoju piętro nad nim, a później przeniesiono go do mieszkania obok. Gdyby organy mogły wynająć nie tylko pokój, ale całe mieszkanie nad mieszkaniem Lee, podsłuch zostałby założony wszędzie – także w łazience, w kuchni i na balkonie. Ale nie było to możliwe.

Z kolei z obserwacją w roku 1961 nie było już najmniejszych problemów. Wystarczyło zrobić maleńką dziurkę w ścianie, o średnicy mniejszej niż jedna dziesiąta milimetra, i wstawić w nią specjalną soczewkę. Trzydzieści lat temu było to narzędzie ogromnej użyteczności – jedno z pierwszych zastosowań włókien szklanych; KGB służyło jako „najpotężniejsza broń", ponieważ dzięki niej organy zdobyły sporo informacji.

Do Igora i Stiepana, na przykład, zaczęły docierać słuchy, że Lee jako partner seksualny nie cieszy się uznaniem Mariny. Związek tych dwojga wydawał się KGB interesujący. Pobrali się, oczekiwali przyjścia na świat dziecka. Czy powodem zawarcia małżeństwa była miłość, czy kamuflaż Oswalda, pozwalający lepiej się maskować? Oto kwestia, którą kontrwywiad musiał rozpracować. Jeśli uzyskawszy zezwolenie na powrót do kraju, Oswald nagle porzuciłby rodzinę i wyjechał sam, organy zdwoiłyby czujność, gdyż to by sugerowało, że zakończył swoją misję. Ale nie – Oswald chciał, żeby żona mu towarzyszyła do Stanów Zjednoczonych. To sprawiło, że odpadło wiele podejrzeń. Wyniki analizy małżeństwa Oswalda sprawiły, że Igorowi i Stiepanowi ubyło powodów do zmartwień.

Z ZAPISU ROZMÓW SPORZĄDZONEGO PRZEZ KGB
DNIA 26 LIPCA 1961 ROKU

21.50 (*LHO idzie do kuchni; wraca*)
22.10 (*idą do łóżka*)
22.15 (*intymna rozmowa*)
22.30 (*cisza; śpią*)
23.00 (*koniec obserwacji*)

Stiepan miał odpowiedzieć na pytanie, czy według zasad KGB podsłuchiwanie zawsze kończono o jedenastej w nocy, jako że jest to pora, o której ludzie zwykle chodzą spać. Wyjaśnił, że tego typu operacja może być prowadzona albo przez okrągłą dobę, albo tylko przez kilka godzin dziennie. To kwestia potrzeby.

Nie istniała też ustalona reguła, dotycząca nagrywania chwil intymnych. Zwykle funkcjonariusz KGB odnotowywał tylko, że coś takiego miało miejsce, nie podając szczegółów. Rozumie się samo przez się, że za decyzje w tej sprawie odpowiadał każdy oficer prowadzący. Wszystko zależało od tego, co zamierzał zbadać. Stiepan raczej starał się tych spraw unikać. „Ale załóżmy, że pracuję dla FBI czy CIA i staram się zwerbować do moich służb radzieckiego inżyniera. Musiałbym się rozejrzeć za czymś kompromitującym, przede wszystkim właśnie z dziedziny seksu. Gdybym miał ludziom dać w tym przypadku wytyczne, powiedziałbym: «Nagrywajcie i zapisujcie wszystko w najdrobniejszych szczegółach. Całe jego życie seksualne. Róbcie zdjęcia. I tak dalej». Wszystko zależy od tego, jaki jest w konkretnym przypadku cel operacji".

Jeśli chodzi o Lee Harveya Oswalda, zapisu intymnych szczegółów nie uznano za konieczny. „Gdyby rozmawiał z Mariną o czymś ciekawym, nasi ludzie by to zapisali, ale jeśli tylko się kochali, to człowiek, który ich podsłuchiwał czy podglądał, odnotowywał jedynie: «chwile czułości»". Prawdę mówiąc, Stiepan nic nie przepadał za bardzo osobistymi momentami. A nuż zwierzchnicy, którzy to będą czytać, zdenerwują się? Ale jeśli przy takiej okazji padało jakieś ważne zdanie, jego ludzie wychwytywali je, rzecz jasna. Gdyby, na przykład, Oswald i Marina zaczęli omawiać w łóżku ważne sprawy, zostałoby to odnotowane. Stiepan nie przypomina sobie jednak, by akurat w przypadku Oswalda w podobnych okolicznościach padła jakaś godna uwagi informacja.

Mimo wszystko jednak w pewnym stopniu trzeba było to brać pod uwagę. „W procesie inwigilacji należy przyjrzeć się obiektowi we wszystkich możliwych sytuacjach. Dopiero później można zdecydować, czy życie seksualne tej osoby nie jest [dla nas] interesujące. Najpierw jednak musimy zgromadzić wszelkie możliwe informacje, by później móc spośród nich wybierać te, które są przydatne dla naszych celów". Stiepan podkreślił, że robi tak zarówno KGB, jak i FBI. W sprawie Oswalda aspekt seksualny mógł się okazać istotny. „Należało się dowiedzieć, czy ożenił się powodowany uczuciem, czy też dla zmylenia czujności przeciwnika. Jego intymne związki mogły również stanowić dowód na to, czy jest agentem poszukującym informacji. Zawsze trzeba brać wszystko pod uwagę".

Alik i Marina byli pewni, że organy „zapluskwiły" im dom. Wspominając tamte dni, Marina mówi: „Byliśmy jak para dzieciaków. Nikt ani nic nie mogło nam przeszkodzić. Cokolwiek Alik robił, byłam po jego stronie. Tak po prostu, dla zasady". Pewnego razu, gdy w całym mieszkaniu były pogaszone światła, przyświecając sobie latarką obejrzeli licznik energii elektrycznej – wciąż tykał. Wtedy właśnie Lee powiedział: „Założyli nam podsłuch". Może tylko tak sobie żartował, chciał ją przestraszyć. Mimo wszystko jednak, kiedy chcieli porozmawiać, to albo wychodzili na balkon, albo włączali radio. Głównie dlatego, żeby nie narazić na nieprzyjemności ludzi, o których rozmawiali – Pawła czy Zigerów, Wali i Ilji, wszystkich. Ale Marinie nie przeszkadzało to normalnie żyć. Kiedy chciała porozmawiać z Lee, nie zawsze wychodziła na balkon. Tak naprawdę nie mieli przecież nic do ukrycia. Gdy jednak chcieli omówić jakąś sprawę związaną ze zbliżającym się wyjazdem do Ameryki, wychodzili na balkon. Można by przypuszczać, że za najprzykrzejsze powinni uważać to, iż ktoś nagrywa ich, kiedy się kochają. Ale – choć zabrzmi to głupio – niespecjalnie się tym przejmowali. Zabawne, prawda? Może Marina po prostu wyparła z pamięci wszystko związane z życiem intymnym, ale o ile sobie przypomina, nie przeszkadzało jej zbytnio to, że ktoś ich podsłuchuje. Może dlatego, że nieczęsto się kochali, gdy była w ciąży.

Paweł wiedział, że w mieszkaniu Lee założony jest podsłuch. Nie potrafił powiedzieć, skąd to wiedział – prawdopodobnie była to intuicja poparta doświadczeniem. Na przykład, Stiepan miał o Lee takie informacje, które mógł zdobyć wyłącznie w ten sposób. Wychodziło to na jaw podczas jego spotkań z Pawłem, kiedy to udzielał mu instrukcji, o co ma pytać Oswalda. Zatem w mieszkaniu Lee musiano wcześniej zainstalować podsłuch.

Ale nie na balkonie. Paweł wydedukował, że na pustym balkonie trudno by było ukryć mikrofon. Poza tym hałasowały tam przejeżdżające ulicą samochody, odbiór zakłócałby wiatr i ptaki. Z lektury kryminałów można by wnosić, że organy dysponowały technologią umożliwiającą umieszczenie miniaturowego mikrofonu w guziku od koszuli, ale takie urządzenie sporo kosztuje.

Mimo wszystko obecność bezpieki była zawsze wyczuwalna. Takie się miało uczucie. W rozmowach z Lee Paweł nie pozwalał sobie na szczególne zainteresowanie. Nie chciał uzyskiwać informacji, które później musiałby przekazywać organom jako lojalny syn matki Rosji.

8

Mycie podłóg

W rozmowie z nami Stiepan zawsze kładł szczególny nacisk na co bardziej skuteczne aspekty działań służb bezpieczeństwa. Nad niedociągnięciami się nie rozwodził. Nie zamierzał zdradzać, co mogło przeszkadzać w dokładnym zapisie rozmowy inwigilowanych. Przeglądając jednak udostępnione przez KGB zapisy rozmów, trudno dojść do wniosku, że korzystano z nowoczesnej aparatury. Dość często powtarzają się notatki, że dźwięk jest słabo słyszalny; poza tym u Oswaldów zwykle grało radio. Lee musiał je przekrzykiwać, żeby Marina go w ogóle usłyszała. Ponieważ było lato, często wychodzili na balkon, a stamtąd już zupełnie nic nie dało się usłyszeć. Z kuchni z kolei najczęściej dochodził odgłos lejącej się z kranu wody.

Do tego wszystkiego trzeba jeszcze doliczyć nachodzące czasami pracownika KGB nieprofesjonalne, zwykłe, ludzkie zmęczenie; można sobie wyobrazić, że czasami zdarzało mu się nawet zdrzemnąć. W wyniku materiałów z podsłuchu powstaje portret młodej pary, która kłóci się tak zawzięcie i – o ile można się zorientować – tak bezsensownie, że aż ręka świerzbi, by napisać jednoaktówkę pod tytułem *Nowożeńcy*.

Pyt.: Czy zdarzało się wam kłócić o mycie podłóg?

Marina: Nie.

Pyt.: Lee nie narzekał na to, że podłoga jest brudna?

Marina: Nic pamiętam... ale chyba nie.

Pyt.: A kłóciliście się o sprzątanie?

Marina: Pewnie tak, kłóciliśmy się prawdopodobnie nawet o miauczenie kotów za oknem.

Z ZAPISU ROZMÓW SPORZĄDZONEGO PRZEZ KGB
OBIEKT: OLH-2658
DNIA 3 SIERPNIA 1961 ROKU

18.24 (*wchodzą do pokoju*)

Żona: (*krzyczy*) Mam wszystkiego dość! Co z tobą? Nie możesz raz ty posprzątać? Pewnie byś chciał, żebym co dzień myła podłogi!

LHO: A żebyś wiedziała!

Żona: Ty całymi dniami nawet palcem w bucie nic kiwniesz, a ja mam sprzątać i sprzątać. Porządny mężczyzna pomaga w domu. Przypomnij sobie, jak obiecywałeś: „Będę pomagał!". Raptem raz zrobiłeś pranie i teraz wiecznie mi to wypominasz; ja piorę zawsze, ale to się oczywiście nie liczy...

LHO: Zrób coś do jedzenia! To twój obowiązek.

Żona: (*krzyczy*) Nie mam siły! Nie będę gotować.

LHO: Usmaż kotlety, nastaw wodę na herbatę. Przecież zrobiłem za ciebie zakupy.

Żona: Nie.

LHO: Nic nie zrobiłaś.

Żona: No, a co ty zrobiłeś?

LHO: Cisza!

Żona: Nie mam zamiaru z tobą żyć.

LHO: I dzięki Bogu!

Żona: Spójrz na siebie! Niby jesteś taki schludny. A naprawdę dwadzieścia razy brudniejszy ode mnie! Popatrz na swoją poduszkę! Po jednej nocy już jest brudna.

LHO: Nic nie robisz w tym domu!

Żona: Racja, obijam się.

LHO: W ogóle nic nie robisz.

Żona: A ty posprzątałeś kiedyś mieszkanie – przynajmniej raz? Ja sprzątałam już dwadzieścia jeden razy. Gdybyś ty sprzątnął choć raz, cały dzień byś o tym gadał.

LHO: Przecież tu trzeba sprzątać codziennie. W kuchni jest pełno brudu, wszędzie jest brudno. Twoim zdaniem to jest w porządku? Wylegujesz się do dziesiątej i nic nie robisz. Mógłabyś rano sprzątać.

Żona: Muszę się wysypiać. Jak ci się to nie podoba, wracaj do swojej Ameryki.

LHO: (*spokojnie*) Bardzo chętnie, dziękuję.

Żona: Zawsze się musisz do czegoś przyczepić; nic nie jest jak należy, wszystko nie tak.

LHO: Śmieszna jesteś. Leń z ciebie.

Żona: Chciałabym, żebyś chociaż przez jeden dzień spróbował, jak to jest być mną (*po chwili ciszy wybucha płaczem*).

LHO: No i czego beczysz?

Żona: Odczep się ode mnie! Nie jestem twoją służącą! Gdybym miała lepsze warunki...

LHO: Nie płacz. Mówię tylko, że nie chce ci się nic robić.

Żona: Co? Nie myłam nigdy podłóg?

LHO: Nie jesteś dobrą gospodynią; tak, gospodyni z ciebie żadna.

Żona: Trzeba było się ożenić z lepszą...

(*milczą*)

Żona: ... jak ci się nie podoba, możesz wracać do tej swojej Ameryki.

LHO: Już od dawna ci mówię, że nic nie robisz.

Żona: Co dzień zmywam podłogę.

LHO: Jest brudna.

Żona: Dla ciebie brudna, a dla mnie czysta. Wczoraj ją myłam, ale ty łazisz po domu w butach.

LHO: Jest pełno brudu i kurzu, bo wciąż otwierasz drzwi na balkon.

Żona: (*krzyczy*) Przez cały dzień były zamknięte! Ty nic nie rozumiesz!

LHO: Nie płacz.

Żona: Nie widzisz, że co dzień ścieram kurze?

LHO: Nie porządkujesz rzeczy na stole.

Żona: Tak, jasne, robię tylko bałagan. Dwa razy umyłam ten stół, a ty ani razu.

LHO: Uspokój się.

Żona: Wystarczy, że powiesz: „Marina, trzeba zrobić to i to". Nie krzycz, to mi sprawia przykrość...

Alka, czy ty mnie nienawidzisz, kiedy tak na mnie krzyczysz?

LHO: Tak.

Żona: Tak?

LHO: Tak.

Żona: [...] Czemu się boisz ludzi? Co cię przeraża?

LHO: (*krzyczy ze złością*) Zamknij się, zamknij się! ... Gadasz, co ci ślina na język przyniesie.

Żona: Wszystkich się boisz!

LHO: Zamknij się!

Żona: Boisz się, że ci wszystko ukradną, całe twoje bajeczne bogactwo? (*ze śmiechem*)
W tej chwili mógłbyś mnie zabić, nawet niechcący. Chyba nad sobą nie panujesz.

LHO: Dostanę chociaż ziemniaki?

Żona: Jeszcze się nie ugotowały, nic na to nie poradzę!

22.37 (*idą do kuchni*)

22.40 (*Żona zmusza LHO do umycia nóg*)

23.00 (*w pokoju panuje cisza*)

Jurij Mierieżyński nie mógł spokojnie patrzeć na to małżeństwo. Alik miał porządne mieszkanie, w sam raz dla kawalera. Nie zważając na jakość swojej angielszczyzny, Jurij uparł się, by rozmawiać wyłącznie po angielsku. Miał dryg do tego języka. Mówi, że był w mieszkaniu Lee i przed ślubem, i po nim. Przed ślubem było tam ładnie. Po ślubie – szaro.

Pamięta Marinę zgiętą wpół w ich pokoju. Wyglądała jak krab. Myła podłogę. Pupę miała wyżej niż głowę, zupełnie jak krab.

Jurij jest pijany, w pewnej mierze jednak się kontroluje. Będzie pił dalej i dalej opowiadał, co tylko sobie przypomni. Ale nie mówi już płynnie po angielsku, narzeka. A kiedyś mówił.

Staraliśmy się skłonić go do opowiedzenia o ślubie Lee i Mariny. Oświadczył wtedy: „Nie zaproszono nikogo, kto się kiedyś pieprzył z Mariną. Gdyby Alik wiedział, że się puszczała, w życiu by się z nią nie ożenił. No, ale w każdej rodzinie chłop jest głową, a baba szyją – i szyja kręci głową, jak jej się podoba". On, Jurij, twierdzi, że pieprzył się z Mariną.

Przed ślubem?

Przed ślubem, po ślubie. To żadna tajemnica. Wszyscy o tym wiedzą.

Jurij mówi: w sprawach seksu on i Marina, oboje – *no problem*. Nie mieli żadnych – jak to się mówi?   zahamowań. Nie wstydzili się. Starali się siebie nawzajem zaspokoić – tak, właśnie.

Nie pamięta żadnych rozmów z Mariną. „Gadaliśmy bzdury. Dobrze się ze mną czuła, inaczej by nie przychodziła. Nie zależało jej na związku, tylko na seksie".

Nie wie, jaki Alik był w łóżku. To mogłaby opisać tylko kobieta. Ale w zachowaniu nigdy nie był agresywny. Poda przykłady. Raz, jeszcze za czasów kawalerskich, ktoś złapał Alika za koszulę. Ni stąd, ni zowąd, na ulicy, żeby go sprowokować. Jurij uratował Alika, bo ten nie umiał się bronić. Nie potrafił nawet komuś przyłożyć. Jurij bronił go wiele razy. Ludzie podchodzili do Oswalda na ulicy i mówili: „Daj forsę na coś do picia. Postaw mi flaszkę". Wiedzieli, że Lee ma pieniądze. W tamtych czasach alkohol można było kupić nawet o północy. Podchodzili więc do niego i żądali: „Daj forsę na coś do picia. Postaw flaszkę". Alik na to ani be, ani me. Jurij za niego odpowiadał. Alik nie umiał nawet ręki podnieść na nikogo w swojej obronie, ale Jurij dawał temu, co pytał, w gębę. Dawał mu w gębę i już. Wtedy, jak mówi, naprawdę umiał się bić. Ale Oswald też nie był jakimś mydłkiem. Nie palił się, co prawda, żeby komuś przyłożyć, ale nie był mydłkiem. Jednakże to Jurij był panem takich sytuacji. Nawet teraz nie boi się spotkać z rozmówcami z Ameryki. Wtedy był silniejszy. Bo był młody. Ale to nie miało aż takiego znaczenia. Jeśli ktoś ma pusto w głowie, to choćby nie wiem jak był silny, musi się uznać za inwalidę. Ale on miał, co trzeba, i w głowie, i w mięśniach. Poza tym stali za nim jego rodzice. KGB i MWD były gdzieś hen, daleko. Nikt wtedy nie mógł go nastraszyć. Każdemu przyłałby w mordę. Ale Alik nie mógł sobie na to pozwolić. On się znajdował w innej sytuacji.

Jurij mówi, że jego rodzice byli przeciwni znajomości syna z Lee. Mówili: „To cudzoziemiec. Wolelibyśmy, żebyś się z nim nie spotykał". Twierdzili, że może im to zrujnować kariery. Martwili się też o przyszłość Jurija. Wprawdzie jego matka przyjaźniła się z Chruszczowem, ale nie uważała się za absolutnie bezpieczną. Jurij się z rodzicami nie zgadzał. Niepotrzebnie się zamartwiali, byli tak wysoko postawieni, że rzeczywiście byli nietykalni. Swoim zachowaniem mógł zaszkodzić najwyżej sobie, ale nie im.

Alik przed ślubem i Alik po ślubie – to niebo i ziemia. Po ślubie Oswald zupełnie oklapł. Marina myła podłogę w ich mieszkaniu, z tyłkiem w górze jak prosta wieśniaczka. Taką ją Jurij pamięta po ślubie, jak mówi do Alika: „Wynoś się stąd, przeszkadzasz mi sprzątać".

Skoro jednak oboje tak bardzo się zmienili, to dlaczego wciąż byli razem? Na to pytanie Jurij odpowiedział tak: „Kto kogo trzymał? O to trzeba pytać. Ich związek się nie rozpadł, ponieważ ona chciała wyjechać do Ameryki. Ale cóż to było za małżeństwo? Mieli tylko jedną wersalkę. Jak można się pieprzyć na wersalce? Zero życia rodzinnego. Zero miłości. Wszystko zależy od kobiety. Jeśliby tylko chciała, mogłaby mieć inne łóżko. Postarałaby się o nie. Takie rzeczy zależą od żony. Przed ślubem mieszkanie Alika było ładne. Po ślubie – szare. Co tu jeszcze dodać?" – mówi Jurij.

Z ZAPISU ROZMÓW SPORZĄDZONEGO PRZEZ KGB
OBIEKT: OLH-2658
DNIA 11 SIERPNIA 1961 ROKU

LHO: Skoro mnie nie kochasz, to jak możesz ze mną żyć? Ja ci daję i będę dawać, co tylko mogę… Czego ty właściwie chcesz? Raz mówisz, że chcesz wyjechać, za chwilę znów, że nie chcesz.

Żona: Czasami po prostu boję się z tobą wyjechać… Nie mam zamiaru ci udowadniać, że tutaj wszystko jest wspaniałe i cudowne, a tam złe. Ale… nawet jeśli tu nic nie mam ani nie będę miała, to przecież tu jest mój dom.

LHO: Tu nigdy nie będziesz nic miała, a tam będziesz miała męża i w ogóle wszystko.

Żona: A co ja tam będę robić? Siedzieć kołkiem w domu i nic poza tym.

LHO: Będziesz tam ze mną żyć. Będziesz miała wszystko, czego zapragniesz.

ŻONA: Nie interesuje mnie strona materialna. Nie interesują mnie pieniądze, one się nie liczą. Najważniejsze jest to, jak mnie traktujesz.

LHO: A, no to wszystko w porządku.

ŻONA: Nie mam żadnej gwarancji, że mnie tam nie zostawisz samej. Co wtedy zrobię?...

LHO: Jeśli mnie nie kochasz, to nie jedź.

ŻONA: Nie, boję się, że mnie zostawisz... Przecież wyjeżdżasz.

LHO: Ja wyjeżdżam?!

ŻONA: Widzisz, już krzyczysz, to co będzie później?

LHO: Co cię tu trzyma? Mamy jeden pokój. To tak dużo? Zresztą nawet ten jeden pokój nie jest nasz.

ŻONA: Mieszkamy tu, jest nasz.

LHO: Myślisz, że mieszkanie jest moje? Ja nie mam takiego poczucia... Nie czuję się właścicielem.

(*pauza*)

ŻONA: Dręczysz mnie...

LHO: Nie cierpię, kiedy jesteś taka jak teraz. Ja mówię swoje, a ty swoje.

(*pauza*)

ŻONA: Śpij spokojnie.

LHO: Jak mam spokojnie spać, skoro nie wiem, co ty myślisz? U ciebie wszystko zależy od nastroju. Musimy podjąć wreszcie ostateczną decyzję...

ŻONA: Ty głupku, nic nie rozumiesz. (*przedrzeźnia go*) Własność, własność.

LHO: A ty nie rozumiesz samego pojęcia własności. Poza tym sama nie wiesz, czego chcesz. Ja chcę tam wrócić, bo tam jest wyższy poziom życia.

ŻONA: A co, myślałeś, że jak przyjedziesz tutaj, to nie będziesz musiał pracować i będzie ci się dobrze żyło? Dlaczego się nic uczyłeś? Mogłeś się kształcić, ale byłeś leniwy.

LHO: Ty nic nie rozumiesz. Miliony ludzi wyjeżdżają z tego kraju. Panuje tu straszne chamstwo.

ŻONA: Patrzysz na nas przez czarne okulary.

LHO: Jakie znowu czarne okulary? Nieprawda.

ŻONA: Ja, na przykład, nie powiedziałam o Ameryce złego słowa. Bo to nie wypada... Trzeba być prawdziwą świnią, żeby źle się wyrażać o kraju, którego się nie zna. Ja tego nie robię.

LHO: Być może, ale będziesz tam żyła ze mną, ze swoim mężem. Tam jest wysoki poziom życia.

ŻONA: Nic do ciebie nie dociera. Tu, a nie tam, jest mój dom. Nie będę słyszała rosyjskiego...

LHO: Jeśli chcesz jechać, to jedź. A jak nie, to nie...

ŻONA: Nie pojadę... boję się..., Nawet teraz, kiedy przychodzi Erich i rozmawiacie po angielsku, nie mogę tego znieść...

LHO: Ojej, wyrzekasz jak stara baba ze wsi...

Żona: Nigdy się nie zrozumiemy...

LHO: Zechcesz, to pojedziesz!

Żona: Nie krzycz.

LHO: Ty mnie zmuszasz do krzyku. Nie jestem wobec ciebie niedelikatny. To ty się zrobiłaś niedobra.

Żona: To ty...

LHO: Nie, ja byłem dobry i porządny, kiedy cię poznałem. To ty się nieprzyzwoicie zachowywałaś.

Żona: Nieprawda. Nawet się z Saszą nie całowałam. Nikt nie mówił, że nie jestem porządna. Nie zachowywałam się jak inne dziewczyny. Nie miałam matki, która by była dla mnie wzorem. Raz w tygodniu rzeczywiście byłam niedobra.

LHO: Rozumiem.

Żona: Po prostu trzeba we wszystkim znać umiar. Gdybym tylko wiedziała!

LHO: Całkowicie się zmieniłaś przez ten ostatni miesiąc. W ogóle już nie jesteś czuła. Gdyby nie to, że jesteś w ciąży... (*nie kończy zdania*). Ja się na ciebie nie wydzieram przy ludziach, ale ty na mnie zawsze przy innych wygadujesz różne rzeczy... I opowiadasz bajki o tym, że wyjeżdżam, że cię zostawiam, że wszystko to moja wina. Ale ja i tak chcę, żebyś ze mną była. Rozumiem, że jesteś, jaka jesteś, i że nie możesz się zmienić (*pauza*). Dlaczego udajesz taką strasznie pokrzywdzoną? Najnieszczęśliwsza dziewczyna na świecie! Przecież to nonsens.

Żona: Idź do diabła!

LHO: Nie szanujesz mnie.

Żona: Alik, dość już się kłóciliśmy, a ty znowu zaczynasz.

LHO: Wcześniej taka nie byłaś.

Żona: Ty też nie.

23.35 (*cisza; oboje śpią*)

Zdaniem Mariny Alik szczerze kochał Walę i wiedział, że ona i Ilja ciężko przeżyją ich wyjazd do Ameryki, ale powiedział: „Nie mów nic swoim krewnym. Na razie".

Oczywiście jej wuj się dowiedział. Poinformowały go organy z uwagi na jego wysokie stanowisko.

Gdy byli na obiedzie u Wali, Ilja zapytał: „O co chodzi z tym wyjazdem z Rosji?". Wcześniej ktoś zadzwonił do niego do pracy i powiedział: „Wiecie co? Wasza siostrzenica wybiera się do Ameryki". Co za policzek! Marina zawsze umiała być wdzięczna, kiedy ludzie byli dla niej mili, a teraz znalazła się w sytuacji, która wymagała od niej okłamywania rodziny. Czuła się zhańbiona. Okazała się zdrajczynią.

Czasami Marina zastanawiała się, czy Lee przypadkiem nie wykalkulował sobie, że trudniej będzie Amerykanom go aresztować, jeśli wróci z żoną i z dzieckiem. Może matka poradziła mu, żeby przywiózł ze sobą swoją Rosjankę. Ponieważ oczywiście pisała do niego listy po angielsku, skąd Marina miała to wiedzieć? Bardzo przeprasza, ale nie podoba jej się ten język. Jest znacznie brzydszy od rosyjskiego.

9

Dama pikowa

15 lipca – 20 sierpnia
Dowiedzieliśmy się już, jakie formularze i zaświadczenia są potrzebne do ubiegania się o wizę. To w sumie około dwudziestu dokumentów: metryki urodzin, zdjęcia, zaświadczenia itp. 20 sierpnia złożyliśmy te papiery. Powiedziano nam, że trzy i pół miesiąca trzeba będzie czekać na decyzję, czy pozwolą nam wyjechać, czy nie. W tym czasie Marina musiała uczestniczyć w czterech zebraniach, które jej przełożeni zwoływali na „czyjeś" telefoniczne polecenie. Jej sprawą zainteresował się też Komsomoł i musiała iść na spotkanie, które trwało półtorej godziny. Ostatecznym celem tych zabiegów jest odwiedzenie jej od postanowienia wyjazdu do USA. Rezultat: jeszcze bardziej upiera się przy wyjeździe. Jest w ciąży; mamy nadzieję, że wizy dostaniemy niedługo.

21 sierpnia – 21 września
Odwiedziłem biuro wizowe i paszportowe, a także Ministerstwo Spraw Zagranicznych w Mińsku i Ministerstwo Spraw Wewnętrznych, bo każde z nich ma dużo do powiedzenia w kwestii wydawania wiz [...].

10 września Oswald pisze do swojego starszego brata Roberta, z którym był w listownym kontakcie, odkąd zdecydował się na powrót do Ameryki:

Kochany Robercie!
Najwyraźniej w ostatnim liście byłem zbyt wielkim optymistą [...].
    Rosjanie biorą mnie na przetrzymanie i stwarzają problemy z wydaniem wiz, na razie więc mogę tylko czekać. Przeciętny Rosjanin w ogóle nie może wyjechać z ZSRR. My z żoną mamy jednak taką możliwość dzięki temu, że wciąż jestem obywatelem amerykańskim i zachowałem amerykański paszport [...].
    Z tego, co piszesz, Robert Lee to duży chłopak, a Cathy [...] ma już cztery latka. Aż trudno w to uwierzyć. Pamiętam, jak Mama zadzwoniła do mnie z nowiną, że macie córeczkę, 21 czy 22 sierpnia. [Moja jednostka] przygotowywała się wtedy do wyjazdu do Japonii [...]. Tyle się od tamtego czasu zmieniło! [...].
    Odpisz szybko.

                                                            Twój brat Lee

Załączam parę widokówek Mińska.

ADRESAT: Ambasada amerykańska

Moskwa, ZSRR

4 października 1961 roku

Szanowni Państwo!

Niniejszym zwracam się z uprzejmą prośbą do ambasady amerykańskiej oraz ambasadora Stanów Zjednoczonych, pana Thompsona, o wstawienie się za mną w sprawie uzyskania wizy wyjazdowej od władz radzieckich.

Podanie złożyłem dnia 20 czerwca br. i mimo upływu trzech miesięcy nie otrzymałem wizy [...].

Uważam, że sprawa zasługuje na oficjalne zainteresowanie. Listy proszę kierować na poniższe adresy: Ministerstwo Spraw Wewnętrznych, prospekt Stalina 15, Mińsk, oraz pułkownik Pietrakow, kierownik Biura Adresowo-Paszportowego, ulica Moskiewska.

Uważam ponadto, że sprawa podwójnie kwalifikuje się do rozpatrzenia przez kompetentne władze, ponieważ zaistniały systematyczne i planowe próby zastraszenia mojej żony, mające na celu wycofanie przez nią podania o wizę. Powiadomiłem ambasadę o tych powodowanych przez miejscowe władze incydentach, które zakończyły się hospitalizacją mojej żony [...] dnia 22 sierpnia z powodu poważnego przemęczenia [...].

Myślę, że zarówno w zakresie obowiązków, jak i w interesie rządu Stanów Zjednoczonych oraz ambasady amerykańskiej leży zajęcie się moją sprawą.

Szczerze oddany

Lee H. Oswald

Oswald dobrze się orientuje, jak napuścić na siebie dwie biurokracje. Ponieważ może być pewien, że jego list do ambasady amerykańskiej zostanie przeczytany najpierw przez „miejscowe władze", pozwala im na rozważenie tego, jakie konsekwencje mogłoby mieć zażalenie złożone przez amerykański Departament Stanu. Oczywiście to Lee zdecydował się na podjęcie wojny nerwów, ale można powiedzieć, że najmocniej ucierpiała na tym Marina. Wkrótce postanowiła wziąć przysługujący jej trzytygodniowy urlop i odwiedzić ciotkę w Charkowie.

14 października

Kochana Marino!

Bardzo się ucieszyłem z Twojego listu, który dziś do mnie doszedł. Ucieszyłem się też, że dobrze Ci jest u cioci Poliny.

Mam nadzieję, że ciepło się ubierasz, bo tu jest już bardzo zimno.

Ponieważ jesteś w Charkowie, jestem oczywiście bardzo samotny, ale często widuję się z Erichem i chodzę do kina...

Jest zimno i wieje zimny wiatr.

Obiady jadam po pracy w barze samoobsługowym albo w fabrycznej stołówce.

To tyle na dziś! Proszę, napisz! (Dostałem też we wtorek Twój telegram).

Całuję, Alik

Ten list z 14 października może nie jest aż tak chłodny jak jesień w Mińsku, ale niewątpliwie niezbyt ciepły. Jednak 18 października Oswald wybrał się na swoją ulubioną operę, *Damę pikową*, i dzięki Puszkinowi i Czajkowskiemu przypomniał sobie, co znaczy miłość. Wypisał sobie nawet fragmenty jednej z arii po rosyjsku. W tłumaczeniu zleconym przez Komisję Warrena tekst tchnie gorącym uczuciem:

Akt II *Damy pikowej*

Kocham cię, kocham cię niezmiernie. Nie wyobrażam sobie życia bez ciebie. Jestem teraz gotów dla ciebie dokonać bohaterskiego czynu, wymagającego niespotykanej dotąd odwagi [...]. Gotów jestem ukrywać uczucia, jeśli sprawi ci to przyjemność [...]. Gotów jestem dla ciebie zrobić wszystko [...] być nie tylko mężem, ale i sługą [...]. Chciałbym zostać twoim przyjacielem i pozostać nim na zawsze [...]. Ale dlaczego tak mało mi ufasz [...]. Smucę się twoim smutkiem i płaczę twoimi łzami. Och, jest to dla mnie tortura – z całej duszy, namiętnie wołam do ciebie znów: Najdroższa! Kocham cię.

18 października 1961

Kochana Marino!

Dostałem dziś prezenty od Ciebie. Serdeczne dzięki. Są bardzo, bardzo ładne. Nigdy tego dnia nie zapomnę.

I co, wracasz niedługo? Ucieszę się, kiedy Cię wreszcie znowu zobaczę – ależ Cię będę kochał!

Jeszcze raz dzięki za prezenty. Świetnie wybrałaś te płyty, książki i ramki. Zachowam je na zawsze.

Do zobaczenia,

Twój mąż

Alik

Larysa uważa, że ze wszystkich znajomych Alik prawdopodobnie najlepiej dogadywał się z nią. Faktem jest, że wyjeżdżając do Charkowa do ciotki, Marina poprosiła Larysę, by czasami wpadała do Alika i się nim opiekowała.

Pamięta też, jak Marina zawsze mówiła, że wyjdzie albo za Żyda, albo za cudzoziemca. Przeszłości wprawdzie nie można wymazać, ale może łatwiej zapomnieć o jej ciemnych stronach, będąc żoną obcokrajowca. Niezależnie od tego, co się zdarzyło w owej przeszłości, Larysa Marinę kochała, kochała ją tak bardzo, że aż trudno to wyrazić. Marina była taka dobra, taka wrażliwa, tak dobrze się znała na literaturze. W młodości czytały razem mnóstwo książek; Marinę interesowało dosłownie wszystko. Larysa rozumiała też, dlaczego przyjaciółce podobali się Żydzi i dlaczego chciała Żyda za męża. Widziała przecież, z jakim szacunkiem oni się odnoszą do kobiet. W rodzinach rosyjskich to rzadko spotykane zjawisko, a jeżeli już, to tylko w najwyższych sferach inteligencji, jak na przykład u jej siostry Ludmiły i jej męża Miszy. „Dzisiaj – mówi Larysa – może

trochę się podniósł poziom kulturalny robotników w Mińsku, ale Marina mieszkała tu prawie trzydzieści lat temu. Poza tym możliwe, że dzięki kontaktom
z cudzoziemcami w Leningradzie miała inną perspektywę, inny pogląd na to,
jak kobiety powinny być traktowane".

Gdy jednak Larysa po raz pierwszy spotkała się z Alikiem, nie mogła zrozumieć, czemu Marina wybrała właśnie jego. Wydał jej się bezbarwny. Później, gdy
go lepiej poznała, zrozumiała, że umiał się zmieniać, różnie się zachowywać
w towarzystwie różnych ludzi. Momentalnie wyczuwał, czy ktoś jest człowiekiem wykształconym; do robotników odnosił się bardziej bezpośrednio.

Oczywiście, że Lee był osobą zagadkową. Kiedyś Larysa zapytała Marinę
w żartach: „Czy on przypadkiem nie jest amerykańskim szpiegiem?", na co Marina tylko się uśmiechnęła. Ale gdy wyjechała do Charkowa i Larysa zgodnie
z prośbą przyjaciółki czasami odwiedzała Alika, zdarzało się, że przez bardzo
długi czas nie otwierał jej drzwi, mimo iż na pewno był w domu. Wiedziała
o tym, bo z ulicy widziała, że w oknach pali się światło. Wreszcie podchodził do
drzwi i pytał „Kto tam?", po czym otwierał dopiero wtedy, kiedy Larysa się
przedstawiła. Zawsze wówczas żartowała sobie: „Czy ty tam czegoś nie ukrywasz? Może nadajesz coś przez radio?". On się wtedy tylko uśmiechał.

Dosyć go lubiła, ale był dziwny. Zdarzało się, że wieczorem u Alika i Mariny
siedzieli goście, a o dziesiątej wieczorem Alik mówił: „Jestem zmęczony, chce mi
się spać". W Mińsku takie zachowanie uchodziło za niestosowne. Wstawał, a inni w ślad za nim. Do niej jednak mówił: „Lala, zostań z nami jeszcze chwilę".
Potem, gdy wszyscy już wyszli, ona i Marina jeszcze rozmawiały, dopóki Alik nie
powiedział: „Odprowadzimy cię teraz do domu". Wtedy wkładali płaszcze i od-
prowadzali ją. Larysa musi jednak przyznać, że w towarzystwie Lee zawsze odnosił się do Mariny z szacunkiem; był oddanym mężem. Może i usiłował na niej
wymóc, żeby bardziej się przykładała do domowych porządków, ale nigdy
w obecności Larysy. Poza tym w ich mieszkaniu było naprawdę czysto. Wszystko dokładnie wysprzątane. Marina ciągle chodziła ze ścierką w ręku i ścierała
kurze. Była wspaniałą matką i cudowną żoną. Lee, co prawda, wolałby, żeby do
zmywania naczyń używała szczotki, a nie szmatki, ale to w końcu drobiazg.

Larysa uważa, że Lee był o żonę zazdrosny, ponieważ wyróżniała się wyglądem i robiła wrażenie osoby interesującej i pełnej życia. Stąd jego zaborczość.
Czułby się źle, gdyby Marina sama wybrała się na spacer.

22.10.61

Moja najdroższa dziewczynko!

Dostałem dziś Twoją kartkę; dziękuję, kochanie. Nie podoba mi się tylko to, co piszesz
o poczuciu, że mnie utracisz. Nigdy mnie nie utracisz i basta!

Dziś dostałem także list od Mamy. Przysłała mi kilka książek. Pisze też, że powinnaś
się uczyć angielskiego.

Odpisałem jej, że wcale nie chcesz [...]. Przesłałem jej pozdrowienia od Ciebie.

Nie wiesz, kiedy wrócisz. Ale napisz od razu, kiedy już będziesz wiedziała. Tu jest zimno i deszczowo.

Co do naszej sprawy: poszedłem, ale powiedzieli mi: „Odpowiedź jeszcze nie nadeszła".

Nic nie szkodzi. Niedługo będziesz z powrotem w domu. Tak dobrze będzie znów być razem. Cieszę się, że dziecko jest takie żywotne, to dobrze.

Tyle na razie, pisz do mnie.

Twój mąż
Alik

Podczas pobytu w Charkowie Marina nie mogła przestać myśleć o Wali i Ilji, którzy starali się ją przekonać, żeby zmieniła zdanie. Nie chcieli, żeby wyjechała do Ameryki. Wala powiedziała jej nawet, że Ilja na pewno będzie miał przez to nieprzyjemności. Marina jednak nie była pewna, czy to prawda. Ona była przecież tylko jego siostrzenicą, no i czasy też się zmieniły. Odkąd nastały rządy Nikity Chruszczowa, młodzi ludzie uwierzyli w wolność. To już nie był rok 1945, to nie były czasy stalinowskie. Nie mogli ukarać Ilji za to, że jego siostrzenica wyjechała do Ameryki. Oczywiście, zostałby pominięty przy awansie. Wala mówiła, że Ilja przez całe życie uczciwie pracował na emeryturę, a być może w tej sytuacji mu jej nie dadzą. Martwiła się: „Boże drogi, a co będzie, jeśli nas ześlą na Syberię?".

Siostra Ilji, ciocia Luba, także się niepokoiła. Pracowała w MWD jako księgowa. Jej też mogło grozić zwolnienie z posady. Mimo wszystko jednak Wala nigdy nie prawiła Marinie kazań – po prostu grała z nią w otwarte karty. „Rozumiesz teraz – mówiła jej – że trzymasz w ręku nasze losy. Może ten wyjazd do Ameryki to tylko kaprys". Marina wychodziła po takich rozmowach z ciężkim sercem. Co miała zrobić? Nie była niewdzięczna, ale oni składali na jej barki poważną decyzję. Doszła jednak do wniosku, że to nie kaprys. Nie jest osobą kapryśną.

Po przemyśleniu tego wszystkiego jeszcze raz w Charkowie postanowiła za ryzykować. Wali i Ilji nic się nie stanie. Rodzina się nie rozpadnie. Ale nawet ciotka Polina w Charkowie odradzała jej ten wyjazd. Mówiła: „Zostań w Rosji, tak będzie lepiej dla wszystkich". Gdy Marina wychodziła na spacer z synem Poliny, zachowywała się porywczo i tak gwałtownie, że aż się martwił, czy coś jej się nie stanie. Był przystojnym młodym człowiekiem i kochał się w Marinie. Powiedział jej: „Nie zwracaj uwagi na to, co mówi moja matka. Zrób, co sama uważasz za słuszne".

Po trzech tygodniach spędzonych w Charkowie Marina wróciła do pracy, ale sprawy przybrały gorszy obrót.

2 listopada

Marina wróciła z Charkowa rozpromieniona i szczęśliwa, przywiozła mi od ciotki kilka słoików przetworów.

Część VII

Ojcostwo i macierzyństwo

1

Surowy, lecz mądry

Gdy Marina była w ostatnich miesiącach ciąży, Lee stał się bardziej uważający. Doktor Spock zalecał w swojej książce: od tego i tego miesiąca się nie kochajcie – teraz Marina nie pamięta, o który dokładnie miesiąc chodziło. Lee był też opiekuńczy, bardzo opiekuńczy w stosunku do ich nienarodzonego jeszcze dziecka, i czuły, bardzo czuły – mierzył jej brzuch i pieszczotliwie go głaskał.

Przez bardzo długi czas nic nie było po niej widać. Miała tylko odrobinę wystający brzuszek. Raz Alik zapytał: „Czy aby na pewno jesteś w ciąży?". Bał się, że dziecko może się urodzić za małe. Był bardzo podniecony, kiedy po raz pierwszy usłyszał bicie jego serca. Taka miła, spokojna chwila. Uwielbiał przykładać ucho do jej brzucha i słuchać.

W miarę upływu czasu powoli zaczynało im być coraz lepiej w łóżku. Nie pozwoliłaby mu tylko na jedno: „Jak to się mówi? Kiedy ktoś całuje stopy? Fetyszysta?". Nigdy o czymś takim nie słyszała, wyczytała to dopiero w jakiejś książce. Nie pozwalała mężczyznom na coś takiego, ale Lee nie miał żadnych zboczonych zachcianek. Był w porządku. Gdy pod koniec ciąży drętwiały jej stopy, masował je. A później bardzo ładnie zareagował, widząc kilka rozstępów, które pojawiły się na jej ciele po urodzeniu June. Patrzył na niemowlę i mówił: „Mama to wszystko zrobiła dla ciebie" i głaskał te rozstępy, i je całował. Ale, oczywiście, nie były znowu takie duże. Nie roztyła się w czasie ciąży.

Zbliżała się zima i coraz częściej siedzieli wieczorami w swoim małym mieszkanku. Lee zajmował się pisaniem. Ponieważ mieli wyjechać do Ameryki, Lee zaczął prowadzić dziennik i przez kilka wieczorów pisał tak dużo, że w końcu go zapytała, czy przypadkiem nie jest szpiegiem. Do tamtego czasu nie wtrącała się w sferę jego prywatności. Nie wyznawała zasady, że w małżeństwie trzeba się docierać i dopasowywać do siebie nawzajem. Niech każdy żyje po swojemu. Ale była ciekawa, co on tam pisze, więc zapytała. Odpowiedział, że to wspomnienia z jego życia w ZSRR. Zapytała: „Czy aby na pewno nie jesteś szpiegiem?". On odpowiedział: „A gdybym był, to co?". I popatrzył na nią wyzywająco. „Co byś zrobiła, gdybym był szpiegiem?". Prawdę mówiąc, nie miała pojęcia. Zaczęła się nad tym zastanawiać. Widząc, że się wyraźnie zmartwiła, Lee powiedział: „Nie przejmuj się. Tylko żartowałem. Nie jestem szpiegiem". Uwierzyła mu. Mimo to jednak dopuszczała myśl, że mógłby być szpiegiem. Bo kto kochał Związek Radziecki? Ona na pewno nie. Nie było w niej cienia przywiązania do ojczyzny. Paliła nawet papierosy „Biełomorskije". Już wyjaśnia: Kanał Białomorski został zbudowany przez więźniów politycznych, których kości zakopano w ziemi u jego brzegów. Gdy później pojawiły się papierosy „Biełomorskije", ludzie widzieli w nich symbol wszystkich ludzkich ofiar z czasów stalinowskich. „Było to olbrzymie osiągnięcie gospodarcze – pogrzebano tam mnóstwo kości ludzi. W naszym systemie trzeba było czytać między wierszami. Ludzie wiedzieli, co się dzieje, mimo iż nikt o tym nie mówił. Czuliśmy solidarność z tymi więźniami, którzy zginęli podczas budowy Kanału Biełomorskiego. Jeszcze dziś ludzie o tym pamiętają, jeszcze dziś. «Biełomorskije» to nie są zwyczajne papierosy. Gdy się je kupuje, to jakby się mówiło: «Dziękuję ci, bracie. Umarłeś. Jestem z tobą». Rosjanie śmieją się, paląc «Biełomorskije». Mówią: «Mój Boże, cała Rosja stoi na ludzkich kościach, czy to można pojąć?»".

Lee wciąż pisał w zeszytach. Czasami pytał Marinę o znaczenie jakiegoś rosyjskiego słowa. Ale nie zapisał zbyt wielu stron. O ile ona sobie przypomina, był to mały zeszyt, a Lee pisywał w nim może dwa razy na tydzień, czasami trzy dni z rzędu, a czasami ani słowa przez trzy tygodnie. W ciągu kilku miesięcy uzbierało się może pięćdziesiąt stron.

W pracy Marina czuła się wyrzucona poza nawias. Gdy wchodziła do pomieszczenia, cichły rozmowy, jak gdyby ludzie akurat rozmawiali o niej. Nikt jej już nie proponował wspólnego jedzenia drugiego śniadania.

1 listopada 1961
Szanowni Państwo!

[...] jeśli chodzi o moje i mojej żony podanie o wizę wyjazdową, nadal wiz nie dostaliśmy, nie otrzymaliśmy też odpowiedzi na nasze podania, mimo moich wielokrotnych wizyt u władz w Mińsku [...]. Władze nie podjęły żadnych działań i w ten sam sposób usiłują przeszkodzić mojej żonie w realizacji jej decyzji.

W przyszłości będę informował ambasadę o postępach w naszej sprawie [...].

Oswald drażni KGB listami do brata:

1 listopada 1961
Kochany Robercie!

[...] Usłyszeliśmy dziś w radiu, że obecny rząd radziecki postanowił usunąć zwłoki Stalina z mauzoleum przy Placu Czerwonym. Tutaj jest to wiadomość numer jeden, a mnie to strasznie bawi [...], kiedy słucham radia albo któregoś z politycznych „komisarzy", których tu mamy, zawsze przychodzi mi na myśl książka George'a Orwella *Rok 1984*, gdzie też żyje się według zasady „dwójmyślenia".

W każdym razie wszystko tu jest bardzo interesujące, a ludzie są na ogół prości i sympatyczni [...].

To chyba tyle, jeśli chodzi o wiadomości z Mińska.

Twój brat

Lee

Listopad – grudzień

Powoli zaczynamy się już złościć na to odwlekanie wyjazdu do Ameryki. Marina znów trochę się waha. Prawdopodobnie przez stres spowodowany ciążą. Ciągle się kłócimy i nasze życie nie wygląda zbyt różowo. A na dodatek zbliża się ciężka rosyjska zima.

Marina nie chciała wyjść za mąż za Rosjanina, bo Rosjanie bardzo często biją żony. A nagle znalazła się w takiej sytuacji, że była żoną cudzoziemca, który chciał nad nią dominować przy użyciu siły.

W Rosji kobiety zawsze powtarzają: „W czasie miesiąca miodowego nie pozwól mężowi rządzić. Bo jak będzie na początku, tak będzie i później". Zatem i Marina, i Lee pilnowali, żeby nie pozwolić się temu drugiemu podporządkować. Kłócili się i trzaskali drzwiami. Aż nadszedł taki dzień, kiedy on ją uderzył. Było jej strasznie wstyd. Zostawiła Lee i poszła do Wali. Nie pamięta już, o co im chodziło, ale pomyślała sobie: „Nie będę tego znosić w spokoju". Lee wymierzył jej policzek. Był późny wieczór, gdy zapukała do wujostwa. Wala zapytała „Kto tam?", a Marina spytała: „Mogę wejść?". Wala upewniła się: „Jesteś sama?". W tym momencie Marina usłyszała głos wuja Ilji: „Powiedz Marinic, że ma wracać do domu". Wala postąpiła wtedy wbrew woli męża, wpuściła Marinę do środka. Wuj powiedział: „To pierwszy i ostatni raz, kiedy przybiegasz tu po kłótni z mężem. Możecie przyjść razem, jak się już pogodzicie, ale sama się nie pokazuj. W małżeństwie trzeba we dwoje rozwiązywać problemy. Nie możesz przychodzić tu za każdym razem, jak ci się coś nie będzie układać". Wtedy Marina pomyślała, że wuj jest nieczuły, ale teraz przyznaje mu rację. Ilja był surowy, lecz mądry.

Gdy wróciła do domu, Lee przeprosił ją i obiecał, że to się więcej nie powtórzy. Marina pamiętała jednak, że na chwilę przedtem, jak ją uderzył, silnie zbladł, a jego oczy nabrały takiego wyrazu, jak gdyby spoglądał na nią z bardzo daleka.

W Mińsku uderzył ją tylko trzy czy cztery razy. Ale nie to uważała za poniżające w Rosji, tylko to, że KGB podsłuchuje ich na każdym kroku. Potem w Ameryce pałeczkę przejęło FBI. Znów, po raz kolejny musiała poddawać swoje życie gruntownej analizie. Po co to wszystko? Czym sobie na to zasłużyła? Dlaczego każdemu musiała się tłumaczyć? Nie chciała mówić o tym, że Alik czasem ją bił. Bo to stawiało go w złym świetle. Jak mógłby się oczyścić z zarzutu popełnienia zbrodni, której, jej zdaniem, nie popełnił, jeśli w ludzkich oczach uchodziłby za człowieka bijającego żonę?

Z RAPORTU KGB

Podczas spotkania dnia 20 listopada 1961 roku tow. I.W. Prusakow wyjaśnił, że niedawno dwukrotnie rozmawiał ze swoją siostrzenicą Mariną i jej mężem L.H. Oswaldem. [...]

Jako krewny żony Oswalda, Prusakow wyraził opinię, że decyzja Oswalda o wyjeździe do Ameryki może okazać się pomyłką. Prusakow wspominał mu o komplikacjach w sytuacji międzynarodowej, jak również o możliwości wcielenia go do armii amerykańskiej, o problemach ze znalezieniem pracy w Ameryce, a także o ewentualnym aresztowaniu. Oswald wyjaśnił Prusakowowi, że nie sądzi, by został powołany do służby wojskowej, ponieważ dopełnił już tego obowiązku [...], a co do aresztowania – nie uważa, by pracownicy ambasady go okłamali. Mimo wszystko jednak Oswald przyrzekł rozważyć te przeszkody przed wyjazdem do Ameryki.

Prusakow starał się także przekonać swoją siostrzenicę Marinę o bezcelowości wyjazdu do USA. Podobnie wpływała na Marinę jej ciotka Polina, zamieszkała w Charkowie. W wyniku ich rozmowy Prusakow ustalił, że Marina nie ma ochoty jechać. Bardzo jednak była przejęta tym, jak ułoży sobie życie, wychowując dziecko Oswalda.

Prusakow przyrzekł nadal pracować nad przekonaniem Oswalda i jego żony do zmiany decyzji o wyjeździe do Ameryki. W zachowaniu Oswalda nie przypomina sobie nic podejrzanego.

23 listopada

Kochana Mamo!

Dostaliśmy dziś wspaniały prezent od Mamy. Nie mogę uwierzyć, że Mama tak trafiła w mój gust co do koloru i materiału.

Tutaj jest już zimno, więc ten wełniany szal bardzo mi się przyda.

Miło jest czuć, że Mama tak o mnie dba, nawet bardziej niż o Lee. Na zawsze zapamiętam ten prezent jako znak naszej przyjaźni.

Mam nadzieję, że Mama nie będzie się nami martwić. Proszę tego nie robić.

Nigdy jeszcze Mamy nie widziałam (tylko na zdjęciach), ale już czuję dla Mamy ogromną sympatię.

Życzę Mamie zdrowia. Jeszcze raz dziękuję za piękny prezent.

Marina

(Napisałem to za nią, ale słowa są jej. – Lee)

2

Bomba

Według chronologii KGB 6 grudnia Oswald „zwrócił się do amerykańskiego senatora Johna Towera o pomoc w powrocie do USA". Oto polski przekład rosyjskiego tłumaczenia angielskiego listu Oswalda z roku 1961.

Z KONTROLI KORESPONDENCJI KGB
Senator John Tower
Waszyngton, D.C.
Gmach Senatu

Lee Oswald
Mińsk
ul. Kalinina 4/24

Szanowny Panie Senatorze!

Nazywam się Oswald. Gdy przybyłem do Związku Radzieckiego, przedstawiłem dokumenty świadczące o tym, że jestem obywatelem Stanów Zjednoczonych i że mój pobyt na terenie ZSRR ma być tymczasowy. Ambasada USA w Moskwie zna moją sprawę.

Od lipca 1960 roku bezskutecznie staram się o wizę wyjazdową do USA; bez niej władze radzieckie odmawiają mnie i mojej żonie prawa do wyjazdu. [...].

Jestem obywatelem Stanów Zjednoczonych (numer paszportu: N1733242, 1959) i proszę, by mi Pan pomógł, ponieważ tutejsze władze zatrzymują mnie wbrew mojej woli.

Z wyrazami szacunku
Lee Oswald

Może dla kontrwywiadu KGB na Białorusi nadszedł wreszcie czas, by pozbyć się osoby, która z łatwością mogła doprowadzić do skandalu międzynarodowego, a niewiele wysiłku wkładała w pracę – tak przynajmniej wynika z raportu przesłanego 11 grudnia 1961 roku do mińskiej milicji przez dyrektora fabryki i kierownika działu kadr.

Lee Harvey Oswald [...] zatrudniony w charakterze regulatora w warsztacie eksperymentalnym naszej fabryki dnia 13 stycznia 1960 roku.

Przez cały czas, odkąd pracuje, jakość jego pracy nie jest zadowalająca. Nie wykazuje inicjatywy w kierunku doskonalenia swoich umiejętności.

Obywatel Lee Harvey Oswald w przesadny sposób reaguje na uwagi majstra i niestarannie wykonuje swoją pracę. Nie bierze też udziału w życiu towarzyskim naszego kolektywu i przeważnie trzyma się na uboczu.

Katia, która pracowała w „Horyzoncie" obok Alika, zauważyła, że jej kolega coraz mniej pracuje. Często teraz siadywał z nogami na stole. Jeśli nie było stołu, kładł nogi na krześle. Jego współpracownicy doszli do wniosku, że to taki amerykański zwyczaj.

Mówili do niego: „Alik, czemu zasypiasz, jak tylko przychodzisz do pracy? Przecież jest jeszcze rano". On odpowiadał wtedy: „W nocy się kochałem. Dlatego jestem zmęczony".

„Może tak tylko żartował – wspomina Katia. – Mnie to zbytnio nie obchodziło".

Powoli ludzie przestali się nim interesować. Raz czy dwa razy, po otrzymaniu reprymendy w gabinecie dyrektora, Alik wracał do warsztatu i mówił: „Napiszę pamiętniki pod tytułem *Jak wspominam Związek Radziecki*".

Nikt na to nie reagował. Wszyscy myśleli: „Co on chce pisać, skoro nie umie nawet porządnie mówić?". Najlepiej było się trzymać od niego z daleka. Nikt nie mógł wiedzieć, co mu chodzi po głowie.

14 grudnia 1961

Kochany Robercie!

Dostałem dziś Twój list z 29 listopada.

Przede wszystkim mogę potwierdzić, [że] nie otrzymałem żadnego listu z „pewnymi" pytaniami. Bardzo możliwe, że go zniszczono […].

Mam nadzieję, że paczka od nas zdąży do Was dojść przed świętami. Marina aż dwa tygodnie siedziała nad tymi obrusami dla Vady […].

Na dachach leży śnieg, ale sosny wciąż zielone. Rzeka koło naszego domu zamarzła. Z okna na czwartym piętrze mamy bardzo dobry widok.

Cóż, na razie to chyba wszystko. Serdeczności od Mariny. Odpisz szybko.

Lee

Odkąd Marina wypełniła już wszystkie niezbędne do starań o wyjazd do Ameryki formularze, upłynęły całe tygodnie, a potem miesiące od sierpnia do grudnia, aż wreszcie zatelefonowano do niej do pracy. Kazano jej się udać do głównego gmachu rządowego przy ulicy Lenina, gdzie miały siedzibę MWD i KGB.

Weszła bocznym wejściem i zeszła schodami w dół. We wskazanym pokoju siedział tylko jeden człowiek – „siwy, ktoś ważny". Wysoki, ale jego twarzy Marina nie pamięta. Tylko tyle, że był w mundurze. Nie przypomina sobie też, czy zwracał do niej „Marino", czy też „pani Oswald". Powiedział tak: „Mam porozmawiać z wami w waszej sprawie. Staracie się o pozwolenie na wyjazd do Stanów Zjednoczonych". Potwierdziła, że to się zgadza. On powiedział: „Nie macie się czego bać. To nie jest przesłuchanie. Chcę tylko z wami porozmawiać, żeby się dowiedzieć, jakie macie powody, by wyjechać z kraju. Chcę wam zadać kilka pytań. Proszę zrozumieć – ciągnął dalej – nie zostaniecie aresztowani, nic podobnego. To normalny tryb postępowania". Następnie zapytał: „Czy chodzi o jakiś powód polityczny? Czy macie coś do zarzucenia naszemu krajowi? Czy z czymś się nie zgadzacie?".

Ona odpowiedziała: „Nie. Powód jest taki, że wyszłam za mąż za Amerykanina. On wraca do domu, a ja jestem jego żoną. To jedyny powód. Niczym innym się nie kieruję".

On zapytał: „Czy mogę was w jakiś sposób odwieść od decyzji wyjazdu? Pamiętajcie, że krok ten zagrozi reputacji ludzi, z którymi pracujecie, oraz waszych krewnych".

Marina uczepiła się tego. Powiedziała: „Mój wuj nie miał z tym nic wspólnego. Nie pochwalał mojego małżeństwa. Zgodził się na nie tylko dlatego, że mój mąż powiedział, że nie ma możliwości powrotu do Ameryki. Wuj sądził więc, że nie będę mogła wyjechać. Teraz mój mąż ma okazję wrócić. I – dodała – nie wyjeżdżam z powodów politycznych".

Oficer starał się ją podejść to z tej, to z tamtej strony; wreszcie zamknął teczkę i powiedział: „Skoro tak uważacie, to pewnie zgodnie z tym postąpicie".

Otwierając jej drzwi, powiedział jeszcze – Marina pamięta, że tym razem zwrócił się do niej po imieniu: „Teraz nie mówię do ciebie jako urzędnik, Marino. Spójrz na moje siwe włosy – przeżyłem wojnę. Jesteś młoda, mogłabyś być moją wnuczką. Mówię do ciebie jak człowiek do człowieka. Skąd wiesz, że tu nie będzie ci najlepiej? Nie masz gwarancji, że twoje małżeństwo okaże się udane. Rzucasz się na głęboką wodę. Jeśli nie będzie ci się układało z mężem, odcinasz sobie możliwość powrotu. Zostaniesz sama jak palec. Przemyśl to, kiedy wrócisz teraz do domu. Radzę ci jak własnej wnuczce, ale decyzja oczywiście należy do ciebie".

Istotnie przemyślała to. Już w drodze na Kalinina się nad tym zastanawiała. Ten urzędnik był miłym człowiekiem. Nie dał jej się poznać od nieprzyjemnej strony. Rozmawiał z nią normalnie, po ludzku. Gdy opowiedziała Lee słowo w słowo wszystko, co usłyszała, powiedział: „Nie wydaje mi się, żeby chcieli nam robić trudności. Wygląda na to, że mamy zielone światło".

Zrobili ogromny krok do przodu. A przecież kiedy Lee jej się oświadczał, Marina nie wierzyła nawet, że dostaną zezwolenie na ślub. Tak wiele się zdarzyło w tak krótkim czasie.

<u>25 grudnia</u>
Boże Narodzenie, wtorek
Marina została wezwana do Biura Paszportowo-Wizowego. Powiedziano jej, że otrzymaliśmy radzieckie wizy wyjazdowe [...]. To świetnie (tak sądzę)! Sylwestra spędzamy u Zigerów; oprócz nas będzie na kolacji jeszcze sześć osób.

Do tego czasu Igor i Stiepan zdążyli już wyrobić sobie o Oswaldzie zdanie: był on osobą, którą można określić jako podatną na emocje. Przejawiało się to w kłótniach, jakie wybuchały między nim a żoną, choć z reguły nie trwały one długo. Z drugiej strony, jego wyskoki nigdy nie miały nic wspólnego z chuligaństwem. Szef milicji MWD wystosował nawet do KGB oficjalny dokument, poświadczający, iż nigdy nie widziano Oswalda biorącego udział w chuligańskim wybryku. Marinę zaś wykluczono z Komsomołu, ponieważ – tak twierdzą Igor i Stiepan – uważana była za zbędny balast: zapisała się niechętnie, bez entuzjazmu, i nie brała udziału w życiu organizacji.

Nareszcie wypady łowieckie Oswalda przestały stanowić problem dla kontrwywiadu. Wiarygodne źródła podały, że na kilku polowaniach okazał się kiepskim myśliwym i nic nie upolował. Nigdy nie usiłował odłączyć się od grupy ani zbliżyć do usytuowanych w lesie obiektów przemysłowych i nie wykonywał podejrzanych ruchów. Obawy KGB zostały zatem rozwiane. Zresztą Oswald nawet nie zabierał do lasu aparatu fotograficznego. Gdyby go ze sobą brał, podjęliby odpowiednie kroki, by ustalić, czy zbliża się do obiektów po to, żeby je fotografować. Ale on zostawiał aparat w domu. W końcu 2 stycznia 1962 roku sprzedał strzelbę, numer serii 64621, około półtora roku po jej nabyciu.

Służba bezpieczeństwa doszła więc do wniosku, że nic nie stoi na przeszkodzie, by pozwolić Oswaldowi wrócić do Ameryki. Tym sposobem mogli się pozbyć niewygodnego obiektu. Przecież nie można było wykluczyć, że Oswald znów będzie próbował się zabić. Tym razem mogłoby mu się udać. A to stałoby się pożywką dla naprawdę paskudnej propagandy.

Pod koniec roku uzgodniono zatem, że zgromadzony materiał wystarczająco potwierdza fakt, iż Oswald nie jest agentem obcego wywiadu. Oczywiście, nadal miał pozostawać pod obserwacją. Ostatecznie nigdy nie uzyskuje się całkowitej pewności. Zdarzają się szpiedzy tak ostrożni, że można ich obserwować latami i nic nie wykryć; w końcu jednak popełniają jakiś błąd. Dlatego profesjonaliści nie pozwalają sobie na wyciąganie pochopnych wniosków. Jednakże teraz, gdy Oswald zdecydował się na wyjazd ze Związku Radzieckiego, organy bezpieczeństwa doszły do wniosku – po kolejnej analizie całego zgromadzonego materiału – że przez półtora roku, które Oswald spędził w Mińsku, nic nie wskazywało na to, by był on czynnym agentem służb wywiadowczych.

Był jednak taki moment, kiedy pracownicy organów się przestraszyli. Wręcz przerazili. Obserwator podpatrujący Oswalda przez dziurkę z sąsiedniego mieszkania, zauważył coś podejrzanego. Czyżby Amerykanin konstruował bombę? Wyglądało na to, że wkłada proch i kawałki metalu do małego metalowego pudełka. Można powiedzieć, że była to dla Stiepana i Igora sensacja wieczoru: przecież do Mińska miał w styczniu przyjechać towarzysz Chruszczow!

Nie udzielili jednoznacznej odpowiedzi na pytanie, czy mieszkanie Oswalda i Mariny zostało przeszukane, podczas gdy oni oboje byli w pracy. Stiepan powiedział jedynie, że to, co Oswald konstruował, okazało się zabawką. Czymś w rodzaju petardy? Wzruszył ramionami. Nie warto o tym mówić. Nazajutrz czy dwa dni później Oswald wyrzucił tę zabawkę na śmietnik. Dlatego właśnie – jak twierdzi Stiepan – można ją było dokładnie obejrzeć. Potem, w styczniu, przed wizytą Chruszczowa, Oswald sprzedał nawet swoją strzelbę za 18 rubli w tym samym sklepie, w którym ją kupił. Wcześniej jednak zaszokował śledzących go ludzi, wsiadł bowiem do autobusu ze strzelbą w ręku. Dopiero później się okazało, że jechał ją sprzedać. Ot, wiele hałasu o nic.

Gdyby Oswald zdecydował się pozostać w Mińsku przez pięć, nawet dziesięć lat, wciąż byłby od czasu do czasu poddawany obserwacji, rzecz jasna. Nigdy nie można przestać mieć się na baczności. Bomba-zabawka nie miała większego znaczenia – w odróżnieniu od lipcowego wyjazdu Oswalda do ambasady w Moskwie w celu uzyskania pozwolenia na powrót do Ameryki. Wówczas oczywiście śledzono jego poczynania. Gdyby bowiem nie doprowadził do końca procesu repatriacji, należałoby uznać, że służyła ona tylko jako pretekst do złożenia wizyty w ambasadzie i odebrania instrukcji.

Teraz więc jedynym dobrym rozwiązaniem było pozwolić Oswaldowi na wyjazd. Zatrzymywanie go w Związku Radzieckim mogłoby pociągać za sobą konieczność udowodnienia światowej opinii publicznej, że istnieje po temu ważki powód. Gdyby istniały dowody jego działalności szpiegowskiej, można by go było zamknąć w więzieniu i przeprowadzić oficjalne dochodzenie. Ale taki materiał dowodowy nie istniał.

Dlatego też, gdy Oswald po raz pierwszy poprosił o zezwolenie na wizę wyjazdową, Stiepan nie musiał długo rozpatrywać jego sprawy. Znał tę teczkę jak abecadło; można go było obudzić o trzeciej nad ranem i zadać pierwsze lepsze pytanie, a Stiepan recytowałby bez większego zająknienia, bo wiedział o Oswaldzie wszystko. Odpowiedź była więc pozytywna. Oswald mógł jechać. Żadnych obiekcji. Lichoj okazał się czynnikiem negatywnym – nie wykazał się komunistycznym kredo, nie chciał ani się uczyć, ani pracować. Przez jakiś czas przypisywano to temu, że przechodzi okres adaptacji. Nawet go tym usprawiedliwiano. Teraz już nie. Niech wraca do domu. Baba z wozu...

Jak mówił Stiepan, KGB nie był oczywiście instytucją udzielającą formalnych zezwoleń na wyjazd. Mógł tylko napisać, że nie ma obiekcji, i wysłać pismo do OWIR-u, wydziału MWD z własnym protokołem wizowym. OWIR z kolei wysyłał taki dokument do Moskwy i stamtąd dopiero przychodziła ostateczna decyzja. Dlatego właśnie procedura ciągnęła się miesiącami.

Obserwacje Oswalda kontynuowano i od czasu do czasu prowadzono zapis jego kłótni z Mariną, ale postać Stiepana nie pojawi się już w tej opowieści aż do listopada 1963 roku, kiedy to w Dallas zajdzie seria niewiarygodnych wydarzeń i Stiepan zostanie wezwany do moskiewskiej centrali KGB. To zresztą jeden z najbardziej pamiętnych dni w jego życiu. Do tego czasu wszakże będzie prowadził inne sprawy. Zanim jednak na jakiś czas się z nim pożegnamy, przyjrzyjmy się, jaki był i czym się zajmował na co dzień. Przecież, bądź co bądź, wiódł życie godne pióra Flauberta.

3

Porządny chłopak, porządny mężczyzna

Rodzice Stiepana byli ubogimi białoruskimi chłopami, pracującymi w niewielkim kołchozie w obwodzie homelskim. Stiepan poszedł do szkoły w wieku siedmiu lat i doskonale się uczył.

Ponieważ bardzo poważał swoich nauczycieli, wcześnie zaczął marzyć o tym, że sam też zostanie nauczycielem. Był bardzo dobry w matematyce i pilnie przykładał się do nauki. Często przychodził do szkoły przed pierwszym dzwonkiem i jeśli jacyś uczniowie nie umieli sobie poradzić z zadaniem domowym, biegli do niego po pomoc.

Dorastając, Stiepan nie zarzucił swojego marzenia. Nauczyciele okazali się jednymi z przyzwoitszych ludzi, jakich znał – dobrze odnosili się do dzieci, przynajmniej do tych, które się rzeczywiście uczyły. To zaważyło na jego decyzji. Po ukończeniu szkoły średniej chciał zdawać do Instytutu Pedagogicznego w Mińsku. Nie mógł jednak mieszkać i studiować w Mińsku bez pomocy finansowej rodziców, a oni nie byli wystarczająco zamożni. Musiał więc wybrać sobie taki kierunek studiów, który zapewniłby mu odpowiednio wysokie stypendium, umożliwiające mieszkanie z dala od domu. Zdecydował się zatem na dziennikarstwo. Stypendium było przyzwoite. Ale wkrótce wybuchła wojna.

Miał wówczas siedemnaście lat. Na Białorusi mężczyźni urodzeni w latach 1923 i 1924 nie podlegali poborowi do wojska. Dostali za to karabiny małego kalibru, których mieli używać w razie inwazji wojsk niemieckich. Zostali też zorganizowani do pędzenia bydła na wschód od rzeki Soż, gdzie okolica obfitowała w tereny podmokłe i łąki. Podczas tych marszów uczyli się doić krowy. Stiepan do dziś pamięta swój pierwszy kontakt z Niemcem – był to pilot nisko lecącego samolotu. Musieli się z kolegami przed nim kryć, ponieważ Niemcy strzelali nie tylko do żołnierzy, ale i do ludności cywilnej, a nawet do bydła. Stiepan pamięta, jak kule, padając, wyrywały grudy ziemi, które wzlatywały w powietrze. Wtedy po raz pierwszy doświadczył grozy wojny.

Jego ojciec został zmobilizowany na samym początku i natychmiast słuch o nim zaginął. Długo nie było żadnej wieści, aż któregoś dnia przyszedł list. Ojciec pisał z radzieckiego szpitala polowego. Obsługując karabin maszynowy, został poważnie ranny, miał zmiażdżone ramię. Do domu pozwolono mu wrócić dopiero po wyzwoleniu Białorusi. Nie ruszał się stamtąd aż do śmierci w roku 1960.

Gdy stało się jasne, że Niemcy zajmą całą okolicę, Stiepan mógł opuścić bagna i wrócić do rodzinnej wioski, gdzie żył, tak jak i inni, w ciężkich warunkach aż do wyzwolenia Białorusi w listopadzie 1943 roku. Wkrótce potem dostał powołanie do wojska. Wojna osiągnęła punkt kulminacyjny i nie było czasu na szkolenie bojowe żołnierzy. Stiepan miał robić to, co jego ojciec – wraz z trzema innymi żołnierzami obsługiwać karabin maszynowy. Nauczono go obsługi w nieogrzewanej szopie i wysłano prosto na front. Gdy siedziało się w okopach, na dźwięk najmniejszego nawet szmeru naciskało się na spust. Nie było jak się dowiedzieć, czy zabiło się Niemca, czy nie. Siedziało się dalej. Słyszało się jęk i świst przelatującego pocisku – czy wybuchnie tuż nad głową? A gdy się już wiedziało, że wybuchnie nad głową komuś innemu, człowiek od razu czuł się lepiej. Taką miał Stiepan filozofię przetrwania.

Został ranny i trzy miesiące przeleżał w szpitalu polowym, później znów wziął udział w kilku bitwach. Został zdemobilizowany dopiero na początku 1947 roku. Powróciwszy do rodzinnej wsi, musiał oczywiście zdecydować, co ma ze sobą zrobić. Wyczytał gdzieś, że Główny Urząd Statystyczny w Mińsku organizuje kursy, zebrał więc kilka potrzebnych papierków i zapisał się tam. Na jego korzyść liczyło się to, że był dobry z matematyki.

Ponieważ nadal marzył o tym, by zostać nauczycielem, tak naprawdę nie chciał zajmować się statystyką, niewiele jednak od niego zależało. Wkrótce otrzymał pierwszą posadę – inspektora okręgowego Głównego Urzędu Statystycznego w obwodzie homelskim. Z powodu niedoborów kadrowych natychmiast awansował na jedną z trzech najważniejszych osób w urzędzie – wcale niezłe stanowisko, choć mimo wszystko, szczerze mówiąc, nie była to praca, którą chciał wykonywać przez resztę życia. Po przepracowaniu dwóch lat został jednak wezwany do Głównego Urzędu Bezpieczeństwa Państwa. Szef departamentu złożył mu oficjalną ofertę: czy Stiepan chciałby pracować u nich? Odpowiedział, że nie wie, czy posiada wystarczające kwalifikacje. W odpowiedzi usłyszał: „Nie sądźcie, że zatrudnimy was od razu. Najpierw wyślemy was na szkolenie". Było to w roku 1949. Szkolenie odbył na Białorusi.

Do tamtego dnia Stiepan Wasiljewicz miał bardzo mgliste pojęcie o działalności służb bezpieczeństwa. Jednak to, czego się uczył – a nauka opierała się na analizie już udokumentowanych spraw KGB – żywo go interesowało. Jak to ujął: „Zaczynał się przede mną otwierać zupełnie inny świat". Część tego, czym się zajmował, bardzo przypominała skomplikowane wzory matematyczne. Oddał się studiom z przyjemnością i więcej już nie wracał myślą do pracy pedagogicznej. Za to przez następne dwa lata poświęcił się wchłanianiu wszelkiej wiedzy, jaka mogła mu się przydać w praktyce. Większość nauczycieli miała o nim bardzo dobrą opinię. Później zaczęła się praca.

Zanim zajął się sprawą Oswalda, miał już za sobą dziesięć lat służby w Urzędzie Bezpieczeństwa i dobrą opinię jako oficer prowadzący.

Poproszony o charakterystykę własnej osoby, powiedział, że jest człowiekiem skromnym, który nigdy nie starał się prześcignąć innych, jest jednak z natury pracowity, pilny i skłonny do analizy. Tyle może z całą skromnością o sobie powiedzieć. Przez cały czas pracy w KGB znany był z tego, że jeśli już się zabrał do jakiejś sprawy, to doprowadzał ją do końca. Nigdy nie podejmował pochopnych decyzji; wszystko poddawał gruntownej analizie, a wnioski starał się opierać na konkretnych dowodach, nie na domysłach. Poza tym nie pił i nie palił. Był – jak mówi z uśmiechem – „moralnie wiarygodny". Śmieje się. „Dziewczętami nigdy się szczególnie nie interesowałem. Moją uwagę w większości pochłaniała praca".

Ożenił się w roku 1953. Ma dwoje dzieci – syna i córkę. Syn nie poszedł w ślady ojca. Gdyby poszedł, Stiepan nie mógłby nam o tym powiedzieć, ale skoro tego nie zrobił, można o tym otwarcie mówić. Żona Stiepana także pracowała zawodowo, była instruktorem w warsztatach krawieckich w Komitecie Centralnym Komsomołu. Mimo iż pracownikom kontrwywiadu nie wolno się było do swojej profesji przyznawać nikomu, a w szczególności sympatiom, z żoną Stiepana sprawa miała się inaczej. Jej mógł powiedzieć, ponieważ poznał ją przez kolegę z KGB, który pochodził z tej samej co ona wsi. W takiej sytuacji nie dałoby się utrzymać tego w tajemnicy. Zresztą Stiepan nie chciał nic taić. W roku 1953 pracowało się w organach czasami i do drugiej w nocy. Gdyby żona nie wiedziała, czym on się zajmuje, co by sobie myślała o jego późnych powrotach do domu? Tak, do dziś dzień żona wie tylko tyle, że Stiepan był pracownikiem KGB. Dzieci tak samo. Nie ma dwóch zdań co do tego, że ten człowiek potrafi dochować tajemnicy.

Zapytany o to, jak wyglądał jego normalny dzień pracy, odpowiedział, że w zimie zwykle budził się wcześnie – nawyk ten pozostał mu z dzieciństwa, kiedy to nigdy nie wstawał później niż o siódmej – mył się, golił, jadł śniadanie i udawał się do biura. Mieszkał w odległości mniej więcej trzech kilometrów od mińskiego KGB – najpierw szedł spokojną uliczką do parku Gorkiego, potem pod górkę i ulicą Janki Kupały do prospektu Lenina. Wracał z pracy również pieszo, żeby zażyć w ciągu dnia trochę ruchu. Taki miał system. Nie przychodził do pracy na dziewiątą, tylko na wpół do dziewiątej. Przez te pół godziny rozkładał na biurku wszystkie potrzebne dokumenty i planował pracę na dany dzień.

W owym czasie Stiepan dzielił gabinet na drugim piętrze z innym oficerem. Każdy z nich miał własne biurko i własny sejf. Normalny dzień pracy zaczynał się od dokumentów; oczywiście, zdarzały się także spotkania i narady z przełożonymi, a czasem i zebrania pracowników – ale te odbywały się tylko w razie konieczności, ponieważ odciągały od pracy. Lepszym wyjściem było indywidualne spotkanie z szefem, a najlepszym – samodzielne rozwiązanie problemu. Nie wszystkie sprawy można było poruszać w trakcie zebrań, ponieważ większość miała pozostać tajna. Dzielenie z kimś gabinetu nie stanowiło dla Stiepana problemu. Kiedy każdy ma wyznaczony zakres zadań do wykonania, wspólny gabinet w niczym nie przeszkadza. Gdy tylko Stiepan kończył pracę nad jakimś dokumentem, odkładał go do sejfu. Nie interesowało go też, nad czym aktualnie pracuje jego kolega. Taka była zasada. Nie wolno zadawać pytań, a milczenie to żadna krzywda czy obraza. Każdy miał własny sejf; każdy był odpowiedzialny za powierzone mu zadanie.

Gdy Stiepan zbliżał się do zakończenia pracy nad sprawą Oswalda, awansował. Było to naturalne. Przez cały okres służby nie przeskoczył ani jednego szczebla, a na każdy awans zasługiwał sobie ciężką, uczciwą pracą. Najpierw był młodszym oficerem operacyjnym, potem starszym oficerem operacyjnym, wreszcie zastępcą dyrektora departamentu. Wtedy też dostał osobny gabinet. Przedtem jednak pomagał innym rozwiązywać różne problemy, a mimo to nie on, lecz jego kolega, który rozpoczął pracę w tym samym czasie co on, i miał podobne obowiązki, został awansowany na majora, co było równe rangą zastępcy dyrektora departamentu. O awansie Stiepana natomiast nikt nawet nie wspomniał. Minęło pół roku. Mimo iż Stiepan zawsze czuł się niezręcznie, upominając się o swoje, w końcu przecież musiał to zrobić. Niby żartem napomknął koledze, że widocznie kiepski z niego pracownik, na co ów kolega odpowiedział: „Stiepanie Wasiljewiczu, szkoda czasu na niepotrzebne dyskusje. Skoro nie zostaliście awansowani na majora, to dowiedzcie się dlaczego. Nie popełniliście żadnego błędu". Stiepan udał się więc do działu personalnego i poruszył sprawę awansu. Szef zaczął go przepraszać. Zapomnieli. Jak to biurokraci. A nikt nie pamiętał, jaki Stiepan ma stopień, ponieważ pracownicy KGB oczywiście nie nosili mundurów.

Dostał gabinet z oknem wychodzącym na podwórze, co bardzo mu odpowiadało. Jego zdaniem z okien wychodzących na prospekt Lenina dochodził zbyt wielki hałas. To z piskiem hamował samochód, to ktoś krzyczał, to znów gwizdał milicjant – to rozpraszało. On lubił ciszę.

Jak spędzał przerwę obiadową? Zwykle jadał w swoim urzędzie. Mieli wówczas – jak mówi – fantastyczną stołówkę. Na podwórku były altany. Ci, którzy mieszkali niedaleko, szli na obiad do domu, a reszta posilała się w stołówce, gdzie można było zjeść befsztyk, kotlet, sałatkę, a popić jedzenie butelką pysznej, gęstej dwudziestoprocentowej śmietany. W ciągu pozostałej półgodziny niektórzy wybierali się na zakupy albo siadywali na podwórku – można tam było odpocząć w cieniu drzewa. O drugiej należało się na powrót zabrać do pracy.

Ale nie istniała jakaś ustalona rutyna – nie trzeba było przed południem robić tego, a po południu tamtego. Nie mieli takich wytycznych. Kto chciał, mógł siedzieć w pracy nawet do dziesiątej czy dwunastej w nocy albo wyjść po ustawowych ośmiu godzinach. W każdej chwili można było w aktach natrafić na coś szczególnego, tak więc dzień pracy bywał niekiedy bardzo emocjonujący. Rzadko panowała nuda czy monotonia. Przede wszystkim należało zdecydować, do czego się zabrać w pierwszej kolejności. Przełożony mógł na przykład wydać konkretne polecenie, ale po chwili namysłu Stiepan postanawiał wykonać zadanie inaczej. W takich wypadkach wracał do szefa i uzgadniał plan pracy, żeby nie postępować wbrew poleceniom zwierzchnika.

To była praca twórcza. Niektóre sprawy rozwiązywało się w ciągu miesiąca, inne wymagały nawet roku albo i kilku lat. Nikt nie oczekiwał, że uzyska rezultaty w ramach jakiegoś konkretnego terminu – rzecz przecież nie na tym polegała.

Zwykle pojawiały się nieoczekiwane okoliczności. Kto na przykład mógł przewidzieć ślub Oswalda z Mariną? Czasami zadania w ogóle nie udawało się rozwiązać, choćby się człowiek nie wiadomo jak starał.

Zapytany o to, czy do jego ulubionych rozrywek należała gra w szachy, Stiepan odpowiedział: „Szachów, warcabów i domina nie uważano za odpowiedni sposób spędzania czasu – to dobre dla próżniaków. Można było zapalić papierosa dla rozładowania napięcia – dla palaczy wydzielono nawet specjalne miejsce". Ale on nie należał do tej grupy. Gdy tylko czuł zmęczenie – choć zwykle tryskał zdrowiem i energią – szedł do jednego z kolegów, z którymi był w bliższych stosunkach. Rozmawiał z nim dziesięć, piętnaście minut, a potem obaj wracali do pracy. Gdy po zjedzeniu obiadu Stiepanowi zostawało trochę czasu do końca przerwy, to wtedy owszem, lubił rozegrać partyjkę szachów. Trudno by go jednak było nazwać dobrym graczem. Grał dla przyjemności, po amatorsku. Latem podczas przerwy grywał w siatkówkę. Nie był wprawdzie wysoki, ale sprawdzał się w obronie i dobrze zbijał. W ten sposób się odprężał.

Pracownicy KGB często zamiast iść prosto do domu, zostawali w pracy trochę dłużej. Niektórzy właśnie po to, żeby zagrać w szachy. Żonom tłumaczyli się później, że zatrzymały ich obowiązki. Ale Stiepan prawie nigdy nie okłamywał żony. I nigdy długo nie zostawał po godzinach – nie uchylał się od obowiązków rodzinnych. Rozgrywał partyjkę szachów, trochę pożartował, mył ręce i szedł do domu. Zwykle żona, gdy wiedziała, że Stiepan przyjdzie z pracy później, tak przygotowywała posiłek, żeby był gotowy z chwilą powrotu męża. Nie jadała bez niego, nawet jeśli czasami przychodził bardzo późno. Zasada ta obowiązuje u nich po dziś dzień. On wraca do domu i pyta: „Dlaczego nie zjadłaś?", a ona odpowiada: „Czekałam na ciebie". „Dlaczego czekałaś aż tak długo?". Ona na to: „Nie potrafię jeść sama".

Oczywiście z wdzięcznością i apetytem pałaszował to, co żona postawiła na stole. Wszystko mu smakowało, czuł, jak opada z niego stres. Czasami, wracając z pracy, zauważał coś ciekawego na wystawie, wstępował do sklepu, robił zakupy. Życie domowe Stiepana było trochę łatwiejsze przez to, że jego żona też pracowała. Dlatego na pięć dni oddawali dzieci do tygodniowego przedszkola. Widywali się z nimi tylko w soboty i niedziele. W poniedziałek rano Stiepan szedł z malcami do pracy. Tam czekał autobus, który zabierał dzieci pracowników KGB na przedmieście Mińska, do ładnego przedszkola, mieszczącego się w willi, która była niegdyś własnością ministra. Mimo iż ułatwiało to Stiepanowi i jego żonie godzenie życia zawodowego z osobistym, pod względem wychowawczym nie stanowiło najlepszego rozwiązania. Ale w przedszkolu obowiązywała dyscyplina, dzieci nie były więc rozpieszczone – przynajmniej tyle dobrego.

Dla rozrywki Stiepan chodził do teatru i do kina. Lubił Ludowy Chór Rosyjski i większość imprez sportowych. Był wielkim amatorem hokeja, często też wybierał się na mecze piłki nożnej, ale nie cierpiał boksu – uważał to za zwykłe mordobicie. Gdy miał jeszcze dobry wzrok, lubił czytać książki. Czasopisma i prasę codzienną także, rozumie się. Należało to do jego obowiązków zawodowych. Oglądał też dużo filmów – *Kozaków dońskich*, *Świniarkę i pastucha*. Lubił filmy wesołe, komedie, za dramatami nie przepadał – te oddziaływały na jego system nerwowy, przejmował się nimi, przeżywał. Ale jego prawdziwą pasją było wędkowanie. Mówi, że na ryby jest się gotów wybrać dosłownie wszędzie – nad jezioro, nad rzekę, nad każdy zbiornik wodny, i to o każdej porze roku – latem, zimą, w ulewę czy wichurę.

Poproszony o samokrytyczną ocenę, Stiepan oświadczył, że jako człowiek był chyba zbyt surowy w stosunku do dzieci. Narzucił im sporą dyscyplinę, a dziś myśli, że z niektórymi dziećmi trzeba chyba postępować delikatniej. Wobec niektórych osób – powiedział – ma za mało cierpliwości. Kiedy kogoś słucha, to lubi, żeby mówił do rzeczy. Krótko i węzłowato. Ale, jak wiadomo, ludzie są różni. Niektórzy wypowiadają się w sposób bardziej emocjonalny i on w stosunku do takich osób bywa niecierpliwy. Gdy ktoś gada i gada bez końca, Stiepan przerywa mu i kieruje rozmowę na to, co, jego zdaniem, stanowi sedno sprawy. Ale powinien być cierpliwszy i bardziej wyrozumiały. Nie każdy jest taki jak on.

„Poza tym kiedy poświęcałem całą uwagę pracy, nie zawsze pamiętałem o różnych codziennych sprawach. Zdarzało mi się zapomnieć o urodzinach kolegi. Ale o urodzinach żony zawsze pamiętałem. Uważam, że powinno się uprzyjemniać życie i żonie, i ludziom z najbliższego otoczenia – kolegom z pracy, rodzinie".

Na ponowną prośbę o opinię w sprawie Oswalda Stiepan odpowiedział, że okazała się ona „prymitywna, zupełnie prosta, nie wymagała zaangażowania osoby o nieprzeciętnej inteligencji. Koszty też nie były zbyt wysokie. Oswald nie miał dużego kręgu znajomych i nie zachowywał się w sposób nieprzewidywalny. Nie zdarzyło się, by w jednym tygodniu kontaktował się z trójką znajomych, a w ciągu następnego poznał na przykład kolejnych dwudziestu, tak aby KGB musiał natychmiast zwiększać budżet, gdyż należało obserwować już nie trzy, lecz dwadzieścia osób. Nie, to była prościutka sprawa, bez nieoczekiwanych wyskoków i zakrętów; niewiele zdarzało się w niej sytuacji, które tak naprawdę rodziły nowe pytania i wątpliwości.

4

Na przełomie lat

Z ZAPISU ROZMOWY SPORZĄDZONEGO PRZEZ KGB
OBIEKT: OLH-2727
DNIA 31 GRUDNIA 1961 ROKU

LHO: Nie będzie ci ładnie w tej sukience.

Żona: Dlaczego?

LHO: Ma za duży dekolt.

Żona: Gdzie tam za duży! Jest ładna.

LHO: Nie nadaje się.

Żona: Buty to co innego! Wcale nie pasują do sukienki.

LHO: Ty faktycznie nie masz za grosz gustu!

Żona: Kup mi nowe buty.

LHO: Te są całkiem przyzwoite.

Żona: Racja, ale nie nadają się na zimę, bo są białe. Inne buty nosi się w lecie, a inne zimą.

(LHO idzie do kuchni, po chwili wraca)

LHO: Włożysz żakiet?

Żona: Jaki żakiet? Przecież nie mam żakietu. Myślisz, że [Zigerowie] zwrócą uwagę, jak wyglądam?

LHO: Tak!

Żona: Sukienka jak sukienka.

LHO: Nie wygląda porządnie!

Żona: Dobrze, mogę włożyć tę. Jest dziurawa… Nie wiem, w co się ubrać.

LHO: Wszystko będzie dobrze! Będzie cudownie, zobaczysz.

Żona: Wiesz, że nikomu nie jestem potrzebna.

LHO: Bój się Boga, a Oswaldowi? *(całuje ją)* Ludzie będą na nas patrzeć i mówić: „Jaka ładna para!".

Żona: Ładna! *(śmieje się)* W takim razie włożę po prostu spódnicę i sweter. Będziesz musiał się za mnie wstydzić. *(pauza)* Gdyby w sklepach była przyzwoita odzież, ubierałabym się lepiej niż ty i ci twoi Amerykanie.

(śmieją się)

Żona: Gdybym miała na nogach te buty, kiedy się poznaliśmy, nie chciałbyś ze mną tańczyć.

(śmieją się)

Tak wiele wydarzyło się w życiu obojga w ciągu tego roku. Możemy się zastanawiać, czy na sylwestrowym przyjęciu u Zigerów będą wspominać, jak świętowali sylwestra w zeszłym roku. Lee spędził go z Ellą i jej rodziną, Marina zaś najpierw z Saszą, a następnie z Konstantinem.

2 stycznia

Kochana Mamo!

Mam nadzieję, że dostaniemy wizy w połowie lutego, czyli do Stanów dotrzemy pewnie około 1 marca, a może i w miesiąc później.

Chciałbym Cię prosić o ważną dla nas przysługę. Skontaktuj się z Czerwonym Krzyżem w Vernon i poproś ich o adres organizacji, która się nazywa International Rescue Committee (Międzynarodowy Komitet Pomocy Uchodźcom), lub z innymi organizacjami, udzielającymi pomocy w ponownym osiedleniu się w kraju osobom przybywającym z zagranicy. Takich organizacji jest sporo.

Potrzebujemy 800 dolarów na dwa bilety z Moskwy do Nowego Jorku i z Nowego Jorku do Teksasu [...]. Możesz powiedzieć ludziom z Czerwonego Krzyża [...], że oboje mamy już radzieckie wizy wyjazdowe i możemy opuścić Związek Radziecki [...]

Teraz potrzebne są nam tylko jeszcze pieniądze na bilety.

Poproś ich, żeby w kwestii szczegółów skontaktowali się z ambasadą amerykańską w Moskwie [...]. Chcę, żebyś spróbowała załatwić pieniądze przez jakąś organizację, nie zbieraj ich sama.

Nie bierz, rzecz jasna, żadnych pożyczek, przyjmuj tylko dary, i niech ci nie przyjdzie do głowy wysyłać własne pieniądze [...].

Dotarły do nas Twoje życzenia świąteczne wraz ze zdjęciami. Bardzo ładnie wyszły; i mnie, i Marinie bardzo się podobały.

Odpisz prędko.

Całuję

Lee

Gdy Marguerite Oswald otrzymała ten list kilka tygodni później, natychmiast zaczęła działać zgodnie z synowskimi instrukcjami. Relacjonując to zdarzenie Komisji Warrena dwa lata później, pamiętała je w najdrobniejszych szczegółach.

MARGUERITE OSWALD: Kiedy weszłam do Czerwonego Krzyża w Vernon [...], powiedziałam tej młodej osobie, o co chodzi, pokazałam jej list i dokument [...].

Ona zapytała: „A co pani syn robi w Rosji?".

Odpowiedziałam jej: „Nie mam pojęcia".

„Jest pani jego matką i nie wie pani, co on robi w Rosji?".

Powiedziałam: „Moja panno, powiedziałam już przecież, że nie wiem, co on robi w Rosji".

Ona na to: „Moim zdaniem komuś, kto wyjeżdża do Rosji, nie należy pomagać w powrocie tutaj, powinien tam zostać".

Oświadczyłam jej wtedy: „Nie interesuje mnie pani zdanie. Potrzebna mi pomoc. Czy mogłaby pani jakoś mnie skontaktować, podać mi adres Międzynarodowego Komitetu

Pomocy Uchodźcom, żebym mogła poczynić dalsze starania o uzyskanie pieniędzy na powrót syna do domu?".

Ona nie znała adresu Międzynarodowego Komitetu Pomocy Uchodźcom […].

Ta pannica [w Czerwonym Krzyżu w Vernon] okropnie, naprawdę okropnie się wywyższała. Nie chciała pomóc osobie, która wyjechała do Rosji. Dlatego kiedy dostałam adres Międzynarodowego Komitetu Pomocy Uchodźcom od Departamentu Stanu, […] zadzwoniłam do niej do domu i powiedziałam, żeby była łaskawa przyjść do biura i napisać w mojej sprawie list.

Ona na to: „Ale ja nie mam klucza, pani Oswald".

To było w niedzielę rano […].

Ja zapytałam: „Chce mi pani wmówić, że nie ma pani klucza?".

„Właśnie, nie mam".

„Moja panno, straciłam przez panią cztery dni i nie podoba mi się pani postawa. Proszę, żeby specjalnie przyszła pani do biura i napisała ten list. To bardzo ważne".

Niechętnie, po długich naleganiach, w końcu przyszła.

Napisała list do Międzynarodowego Komitetu Pomocy Uchodźcom, wręczyła mi go, a ja go wysłałam. Ja go wysłałam.

5

Wymiana listów

4 stycznia

Dostałem wezwanie do [radzieckiego] biura paszportowego, ponieważ dziś traci ważność moja tymczasowa karta pobytu. Ponieważ teraz mam otrzymać paszport amerykański, dostałem zupełnie inny dokument, tzw. paszport dla cudzoziemców […]. Ma on ważność do 5 lipca 1962 roku.

Tacy są pewni tego, że będą mogli wyjechać już za kilka tygodni. On niedługo dostanie swój paszport, ona – wizę wyjazdową; jego matka nakłoni jakąś amerykańską organizację charytatywną, by opłaciła ich powrót. Może nawet uda im się wyjechać, zanim urodzi się dziecko. Gdy wali się głową w mur i ów mur nagle zaczyna ustępować, optymizm jest rzeczą jak najbardziej naturalną.

Czekało ich jednak spore rozczarowanie. Biurokratyczne przeszkody. W wewnętrznych memorandach Departamentu Stanu zaczynają się pojawiać wątpliwości w kwestii ucieczki Oswalda. W Departamencie Sprawiedliwości rodzą się problemy: czy przypadkiem nie chodzi o wsparcie dla amerykańskiego komunisty i jego żony Rosjanki? I kto zapewni Marinie utrzymanie?

Listy krążyły przez cały styczeń i początek lutego 1962 roku. W styczniu Oswald wysłał trzy listy do ambasady w Moskwie i dwa do Międzynarodowego Komitetu Pomocy. W ciągu następnych dwóch miesięcy napisał siedem listów do matki i cztery do Roberta Oswalda. Otrzymał wtedy też sześć listów z ambasady amerykańskiej. W waszyngtońskim Departamencie Stanu memoranda dotyczące Oswalda kursowały od biurka do biurka od roku 1959 – w roku 1959 i na początku 1960 było ich ponad dziesięć, w roku 1961 dwadzieścia lub więcej. W Departamencie opinie co do zasadności udzielenia Oswaldowi pomocy w repatriacji były podzielone. Nie można powiedzieć, by przebijająca z listów Lee arogancja przychylnie nastawiała do niego amerykańskich urzędników, ale nie sposób wątpić, że jego taktyka okazała się skuteczna.

5 stycznia 1962

Szanowni Państwo!

[...] Jak już uprzednio informowałem ambasadę, mnie i mojej żonie wydano już [radzieckie] wizy wyjazdowe. Ja mogę swoją wizę odebrać w każdej chwili, jednak będzie ona wazna tylko przez 45 dni. Ponieważ zaś zamierzamy z żoną wyjechać z ZSRR razem, ze zgłoszeniem się po wizę poczekam dopóty, póki Ministerstwo Spraw Zagranicznych ZSRR oraz ambasada USA nie skompletuje dokumentów mojej żony [...].

Chciałbym ubiegać się w ambasadzie lub innej organizacji o pożyczkę na pokrycie części kosztu biletów lotniczych. Uprzejmie proszę o rozpatrzenie tej prośby i powiadomienie mnie o decyzji.

Z poważaniem

Lee H. Oswald

Samuel G. Wise, który zastąpił Richarda Snydera na stanowisku konsula, odpowiedział na list Oswalda 5 stycznia 1962 roku.

Szanowny Panie Oswald!

[...] Złożone przez Pana podanie w sprawie kwalifikacji statusu wizowego Pańskiej żony nie zostało jeszcze rozpatrzone przez Urząd do spraw Imigracji i Naturalizacji. Ponadto ambasada nie otrzymała wymaganych przez prawo dokumentów świadczących o tym, iż Pańska żona nie będzie pozostawać na utrzymaniu państwa podczas pobytu w Stanach Zjednoczonych. Sugerujemy, by pańska matka lub ktoś z bliskiej rodziny złożył oświadczenie o zapewnieniu Pańskiej żonie utrzymania [...].

Z uwagi na powyższe okoliczności radzę Panu przemyśleć decyzję odłożenia terminu wyjazdu do czasu skompletowania dokumentów pani Oswald, tym bardziej że udowodnienie zapewnienia opieki finansowej może okazać się trudne, gdy pozostaje Pan w ZSRR. Prosimy o poinformowanie nas o podjętej w tej sprawie decyzji.

Poruszoną przez Pana kwestię pożyczki na pokrycie części kosztów podróży do Stanów Zjednoczonych będzie można omówić, gdy pojawi się pan w ambasadzie osobiście [...].

Oswald na pewno się domyśla, że zwrócenie się z prośbą o pieniądze do Departamentu Stanu spowolni bieg sprawy. Jeśli jednak Departament Stanu okaże się skłonny udzielić mu pożyczkę, będzie to prawdopodobnie znaczyło, iż nie przewiduje się wniesienia przeciw niemu oskarżenia.

16 stycznia 1962

Szanowni Państwo!

Odpowiadam na wyczerpujący list z dnia 5 stycznia [...] mam nadzieję, że poinformują mnie Państwo o innych wymaganych dokumentach, i to nie w ostatniej chwili [...].

Sugerują Państwo, bym z powodów biurokratycznych udał się do Stanów Zjednoczonych sam.

Z całą pewnością nie będę brał tego pod uwagę, niezależnie od powodów, tym bardziej że prawdopodobnie paszport mój zostanie skonfiskowany z chwilą mojego przybycia do Stanów Zjednoczonych.

Chciałbym, żeby wszelkie dokumenty zostały skompletowane przez ambasadę w Moskwie.

Jak Państwu wiadomo, niełatwo przyszło nam uzyskanie wiz wyjazdowych od władz radzieckich. Nie chciałbym, żeby z powodu niedopatrzenia którejś ze stron całą procedurę trzeba było powtarzać od początku. Jestem pewien, że Państwo to rozumieją.

Ponadto w marcu urodzi się nasze dziecko. Rosjanie wymagają, by w takim wypadku wpisać do paszportu żony wiek, płeć i miejsce urodzenia dziecka (załatwianie tych formalności w Moskwie trwa cztery dni). Chciałbym wiedzieć, jakie są w tym względzie Państwa wymagania.

Z poważaniem
Lee H. Oswald

Znów odzywa się głęboki lęk Oswalda przed powrotem do Ameryki. By wytłumaczyć jego zapał do wyjazdu z Mariną – ale za nic bez niej – trzeba przypisać mu więcej niż jeden motyw. Ta część jego osobowości, która zawsze ocenia aktualne położenie, oceniła prawdopodobnie, że będzie bezpieczniejszy, jeśli nie wróci sam. Żona i nowo narodzone dziecko niezawodnie wzbudzą dlań sympatię w Ameryce.

To jednak, rzecz jasna, nie musi być jego jedyny argument. Wprawdzie mają z Mariną trudne dni, ale jeszcze bardziej nieszczęśliwy czuje się na samą myśl o życiu bez niej. I zapewne martwi się, czy ona kocha go na tyle mocno, by dołączyć do niego, gdy on będzie już na drugiej półkuli. W każdym razie zdecydowanie nie chce wyjechać bez niej.

Joseph B. Norbury, jeden z konsulów, odpisał 24 stycznia:

Szanowny Panie Oswald!

[...] w sprawie podania o wizę dla Pańskiej żony staramy się o uzyskanie przyspieszonej decyzji z Urzędu do spraw Imigracji i Naturalizacji [...]. Może być Pan pewien, iż sprawa ta zostanie doprowadzona do końca. Z całego serca radzę, by postarał się Pan zdobyć od kogoś z bliskiej rodziny zaświadczenie o gotowości utrzymania Pańskiej żony, by zapewnić jej możliwość odbycia podróży razem z Panem [...].

26 stycznia Departament Stanu przesłał do ambasady USA kolejne memorandum.

Podanie, czek i świadectwo zawarcia związku małżeńskiego przedłożone przez pana Oswalda [...] zostały przekazane do zaakceptowania przez Okręgowe Biuro Urzędu do spraw Imigracji i Naturalizacji w Dallas dnia 6 października 1961 roku. Dotychczas nie uzyskano odpowiedzi [...]. Do czasu zakończenia postępowania w tej sprawie nie możemy zagwarantować ani pozytywnego rozpatrzenia podania, ani zniesienia sankcji 243 (g) [...].

Musimy się teraz uporać z nowym biurokratycznym terminem – „zniesienie sankcji 243 (g)". To właśnie będzie głównym powodem czteromiesięcznego opóźnienia. Sankcja 243 (g) stanowi o niewpuszczaniu na terytorium Stanów Zjednoczonych imigrantów ze Związku Radzieckiego, a więc w przypadku, gdyby nie została ona uchylona, Oswaldowie musieliby pojechać najpierw do kraju, w którym owa sankcja nie obowiązuje, takiego jak na przykład Belgia. Tam Marina mogłaby się ubiegać o wizę amerykańską. Potrwałoby to tydzień, może nawet miesiąc, a u Oswaldów jest krucho z pieniędzmi; dlatego właśnie Departament Stanu przewiduje w sprawie Oswalda dodatkowe koszty i dodatkowe kłopoty. Postanawia więc nie informować go nie tylko o tym, że sankcja 243 (g) nie została uchylona, ale – co więcej – że nie można jej uchylić. Urząd do spraw Imigracji i Naturalizacji bowiem, jako oddział Departamentu Sprawiedliwości, nie podlega jurysdykcji Departamentu Stanu. Dlatego korespondencja między urzędnikami obu departamentów krążyć będzie przez kilka miesięcy, a Oswald nie będzie o tym wcale informowany. Mimo to jednak wyczuwa, zdaje się, że coś jest nie tak.

23 stycznia 1962

Kochana Mamo!

Bądź tak dobra i przejdź się do najbliższego oddziału Urzędu do spraw Imigracji i Naturalizacji i złóż „oświadczenie o utrzymaniu finansowym" na rzecz mojej żony. To sprawa czysto techniczna, konieczna do tego, by Marina uzyskała pozwolenie wjazdu do USA. Musi to być załatwione w Stanach. Po prostu wypełnisz formularz (możliwe, że będzie kilka dolarów opłaty) i to wszystko.

Proszę, załatw to jak najszybciej, bo Moskwa niecierpliwie czeka na ten dokument [...].

Dzięki

Całusy – Lee

Następnie Lee prosi Roberta o mały rekonesans:

30 stycznia 1962

Kochany Robercie!

[...] Mówiłeś kiedyś, że rozpytywałeś o to, czy rząd USA ma przeciwko mnie jakieś zarzuty, czy nie. Wtedy powiedziałeś, że „nie". Może popytaj jeszcze raz. Niewykluczone, że teraz, gdy rząd wie, że wracam, będzie coś na mnie miał [...].

Twój brat

Lee

31 stycznia ponownie pisze do Oswalda Joseph Norbury:

[...] Mimo iż ambasada czyni wszelkie starania, by w jak najkrótszym terminie zakończyć postępowanie w sprawie podania Pańskiej żony o wizę, wydaje się wysoce nieprawdopodobne, by wiza wydana została w terminie, który umożliwiłby jej podróż przed urodzeniem dziecka. Większość linii lotniczych nie przyjmuje na pokład pasażerek w dziewiątym miesiącu ciąży. Radzimy zatem, by planowali Państwo wyjazd, gdy dziecko już się urodzi.

Tydzień później wniosek o zniesienie sankcji 243 (g) został rozpatrzony negatywnie przez J.W. Hollanda z Głównego Urzędu Kontroli Podróży w San Antonio.

Jednocześnie Marguerite robi co może, by zdobyć pieniądze, ale i ona spotyka się z odmową:

1 lutego 1962

Szanowna Pani Oswald!

[...] co się zaś tyczy Pani sugestii o upublicznieniu historii syna Pani oraz apelu o pomoc finansową, udzielanie porad w podobnych kwestiach nie należy do zakresu obowiązków Departamentu Stanu; nie wydaje się jednak, by mogło to rozwiązać problem pana Oswalda.

Szczerze oddany

George H. Haselton

Kierownik Wydziału Obrony i Reprezentacji

1 lutego 1962

Kochana Mamo!

[...] Nie wiem, czy to dobry pomysł, żeby drukować moją historię w gazetach, może lepiej jeszcze trochę z tym poczekaj. Kiedy nadejdzie właściwy moment, dam ci znać [...].

[...] Chciałbym, żebyś zrozumiała, że mimo iż możesz nam trochę pomóc, cała sprawa naszego przyjazdu do Stanów jest stosunkowo prosta. Nie komplikuj jej bardziej niż to konieczne [...].

Lee

W Departamencie Stanu zapada decyzja, że najbardziej dokuczliwego petenta można pozbyć się tylko w jeden sposób. 6 lutego Norbury z ambasady pisze do Oswalda:

> [...] jesteśmy gotowi przyjąć Pańskie podanie o pożyczkę. [Jednakże] pożyczkobiorca jest zobowiązany informować Departament Stanu o swoim miejscu pobytu w USA do czasu zlikwidowania zadłużenia. Po powrocie do kraju pożyczkobiorca nie otrzyma paszportu, póki nie zwróci rządowi pożyczki [...].

> 9 lutego 1962
> Kochana Mamo!
> No, teraz już niedługo urodzi nam się dziecko i wkrótce wszyscy się zobaczymy [...].
>
> Możesz też postarać się przesłać mi wycinki z wychodzących w Fort Worth gazet z listopada 1959 roku. Chcę się zapoznać dokładnie z tym, co o mnie pisano w gazetach, żeby wiedzieć, czego się spodziewać. Jeżeli nie masz tych wycinków w domu, zawsze możesz zdobyć stare egzemplarze [...] w redakcjach albo w bibliotece publicznej [...].
>
> Uściski od nas obojga
> Lee

6

Nowy członek rodziny

15 lutego, świt
Marina mnie budzi. Czuje, że to już. O dziewiątej jesteśmy w szpitalu. Zostawiam ją pod opieką pielęgniarek i idę do pracy. O dziesiątej Marina rodzi córeczkę.

W ostatnim miesiącu ciąży Marina czasami nie najlepiej się czuła, bolały ją nogi. Alik masował je i mówił: „Moje małe biedactwo. Cierpisz, żeby dać życie naszemu dziecku". W takich momentach miała poczucie, że Alik naprawdę ją kocha.

Często wydawało jej się, że nie donosi ciąży – wciąż mdlała, naprawdę za często. A jednak – co z tego, że była wąska w biodrach – poród był szybki. Miała szczęście. Nawet te koleżanki z apteki, które odwróciły się od niej, ponieważ miała wyjechać do Ameryki, interesowały się i martwiły jej ciążą. Obstawały przy tym, żeby poród odbywał się w Trzeciej Klinice, a kiedy Marina powiedziała, że się nie zgadza, odparły: „Marina, tu w Trzeciej Klinice, koło naszej apteki, będziesz bezpieczna jak nigdzie indziej". Tak im zależało, że ostatecznie się zgodziła.

W przeddzień porodu gościli z Alikiem z wizytą u przyjaciół, był to wieczór – jak go określa – pełen radości. A parę godzin później, tuż przed świtem, zaczęły się bóle. Marina obudziła się o szóstej i powiedziała Lee, że czas jechać do szpitala. Było to prawie śmieszne. Lee okropnie się bał, że aż śmiech brał, gdy się na niego patrzyło. Zachowywał się tak, jakby to on miał zaraz rodzić – wciąż ją popędzał – a ona oczywiście nie chciała wychodzić z domu, bo w tych pierwszych bólach nie było nic strasznego. Dopiero Lee musiał ją do tego namówić.

W końcu wyszli z domu o dziewiątej, ale nie mogli złapać taksówki. Nie było ani jednej. Musieli się wepchnąć do zatłoczonego autobusu. Nigdy nie widziała Lee tak zdenerwowanego. Miał prawo się denerwować, to fakt: na chodnikach leżał śnieg, można się było poślizgnąć na każdym kroku. Ale dotarli do Trzeciej Kliniki bezpiecznie. Lee musiał prawie natychmiast biec do pracy. Zresztą i tak nie wolno by mu było z nią zostać. W Rosji zwykle kobiety po porodzie spędzały dziesięć dni w szpitalu. Dopiero po trzech dniach można było się doprosić pozwolenia na wstanie z łóżka. A dziecko przez cały ten czas przebywało pod opieką personelu szpitalnego – nie wpuszczano krewnych ani przyjaciół, żadnych zarazków z zewnątrz! Nawet ojcom nie wolno było wchodzić na oddział położniczy. Mieli oni wstęp tylko do holu i tam mogli zostawiać prezenty dla swoich ukochanych.

June urodziła się około dziesiątej rano 15 lutego 1962 roku. Alik nie zdążył jeszcze dotrzeć do pracy, gdy koleżanki Mariny już dzwoniły do „Horyzontu". Gdy więc Alik przyszedł, koledzy już gratulowali mu narodzin córki. Prawdę mówiąc, wolałby mieć syna. Wieczorem podrzucił żonie list.

15 lutego 1962

Kochana Marino!

Ani Ty, ani ja nie spodziewaliśmy się wprawdzie dziewczynki, ale i tak bardzo się cieszę. Zuch z Ciebie! Jak Ci się udało tak szybko urodzić? [...]. Zuch z Ciebie! Mogę to w kółko powtarzać.

Gdybyś czegoś potrzebowała, dawaj znać, czego sobie życzysz; Ty i ja jesteśmy całkowicie gotowi na June Marinę Oswald.

Alik

Jej list już na niego czekał:

Kochany Aliku!

Jesteś więc już ojcem. To nawet lepiej, że mamy córeczkę. Poród przebiegł bardzo dobrze i szybko. June urodziła się o godzinie dziesiątej. Założyli mi tylko cztery małe szwy. Sama się nie spodziewałam, że wszystko potoczy się tak gładko. Pewnie dziś wieczorem wpadnie do Ciebie ciocia Wala. Była już tu dziś u mnie. Nic mi dzisiaj nie przynoś. A jutro przynieś tylko kefir i coś na deser. Nie mogę już jeść czekolady. Wszystko poza tym wiesz.

Całuję
Marina

Liściki, pisane czasami na małych karteluszkach, krążyły z góry na dół. On nie mógł wejść dalej niż do holu, a ona leżała na drugim piętrze.

Kochana!
Jak się czujesz? Kefiru nie mogłem dostać. Czego ci potrzeba? Czy karmiłaś już dziecko? [...]. Kto Cię dziś odwiedził?

Kocham cię
Alik

Poczuła, że chce się z nim zobaczyć. Nawet bardzo. Udało jej się to, bo przekradła się do apteki na parterze. Łamała szpitalne przepisy. Kolejny grzech na jej sumieniu. Ha, ha, ha.

Lee mówił, że bardzo się cieszy z córki – jak gdyby nigdy nie marzył, że będzie miał syna. Później powiedział, że jeśli pierworodnym dzieckiem jest córka, to prawdopodobnie lepiej dla matki, ale następny już powinien być – musi być – syn.

18 lutego 1962
Kochana Marino!
[...] Byli u mnie rano ciocia Wala i wujek Ilja. Ciocia odwiedzi Cię jutro o drugiej. Powiedziałem jej, co ma kupić. Siedziałem wczoraj z Erichem u Zigerów do północy [...].
Czego Ci trzeba? Czy możesz już chodzić? [...]. June wciąż czerwona? Kiedy przyjdzie jutro ciocia Wala, daj jej zdjęcia [...].
To na razie.

Twój mąż
Alik

PS Jutro nie przyjdę. Nie gniewasz się?

Marina się zirytowała. Odpisała mu tak: „Nie wpadasz nawet na chwilę wieczorem". Następnego dnia późnym wieczorem się zjawił, przekradł się z jej apteki. Miał dar bezszelestnego poruszania się. Ale ona czuła się zaniedbana. Przypomina sobie, że w tamtym tygodniu Alik dużo czasu spędzał z Erichem. Oczywiście teraz, trzydzieści lat później, Marina prawie wcale go nie pamięta.

20 lutego 1962
Cześć, tatusiu!
[...] Alek, nie wiedziałam, że karmienie dziecka jest takie trudne. June ssie przez smoczek. Ale przed każdym karmieniem zbiera mi się dużo mleka i trzeba je potem odciągać. To tak boli, że wolałabym urodzić jeszcze jedno dziecko. Kochany Alku, natychmiast, koniecznie jeszcze dziś, kup mi i przyślij pompkę do ściągania mleka [...], ale żeby ta gumowa gruszka nie była miękka, tylko sztywna.
[...] Alek, wyglądam teraz tak okropnie, że pewnie mnie nie poznasz. To wszystko przez to, że martwię się, że June nie chce ssać piersi. Poza tym nigdy nie mogę się tu

wyspać – czas na sen jest od 2 do 5. Nie mam pojęcia, jak sobie poradzę w domu. Alek, na gwałt potrzebuję też pieniędzy – rubel dwadzieścia kopiejek. Nie mogę przecież chodzić bez biustonosza. Jednej z moich sąsiadek z sali ktoś kupił dwa i ona mi jeden odstąpiła. Muszę jej dać pieniądze. Nie chodzi o to, żebym ładnie wyglądała, tylko żeby mleko się nie zepsuło. Wy wszyscy w ogóle nie myślicie o tym, żeby mi przynieść najpotrzebniejsze rzeczy. Tylko pytacie, czego potrzebuję [...]. No dobra, dość tego, kończę.

Marina

21 lutego 1962
Kochana Marino!
Dostaliśmy dziś od mojego zakładu pracy bardzo ładny prezent dla June – wiem, że Ci się spodoba.

Kupili nam: jeden kocyk na lato, 6 lekkich pieluch, 4 ciepłe pieluchy, 2 koszulki, 3 piękne ciepłe koszulki, 4 (?) bardzo ładne kompleciki i dwie zabawki (razem 27 rubli) [...].

Jak tam z jedzeniem June?

Jutro pewnie nie przyjdę. Może tak być?

Kocham cię
Alik

23 lutego
Marina wychodzi ze szpitala. Po raz pierwszy widzę June.

Przed wejściem do Trzeciej Kliniki Marinę powitał tłum krewnych i przyjaciół. Było zimno, ona i Alik martwili się więc, że jeśli June choć raz zaczerpnie chłodnego powietrza, coś jej się może stać. Później, gdy już dotarli do domu, Alik nie pozwalał nikomu wejść do pokoju, gdzie położyli June, póki z ubrań gości nie ulotniło się zimno – do tego czasu musieli siedzieć w kuchni. Lee był tak podniecony, że biegał w kółko i nie mógł ani mówić, ani złapać tchu. To już prędzej jemu niż dziecku coś mogło się stać przez to zimno.

Tego samego dnia, gdy Marina wyszła ze szpitala, Wala urządzała u siebie w domu urodziny. Marina wysłała tam Lee z życzeniami, ale on wrócił później niż jej obiecał. Marina czekała. Dziecko płakało, a ona nie umiała zmienić pieluchy. W Trzeciej Klinice, gdzie ćwiczyła przewijanie na lalce, nie wydawało jej się to trudne, ale teraz chodziło o jej własne żywe dziecko i śmiertelnie bała się go dotknąć. Płakała więc, dziecko też wciąż płakało, a męża nie było w domu. Marina pobiegła do sąsiadki, która miała dzieci, i zapytała, co ma robić – a potem już wszystko poszło dobrze. Sąsiadka pokazała jej, jak ma przewinąć dziecko. Marina już wcześniej widziała, jak to się robi, ale dopiero teraz się dowiedziała, jak się do tego zabrać.

Lee wrócił późno. W dodatku był pijany. Nigdy nie widziała go tak pijanego. Zachowywał się głośno, podśpiewywał, chciał tańczyć. Powiedział: „Kazali mi pić za naszą małą, za ciocię Walę, za Marinę". Śpiewał przez całą drogę do domu. Mówił: „Moje dwie dziewczynki są wreszcie w domu". Tak, jej biedny Amerykanin nie był przyzwyczajony do picia rosyjskiej wódki. Strasznie śmiesznie wyglądał. Nagadał jej i June mnóstwo bzdur. Przysięgał, zaklinał się, że je kocha, i był niesamowicie szczęśliwy. Wcale się nie awanturował – przeciwnie, był bardzo posłuszny, wręcz potulny. Zaraz poszedł spać; runął na łóżko jak długi.

Może faktycznie były to urodziny Wali, ale Ilja miał inne powody, by zapamiętać ów dzień. Rozmawiał wówczas ze Stiepanem, który później sporządził notatkę opatrzoną adnotacją ŚCIŚLE TAJNE:

Spotkałem się z „P", agentem MWD, dnia 23.02.62. Powiedział, że ostatnio dwukrotnie rozmawiał z siostrzenicą Mariną na temat jej zbliżającego się wyjazdu ze Związku Radzieckiego do USA. „P" wyjaśnił Marinie, że w jej przypadku konieczne jest godne zachowanie i niebranie udziału w jakiejkolwiek propagandzie antyradzieckiej czy innych wrogich działaniach, wymierzonych w Związek Radziecki, by nie sprowadzić kłopotów na „P" i innych krewnych żyjących w ZSRR. Marina obiecała „P", że w USA nie popełni żadnego czynu, przez który ucierpiałby „P" czy inni krewni.

„P" będzie w dalszym ciągu prowadził rozmowy wychowawcze i przeprowadzi rozmowę z „Lichojem", by po przyjeździe do USA powstrzymał się od wygłaszania szkalujących opinii o ZSRR.

„P" wyjaśnił, iż w rozmowie z Mariną, wyrażając troskę o jej szczęście, zapytał ją, czy nie zauważyła czegoś podejrzanego w zachowaniu lub czynach L.H. Oswalda, co świadczyłoby o jego dwuznacznej roli. Marina oświadczyła, że niczego podobnego w zachowaniu Oswalda nie zauważyła.

Podczas spotkań z Mariną „P" zapytał ją również, czy nie boi się, że Oswald będzie represjonowany przez władze amerykańskie z powodu ucieczki z kraju. Poinformowana przez Oswalda, Marina twierdzi, że w USA nie jest to traktowane jak przestępstwo grożące aresztowaniem oraz że podobno według amerykańskiego prawa nie ma podstaw, by Oswald odpowiadał za ten czyn po powrocie do USA.

Takiemu spotkaniu pułkownika MWD i kapitana KGB mogło towarzyszyć napięcie. Misza Kuzmicz, sąsiad Ilji, był swego czasu lekarzem naczelnym KGB i MWD w Mińsku. W jego poczekalni tworzyły się kolejki ludzi z obu tych instytucji. Gdy jednak przychodził wyższy oficer z MWD, władczo kazał się zapowiadać i Misza przyjmował go poza kolejnością. To przecież wyższy urzędnik w mundurze. Ludzie z KGB natomiast zachowywali się skromnie. Nie nosili mundurów, nie można więc było rozpoznać ich stopnia. Byli wprawdzie eleganccy i dobrze ubrani, lecz mimo to musieli czekać w kolejce. KGB zatem się irytował, ale nie mógł nic na to poradzić. Był instytucją zbyt tajną, by ujawniać, kto spośród jej pracowników jest wyższy stopniem. Gdy KGB nie mógł już dłużej ścierpieć takiego stanu rzeczy, otworzył osobną przychodnię i nawet szpital, by uniknąć tego rodzaju zadrażnień.

Były też między owymi dwiema instytucjami i inne różnice. I KGB, i MWD prowadziły śledztwa; MWD jednak w bardziej prymitywnym stylu. Krążyło tam następujące powiedzenie: „Jeśli jesteś wystarczająco silny, to nie musisz myśleć".

Oczywiście gdy sprawa dotyczyła bezpieczeństwa wewnętrznego, KGB i MWD współpracowały ze sobą. Mimo wszystko jednak zwykle można było poznać, kto pracuje w której instytucji, ponieważ ludzie z KGB mieli lepsze maniery i byli kulturalniejsi. Misza z pełną odpowiedzialnością za swoje słowa powiedział, że wielu ludzi mówiących o przesłuchiwaniu przez KGB było tak naprawdę w rękach MWD. Ponieważ siedzibą obu był gmach przy prospekcie Lenina, nie można było oddzielić jednej instytucji od drugiej; obie wzywały ludzi do dużego gmachu z żółtego piaskowca, z białymi kolumnami u wejścia i małymi drzwiami.

7

„Masz zarazki w ustach"

28 lutego

Poszedłem zarejestrować urodzenie małej (jak wymaga prawo). Chciałem, żeby nazywała się June Marina Oswald. Ale ci biurokraci powiedzieli, że jej drugie imię musi być takie jak moje pierwsze. To zalegalizowany rosyjski zwyczaj. Nie zgodziłem się, żeby wpisano jej do metryki „June Lee". Obiecali mi, że zadzwonią do urzędu miasta i zapytają, czy w moim wypadku mogą zrobić wyjątek, dlatego że mam amerykański paszport.

Następny wpis w dzienniku Oswalda datowany jest na 29 lutego, choć rok 1962 nie był rokiem przestępnym.

29 lutego

Nikt dokładnie nie wie, co trzeba zrobić, ale wszyscy zgodnie mi radzą: „Załatw to na sposób rosyjski". Imię mojej córki: June Lee.

Gdy przyszła z wizytą Wala, Marina prasowała pieluchy. Ponieważ były zbyt suche, nabrała w usta trochę wody i spryskiwała nią pieluchy. Alik krzyknął: „Co ty wyprawiasz? Przecież masz w ustach zarazki". Dla Wali był to dowód, że Alik przejmuje się dzieckiem. Potem wziął talerz, nalał do niego wody i pokazał Marinie, jak leciutko rozpryskiwać ją palcami. Fakt, może rodzina Mariny prezentowała się elegancko, ale Wala od dawna wiedziała, że to chłopstwo. Bogate chłopstwo. Tatiana na przykład nie miała wykształcenia – ledwie umiała czytać – ale mimo wszystko była osobą elegancką.

Któregoś wczesnowiosennego dnia po strasznej kłótni w domu Wali Alik powiedział do Mariny: „Jak chcesz, to zostań w Rosji, ale przynajmniej pozwól mi zabrać moje dziecko". Wtedy Marina przytuliła June i powiedziała: „Nie masz najmniejszego prawa oddzielać dziecka od matki". Wala, która pośredniczyła między nimi, powiedziała potem Marinie, że stojący przy oknie Alik był blady jak śmierć. Oczywiście, że się pogodzili. Dzięki staraniom Wali. „No i popatrz, coś ty mu zrobiła" – powtarzała Marinie ciotka.

Odkąd Alosza się ożenił, Stalina nie miała od niego żadnych wieści. Nie kontaktował się z nią. Ale po przyjściu dziecka na świat zaczął mieć poważne kłopoty, bo wreszcie zadzwonił. Mówił tak: „Marina w ogóle nie umie gotować; wcale nie sprząta w domu". Powiedział: „Ty, Stalino, miałaś dziecko i chodziłaś do pracy. A ja wracam do domu, przynoszę jej pieniądze, a tu ubrania niewyprane, w domu brudno, dziecko płacze, nie ma dla mnie nic do jedzenia".
Stalina powiedziała mu, że to dziwne. Radziła porozmawiać z żoną. „Wytłumacz jej. Gdy kobieta ma dziecko, musi pracować. Twoja żona też musi sprzątać i gotować. Ty powinieneś jej oczywiście pomagać, ale przede wszystkim to ona powinna zajmować się domem".
Po tej rozmowie przez jakiś czas Alosza się nie odzywał, ale potem zadzwonił po raz drugi i powiedział: „Mamo, ta sytuacja jest nie do zniesienia. Dziecko nie jest dostatecznie zadbane. Ja wychodzę do pracy o pustym żołądku. Wracam do domu głodny. Bez przerwy się kłócimy". Rozpłakał się.
Czasami spotykał się ze Staliną wieczorami. Uczyła w szkole wieczorowej dla robotników i gdy Lee odprowadzał ją z pracy, to płakał, tak, na ulicy. Potem zaczął coś mówić, że jego żona nalega na wyjazd do Ameryki. Powtarzała, że Lee w swojej fabryce nie ma szans zarobić więcej pieniędzy i w końcu zaczęła nalegać na wyjazd.
Niech nikt nie mówi, że Oswald nie pokazywał się różnym ludziom z różnych stron. Możemy być pewni, że Departament Stanu widział Oswalda w zupełnie innym świetle niż Stalina.

9 marca Joseph Norbury, konsul amerykański, napisał do Oswalda, by go poinformować, że ambasada została upoważniona do przesłania mu zaliczki w wysokości 500 dolarów „na pokrycie kosztów podróży do punktu docelowego w Ameryce" dla niego i jego rodziny:

> […] Oczywiście spodziewamy się, że skorzysta Pan z możliwie najtańszego środka transportu [i] prosimy, by w chwili otrzymania tej sumy podpisał Pan zobowiązanie zwrotu pożyczki […].
>
> Nie otrzymaliśmy dotąd pozytywnej odpowiedzi w sprawie wizy dla Pańskiej żony, [ale] gdy tylko podanie zostanie rozpatrzone, będzie mógł Pan złożyć swój paszport w OWIRze celem uzyskania pozwolenia na wyjazd […].

Dlaczego ambasada amerykańska w Moskwie nie otrzymała jeszcze zgody na wydanie wizy dla Mariny? Czy istniał nadal jakiś nierozwiązany problem? Lee powiedział żonie: „Jeżeli nie pozwolą ci wjechać do Ameryki, to zostanę w Rosji. Sam nie pojadę". W tamtej chwili Marina pojechałaby za nim wszędzie, nawet na Księżyc. Uznała, że faktycznie stanowią rodzinę. Dla ich małżeństwa znów nastały dobre dni.

Teraz po powrocie z pracy Lee zawsze miał dla niej miły uśmiech, niezależnie od tego, jak mu minął dzień. Pod wieczór opowiadał jej czasami o kłopotach w fabryce, ale wchodząc do mieszkania, wołał: „Tatuś wrócił!", albo: „Już jestem!". Zapowiadał swoje wejście, jakby był aktorem na scenie. A ona czekała na ten moment. „Dziewczynki, już jestem. Wszystko w porządku. *Diewoczki, ja doma*".

Zaraz po wejściu zdejmował brudne ubranie, wskakiwał pod prysznic i wkładał czyste rzeczy. Co prawda ciepłą wodę mieli tylko trzy razy w tygodniu, dlatego gdy była zimna, Lee nie brał prysznica, ale mył się pod kranem. Nie musiała gotować dla niego wody. Lee pomagał jej też przy praniu i czasami zmywał naczynia.

A sankcja 243 (g) wciąż obowiązywała. Zamieszczona poniżej wymiana korespondencji mówi sama za siebie. Pierwszy z listów jest od konsula amerykańskiego Josepha Norbury'ego z ambasady w Moskwie do waszyngtońskiego Departamentu Stanu.

15 marca 1962
Pilnie potrzebna decyzja w sprawie sankcji 243 (g) dotyczącej Mariny OSWALD. Mąż [...] często dzwoni i pisze do ambasady, by dowiedzieć się, co jest przyczyną opóźnienia. Nie uznawaliśmy za wskazane omawiania kwestii sankcji 243 (g), gdyż możliwe jest jej zniesienie, ale coraz bardziej niezręcznie jest nam tłumaczyć się przed Oswaldem.

Drugi został napisany przez Roberta Owena z Urzędu do spraw Kontaktów z ZSRR w Departamencie Stanu do Johna Crumpa, pracownika Urzędu Wizowego Departamentu Stanu, prowadzącego sprawę Oswalda. Być może jest to najważniejszy dokument w tych aktach.

16 marca 1962
VO: pan John E. Crump
SOV*: Robert I. Owen

[...] SOV uważa, że w interesie USA leży wyjazd Lee Harveya Oswalda i jego rodziny ze Związku Radzieckiego i ich jak najszybszy powrót do kraju. Jako człowiek o niezrównoważonym charakterze, którego postępowania zupełnie nie sposób przewidzieć, Oswald

---

* Skróty nazw poszczególnych działów: VO (Visa Office – Dział Wizowy), SOV (Office of Soviet Union Affairs – Urząd do spraw Kontaktów z ZSRR), INS (Immigration and Naturalization Service – Urząd do spraw Imigracji i Naturalizacji) (przyp. tłum.).

mógłby wkrótce odmówić wyjazdu z ZSRR lub też usiłować dostać się tam z powrotem, jeśli uniemożliwilibyśmy jego żonie i dziecku towarzyszenie mu w podróży.

Takie działanie z naszej strony dałoby również władzom radzieckim do ręki argument, że choć one wydały pani Oswald pozwolenie na wyjazd, by zapobiec rozpadowi rodziny, rząd Stanów Zjednoczonych siłą narzuca separację poprzez odmowę wydania wizy pani Oswald. [Poza tym] tranzyt przez terytorium trzeciego państwa oznaczałby dodatkowy wydatek z budżetu Stanów Zjednoczonych.

SOV zaleca INS ponowne rozważenie w trybie pilnym decyzji dotyczącej zniesienia sankcji 243 (g) w przypadku pani Oswald [...], częściowo umotywowane faktem, że Oswald w oczekiwaniu na dokumenty korzysta już z przyznanych mu środków finansowych.

Marina wciąż nie była pewna, czy rzeczywiście chce wyjechać. Wszędzie zasięgała rady. Niektóre koleżanki z apteki starały się ją odwieść od tego pomysłu. Odpowiadała im: „Ale co ja wtedy zrobię? Mam dziecko, a dziecko powinno mieć ojca". Ale one mówiły, że wybiera się przecież do zupełnie obcego kraju z człowiekiem, który nie jest całkowicie zrównoważony. Najpierw chce mieszkać tutaj, żeni się, płodzi dziecko – a potem nagle, ni stąd, ni zowąd, chce wracać do Ameryki. Trudno na nim polegać. Może dziecku i potrzeba ojca, ale on chce przenieść żonę do nowego dla niej kraju, nie wiedząc, czy ona potrafi takiej sytuacji podołać. Przecież tu ludzie wychowują się i żyją zupełnie inaczej. A on chce zabrać żonę gdzieś daleko, nie troszcząc się nawet o to, jak będzie się tam czuła.

8

Wątpliwości

Lee prowadził także korespondencję z generałem brygady piechoty morskiej.

7 marca 1962

Szanowny Panie Oswald:

[...] W Pańskich aktach w Dowództwie znajdują się [...] wiarygodne informacje, wskazujące na to, że zrzekł się pan obywatelstwa amerykańskiego z zamiarem przyjęcia stałego obywatelstwa Związku Socjalistycznych Republik Radzieckich. Dowódca Rezerw Powietrznych Piechoty Morskiej podejmował starania, by poinformować Pana o przysługującym Panu prawie osobistego wystąpienia przed radą rewizyjną, [lecz z braku] odpowiedzi z Pańskiej strony [rada] zebrała się 8 sierpnia 1960 roku i uchwaliła, że zostanie Pan wydalony z Rezerwy Korpusu Piechoty Morskiej jako osoba niepożądana [...].

Szczerze oddany

R. McC. Tompkins

Generał Brygady Korpusu Piechoty Morskiej USA

Niemal wyczuwalny jest nacisk dłoni Oswalda w każdym słowie, które podkreśla w odpowiedzi na ów list, datowanej na 22 marca.

Szanowni Państwo:

W odpowiedzi na powiadomienie o zwolnieniu mnie jako niepożądanego i Państwa interpretację prowadzącą do tego celu:

Chciałbym zauważyć, że nigdy nie podjąłem kroków w celu zrzeczenia się obywatelstwa amerykańskiego. Również Departament Stanu Stanów Zjednoczonych nie ma przeciwko mnie zupełnie żadnych skarg ani zarzutów.

W celu weryfikacji tego faktu odsyłam Państwa do ambasady Stanów Zjednoczonych w Moskwie oraz Departamentu Stanu USA w Waszyngtonie.

[Nie] byłem również świadom decyzji podjętej przez radę oficerów 8 sierpnia 1960 roku. Zostałem o niej poinformowany przez matkę w grudniu 1961 roku.

W mojej prośbie skierowanej do Sekretarza Marynarki Wojennej, w jego przekazaniu sprawy do Państwa i w liście Państwa do mnie nie ma ani słowa o rewizji, a o to właśnie zamierzałem wnosić.

Wspominają Państwo o „wiarygodnych informacjach", które stały się podstawą do dyscyplinarnego zwolnienia z wojska. Nie mam najmniejszych wątpliwości, że Państwa „wiarygodne informacje" pochodzą ze spekulacji opublikowanych w prasie.

W świetle amerykańskich przepisów dotyczących korzystania z paszportu oraz zachowania za granicą, mam święte prawo mieszkać w każdym kraju, wedle mojego życzenia [...], zatem nie mają Państwo nawet prawa moralnego zmieniać mojego warunkowego zwolnienia w zwolnienie dyscyplinarne.

Mogą Państwo potraktować ten list jako prośbę o rewizję mojej sprawy w świetle wyżej przytoczonych faktów, ponieważ gdy otrzymają Państwo ten list, ja będę już z powrotem w Stanach Zjednoczonych wraz z rodziną, gotów stawić się osobiście o rozsądnej porze przed oficerską radą rewizyjną w mojej okolicy.

Ostatni wpis w dzienniku pochodzi z 27 marca:

Dostałem list od pana Phillipsa (pracodawcy mojej matki) z gwarancją utrzymania mojej żony w razie potrzeby.

27 marca 1962
Kochana Mamo!
[...] Powinniśmy być w Stanach najpóźniej w maju. Ambasada zgodziła się pożyczyć mi 500 dolarów na podróż, przyjęła też moje zaświadczenie o utrzymaniu, Twoje więc okazało się w końcu niepotrzebne. Ale nie próbuj zmuszać tego swojego znajomego do anulowania zaświadczenia; kiedyś może się jeszcze przydać. Jak mówisz, mój przyjazd będzie dobrym tematem do opisania. Dość dużo o tym myślałem. Nawet zrobiłem już 50 stron notatek na ten temat.

Całusy, Lee

28 marca

Kochana Mamo!

[...] Pytasz, czy będę mieszkał u Ciebie, czy u Roberta w Fort Worth. Myślę, że ani tu, ani tu, ale że Was oboje będę odwiedzał. W każdym razie chcę mieszkać samodzielnie [...].

12 kwietnia 1962

Kochany Robercie!

[...] Wygląda na to, że wyjedziemy stąd w kwietniu albo w maju; w tej chwili opóźnia to tylko strona amerykańska. Nasza ambasada pracuje w równie ślimaczym tempie jak Rosjanie...

[...] Teraz, kiedy zima się skończyła, tak naprawdę nie chce mi się wyjeżdżać, póki nie zacznie się jesień, bo wiosna i lato są tu bardzo ładne.

Twój brat

Lee

Czy to możliwe, że Lee myśli o swoim zwolnieniu i wszelkich problemach, jakie może mu ono nastręczyć przy poszukiwaniu pracy? Niewykluczone, że Ameryka oczekuje go jak rozgniewany krewny, z błyskiem wściekłości w oku.

9

„Jego impertynencja nie ma granic"

Od 16 marca do 4 maja w kwestii zniesienia sankcji nic się nie zmieniło.

TELEGRAM DO DEPARTAMENTU STANU

4 maja 1962

NADAWCA: Moskwa

ADRESAT: Sekretarz Stanu

Najpilniej potrzebna decyzja sprawie 243 (#) [sic] Oswalda [...]. Nie uznawaliśmy za wskazane omawianie kwestii 243 (g), gdyż możliwe jest zniesienie sankcji, ale coraz bardziej niezręcznie jest nam tłumaczyć się przed Oswaldem.

THOMPSON

Czy Oswald ma jakiekolwiek pojęcie o tym, jak wielu ludzi, nielubianych przez niego i nie przepadających za nim, działa teraz w jego sprawie? Z Moskwy przychodzą telegramy podpisane nazwiskiem ambasadora Thompsona.

Oto fragment listu z 8 maja od Johna Norbury'ego do Roberta I. Owena z Biura do spraw Stosunków z ZSRR w Departamencie Stanu USA:

Drogi Bobie!

[...] Z pewnością zwróciłeś uwagę na telegram z 4 maja w sprawie OSWALDA. Jeżeli w tej sprawie nie uchwali się szybko zniesienia sankcji 243 (g), myślę, że będziemy musieli wezwać Oswaldów tu, do Moskwy, i wysłać ich do Belgii. Nie będziemy bynajmniej rozdzierać szat i rozpaczać, że Oswald wyjeżdża. Jego impertynencja nie ma granic. Ostatni list zawierał władcze żądanie, by Departament Stanu zaprzestał usiłowania zdobywania funduszy na podróż od jego krewnych w USA [...]. Gdy ostatnio dwa czy trzy razy dzwonił z Mińska, musiałem nieprzekonująco napomykać o wciąż nierozwiązanym „problemie", który wstrzymuje bieg sprawy wydania wizy dla jego żony [...].

Departament Stanu całymi miesiącami słał do Departamentu Sprawiedliwości prośby o zniesienie sankcji, i wreszcie Urząd do spraw Imigracji i Naturalizacji Departamentu Stanu odstąpił od nieprzejednanego stanowiska w liście z 9 maja do Michaela Cieplinskiego z Biura Bezpieczeństwa Narodowego i Spraw Konsularnych w Departamencie Stanu.

Szanowny Panie Cieplinski:

[...] W swoim liście stwierdza Pan również, że zniesienie sankcji w przypadku pani Oswald leży w najlepiej pojętym interesie Stanów Zjednoczonych.

Biorąc pod uwagę jednoznaczne stanowisko, jakie wyraził Pan w liście z 27 marca 1962 roku, niniejszym zarządzamy, by sankcja 243 (g) nałożona zgodnie z Sekcją 243 (g) Aktu o Imigracji i Naturalizacji została w przypadku pani Oswald zniesiona.

Z poważaniem
Robert H. Robinson, zastępca komisarza
Kontrola Podróży

Warto w tym miejscu przytoczyć najistotniejszy akapit z listu pana Cieplinskiego z 27 marca 1962 roku:

[...] jeśli pani Oswald nie otrzyma z ambasady wizy, władze radzieckie będą mogły stwierdzić, że ze swojej strony zrobiły wszystko, by nie dopuścić do rozdzielenia rodziny, ponieważ wydały pani Oswald pozwolenie na wyjazd, i że to rząd amerykański odmówił wydania jej wizy, a tym samym powstrzymał ją od towarzyszenia mężowi i dziecku [...].

10 maja Joseph B. Norbury może nareszcie napisać do Oswalda, że ma dobre wiadomości.

Szanowny Panie Oswald!

Miło mi poinformować Pana, że ambasada może teraz rozpocząć ostatnią fazę działania w sprawie podania o wizę dla Pańskiej żony. Dlatego zapraszamy Pana wraz z małżonką o złożenie wizyty w ambasadzie w dogodnym dla Państwa terminie [...].

W aktach ambasady znajdują się dwie kopie aktu urodzenia Pańskiej żony i jedna kopia aktu zawarcia małżeństwa. Zatem dostarczyć trzeba jeszcze tylko jedną kopię aktu małżeństwa, trzy zdjęcia, zdjęcie rentgenowskie, wynik badania serologicznego oraz świadectwo szczepienia przeciw ospie.

Jak już informowaliśmy Pana wcześniej, trzy zdjęcia Pańskiej córki oraz kopia jej aktu urodzenia będą również potrzebne do konsularnie poświadczonego aktu urodzenia oraz odpowiedniego wpisu do Pana paszportu.

Prosimy o poinformowanie ambasady o terminie, w którym można się spodziewać Pańskiej wizyty.

10

Pożegnanie z Ellą

Przypomnimy na wszelki wypadek, że Maks Prochorczyk to kolega z pracy, który wdał się z Oswaldem w bójkę, gdy ten przestawił coś na jego warsztacie. Zdarzyło się to na początku stycznia 1960 roku, tuż po tym, jak obaj rozpoczęli pracę w „Horyzoncie". Potem Maks interesował się Ellą, ponieważ było w niej coś tajemniczego. Tak długo spotykała się z tym Amerykaninem! Później Maks i mężczyzna imieniem Arkadij umawiali się z Ellą jednocześnie, aż ona wreszcie wybrała Maksa. Niedługo potem poprosił on o jej rękę, a matka Elli powiedziała: „Niech tak będzie. Niech zostanie twoją żoną". Pobrali się 4 maja 1962 roku. Uroczystość była bardzo kameralna. Minęło piętnaście miesięcy od czasu, kiedy Ella przestała spotykać się z Lee, a on w tym czasie nie odezwał się do niej ani słowem. Udawał wręcz, że jej nie zna. Ale któregoś dnia, pod koniec maja, zupełnie niespodziewanie podszedł do jej warsztatu, gdy już się szykowała do wyjścia, bo umówiła się na obiad ze swoim niedawno poślubionym mężem. Lee podszedł do niej i zapytał: „Możemy się dziś spotkać? Chcę z tobą o czymś pomówić".

Ella kompletnie straciła głowę. Gdyby była mężatką trochę dłużej, być może powiedziałaby „tak", ale mieszkała z Maksem zaledwie od kilku tygodni i on nie odstępował jej ani na krok, dosłownie za nią chodził, pomyślała więc, że pewnie nie może, nie powinna, przez tę bójkę Oswalda z Maksem przed dwoma laty. Pokręciła przecząco głową i powiedziała: „Niedawno wyszłam za mąż", a Lee zapytał: „Za kogoś, kogo znam?". Ella spojrzała na niego i odpowiedziała: „Tak". Wtedy on się odwrócił i wyszedł przez te drzwi, którymi wszedł. Kilka dni później ktoś jej powiedział, że Lee wyjechał do Ameryki. Gdyby tylko wiedziała, że on wyjeżdża...

Pamięta, że wydawało jej się, iż Lee chce jej coś powiedzieć, ale kiedy się tak gwałtownie odwrócił, nie zdążyła zareagować. A biec za nim nie miała ochoty.

Ella uważa, że Lee nie mógł nie widzieć jej z Maksem. Na kilka tygodni przed ślubem w ogóle się z nim nie rozstawała. Lee musiał widzieć, że razem wychodzą z fabryki wieczorem i razem przychodzą do pracy. Ale na pewno nie podobałoby mu się to, że wyszła za Maksa.

Była bardzo zdziwiona, słysząc, że Lee wrócił do Ameryki. Z początku nawet temu zaprzeczała. Ktoś ją zapytał: „Wiesz, że Lee Oswald jest w Ameryce?", a ona odpowiedziała: „Nie, mogę się założyć, że pojechał gdzie indziej, nie do Ameryki". Była o tym tak święcie przekonana, że później bardzo się zdziwiła, gdy się okazało, że jest w błędzie.

11

Wyjazd

Z ZAPISU ROZMÓW SPORZĄDZONEGO PRZEZ KGB
OBIEKT: OLH-2983
DNIA 19 MAJA 1962 ROKU.

LHO: Jak mogłaś! Włóczyłaś się po pracy przez trzy godziny!

(*dziecko płacze*)

ŻONA: Ty idioto! Nigdzie z tobą nie pojadę. Możesz sobie zabrać dziecko i jechać. Weź ją i jedź.
LHO: Zamknij się. Weź ją na ręce.

(*dziecko płacze*)

ŻONA: Daj mi spokój. Rób co chcesz, ja z tobą nie jadę. Nigdy nawet palcem w bucie nie kiwniesz, żeby mi pomóc. Idź, nakarm dziecko. Zabij mnie, a nie wstanę po mleko. Będę siedziała i patrzyła. Będziesz się awanturował do drugiej w nocy. Ja się nie włóczę po pracy – muszę tyle czasu siedzieć w tej klinice. Lekarze nigdy na mnie nie czekają.

(*płacze*)

LHO: No właśnie.

(*idą do kuchni*)
12.50 (*wracają*)

ŻONA: (*szlochając*) Zejdź mi z oczu, kundlu! Ty kanalio! Nie patrz tak na mnie – nikt się ciebie nie boi. Idź do diabła, draniu jeden!
LHO: Bardzo jesteś miła.

Żona: Możesz sobie jechać do tej swojej Ameryki beze mnie, i mam nadzieję, że zdechniesz po drodze.

(*LHO wychodzi*)
(*cisza*)

Ta wymiana zdań miała miejsce po południu. Wieczorem tego samego dnia zjawił się Paweł, a potem przyszli jeszcze z wizytą mężczyzna i kobieta. Wnosząc z natury ich rozmowy, byli to pewnie Zigerowie, dlatego poniżej figurują pod tym nazwiskiem, a nie – jak w dokumentach – jako Niezidentyfikowany Mężczyzna 3 i Niezidentyfikowana Kobieta 2. A skoro już pozwalamy sobie na takie zmiany w zapisie rozmowy KGB, to i „żonę" zamienimy na Marinę, a „LHO" może występować jako Lee.

21.30
Pani Ziger: Nie mogliśmy się dopukać!
Marina: Byliśmy na balkonie; nic nie słyszeliśmy.
Pani Ziger: Gdzie wasza córunia? Miejmy nadzieję, że nadal będzie zdrowa. Oczy ma po mamie – takie ogromne.
Lee: Po mamie ma oczy, usta, nos. Wszystko ma po mamie, ze mnie nie ma nic.
Pani Ziger: Następnym razem będzie syn.
Lee: Dostaliśmy już wszystkie papiery. Prawdopodobnie wyjedziemy we wtorek...
Pani Ziger: A jak będziecie podróżować? Statkiem czy samolotem?
Lee: Z Moskwy albo pociągiem, albo samolotem. To zależy od tego, jaką dostaniemy wizę...

(*wszyscy mówią naraz; nie da się nic zrozumieć*)

Pani Ziger: Kiedy dorośnie, nie będzie nawet wiedziała, gdzie się urodziła. Może June przyjedzie kiedyś nas odwiedzić.
Pan Ziger: Odwiedziny to co innego. Ale niech nie przyjeżdża tu na stałe.
Lee: Nastawiłaś wodę na herbatę?
Pani Ziger: Nie przejmujcie się nami, nam nic nie trzeba.
Lee: Są jakieś szklanki?
Marina: Mamy dwie. Jest jeszcze moja filiżanka. On już wszystko spakował.
Lee: Cały nasz majątek. Został pusty pokój.
Pani Ziger: [...] Cieszycie się, oczywiście?
Lee: Cieszymy się.
Pani Ziger: Marinoczka, ty chyba też?
Marina: No, ja oczywiście nie tak znowu bardzo...
Pani Ziger: [Dziewczynka] będzie blondynką; będzie śliczna.
Lee: Będzie jej się dobrze żyło; będzie miała wszystko...

(*wszyscy mówią naraz; trudno rozróżnić poszczególne słowa*)

(przychodzi Paweł i wszyscy trzej mężczyźni przenoszą się do kuchni)

PANI ZIGER: Marinoczka, nie wiesz nawet, jak ci zazdroszczę, tak tryskasz zdrowiem.

MARINA: Kiedy przyjadę [do Ameryki] z dzieckiem, nie wiem, może będzie nam trudno, może on nie znajdzie pracy.

PANI ZIGER: Dlaczego miałby nie znaleźć pracy? [...]. Urządzicie się, wszystko będzie dobrze, wszystkiego będziecie mieli w bród, będziecie wolni.

MARINA: Będziemy mieli pieniądze i wolność.

PANI ZIGER: Boże, jak ja nie cierpię tego miasta. Nie macie dużo pościeli. A jakiś kufer? Boże, my mamy tyle gratów! Tyleśmy ze sobą przywieźli! A ileśmy rozdali! Toaletkę, łóżko i ogromne dębowe tremo. I naczynia! Wszystko sprzedaliśmy.

MARINA: Ale na początku pewnie nie mieli państwo tyle tego wszystkiego?

PANI ZIGER: Tak, pamiętam, jakby to było wczoraj. Mój mąż miał dwadzieścia jeden lat, a ja dwadzieścia cztery; jestem od niego starsza.

MARINA: Wygląda pani młodziej niż on...

PANI ZIGER: A jak stoicie z pieniędzmi?

MARINA: Mamy oszczędności... Oboje jesteśmy oszczędni.

PANI ZIGER: A ile to wszystko kosztuje?

MARINA: Bilety kosztują 440 nowych rubli. Dla dwóch osób.

PANI ZIGER: Twoja ciotka ani trochę wam nie pomogła?

MARINA: Nie.

PANI ZIGER: Dziękujcie Bogu, że wyjeżdżacie. To zrządzenie losu, spotkałaś swojego ukochanego Amerykanina...

MARINA: Muszę pani powiedzieć, że on mi naprawdę pomaga.

PANI ZIGER: Najważniejsze, że nie ma innych kobiet.

MARINA: Kto wie, może ja nie zawsze będę mu się podobać. Nie mogę powiedzieć, żebym była dla niego szczególnie dobra.

PANI ZIGER: Masz dobre serce.

MARINA: Z początku było mu przykro, że ma córkę, nie syna, ale teraz już mu to nie przeszkadza.

PANI ZIGER: Pewnie że nie, pokocha małą.

MARINA: Już ją kocha.

(rozmawiają o dziecku, o tym, że niektórzy mężowie są źli – piją lub brutalnie traktują żony)

PANI ZIGER: Może kiedyś będziesz chciała przyjechać tu z wizytą...

MARINA: Tam się łatwiej żyje. Lee będzie zarabiał więcej niż tutaj. Zresztą co on tu może robić? Człowiek haruje jak wół, a i tak zarabia nędzne grosze.

PANI ZIGER: [...] To zdumiewające, że twoja ciotka wam nie pomogła – powinna przynajmniej kupić jakiś prezent.

MARINA: Co też pani mówi! Nie kupiła nawet pieluch dla June. A zarabiają tysiące rubli. Mogli kupić cokolwiek. Nie mówię o drogich prezentach, ale chociaż czapeczkę za 40 kopiejek. Bardziej mi pomagały koleżanki z pracy – jedna przyniosła pieluchy, druga coś innego. Wszystko się przydało.

PANI ZIGER: Pożegnałaś się już z ciotką?

MARINA: Jeszcze nie.

PANI ZIGER: A kiedy jej powiedziałaś?

MARINA: Dostali mój list chyba przedwczoraj... Powiedziałam jej, że wyjeżdżam. „Oszalałaś! Więc jednak wyjeżdżasz".

PANI ZIGER: Ja tam zawsze jeżdżę za mężem. Gdzie igła, tam i nitka...

(mówią o tym, w co Marina się ubierze na podróż; rozmawiają o meblach: ile mniej więcej za nie dostaną; później mówią o dziecku)

MARINA: Alik, chodź tu; mała śpi.

22.40 *(Lee, Paweł i pan Ziger przychodzą z kuchni)*

PANI ZIGER: To co, Alik, będziecie za nami tęsknić?

LEE: Oczywiście, że będziemy za wami tęsknić.

(wszyscy krzyczą; nie da się zrozumieć co; Paweł robi zdjęcia)
(wszyscy mówią naraz; nie można nic zrozumieć)

PANI ZIGER: Musisz obiecać, że nauczysz dziecko mówić po rosyjsku.

LEE: Obiecuję.

PANI ZIGER: Dobrze znać rosyjski; to nigdy nie zaszkodzi. Prawda, że dobrze, że rozumiesz po rosyjsku?

(mężczyźni rozmawiają na temat radia; kobiety rozmawiają o swoich problemach; nie można nic zrozumieć)

PAWEŁ: Kontrola celna nie będzie tam szukać.

MARINA: I tak przecież nie przeszukują wszystkiego – tylko wyrywkowo.

PANI ZIGER: Kiedy myśmy przyjechali do Odessy, zrobił się jeden wielki dom towarowy; każdy przywiózł ze sobą 7 czy 8 kufrów. Przywieźliśmy pianino, wózek spacerowy i cztery wyładowane kufry. Każdy przywiózł ze sobą z pół wagonu rzeczy. A Ukrainki, widząc to, mówiły: „Popatrzcie tylko na to, co oni ze sobą poprzywozili! A mówi się, że tam ludzie z głodu umierają". Moje dziewczyny miały na nogach szpilki: „Spójrzcie no na te obcasy!". Nie wiedzieliśmy, jak się zachować, nawet sobie nie wyobrażacie, co to za uczucie... Przez te ostatnie pięć lat tyle się zmieniło!

PAWEŁ: Na gorsze?

PANI ZIGER: Na lepsze. Miejmy nadzieję. Jestem już zmęczona życiem w takim kraju jak Rosja, największym i najbogatszym kraju na świecie.

PAWEŁ: W ostatecznym rachunku to nie takie straszne, że na świecie jest tyle bomb. Kiedy będzie ich wystarczająco dużo, nikt nie rozpęta wojny.

PAN ZIGER: Chyba że szaleniec.

PAWEŁ: Mówi się, że my się zbroimy, bo Amerykanie chcą wojny. Amerykanie mieli bombę przed nami – dlaczego wtedy nie zaatakowali? Wcale nie chcą wojny. Nikt nie chce wojny.

PAN ZIGER: Nie wiem, czy będzie wojna, czy nie.

PAWEŁ: Na dłuższą metę nie mogą istnieć dwa systemy.

PAN ZIGER: Jeśli wierzyć marksizmowi, to kapitalizm już się kończy, umiera, zostanie więc tylko jeden system. A jeżeli marksizm się nie sprawdzi, to komunizm długo nie pociągnie. Komunizm się zmienił od czasów, które opisywali Marks i Engels.

(spokój; nic nie słychać)

PANI ZIGER: Do widzenia.

PAN ZIGER: Zobaczymy się jeszcze przed waszym wyjazdem.

23.10 *(Zigerowie wychodzą)*

Było coś, o czym Marina jeszcze nikomu nie mówiła. Wydawało jej się to bez związku z czymkolwiek. Przed wyjazdem z Rosji Lee wziął ją na balkon i poprosił, żeby spróbowała – zanim odejdzie z pracy – załatwić jakieś narkotyki i przynieść do domu. Kiedy mu powiedziała, że legalnie nie można zdobyć takich środków, bo trzeba zapisywać wszystko, co się wynosi, on zapytał: „A nie możesz ukraść?". Odparła, że nie. Nie chciała tego robić i nie zrobiła.

Do dziś nie wie jednak, po co mu były te narkotyki. Nie powiedział konkretnie, czy to ma być morfina, czy amfetamina, tylko „narkotyki". Sam nie był narkomanem – źle znosił nawet alkohol w większych dawkach. Może chciał sprzedać narkotyki w Mińsku, żeby przyjechać do Ameryki z większą sumą pieniędzy. Ona tego nie rozumiała. Przecież śmiertelnie się bał nawet szmuglowania swoich zapisków. Cały czas się zamartwiał, gdzie ma schować tajemnicze kartki. Od czasu do czasu poruszał ten temat na balkonie.

Z ZAPISU ROZMÓW SPORZĄDZONEGO PRZEZ KGB
OBIEKT: OLH-2983
DNIA 20 MAJA 1962 ROKU

LEE: [...] Nic a nic nie powiesz. Będziesz odpowiadać na pytania, ale nie powiesz ani słowa od siebie. Masz siedzieć z gębą na kłódkę, zrozumiałaś?

MARINA: Jak będą jakieś kłopoty, to ty będziesz musiał sobie jakoś z nimi poradzić.

LEE: No tak. Za wszystko ja jestem odpowiedzialny. A ty będziesz stała z boku [...]. [W ambasadzie amerykańskiej] powiesz tak: „Nie, nie należę do związku zawodowego. Nigdy nie byłam członkiem żadnej radzieckiej organizacji".

MARINA: Więc oni was w Ameryce za to karzą? Dlaczego mam jechać do takiego kraju?

LEE: Po prostu tak powiedz.

MARINA: Jeszcze nie wyjechałam, a już się zaczynają problemy. Co dopiero, kiedy będę już [w Ameryce] – aha, jest pani Rosjanką! Należy pani do związku zawodowego!

Lee: Zamknij się, masz czarne myśli.

Marina: [...] Jestem Rosjanką i nie mam zamiaru się niczego bać. Skoro należę do związku zawodowego, to należę, i nie będę się z tym kryć!

Lee: Idiotka!

Marina: Nie mam się czego obawiać.

Lee: Głupia! Powiedz [tylko], że pracujesz w aptece [...].

Marina: Nie pojadę do kraju, gdzie człowieka karzą za każde słowo.

Lee: (głupkowaty śmiech)

Marina: Ty zadowolony z siebie dupku! Pękniesz jak bańka mydlana.

Lee: Ty pękłaś już dawno [...].

Marina: Uczciwi ludzie niczego nie ukrywają, ale ty jesteś oszustem. Ciągle oszukujesz, oszukujesz wszystkich naokoło.

10.05 (Lee wychodzi)
13.20 (przychodzi Sonia; rozmawiają o dziecku Mariny)

Sonia: [...] Nie macie dużo rzeczy, tylko te walizki, tak?

Marina: Tak, tylko te walizki.

Sonia: To wszystko?

Marina: Muszę jeszcze przed wyjazdem wypastować podłogę.

Sonia: Po co? Niech kto inny to zrobi.

Marina: Musi być wypastowana.

Sonia: Wcale nie. Wystarczy, że ją przetrzesz [...].

Nareszcie, po roku wahań co do decyzji o wyjeździe i przygotowań do niego, gdy zostały już napisane wszystkie listy, cały dobytek sprzedany lub spakowany, Marina i Lee mają jeszcze półtora dnia do wyjazdu, ale opuszczą teraz mieszkanie i na ostatnią dobę przeniosą się do mieszkania Pawła. Nazajutrz, w przeddzień ich wyjazdu, Stiepan jeszcze raz przeprowadził rozmowę z Ilją Prusakowem.

Z RAPORTU KGB

Dnia 21 maja 1962 r. przeprowadziłem wywiad z wujem „Nalima", Prusakowem I.W., który poinformował mnie, że 20 maja br. odwiedziła go w jego mieszkaniu siostrzenica Marina oraz „Nalim". Podczas rozmowy „Nalim" powiedział Prusakowowi o swoim zamiarze wyjazdu do Moskwy [...] 22 maja w celu uzupełnienia wszystkich koniecznych dokumentów w związku z powrotem do Ameryki.

W wyniku tej rozmowy Prusakow i jego żona, jako krewni Mariny, udzielili jej i „Nalimowi" kilku rad. Przede wszystkim Prusakow, zaniepokojony o własny los, poprosił Marinę i „Nalima", by po przybyciu do USA nie angażowali się w żadną działalność antyradziecką. Prusakow przypomniał „Nalimowi" o tym, że naród radziecki się o niego troszczył i zawsze dobrze go traktował. „Nalim" zapewnił Prusakowa, że nie podejmie żadnych działań na szkodę Związku Radzieckiego. Wyjaśnił również, że aby uniknąć spotkania z dziennikarzami i udzielania wywiadów, postanowił udać się prosto do domu brata, bez zatrzymywania się w Nowym Jorku.

Przez wyjazdem do Moskwy Marina ma jeszcze raz odwiedzić mieszkanie Prusakowa. Zważywszy na ten fakt, zalecono Prusakowowi, by ponownie jej przypomniał, żeby ona i „Nalim" nie zajmowali się propagandą antyradziecką za granicą. Uczulono Prusakowa na to, by ta rozmowa nie wzbudziła żadnych podejrzeń u Mariny i „Nalima".

Kochany Robercie!

[...] Będzie to ostatni list, jaki dostaniesz od nas z ZSRR.

W razie gdybyś słyszał o naszym przyjeździe albo gdyby dowiedziały się o nim gazety (mam nadzieję, że się nie dowiedzą), chcę Cię ostrzec, żebyś nie wygłaszał na mój temat absolutnie żadnych komentarzy. Pamiętaj, żadnych! Wiem, co się o mnie mówiło, kiedy wyjechałem ze Stanów, bo Mama przysłała mi wycinki z gazet. Rozumiem, że powiedziałeś to wszystko pod wpływem szoku. Jednak przypominam Ci raz jeszcze, żadnych oświadczeń ani komentarzy, gdy zwróci się do Ciebie prasa przed moim przybyciem do Stanów.

Mam nadzieję, że wkrótce się zobaczymy. Pozdrów rodzinę.

Twój brat Lee

Przyjaciele przyszli na stację z kwiatami. Marina czuła, że opuszcza na zawsze Rosję, zostawia przyjaciół i rodzinę. W pewnym sensie przypominało jej to pogrzeb. Przecież na pogrzebie też żegna się ludzi na zawsze. Marina myślała: „Wyjadę i rodzina będzie dla mnie jak umarła". Tak źle ich potraktowała. Nie spodziewała się przyjścia Wali i Ilji, i rzeczywiście nie przyszli. Było tylko kilkoro przyjaciół.

Gdy pociąg ruszał ze stacji Mińsk, Zigerowie i Paweł zaczęli machać na pożegnanie, podobnie jak wszyscy inni, którzy przyszli ich odprowadzić (tylko Erich się nie pojawił). Oswaldowie wyruszyli w drogę do Moskwy.

W Moskwie mieli się zatrzymać dziesięć dni, żeby odebrać ostatnie dokumenty i wypełnić ostatnie formularze, a potem znów wsiąść do pociągu i przejechać przez Mińsk – tyle że w środku nocy. Ale właśnie wtedy, o tak niezwykłej porze, na peronie, daleko, gdzie nie sięgały już światła pociągu, Marina dojrzała ciotkę tulącą się do wuja (wyglądali jak para ptaków w gnieździe) i powiedziała sobie w duchu: „Zmusiła go, żeby z nią przyszedł". Pociąg potoczył się dalej w noc, w kierunku Polski, Niemiec i Holandii. Mieli nim jechać kilka dni. Ale to dopiero później. Teraz, w Moskwie, Lee z Mariną i małą June odwiedzili wieczorem znajomych Mariny – Jurija Bielankina i jego żonę Galinę.

Następnego dnia Galina poszła z Mariną do ambasady amerykańskiej. „Szczerze mówiąc – opowiada Jurij Bielankin – włosy mi stanęły dęba na głowie, kiedy Gala powiedziała, że weszła do środka. Przecież pracowałem w instytucji, gdzie ideologia była na pierwszym miejscu – w Telewizji Centralnej. Nie chodzi o to, że się bardzo bałem – na żelaznej kurtynie pojawiła się już bowiem rysa – ale to wcale nie pomogłoby mi w awansie".

W ambasadzie Galina siedziała w holu, gdzie zajęła się przeglądaniem amerykańskich czasopism. Lee i Marina przeżywali wtedy małą przygodę. Jack Matlack, pracownik ambasady prowadzący z Mariną rozmowę w sprawie wizy, powiedział Oswaldowi, który usadowił się u boku żony, że osoby ubiegające się o wizę przyjmowane są pojedynczo. Oswald zaprotestował. Jego żona nie zna angielskiego. Matlack uspokoił go, że on zna rosyjski. Mimo to Oswald nie ruszył się z miejsca. Matlack wziął więc do ręki kilka dotyczących innej sprawy dokumentów leżących na biurku i zaczął je czytać. Po pięciu minutach Oswald zapytał, kiedy rozpocznie rozmowę z Mariną. W odpowiedzi usłyszał, że wtedy, gdy tylko on opuści pomieszczenie. Wtedy wstał jak niepyszny i wyszedł.

Matlack był pod wrażeniem wyraźnej różnicy między małżonkami. Marina była uległa i zaniedbana, ot, młoda Rosjanka z prowincji, która znalazła się w cudzoziemskiej placówce; Oswald zaś wydał mu się napuszony jak młody Napoleon.

Rozpocząwszy rozmowę z Mariną, urzędnik szybko się zorientował, że ponieważ Marina stanowczo się wypiera przynależności do Komsomołu, to pewnie kłamie. Wiedział, że to mało prawdopodobne, aby nie należała do tej organizacji, i tak też napisał w raporcie. Zaznaczył, że jego zdaniem petentka nie mówi prawdy, ponieważ jednak członkostwo w Komsomole nie mogło być podstawą odmowy wydania jej wizy, po zakończeniu rozmowy przystąpił do załatwiania formalności w normalnym trybie.

Przypomnijmy sobie zapisany na taśmach KGB dialog małżonków w mieszkaniu Oswalda 20 maja, zaledwie kilka dni wcześniej:

MARINA: Nie, możesz mnie zabić, ale nie będę postępować tak jak ty [...].

LEE: To śmieszne!

MARINA: Nie ma sensu się kłócić [...].

LEE: Zamknij się, głupia! [...]. Nic a nic nie powiesz. Będziesz odpowiadać na pytania, ale nie powiesz ani słowa od siebie. Masz siedzieć z gębą na kłódkę, zrozumiałaś?

MARINA: Jak będą jakieś kłopoty, to ty będziesz musiał sobie jakoś z nimi poradzić.

LEE: No tak. Za wszystko ja jestem odpowiedzialny. A ty będziesz stała z boku [...]. [W ambasadzie amerykańskiej] powiesz tak: „Nie, nie należę do związku zawodowego. Nigdy nie byłam członkiem żadnej radzieckiej organizacji".

MARINA: [...] Skoro należę do związku zawodowego, to należę, i nie będę się z tym kryć!

LEE: Idiotka!

Jak się okazuje, i on miał rację, i ona. Obie metody się sprawdzają. Tyle zawziętych kłótni o kwestie, które okazały się nieistotne.

W przeddzień wyjazdu Oswaldowie znów zjedli kolację w mieszkaniu matki Jurija. Alik kołysał June, póki matka Jurija nie powiedziała mu: „Idź, posiedź z innymi". Lee odpowiedział: „Nie, dziękuję, Sofio Leontiewno, lubię trzymać dziecko na rękach". Ona odparła: „Ja już kołysałam trójkę dzieci; nic się nie bój". Oddał jej więc June, ale niechętnie. Jurij dodaje: „Była z niego taka męska matka – to znaczy, mężczyzna-matka".

Nie ma z tamtego wieczoru żadnych zdjęć, jak mówi Jurij, bo wtedy wśród radzieckich twórców filmowych obowiązywał głupawy zwyczaj. Mianowicie kiedy przestawili się na kręcenie filmów, wyrzucili wszystkie aparaty fotograficzne. Taka obowiązywała wówczas moda. To byli wielcy twórcy i nie chcieli już dłużej pracować z aparatami na statywie. Dopiero później, gdy Jurij zaczął robić filmy dokumentalne o takich ludziach jak kompozytor Dymitr Szostakowicz, zrozumiał, że w kinematografii można wykorzystać aparaty fotograficzne z bardzo dobrym skutkiem.

Galina pamięta, że podczas tej wizyty w ambasadzie amerykańskiej Marina była bardzo zdenerwowana. Galina wzięła ze sobą jabłka do jedzenia po drodze. U wejścia do ambasady był wielki łuk, przed którym stało dwóch milicjantów, potężnych Rosjan. Papierowa torba z jabłkami rozerwała się przed samym wejściem do ambasady i milicjanci pomogli Galinie pozbierać jabłka. W tym zamieszaniu jakoś udało jej się, mimo iż nie miała dokumentów upoważniających do wejścia na teren ambasady, znaleźć się tam razem z Mariną i Lee – i z jabłkami. Nie miała zamiaru nikogo oszukiwać. To się właściwie samo stało.

Galina była jedyną osobą, która odprowadziła ich na dworzec w Moskwie. Oswaldowie wyjeżdżali po południu i Galina dobrze pamięta to pożegnanie. Obie z Mariną się pobeczały, spłakały się jak bobry; dopiero wtedy zdały sobie sprawę, że przecież rozstają się na zawsze. Marina miała na palcu zupełnie zwyczajny pierścionek ze sztuczną perłą – nie miała żadnej prawdziwej biżuterii – ale włożyła go na palec Galinie i powiedziała: „Nie mam ci co ofiarować na pamiątkę, więc musisz przyjąć przynajmniej to". Niestety, Galina zgubiła ten pierścionek kilka lat później.

Marina napisała do nich list z Ameryki. Galina nie odpisała. Jurij mówi teraz: „Powiem szczerze – nie pozwoliłem jej. Marina pytała w liście, co ma nam przysłać, a ja bałem się takich kontanktów. Wciąż pracowałem w Telewizji Centralnej".

Oswaldowie wyjechali z Moskwy pociągiem 30 maja 1962 roku i jechali przez Polskę, Niemcy i Holandię. W Holandii wsiedli na pokład statku SS „Maasdam" płynącego do Stanów Zjednoczonych. Do Nowego Jorku przybyli 13 czerwca 1962 roku.

Na stronie 31 raportu FBI ze śledztwa w sprawie zabójstwa prezydenta Kennedy'ego czytamy:

Dnia 30 maja 1962 roku rozpoczęto śledzenie Oswalda, bo FBI zostało powiadomione o jego powrocie do kraju przez Biuro Imigracyjne. Celem śledztwa jest ustalenie, czy Oswald został zwerbowany przez radziecki wywiad.

Część VIII

W poczekalni historii

1

Przez morską toń

Na statku Oswald trochę pisze. Na udostępnionym mu przez linię holendersko--amerykańską firmowym papierze, w oczekiwaniu na pierwszą konferencję prasową w Ameryce, wypisuje sobie odpowiedzi na przewidywane pytania. Jest rozdarty pomiędzy dwiema możliwościami. Czy powinien być szczery i tym samym zapisać się w pamięci współczesnych? Czy powinien raczej ukazać się jako dyplomata, hipokryta, mędrzec? Jest człowiekiem skomplikowanym, a sztuka życia politycznego polega przecież na manipulowaniu manipulatorami. Oswald stawia sobie osiem pytań i podaje odpowiedzi, z wyjątkiem piątej, która przeradza się w szczegółową egzegezę dawnego wywiadu, udzielonego w Moskwie. Są naprawdę warte przytoczenia. Oprócz odpowiedzi na pytanie szóste, lewa kolumna wyraża szczere poglądy, a prawa – wyobrażenie Oswalda o tym, jak powinno wyglądać *public relations*.

Pyt. 1. *Dlaczego pojechał pan do ZSRR?*

Pojechałem, by wyrazić obrzydzenie i protest przeciwko amerykańskiej polityce zagranicznej, dać wyraz osobistemu niezadowoleniu i przerażeniu wywołanemu wypaczonym tokiem rozumowania rządu i narodu amerykańskiego.

Pojechałem jako obywatel USA (turysta) pragnący trochę pomieszkać za granicą, do czego mam pełne prawo. Chciałem zwiedzić kraj, poznać ludzi i funkcjonowanie tamtejszego systemu.

Pyt. 2. *Co może nam pan powiedzieć o listach?*

Napisałem kilka listów do ambasady amerykańskiej, w których wyraziłem powyższe odczucia. Było to w październiku 1959 roku; udałem się tam,

Nie jestem autorem żadnych listów szydzących z USA! W korespondencji z ambasadą USA nie przedstawiałem żadnych antyamerykańskich by legalnie się zrzec obywatelstwa amerykańskiego, co spotkało się z odmową.

poglądów. Jeżeli wyrażałem się krytycznie, to jedynie o działaniach, nie o rządzie naszego państwa.

Pyt. 2B. *Czy składał pan tam oświadczenia przeciwko USA?*

Tak.

Nie.

Pyt. 3. *Czy złamał pan prawo, mieszkając i pracując w ZSRR?*

Tak, ponieważ złożyłem przysięgę wierności ZSRR.

W rozumieniu prawa amerykańskiego obywatel traci przywilej opieki USA poprzez udział w głosowaniu w obcym państwie, służbę w cudzoziemskiej armii lub złożenie przysięgi wierności obcemu państwu. Ja nie dopuściłem się niczego takiego.

Pyt. 4. *Czy to prawda, że w ZSRR każdą pracę rozumie się jako pracę na rzecz państwa?*

Tak, oczywiście, również i w tym sensie złamałem prawo amerykańskie, ponieważ pracowałem na rzecz obcego państwa.

Nie. [Tylko pracę] w fabrykach produkujących bezpośrednio na potrzeby państwa, zwykle w fabrykach zbrojeniowych. Pozostałe fabryki należą do robotników, którzy są w nich zatrudnieni.

Pyt. 6. *Dlaczego tak długo pozostawał pan w ZSRR, skoro chciał pan tylko zobaczyć, jak się tam żyje?*

Mieszkałem w ZSRR od 16 października 1959 roku do wiosny 1962 roku, czyli przez dwa i pół roku. Stało się tak, ponieważ żyło mi się w miarę wygodnie. Miałem pod dostatkiem pieniędzy, zwolnione z czynszu mieszkanie, wiele dziewcząt itd. Dlaczego miałem to wszystko zostawiać?

Bez protestów mieszkałem w ZSRR do lutego 1961 roku, kiedy to napisałem do ambasady i oświadczyłem, że chciałbym wrócić do kraju. (Mój paszport złożony był dla bezpieczeństwa w ambasadzie). Zostałem wówczas zaproszony do Moskwy, [gdzie] ambasada niezwłocznie wydała mi z powrotem paszport i doradziła, jak mam się ubiegać u władz radzieckich o pozwolenie na wyjazd dla siebie i mojej żony, Rosjanki. Ta długa i żmudna procedura ciągnęła się miesiącami, od czerwca 1961 roku do maja 1962 roku... Dlatego właśnie spędziłem tam aż tak długi czas, bynajmniej nie z własnej woli.

Pyt. 7. *Czy jest pan komunistą?*

Ogólnie rzecz biorąc, tak. Mimo iż nie cierpię ZSRR i systemu komunistycznego, nadal uważam, że w innych warunkach marksizm może się sprawdzić.

Nie, oczywiście że nie.

Pyt. 7A. *Czy znał pan jakichś komunistów?*

W USA nie.

Nigdy nie znałem komunistów poza tymi, których poznałem w ZSRR – ale to było nie do uniknięcia.

Pyt. 8. *Jakie widzi pan uderzające różnice między ZSRR a USA?*

Żadnych, poza tym, że w USA poziom życia jest nieco wyższy; swobody obywatelskie są mniej więcej podobne; opieka medyczna i system oświaty są w ZSRR lepsze niż w USA.

Wolność słowa, podróżowania, otwarcie wyrażana opozycja przeciwko niepopularnym elementom polityki rządu, wolność wyznania.

DZIENNIKARZE: Dziękujemy panu, jest pan prawdziwym patriotą!

SS „Maasdam" spokojnie dalej płynie do Ameryki.

Nie możemy mieć pewności, czy wczesna wersja poglądów politycznych Oswalda również powstała w ciągu dziesięciu dni spędzonych na pokładzie parowca. Wprawdzie jego kredo wypisane jest na papierze firmowym linii holendersko-amerykańskiej, ale przecież równie dobrze mógł napisać je później na papierze zabranym ze statku na ląd. Wydawałoby się jednak, że powrót do kraju stanowił najbardziej naturalną po temu okazję. Oswald studiował już Marksa i Lenina, nie jest mu obcy fakt, że wielcy przywódcy polityczni często tworzyli swe nieśmiertelne traktaty na wygnaniu lub w więzieniu czy też, nie szukając daleko, na niedrogim parowcu w salonie dla turystów. Gotowi jesteśmy przypuszczać, że w ten sposób Oswald przygotowywał się na spotkanie z Ameryką.

Powracając na jej łono, zjawi się ze zrębem swojej filozofii politycznej, stworzonej dla ludzi, którzy będą gotowi na jej przyjęcie. Jeśli nawet jego misja, której celem było odegranie ważnej postaci w Związku Radzieckim, nie zakończyła się spektakularnym sukcesem, to być może pomogła mu wrócić do Ameryki z jeszcze głębiej zakorzenionym poczuciem posłania apokaliptycznego: on, Oswald, ulepszy naturę obu społeczeństw.

> [...] Osoba znająca oba systemy i narzędzia niezbędne do ich funkcjonowania wie, że na te systemy w ich obecnym kształcie nie można się zgodzić.
>
> Osoba ta musi być przeciwna ich podstawowym założeniom i przedstawicielom [...].
>
> Prawdziwa demokracja może istnieć wyłącznie na szczeblu lokalnym. Póki jednak istnieje scentralizowane państwo oraz funkcje administracyjne, polityczne i kontrolne, nie może być mowy o prawdziwej demokracji [która powinna stanowić] luźn[ą] konfederacj[ę] wspólnot na szczeblu narodowym, bez żadnego państwa scentralizowanego.
>
> Gdy wprowadzi się równy podział i zabezpieczenia przeciwko koalicjom wspólnot, demokracja może zaistnieć – nie w państwie scentralizowanym, rozdzielającym władzę, lecz w wielu równych sobie wspólnotach, praktykujących i rozwijających demokrację na szczeblu lokalnym [...].
>
> Zamierzam zaproponować taką właśnie alternatywę [...] potrzebna jest do tego grupa praktycznych i konstruktywnie myślących ludzi, pragnących pokoju, lecz zdecydowanie przeciwnych ponownemu powołaniu sił, które podczas licznych wojen wysłały miliony żołnierzy i cywilów na śmierć, i nawet teraz, w tej chwili, wiodą świat ku niewyobrażalnemu niebezpieczeństwu [...].
>
> Ilu z was starało się dociec prawdy, ukrytej za frazesami z okresu zimnej wojny?
>
> Ja żyłem w obu systemach. Poszukiwałem odpowiedzi, i choć bardzo łatwo byłoby mi wmówić sobie, że jeden system jest lepszy od drugiego, wiem, że tak nie jest.

Oswald powraca więc do Ameryki z ułożonym już planem przyszłych działań. Będzie twórcą ruchu politycznego o najczystszych, najbardziej chlubnych zasadach.

2

W domowe pielesze

Ford: Czy po powrocie, po zaciągnięciu pożyczki od rządu federalnego, brat kiedykolwiek prosił pana o pomoc w zwróceniu tej pożyczki?

Robert Oswald: Gdy przybył do Nowego Jorku, a było to, o ile pamiętam, 13 czerwca 1962 roku, moja żona odebrała telefon od Special Services Welfare

Center (Ośrodek Pomocy Służb Specjalnych) z siedzibą w Nowym Jorku. Powiedziano jej, że Lee z rodziną są już na miejscu i potrzebują środków finansowych na kontynuowanie podróży do Fort Worth w stanie Teksas. Pani, która rozmawiała z moją żoną, dała do zrozumienia, że ich organizacja nie jest w stanie pomóc Lee, tak więc bardzo wskazane byłoby, gdyby zrobił to ktoś z rodziny. Moja żona nie wiedziała, co powiedzieć, poza tym, że oczywiście pomożemy, tak jak się tego po niej spodziewał. Zadzwoniła wtedy do mnie do pracy, [a] ja przesłałem pieniądze do biura SSWC w Nowym Jorku na rzecz Lee Harveya Oswalda.

Ford: I z tych właśnie pieniędzy skorzystali Marina i Lee, by dostać się do Fort Worth?

Robert Oswald: Zgadza się.

Ford: Czy Lee zwrócił panu tę sumę?

Robert Oswald: Owszem, zwrócił. Na bilety lotnicze wydał nieco ponad 100 dolarów, a my oczywiście wyszliśmy po nich na lotnisko Love Field w Dallas. Na drugi dzień Lee oddał mi to, co zostało mu z 200 dolarów – choć ja się upierałem, żeby sobie te pieniądze zatrzymał – i oświadczył, że resztę odda mi najszybciej, jak się uda. Powiedziałem, żeby się tym nie martwił, że odda, kiedy będzie mógł. [I] oddawał mi 10–20 dolarów tygodniowo ze swojej wypłaty.

Ze wspomnień Mariny: [...] Pamiętam, że mieliśmy chwilę na rozprostowanie nóg w Atlancie, kiedy samolot przygotowywał się do dalszego lotu. Wyszliśmy zaczerpnąć świeżego powietrza. Ludzie jakoś dziwnie na nas popatrywali. Cóż, nie bardzo mogliśmy być dumni z tego, jak jesteśmy odziani. Nawet June ubrana była na rosyjską modłę. W Rosji dzieciom zawija się w pieluchy ręce i nogi [...] wyglądają więc jak mumie egipskie. Teraz patrzę na siebie innymi oczami i wyobrażam sobie, jak komiczny widok musieliśmy wtedy przedstawiać.

W Dallas czekał już na nas Robert z rodziną. Bardzo było mi wstyd za to, że wyglądamy tak nieciekawie. Oboje byliśmy zmęczeni podróżą, nie mówię już o tym, w jakim stanie była moja fryzura. Wydaje mi się, że Robert też się wstydził – że ma taką krewną jak ja. Ale i on, i jego żona to ludzie kulturalni i nie usłyszałam od nich złego słowa; wręcz przeciwnie, pomogli mi się przyzwyczaić do nowego dla mnie kraju. Potraktowali mnie i moją rodzinę z taką delikatnością, że natychmiast powzięłam bardzo dobrą opinię o Amerykanach, [mimo że] czułam się raczej nieswojo [...].

Boggs: Czy stosunki między pana rodziną, pana żoną a panią Oswald układały się [...] poprawnie?

ROBERT OSWALD: Tak. Określiłbym je nawet jako bardzo miłe [...] oboje z żoną byliśmy, że tak powiem, bardzo przejęci okazją obcowania z kimś takim jak Marina i pokazywania jej rzeczy, których nigdy wcześniej nie widziała.

Ze wspomnień Mariny: Pamiętam, że Robert zasugerował, żebym zmieniła sukienkę na szorty, ponieważ lata w Teksasie są bardzo upalne. Dla mnie była to rewolucja. Dotychczas tylko w kinie widziałam, jak Amerykanki chodzą po ulicy w szortach [...].

Robert pokazał mi amerykańskie sklepy i byłam zachwycona, że wszystko jest takie proste, że mają tu tak wiele rzeczy, o których marzyłam [...]. Od razu spodobało mi się też, że jest dużo neonów. Amerykanie są do nich pewnie przyzwyczajeni i nie zwracają na nie uwagi, ale dla mnie to było coś niezwykłego – te wesołe, wielokolorowe światła na wystawach i nad sklepami wprawiały mnie w dobry nastrój [...].

JENNER: [...] co pan zauważył, jakie różnice, jak zmienił się wygląd zewnętrzny i zachowanie pańskiego brata od czasu, kiedy widział go pan po raz ostatni przed wyjazdem, w roku 1959?

ROBERT OSWALD: Wyglądał inaczej, ponieważ wypadło mu sporo włosów [i] wydawał mi się, przez pierwszych parę dni po powrocie 14 czerwca 1962 roku, dosyć nerwowy i spięty [...].

JENNER: Czy mówił coś, gdy wyszedł pan po niego na lotnisko Love Field, i czy razem z panem pojechał do pańskiego domu?

ROBERT OSWALD: Tak. Jechaliśmy moim samochodem, razem z moją żoną i dziećmi. Na lotnisku przywitaliśmy Lee, jego żonę i dziecko. Wydawał się – jak by to powiedzieć – zawiedziony, że nie czekają na niego dziennikarze. Zwrócił na to uwagę [...]. O ile pamiętam, skomentował to [jakoś] tak: „Co, nie ma żadnych fotoreporterów?"

Odpowiedziałem: „Nie, udało mi się zachować wszystko w tajemnicy".

JENNER: Gdzie się odbyła ta rozmowa?

ROBERT OSWALD: Na lotnisku Love Field, przy wyjściu z bramki [...].

JENNER: Panie Oswald, czy – biorąc pod uwagę zmiany, które zaszły w jego wyglądzie, oraz oczywiście bieg wydarzeń od dnia przybycia brata na Love Field aż do teraz – a więc czy nie powziął pan podejrzenia, że pański brat mógł zostać w Rosji poddany działaniom, które wpłynęły na jego umysł?

ROBERT OSWALD: Owszem. Od śmierci Lee 24 listopada mam na ten temat określone zdanie.

JENNER: Jakie to zdanie?

ROBERT OSWALD: [...] Że być może w Rosji przechodził coś takiego jak terapia szokowa lub coś w tym rodzaju [...].

Przejdźmy teraz od braterskiego do matczynego punktu widzenia:

MARGUERITE OSWALD: [...] Pracowałam wtedy w Crowell, w Teksasie [...]. Opiekowałam się panią w podeszłym wieku, której córka mieszkała w Fort Worth.
   Dlatego nie mogłam wziąć wolnego dnia i przywitać Lee.
   Wyszedł po niego Robert, jego brat, i Lee pojechał do niego do domu.
   Jakiś tydzień później – nie mogłam już tego znieść – [...] wzięłam trzy dni urlopu i pojechałam do Fort Worth zobaczyć się z Lee i Mariną.
   Marina była śliczną dziewczyną. Powiedziałam Lee: „Ta twoja Marina nie wygląda na Rosjankę. Jest śliczna".
   On powiada: „No pewnie. Dlatego właśnie się z nią ożeniłem – bo wygląda jak Amerykanka".
   Zapytałam go, gdzie ją poznał, a on odpowiedział [...] na potańcówce.
   Powiedziałam mu: „Wiesz co, Lee, zabieram się do tego – bo właśnie się zabierałam – żeby napisać książkę o twojej ucieczce".
   On odpowiedział: „Mamo, nie napiszesz tej książki".
   A ja odparłam: „Lee, nie mów mi, co mam robić, a czego nie [...]. To nie ma nic wspólnego z tobą i Mariną. To moje życie, na które wpłynęła twoja ucieczka".
   Lee powiedział: „Mamo, mówię ci, nie możesz pisać tej książki. Ona i jej rodzina mogą przez to zginąć". [...].
   Gdy mieszkałam u Roberta, Lee od razu zabrał się do szukania pracy. Było mi przykro, ponieważ [...] myślałam, że powinien najpierw posiedzieć w domu tydzień czy dwa, a dopiero później się tym zająć.
   Ale chcę, żeby państwo wiedzieli, że Lee od razu zabrał się do szukania pracy.
   Wtedy właśnie poszedł do maszynistki i oświadczył, że pisze książkę [...]. To ja dałam mu te 10 dolarów, które jej zapłacił.

PAULINE BATES: Było chyba około godziny 10 czy 11 rano, 18 czerwca 1962 roku [...]. Po prostu wszedł do pokoju [...]. Powiedział: „Przede wszystkim chcę dowiedzieć się, ile pani bierze, i policzyć, czy będzie mnie na to stać". Podałam mu więc cenę [...]. Powiedziałam, że wynosi albo dwa i pół dolara za godzinę, albo dolara za stronę, [a] on wyjął dużą brązową kopertę, dwadzieścia na trzydzieści parę centymetrów – był to chyba format A4 czy podobny, z tych większych. I powiedział, [...] że ma notatki, które wywiózł nielegalnie z Rosji. Spojrzałam na niego ze zdziwieniem. Zapytałam: „Był pan w Rosji?"
   On powiedział: „Tak. Właśnie dopiero co wróciłem". I że wywiózł te notatki z Rosji ukryte pod ubraniem.

Chciał, by przepisała je na maszynie zawodowa maszynistka. Powiedział: „Niektóre były pisane na małej przenośnej maszynie do pisania, niektóre atramentem, a niektóre ołówkiem".

Dodał: „Będę musiał tu siedzieć i pani pomagać, bo część jest po rosyjsku, a część po angielsku". Uzgodniliśmy, że się tego podejmę – ale jeszcze wtedy nie widziałam tych notatek [...].

JENNER: Czy umówili się państwo co do stawki?

PAULINE BATES: Natychmiast obniżyłam ją do dwóch dolarów za godzinę. Nie mogłam się doczekać, żeby się do tego zabrać.

JENNER: Dlaczego [...]?

PAULINE BATES: No bo chciałabym zobaczyć notatki każdego, kto dopiero co wrócił z Rosji. Poza tym [...] on mi wyglądał na licealistę, kiedy przyszedł do mnie po raz pierwszy. Myślałam, że to jeszcze dzieciak [...].

JENNER: Proszę teraz jak najdokładniej przypomnieć sobie, jakie padły przy tej okazji słowa [...].

PAULINE BATES: [...] Zapytałam go, jak to się stało, że pojechał do Rosji. Powiedziałam: „To na pewno nie jest proste. Jak pan to załatwił? Dlaczego chciał pan tam pojechać?" [...]. Nie był zbyt rozmowny. A jak już coś mówił, musiałam to dosłownie z niego wyciągać [...].

Powiedział, że Departament Stanu ostatecznie zgodził się na jego wyjazd, ale bez brania za niego odpowiedzialności [...], gdyby wpadł w tarapaty czy coś.

No i pojechał. Tylko tyle udało mi się od niego wydobyć [...].

Później zajęliśmy się pracą, on otworzył tę wielką kopertę i wyjął notatki. Jak już mówiłam, to były świstki nie większe niż ten, niektóre były takie [pokazuje palcem], niektóre trochę większe, niektóre napisane na maszynie, niektóre ręcznie, część piórem, część ołówkiem. Powiedział, że pisał tylko wtedy, kiedy mógł. Dotyczyły one warunków życia i pracy w Rosji [...].

JENNER: Czy mówił, kiedy powstały te notatki?

PAULINE BATES: Wszystkie powstały w Rosji. I przeszmuglował je stamtąd. Mówił, że póki nie przekroczyli granicy, oboje [z żoną] byli śmiertelnie przerażeni [...].

JENNER: Czy dał do zrozumienia, że Marina wie o tych notatkach?

PAULINE BATES: Nic takiego nie mówił. W ciągu tych trzech dni, które u mnie spędził, wspomniał o żonie tylko raz czy dwa razy [...].

JENNER: Czy spędzał z panią większą część dnia?

PAULINE BATES: Nie, w ciągu tych trzech dni było to w sumie osiem godzin [...]. Osiem godzin zabrało mi przepisanie na maszynie dziesięciu stron z pojedynczym odstępem.

JENNER: Jako prawnik wnioskuję z tego, że miała pani kłopoty z odczytaniem tych notatek?

PAULINE BATES: [...] Wiele z nich było nabazgranych [...] on chyba musiał [...] zagłuszać stuk maszyny do pisania [...] żeby nikt nie słyszał, co robi [...] powiedział, że [żona] kryła go czy stała na czatach [...]. Mówię państwu, to była fascynująca lektura. „Rosja od środka" — tak można to streścić w trzech słowach [...].

JENNER: Czy przepisała pani jego notatki w całości?

PAULINE BATES: Nie, mniej niż jedną trzecią.

JENNER: Proszę o tym opowiedzieć.

PAULINE BATES: No więc tak – dwudziestego przyszedł do mnie i był dość zdenerwowany. Przez poprzednie dwa dni siedział obok mnie przy biurku i kiedy musiałam go o coś zapytać, to pytałam. Ale tamtego dnia chodził po pokoju tam i z powrotem, zaglądał mi przez ramię i chciał wiedzieć, jak daleko jestem – aż wreszcie skończyłam stronę dziesiątą. Wtedy on powiedział: „Pauline, powiedziałaś mi, ile bierzesz za stronę. Pracowałaś osiem godzin, przepisałaś dziesięć stron. Mam tylko 10 dolarów i ani centa więcej. Nie mogę ci pozwolić pisać dalej".

Wtedy zapytałam go, czy nie mogłabym przepisać i reszty. Powiedziałam, że zrobię to za darmo albo że mi zapłaci, kiedy będzie miał pieniądze.

On odpowiedział: „Nie, ja wyznaję inne zasady. Mam tylko dziesięć dolarów". I wyjął z kieszeni dziesięciodolarowy banknot, wręczył mi go i wyszedł.

JENNER: Czy te notatki leżały przez cały czas u pani, czy też Oswald zabierał je na noc?

PAULINE BATES: O, zabierał je ze sobą. Nigdy nic nie zostawiał. I nie wychodził z pokoju, póki nie zabrał wszystkiego, co przepisałam – nawet kalki.

JENNER: Nawet kalki?

PAULINE BATES: Tak, zabierał kalki [...] miał najbardziej mordercze spojrzenie, jakie w życiu widziałam.

Czy stracił zaufanie do Pauline Bates z powodu jej ciekawości? Jeśli były to początki paranoi, to podejrzeń Oswalda bynajmniej nie rozwiało wezwanie FBI na rozmowę, które otrzymał w następnym tygodniu.

Z raportu FBI:
Charakter: Bezpieczeństwo Wewnętrzne – Rosja
Materiał: Raport agenta do specjalnych poruczeń JOHNA W. FAINA, sporządzony dnia 07.06.1962 w Dallas, w stanie Teksas

[...] OSWALD oświadczył, że Sowieci nie starali się zrobić mu „prania mózgu". OSWALD oświadczył, że nigdy nie dostarczał Sowietom informacji, które mogłyby zostać wykorzystane na szkodę Stanów Zjednoczonych. Oświadczył, że Sowieci nigdy [...] nie domagali się od niego takich informacji. OSWALD zaprzeczył, jakoby miał podczas pobytu w Rosji kiedykolwiek oferować Sowietom informacje, które zdobył jako operator radaru w piechocie morskiej USA.

[...] OSWALD zapewnił, że w razie gdyby skontaktował się z nim wywiad radziecki, wszystko jedno w jakich okolicznościach, niezwłocznie da o tym znać FBI. Oświadczył, że nie popiera ani Rosjan, ani ich systemu. [Mimo to jednak] OSWALD odmówił odpowiedzi na pytanie, dlaczego w ogóle zdecydował się na podróż do Rosji. W wybuchu złości oświadczył, że nie ma ochoty „grzebać się w przeszłości".

Podczas rozmowy OSWALD przez większość czasu okazywał niecierpliwość i arogancki stosunek do sprawy. Wreszcie oświadczył, że po przyjeździe do Rosji został zapytany przez władze sowieckie o jego powód. OSWALD twierdził, że odpowiedział wówczas: „Przyjechałem, bo miałem ochotę". OSWALD dodał, że pojechał do Rosji, by „zwiedzić kraj".

OSWALD stwierdził, że reportaże, które od czasu do czasu pojawiają się w popularnej prasie, roją się od przejaskrawień i kłamstw. Oświadczył, że artykuły prasowe, które przedstawiły go jako osobę pozostającą w niełasce Stanów Zjednoczonych, sprawiły, że zyskał przychylność Rosjan. OSWALD oświadczył, że dzięki takim właśnie artykułom prasowym Sowieci traktowali go znacznie lepiej niż mógłby się tego spodziewać.

Zeznając przed Komisją Warrena w roku 1964, Robert Oswald odpowiedział na kilka pytań zadanych przez Alana Dullesa, byłego dyrektora CIA.

ALLAN DULLES: Skąd pan wiedział, że FBI rozmawiało z Lee?

ROBERT OSWALD: [...] Wiedziałem, że ci z FBI złożyli w moim domu wizytę i poprosili Lee na rozmowę do swego biura w Fort Worth.

ALLAN DULLES: Czy Lee opowiadał panu coś o tej rozmowie? Jakieś szczegóły?

ROBERT OSWALD: Jeden mały szczegół.

JENNER: Jaki mianowicie?

ROBERT OSWALD: Gdy wrócił tamtego dnia z pracy, zapytałem go, jak mu poszło. On odpowiedział: „Dobrze". Powiedział, że pod koniec zapytali go, czy był agentem rządu Stanów Zjednoczonych. On odpowiedział: „To panowie nie wiedzą?".

3

Wizyta w tajnych służbach

Marina nikomu o tym nie mówiła, ale Dallas i Fort Worth ją rozczarowały. Teksas nie wywarł na niej wrażenia. Wyobrażała sobie, że będzie tam tak, jak na filmie *Oklahoma!*, który widziała kiedyś w Mińsku. Pamiętała mnóstwo kowbojów i atmosferę Dzikiego Zachodu, a rzeczywistość wcale tak nie wyglądała. Dzielnicę mieszkalną ocenia dobrze, ponieważ trawniki wszędzie porządnie koszono, a każdy dom, choćby nie wiem jak biedny, był na tyle duży, by pomieścić całą rodzinę. Ale jako miasta Fort Worth i Dallas jej się nie podobały. Brakowało im harmonii. Były źle zaplanowane. Jeden wieżowiec, tuż obok trzy niskie budynki, a koło nich pusta parcela. Żadnych starych ani pięknych budowli. Nie wiedziała, czy te miasta umierają, czy rosną. Nie, wcale nie była zachwycona. Jedyne, co jej się naprawdę podobało, to zapach mimozy.

W liście do koleżanek z apteki napisała, że niedawno jeszcze Alik miał problemy z rosyjskim i że ciągle przekręcał słowa, a teraz ona znalazła się w takiej samej sytuacji – źle wymawia amerykańskie słowa. Pod koniec listu napisała: „Pamiętajcie, jestem Marina. Nigdy o mnie nie zapomnijcie".

Jak powiedział nam Stiepan jesienią 1992 roku, akta Lichoja zostały zamknięte latem 1962 roku. Ani jego czyny, ani zachowanie, ani styl życia, nic nie wskazywało na to, żeby był agentem wywiadu. Oczywiście wciąż istniała możliwość, że został przysłany do ZSRR po to, by dogłębnie zbadać tamtejsze warunki życia. Te informacje mogłyby później zostać wykorzystane przez amerykańskie służby specjalne. Takiej możliwości nie można było wykluczyć, chociaż nie dałoby się jej potwierdzić ani obalić. Przecież każdemu człowiekowi wolno chodzić po ulicach, spotykać się z ludźmi, przyglądać się różnym rzeczom, utrwalać sobie w myślach spostrzeżenia. A później, po powrocie do domu, ktoś taki może napisać raport o tym wszystkim. Niewiele da się na to poradzić. Ale żeby Oswald miał być czynnym agentem – nic za tym nie przemawiało.

Gdy Oswald wrócił już do kraju, KGB mógł poprosić swoich zagranicznych agentów z Pierwszego Wydziału, rezydujących w Ameryce, o obserwowanie go, ale byłoby to bardzo trudne i bardzo kosztowne. Śledzenie Oswalda w Stanach Zjednoczonych oznaczałoby, że KGB uważa go za osobę o dużym znaczeniu, a przecież jeszcze przed wyjazdem z Mińska przestał być zaliczany do tej kategorii. Zresztą na żadnego z Rosjan mieszkających w Fort Worth nie można by było liczyć jako na potencjalnego informatora. Oficerowie KGB jak ognia unikali tamtejszej społeczności rosyjskiej, jak również amerykańskich komunistów i sympatyków komunizmu. Na widok amerykańskiego komunisty agenci KGB nielegalnie pracujący w Ameryce przemykają na drugą stronę ulicy. Nie chcą wchodzić w paradę FBI. Zatem mimo iż KGB był zainteresowany śledzeniem poczynań Oswalda po powrocie do Ameryki, po obliczeniu kosztów i ryzyka okazało się to nieopłacalne.

Z drugiej strony, KGB nie dopuściłby do tego, by teczka Oswalda poszła w niepamięć. Nadal była uzupełniana, chociaż od powrotu Oswalda do Ameryki nowe materiały napływały innymi drogami – poprzez prasę, radio, telewizję. Personel ambasady radzieckiej w Waszyngtonie śledził wszystko, co działo się w Ameryce. Oczywiście to, co stamtąd przychodziło, było przesyłane do centrali w Moskwie, ponieważ nigdy nie można było do końca wykluczyć możliwości, że Oswald jest amerykańskim szpiegiem, tak przebiegłym, że nie udało się go na tym przyłapać. Kontrolowano więc listy, które wymieniał z Rosjanami. W świetle tego faktu list Pawła, wysłany do Ameryki 15 września 1962 roku, dwa miesiące po powrocie Oswalda do ojczyzny, zapewne poważnie zaniepokoił służbę bezpieczeństwa. Napisany został w formie przypominającej wyszukany szyfr, systemem aluzji zrozumiałych jedynie dla ściśle ze sobą współpracujących agentów.

15 września 1962

Cześć, Lee, cześć, Marina!

Dostałem dzisiaj Wasz list, kiedy przyszedłem z pracy. Odpisuję od razu, bo radość dosłownie mnie rozpiera.

Incydent z krokodylami, który opisujecie, jest bardzo zabawny; podoba mi się. W jakimś sensie nawet przypomina anegdotę; ma takie niespodziewane zakończenie. Marina, nie pisz mi, że nie umiesz nastawić adaptera; przecież tu nie chodzi o naprawę, tylko o zwykłe przystosowanie. Szkoda, że dla najważniejszych rzeczy nie ma na świecie jednego ustalonego wzorca. W Europie Niemcy wprowadzili 50 obrotów na minutę, a na waszej półkuli Amerykanie 60 obrotów. Najprościej byłoby kupić mały silniczek, podobny do naszego pod względem konstrukcji i rozmiaru, i włożyć go do obudowy [...].

Prędkość obrotów jednak nadal może się nie zgadzać i w takim wypadku będziecie musieli tak czy owak dopasować średnice izolacji. Na początek spróbujcie zdjąć miedzianą izolację z osi silniczka [...].

Gdy ją zdejmiecie, zmniejszy się prędkość obrotów tarczy. Nie pamiętam dokładnie, jakiej firmy jest ten wasz adapter, ale jeśli to jeden z tych najpopularniejszych, to silnik powinien mieć taką budowę [...].

I jeszcze jedno, Marina [...] główna myśl sztuki Pogodina *Człowiek z karabinem* zawiera się w słowach: „Teraz nie musimy się bać człowieka z karabinem". To jest, jak mówią lekarze, kwintesencja [...]. Kończę, czekam na Wasze listy.

Paweł

Jesienią 1962 roku odwiedziła Mińsk matka Pawła i powiedziała mu, że organy bezpieczeństwa nalegały, by przyprowadziła go do ich biura. Poinformowała, że nie dość, że do niej zadzwonili, to jeszcze kazali, by razem z synem meldowała się u nich z każdym listem od Oswalda. Paweł nie rozumiał dlaczego. Był pewny, że KGB ma kopie tych listów. Mimo to jednak wziął ze sobą dwa listy, które przyszły do niego z Ameryki. Dziwne to było. Oficer spojrzał na niego i zapytał: „Po coście je przynieśli? To nam niepotrzebne. Podpisaliśmy konwencję genewską o wolności korespondencji, wcale nie potrzebujemy tych listów". I wręczył je Pawłowi z powrotem. Może chcieli sprawdzić, czy jakiś list nie uszedł ich uwagi.

Paweł nie wie, ile razy wzywany był na rozmowę z organami jego ojciec, ale dla niego ta wizyta z matką w mińskim biurze KGB była pierwszą w życiu. Po drodze matka powiedziała mu: „Sprowadzisz nieszczęście na całą naszą rodzinę". Jako syn nie chciał się z nią kłócić, dlatego tylko słuchał, kiedy mówiła, jak to przez niego będzie miał kłopoty jego ojciec, ona, a nawet siostry.

Z RAPORTU KGB

10.13.62

[...] Matka GOŁOWACZOWA powiedziała, że [ona i jej] mąż [...] byli oburzeni zachowaniem syna. Matka GOŁOWACZOWA postanowiła nawet specjalnie wybrać się do Mińska, żeby wyjaśnić jego postępowanie i udzielić mu stosownych rad [...].

Z uwagi na to, że w jednym z przyniesionych do biura listów GOŁOWACZOWA do OSWALDA była wzmianka o *Doktorze Żywago*, zapytałem GOŁOWACZOWA, czy dostał tę książkę od Oswalda, [lecz] on odpowiedział przecząco [...].

Zapytany o to, jak zwrócił uwagę na *Doktora Żywago*, GOŁOWACZOW wyjaśnił, że pragnął zapoznać się z tą książką z czystej ciekawości, żeby wyrobić sobie o niej jakieś zdanie. Uświadomiono mu, iż wybitni radzieccy krytycy literaccy, pisarze oraz inne osoby, które zapoznały się z książką Pasternaka *Doktor Żywago*, uznały, iż zawiera ona pomówienia na temat rzeczywistości radzieckiej, a pod względem artystycznym nie przedstawia żadnej wartości. Zatem przeczytanie książki *Doktor Żywago* nie wzbogaci jego wiedzy, lecz, wręcz przeciwnie, doprowadzi go do błędnych wniosków. Tow. GOŁOWACZOWA ostro zganiła postępowanie syna, dodając, że żaden porządny człowiek nie marnowałby czasu na taką książkę.

W dalszym ciągu mojej rozmowy z GOŁOWACZOWEM przypomniałem mu o naszych wcześniejszych spotkaniach, podczas których udzieliłem mu stosownych rad co do zachowania wobec Oswalda oraz [...] wytknąłem GOŁOWACZOWOWI brak zdyscyplinowania, jakim było niestawianie się na rozmowy z oficerem operacyjnym. Takie zachowanie uznane zostało za przejaw braku szacunku GOŁOWACZOWA dla interesów bezpieczeństwa państwa. Jednocześnie dałem GOŁOWACZOWOWI do zrozumienia, iż nie jesteśmy całkowicie przekonani o tym, że nie powiedział on OSWALDOWI o swoich spotkaniach z owym oficerem operacyjnym. GOŁOWACZOW żarliwie nas przekonywał, byśmy uwierzyli, że nie poruszał w rozmowie tematu spotkań czy też rad udzielonych mu w związku z OSWALDEM.

Oburzona ostentacyjną obojętnością, jaką GOŁOWACZOW P.P. okazał poleceniom oficera operacyjnego dotyczących spotkania, Tow. GOŁOWACZOWA zwróciła się do syna z następującym upomnieniem: „Czy tak się zachowuje radziecki patriota? Sam powinieneś pójść do tego oficera i powiedzieć mu o znajomości z tym Amerykaninem". Przyznając rację argumentom matki, GOŁOWACZOW prosił o wybaczenie mu jego nierozważnego zachowania.

Na zakończenie rozmowy poprosiłem GOŁOWACZOWA, by niezwłocznie informował nas o faktach, które mogłyby interesować KGB, a także o osobach, które mogą próbować się z nim skontaktować z powodu jego przyjaźni z Oswaldem. GOŁOWACZOW przyrzekł, że w przyszłości będzie postępował zgodnie z zaleceniami [...].

Po wyjściu GOŁOWACZOWA jego matka, podzielająca moje obawy o los jej syna, wyraziła ubolewanie z powodu jego czteroletniej rozłąki z rodzicami i wynikającej z tego okazji do dostania się pod wpływ nieodpowiednich osób [...]. Tow. GOŁOWACZOWA obiecała poświęcać więcej czasu [politycznemu wychowaniu] syna. Zamierza w przyszłości częściej przyjeżdżać do Mińska i sprawdzać, jak GOŁOWACZOW P.P. się zachowuje. Ponadto zamierza w przyszłości ograniczyć GOŁOWACZOWA P.P. finansowo, dając mu pieniądze tylko na najbardziej konieczne wydatki. Twierdzi, że ojciec GOŁOWACZOWA P.P. kazał mu przyrzec, że zaprenumeruje i będzie regularnie czytał gazety i czasopisma dla młodzieży. Oboje rodzice będą się starali kontrolować sumienność GOŁOWACZOWA P.P. we wcielaniu tych wskazówek w życie.

Matka GOŁOWACZOWA P.P. wyraziła również swoje życzenie: chciałaby mianowicie, żeby przedstawiciele organów bezpieczeństwa regularnie spotykali się z jej synem, ponieważ, jej zdaniem, wywrze to pozytywny wpływ wychowawczy. Wyjaśniłem matce GOŁOWACZOWA, że nie jest to konieczne, oraz wyraziłem przekonanie, że oboje wraz z małżonkiem potrafią sami odpowiednio pokierować synem, by był godnym dzieckiem swoich rodziców i brał czynny udział w budowaniu komunizmu w naszym kraju.

Stiepan Wasiljewicz Grigorjew

Następne spotkanie Stiepana z Pawłem nastąpiło dopiero tuż po zabójstwie prezydenta Kennedy'ego.

Co do tego zdarzenia – a Stiepan ma tę datę zawsze przed oczyma: 22 listopada 1963 roku – pamięta, że gdy tylko usłyszał o tym, iż prezydent Kennedy został zamordowany, a głównym podejrzanym jest Lee Harvey Oswald, pierwszą jego myślą było: „To niemożliwe! Ten niepozorny człowiek, który nie budził w nas żadnych podejrzeń! On miałby być sprawcą tego przestępstwa? To niemożliwe! Niemożliwe!".

Zgodnie z logiką tej opowieści, właśnie dochodzimy do końca pierwszego tomu. Rzecz oczywista, że to wszystko, czego dotychczas dowiedzieliśmy się o Oswaldzic z czasu jego pobytu w Rosji, nie wystarcza, by odpowiedzieć na podstawowe pytanie. By uzyskać na nie odpowiedź, będziemy musieli prześledzić jego przygody w Ameryce. Zmiany, które zaszły wcześniej w życiu Oswalda, były ogromne i niespodziewane, a teraz potowarzyszymy mu jeszcze w przygodach w Fort Worth, Dallas, Nowym Orleanie, Meksyku, na Dealey Plaza i w więzieniu miejskim w Dallas. Ponieważ dość bezceremonialnie przenieśliśmy się z Rosji do Ameryki, a potem na chwilę wróciliśmy do Kraju Rad, być może bardzicj satysfakcjonujący wyda nam się inny sposób pożegnania: poprzez obserwację reakcji mińskich przyjaciół i znajomych Oswalda na wieść o zabójstwie Kennedy'ego.

Część IX

Szok

1

Niedowierzanie

Katia pamięta szok. Wszyscy w „Horyzoncie" byli w szoku. Nie mogła uwierzyć, że coś takiego się stało. Przecież to był zwykły młody chłopak, któremu kapało z nosa. Kiedy zmarzł, zawsze kapało mu z nosa. I co, nagle zabił prezydenta Ameryki? W fabryce byli mężczyźni silniejsi od niego, znacznie silniejsi. A on był – o taki, niziutki.

W „Horyzoncie" niewiele się o tym mówiło, no, ale w końcu to się zdarzyło bardzo daleko. Zresztą po paru dniach przyszli funkcjonariusze służby bezpieczeństwa i powiedzieli, że najlepiej będzie o Oswaldzie w ogóle nie rozmawiać. Zapomnieć. Tak będzie najlepiej dla wszystkich.

Gdy Jurij i Galina Bielankinowie usłyszeli w Moskwie, że mężczyzna nazwiskiem Lee Harvey Oswald jest oskarżony o zabójstwo prezydenta Kennedy'ego, w ogóle nie zwrócili na to uwagi. Nie znali go jako Lee. Dopiero kilka dni później w gazecie „Izwiestja" ukazało się zdjęcie Jacka Ruby'ego strzelającego do Oswalda i Jurij zobaczył je, gdy wyjmował gazetę ze skrzynki na parterze. Biegiem wrócił na górę, do matki i Galiny, i powiedział: „Dziewczyny, to chyba nasz znajomy". I doskonale pamięta, że wtedy jego matka wykrzyknęła: „Alik, Alik, Alik".

„Dziwnym zrządzeniem losu tamtego wieczoru filmowałem odlot Mikojana na pogrzeb Kennedy'ego. Dzieliłem tę pracę z kolegą – wspomina Jurij. – Mikojan wylatywał późno wieczorem z lotniska Wnukowo". W drodze powrotnej kolega odezwał się: „To były twoje ostatnie zdjęcia. Teraz bezpieka cię zgarnie".

W owym czasie nazwisko Jurija figurowało na specjalnej liście. Tylko niewielu operatorów miało prawo wstępu na Plac Czerwony podczas pochodów i innych okazji, kiedy można było fotografować takie osobistości jak Chruszczow. Zdaniem Jurija, nikt w Rosji by nie uwierzył w to, że Kennedy mógł zostać zamordowany bez współpracy ze strony sił bezpieczeństwa – to było niemożliwe.

Tuż po zamachu matka Staliny zebrała wszystkie zdjęcia, które zrobił Lee, i podarła je na strzępy. Dla Staliny był to okropny okres, no, po prostu coś okropnego. Nie mogła w to uwierzyć. Płakała. Mąż mówił jej: „Widzisz, co się dzieje? Nie powinnaś pracować w Inturiście. Teraz całej naszej rodzinie przyjdzie za to zapłacić".

Ale nikt się do niej w tej sprawie nie zgłosił. W ciągu całych tych trzydziestu lat zupełnie nikt, czy to oficjalnie, czy nieoficjalnie, nie prosił jej o rozmowę na temat Lee Harveya Oswalda. Lecz w grudniu 1963 roku i ona, i jej mąż ogarnięci byli przemożnym strachem, że stanie się coś okropnego, że wplątała się w jakąś straszliwą międzynarodową aferę. Nie zostali w Mińsku na tyle długo, by wysłuchać różnego rodzaju plotek o Oswaldzie. „Kiedy usłyszałyśmy z mamą w radiu wiadomość o tym – mówi Stalina – że prezydent Kennedy został zabity i że jest w to zamieszany Lee Harvey Oswald, usiadłyśmy z wrażenia. Nie mogłyśmy się ruszyć. Wciąż pamiętam ten paraliżujący strach. Ogarnął mnie i całą moją rodzinę. Potem nadeszły kolejne wiadomości – o tym, że amerykańscy świadkowie tego zabójstwa ulegali wypadkom i mieli różne przykre przejścia. Dlatego przez długi czas żyłam z rodziną w ogromnym strachu".

Stalinie nie było łatwo wyjechać, bo przecież mieszkała w Mińsku całe życie, nawet podczas okupacji niemieckiej, ale bała się, że będzie wciąż wytykana palcami. Że ludzie będą mówili: „Ona pokazywała się w mieście z Oswaldem, okazywała mu sympatię". Jeżeli były w jego życiu jakieś kobiety, trzymał to w tajemnicy, ale z nią otwarcie spacerował po ulicach.

Stalina wróciła do Mińska dopiero w roku 1977, po śmierci męża. Rozumowała w ten sposób: „Prawdopodobnie jest już spokój. Minęło czternaście lat". Poza tym w 1976 roku jej córka rozpoczęła studia na Uniwersytecie Mińskim. Przez czternaście lat cała rodzina mieszkała w Witebsku, gdzie Stalina pracowała jako nauczycielka. Starała się przez cały ten czas nie myśleć o tamtej sprawie i bała się sama sobie zadać pytanie: „Czy mój Alosza mógł rzeczywiście zabić Kennedy'ego?".

Ale odpowiedziała na nie tak: „Widziałam, jaki miał cel. Interesowały go kobiety, pragnął, by wszystko łatwo mu przychodziło, nie chciał niczemu poświęcać czasu ani pokonywać trudności. Na przykład, nie chciał studiować. Ja już nawet poszłam do Instytutu Języków Obcych, rozmawiałam z dziekanem i poczyniłam starania, żeby mu pomóc, ale on nigdy nie traktował tego poważnie, chciał tylko, żeby poświęcać mu uwagę.

Czesi mają takie porzekadło, że we wszystkim można znaleźć jakąś dobrą stronę – nawet w wypadku samochodowym jest coś pozytywnego, bo przynajmniej piszą o człowieku w gazetach. Niech już lepiej mówią o tobie źle, niżby mieli nie mówić wcale. Uważam, że jeśli ktoś by mu kazał zabić Kennedy'ego, to on nie pomyślałby nawet przez chwilę o tym, jakie to może mieć skutki dla świata, jak może wpłynąć na jego życie i przyszłość jego rodziny – tylko powiedziałby po prostu: «Zabiję Kennedy'ego i zwrócę na siebie uwagę świata»".

Rimma zawsze czuła, że ma nad nim taką władzę, że łatwo może go zranić, nigdy więc tego nie zrobiła. „Scharakteryzowałabym go jako osobę, która za dużo myśli o sobie, ale nie przykłada się do tego, by zostać tym, kim chciałby być. Człowiek powinien wiedzieć, kim jest. Dla Alika najważniejsze było, żeby zostać sławnym. To jego najwyższy cel. Myślę, że był wręcz fanatykiem tej idei. Pokazać, że jest inny niż wszyscy. No i proszę – osiągnął swój cel".

Rimma miała poczucie, ża Alik był w jakiś sposób zamieszany w tę zbrodnię, ale nie że zabił prezydenta Ameryki. Tylko był jakoś zamieszany w sprawę.

Jak sama mówi, trwałym skutkiem jej znajomości z Lee Harveyem Oswaldem jest to, iż od roku 1963 boi się pojechać do Stanów Zjednoczonych. Jej mottem już nie jest *per aspera ad astra* – przez ciernie do gwiazd.

Zdaniem Saszy Lee Oswald nigdy by nie mógł zabić Kennedy'ego. Był człowiekiem, który nawet muchy by nie skrzywdził. Gdy Sasza dowiedział się o zamachu, emocjonalnie zareagował tak: „Wykluczone, to nie mógł być on. To jakaś manipulacja". Pomyślał, że ktoś w Ameryce wykorzystał fakt, iż Oswald wrócił z ZSRR, i nim manipulował, ale Oswald był tylko jako „wabik". Znacznie ciekawiej było rozmawiać o Marinie.

Teraz, po upływie trzydziestu lat, wspominając swoje przeżycia i kontemplując łysinę, Sasza inaczej patrzy na przeszłość. Uważa, że kobiety potrafią żyć z wieloma tajemnicami i że on był w owym czasie niczym ślepe kocię, tak opętany miłością, że nie widział żadnych czarnych plam. Ale teraz mówi: „Jeśli się panowie spotkają z Mariną, proszę ją ode mnie pozdrowić. Żywię wobec niej same serdeczne uczucia, mimo tego, co było złe".

Albina sądzi, że być może Zigerowie nie odegrali w życiu Alika zbyt pozytywnej roli. Gdy do nich przychodził, traktowany był z ciekawością i szacunkiem, ale zawsze słyszał tam negatywne opinie na temat Związku Radzieckiego. Albina uważa, że wywarły one na Alika wpływ, mimo iż miał samodzielne mieszkanie, bezpłatną opiekę medyczną, przywileje – wszystko, co najlepsze. Przypuszcza więc, że gdyby nie ci Zigerowie, może nawet nie przeszłoby mu przez myśl, żeby wyjechać z jej kraju. Może by został. Nie może powiedzieć, by uważała go za człowieka szczęśliwego, ponieważ widać było jak na dłoni, że ma jakieś tajemnice, ale mimo wszystko, gdy usłyszała o zamachu, nie mogła uwierzyć, by dokonał go Alik. Nie może powiedzieć, że podejrzewała go o szpiegostwo, bo pozostawał dla niej tylko dalszym znajomym. Nie poznała go tak naprawdę, ponieważ był dziwny. Przecież niby się przyjaźnili, a on nawet do niej nie zadzwonił i nie powiedział, że się żeni. Nie zaprosił jej na ślub, nie podtrzymał znajomości. Dla niej było to dziwne. Ale nie, nie czuła się odrzucona. U nich, w Rosji, jest taka piosenka, w której są słowa: „Jeśli narzeczony zostawi cię dla innej, nigdy nie wiesz, kto na tym zyska". Zaśmiała się. Ona przecież myślała kiedyś, że ułoży sobie z nim życie. Miała na Krymie ciotkę, która mieszkała w słonecznej miejscowości nad Morzem Czarnym. Często rozmawiali z Alikiem o tym, żeby tam pojechać i zamieszkać u tej ciotki, móc się wylegiwać na plaży w słońcu i objadać świeżymi owocami. Albina wierzy, że gdyby to się spełniło, on nigdy nie wróciłby do Ameryki i nie zabił prezydenta Kennedy'ego. I może później dostaliby większe mieszkanie – nigdy nie wiadomo, co się może zdarzyć.

Usłyszawszy o zamachu, w aptece wszyscy się martwili. „Co ta Marina tam zrobi, sama, z dwójką dzieci? Jak będzie z pieniędzmi; czy sobie poradzi?". Bardzo się przejęli.

Paweł był urażony, gdy Komisja Warrena przedstawiła Lee jako niedorozwiniętego umysłowo. Był dotknięty do żywego. Nie podobało mu się to, że człowieka wcale niegłupiego ukazuje się światu jako głupka.

Ze względu na różnicę czasu między Dallas a Mińskiem – osiem czy dziewięć godzin! – gdy Kennedy został zamordowany, Paweł bawił się akurat z grupą młodych studentów na dużej potańcówce. Pełnił obowiązki dyskdżokeja. Miał magnetofon i puszczał różnego rodzaju muzykę – aż tu nagle radio podało informację o tym, że Kennedy'ego zastrzelono. Paweł słuchał Głosu Ameryki i dowiedział się, że aresztowany został zamieszkały w Dallas Lee Harvey Oswald.

Przez lata zbierał różne artykuły na ten temat. Nigdy nie przyjął tego do wiadomości jako faktu. Jednak im więcej o tym czytał, tym bardziej przychylał się do wniosku, że człowiek zawsze może drugiego człowieka do wszystkiego skłonić. Człowieka można złamać psychicznie, i z pewnością, używając siły, można go zmienić. Zdaniem Pawła, Lee Harvey Oswald nie zabił Kennedy'ego, ale został w jakiś sposób zamieszany w spisek. Przecież w końcu Lee nie był aniołem. Mógł się do jakichś ludzi przyłączyć.

Gdy Lee został zastrzelony przez Ruby'ego, Paweł wysłał do Mariny list kondolencyjny. Następnego ranka zapukali do niego ludzie z KGB. Był 26 listopada 1963 roku. Musiał jechać z nimi trolejbusem do biura. Nie był kimś na tyle ważnym, by wysłano po niego samochód. Pamięta, że miał na sobie chiński granatowy płaszcz, czapkę i szalik, a obaj funkcjonariusze KGB byli w cywilu, no, ale oni wkładają mundury tylko na pochód i do trumny.

Weszli bocznym wejściem i dziwnymi schodami w górę na pierwsze piętro. Z okna widać było księgarnię. Paweł nie wiedział, czy będzie mu dane wyjść z tego budynku. Był to chyba najgorszy moment w jego życiu. Napisał współczujący list do Mariny – i został potraktowany jak przestępca. Dopiero później zrozumiał, że tym listem naprawdę napędził służbie bezpieczeństwa strachu. Ten list mógł wpłynąć na stosunki międzynarodowe: komuś w Rosji żal jest żony człowieka, który zabił Kennedy'ego.

Pozwolono mu usiąść na krześle. Obchodzono się z nim uprzejmie; nie bito go. W końcu to był KGB. Paweł siedział w pokoju, gdzie znajdował się ogromny stół. Było sporo oficerów i ochrony, w sumie może siedmiu mężczyzn.

Zaczęli od pouczenia go: „W naszym kraju kondolencje przesyłać mogą tylko przedstawiciele ludu. Wy nie macie prawa wyrażać współczucia. To po pierw-

sze. Po drugie, zatraciliście polityczną czujność. Staliście się politycznie krótko-
wzroczni. Jeśli nie chcecie, żeby wypisać wam pałką na plecach obowiązujące
w tym kraju prawo, i zamierzacie dożyć starości, to przestańcie popełniać takie
błędy. A skoro już o tym mowa, to co was łączy z Mariną Oswald? Sypialiście
z nią?". Zadawali mu różne inne pytania, a potem znów wracali do tego: „Spa-
liście kiedyś z Mariną?". Z jakiegoś powodu to ich bardzo interesowało. Może
i oskarżali go o utratę politycznej czujności, ale to był tylko pretekst. Bo zaraz
na powrót wyskakiwali z indagacjami w rodzaju: „Dlaczego napisaliście taki
list, jeśli z nią nie sypialiście? Zwariowaliście czy co?".

Zaprowadzili go na pocztę, gdzie musiał wypełnić formularz, w którym żądał zwrotu swojego listu. Marina nie dostała więc ostatniej wiadomości od niego. Paweł uważa, że KGB już miał u siebie ten list, ale potrzebna im była pisem-
na prośba o jego zwrot jako formalny dowód nienagannego przestrzegania
konwencji genewskiej.

Zanim go wypuścili, zakazali mu rozmów na ten temat. Był to główny powód przeniesienia się Pawła z uczelni w Mińsku do stolicy Gruzji, Tbilisi. Przecież połowa fabryki wiedziała, że przyjaźnił się z Lee Oswaldem, gdyby więc tam
został, jak mógłby o tym nie rozmawiać? Jedna czy dwie osoby powiedziały mu
nawet: „Mamy nadzieję, że podczas przesłuchania nie wymieniłeś naszych nazwisk".

Wkrótce potem agenci KGB złożyli wizytę w „Horyzoncie" i kazali wszystkim na temat Oswalda nabrać wody w usta. Paweł był już wtedy w Tbilisi, ale
doszły go słuchy o tym, jak to pracowników warsztatu pojedynczo wzywano na
rozmowę z bezpieką o przestrzeganiu nakazu dyskrecji.

W Tbilisi nie najlepiej układały mu się stosunki z ojcem. Paweł pojechał tam
w grudniu 1963 roku. Na początek zatrzymał się w mieszkaniu ojca. Matka była wówczas w sanatorium. Studiował na uniwersytecie w Tbilisi i któregoś dnia,
wiosną 1964 roku, kiedy przyszedł do domu trochę później niż zwykle, ojciec
popatrzył na niego i powiedział: „Ja w twoim wieku oblatywałem już samoloty". Paweł odparł: „Rozumiem". Do Mińska wrócił dopiero w roku 1965.

Wyprowadził się i zamieszkał w domu studenckim, gdzie znalazło się dla niego miejsce. Od tamtego czasu Paweł i jego ojciec nie rozmawiali ze sobą. Nawet
wtedy, gdy jego rodzice przyjeżdżali do Mińska. Nie odzywali się do siebie i już.

Osiem lat później ojciec Pawła zmarł na raka. Paweł czuł się podwójnie winny. Służył wówczas w rezerwie, jego oddział stacjonował w koszarach oddalo-
nych od Mińska o jakieś sto kilometrów. Gdy Paweł otrzymał wiadomość, że ojciec jest umierający, zapytał, czy mógłby go odwiedzić, na co jego oficer
powiedział: „Jutro rano rozpatrzymy waszą prośbę". Ale ojciec Pawła zmarł
przed świtem. Dopiero wtedy oficerowie zaczęli okazywać mu ludzkie uczucia.
Był koniec tygodnia i dowódca koszar wybrał się akurat na ryby. By móc opuścić koszary, Paweł musiał otrzymać specjalną przepustkę, którą mógł mu pod-
stemplować tylko ów dowódca. Udał się więc tam, gdzie tamten wędkował,

i dostał pieczątkę na przepustce. Kupił kwiaty i pojechał do domu, ale w drzwiach matka powiedziała mu: „Nie zdążyłeś".

Anatolij Szpanko mówi, że nie miał poczucia, żeby KGB w jakikolwiek sposób ingerował w jego życie osobiste. Nigdy nie był śledzony, nigdy.

Anatolij ma pięćdziesiąt pięć lat, a dotąd nie był przesłuchiwany przez KGB. Skoro ma życiorys bez skazy, dlaczego ktoś miałby na niego donosić? Twierdzi uparcie, że nie wie, co się przez te wszystkie lata działo z Mariną. Nie znał jej historii. Gdy się od nas dowiedział, że jej mąż nazywał się Lee Harvey Oswald i możliwe, że zabił prezydenta Kennedy'ego oraz że sam został zabity dwa dni później, powiedział tak: „Jeśli ktoś kogoś zabija, a dwa dni później sam zostaje zabity, wydaje się bardzo wątpliwe, czy rzeczywiście to zrobił. Winny jest ktoś, kto nie został oskarżony. Wszystko to wygląda bardzo podejrzanie".

Jeśli dobrze pamięta, w listopadzie 1963 roku nie było w Mińsku żadnych wiadomości o tym, że ów Lee Harvey Oswald przez dwa lata mieszkał w tym mieście. Anatolij nigdy nie widział na ten temat ani słowa w lokalnej prasie. Nikt o tym nie mówił. On nie wiedział, że Oswald był mężem Mariny, skądże. Może niektórzy wiedzieli, ale zatrzymali to dla siebie. Dopiero dziś się o tym dowiedział. Pierwszy raz słyszy. Zapytany, czy jest to dla niego szok, odpowiada: „Coś w tym rodzaju".

Sasza zapukał któregoś dnia do drzwi mieszkania Wali i Ilji. Nikt nie otwierał. Przyszedł jeszcze raz, i jeszcze raz, aż wreszcie wyjrzał jakiś sąsiad i powiedział: „Oni już tu nie mieszkają. Wyjechali". Powiedział Saszy, że nikt nie wie, dokąd się przenieśli.

Ilja miał przez to zabójstwo mnóstwo nieprzyjemności. Nieważne, jak długo żył. To wszystko skróciło mu życie. Cierpiał, ponieważ najważniejsza w życiu była dla niego kariera, a tu nagle wszystko zostało zagrożone. Ta sytuacja źle wpłynęła na jego zdrowie. Nie został wprawdzie zwolniony z pracy, ale już nigdy nie awansował. Nie mówił wiele o tym zabójstwie – tylko tyle, że było zorganizowane. Raz tak powiedział. Zabójstwo Kennedy'ego było zorganizowane. Jeśli wykorzystano do tego Alika, to dlatego, że był on w Związku Radzieckim.

Cała rodzina żyła w strachu. Ilu ludzi dogrzebie się do tego, że w zabójstwo Kennedy'ego zamieszana była siostrzenica Ilji?

Wala i Ilja mieli wówczas trzypokojowe mieszkanie. A mieszkali w tym trzypokojowym mieszkaniu tylko we dwoje. Dlatego wkrótce po zamachu na prezydenta Kennedy'ego ludzie zaczęli krzywo na nich patrzeć i mówić, że zbyt luksusowo mieszkają. To nie była prawda. Mieli po prostu ładne mieszkanie, pełne książek. W jednej z gazet pojawił się nawet artykuł o tym, że Ilja należy do partii, a mieszka lepiej niż inni. Wala mówi: „Mój mąż był człowiekiem bardzo uczciwym. Gdy więc przyszedł do nas ten mężczyzna z «Białorusskiej Zwiezdy», a potem napisał artykuł «Spójrzcie tylko na tych dwoje ludzi, w jakich luksusach mieszkają», Ilja postanowił, że się wyprowadzimy. Niektórzy sąsiedzi mówili nam: «Nie spieszcie się z tym. Zaczekajcie. Coś się zmieni», ale on odpowiadał: «Nie, nie chcę, żeby szargano moje nazwisko; nie chcę się go wstydzić», przenieśliśmy się zatem do dwupokojowego mieszkania".

Poza tym, jak dodaje Wala, do ich trzypokojowego mieszkania wprowadziło się pięć osób. Może rzeczywiście tak było sprawiedliwiej.

Ilja nigdy po sobie nie pokazał, ile go to wszystko kosztowało. Nadal interesował się malarstwem i książkami, które były jego drugim hobby. Wciąż kupował komplety dzieł zebranych i zabudowywał półkami każdą ścianę mieszkania. Nie można było powiedzieć, że przestał się interesować literaturą.

W jego kolekcji dzieł zebranych autorów rosyjskich, wydanych w tomach od pięciu do dwudziestu, znaleźli się Tołstoj, Pietrow, Lermontow, Kuprin, Niekrasow, Adamow, Bunin, Ilja Erenburg, Czechow, Aleksy Tołstoj i Konstanty Simonow, Turgieniew, Puszkin, Szołochow i Dostojewski. A wśród autorów dzieł zebranych przełożonych na rosyjski byli tacy pisarze jak Jules Verne, Jonathan Swift, Emily Dickinson, Romain Rolland, Emil Zola, Theodore Dreiser, Balzac, Hugo, de Maupassant, Rabindranath Tagore, Walter Scott, Robert Louis Stevenson, Heine, Feuchtwanger, Stendhal, Steinbeck, Boccaccio, Prosper Merimée, John Galsworthy, Proust i Jack London.

Trzydzieści lat później, w roku 1992, Wala rozmawiała z Mariną przez telefon. Popłakały się obie. Marina powiedziała: „Rozumiem, że bardzo przejmowałaś się Ilją i tym, co przeżył po moim wyjeździe, ale przecież nie umarł z tego powodu – zresztą dożył osiemdziesiątki, a ja zostałam wdową z dwójką dzieci w wieku dwudziestu dwóch lat".

Po śmierci Ilji, w 1989 roku, Wala porządkowała jego papiery i znalazła w nich kolekcję kobiecych aktów. Były to zdjęcia wykonane przez profesjonalistów, formatu pocztówkowego. Widocznie je kiedyś kupił. Wala podeszła do tego filozoficznie. Powiedziała sobie: „Oczywiście każdy mężczyzna ma swoje tajemnice. Dlatego właśnie jest mężczyzną". A potem dodała w duchu: „Pozwalałam mu na wszystko. Nie przeszkadzało mi to, że podobały mu się młode dziewczyny".

Gdy Kennedy został zamordowany, Ella spodziewała się, że ktoś przyjdzie i powie: „Prosimy z nami do biura KGB. Usiądźcie i powiedzcie wszystko, co wiecie". Ale nikt się do niej nie zgłaszał.

Ella powiedziała, że mogłaby teraz wymyślić jakąś historyjkę: „Obecnie panuje moda na rozpowiadanie naokoło: «Byłam prześladowana przez organy. Zniszczyli mi życie». W dobrym stylu jest mieć na koncie jakiś kontakt z bezpieką i spowodowane przez nią nieprzyjemności". Ona też mogłaby wymyślić jakąś historyjkę, ale woli powiedzieć prawdę. Nikt się do niej nie zgłosił.

Po zamachu martwiła się, że ktoś się zjawi, i żyła w strachu – wciąż myślała, że poproszą ją, żeby stawiła się w biurze – ale nic się nie działo. Gdy teraz patrzy na to z perspektywy czasu, uważa, że może niektórzy jej znajomi musieli się zgłosić w KGB. Na podstawie tego, czego przez te lata nauczyło ją życie, Ella uważa, że Lee pewnie był pod ciągłą obserwacją i ona pewnie też. Ale ponieważ przebywali tylko ze sobą we dwoje, uważa, że Paweł musiał być dla KGB bardziej interesujący, bo pomagał Lee zawierać nowe znajomości. A ona zawsze pozostawała z nim sam na sam, więc pewnie nie była aż tak interesująca dla organów.

Co do winy Alika, Ella nie może w nią uwierzyć. „Był taki delikatny" – mówi.

Pod koniec marca 1962 roku wuj Kosti, profesor Bondarin, powiedział mu, że źle się prowadzi. Posiadanie kolekcji obrazków pornograficznych również było niestosowne. Wuj oświadczył mu: „Jeśli nie chcesz wylecieć z uczelni, przestań się uganiać za spódniczkami". I Kostia musiał zniszczyć wszystkie swoje francuskie pocztówki i notatki. Prowadził wówczas intymny pamiętnik, w którym zapisywał wydarzenia z życia osobistego, dla nikogo poza nim nie do rozszyfrowania – na przykład nigdy nie pisał „Marina", tylko „M".

Po zabójstwie Kennedy'ego Kostia został wezwany przez KGB, podobnie jak – jest tego pewien – jego koledzy. Później drogi ich się rozeszły i nie mieli już więcej ze sobą nic wspólnego. Lata minęły od śmierci Stalina, dziesięć lat, ale kontakt ze służbą bezpieczeństwa wciąż budził strach. Zawsze mogli człowieka dokądś wywieźć. Można było już nie wrócić do domu.

Jego rodzina dużo wycierpiała. W latach trzydziestych. Podczas wojny domowej dziadek Kosti służył w armii generała Tuchaczewskiego w randze oficera, a zatem, naturalną koleją rzeczy, gdy generał został aresztowany pod koniec lat trzydziestych, odbiło się to również na jego dziadku. Dorastając, Kostia wciąż słyszał o przesłuchaniach, jakie odbywały się za Stalina.

Dlatego wchodząc do budynku KGB miał nogi jak z waty. Ale, jak się okazało, skończyło się na krótkiej rozmowie: jakiego rodzaju stosunki łączyły go z Alikiem? Czy korespondował z Alikiem i Mariną? Na to mógł odpowiedzieć przecząco. Nie pytali go, czy sypiał z Mariną. Człowiek, który go przesłuchiwał, siedział za biurkiem, a Kostia stał. Był obecny jeszcze ktoś trzeci, również w cywilu, ale Kostia nie wiedział, czy tamten notuje, czy nie – nie odważył się spojrzeć w jego kierunku.

Przesłuchujący chciał wiedzieć, czy Kostia posiada zdjęcia Alika i Mariny. Miał kiedyś kilka, ale została z nich kupka popiołu w piecu.

Ponieważ Jurij, Kostia i Sasza byli pewni, że po podjęciu decyzji o wyjeździe do Ameryki Alik i Marina byli pod obserwacją, przestali ich odwiedzać. Ale Erich nie przestał. Nadal był kolegą Oswalda. Czy to możliwe, pytaliśmy Kostię, że Ericha łączyły z Oswaldem jakieś szczególne stosunki? Kostia odpowiedział na to, że Erich zachował wszystkie swoje zapiski z tamtego okresu. Wszystkim innym papiery albo skonfiskowano, albo sami je zniszczyli, dlatego Kostia był zdziwiony, gdy Erich powiedział: „Wy wszyscy uciekaliście jak szczury i wyrzuciliście wszystko za burtę". Ale, zapytał Kostia, czemuż to Erich był taki odważny? Można się jedynie domyślać, jak udało mu się zachować te papiery.

W każdym razie Kosti wydaje się, że bezpośrednio po zabójstwie Kennedy'ego Erich powinien był się trząść jak osika. A jednak się wykaraskał; nic mu się nie stało, chociaż był najbliższym przyjacielem Alika.

Dzieląc się swoją obecną opinią na temat Oswalda Igor Iwanowicz mówi: „Lee to szumowina społeczna, od dzieciństwa był, że tak powiem, zepsuty. Niepoważny. Niestały. Prawdopodobnie coś było też nie w porządku z jego równowagą umysłową".

Zapytaliśmy Igora Iwanowicza: „Pewnie po zamachu czuł się pan niewyraźnie?".

On odpowiedział: „Niewyraźnie? Czułem się fatalnie. Tak naprawdę to były najgorsze chwile w moim życiu".

Zapytany, czy KGB przesłuchiwał po zamachu któregoś ze swoich głównych donosicieli, Igor Iwanowicz nagle dał się ponieść emocjom. Wyglądał tak, jakby się miał zaraz rozpłakać. Nie odpowiedział na pytanie. Wykrzyknął natomiast: „Wszyscy mnie za to winią! Jak gdybym wiedział, że on będzie strzelał". Po paru minutach dodał: „Nie mieliśmy żadnych danych. W całym Mińsku nie udało nam się znaleźć ani jednego człowieka, który by powiedział: «Tak, Oswald miał zamiar wrócić do Ameryki i spowodować całe to zamieszanie»".

Razem ze Stiepanem starali się dojść do tego, w którym momencie popełnili błąd. Oto jak można ująć w słowa ich wewnętrzne obawy: „A jeśli przygotowanie tej akcji zaczęło się w Mińsku?". Brali pod uwagę wszystko.

Potem Igor Iwanowicz dodał jeszcze: „Szczerze mówiąc, nie przejmowaliśmy się amerykańską opinią publiczną. Obawialiśmy się, co powiedzą w Moskwie, gdy prześlemy im teczkę Oswalda. Czy uznają, że dobrze się spisaliśmy, czy też nie? Tym się martwiliśmy".

Gdy Stiepan Wasiljewicz usłyszał w radiu wiadomość o śmierci Kennedy'ego, po pierwszej reakcji: „To niemożliwe!", nastąpiła druga, bardziej złożona. Wraz z napływem coraz to nowych informacji z różnych środków przekazu Stiepan nabierał przekonania, że Oswald nie mógł dokonać tego czynu w pojedynkę. Został w to najprawdopodobniej w jakiś sposób wciągnięty. Ponieważ w kółko powracano do jednego jedynego faktu – pobytu Oswalda w Związku Radzieckim. Jaka to dla niektórych wymarzona przykrywka! „Tamtejsze media zaczęły zrzucać całą winę na Związek Radziecki. Moim zdaniem, to wszystko było szyte bardzo grubymi nićmi. Żeby zatrzeć ślady morderców".

Zapytany o to, jak długo szło do nich z Moskwy polecenie udostępnienia teczki Oswalda, Stiepan odpowiedział, że przyszło z centrali w Moskwie późnym wieczorem 22 listopada. Igor Iwanowicz dostał rozkaz i kazał Stiepanowi zawieźć akta Lichoja do Moskwy, zapakować je do teczki i ruszać w drogę.

Obyło się bez specjalnych przygotowań. Obaj dobrze znali dotyczące Oswalda materiały, a teczka leżała w mieszczącym się w budynku archiwum. Stiepan musiał więc tylko po nią pójść, włożyć ją do worka, pokwitować odbiór i już mógł jechać. Użył szarego worka pocztowego, takiego, jakich używa się do transportowania większej ilości poczty. Akt nie było na tyle dużo, by całkowicie wypełnić worek.

23 listopada Stiepan wyleciał do Moskwy i wylądował na lotnisku Luberce w towarzystwie uzbrojonego pracownika KGB z Mińska. To nie był lot rejsowy, ponieważ Moskwie zależało na czasie; skorzystali z dwóch wolnych miejsc w samolocie wojskowym.

Zapytany o to, czy bardzo był zdenerwowany, Stiepan odpowiedział: „Raczej nie. Nie czułem się ani trochę winny. Byłem kryształowo czysty. Czego miałbym się bać? Oczywiście, sytuacja była tragiczna. Ale żeby się denerwować, nie móc opanować drżenia rąk – dlaczego? Leciałem do centrali w Moskwie z czystym sumieniem. Nie odczuwałem żadnych nadmiernych emocji. Zastanawiałem się po prostu, jakiego rodzaju pytania padną. I miałem tylko jedną odpowiedź: Oswald nie był w żaden sposób związany z naszą agencją wywiadowczą. Bardziej martwiłem się o to, czy ktoś wyjdzie po mnie na lotnisko, w przeciwnym razie bowiem, jak dostanę się do Moskwy publicznymi środkami transportu?".

Nie musiał się martwić. Został na lotnisku powitany, wysłani po niego ludzie przedstawili się i okazali legitymacje. Dopiero wtedy wszyscy razem odjechali. Niebo było zachmurzone, ale nie padał ani deszcz, ani śnieg. Było szaro.

Kierowali się w stronę głównego budynku KGB, Łubianki. Wjechali na jego teren, gdzie czekali już na nich wyżsi stopniem funkcjonariusze. Stiepan pomyślał sobie, że jeden z nich może być zastępcą dyrektora KGB. Nie znał tych wyższych oficerów osobiście. Odbywał swoją pierwszą wizytę w moskiewskiej centrali. Ów owiany legendą budynek, Łubianka, pełen był labiryntów. Idąc niekończącymi się, wąskimi korytarzami, Stiepan musiał się trzymać bardzo blisko człowieka idącego przed nim. Przez całą długość korytarzy biegły czerwone chodniki.

Później Stiepan wielokrotnie jeździł do Łubianki w delegacje, zaczął się więc trochę orientować w układzie budynku, ale wciąż nie czuł się pewnie. Choćby się tam bywało nie wiadomo jak często, zawsze można było się zgubić. Ten ogromny budynek z żółtego piaskowca w środku wydawał się jakiś dziwny, właśnie przez te wąskie korytarze. U nich, w Mińsku, korytarze były szerokie i znacznie wygodniej się nimi chodziło.

Wreszcie doprowadzono go do odpowiedniego gabinetu. Było to dość duże pomieszczenie, gdzie czekało już na niego kilka osób; na stole nic nie leżało. Stiepan nie wie, czy był to Departament do spraw USA, czy jakiś inny. Powiedział tylko: „Zgodnie z rozkazem, dostarczam teczkę Oswalda". Oni odpowiedzieli: „Dobrze, połóżcie ją".

Ktoś zadał pierwsze pytanie: „Czy staraliście się zwerbować Oswalda?". Odpowiedział: „Klnę się na własną głowę, iż nie dość że nie próbowaliśmy, to nawet nam to nie przeszło przez myśl. Przeczytajcie te dokumenty. Jasno wynika z nich, w jaki sposób pracowaliśmy. Zgodnie z waszymi wytycznymi".

Popatrzył na nich i zobaczył, że odetchnęli z ulgą. Nie martwił się o to, czy mu uwierzą, ponieważ z dokumentów rzeczywiście jasno wynikało, na czym polegała ich praca. Czegoś takiego nie da się podrobić. Oczywiście Stiepan był trochę zaniepokojony, ale większych obaw nie miał. Zapisywali szczegółowo, jak prowadzili działania operacyjne.

Później, gdy w związku z zabójstwem Kennedy'ego wciąż krążyły pomówienia na temat Związku Radzieckiego, Stiepan pomyślał sobie, że być może Nikita Siergiejewicz Chruszczow przekaże tę teczkę rządowi amerykańskiemu. Wtedy wszystkie amerykańskie plotki pękłyby jak bańki mydlane. Ale tak się nie stało.

Podczas spotkania 23 listopada 1963 roku na Łubiance poproszono go uprzejmie, żeby usiadł. Stiepan pamięta, że wolał nawet stać, ale powiedziano mu: „Usiądźcie, usiądźcie". Stół jednak był pusty, nie podano nawet herbaty. Nie przypomina sobie, czyj portret wisiał na ścianie, może Dzierżyńskiego. Za to na pewno nie dostrzegł tam flagi, bo to z pewnością by pamiętał. Gabinet był jasno oświetlony. Ostatnie słowa tych z Moskwy brzmiały tak: „Zostawcie nam teczkę. Dziękujemy. Wasza misja została spełniona. Załatwimy wam bilet powrotny".

Wrócił do Mińska zwykłym pociągiem, z tym samym kolegą z pracy, który z nim przyjechał. Przed odjazdem przespacerowali się po Moskwie i poszli na zakupy. Stiepan kupił jakieś prezenty dzieciom.

W drodze powrotnej nie myślał o niczym konkretnym. Jeżeli Oswald był agentem CIA, to mógł w Mińsku zbierać informacje jedynie przypatrując się różnym rzeczom, nic nie dając po sobie znać, czyli nie jako czynny agent. Mógł bacznie przyglądać się życiu w ZSRR i później ogłosić swoje obserwacje w Ameryce. Takiej wersji nie można było wykluczyć. A każdy cudzoziemiec, który spędził dwa lata w Związku Radzieckim, miałby dużo do powiedzenia. „Poza tym, kiedy Oswald przyjechał do Mińska w styczniu 1960 roku, Kennedy nie został jeszcze wybrany na prezydenta. Zatem Oswald nie mógł zostać wysłany w takim celu".

Jeśli więc Stiepana dręczyły w drodze powrotnej jakieś myśli, to nie dlatego, że miał sobie coś do zarzucenia. Konstruował różne wersje wydarzeń, pojawiało się wiele wariantów, ale w końcu powiedział sobie: „E, czas już spać. Amerykanie sami sobie urządzili tę hecę. Niech też sami łamią sobie nad nią głowę".

Gdy wrócił do domu, była niedziela rano, a w Dallas jeszcze sobotni wieczór, czyli zostało dziesięć godzin do ataku Ruby'ego na Oswalda. Stiepan w Mińsku otrzymał wiadomość o tym około szóstej po południu. Ale gdy wrócił do domu o ósmej rano, to najpierw się ogolił. Wyjeżdżał do Moskwy w takim pośpiechu, że zapomniał wziąć ze sobą przybory do golenia. Umył się, coś przekąsił i poszedł prosto do pracy, gdzie zdał przełożonym raport. Oczywiście w pracy było głośno o tej sprawie. Wszyscy słuchali radia. Wielu kolegów Stiepana nie wiedziało, że to właśnie on się nią zajmował, ale każdego ona wzburzyła. Rzucała przecież cień na Mińsk.

Ludzie, którzy znali Oswalda bliżej, mówili, że Alik nie mógł tego zrobić.

A nie wierzyło w to nawet wiele osób, które nigdy się z nim nie zetknęły: Przecież stosunki z Ameryką układały się nam już trochę lepiej, a tu nagle coś takiego?

Nie zajmowali się dalej tą sprawą. Teczka Oswalda znajdowała się w Moskwie; nie mieli materiałów. Poza tym, co tu można było dalej analizować? Gdy jakieś dwadzieścia siedem lat później teczka wróciła z Moskwy, niczego z niej nie usunięto ani nie opatrzono komentarzem; wszystko było tak, jak Stiepan zapamiętał, poświadczone jego podpisem. Zapytaliśmy go, dlaczego w takim razie Igor Iwanowicz tak ostro zareagował, mówiąc: „Wszyscy mnie za to winią!". Stiepan zwrócił nam uwagę, że Igor jest człowiekiem bardziej od niego wrażliwym.

2

Wiarygodność

Większość wywiadów w Mińsku mieliśmy już za sobą, ale wciąż nierozwiązany pozostał jeden poważny problem: czy można dać wiarę sprawozdaniu Jurija Mierieżyńskiego o jego stosunkach z Mariną. Jeśli była choć po części tak doświadczona erotycznie, jak utrzymywał, to wszelkie interpretacje jej pożycia z Oswaldem byłyby barwniejsze. W trudnościach małżeńskich, o których opowiadała, można by się było doszukać innego podtekstu.

Kostia Bondarin wątpił, rzecz jasna, w prawdziwość opowieści Jurija, ale było to zdanie tylko jednego świadka. Należało ustalić, czy Jurij był notorycznym kłamcą, czy też w tym, co mówił, kryła się prawda – być może wyolbrzymiona przez pełen emocji sposób jej przekazu, ale mimo wszystko wiarygodna.

Powróciliśmy zatem do Jurija Mierieżyńskiego, to znaczy poprosiliśmy, by przyjechał do Mińska z oddalonego o kilkaset kilometrów sanatorium i stawił się na rozmowę o tym, co się działo po zamachu na Kennedy'ego. Przystał na to i spotkał się z nami w mieszkaniu matki, pił wódkę i mówił. Iście w swoim stylu, który polegał na narzucaniu tematu rozmowy wedle własnego widzimisię, a nie odpowiadaniu na pytania, na początek opowiedział o swoich rodzicach:

„To bardzo ważne osobistości". Pokiwał ostrzegawczo palcem. Niech nikt i nic nie śmie temu zaprzeczyć! „Bardzo ważne osobistości – powtórzył – ale przy tym jacy posłuszni ludzie!". Gdy otrzymali wielką encyklopedię radziecką, a kilka lat później przyszło polecenie, żeby usunąć z niej niektóre strony, ponieważ są już historycznie niewłaściwe, jego ojciec wypełnił polecenie. Rodzice Jurija nie byli zwykłymi ludźmi, a mimo to się bali. Na przykład jego ojciec prowadził dziennik, ale nawet na jego kartach nie zdobywał się na szczerość. Ani razu nie napisał, że Jurij był codziennie wzywany do KGB. To był koszmar.

Wtedy zaczął rozumieć życie. Co dzień, jak mówił, dostawał wezwanie do stawienia się w KGB. Tak, to był prawdziwy koszmar.

„Kiedy to było?" – zapytaliśmy.

Machnął ręką. „Najpierw mówili mi: «Przyznajcie się, przyznajcie się. Jesteście agentem japońskim? Jesteście agentem CIA?»". Zamiast chodzić na wykłady, Jurij musiał odwiedzać służbę bezpieczeństwa i spędzać tam całe dnie. Za każdym razem wpisywał się do zeszytu; później siedział naprzeciwko kapitana Andriejewa. Ten zasłaniał się gazetą i nalewał Jurijowi tyle kawy, że ten później długo nie mógł jej znieść – wymiotował, czując choćby tylko jej zapach. Naprawdę długo.

Zapytaliśmy: „Czy było to po oskarżeniu Lee o zabójstwo Kennedy'ego?"

„Tak" – odparł Jurij.

Pytaliśmy dalej: „A czy przedtem, kiedy Lee Harvey Oswald żenił się z Mariną, KGB chciał czegoś od pana?".

Jurij energicznie pokręcił głową. Jego rodzice byli ludźmi wysoko postawionymi. Gdy tylko on robił coś, co się nie podobało KGB, wzywali jego matkę i mówili: „Wasz syn się upił", albo „Kocha się z nieodpowiednią dziewczyną". Jego rodzina była pod obserwacją, ponieważ rodzice zajmowali wysokie stanowiska.

Jednakże po zamachu na Kennedy'ego Jurij został wezwany bezpośrednio przez KGB. A było to tak: na każdej uczelni był oficer służb bezpieczeństwa – w jego wypadku kapitan Andriejew, który wezwał go do swojego gabinetu i odbył z nim rozmowę. Lecz wszystkie późniejsze indagacje odbywały się w głównym gmachu KGB przy ulicy Lenina.

Pierwsze pytania brzmiały tak: jakiego rodzaju stosunek łączył was z Lee Harveyem Oswaldem? O czym z nim rozmawialiście? Czy był szpiegiem? Czy był agentem CIA? Nikt nic nie notował, siedzieli tylko we dwóch z kapitanem Andriejewem.

„Takie *tête-à-tête*" – uściślił Jurij.

Po pierwszej rozmowie poszedł do domu i opowiedział o niej rodzicom. Zareagowali strachem. Nie winili go, tylko zaczęli się zastanawiać nad tym, w jaki sposób mogliby się z tego wywinąć. Chcieli wykorzystać swoich przyjaciół.

Kolejne przesłuchanie odbyło się nazajutrz. Funkcjonariusz KGB zadzwonił do niego i kazał mu się udać do głównego gmachu KGB. Więc Jurij poszedł. Kupił po drodze paczkę papierosów i wszedł do budynku.

Przy wejściu stała oszklona budka. Podał strażnikowi nazwisko i okazał dowód. Andriejew w cywilu zszedł po niego i zabrał go do swojego gabinetu, gdzie usiedli przy stole. Jurij musiał odpowiedzieć dokładnie na te same pytania, które padły w Instytucie. Mimo że tym razem Andriejew robił notatki, Jurij uważa, że w gabinecie mógł być założony podsłuch. Przesłuchanie trwało sześć czy siedem godzin. Od tamtego czasu spotykali się co dzień z wyjątkiem niedziel. Nowym codziennym obowiązkiem Jurija było składanie wizyty w głównym gmachu KGB przy ulicy Lenina.

Palił papierosy. Na stole u Andriejewa zawsze leżały papierosy „Prima" i stał termos z kawą. Czasami, gdy Jurij przychodził, Andriejew nawet się do niego nie odzywał, tylko czytał gazetę, a Jurij siedział naprzeciwko niego. Dawali mu godzinną przerwę na zjedzenie obiadu. Potem musiał wracać. Niczego nie podpisywał. Kazali mu, ale on nie podpisał ani jednego dokumentu. Ani jednego. Rodzice mu tak doradzili. Oficer mówił: „Nie chcecie podpisać? To nie. Sąd zadecyduje o tym, jak was ukarać; on postanowi, co z wami zrobić". Oczywiście w tamtych czasach nie trzeba było wielkiej przewiny, żeby być ukaranym. Pytano go, czy szpieguje na rzecz Japonii. Nie wiedział, czemu wybrali akurat Japonię, pewnie dlatego, że trafił tam kiedyś Oswald. W Mińsku nie było Japończyków.

Ponieważ już co dzień, oprócz niedziel, chodził do biura KGB, przestał się pojawiać w Instytucie. Już się nie przejmował wykształceniem. Codziennie po powrocie do domu opowiadał rodzicom, co zaszło, a oni udzielali mu rad. Myśleli, że może przesłuchiwani są też niektórzy jego koledzy, ale tym się zanadto nie martwili. Kiedy człowiek spędza całe dnie w KGB, nie myśli o kolegach. Zresztą nawet zabroniono mu z nimi rozmawiać.

Te przesłuchania ciągnęły się przez kilka miesięcy – zawsze o tej samej porze, z tym samym człowiekiem, w tym samym gabinecie. To był dla Jurija duży stres. Jedynym obrazem w tym gabinecie był portret Feliksa Dzierżyńskiego. Stał tu tylko sejf, stół i krzesła. I to wszystko. Okno wychodziło na ulicę. Co dzień Jurij szedł tam z poczuciem, że tego właśnie dnia nie wypuszczą go z powrotem. Umówił się z rodzicami, że da im o tym znać. Pilnował tego, żeby co dzień wracać przed określoną godziną. Jeśliby nie wrócił…

Matka Jurija pracowała w Akademii Nauk, prowadziła tajne badania. Współpracowała z oficerami KGB i zawsze starała się wykorzystać znajomości, żeby ocalić skórę syna. Przez te kilka miesięcy rodzice bardziej martwili się o niego niż o swoje kariery. Ojciec wciąż mu powtarzał, żeby niczego nie podpisywał, ponieważ wśród podsuwanych do podpisu dokumentów zwykle znajduje się zakaz wyjazdu z miejsca zamieszkania. Wreszcie ojciec powiedział mu: „Wyjedź z Mińska. Nie bierz żadnego bagażu. Wyjedź po prostu tak, jak stoisz".

Rodzice dali mu dużo pieniędzy, kilka tysięcy rubli. Poszedł wtedy na dworzec kolejowy i wskoczył do nocnego pociągu do Moskwy bez biletu. Bilet kupił u konduktora. W Moskwie nigdy nie zatrzymywał się w hotelu dłużej niż dwa dni; co dwa dni zmieniał lokum. Miał w Moskwie wielu krewnych i dobrych znajomych, ale nigdy nikogo z nich nie odwiedził. Przyjechał z jedną tylko zmianą ubrania i nie starał się zapuścić brody czy zmienić koloru włosów.

W Rosji, jak mówił, kto chciał podróżować, musiał mieć tylko dowód osobisty. On więc co drugi dzień meldował się w innym hotelu, wręczał dokument i rano dostawał go z powrotem. A po dwóch dobach – basta – wyprowadzał się.

Żył tak przez dwa miesiące. Dnie spędzał w muzeach albo w kinie i dobrze się bawił. Był wolny; nie siedział w więzieniu. W ogóle nie dzwonił ani nie pisał do domu. Oczywiście, że wciąż tkwił w nim strach. Niepewność. Spotykał się tylko z nowo poznanymi ludźmi. Bezpieczniej było brać pokój dwuosobowy w hotelu. Jednoosobowy zwracałby uwagę. Lepiej było dzielić pokój z nieznajomymi.

Wreszcie 31 grudnia 1963 roku Jurij postanowił wrócić do Mińska. Miał jeszcze sporo pieniędzy, ale czuł się samotny, a chciał się dobrze bawić w sylwestra. Wykupił więc bilet lotniczy i poleciał do Mińska. Z lotniska taksówką przyjechał do domu. Jego rodzice byli mile zaskoczeni, wręcz szczęśliwi.

Powiedzieli mu, że jego sprawa została zamknięta. Jak zresztą całe śledztwo. Jurij podejrzewa, że być może ktoś w KGB, jakaś kreatura, myślał, że zrobi karierę dzięki jego matce, ojcu i niemu. Starał się więc poprzez niego zniszczyć jego rodziców. Ale zakończyło się to fiaskiem. Ich pozycja była zbyt mocna.

Stracił za to wiele Andriejew – oficer, który go przesłuchiwał – bo rodzice Jurija złożyli na niego skargę u najwyżej postawionych osobistości Białorusi.

Piętnaście lat później Jurij spotkał Andriejewa na ulicy Lenina. Andriejew się do niego uśmiechnął, podszedł i zapytał: „Co słychać?", jak gdyby byli najlepszymi kolegami na świecie, którzy spotykają się po piętnastu latach niewidzenia. Jurij był tak zdumiony, że odwrócił się na pięcie i odszedł. Musiał się powstrzymać, żeby nie plunąć mu w twarz. Andriejew prosił go nawet o pomoc w zdobyciu jakiegoś lekarstwa.

Ogarnęła nas konsternacja. W swojej opowieści Jurij posunął się o krok za daleko. Jeśli KGB całymi miesiącami przesłuchiwał go przez sześć dni w tygodniu po kilka godzin, to o czym z nim rozmawiano? Zachęciliśmy go, by opowiedział wszystko jeszcze raz od początku. Bardziej szczegółowo.

Pod tym wszystkim, oświadczył Jurij, krył się pewien podtekst. Chodziło o Komsomoł. Studenci mińskiego Instytutu Medycznego dzielili się na dwie grupy: na tych, którzy mieli już za sobą służbę w wojsku i zajmowali w Komsomole wysokie stanowiska, i resztę. Reszta to byli ludzie tacy jak on, którzy przyszli do Instytutu zaraz po ukończeniu szkoły średniej, dlatego ostro konkurowali ze sobą na egzaminach wstępnych i wiedzieli, jak się uczyć. A ci z pierwszej grupy, którzy służyli w wojsku, zazdrościli im tego i starali się młodszych studentów gnębić przy każdej okazji.

Na przykład, kiedy wszyscy pojechali latem pracować w kołchozie przy wykopkach, ci z kierownictwa Komsomołu powiedzieli, że on, Kostia Bondarin i Sasza Piskalew ukradli duży kawał słoniny. Jak nam wyjaśnił, słonina to dobrej jakości tłuszcz wieprzowy, który znakomicie smakuje z chlebem, kiszonymi ogórkami i wódką. Cienka warstwa słoniny otula od wewnątrz żołądek i można więcej wypić.

Słonina nie była droga, ale Komsomoł zareagował tak, jak gdyby ta drobna kradzież, wygłup właściwie, był czynem wysoce nieodpowiedzialnym. Rozdmuchano to, rozpatrywano w aspekcie etycznym. Podkreślano, że Jurij i jego koledzy są dobrze wykształceni, stanowią elitę narodu ze świetlanymi widokami na przyszłość, a wykształcenie otrzymali za darmo, za pieniądze pochodzące z podatków ludzi słabiej wykształconych, zatem ich przyszłość jako elity należy nie do nich samych, ale do narodu, który na nich łożył. Kradzież kawałka słoniny moralnie zrujnowała ich Instytut – jednego kawałka grubości pięciu centymetrów, a długiego i szerokiego na dziesięć! Tak małego, że mieścił się w kieszeni.

Wszyscy trzej zostali postawieni do raportu na zebraniu Komsomołu w Instytucie Medycznym. Osobiste odczucia Jurija potraktowano z najwyższą pogardą. „Zmieszano mnie z błotem". Jego koledzy, Kostia Bondarin i Sasza Piskalew, także zostali zmieszani z błotem.

A wszystko przez to, że ojciec Jurija był wicedyrektorem Instytutu. Ktoś chciał, żeby błoto rzucone na syna zbrukało też ojca. Różne kreatury miały coś przeciwko jego ojcu i wykorzystywały do swoich niecnych celów członków Komsomołu niedawno zwolnionych z wojska, dla których rozrywką najwyższej klasy było picie na umór w akademiku, klękanie, pierdzenie i przytykanie zapałek do tyłka – błyskawica! Tak się zabawiali. Oto prawdziwa kultura! Tacy byli wszyscy najbardziej wpływowi działacze komsomolscy w Instytucie. I to oni mieli sądzić Jurija za kradzież słoniny!

Ponieważ te nowości narobiły nam w głowach sporo zamętu, ponownie przeanalizowaliśmy opowieść Jurija. Jeśli dobrze zrozumieliśmy, to na drugi czy trzeci dzień po zamachu na Kennedy'ego został on wezwany do gabinetu Andriejewa, i to zapoczątkowało proces odwiedzania głównego gmachu KGB przez kolejne dwa miesiące, zatem gdy Jurij wyjeżdżał z Mińska do Moskwy, musiało być już dobrze po Nowym Roku. W Moskwie spędził dwa miesiące, gdy więc wrócił do domu, od sylwestra i początku roku upłynęło około trzech miesięcy.

Teraz Jurij zmienił zdanie. Jednak KGB zaczął go przesłuchiwać przed zabójstwem Kennedy'ego. Może na początku sierpnia 1963 roku, gdy – o wstydzie – został przyłapany na przyłożeniu ręki do kradzieży kawałka wieprzowego tłuszczu. Długo go przesłuchiwano, dwa, może trzy miesiące, chyba do listopada. Potem, tuż po zamachu, wyjechał do Moskwy. Teraz nawet przypomina sobie wyjazd w najdrobniejszych szczegółach. Był wtedy z kolegami, wszyscy byli pijani i poszli na miński dworzec odprowadzić kogoś, kto wybierał się zupełnie gdzie indziej. A ponieważ następny pociąg, który wtoczył się na peron, jechał do Moskwy, Jurij do niego wsiadł. Podróżował trzecią klasą i spał na górnej półce, gdzie trzyma się materace i poduszki.

Wyjazd z Mińska miał w planach już od jakiegoś czasu. Jego ojciec wiedział, jak należy się zachować w różnych sytuacjach. Przed laty pracował u Stalina, był człowiekiem odpowiedzialnym za posiłki wodza. Gdy na przykład generalissimus nakładał sobie kawałek mięsa, jego ojciec musiał brać dwa. Ojciec Jurija, Michaił Fiodorowicz, dużo się przez te lata nauczył, wiedział więc też, jak uciec przed KGB. Kiedyś był na delegacji, ale funkcjonariusze kazali mu wysiąść z pociągu i ustawić się w jakiejś kolejce. Gdy zapytał, po co ludzie stoją, odpowiedzieli mu: „Tutaj odbiera się legitymacje partyjne".

Ojciec Jurija oświadczył wtedy: „Nie wy mnie przyjmowaliście do partii i nie wy mnie z niej usuniecie".

Jeszcze tego samego dnia Michaił Fiodorowicz zabrał żonę i syna i uciekł na Ural. Lata później, kiedy miał już własny gabinet i akurat była w nim żona, weszli jacyś oficerowie i powiedzieli jej: „Dobre wieści dla waszej rodziny. Oto oficjalny dokument, który potwierdza, że wówczas waszego męża pomylono z kim innym". Nie wiedzieli nawet, że tuż obok niej siedzi sam Michaił Fiodorowicz. Najwyraźniej system radziecki był jak składający się z komórek organizm, w którym jednocześnie zachodziły różnego rodzaju procesy, ale brakowało ośrodka centralnego. Nie było go. Nie istniało nic, co by to wszystko kontrolowało. Dlatego jego ojciec bał się, że gdyby Jurij został w Mińsku, zostałby wybrany na ofiarę, a jeśliby wyjechał, to KGB szybko zostałby – używając terminu biurokratycznego – sparaliżowany. Ta machina była tak wielka, że w drobnych sprawach można ją było oszukać.

Pojechał zatem do Moskwy. Kiedy już się tam znalazł, jako zbiegowi było mu wszystko jedno, czy człowiek, z którym dzieli pokój, jest sympatyczny, czy też to głąb. Chodziło przede wszystkim o to, żeby nie stanowił zagrożenia. Ale Jurij miał szczęście. Trafiał na samych porządnych ludzi. Jeśli ktoś go pytał, dlaczego bawi w Moskwie, odpowiadał: „Mam wolne". Był studentem. Potężną posturą budził szacunek, nikt więc niczego nie podejrzewał. Oczywiście musiał się przyznawać, że jest z Mińska, bo miał tam wydany dowód osobisty.

Nie bał się też, że zostanie okradziony. Na każdym dworcu były skrytki bagażowe. Za 15 kopiejek dziennie zamykał w skrytce większość swoich pieniędzy. Podczas pobytu w Moskwie zatrzymywał się w hotelu „Pekin", „Leningrad", „Ukraina", „Wystawa" – wszędzie. Brał plan Moskwy, wybierał jakiś hotel na dwie doby, a potem jechał taksówką na drugi koniec miasta. Nie miał systemu – po prostu odjeżdżał w miarę daleko od ostatniego hotelu. Wtedy wszędzie można było dostać pokój – bez żadnych trudności, tak twierdzi.

I nie kosztowało to fortuny. W restauracji można było pić wódkę i zamawiać drogie dania albo po prostu kapustę. On oczywiście nie liczył się z wydatkami; miał tyle pieniędzy, że nie zwracał uwagi na to, ile wydaje. Ale było tanio. Pasztecik kosztował 7 kopiejek. Za porządny kawał mięsa i piwo płaciło się 22 kopiejki. Za bilet do kina – 20 kopiejek. Wszystkie ceny były w kopiejkach, nie w rublach. Gdy miało się z kim, można było iść do stołówki czy restauracji hotelowej i za darmo opychać się chlebem, posmarować chleb musztardą, posolić, popieprzyć, nalać sobie setkę wódki, jeszcze raz zagryźć chlebem – i to już był posiłek.

Nie miał w Moskwie z nikim kontaktu telefonicznego, ale się tym nie przejmował. Mimo jednak, że miło spędzał czas, zabawiając się z dziewczętami, tęsknił za domem. Z kobietami nie miał problemu – nie musiał poprzestawać na byle czym. Nigdy kobiecie nie zapłacił. Był młody, przystojny, umiał zagadać. Jeżeli jakaś mu się podobała, zapraszał ją do restauracji. Wszędzie było pełno pięknych kobiet i miłych sprzedawczyń. Później na sylwestra poleciał do Mińska, żeby się zobaczyć z rodzicami. W tamtych czasach mógł wypić naraz sześć butelek wódki, przynajmniej tak twierdzi. Teraz – tylko dwie, tak jak dziś. Dwie butelki przed przyjściem na rozmowę. Podczas rozmowy znowu wódka. Ale kiedyś umiał z kumplami wypić pierwszą butelkę w piętnaście minut, drugą w dwadzieścia, trzecią w pół godziny. Trzy litry nieco dłużej niż w godzinę. Teraz wciąż może pić dużo, ale nie tak jak wtedy, już nie, a szkoda.

Jak mieliśmy przyjąć tę jego opowieść? Pod koniec rozmowy do pokoju weszła matka Jurija, Lidia Siemionowna. Była to drobna, krucha kobieta, odznaczona tytułem Honorowego Naukowca Republiki Białoruskiej.

Lidia Siemionowna zajmowała się chemią szpiku oraz radiobiologią. Dumna była z tego, że wyjeżdżała na delegacje zagraniczne, na międzynarodowe kongresy, nawet do Ameryki. Gdy wróciła do Mińska z Ameryki w roku 1961, poproszono ją, by podzieliła się wrażeniami z wizyt na różnych amerykańskich uniwersytetach. „Wielu studentów Instytutu Medycznego chciało, żebym im coś o tym powiedziała". Uważa nawet, że to ci studenci, którzy zorganizowali jej wykład w Pałacu Związków Zawodowych.

Pamięta, że Oswald, który znalazł się w gronie słuchaczy, podszedł do niej po wykładzie i powiedział, że jest Amerykaninem. Jurij zapytał wtedy, czy mogliby tego Amerykanina zaprosić do domu. Tak to 17 marca 1961 roku Oswald złożył wizytę w ich mieszkaniu.

Nie pamięta pierwszego wrażenia, zbyt zajęta rozmową z różnymi ludźmi po wykładzie. Był po prostu zwyczajnym młodym mężczyzną, właściwie jeszcze chłopcem.

W tamtym czasie jej zespół prowadził badania nad kobaltowym reaktorem jądrowym. Miała sporą grupę podwładnych, około trzydziestu osób, a jej badania były ściśle tajne, podobnie jak wszystko, co związane było z promieniowaniem. Gdy więc Oswald pojawił się u nich w domu, KGB wkrótce wyraził opinię, że ponowna jego wizyta jest niepożądana, wręcz niedopuszczalna. Opinię tę przekazano również ojcu Jurija, profesorowi Mierieżyńskiemu. Ich dom nie był miejscem, do którego mógł przychodzić pierwszy lepszy cudzoziemiec.

Zapytaliśmy Lidię Siemionownę o pobyt Jurija w Moskwie, a ona natychmiast odpowiedziała, że pojechał do stolicy jesienią 1963 roku. Był chory i leżał tam w szpitalu.

W tym momencie Jurij wtrącił się i powiedział: „Mamo, proszę cię... mów prawdę. Proszę. Zapomnij o tym, że należysz do partii. Nie kłam".

Matka: „Mogę w ogóle nic nie mówić. Opowiadam przecież wszystko tak, jak było".

„Mów prawdę" – powtórzył Jurij.

„Powiem prawdę. Była taka nieprzyjemna historia, związana z pewnym zdarzeniem w kołchozie, nieprzyjemna historia [...]. Komsomoł zarządził, że trzech chłopców ma być usuniętych z mińskiego Instytutu Medycznego".

Ale to było za mało, twierdziła Lidia Siemionowna, żeby usprawiedliwić próbę wyrzucenia Jurija z Instytutu Medycznego. Poza tym w kołchozie Jurij był chory, stale miał gorączkę powyżej 39 stopni. Zupełnie nie wiadomo dlaczego. Ponieważ córka Mierieżyńskich chorowała już na gruźlicę, oczywiście pierwsze, co przyszło im na myśl, to że Jurij też jest chory. Ale żaden lekarz z mińskiego szpitala nie podjął się postawienia diagnozy. Ona i mąż zajmowali zbyt wysokie stanowiska w światku medycznym, by któryś z lekarzy chciał ryzykować pomyłkę. Powiedzieli, żeby lepiej udać się do szpitala gruźliczego przy Drugim Instytucie Moskiewskim. Dlatego Jurij spędził tamtej jesieni – jesieni 1964 roku – cztery miesiące w Moskwie. Dostał urlop zdrowotny z Instytutu w Mińsku. Gdy wrócił, matka, by zamknąć ludziom usta, załatwiła mu pracę asystenta w laboratorium w swoim Instytucie.

Po tych wyjaśnieniach matka i syn pokłócili się, przeplatając angielski rosyjskim:

Jurij: Mamo, przynajmniej raz w życiu powiedz prawdę.

Matka: Przecież mówię tylko prawdę.

Jurij: Wyrzuć legitymację partyjną.

Matka: To nie ma nic wspólnego z moją legitymacją.

Jurij: Ty masz legitymację w głowie. Dlaczego, mówisz, wyjechałem do Moskwy? Bo byłem chory, tak?

Matka: Byłeś chory.

Lidia Siemionowna wyjaśnia: Andriejew istotnie wziął udział w akcji przeciwko Jurijowi, żeby zaszkodzić jej mężowi. Jurij został wykorzystany. To był kolejny powód przemawiający za jego wyjazdem do Moskwy: żeby nie wyrzucono go z Instytutu przez incydent ze słoniną, który zdarzył się w lecie 1963 roku. Gdy Jurij już znalazł się w Moskwie, i na zwolnieniu lekarskim, Andriejew i jego ludzie nie mogli mu nic zrobić, a zatem nie mogli także zaszkodzić jej mężowi. A tak się złożyło, że zbiegło się to w czasie z zapaleniem płuc Jurija. Dlatego ich posunięcie było logiczne. Można powiedzieć, że choroba Jurija posłużyła jako pretekst, który ułatwił jej wysłanie go do Moskwy. Starała się jednak znaleźć w Moskwie lekarza, który by go wyleczył.

Może wyjaśnić dokładniej: jako naukowiec zajmujący się badaniami w dziedzinie fizyki jądrowej, miała w KGB swojego człowieka, pułkownika; wiele się od niego dowiadywała. Była z nim dość zżyta, ponieważ zawsze towarzyszył jej w wyjazdach na międzynarodowe kongresy i zawsze ostrzegał, gdy coś miało się stać. Gdy tylko sprawy się komplikowały, pułkownik mówił jej: „Lidio Siemionowno, pamiętajcie, proszę, żeby nie pozwolić Jurijowi spotykać się z tą i tą osobą. Tak będzie lepiej". Wspominał też o Oswaldzie i twierdził, że byłoby lepiej, gdyby Jurij się z nim nie spotykał. Opowiadał jej o związkach Jurija z różnymi kobietami. Nie rozgłaszali tego wszem i wobec, ale matka Jurija wiedziała wszystko o Marinie i przykrych przejściach dziewczyny w Leningradzie. Marina była piękną dziewczyną i Lidia Siemionowna martwiła się tym, że Jurij się nią interesuje, ponieważ została ostrzeżona, że syn powinien zerwać tę znajomość.

Gdy wczesną jesienią 1963 roku usłyszała o tym, że Jurij ma zostać wydalony z uczelni, skontaktowała się z emerytowanym wysokim oficerem KGB, a on już po paru dniach powiedział jej: „Lidio Siemionowno, proszę nie chodzić do lekarzy tu, na miejscu. Proszę jechać do Moskwy". Przytaczając jego słowa, Lidia Siemionowna użyła bardziej potocznego wyrażenia. „Pryskajcie – usłyszała. – Nie radzimy wam z tym tutaj walczyć. Wyjedźcie z miasta i weźcie Jurija ze sobą. Jak najszybciej!".

Zarezerwowała telefonicznie pokój dla siebie i syna w hotelu „Akademiczeskaja", gdzie zatrzymywali się naukowcy ze wszystkich republik. Gdy już się znaleźli w Moskwie, załatwiła mu pobyt w porządnym szpitalu, gdzie spędził cztery miesiące. Nim upłynął ten czas, problem z Andriejewem zdążył się sam rozwiązać.

JURIJ: Pamiętasz, jak mieszkałem w Moskwie?

MATKA: Mieszkałam z tobą w hotelu „Akademiczeskaja".

JURIJ: Nie rób tego, mamo. Raz w życiu bądź szczera. Nie mogę tego znieść. Zaraz wyjdę.

MATKA: Powiedziałam wszystko, jak było.

JURIJ: Tak, oczywiście, niech żyje partia.

MATKA: To nie miało nic wspólnego ze Stalinem ani z partią.

JURIJ: Lidio Siemionowno, czy czytałaś książkę *Archipelag Gułag*?

MATKA: Nie, nie czytałam.

JURIJ: Gdybyś przeczytała chociaż jeden artykuł o Gułagu, zrozumiałabyś radziecką rzeczywistość, [ale] nie chcesz czytać.

MATKA: Nie, nie chcę [...]. Nie rozumiesz, że z racji mojego stanowiska zostałam zmuszona do wstąpienia do partii? Było to specjalne polecenie.

JURIJ: Dlaczego cały świat nienawidzi Rosjan, komunistycznych rewolucjonistów [...]?

MATKA: No dobrze, nienawidzisz mnie. Co mogę na to poradzić?

JURIJ: To ty mnie nienawidzisz. Dlatego o tym mówię.

MATKA: Dlaczego miałabym cię nienawidzić?

JURIJ: Wiem, że ona mnie nienawidzi.

MATKA: Wstydu nie masz, żeby tak mówić! [...].

Ona była stara, on schorowany. Mimo pięćdziesiątki wciąż przystojny, garbił się, kaszlał i kulił się nad kieliszkiem wódki; jakby liść wysuszony przez upał. Lidia Siemionowna miała już ponad siedemdziesiąt lat. Kłócili się. Zawzięcie, z taką zajadłością, jaka możliwa jest tylko między matką i synem, dzięki władzy, jaką jedno ma nad drugim.

Zastanawialiśmy się, czy Jurij kiedykolwiek wybaczy matce to, że ujawniła, iż jest on chorobliwym kłamcą, a zatem w zasadzie wszystko, co opowiedział o sobie i Marinie, jest bez wątpienia nieprawdziwe. Niejednoznaczne – ponieważ wygląda na to, że rzeczywiście kilka razy się z nią spotkał – lecz prawdopodobnie niezgodne z prawdą. Rzeczywistość tak się miała do jego wspomnień, jak suche fakty do romantycznych fantazji.

3

Najbardziej upokarzająca chwila w jej życiu

Jeśli mamy spisywać wspomnienia znanych nam Rosjan o ich odczuciach po zamachu na Kennedy'ego, to czy można wymyślić lepsze zakończenie pierwszego tomu niż wniknięcie w uczucia Mariny?

Mówi ona, że najbardziej upokarzające chwile przeżyła w drodze z policyjnego samochodu na komisariat, gdy wiedziała już, że Lee został aresztowany.

Policjanci kazali jej wysiąść z wozu i miała przejść, nie pamięta już, jak długi odcinek; wydawał jej się nieskończony. Może to było tylko parę metrów – nie wie. Ale czuła straszliwy wstyd – wspomina tę chwilę jako najbardziej poniżającą, upokarzającą w jej życiu. Właśnie samo przejście z samochodu do budyn- • ku. Reporterzy się przekrzykiwali, a ona nie rozumiała z tego ani słowa. Pragnęła się zapaść pod ziemię. Uwierzyła nawet, że Lee popełnił tę zbrodnię, ponieważ wierzyła każdej amerykańskiej władzy. Ślepo wierzyła. Aresztowali go, czy więc mógł być niewinny? Była Rosjanką, a kiedy w Rosji pod czyjś dom podjeżdża suka, to znaczy, że ten człowiek jest winny. Automatycznie staje się winny. Przecież przyjechała po niego suka! Marina musiała przejść szpalerem utworzonym przez reporterów. Ledwie się udało tamtędy przecisnąć. Nie mogła w to wszystko uwierzyć. To było niczym senny koszmar. Grała główną rolę! Szła jak we śnie.

Aż nagle ktoś krzyknął po rosyjsku: „Pani Oswald, czy pani mąż zabił prezydenta Ameryki?". Ten głos jakby wyrwał ją z tego snu. I całe szczęście. Bo czuła się tak, jakby zaraz miała stracić na zawsze kontakt z rzeczywistością. Została sama – była żoną zamachowca, który zabił prezydenta.

TOM DRUGI

OSWALD W AMERYCE

Część I

Wczesna młodość i żołnierka

1

O roli autora

Do napisania tej książki skłoniła mnie między innymi propozycja udostępnienia mi do wglądu teczki Oswalda, złożona przez białoruski KGB. Mimo iż materiał nic okazał się tak obszerny, jak oczekiwałem, to możliwość zapoznania się ze sporą i, jak dotąd, nie opisaną częścią życia Oswalda okazała się dla mnie jako pisarza nic lada gratką. Ponadto koniec zimnej wojny ośmielił rosyjskich i białoruskich znajomych Oswalda do zerwania z wyrobionym za czasów Stalina i utrwalonym za Breżniewa nawykiem milczenia, dzięki czemu można było przeprowadzić rozmowy, z których wyłonił się dostatecznie wyraźny portret Alika i Mariny oraz ich przyjaciół i wrogów w Moskwie i Mińsku.

Potem zaś odezwał się dawny głód. Poczułem nieodpartą chęć znalezienia wreszcie odpowiedzi na wciąż aktualne pytania: czy Oswald zabił prezydenta Kennedy'ego? A jeśli tak, to czy zrobił to z własnej woli, czy też na czyjeś polecenie? W Mińsku jasne stało się tylko jedno — że jak na razie wiadomo zbyt mało; nadal zagadką jest zbyt wiele faktów dotyczących życia Oswalda w Ameryce. W Mińsku nikt nie miał pojęcia o jego przeszłości.

Moim zadaniem nie było, rzecz jasna, szukanie odpowiedzi na te pytania w Rosji. Nie zapominajmy, że chodzi tu przecież o największą górę tajemnic XX wieku. „Góra tajemnic" to metafora, której użyłem po raz pierwszy, zwracając się do oficerów KGB z prośbą o rozmowę. „Po co przyjechaliście? – pytali. – Co chcecie znaleźć w tym kraju?". Na to mogłem tylko odpowiedzieć, że moim celem nie jest węszenie po dawno wystygłych tropach, ale poznanie radzieckiego epizodu w życiu Oswalda, co umożliwiłoby założenie bazy na stoku owej góry tajemnic. Chciałem uzyskać obraz życia Oswalda w Rosji, zobaczyć go oczami Rosjan i tym sposobem, być może, ułatwić następcom drogę na szczyt. Moje ryzykowne przedsięwzięcie rzeczywiście mogłoby się na coś przydać. Oswalda zawsze rozciągano na prokrustowym łożu, tak by pasował do danej teorii spisku; przypisywano mu skrajnie różne role – od kozła ofiarnego przez agenta CIA po agenta KGB. Niewykluczone, że w tym labiryncie hipotez orientację ułatwi bliższa znajomość jego osoby – można będzie wtedy przynajmniej odrzucić scenariusze, do których Oswald z całą pewnością nie pasuje. By zrozumieć mordercę – jeżeli to on rzeczywiście jest mordercą – trzeba poznać motyw, którym ten się kierował. Aby zaś doszukać się motywu postępowania danej osoby, trzeba najpierw tę osobę dobrze poznać. W przypadku Lee Harveya Oswalda nie będzie to łatwe, niewielu bowiem młodych mężczyzn odznacza się taką nieśmiałością i zarazem odwagą jak on.

Metafora bazy na stoku góry, mająca wyjaśnić moją obecność w Mińsku tym oficerom KGB, którzy nie spoglądali na mnie z tępą podejrzliwością jako na wykonawcę kolejnego szatańskiego planu CIA, przydała się później i mnie samemu – najpierw jako figura retoryczna, a następnie jako coś, co stało się rzeczywistością. Ludzie zakładający bazy mają zazwyczaj ambicję wspięcia się na sam szczyt.

Część książki opowiadająca o Oswaldzie w Mińsku jest już ukończona, lecz na niektóre pytania wciąż nie ma odpowiedzi. Po lekturze pierwszych dwunastu tomów sprawozdań z przesłuchań Komisji Izby Reprezentantów do spraw Zabójstw oraz wszystkich dwudziestu sześciu tomów, obejmujących przesłuchania i dowody rzeczowe Komisji Warrena, w mojej głowie poczęły się kształtować samodzielne interpretacje. Pomyślałem, że może nie muszę wcale poprzestać na poznaniu Oswalda – że stać mnie na to, by go również zrozumieć. Przecież znać kogoś znaczy tyle, co przewidywać jego następne kroki, niekoniecznie orientując się w przesłankach, jakimi się kieruje; lecz rozumieć człowieka to rozumieć powody jego działania. Pochlebiam sobie, że zrozumiałem Oswalda.

Stąd ten drugi tom. Co prawda, wyrósł on z pierwszego, lecz mimo to będzie się od tamtego różnił tonem wypowiedzi. Tom *Oswald i Marina w Mińsku* opierał się na rzetelności wywiadów, które notabene ujawniły prostą, choć zdumiewającą zależność – pomimo upływu trzydziestu lat wspomnienia większości z moich rozmówców nie zblakły. Po zabójstwie prezydenta Kennedy'ego ludzie ci otrzymali od KGB polecenie, by nie rozmawiać o Oswaldzie i Marinie – i posłusznie się do niego zastosowali. Ich opowieści były więc często dziewicze; ich pamięć nie została wystawiona na działanie czasu, lecz szczelnie ochroniona przed jego wpływem.

Z kolei w Stanach Zjednoczonych świadkowie koronni byli po wielekroć przesłuchiwani, czytali zeznania innych świadków, jak również niezliczone artykuły prasowe na temat zabójstwa prezydenta Kennedy'ego, dyskutowali ze znajomymi oraz oglądali w telewizji szczegółowe rekonstrukcje wydarzeń, które czasami opierały się na ich własnych zeznaniach, a czasami im zaprzeczały. Po upływie tylu lat przesłuchanie setek tak do cna wyeksploatowanych świadków przyniosłoby rezultaty, na których raczej nie można by było polegać. Nie potrafiliby oni odróżnić tego, co wówczas przeżyli, od tego, co dzisiaj jest elementem ich małej osobistej legendy. Przepaść trzech dekad, która wspomnieniom ludzi w Mińsku wyszła na dobre, w Ameryce niewątpliwie im zaszkodziła.

Wniosek nasuwał się sam: najstosowniejszy materiał do studiów nad charakterem Oswalda stanowią przesłuchania Komisji Warrena z 1964 roku. Warto podkreślić, że to istna skarbnica wiedzy o naszym bohaterze, mimo iż wcale lub też prawie wcale nie przyczynia się ona do rozstrzygnięcia kwestii jego udziału w spisku. Trzeba również zaznaczyć, że owe dwadzieścia sześć tomów, jakkolwiek powszechnie oczernianych i niedocenianych, to owoc ogromnej pracy – objętością i drobiazgowym omówieniem tematu odpowiadają obszernej *Encyclopaedia Britannica* (gdyby ta encyklopedia poświęcona była tylko jednemu tematowi). Z drugiej zaś strony jest to zapis wyjątkowo powierzchownego, powolnego, wręcz anemicznego dochodzenia, które pomija tysiące obiecujących tropów. Członkowie Komisji właśnie dlatego spotykali się z tak wielką pogardą.

Nie mylmy jednak celu, jaki przyświecał powołaniu Komisji Warrena, z jej faktycznymi osiągnięciami. Było to przesłuchanie tak dobrodusznie zwyczajne, pozbawione najmniejszej choćby iskierki dociekliwości, że od dawna istnicją podejrzenia co do szlachetności intencji członków Komisji. Przy założeniu bowiem, że tych siedmiu czcigodnych mężów nie starało się usilnie o wykluczenie każdej możliwości poza jedną – że Oswald był niepoczytalnym mordercą, działającym na własny rachunek – pozostaje tylko następujące wytłumaczenie: owi znamienici sędziowie, prawnicy i wysocy urzędnicy państwowi rzeczywiście nie wiedzieli, jak się przeprowadza tego typu dochodzenia. A ponieważ trudno to uznać za prawdopodobne, sprawa wydaje się co najmniej podejrzana.

Można jednak na pracę Komisji spojrzeć z innej strony. Dla dwóch pokoleń Amerykanów te dwadzieścia sześć tomów przesłuchań stało się swego rodzaju tekstem talmudycznym, wymagającym komentarza i objaśnień. Dla powieściopisarzy i historyków, którzy będą pisali na temat zabójstwa prezydenta Kennedy'ego za sto lat, tomy te okażą się prawdziwą kopalnią materiału; w rozwiązaniu tajemnicy są niezbyt użyteczne (te liczne porzucone tropy!), lecz z pewnością cenne ze względu na opowiości, historyczne oceniu rodzajowe, ogromną liczbę bohaterów oraz skrupulatne przedstawienie biurokratycznych przesłuchań i raportów, które usiłują wytyczyć drogi w dżungli zarastającej motywy postępowania Oswalda.

Dwadzieścia sześć tomów przesłuchania zasługuje zatem na szacunek. Co prawda, rzadko wykazują się one godną podziwu wnikliwością sądów, stanowią jednak przebogatą skarbnicę wiedzy o życiu Ameryki w połowie XX wieku i pozwalają zrozumieć postępowanie amerykańskiego establishmentu, pragnącego za wszelką cenę i zataić, i zarazem ujawnić rozwiązanie zagadki zabójstwa prezydenta.

Dlatego zapewne na kartach Raportu jedynie miejscami pojawiają się istotne szczegóły z życia Oswalda – łącznie jednak przedstawiają one dużą wartość. Aż trudno uwierzyć, ile błyszczących grudek znajduje się wśród nic niewartego żwiru, gdy się przesiewa owe tomy w poszukiwaniu złota. Gdyby spisać niektóre z tych zeznań w formie dwu-, trzystronicowych opowiadań, można by nawet zdobyć sławę drugorzędnego pisarza.

Mimo wszystko więc próba dojścia do ładu z całym dwudziestoczteroletnim życiem Oswalda ma sens. Na dodatek mamy przewagę! To, co przedtem było jedynie suchym materiałem z przesłuchań Komisji Warrena, nabiera kolorów dzięki naszej znajomości życia Oswalda w Mińsku. Poznaliśmy tego człowieka na tyle dobrze, że teraz potrafimy go sobie wyobrazić w amerykańskich sytuacjach, które wcześniej nic nam nie mówiły. Już nie jest dla nas jedynie nazwiskiem na papierze, lecz człowiekiem z krwi i kości, który kłóci się z żoną, podobnie jak każdy z nas. Stał się nam bliższy. To tak, jakbyśmy na przyjęciu przez całą szerokość pokoju patrzyli na starego znajomego: obserwując wyraz jego twarzy, potrafilibyśmy określić, co w danej chwili czuje. Gdy szukamy prawdy o Oswaldzie w źródłach amerykańskich, już nie jest on dla nas postacią enigmatyczną, lecz Oswaldem z Mińska – facetem, którego zdążyliśmy trochę poznać, i ciekawi nas, jak się zachowuje w innym środowisku. Wiele stenogramów przesłuchań stało się bardziej zrozumiałych, ponieważ wiemy już, komu się przyglądamy. W drugiej części książki będą całe rozdziały, gdzie rola autora ograniczy się do roli przewodnika literackiego, który ma jedynie wskazać każdej wypowiedzi przeznaczone jej miejsce na stronie.

Ale na tym jego zadanie bynajmniej się nie kończy. Również i drugi tom jest, zgodnie z zapowiedzią, pełen domysłów. Jakże inaczej można by mówić o głównym bohaterze tego dramatu? Przecież Oswald był tajnym agentem – co do tego nie ma wątpliwości. Nie wiadomo tylko, czy pracował dla wywiadu większego niż centrum dowodzenia we własnym mózgu. W każdym razie możemy być pewni, że szpiegował świat i sam sobie składał z tego raporty, ponieważ uważał się za jedną z najważniejszych istot we wszechświecie. Te proporcje psychologiczne w wypadku Oswalda staną się łatwiej wyobrażalne, gdy porówna się ludzkie ego do architektury. Ego większości ludzi podobne jest do chłopskich chat, przyczep mieszkalnych czy podmiejskich willi, lecz istnieją również inne, przypominające tak charakterystyczne i okazałe budowle, jak klasztor Mont--Saint-Michel, Pentagon czy nowojorski World Trade Center. W zrozumieniu poczucia pewności siebie Oswalda oraz jego matki może nam pomóc zawężenie poszukiwań do królestwa ego, które składa się z dworów, pałaców i niesłychanie szpetnych wieżowców. Mając do czynienia z Oswaldem, trzeba się nauczyć traktować metafory na równi z faktami.

Uznałem za właściwe, by tajemnica tak ogromnych wymiarów, jak sprawa Oswalda, przyjęła na papierze własną formę, w połowie drogi między literaturą faktu a fikcją. Teoretycznie książka ta mieści się w pierwszej z tych dwu kategorii – z całą pewnością bowiem nie jest to fikcja. Autor starał się nie układać własnych dialogów i nie przypisywać prawdziwym bohaterom wymyślonych motywów postępowania, nie oznaczając każdorazowo takich miejsc etykietką „przypuszczenie". Jednakże jest to forma literatury faktu dosyć osobliwa, ponieważ na książkę składają się nie tylko wywiady, dokumenty, artykuły z gazet, akta tajnych służb, nagrane rozmowy oraz listy, lecz również domysły. Autor dość często ucieka się do refleksji, która jest nieocenionym narzędziem w pracy powieściopisarza. Efekt można więc postrzegać jako szczególny gatunek literatury faktu, przypominający nieco powieść kryminalną. Ponieważ fakty często będą widoczne jak przez mgłę, ustalmy na początek, że wspólnie, to znaczy ja – autor, i Ty – czytelnik, popracujemy nad rozwiązaniem tej zagadki, największej zagadki Ameryki. Uzgodniwszy to na wstępie, przejdźmy do fragmentów rozmów i przesłuchań oraz hipotez tomu drugiego. Na pewno możemy liczyć przynajmniej na jedno – że dogłębnie zrozumiemy ducha życia politycznego w okresie zimnej wojny, gdyż Oswald, chcąc nie chcąc, stał się jednym z pierwszoplanowych aktorów w tej tragikomedii supermocarstw, które, nie zdając sobie z tego sprawy, żyły w ciągłym strachu przed sobą nawzajem.

2

Maminsynek

Prawa głosu wypada najpierw udzielić matce głównego bohatera:

MARGUERITE OSWALD: Wysoki Sądzie, zacznę od tego, jak Lee był malutki [...].

Lee urodził się 18 października 1939 roku w Nowym Orleanie, w stanie Luizjana [...].

Jego ojciec nazywał się Robert Edward Lee – na cześć generała Lee* [...].

Lee urodził się dwa miesiące po śmierci ojca, który umarł na zawał serca.

Był bardzo pogodnym dzieckiem.

Starałam się być z dziećmi jak najdłużej w domu, bo uważam, że matka powinna być przy dzieciach.

Ale nie chcę tu mówić o sobie.

Jako matka mogę powiedzieć, że Lee wiódł normalne życie. Miał rower i w ogóle wszystko, co miały inne dzieci.

Lee był mądry. Od małego – mówiłam to już wcześniej i publicznie oświadczyłam w roku 1959 – znał jakby na wszystko odpowiedź bez pomocy szkoły. Takie dzieci jak on w pewnym sensie nudzą się w szkole, bo są nad wiek rozwinięte.

Lee często wchodził na dach z lunetą i obserwował gwiazdy. Czytał książki o astrologii. Znał się na wszystkich zwierzętach, jakie są na świecie. Uczył się

---

* Generał Robert E. Lee – głównodowodzący wojsk Południa podczas wojny secesyjnej (1861–1865) w Stanach Zjednoczonych (przyp. tłum.).

o nich. Czym się żywią, jak i kiedy śpią [...], dlatego właśnie na wagary poszedł do zoo w Bronksie – kochał zwierzęta.

Grywał w monopol. Grał w szachy [...]. Czytał książki historyczne, za trudne jak na jego wiek. Gdy miał dziewięć lat, ciągle mu powtarzałam, żeby nie dzwonił do mnie do pracy, chyba że wydarzy się coś niezwykłego, ponieważ praca była dla mnie bardzo ważna. Kiedyś zadzwonił i powiedział: „Mamo, królowa Elżbieta urodziła dziecko".

Złamał zasadę, żeby mi powiedzieć, że królowa Elżbieta urodziła dziecko. Dziewięcioletni smarkacz. To było dla niego ważne. Takie rzeczy go interesowały [...].

Robert E. Lee Oswald był drugim mężem Marguerite Claverie Oswald. Pierwszym był Edward John Pic, który mieszkał z nią w Nowym Orleanie tylko dopóty, dopóki nie doczekał się z nią dziecka – przyrodniego brata Lee, Johna, który wstąpił do Straży Przybrzeżnej w roku 1948, kiedy Lee miał dziewięć lat.

Marguerite miała już wówczas za sobą trzy małżeństwa: z Pikiem, Oswaldem i ostatnie, z Edwinem A. Ekdahlem. Roberta Oswalda poślubiła w roku 1933. Wkrótce urodził im się syn, Robert Lee Oswald, średni brat Lee. Pięć lat później, gdy Marguerite była w siódmym miesiącu ciąży z Lee, jej mąż Robert zmarł. Lee Harvey Oswald urodził się więc jako półsierota.

Tyle faktów rodzinno-małżeńskich. Bólem po śmierci Roberta E. Lee Oswalda Marguerite z nikim się nie dzieliła, co było dla niej typowe. Maniery, które sama sobie przyswoiła, były przedmiotem jej chluby. Najmłodsza spośród córek licznej nowoorleańskiej rodziny robotniczej, już w dzieciństwie stała się dumna, a przez drugie małżeństwo zbliżyła się do wyższych sfer. Po śmierci Roberta E. Lee Oswalda Marguerite została skazana jednak na ubóstwo. Jej życie zmieniło się w peregrynację od nisko płatnych posad do rozpaczliwie niedochodowych przedsięwzięć.

O szczegółach niech nam opowie John Pic, najstarszy brat Lee.

JOHN PIC: Kiedy mieszkaliśmy przy Bartholemew Street, matka otworzyła w domu pasmanterię – Oswald's Notion Shop. Sprzedawała tam nici, igły i tym podobne artykuły.

JENNER: Sprzedawała słodycze i cukierki dla dzieci?

JOHN PIC: Tak. Pamiętam, jak chodziliśmy i je podkradaliśmy. Sklep mieścił się w pokoju najbliżej wejścia [...] mieliśmy psa, który wabił się Sunshine [...].

JENNER: Czy to była dobra dzielnica? [...].

JOHN PIC: Na podstawie tego, co pamiętam z kursu socjologii, określiłbym ją jako dzielnicę klasy prawie najuboższej.

JENNER: Ponownie proszę o przypomnienie sobie okoliczności, w jakich pan i pański brat trafiliście do sierocińca Bethlehem.

JOHN PIC: [...] Nietrudno zgadnąć, że na tej pasmanterii nie dało się zrobić kokosów, więc matka musiała iść do pracy, a ponieważ nam ciągle przypominano, że jesteśmy sierotami, sierociniec był dla nas miejscem najwłaściwszym [...].

Marguerite miała starszą siostrę, Lillian Murret. Gdy Lee miał dwa latka, Lillian chętnie gościła go u siebie.

LILLIAN MURRET: [...] był prześlicznym dzieckiem [...] brałam go ze sobą do miasta [...] miał na sobie marynarskie ubranko i wyglądał jak z obrazka. Każdego zaczepiał głośnym „cześć", a ludzie się zachwycali: „Co za czarujący dzieciak". [Moje dzieci] go lubiły [...] urodziłam pięcioro w ciągu siedmiu lat [...] musiałam całą piątkę wyprawiać co rano do szkoły, a nie miał mi przy tym kto pomóc i miałam pełne ręce roboty, i chyba dlatego Lee zaczął się rano wymykać z domu w piżamie, chodzić po sąsiadach i przesiadywać u nich w kuchni. Umiał się tak wymknąć, że ani się człowiek spostrzegł. Można było zamknąć cały dom, a on i tak jakoś wychodził. Mieszkaliśmy w suterenie, dom był ogrodzony, a on mimo to wychodził.

Córka Lillian Murret, Dorothy, ochoczo potwierdza słowa matki:

DOROTHY MURRET: [...] miał w sobie coś, czego inne dzieci nie miały. Był bardzo delikatny – naprawdę bardzo – i niezwykle dobrze wychowany [...] był słodki, bardzo ufny i bardzo ładny. Po prostu cudowny [...].

Jednak stosunki pomiędzy Marguerite a jej siostrą Lillian często bywały napięte.

LILLIAN MURRET: Była bardzo niezależna [...] wydawało jej się, że sama sobie ze wszystkim poradzi [...] choćby nie wiem jak człowiek starał się jej pomóc, czy nie wiem co chciał dla niej zrobić, jej się zdawało, że tak naprawdę nikt jej nie pomaga [...]. Wcześniej czy później przyczepiała się do jakiegoś słowa czy czegoś, co jej się nie podobało; dochodziło do nieporozumień.

Podczas gdy bracia Lee, John Pic i Robert Oswald, przebywali w sierocińcu Bethlehem, on sam przez trzynaście miesięcy krążył między sierocińcem a domem ciotki Lillian. John Pic dobrze pamięta okresy pobytu młodszego brata w Bethlehem.

JOHN PIC: [...] Robert i ja czuliśmy się w Bethlehem dobrze. Bo wszystkie dzieci miały podobne problemy jak my, byliśmy w podobnym wieku i w ogóle. Według mnie, sytuacja się pogarszała, kiedy dołączał do nas Lee [...].

JENNER: Proszę o tym opowiedzieć.

JOHN PIC: W Bethlehem była taka zasada, że jak się miało młodsze rodzeństwo, które robiło w majtki, to trzeba było się nim zajmować, prać brudy... Często byłem wyrywany w środku lekcji, żeby umyć brata, co mnie oczywiście wkurzało.

JENNER: Lee miał wtedy tylko [dwa czy] trzy lata?

JOHN PIC: Tak, ale ja miałem już dziesięć lat [...].

W tym trudnym okresie Marguerite poznała pewnego inżyniera elektryka z Bostonu, którego John Pic opisał następująco: „wysoki [...] ponad metr osiemdziesiąt wzrostu. Miał siwe włosy, nosił okulary. Bardzo miły człowiek". Ów inżynier elektryk miał, jak się okazało, słabość do pań; całymi miesiącami służbowo podróżował z Marguerite po Teksasie, a Lee im towarzyszył, póki nie przyszła pora pójść do szkoły. Wtedy pan Ekdahl ożenił się z Marguerite i kupił dom w Benbrook, na przedmieściu Fort Worth, w stanie Teksas.

Dzięki rozwiązaniu problemów finansowych Marguerite mogła wreszcie zabrać Johna i Roberta z sierocińca i posłać ich do szkoły wojskowej w Missisipi – Chamberlain-Hunt Academy. Szczęśliwe pożycie Marguerite z Ekdahlem nie trwało jednak długo. Coraz częstsze stawały się kłótnie, nierzadko o pieniądze; małżonkowie wadzili się i rozstawali, godzili i znowu wywoływali zwady. Po jednym z rozstań, latem 1947 roku, gdy John Pic przyjechał do domu na wakacje z Chamberlain-Hunt i właśnie zamykał sklep, w którym przez lato pracował, Marguerite i Ekdahl „podjechali samochodem i powiedzieli, że wybierają się do miasta, do hotelu «Worth». Znowu się pogodzili".

JOHN PIC: [...] Poszedłem do domu i powiedziałem o tym Robertowi i Lee. Lee był w siódmym niebie, naprawdę strasznie się cieszył, że oni się pogodzili. Kiedy byliśmy z Robertem w Akademii, pan Ekdahl pisał do nas, był świetny w pisaniu poezji. Przysyłał nam na przykład wiersze, które ułożył o nas. Traktował nas naprawdę super.

JENNER: [...] czy Lee go lubił? [...]

JOHN PIC: Tak. Myślę, że traktował go jak ojca, którego nigdy nie miał. Pan Ekdahl był dla nas naprawdę bardzo dobry. Jestem pewien, że Lee też tak uważał [...].

Jednakże drogi małżonków coraz bardziej się rozchodziły. Jak to ujął John, Marguerite miała „poważne podejrzenia".

John Pic: [...] Pan Ekdahl spotykał się z inną kobietą. [Moja matka] wiedziała, gdzie ona mieszka, i w ogóle.

Pewnego wieczoru [mój kolega] Sammy, matka i ja wsiedliśmy do samochodu i pojechaliśmy do mieszkania tej kobiety. Sammy udał gońca – zapukał do drzwi i powiedział: „Telegram do pani" – nie pamiętam nazwiska. Kiedy ona otworzyła, moja matka wtargnęła do środka. Ta kobieta miała na sobie tylko koszulę nocną, pan Ekdahl siedział w salonie bez marynarki i matka zrobiła o to straszną awanturę. Że go przyłapała na gorącym uczynku i tak dalej [...].

Lillian Murret podaje dalsze szczegóły:

Lillian Murret: [...] nie miał na sobie płaszcza, zdjął koszulę i krawat, był w podkoszulku, [więc Marguerite] go zapytała, co to ma znaczyć, a on na to, że jest tam służbowo, ale to absurd, bo przecież człowiek się nie rozbiera, kiedy załatwia sprawy służbowe, no i tak to się zaczęło. Ona oczywiście natychmiast zażądała rozwodu. Dlatego mówię, że jest narwana, bo ja bym nie występowała o rozwód. Wystąpiłabym o separację, bo on dużo zarabiał, [ale] ona chciała rozwodu, [chociaż] wyglądało na to, że on ma znajomości, [bo] pastor powiedział jej, że jeśli wniesie do sądu sprawę przeciwko panu Ekdahlowi, to on dostanie zawału i ona będzie winna jego śmierci. Leżał akurat w szpitalu i ona go, zdaje się, odwiedziła i chyba tam się znowu pożarli [...].

Niebawem nadszedł termin rozprawy:

John Pic: [...] nie pamiętam dokładnie swoich zeznań. Przypominam sobie tylko, że matka oświadczyła, że jeżeli pan Ekdahl jeszcze raz ją uderzy, to ona mi każe go pobić, ale ja wątpię, czybym się na to zgodził.

Mówiła mi, że wolałaby nie dostać rozwodu, żeby on ją nadal utrzymywał. Ale przegrała sprawę. Rozwód przyznano. Słyszałem, że dostała od niego jakieś 1200 dolarów. Twierdziła, że prawie wszystko poszło na adwokata [...].

Ekdahl wkrótce potem umarł i rodzina Lee znów popadła w tarapaty finansowe.

John Pic: [...] Robert i ja dowiedzieliśmy się, że na jesieni nie wrócimy do Chamberlain-Hunt. Chyba wtedy po raz pierwszy w życiu byłem na matkę zły [...].

Jenner: A jak zareagował Robert?

John Pic: Tak samo. Chciał tam wrócić. Ale z powodów finansowych było to niemożliwe [...]. Miałem wtedy szesnaście lat. We wrześniu Lee i Robert poszli do szkoły, a ja do pracy. Dostałem posadę w domu towarowym Everybody's, należącym do Leonard Brothers. Pracowałem w dziale obuwniczym, zarabiałem 25 dolarów tygodniowo.

JENNER: Czy część pensji oddawał pan matce?

JOHN PIC: Co najmniej 15 dolarów z każdej wypłaty [...].

Gdy tylko John osiągnął odpowiedni wiek, wstąpił do Straży Przybrzeżnej. Robert chodził do szkoły w Fort Worth i pracował. Marguerite też pracowała, a Lee był sam.

LILLIAN MURRET: Tak; mówiła mi, że nauczyła Lee, żeby siedział w domu, że nie wolno mu się stamtąd ruszać, kiedy jej nie ma; a nawet żeby biegiem wracał ze szkoły [...]. Mówiła, że, jej zdaniem, tak będzie bezpieczniej [...], niż gdyby bawił się na powietrzu, kiedy jej nie ma w domu, [więc] przyzwyczaił się do samotności [...] tyle czasu spędzał sam.

John Pic nie bez złośliwości dorzuca istotny szczegół:

JOHN PIC: Jeszcze coś – Lee spał z matką aż do czasu mojego wstąpienia do Straży w roku 1950. Miał wtedy jakieś dziesięć, prawie jedenaście lat.

JENNER: Spał z nią – to znaczy w jednym łóżku?

JOHN PIC: Tak, proszę pana, w jednym łóżku.

3

Szczęśliwe babie lato w Nowym Jorku

W roku 1952 Marguerite sprzedała dom, wsiadła z Lee do samochodu i pojechała do Nowego Jorku, gdzie stacjonowała jednostka Straży, w której służył John Pic.

MARGUERITE OSWALD: [...] nie wahałam się sprzedać domu i wyjechać [...], najważniejsze to być tam, gdzie moja rodzina [...].

RANKIN: Kiedy to było?

MARGUERITE OSWALD: Dokładnie w sierpniu 1952 roku, bo chciałam dotrzeć na miejsce na tyle wcześnie, żeby Lee mógł normalnie pójść do szkoły [...]. Robert wstąpił do marines w lipcu 1952 roku. Dlatego właśnie pojechałam [...]. Mieszkałam wtedy w domu mojego syna i synowej. Nie byliśmy tam miłymi gośćmi.

John Pic nie był przygotowany na to, że Marguerite ma zamiar zamieszkać na stałe w Nowym Jorku. Myślał, że przyjechała tylko w odwiedziny, dlatego zaofiarował jej gościnę. Zajmował wtedy z żoną mieszkanie teściowej w Yorkville na Manhattanie. Był to, według określenia Johna, „istny wagon towarowy" – pokoje były w amfiladzie, ale miejsca dosyć, ponieważ teściowa pojechała właśnie z wizytą do swojej drugiej córki do Norfolk w stanie Wirginia.

JOHN PIC: [...] Przywieźli ze sobą sporo bagaży i własny telewizor. W drodze z pracy do domu miałem do przejścia spory kawałek od stacji metra i Lee [...] wychodził mi naprzeciw. Spotykaliśmy się na ulicy i obaj szczerze się cieszyliśmy na swój widok. Byliśmy dobrymi przyjaciółmi. Chyba kilka dni po ich przyjeździe wziąłem urlop. Zwiedziłem z Lee niektóre z najbardziej znanych miejsc w Nowym Jorku – Muzeum Historii Naturalnej, sklep hobbystyczny Polka przy Piątej Alei. Zabrałem go na przeprawę promem z Manhattanu na Staten Island i jeszcze parę innych wycieczek.

JENNER: Proszę mówić dalej.

JOHN PIC: No cóż, dość szybko się zorientowałem, że oni przeprowadzili się do Nowego Jorku na stałe, a [moja teściowa] miała wrócić za jakiś miesiąc.
    Myślałem, że może wystąpię ze Straży w styczniu 1953 roku, kiedy skończy mi się okres służby, więc [podczas urlopu jeździłem z matką] po uczelniach [...] byliśmy w Fordham University i na Brooklynie [...] pamiętam jedną rozmowę w samochodzie – matka powiedziała mi wtedy, żebym nie zapominał, że mimo iż Margy jest moją żoną, nie jest dla mnie odpowiednią partnerką, i tym podobne rzeczy. Nie wyrażała się zbyt dobrze o mojej żonie. Oczywiście nie chciałem tego słuchać, ponieważ żona jest dla mnie ważniejsza od matki.
    Podczas mojego urlopu wszystko układało się dość dobrze, ale gdy wróciłem do pracy, to co wieczór po powrocie do domu wysłuchiwałem opowiadań żony o nieporozumieniach, do których doszło w ciągu dnia. Pierwszym problemem, który pamiętam, było to, że oni w ogóle nie dokładali się do wydatków na jedzenie. Zarabiałem wtedy nie więcej niż 150 dolarów tygodniowo, a oni wcale nie jedli jak ptaszki. Delikatnie poruszyłem ten temat, a matka bardzo się zdenerwowała. Co wieczór przychodziłem do domu [...] a żona opowiadała o coraz liczniejszych kłótniach [...]. Któregoś razu poszło, zdaje się, o telewizor [...]. Moja żona twierdziła, że matka podburzała przeciwko niej Lee, [aż się] rozgniewał i wyciągnął scyzoryk i powiedział, że jeżeli choćby spróbuje go uderzyć, to on go użyje. Wtedy Lee podniósł rękę na matkę. Moją żonę ogromnie to wzburzyło.

Przyszedłem tego wieczoru do domu i [...] żona opowiedziała mi o tym na osobności. Poszedłem zapytać matkę [...].

JENNER: Czy Lee był obecny przy pana rozmowie z matką?

JOHN PIC: Zaraz do tego dojdę. Zacząłem rozmawiać na ten temat z Lee, ale wystarczyło, że moja żona powiedziała parę słów, a on stał się wobec mnie agresywny [...], moją żonę to tak wzburzyło, że kazała im się wyprowadzić, czy im się to podoba, czy nie. Myślę, że Lee był w tym momencie zły na moją żonę; właśnie wtedy, kiedy – jak to określali z matką – wyrzucano ich z domu.

Gdy usiłowałem o tym z Lee porozmawiać, nie zwracał na mnie uwagi i już nigdy potem nie mogłem się z nim dogadać. Nie chciał słuchać niczego, co miałem mu do powiedzenia. Spakowali się i wyprowadzili parę dni później. Zamieszkali gdzieś w Bronksie [...].

Marguerite podaje inną wersję tego zdarzenia:

MARGUERITE OSWALD: [...] to nie był nóż kuchenny – to był mały scyzoryk, taki nożyk dla dzieci. Ona uderzyła Lee. Lee miał ten scyzoryk – pamiętam to dokładnie, bo pamiętam, jak okropnie mi się nie podobało zachowanie Marjory. Lee trzymał scyzoryk w ręce. Strugał coś z drewna – John Edward umiał strugać statki i nauczył Lee, jak to robić, a potem wkładać je do butelek. Kiedy to się stało, Lee właśnie strugał. O to właściwie poszło – o kawałeczki drewna na podłodze.

Więc kiedy napadła na Lee, on trzymał w ręku scyzoryk. Powiedziała, że mamy się wyprowadzić, bo mój syn Lee chciał ją pchnąć nożem.

Proszę państwa, to nieprawda. Ona go sprowokowała. A wszystko wzięło się z tego, że on sobie strugał i akurat miał w ręku scyzoryk.

Nie użył tego nożyka – a przecież mógł go użyć.

Ale to nie był duży nóż kuchenny. To był malutki scyzoryk.

Tak jak mówię.

No i zaraz potem zaczęłam szukać mieszkania. Znalazłam coś przy Concourse w Bronksie. To było mieszkanie w suterenie [...].

Miesiąc później Robert dostał pierwszą przepustkę i odwiedził matkę i Lee w ich nowym lokum. Na rodzinny obiad zostali również zaproszeni John i Marjory.

JOHN PIC: [Lee] siedział w pokoju przed telewizorem i nie chciał się do nas przyłączyć [...], nie odzywał się do mnie ani do mojej żony.

JENNER: To pewnie popsuło atmosferę wizyty?

JOHN PIC: Tak [...]. Lee wyszedł, a matka powiedziała, że pewnie poszedł do zoo. To był niedzielny obiad i podczas rozmowy matka wyznała, że Lee chodzi na wagary i władze szkolne zasugerowały, że być może w poradzeniu sobie z tym problemem będzie mu potrzebna pomoc psychiatry.

Lee podobno się uparł, że nie pójdzie do lekarza od czubków, więc matka chciała się mnie poradzić, jak go do tego skłonić. Powiedziałem, żeby go po prostu tam zaprowadziła. Tylko tyle mogłem jej poradzić.

JENNER: Jak na to zareagowała?

JOHN PIC: [...] z całą pewnością to Lee tam rządził [...], jak on sobie coś postanowił, robił to niezależnie od tego, co mówiła matka. W ogóle nie miała u niego posłuchu. Wcale jej nie szanował.

Wkrótce potem Marguerite i Lee zostali wezwani do Sądu do spraw Nieletnich. Jedenaście lat później, składając zeznania przed Komisją Warrena, Marguerite korzystała ze swoich notatek.

MARGUERITE OSWALD: Mam tutaj te dane.
Chodził do szkoły w tym rejonie, była to szkoła publiczna numer 117 w Bronksie. Piszą tutaj, że opuścił 32 z 47 dni nauki. Raz przyłapano go na wagarach w zoo w Bronksie.
Zostałam o tym powiadomiona w pracy i musiałam się stawić w szkole.
Lee wrócił do szkoły.
Potem znowu złapano go w tym zoo. A ja znowu musiałam się stawić w szkole.

Później, kiedy Lee został złapany po raz trzeci, to nie dostałam, co prawda, wezwania, ale musieliśmy się stawić przed Sądem do spraw Nieletnich [...]. Myślałam, że to nic poważnego, bo prawo w Teksasie nie jest takie, jak prawo w Nowym Jorku. W Nowym Jorku wystarczy opuścić jeden dzień szkoły i już trzeba iść do sądu. W Teksasie dzieci mogą się nie pojawiać w szkole całymi miesiącami.

4

Poprawczak

JOHN CARRO: Nie pamiętam, czy już miał trzynaście lat, czy jeszcze nie skończył dwunastu, ale według prawa obowiązującego w stanie Nowy Jork każdy chłopiec musi chodzić do szkoły, przynajmniej dopóki nie ukończy szesnastu lat, a on w tak młodym wieku sam zadecydował, że nie będzie się męczył uczęszczaniem do szkoły […].

Sędzia uznał, że ponieważ chłopiec nie miał ojca […], sytuacja była szczególna [i] przed podjęciem decyzji chciał się dowiedzieć o nim czegoś więcej, poprosił więc o przeprowadzenie obserwacji chłopca w domu poprawczym.

LIEBELER: Czy, pana zdaniem, Oswald był umysłowo bardziej niezrównoważony niż inni chłopcy, których miał pan wtedy pod opieką?

JOHN CARRO: Był absolutnie zrównoważony. Zajmowałem się chłopcami, którzy mieli na koncie morderstwa, włamania, jak również kilkoma całkowicie niezrównoważonymi, a tu chodziło po prostu o wagary, nie żadne poważne wykroczenie. Nie, z całą pewnością nie zaliczyłbym Oswalda do [chłopców], którzy okazali się umysłowo zwichnięci, upośledzeni czy schizofreniczni.

LIEBELER: […] czy, pana zdaniem, winę należałoby częściowo przypisać środowisku, w jakim Oswald znalazł się w Nowym Jorku?

JOHN CARRO: […] moim zdaniem, to przypadek niezdolności przystosowania się do zmiany środowiska, [ale] takie sytuacje są częste.

O ile wiem, zdarzyło się, że raz czy dwa razy wyśmiano go z tego powodu, że inaczej mówił i inaczej się ubierał niż tutejsze dzieci [i] najwyraźniej nie potrafił się przystosować. Zapewne uznał więc, że inni nie chcą go przyjąć do swojego grona, więc on nie będzie się z nimi zadawał […].

Jak wynika ze sprawozdań wychowawców z domu poprawczego, Lee nie brał udziału w żadnych zajęciach grupowych. Czytał wszystko, co mu wpadło w ręce, i o godzinie ósmej wieczorem prosił o pozwolenie na pójście do łóżka. Zainteresowała się nim Evelyn Strickman, psychiatra, opiekunka społeczna, której uwagi czyta się z prawdziwą przyjemnością.

… Zdumiewające doprawdy, że mimo iż chłopiec wiódł tak odosobnione, samotnicze życie, to jednak nie zatracił do reszty umiejętności porozumiewania się z innymi ludźmi.

Mówił, że […] jego wagarowanie bierze się stąd, że woli on zajmować się innymi, ważniejszymi rzeczami. Wypytywanie dało początkowo nikły rezultat: „Po prostu innymi rzeczami", powtarzał, lecz wreszcie wyjawił, że spędza cały czas przed telewizorem, na przeglądaniu rozmaitych pism albo po prostu na spaniu [...] ma wrażenie, jakby dzieliła go od innych jakaś zasłona, z której powodu kontakt jest niemożliwy, ale nie chce tego zmieniać. Kiedy pytałam, czy dzisiejsza rozmowa ze mną sprawia mu przykrość lub trudności [...] powiedział, że [...] mówienie o uczuciach nie kosztuje go aż tak wiele, jak się spodziewał. Skorzystałam z okazji, by zapytać o jego marzenia i fantazje, ale napotkałam zdecydowany opór i usłyszałam upomnienie: „To moja sprawa". Powiedziałam, że to szanuję, ale są jednak rzeczy, których muszę się dowiedzieć. Zaproponowałam, że będę mu zadawała pytania, a on, jeśli zechce, będzie odpowiadał. Zgodził się i odpowiedział w zasadzie na każde zadane przeze mnie pytanie. Przyznał, że marzy o tym, żeby być wszechmocnym i robić wszystko to, na co mu przyjdzie ochota. Na pytanie, czy obejmowałoby to także wyrządzanie krzywdy ludziom i zabijanie, odpowiedział, że czasami tak, ale odmówił dalszych wyjaśnień. Co ciekawe, żadna z jego fantazji nie dotyczyła matki [...].

[Wyznał, że] najgorsza w domu poprawczym jest dla niego konieczność ciągłego przebywania wśród innych chłopców; przeszkadza mu to, że musi się w ich obecności rozbierać, brać prysznic itd. Gdyby mógł sam o sobie decydować, chciałby żyć w pojedynkę na wolności albo też wstąpić do wojska. Zdaje sobie sprawę, że w wojsku musiałby żyć w bardzo bliskim kontakcie z ludźmi, wykonywać rozkazy i poddać się regulaminowi, co wydaje mu się szczególnie wstrętne, lecz powiedział, że zacisnąłby zęby i jakoś się do tego zmusił [...].

Jest w tym emocjonalnie wygłodzonym chłopcu coś miłego i im dłużej się z nim rozmawia, tym większą odczuwa się wobec niego sympatię [...]. Jego twarz straciła swój zwykły niewzruszony wyraz i rozjaśniła się, gdy opowiadał o trzymiesięcznym niemowlęciu [w domu brata] i przyznawał, że zabawa z nim sprawiała mu dużą przyjemność.

O mieszkaniu Lee z matką w mieszkaniu koło Grand Concourse w Bronksie Evelyn Strickman napisała: „Jego matka znalazła pracę w sklepie z odzieżą damską i znów całymi dniami nie ma jej w domu. Chłopiec najczęściej sam przyrządza sobie posiłki" [...].

Marguerite jednak nie zagrzała długo miejsca w tej pracy.

JOHN PIC: [...] powiedziała, że ją zwolnili, ponieważ nie używała dezodorantu. Taki podała mi powód. Mówiła, że nie może nic poradzić. Używa dezodorantu, ale skoro to nie pomaga, to co ona ma zrobić?

Marguerite najwyraźniej przechodzi kolejny zły okres w życiu.

MARGUERITE OSWALD: [...] Moim zdaniem, to godne ubolewania, że w naszym kraju panują takie warunki [...]. Chcę, żeby zostało to zapisane [...]. Musiałam stać w ciągnącej się przez całą ulicę kolejce razem z Portorykańczykami, Murzynami i innymi takimi, zanim dotarłam do głównego gmachu [...]. Miałam dla

syna paczki gumy do żucia i słodycze. Z gum zdjęto opakowania, cukierki po-
odwijano z papierków.

Musiałam opróżnić torebkę. Tak, proszę państwa. Zapytałam dlaczego. Dlatego, że dzieci w tym domu to przestępcy i narkomani, więc każdy, kto tam
wchodzi, musi być przeszukany na wypadek, gdyby rodzic chciał dostarczyć
dzieciom papierosy, narkotyki czy coś w tym rodzaju.

Dlatego zostałam przeszukana.

Zaprowadzono mnie do dużej sali, gdzie rodzice rozmawiali z dziećmi.

Wszedł Lee. Rozpłakał się. Powiedział: „Mamo, ja nie chcę tu być. Tu są dzieci, które zabiły, które palą papierosy. Chcę do domu".

Wtedy zrozumiałam – wcześniej, zanim tam poszłam, nie wiedziałam, w jakim miejscu przebywa moje dziecko.

W Teksasie ani w Nowym Orleanie nie ma, proszę państwa, takich domów.

Evelyn Strickman była znacznie mniej zachwycona matką niż synem:

Pani O. to dobrze ubrana siwowłosa kobieta, bardzo opanowana. Usiłowała zachowywać
się uprzejmie, lecz czułam, że w rzeczywistości jest osobą twardą, samolubną i w dodatku snobką.

Jednym z pierwszych pytań, które zadała, było pytanie, dlaczego Lee przebywa w domu poprawczym, bo niezbyt dobrze rozumiała przeznaczenie tej instytucji. Zanim jednak
zaczęłam jej to objaśniać, przeszła do kolejnej kwestii: czy Lee został poddany dokładnym badaniom lekarskim. Gdy otrzymała odpowiedź twierdzącą, wyznała mi w zaufaniu, że ostatnio zauważyła, że „bardzo mu urósł" i że oczywiście Lee jest już dużym
chłopcem i ona krępuje się na niego patrzeć, ale martwi się, czy z jego genitaliami jest
wszystko w porządku [...].

Nawiasem mówiąc, pani O. kąpała wszystkich swoich synów, póki nie osiągnęli wieku jedenastu czy dwunastu lat; z zażenowaniem mówiła, że wtedy stawali się dla niej
zbyt dorośli i krępowała się na nich patrzeć [...].

Później opowiedziała, że pół roku wcześniej poszła z nim na dokładne badanie, które lekarz przeprowadził w jej obecności. Nie zbadał genitaliów chłopca, a gdy ona nale-
gała, żeby to uczynił, poprosił ją o opuszczenie gabinetu. Zaledwie po paru minutach została wezwana z powrotem i poinformowana, że wszystko jest w porządku; nie była
jednak z tego badania całkowicie zadowolona [...]. Gdy zapewniłam ją, że z jego genitaliami wszystko jest w jak najlepszym porządku, na jej twarzy pojawił się wyraz ulgi i zarazem, jak mi się zdawało, rozczarowania.

Pani O. podała własną „diagnozę" przyczyny wagarów Lee – jej zdaniem, był to stres
spowodowany przeprowadzką z Fort Worth. Zwierzyła się [...], że bardzo trudno jej się
przyzwyczaić do Nowego Jorku i że żałuje, że tu przyjechała. Zaznaczyła, że przez całe
życie prowadziła sklepy i bardzo pilnowała tego, by pracowników trzymać na dystans.
Podobno tam, w Teksasie, byli wobec niej zawsze pełni szacunku, a w Nowym Jorku od-
szczekują się itd., a ona znosi tę arogancję z największym trudem. Poza tym ma poczu-

cie, że tutaj tempo życia jest szybsze, warunki mieszkaniowe fatalne itd. W dalszym ciągu rozmowy, gdy zaskarbiłam już sobie jej zaufanie, wyznała, że opuściła Fort Worth dla dobra Lee, ponieważ po wstąpieniu Roberta do marines nagle został sam, i że właśnie ze względu na niego chce utrzymywać bliski kontakt z rodziną. Ze łzami w oczach powiedziała, że przeprowadziła się do Nowego Jorku, by być bliżej swojego syna Johna. Wymieniali listy, dzwonili do siebie i John z żoną najwyraźniej bardzo pragnęli jej przyjazdu, gdy zaś wreszcie się zjawiła, spotkało ją – jak mówiła – wyjątkowo chłodne powitanie. Synowa, która ma dopiero 17 lat, podobno robiła wszystko, żeby dać pani O. do zrozumienia, że nie może z nimi zamieszkać na stałe [...]. Pani O. mówiła, że czuła się tam tak źle, iż przy najbliższej sposobności wyprowadziła się do zupełnie dla niej nieodpowiedniego jednopokojowego mieszkania w suterenie. Mieszkali rzeczywiście w okropnych warunkach i pani O. czuła, że Lee popada w coraz większe przygnębienie, lecz nic nie mogła na to poradzić. Kiedy tylko znalazła pracę i nadarzyła się po temu sposobność, przeprowadziła się do trzypokojowego mieszkania w Bronksie i podobno od tamtego czasu nastrój Lee znacznie się poprawił.

Rzeczywiście. Chłopiec zwykle wychodził rano i jechał metrem do zoo. Może śmieszy nas myśl, że dobrze się czuł wśród zwierząt, ale to właśnie zwierzęta i małe dzieci uważał za swoich naturalnych towarzyszy. Nigdzie jednak nie ma wzmianki o tym, jakiemu zwierzęciu przyglądał się o dziesiątej rano tego dnia, kiedy został przyłapany na wagarowaniu i przytrzymany za kołnierz na tyle długo, by odpowiedzieć na kilka pytań.

Oddajmy ponownie głos Evelyn Strickman:

Pod koniec rozmowy powiedziała, że [jej mąż] zmarł nagle o szóstej rano na zawał serca [i] że poróżniła się wtedy z jego rodziną, [ponieważ] chciała, żeby został pochowany jeszcze tego samego dnia. Miała na względzie dobro swoje i dziecka, które nosiła. Zdawało jej się, że mężowi będzie zupełnie obojętne, czy uroczystości pogrzebowe i stypa się odbędą, czy też nie. Uznała więc, że w takim razie wypadałoby go jak najprędzej pochować. Jego krewni byli wstrząśnięci; twierdzili, że odkąd żyją, nie widzieli tak zimnej osoby jak ona, i od tamtej pory nie utrzymują z nią kontaktów. Gdy urodził się Lee, musiała zdać się na pomoc sąsiadów, bo na rodzinę męża nie mogła już liczyć. Długo się przede mną z tego tłumaczyła: mówiła, że to wcale nie dowodzi jej nieczułości, tylko rozsądku, i że jej mąż w żartach sam zawsze powtarzał: „Mag, jeśli coś mi się stanie, to tylko rzuć mi na twarz grudkę ziemi i już". Uważa, że postąpiła zgodnie z jego życzeniem.

Gdy zaryzykowałam stwierdzenie, że pewnie musiało jej być bardzo ciężko samotnie wychowywać trójkę dzieci i jednocześnie zarabiać na utrzymanie, odpowiedziała z dumą, że ona nigdy tak nie uważała. Zawsze była osobą bardzo niezależną i samowystarczalną, niepotrzebującą od nikogo pomocy; od dziecka miała „wysoko ustawioną poprzeczkę" i uważa, że w dużej mierze osiągnęła to, co chciała, i zawsze potrafiła o własnych siłach wykaraskać się z tarapatów [...].

Istotnie, tej umiejętności nie można jej odmówić. Pewnego dnia uznała, że ma dość chodzenia z synem po poradniach (a było to warunkiem tymczasowego zwolnienia Lee z domu poprawczego), i podjęła zdecydowane kroki.

JOHN CARRO: [...] zniknęła w styczniu, nie uprzedziwszy nas o tym [...]. Nasza jurysdykcja nie wykracza poza granice stanu, zresztą nawet nie wiedzieliśmy, dokąd się udała [...].

5

Nastoletni marksista w typie macho

Nie dość dużą wagę przywiązuje się do faktu, że męskość jest osiągnięciem, a nie jedynie darem płci. Śmiałość, prostolinijność, ambicja, indywidualizm, odwaga i pomysłowość nie są gratisowym dodatkiem do męskiego członka i moszny. Nie, męskie cechy trzeba zdobywać przez dzielne czyny, przestrzeganie własnego kodeksu postępowania i głębokie przywiązanie do najlepszych tradycji.

Oczywiście, wiele kobiet zaprotestowałoby, jako że wymienione wyżej zalety cechują również często płeć piękną. Celem tej książki nie jest – jak by to ujęła Lillian Murret – żarcie się o tego rodzaju kwestie; wystarczy przypomnieć, że zajmujemy się rzeczywistością psychologiczną schyłku lat pięćdziesiątych, kiedy to ogromna większość Amerykanów nadal wierzyła, że role mężczyzn i kobiet znacznie się od siebie różnią, a pierwszym obowiązkiem mężczyzny jest prawdziwie męskie zachowanie. Rzecz niemal pewna, że Lee Oswald jako czternasto- i piętnastolatek podzielał ów pogląd, bo jak inaczej można choćby częściowo wytłumaczyć nudną lekturę podręcznika piechoty morskiej i marzenia – zaraz omówimy je bardziej szczegółowo – o czynach godnych śmiałka?

Gdy spotykamy Lee ponownie, po nowojorskim fiasku, wydaje się znacznie zmieniony w porównaniu z tym, gdy jako przerażony trzynastolatek płakał podczas wizyt mamy w domu poprawczym. Mając już za sobą katusze wstydu i strachu, wkraczając w wiek dojrzewania, zdaje się nabierać siły. Pobyt w Nowym Jorku mimo wszystko przyniósł mu jakąś korzyść – po powrocie do Nowego Orleanu jest lepiej przygotowany do walki.

LILLIAN MURRET: [...] W tamtych czasach w Beauregard School był bardzo niski poziom, ja nigdy nie posyłałam tam dzieci. Moje dzieci uczyły się w gimnazjum jezuickim i na uniwersytecie im. Loyoli, a do Beauregard chodziła banda łobuzów, którzy wciąż się wdawali w bójki i całymi gangami napadali na innych chłopców, a ponieważ Lee nie dawał sobie w kaszę dmuchać, dlatego wdał się w kilka takich bójek [...].

Jenner: Czy miała pani wrażenie, że Lee Harveyowi dobrze idzie w szkole? Jakie było pani zdanie na ten temat?

Lillian Murret: Myślę, że przez większość czasu w szkole szło mu bardzo słabiutko. Doszedł do takiego punktu, kiedy uznał, że wcale nie powinien już chodzić do szkoły. Taki w ogóle miał do tego stosunek, a gdy wspomniałam o tym Marguerite, to chyba właśnie wtedy zaczęły się nasze nieporozumienia. Ona była zdania, że jej dziecko nie może robić nic złego, a ja nie powiedziałabym, żeby Lee kiedykolwiek twierdził, że lubi szkołę.

No tak, nie mógł lubić szkoły. Cierpiał na dysleksję. A w owych czasach w większości szkół nie uznawano tego za schorzenie. Dysleksja tak zniekształcała ortografię, że nauczyciel był zwykle na sto procent przekonany o debilizmie ucznia. Poza tym, oczywiście, zawsze znajdowali się koledzy, którzy zmawiali się we dwóch czy trzech, żeby pobić Lee. Nie, zdecydowanie nie lubił szkoły.
A mimo to nie można powiedzieć, by poddał się bez walki.

Lillian Murret: [...] Pamiętam, że któregoś ranka przyszedł do mnie do domu i powiedział, że chciałby zostać członkiem drużyny bejsbolowej, ale nie ma odpowiednich butów i rękawicy, więc powiedziałam: „Dobrze, Lee, zaraz wszystko się znajdzie", i dałam mu rękawicę, [a] mąż Joyce przysłał mu z Beaumont parę butów, takich butów do bejsbola. I powiedziałam Lee tak: „Lee, jak tylko będziesz czegoś potrzebował, to mnie poproś, a jeśli będę umiała to zdobyć, to na pewno zdobędę". No i wtedy chyba przyjęli go do drużyny, ale przestał do niej należeć, ledwo zaczął. Nie wiem dlaczego. Nigdy z nami na ten temat nie rozmawiał i nigdy się nie dowiedzieliśmy.
[...] Moim zdaniem, nie należał do chłopców, którzy wybijają się w sporcie [...].

W szkole szło mu nieszczególnie, nie był dobrym sportowcem i nie miał pieniędzy, żeby umawiać się z dziewczętami [...].

Lillian Murret: [...] Większość chłopców miała pieniądze i umawiała się w weekendy z dziewczynami, ale Lee nie mógł sobie na to pozwolić, więc trzymał się na uboczu. Lubił za to chodzić do muzeów [...] i do parku, i tak spędzać czas. Bardzo rzadko spotyka się nastolatków, którzy robią coś takiego, nawet wtedy rzadko się to zdarzało. Nie wszyscy lubią taki styl życia, ale on właśnie to lubił.
[Któregoś razu] wybraliśmy się do sklepu i kupiliśmy Lee dużo ubrań, których, naszym zdaniem, potrzebował, żeby w miarę przyzwoicie wyglądać w szkole, rozumieją państwo, takie tam rzeczy dla chłopaka. Kiedy mu je daliśmy, zapytał: „A co to za okazja?". Odpowiedzieliśmy: „Lee, po pierwsze kochamy cię, a po drugie, chcemy, żebyś ładnie wyglądał w szkole, jak inne dzieci". I tyle.

JENNER: Czy nosił te rzeczy do szkoły?

LILLIAN MURRET:: O tak. Nosił ubrania, które mu kupiliśmy, [ale] był bardzo samodzielny. Pamiętam, że raz zapytałam go o coś, a on odpowiedział: „Niczego od nikogo nie potrzebuję". Wtedy mu powiedziałam: „Posłuchaj no, Lee, nie bądź taki znowu samowystarczalny, niech ci się nie wydaje, że nikogo nie potrzebujesz, bo każdy człowiek prędzej czy później potrzebuje drugiego" [...].

JENNER: Czy myśli pani, że trochę tej samodzielności mógł przejąć od matki? [...]

LILLIAN MURRET: No cóż, ona rzeczywiście była samodzielna, co do tego nie ma dwóch zdań [...].

Marguerite starała się, jak mogła. Może i mieszkała nad salonem do gry w bilard na Exchange Alley w Dzielnicy Francuskiej, ale nawet w złej dzielnicy można zachować odrobinę szyku.

LILLIAN MURRET: [...] Większość ludzi by się zdziwiła, bo [...] ta dzielnica wyglądała na dość ubogą, a w domu było ładnie [...], naprawdę ładnie go urządziła [...].

No, oczywiście, były w tej dzielnicy bary z bilardem i tak dalej, ale Lee tam chyba nie zaglądał, bo nie należał do chłopców, którzy się pakują w tarapaty. Po pierwsze, w ogóle nie wychodził wieczorami [...]. Przeciętni uczniowie Beauregard pewnie chodzili do takich barów, ale on nie. Miał bardzo wysokie morale. No i chyba dobry charakter, był bardzo grzeczny i uprzejmy. Aha, jeszcze jedno: chodząc, trzymał się bardzo prosto. Zawsze chodził wyprostowany, a ludziom się wydawało, że on po prostu taki jest, że jest arogancki czy coś w tym rodzaju, no, ale oczywiście jeszcze nigdy tak nie było, żeby coś się wszystkim podobało.

JENNER: Ale miał o sobie dobre mniemanie, prawda?

LILLIAN MURRET: O tak, tak.

Należy oddać sprawiedliwość Marguerite Oswald, bo to w dużym stopniu jej zasługa.

MARGUERITE OSWALD: [...] Lee wciąż czytał podręcznik piechoty morskiej Roberta [...]. Znał go na pamięć. Powiedziałam mu nawet: „Synuś, jak cię przyjmą do marines, to zrobią cię tam generałem".

Ludzie mający dobre mniemanie o sobie mają skłonność do prowadzenia podwójnego życia. Mieszkając na Exchange Alley, Lee, nie zarzuciwszy bynajmniej podręcznika piechoty morskiej, zaczął czytać Marksa. A życie szkolne stanowiło osobną kwestię. Mówi kolega ze szkolnej ławki:

EDWARD VOEBEL: [...] Nie pamiętam dokładnie, kiedy go po raz pierwszy zobaczyłem [...], ale lepiej poznałem go, kiedy się bił [...] z paroma chłopakami [...] braćmi Neumeyerami, Johnem i Mikiem. Bójka zaczęła się na terenie szkoły, a potem przeniosła się w kierunku, w którym szedłem, [i] toczyła się dalej, na trawnikach i chodnikach. Ludzie ich przepędzali, a oni odbiegali tylko kawałek, i tak przez dłuższy czas. Kiedy ktoś ich przeganiał, przenosili się dalej.

JENNER: To była bójka na pięści, tak?

EDWARD VOEBEL: Tak.

JENNER: Czy chłopcy byli mniej więcej rówieśnikami?

EDWARD VOEBEL: Nie wiem; chyba tak [...].

JENNER: A wzrostem byli równi?

EDWARD VOEBEL: John chyba był trochę mniejszy, trochę niższy niż Lee [...].

JENNER: No dobrze, a co się działo, gdy bójka przenosiła się z miejsca na miejsce?

EDWARD VOEBEL: Oswald chyba pokonywał Johna, ale jego młodszy brat, który go nie odstępował, też się włączył do bitki, i wtedy było dwóch na jednego. Oswald zdaje się raz a dobrze przyłożył w szczękę temu młodszemu bratu, a jemu zaczęła krew lecieć z ust [...].

JENNER: Temu małemu?

EDWARD VOEBEL: Tak. Mike'owi zaczęła z ust lecieć krew, a kiedy gapie to zobaczyli, nie wiedzieć czemu od razu zaczęli brać jego stronę, ale ja tego nie rozumiem – przecież było dwóch na jednego, Oswald miał prawo się bronić. Czułem, że temu małemu jakby się to należy, zresztą później się dowiedziałem, że ten, który krwawił, miał zwyczaj przygryzania wargi. Może Oswald uderzył go na przykład w ramię, a on przygryzł sobie wtedy wargę, i wyglądało na to, że to Oswald uderzył go w usta. Nieważne, w każdym razie ktoś zareagował i wszystkich stamtąd przepędził, a wtedy już nikt nie sympatyzował z Lee, bo on uderzył Mike'a w usta, a ten zaczął krwawić [...] parę dni później, kiedy wychodziliśmy wieczorem ze szkoły, i Oswald szedł chyba trochę przede mną, a ja parę kroków z tyłu [...] jakiś potężny chłopak, chyba ze szkoły średniej – wyglądał na świetnego futbolistę – uderzył Lee prosto w usta i [...] uciekł.

JENNER: Raz go uderzył i uciekł?

EDWARD VOEBEL: Tak; to się nazywa przekazywanie pałeczki [...]. Kiedy ktoś do ciebie podchodzi i uderza [...]. Myślę, że była to pewnego rodzaju zemsta ze strony braci Neumeyerów, i wtedy właśnie odczułem współczucie dla Lee, że coś takiego mu się przytrafiło, i razem z paroma innymi chłopakami [...] zaprowadziliśmy go do szkolnej łazienki i usiłowaliśmy doprowadzić do jakiego takiego stanu, i wtedy właśnie zaczęła się nasza przyjaźń, czy też półprzyjaźń, jeśli tak można powiedzieć [...].

JENNER: Czyli od tamtego czasu kolegował się pan z nim?

EDWARD VOEBEL: Tak.

JENNER: Proszę o tym opowiedzieć.

EDWARD VOEBEL: [...] czasami przychodziłem do Lee i graliśmy w rzutki i bilard. Lee mnie nauczył w to grać [...]. W domu, gdzie mieszkał, na parterze była sala do gry w bilard [...] przy Exchange Alley [...].

JENNER: Czy, pana zdaniem, dobrze grał w bilard?

EDWARD VOEBEL: Ja nigdy przedtem nie grałem, on pokazał mi podstawowe zasady, i już po paru razach zacząłem z nim wygrywać. Mówił wtedy: „To fuks". Sądzę, że nie był taki znowu dobry [...].

JENNER: [...] czy pił?

EDWARD VOEBEL: Wie pan, mieliśmy wtedy tylko po czternaście, piętnaście lat, a wtedy większości chłopaków w naszym wieku palenie i picie po prostu nie interesowało [...].

JENNER: Dobrze, powiem jaśniej, o co mi chodzi. Staram się wyobrazić sobie chłopca, który staje się mężczyzną [...].

EDWARD VOEBEL: Rozumiem. Chciałbym jednak najpierw wyjaśnić pewną kwestię. Lubiłem Lee. Czułem wtedy, że mamy ze sobą wiele wspólnego. Ale gdybym spotkał Lee Oswalda, nie wiem, powiedzmy, rok temu, nie mówię, że nadal bym go lubił, ale to, co pamiętam z naszych szkolnych czasów, sprawiło, że jakoś

tam się z nim kolegowałem, i myślę, że rozumiałem go lepiej niż większość rówieśników [...] i jeśli Lee Oswald wcale by się nie zmienił, to prawdopodobnie
wciąż czułbym do niego taką samą sympatię, na pewno większą niż do braci
Neumeyerów [...].

JENNER: [...] Czy pana zdaniem w Beauregard School było więcej chłopców pokroju braci Neumeyerów?

EDWARD VOEBEL: Tak [...] prawie niemożliwe było [nie] wdać się w bójkę prędzej
czy później. Ja na przykład nie lubię się bić, ale w szkole musiałem.

JENNER: Bił się pan?

EDWARD VOEBEL: To znaczy – nie, powiem tak – wycofywałem się z bójek znacznie szybciej niż Lee. On, co prawda, ich nie wszczynał, ale jeśli ktoś chciał się
z nim bić, Lee starał się sprawę zakończyć albo rzeczywiście się bił, bo on nie
dawał sobie w kaszę dmuchać. Mnie na przykład można było wyzywać i nic sobie z tego nie robiłem, a Lee nie [...]. Z Lee coś takiego by nie przeszło [...] on
nie dawał sobie w kaszę dmuchać.

JENNER: Pan także [...] interesował się pistoletami; zgadza się?

EDWARD VOEBEL: [...] u nas w domu zawsze była broń palna [...].

JENNER: Czy Lee podzielał pana zapał do kolekcjonowania broni? [...]

EDWARD VOEBEL: [...] Nie wydaje mi się, żeby Lee interesował się historią jakiejkolwiek broni. Na przykład chciał mieć pistolet [...] tylko po to, żeby go mieć,
nie jako eksponat do kolekcji czy coś takiego [...].

JENNER: Czy Lee posiadał kiedyś broń na własność?

EDWARD VOEBEL: [...] O ile mi wiadomo, to nie [...] miał plastikowy model czter-
dziestki piątki [...] i mi go pokazał. Pewnie chciałby się pan dowiedzieć o jego
planie rabunku. Tak naprawdę z początku ten pomysł wydał mi się nieszczegól-
ny [i] wcale nie zaprzątałem sobie nim głowy, póki Lee nie zaskoczył mnie któregoś dnia, kiedy to przyszedł z gotowym planem i wszystkim, co było potrzebne do [...] kradzieży tego pistoletu z okna wystawy przy Rampart Street [...]. To
był bodaj smith and wesson. Chyba automatyczny, ale tak naprawdę nie zwróciłem na to uwagi [...]. W następnym tygodniu byłem u niego w domu, a on pokazał mi narzędzie do cięcia szkła i pudełko, w którym leżał plastikowy pistolet
i [...] miał plan, jak się dostać do środka i zabrać tamten pistolet.

Jenner: Ma pan na myśli pistolet ze sklepu przy Rampart Street?

Edward Voebel: Tak. Nie pamiętam już, czy chciał podczas kradzieży skorzystać z tego plastikowego pistoletu, czy nie, czy po prostu pociąć szybę i ją wygnieść [...]. Nie sądzę, by był wtedy pewny, jak chce to zrobić, [ale] poszliśmy pod ten sklep i patrzyliśmy na pistolet na wystawie [...].

Lee powiedział: „No i co myślisz?", a ja [...] akurat zauważyłem metalową taśmę wokół okna, taką metalową taśmę używaną do alarmów, i zacząłem o tym mówić w nadziei, że przekonam go, żeby w końcu tego nie robił [...]. Powiedziałem tak: „Nie wydaje mi się, żeby to był dobry pomysł, bo jak wytniesz szybę, to ta taśma może się przerwać i wtedy włączy się alarm" [...] więc [on] w końcu zarzucił ten pomysł [...]. Nie sądzę, żeby naprawdę chciał go zrealizować, jeśli mam być szczery [...]. Sądzę, że myślał pewnie, że jeśli mu się to uda, to urośnie w oczach tych twardzieli, rozumieją państwo [...].

W tym okresie Oswald zaczął czytać literaturę marksistowską. Nierozstrzygnięta pozostaje kwestia, jakie konkretnie książki. Kilku osobom w Mińsku i w Moskwie mówił, że jego radykalne poglądy polityczne zaczęły się kształtować pod wpływem pamfletu o straceniu Rosenbergów*, który wręczyła mu w roku 1953 jakaś starsza pani przy wyjściu z metra w Nowym Jorku. Wspomniał też, że wypożyczał *Kapitał* oraz *Manifest komunistyczny* z biblioteki w Nowym Orleanie. Z drugiej strony, *Kapitał* studiował dokładnie w Mińsku, a jego uwagi świadczą o tym, że czyta go po raz pierwszy. W Nowym Orleanie prawdopodobnie *Manifest komunistyczny* służył mu za pożywkę do formowania radykalnych opinii w wieku szesnastu lat.

William E. Wulf, pilny młody człowiek, potwierdza prawdziwość takiego portretu Oswalda. Lee pracował przez jakiś czas jako goniec w laboratorium dentystycznym firmy Pfisterer w Nowym Orleanie i zaprzyjaźnił się z innym gońcem, Palmerem McBride'em, członkiem nowoorleańskiego Związku Astronomów Amatorów (była to grupka licealistów), którego przewodniczącym był Wulf. Oswald powiedział McBride'owi, że interesuje się astronomią. Po uprzednim uzgodnieniu wizyty przez telefon, Oswald z McBride'em wpadli do Wulfa któregoś wieczoru około dziesiątej czy jedenastej.

William E. Wulf: [Powiedziałem mu, że] nie bardzo mamy ochotę uczyć żółtodzioba tego wszystkiego, czego nauczyliśmy się przez lata, i że przynależność do grupy tylko by go zniechęciła, i dlatego odwodziłem go od zamysłu przystąpienia do nas. Tylko tyle pamiętam z pierwszego kontaktu z nim, bo było już dość późno [...].

---

* Małżeństwo Ethel i Juliusa Rosenbergów skazano na śmierć za przekazywanie Sowietom tajemnic związanych z produkcją bomby atomowej; egzekucja odbyła się 19 czerwca 1953 roku (przyp. tłum.).

Oswald przyszedł jednak z Palmerem McBride'em ponownie, i tym razem rozprawiał o polityce.

WILLIAM E. WULF:[...] McBride zawsze mi powtarzał, że chce zostać zawodowym żołnierzem, najchętniej inżynierem specjalistą od rakiet – wtedy, zdaje się, wszyscy mieliśmy bzika na punkcie rakiet – a ja mu mówiłem: „Jak cię skojarzą z tym Oswaldem, to możesz mieć problemy ze służbą bezpieczeństwa" [...].

LIEBELER: Co pana skłoniło do wyrażenia wobec McBride'a takiej opinii?

WILLIAM E. WULF: [Oswald] czytał niektóre książki z mojej biblioteki i zaczął omawiać doktrynę komunistyczną, twierdził, że bardzo się komunizmem interesuje, że komunizm to dla robotnika jedyny sposób na życie, i tak dalej, a potem wyskoczył z informacją, że szukał w mieście komórki partii komunistycznej, bo chciał do niej wstąpić, ale nie znalazł. [Wtedy] wszedł do pokoju mój ojciec, usłyszał, że dyskutujemy o komunizmie, zobaczył, jaki Oswald jest hardy i wyszczekany, i poprosił go, żeby wyszedł. Delikatnie wyprosił go z domu i wówczas po raz ostatni widziałem Oswalda i z nim rozmawiałem [...].

W dniu swoich szesnastych urodzin, z metryką urodzenia podrobioną w zmowie z Marguerite, Lee usiłuje zaciągnąć się do piechoty morskiej, lecz zostaje odrzucony jako zbyt młody. Jeszcze przez rok będzie więc wkuwał na pamięć podręcznik. Ile musiał sobie przyswoić wiadomości o rozbijaniu poszczególnych rodzajów namiotów, czyszczeniu broni, marszach, poprawnym salutowaniu, rozkładaniu karabinu maszynowego kaliber 30, mundurze żołnierskim, taktyce partyzanckiej, chodzeniu po moście składającym się z trzech lin, celach i zasadach kursu przetrwania korpusu piechoty morskiej, oraz, oczywiście, o tajnikach strzelania z karabinu M-1 z pozycji leżącej, stojącej i siedzącej!

Marguerite przeprowadziła się z Nowego Orleanu z powrotem do Fort Worth w lipcu 1956 roku, trzy miesiące przed siedemnastymi urodzinami Lee, czyli osiągnięciem wieku, w którym można się zgłaszać do służby wojskowej. 3 października 1956 roku, zaledwie trzy tygodnie przed zaciągnięciem się do marines, Oswald postawił iks przy następującym zdaniu na kuponie z reklamy znalezionej w gazecie: „Chciałbym się dowiedzieć czegoś więcej o Partii Socjalistycznej". Do kuponu dołączył list:

Szanowni Państwo!

[...] chciałbym wiedzieć, czy w mojej okolicy jest komórka, jak można się zapisać itd. Jestem marksistą i studiowałem zasady socjalizmu przez ponad piętnaście miesięcy. Jestem zainteresowany waszym Kołem Młodych.

John Pic krótko skomentował powód zaciągnięcia się Lee do marines:

John Pic: Zrobił to dokładnie z tego samego powodu, co ja i Robert – żeby się wydostać.

Jenner: Wydostać? …

John Pic: Spod jarzma matczynej opieki.

6
Niewyjaśniona sprawa

Nie można wątpić, że członkowie Komisji Warrena zawarli między sobą niepisaną umowę, iż najlepiej by było, gdyby Oswald okazał się homoseksualistą. Miałoby to tę zaletę, że wyjaśniałoby wiele, choć jednocześnie nie wyjaśniałoby absolutnie nic. Upragnionym celem Komisji Warrena było przecież ukazanie Oswalda jako zabójcy działającego w pojedynkę, ale nie istniały żadne dowody przemawiające za tym, że czuł animozję do Kennedy'ego; niejeden świadek zeznał nawet, że słyszał z ust Oswalda pozytywne wypowiedzi o JFK. Zatem historia nieujawnionej orientacji homoseksualnej okazałaby się dla Komisji pomocna. W 1964 roku homoseksualizm wciąż jeszcze uważano za jedną z tych zakaźnych infekcji ducha, która może doprowadzić do Bóg wie jakich dalszych aberracji.

Niemniej jednak istnieje możliwość, że w czasie służby w piechocie morskiej i podczas pierwszego roku pobytu w Mińsku Oswald miał na swoim koncie znacznie więcej kontaktów homoseksualnych niż heteroseksualnych. I mimo iż zakrawa to na paradoks, fakt ten pomógłby wytłumaczyć cierpliwość w jego zalotach do Elli oraz pośpiech, z jakim poślubił Marinę. Można by wysunąć tezę, że jego młode lata to wariacje na powtarzający się temat: nie jestem jeszcze mężczyzną, a muszę się nim stać, co pod koniec lat pięćdziesiątych i na początku sześćdziesiątych było hasłem programowym wielu młodych chłopców, przerażonych swoimi skłonnościami homoseksualnymi i gotowych poświęcić wiele, by je zwalczyć lub ukryć.

Czytając relacje na temat zachowania Oswalda, zawsze należy patrzeć na wszystko z dwóch przeciwstawnych punktów widzenia: tak, mówił serio – nie, tylko żartował; tak, był gejem – nie, po prostu nie miał śmiałości do kobiet; owszem, miał obsesję na punkcie przemocy – nie, niezbyt interesował się takimi sprawami, a jeśli w ogóle, to tylko od czasu do czasu. Wszelkie próby zaszufladkowania go muszą skończyć się popadaniem w sprzeczność, ponieważ jego postępowanie nieczęsto daje się przewidzieć. Zważywszy jednak na duszny klimat psychologiczny lat pięćdziesiątych, trzeba brać pod uwagę możliwość, że jedną z głównych obsesji w życiu Oswalda była męskość, osiągnięcie męskości. A jeśli istotnie był po części homoseksualistą, ten wewnętrzny imperatyw występowałby ze zdwojoną czy potrojoną siłą.

Z oświadczenia Davida Christiego Murraya juniora:

> [...] Oswald nieczęsto zadawał się z kolegami z piechoty morskiej. Choć nic mi nie wiadomo o żadnym ogólnym wytłumaczeniu tego faktu, osobiście trzymałem się od Oswalda z daleka, bo dotarła do mnie plotka, że on jest homoseksualistą [...].

Taki właśnie wniosek nasuwa się również po wysłuchaniu tego, co ma do powiedzenia inny żołnierz piechoty morskiej, Daniel Patrick Powers, który w okresie składania zeznań przed Komisją Warrena pracował jako trener piłki nożnej i zapasów w szkole średniej. Członkom Komisji musiał się wydawać idealnym żołnierzem. Był mężczyzną potężnej budowy, a jego zeznania tchną szczerością, która często cechuje ludzi silnych, świadomych tego, że w większym stopniu niż inni mogą polegać na swoim ciele.

Daniel Patrick Powers: [...] moim zdaniem, miał silne skłonności homoseksualne i [...] zdaniem innych żołnierzy, wiele cech kobiecych. Myślę, że może był osobnikiem, który na pewnym etapie życia musiał zdecydować – albo tak, albo tak.

Jenner: W jakiej kwestii?

Daniel Patrick Powers: Czy ma być homoseksualistą, czy prowadzić normalne życie. Jeszcze raz podkreślam jednak, że to moja osobista opinia.
    Sądzę też, że właśnie przede wszystkim z tego powodu, a nie żadnego innego, pozostał autsajderem naszej grupy w Missisipi.
    Zawsze był osobą, która miała opinię uległej, której nie trzeba brać pod uwagę, jeśli chodzi o dominację, na przykład jako zagrożenie dla przywódcy [...].
    O ile dobrze pamiętam, nosił przezwisko Królik Ozzie [...].

Rozważanie kwestii homoseksualizmu Oswalda może nam bardziej zaszkodzić niż pomóc w jego zrozumieniu. Może lepiej załóżmy zatem, że miał dwoistą naturę, która wyrażała się w tym, że po kontaktach homoseksualnych czuł się źle i był pewny bardziej niż kiedykolwiek, że tak naprawdę ma orientację heteroseksualną, a z kolei rok czy dwa lata później po zbliżeniu z kobietą odczuwał skłonności homoseksualne silniej niż podczas obcowania z mężczyznami. Być może mniej liczyło się to, co robił, niż to, jakie miał pokusy. W każdym razie jednego faktu możemy być w miarę pewni: w wieku lat siedemnastu i pół nie zaznał jeszcze zbliżenia z kobietą.

Ale zanadto wybiegamy naprzód. Powers poznał Oswalda, gdy ten przesłużył już prawie pół roku, jego sprawozdanie zatem nie obejmuje jednego z najbardziej decydujących okresów w życiu żołnierza – przeszkolenia i wdrożenia do żołnierki – ale też Komisja Warrena nie zamierzała zagłębiać się w badanie kariery wojskowej Oswalda. Bo co by się stało, gdyby wyszło na jaw, że był on agentem wywiadu wojskowego? Lepiej takich drzwi nie otwierać, co najwyżej zajrzeć przez małą szparkę.

Zabójstwo jako wynik konspiracji nie było jednak tematem, który Komisja Warrena podjęłaby się zbadać – jej członkowie kładli nacisk na wartości rodzinne. Z tym poradzili sobie wprawdzie bez zarzutu i będziemy korzystać z odpowiednich materiałów, ale nikt nie odważyłby się twierdzić, że Komisja z pasją oddawała się drążeniu sprawy. Sposób jej podejścia do okresu służby Oswalda w marines można eufemistycznie określić jako niedbały. Edward Jay Epstein w swojej odkrywczej pracy traktującej o kontaktach CIA z Oswaldem, *Legend* (Legenda), przedstawia znacznie barwniejszy obraz okresu służby wojskowej Oswalda niż wszystkie tomy Raportu Komisji Warrena razem wzięte, ponieważ jemu udało się dotrzeć do kilkunastu marines, którzy znali Oswalda, a nie byli uprzednio przesłuchiwani.

Mimo to jednak nigdzie nie ma zbyt wielu informacji o obozie szkoleniowym dla rekrutów w San Diego; tyle tylko, by dać do zrozumienia, że Oswaldowi było tam ciężko. Podręcznik marines nie mógł przecież przygotować go na rzeczywistość, z jaką zetknie się w wojsku. Sherman Cooley, szeregowy z plutonu Oswalda, określił tę rzeczywistość jako „święte piekło". Oczywiście, w ten sposób można określić każde szkolenie podstawowe – ale marines lubili dawać rekrutom podwójne szkolenie podstawowe. Jak twierdzi Cooley, Oswalda wkrótce zaczęto przezywać „gówniarzem". Miał problemy z obsługą karabinu, i to było straszne. W korpusie marines stawiało się sprawę jasno: sprawność w posługiwaniu się M-1 jest jednoznaczna z męskością. A mężczyzna nie miał po co służyć w marines, jeżeli męskość nie leżała w centrum jego zainteresowania.

Po San Diego Oswald przeszedł szkolenie bojowe w Camp Pendleton w Kalifornii, ucząc się wszystkiego od a do z – od ataków piechoty skoordynowanej z czołgami, musztry z bagnetem połączonej z walką wręcz, po ćwiczenia z desantu. Dość bolesna jest myśl, że ten maminsynek, nazbyt kochany, a zarazem w dużej mierze zaniedbywany, Hamlet królowej Gertrudy, którą grała umęczona Marguerite, rojący o wspaniałej i szlachetnej sławie żołnierza marines (i jednocześnie marksisty), został teraz zdegradowany do rangi gówniarza. W Nowym Orleanie zaczął być twardszy, ale nie na tyle, by być gotowym na takie próby, jakie czekały go w korpusie marines. Niepowodzenia sprawiły zapewne, że czuł się jak baba. Powtórzmy: w powszechnej świadomości lat pięćdziesiątych, które od idei przeważających w latach dziewięćdziesiątych dzielił w istocie cały wiek, bycie słabym w gronie mężczyzn oznaczało postrzeganie siebie jako kobiety, a to, wedle obowiązującego wówczas męskiego kodeksu zachowania, było dla mężczyzny stanem nieznośnym.

Taka hierarchia wartości bynajmniej nie pomagała Oswaldowi pogodzić sprzeczności tkwiących w jego psychice. Mimo nieśmiałości i skłonności do histerii, miał on ego gotowe osądzać wszystko i wszystkich wokół. W jego osobowości przejawiało się to w ten sposób, że był chłodny, zdystansowany i sardoniczny, gdzie i kiedy tylko mógł – pierwsze dziewięć miesięcy w korpusie marines nie dało mu jednak po temu wiele okazji. Powers opisuje, jak na statku wiozącym ich do Japonii (po szkole kontroli powietrznej i radarowej w Jacksonville na Florydzie oraz Keesler w Biloxi w stanie Missisipi) Lee całymi dniami grał z nim w szachy i dosłownie wykonywał triumfalny taniec wojenny, kiedy udało mu się wygrać: „«Popatrz tylko. Wygrałem. Pokonałem cię»".

12 września 1957 roku, dwa lata i miesiąc przed pojawieniem się w Rosji, Oswald przyjeżdża do Japonii, do miejscowości Yokosuka w pobliżu Tokio. Na statku transportującym jednostkę do Japonii czytał razem z Powersem tomik *Źdźbła trawy** i później mu go podarował.

W bazie lotniczej Atsugi, 55 kilometrów na południowy zachód od Tokio, gdzie Oswald koszarował w piętrowym drewnianym baraku, miał za współmieszkańca kaprala Thomasa Bagshawa. Bagshaw, który robił w marines karierę wojskową, powiedział Epsteinowi, że Oswald był „bardzo chudy, prawie filigranowy, cichy i nieśmiały". Mierzył wówczas metr siedemdziesiąt i ważył nie więcej niż 60 kilogramów.

[Bagshaw] pamięta także, że było mu Oswalda żal, gdy pozostali marines „zaczęli sobie na nim używać". Co bardziej gruboskórni, którzy czas wolny spędzali najchętniej na hulankach w barach i w towarzystwie kobiet, widzieli w Oswaldzie (który nie wychodził na przepustki, tylko siedział sam w koszarowej sali telewizyjnej i oglądał *American Bandstand*** oraz retransmisje meczów piłki nożnej) naturalny obiekt drwin. Przezywali go „pani Oswald", wpychali w ubraniu pod prysznic i męczyli na wszelkie inne możliwe sposoby. Oswald się nie bronił; po prostu odwracał się do prowokującego go żołnierza tyłem i go ignorował.

Należy do tego dodać bystrą obserwację kolejnego marines, do którego dotarł Epstein, Jerry'ego E. Pittsa. Powiedział on, że każdy nowy rekrut musiał poddać się nieformalnemu rytuałowi przejścia i że owa inicjacja przybierała rozmaite formy.

---

* *Źdźbła trawy* (Leaves of Grass) – tomik wierszy poety amerykańskiego Walta Whitmana śmiało opiewających zmysłowość (przyp. tłum.).

** *American Bandstand* – program telewizyjny, popularny szczególnie w latach pięćdziesiątych i sześćdziesiątych, przedstawiający występy na żywo lubianych zespołów i piosenkarzy oraz tańczącą przy muzyce publiczność (przyp. tłum.).

[Pitts] wyjaśnił, że co sprytniejsi marines przechodzili tego rodzaju test zupełnie bezboleśnie, zbywali śmiechem obraźliwe wyzwiska i nie pozostawali za nie dłużni. Ale Oswald stanowił wyjątek od tej reguły. Każde obraźliwe słowo zdawał się brać dosłownie i reagował na nie cichą furię, której nie potrafił jednak przekształcić w fizyczną agresję [...].

Pitts [...] przypomina sobie, że [...] „niektóre tematy – jak na przykład nieprzyzwoite aluzje na temat jego matki – naprawdę Oswalda rozjuszały" [...].

Istnieje jeden portret Oswalda z tego okresu nakreślony z sympatią. Gator Daniels, który niegdyś walczył z aligatorami na bagnach Florydy, potężny mężczyzna, co pierwsze osiemnaście lat swego życia spędził na łowieniu ryb i kłusowaniu, opisał Lee jako „prostego chłopaka, takiego jak ja sam [...] byliśmy bandą dzieciaków – nigdy wcześniej nie wyjeżdżaliśmy z domu – ale Oswald otwarcie przyznał się do tego, że nigdy nie miał kobiety [...]. To było naprawdę niespotykane, żeby ktoś się do tego przyznał. Jak ja, o wielu rzeczach nie miał pojęcia, ale nigdy nie wstydził się do tego przyznać [...]. Dobry był z niego chłopak, po prostu" – wspomina Daniels. „Wyświadczał mi przysługi, na przykład, pożyczał pieniądze do wypłaty [...] taki kolega, na którego mógłbym liczyć, gdybym potrzebował pół litra krwi".

Niemniej jednak dręczenie Oswalda ciągnęło się dalej i pewnego dnia, gdy kilku stojących w pobliżu marines bezlitośnie sobie na nim używało, Lee wypalił z pistoletu w ścianę.

To skomplikowana historia i z wielu względów warta pominięcia; poszczególne jej wersje sporo się między sobą różnią. W jednej z bardziej ponurych wersji, opisanej przez Epsteina, pewien marines, Pete Connor, twierdzi uparcie, że „pistolet, którym siedzący na pryczy Oswald się bawił, wypalił, a kula przeszła dwadzieścia centymetrów nad głową Connora i utkwiła w szafce". Ponieważ Connor, jak sam przyznał, był jednym z tych, którzy wyśmiewali się z Oswalda, rodzi się podejrzenie, że ów wystrzał nie został oddany przypadkowo.

Był jeszcze jeden epizod, jakieś kilka tygodni później, kiedy to Oswald ranił się strzałem z tego samego pistoletu. Jego jednostka dostała sygnał, że za kilka dni ma wypłynąć z Japonii, ale nie podano dokąd. Jeśli wierzyć plotkom, Oswald postrzelił się celowo, by nie wyjeżdżać. Jak głosi raport z tego zdarzenia, drasnął lewe ramię kulą z zamówionego z katalogu pistoletu kalibru 22, a następnie powiedział kilku świadkom, którzy wbiegli do baraku: „Chyba się postrzeliłem".

Powinien niezwłocznie stanąć przed sądem wojennym, lecz jego jednostka przygotowywała się do wyjazdu z Japonii i dlatego postępowanie prawne zostało odroczone. Gdy tylko Oswald został wypisany ze szpitala, w ramach kary musiał pracować w kantynie. Jego jednostka, MACS-1 (Marine Air Control Squadron – Kompania Kontroli Powietrznej Marines), wypłynęła z Atsugi 20 listopada

1957 roku na starym okręcie desantowym do przewożenia piechoty z czasów drugiej wojny światowej, który w ślimaczym tempie minął Okinawę i płynął w kierunku archipelagu filipińskiego. Cel misji nic był jeszcze znany, lecz marines dochodziły słuchy o interwencji zbrojnej, być może na Borneo. MACS-1 przez miesiąc ani razu nie widziała lądu. Było upalnie i niezmiernie nudno, gdy tak płynęli po Morzu Południowochińskim w konwoju z trzydziestoma czy trzydziestoma kilkoma okrętami Siódmej Floty. Wreszcie, po upalnym i ponurym Bożym Narodzeniu spędzonym na morzu w pobliżu równika, rozbili obóz w Cubi Point koło zatoki Subic Bay, postawili namiot radarowy i trzymali przy nim straż. Mieli bowiem świadomość, że wielu Filipińczyków w tych okolicach może być wobec nich wrogo nastawionych, przyjaźnie zaś w stosunku do Hukbalahap – partyzantki komunistycznej.

Ponieważ było już po sezonie rozgrywek futbolowych i Pucharze Dalekowschodnich Służb Zbrojnych, do MACS-1 dołączył kolega Oswalda z początkowego okresu służby w marines, Daniel Powers.

JENNER: Czy grupa była w tym samym składzie [...] w Cubi Point, gdy dołączył pan do jednostki?

DANIEL PATRICK POWERS: Z tych ludzi, którzy byli w mojej grupie, kiedy zaczynaliśmy w Jacksonville, zostali tylko Schrand, Oswald i ja [...].

JENNER: Czy w związku z panem Schrandem miał miejsce jakiś wypadek?

DANIEL PATRICK POWERS: [Schrand] stał pewnego wieczoru na warcie i został zastrzelony. Nigdy nie widziałem oficjalnego raportu ani nic, ale krążyły wtedy plotki, że dostał w prawą pachę, a kula wyszła z lewej strony szyi i pochodziła ze strzelby, którą wolno było nosić na warcie [...] albo się na tej strzelbie oparł, albo się nią bawił, w każdym razie się zastrzelił [...] nie umieliśmy sobie wyobrazić, jak człowiek może się sam tak postrzelić, chyba żeby opierał się na strzelbie w ten sposób [demonstruje] i ona wtedy wypaliła.

Z oświadczenia Donalda Petera Camarata: „Słyszałem plotkę, że Oswald jest w jakiś sposób odpowiedzialny za śmierć Martina Schranda".

Schrand, Powers i Oswald przyjechali razem ze szkoły lotnictwa na Florydzie do ośrodka szkolenia kontroli radarowej w Biloxi w stanie Missisipi, potem wszyscy trzej pojechali do Atsugi, a następnie do Cubi Point. Epstein przytacza wypowiedź kolejnego marines, Personsa, który:

> [...] usłyszał hałas, który natychmiast rozpoznał jako wystrzał, i mrożące krew w żyłach
> krzyki dochodzące z okolicy, którą patrolował Schrand. „Te okrzyki brzmiały jakoś dziko

[...]. Wiedziałem, że nie powinienem opuszczać swego posterunku, choćby nie wiem co się działo, ale powiedziałem sobie: «Tam do diabła, ten chłopak ma kłopoty» i pobiegłem do niego" – opowiadał później.

Około 50 metrów dalej znalazł Schranda leżącego w kałuży krwi, śmiertelnie rannego. Jego strzelba leżała za nim na ziemi, około półtora metra dalej [...]. Ustalono, że Schrand postrzelił się w prawą pachę z własnej strzelby. Samobójstwo zostało wykluczone, ponieważ lufa strzelby była dłuższa od ręki Schranda, i na miejscu wypadku nie znaleziono żadnego przedmiotu, za którego pomocą mógłby pociągnąć za spust.

Początkowo [...] zakładano, że został zaatakowany przez filipińskiego partyzanta i w wyniku szarpaniny postrzelił się z własnej broni. Gdy jednak nie znaleziono żadnych śladów intruza, śmierć Schranda określono zgonem „w wyniku wypadku", na podstawie przypuszczenia, że strzelba nieoczekiwanie wypaliła, gdy Schrand ją upuścił. Rekrutów jednak długo męczyło podejrzenie, że za śmiercią Schranda kryje się coś więcej, i obowiązek pełnienia warty budził w nich coraz większą nerwowość.

Do tego Epstein dorzuca następującą uwagę: „Wielu marines twierdziło, że Oswald pełnił tego wieczoru wartę i być może był zamieszany w to, co zdarzyło się Schrandowi", lecz zaraz dodaje: „Mimo przesłuchania dziewięciu oficerów i żołnierzy, którzy byli tego wieczoru w Cubi Point, nie udało mi się znaleźć potwierdzających tę tezę dowodów" [...].

W tych niełączących się ze sobą szczegółach istnieje niepokojąca luka. Jak człowiek może się ustawić tak, by kula weszła pod prawym ramieniem i wyszła po lewej stronie szyi? Nie wspomniano dotąd o takiej możliwości, że ktoś został zmuszony do uklęknięcia i wykonania *fellatio*, i tym samym miał okazję sięgnąć po strzelbę, leżącą na ziemi u jego stóp.

Nie wiadomo nic o tym, czy Schrand, który towarzyszył Oswaldowi we wszystkich podróżach, z Florydy przez Missisipi, Kalifornię i Japonię do Cubi Point na Filipinach, był jego przyjacielem, czy też dręczycielem. Biorąc jednak pod uwagę seksualną reputację Oswalda, to naturalne, że właśnie jego nazwisko mgliście kojarzyło się kolegom ze śmiercią Schranda.

Podczas drugiej wojny światowej na Filipinach wielu weteranom – zahartowanym, skłonnym do podłości i niewątpiącym w swoją heteroseksualność – nierzadko zdarzało się korzystać na warcie z usług filipińskich chłopców, a następnie się tym chwalić. Uważali to po prostu za drobną przysługę seksualną.

To było zwyczajną praktyką na początku roku 1945; prawdopodobnie nie zmieniło się wiele do początku roku 1958. Schranda mógł zabić Filipińczyk.

Jeśli jednak zabił Oswald – a załóżmy, że prawdopodobieństwo jest w tym wypadku małe, lecz nie zerowe – to musiała go dręczyć dotkliwa świadomość, że skazany jest na wieczne życie poza prawem jako niewykryty i jak dotąd nieukarany przestępca.

Opieranie poważnych interpretacji na takim założeniu byłoby, oczywiście, w najwyższym stopniu bezzasadne; wkrótce jednak nastąpią inne wydarzenia; niewykluczone, że one również wywrą na niego duży wpływ, niezrozumiały dla ludzi z zewnątrz.

MACS-1 przeniesie się z Cubi Point aż do Corregidor i tam Oswald będzie spędzał całe godziny na penetrowaniu starych tuneli i fortyfikacji z okresu drugiej wojny światowej. Wciąż pełnił służbę w kantynie w ramach kary za nielegalne posiadanie pistoletu, lecz widocznie znalazł sposób na zachowanie w tej sytuacji równowagi psychicznej – błaznowanie. Przygotowując śniadanie w kantynie, demonstrował własną metodę robienia jajecznicy z kilkudziesięciu jaj. Marines z jego jednostki, George Wilkins, powiedział Epsteinowi: „Ozzie [...] brał tacę, podkładał ją pod rozbełtane jaja i przewracał je za jednym razem. Było na co popatrzeć".

Gdy w marcu jednostka wróciła do Atsugi, Oswald zaczął pić z pozostałymi marines. Wracając z przepustki, budził chłopaków ze swojego końca koszar, wykrzykując: „Chłopcy, oszczędzajcie swoje konfederackie pieniądze; Południe znowu powstanie!". Wprawdzie tylko na krótką chwilę, przejął jednak amerykański styl życia: służył w piechocie morskiej i był najszczęśliwszy, kiedy upijał się jak świnia. Jak pisze Epstein, jego koleżkowie od butelki szybko

[...] zapoznali go z szeroką ofertą tanich barów w pobliżu bazy i z pracującymi tam dziewczętami. Od wschodu do zachodu neonów bary te służyły żołnierzom z jednostki jako burdele. Koledzy kibicowali Oswaldowi, kiedy wreszcie przeszedł inicjację seksualną z japońską barmanką.

Powers zauważa, że Oswald stał się „bardziej agresywny i otwarty na ludzi [...] teraz był już Oswaldem mężczyzną, a nie Oswaldem królikiem". Ale Powers oczywiście nie wiedział tyle, ile Oswald, o tezie i antytezie.

EPSTEIN: Kilku świadków przypomina sobie szaloną knajpę w Yamoto, zwaną „Negashaya", gdzie mężczyźni chodzili w sukienkach i malowali usta szminką. Jeden świadek opisał to miejsce jako „bar gejowski" i oświadczył, że raz poszedł tam z Oswaldem – propozycja wyszła od Oswalda – i z dwiema głuchoniemymi dziewczynami. „Wyglądało na to, że Oswald był tam nie po raz pierwszy" – wspomina świadek, który woli pozostać anonimowy. „Nie pamiętam, czy znał kogoś z imienia, ale czuł się tam swobodnie".

Brawura Oswalda mogła częściowo brać się stąd, że stosunkowo pomyślnemu zakończeniu uległa sprawa o nielegalne posiadanie pistoletu. Sąd wojenny uznał Lee za winnego 11 kwietnia, miesiąc po powrocie z Filipin, i skazał na dwadzieścia dni ciężkich robót, 50 dolarów grzywny oraz degradację ze stopnia starszego szeregowego do szeregowego, lecz wyrok nie był prawomocny i po sześciu miesiącach miał zostać unieważniony, pod warunkiem, że delikwent nie złamie więcej prawa.

Ten warunek jednak okazał się niemożliwy do spełnienia. Wprawdzie Oswald przewracał naraz jajecznicę z trzech czy czterech tuzinów jaj, lecz mimo to służba w kantynie była dla niego poniżająca. Chciał wrócić do pracy, do której go przeszkolono, czyli do rozpoznawania na radarze przyjacielskich i wrogich samolotów. Szkołę w Keesler ukończył z siódmą pozycją w grupie składającej się z trzydziestu rekrutów o wysokim ilorazie inteligencji. Lubił tę pracę; było to zajęcie wymagające znajomości tajemnic wojskowych. Z powodu wyprostowanej postawy, spokojnego głosu oraz często zesznurowanych ust, Oswald wyglądał na studenta seminarium duchownego; wszystko, co w jego naturze było księżowskie, zapewne buntowało się przeciwko brudowi i bylejakości, panującym w wojskowej kuchni.

„Oswald wreszcie wyładował swoje niezadowolenie na tym, kto skazał go na służbę w kantynie – starszym sierżancie Miguelu Rodriguezie, [który] widział Oswalda w Bluebird Cafe, gdzie przesiadywali marines" [...], „wyrzekając na obowiązki w kantynie, Oswald wylał na Rodrigueza drinka, Rodriguez go odepchnął, a wówczas Oswald wyzwał go, żeby wyszedł na dwór i się z nim bił. Gdy Rodriguez odmówił, nazwał go tchórzem".

Wszyscy byli zgodni co do tego, że Oswald nie był dla Rodrigueza partnerem do bitki. Towarzysze sierżanta wyperswadowali mu chęć odwetu. Rodriguez i jego koledzy, podoficerowie marines, otrzymali ostatnio sygnał, że w miejscowych barach wywiązuje się za dużo bójek, i ostrzeżenie, że jeżeli któryś z podoficerów wda się w jedną z nich, może zostać zdegradowany. Rodriguez wstrzymał się zatem z odwetem do następnego dnia, kiedy to złożył na Oswalda skargę. Na doraźnym sądzie wojennym Oswald został uznany za winnego używania prowokujących określeń i skazany na cztery tygodnie paki.

Marines szczycą się tym, że z ich szkoleniem podstawowym nie może się równać szkolenie żadnej innej formacji wojskowej; ich karcery zaś mogłyby współzawodniczyć z więzieniami o najsurowszym rygorze.

EPSTEIN: Więźniom nie wolno było zamienić ze sobą ani słowa. Z wyjątkiem czasu na spanie i posiłki, w każdej chwili wolnej od wykonywania podrzędnych prac musieli stać na baczność [...]. Gdy więzień chciał skorzystać z toalety, musiał podejść do czerwonej linii i głośno powtarzać swoją prośbę, póki klawisz nie uznał, że już wystarczy, i nie udzielił zgody.

Gdy Oswald wyszedł z więzienia, był, zdaniem żołnierza marines Josepha D. Macedo, „chłodny, zamknięty w sobie i zgorzkniały. «Dość się tu napatrzyłem na społeczeństwo demokratyczne [...] – mawiał Oswald. – Kiedy stąd wyjdę, spróbuję czegoś innego [...]»".

Mniej więcej w tym czasie Oswald być może po raz pierwszy skontaktował się z japońskimi komunistami. Baza lotnicza Atsugi, z uwagi na tajność przeprowadzanych tam operacji, loty U-2 i składowanie materiałów nuklearnych, leżała w centrum zainteresowania działań szpiegowskich na Dalekim Wschodzie.

EPSTEIN: W raporcie, opublikowanym w ramach ustawy o wolności informacji, dwóch prawników z Komisji Warrena, W. David Slawson i William T. Coleman junior, dało do zrozumienia, że „[...] istnieje możliwość, iż w owym czasie, to znaczy podczas służby na Filipinach, w Japonii i być może także na Tajwanie, Oswald nawiązał kontakt z agentami komunistycznymi. Szczególnie Japonia, ze względu na otwartość i aktywność tamtejszej Partii Komunistycznej, wydawała się prawdopodobnym miejscem na nawiązanie kontaktu [...]. Czy kontakt, jeśli rzeczywiście miał miejsce, wykraczał poza rady, których udzielał jakiś starszy komunista osiemnastoletniemu czy dziewiętnastoletniemu wówczas Oswaldowi, by wyjechał do Rosji i zobaczył na własne oczy komunistyczny świat, nie wiadomo". Komisja Warrena jednak nie podjęła tego wątku w końcowym raporcie.

Nie fair będzie nazwać prawdopodobieństwem to, co prawnicy Komisji Warrena określili mianem możliwości. Lecz z pewnością wyjaśnia to w dużym stopniu ówczesne i późniejsze zachowanie Oswalda.

Zacznijmy od odnotowania faktu, że Oswald nauczył się obsługiwać aparat fotograficzny Imperial Reflex z obiektywem 35 mm, i widziano, że robi dużo zdjęć obiektów i budynków w bazie Atsugi, w tym także anteny radaru, przy którym pracował.

EPSTEIN: Na przepustki często jeździł do Tokio lub gdzieś znikał. Jeden z kolegów Oswalda z marines pamięta, że spotkał go w pewnym domu w Tamato z kobietą, która była gospodynią oficera marynarki. Był wówczas pełen podziwu dla Oswalda, że znalazł sobie dziewczynę, która nie jest barmanką ani prostytutką. W tym domu był również przystojny młody Japończyk, któremu Oswald najwyraźniej kupił koszulkę w sklepie w bazie. Podczas gdy dziewczęta piekły na grillu *sukiyaki**, mężczyźni spędzali czas na rozmowie, ów żołnierz jednak nie mógł dokładnie zrozumieć, jaki był związek Oswalda z tymi ludźmi.

Jak dotąd to nic wielkiego. Oswald robi w bazie zdjęcia i być może uprawia *menage-à-trois* z dwojgiem Japończyków. Oświadcza Josephowi Macedo, że nie zależy mu na powrocie do Stanów. Nigdy nie wybaczy marines tego, co cztery tygodnie w więzieniu zrobiły z jego dumą. Na tak niepewnej podstawie jednak nie możemy mu wytoczyć sprawy, lecz co najwyżej powziąć podejrzenia.

---

* *Sukiyaki* – cienkie plastry wołowiny, podawane w słodkim sosie sojowym z ryżem (przyp. tłum.).

Ale Oswald nawiązuje pewną znajomość, której nie da się właściwie wyjaśnić inaczej niż w kategoriach *qui pro quo* między nim a piękną Japonką, pracującą w jednym z najlepszych i najdroższych klubów nocnych w Tokio, „The Queen Bee". Każda hostessa na całą noc w tym barze kosztowałaby więcej niż Oswald zarabiał przez miesiąc. „The Queen Bee" był klubem dla oficerów, nie szeregowców. A jednak Oswalda często widywano w towarzystwie tej kobiety.

EPSTEIN: „Naprawdę wariował na jej punkcie" – zauważył [marines nazwiskiem] Stout, który kilka razy spotkał tę kobietę w towarzystwie Oswalda w barach w pobliżu bazy. Inni marines, nie tak przyjaźnie nastawieni do Oswalda, [...] byli zdumieni, że ktoś z jej „klasą" w ogóle zadaje się z Oswaldem.

To, że „The Queen Bee" i tym podobne miejsca grały rolę rynków, na których można było zamówić i sprzedać informacje wojskowe, wydaje się zrozumiałe samo przez się. Epstein przedstawia wypowiedź sierżanta marines Charlesa Rhodesa; sierżant ów przypomina sobie jeden taki incydent na Atsugi, kiedy to dziewczyna, z którą był w zażyłych stosunkach, powiedziała mu, że przykro jej, iż on musi wyjechać na manewry na Tajwan. Rhodes, oficer pełniący w MACS-1 obowiązki kontrolera strefy powietrznej, powiedział jej, że ktoś ją źle poinformował – że jednostka nie planuje wyjazdu na Tajwan. Dziesięć dni później Rhodes dostał oficjalne powiadomienie o manewrach.

Jednostka MACS-1 została rzeczywiście wysłana na Tajwan, by prowadzić tam kontrolę radarową. Siły zbrojne USA spodziewały się inwazji na Tajwan i/lub poważnej bitwy morskiej z chińskimi komunistami.

Jednak tuż po zainstalowaniu się w namiocie radarowym na Tajwanie dowódcy jednostki Oswalda odkryli, że najistotniejsze sygnały – dzięki którym przelatujące samoloty identyfikowano jako przyjacielskie – najwidoczniej zostały przekazane wrogowi.

EPSTEIN: Chińscy komuniści najwyraźniej znali wszystkie sygnały kodowe, które pozwalały im na przejście obrony powietrznej i pojawianie się na ekranach kontroli radarowej jako „przyjaciele", a nie „wrogowie" [...]. [Sierżant Rhodes] pamięta jak dziś chińskie odrzutowce, „piorunem przelatujące przez system IFF. Ktoś, kto miał dostęp do miejscowych [kodów] [...] widocznie przekazał je wrogowi. „Nigdy się nie dowiedzieliśmy, jak im się udało ominąć kontrolę – zauważył Rhodes – ale wszyscy znali sygnał [...] u nas przez to rozpętało się piekło" [...].

Którejś nocy, niedługo po przyjeździe, Oswald stał na warcie, gdy koło północy Rhodes usłyszał [...] „cztery czy pięć" strzałów z tego miejsca, gdzie pełnił wartę Oswald. Wyciągnął swój pistolet kalibru 45 i pobiegł w kierunku grupy drzew, skąd dobiegł odgłos wystrzału. Znalazł tam Oswalda opartego o drzewo, z karabinem M-1 na kolanach. „Gdy do niego dobiegłem, trząsł się i płakał – wspominał później Rhodes. – Mówił, że widział w lesie mężczyzn, że do nich krzyknął, a potem zaczął strzelać" [...]. Rhodes objął Oswalda wpół i powoli zaprowadził do namiotu. „W kółko powtarzał, że po prostu nie potrafi wytrzymać stania na warcie" [...].

Rhodes zdał raport z tego wydarzenia swojemu dowódcy i niemal bezzwłocznie, 6 października, Oswalda odesłano wojskowym samolotem z powrotem do Japonii [...]. Rhodes uważał wtedy, podobnie jak uważa i dzisiaj, że Oswald zaplanował ów incydent ze strzelaniną jako fortel, bo chciał zostać odesłany z powrotem do Japonii. „Oswaldowi podobała się Japonia i pragnął tam zostać [...]. Wiem, że nie chciał jechać na Tajwan, i myślę, że strzelał po to, żeby się stamtąd wydostać [...]. Oswald bynajmniej nie był głupi".

Mogło to być działanie obliczone na efekt; mogła to być również najprawdziwsza panika. Jeśli Oswald przekazywał lub sprzedawał tajemnice japońskim komunistom, mógł się obawiać, że wyjdzie to na jaw. Na warcie, w nocy, w obcym kraju, nie trzeba mieć wielkiej wyobraźni, by uznać, że oto nadchodzi kara za złe uczynki.

Niedługo po powrocie do Atsugi, gdy jego jednostka wciąż stacjonowała na Tajwanie, Oswald został przeniesiony setki kilometrów na południc, do bazy lotniczej w Iwakuni.

Epstein: Wysoki, chudy Owen Dejanovich z Chicago, który został potem zawodowym futbolistą, natychmiast rozpoznał w Oswaldzie [...] człowieka, z którym uczył się w szkole radarowej w bazie lotniczej w Keesler, i starał się odnowić z nim znajomość. Szybko się przekonał, że Oswald niesłychanie zgorzkniał od czasu, kiedy się ostatnio widzieli.

„Wciąż mówił o marines w centrum dowodzenia «wy, Amerykanie», jak gdyby sam był cudzoziemcem przyglądającym się z boku temu, co robimy" – mówił Dejanovich. Ton głosu miał Oswald zdecydowanie oskarżycielski. Rzucał slogany o „amerykańskim imperializmie" i „wyzysku" [...].

Jak powie Oswald radzieckim dziennikarzom jesienią 1959 roku, już w październiku roku 1958 był zdecydowany zdezerterować i zostać obywatelem Związku Radzieckiego.

Oczywiście, nie było to takie proste. Stacjonując wówczas przeważnie w Kalifornii, rozważał też wyjazd na Kubę i karierę sierżanta u Fidela Castro.

7

Mężczyzna z ambicjami przywódczymi

Po trzynastomiesięcznej służbie w Japonii Oswald dostał przepustkę na trzydzieści dni i spędził ten czas z matką w jej małym mieszkaniu w Fort Worth. Robert Oswald, wówczas świeżo po ślubie, zabrał Lee na polowanie na wiewiórki i zające ze strzelb kalibru 22. Wszystkie źródła są zgodne co do tego, że wyprawa nie była udana.

Następnie Oswald zgłosił się do innej Kompanii Kontroli Powietrznej Marines, MACS-9, w Santa Ana w Kalifornii, koło San Diego, i pracował na kolejnym odizolowanym od świata stanowisku radarowym.

EPSTEIN: [...] w odróżnieniu od Atsugi, gdzie od czasu do czasu samoloty wroga zabłąkiwały się do Strefy Identyfikacji Obrony Powietrznej, w związku z czym włączano alarmy i wytyczano na tablicach ścieżki przejęcia, w Kalifornii działo się niewiele i praca nie była interesująca [...].

Oswald był jednak zajęty, ponieważ uczył się rosyjskiego. Jak możemy sądzić na podstawie moskiewskich raportów, mówiących o jego początkowej słabej znajomości języka, poziom, do jakiego doszedł w Ameryce, musiał być podstawowy, ale podczas pobytu w Santa Ana w Kalifornii Oswald naprawdę się przykładał do nauki. Dwa miesiące po przyjeździe zdawał test umiejętności językowych korpusu marines i zdał z wynikiem plus cztery z czytania po rosyjsku (to znaczy prawidłowych odpowiedzi miał o cztery więcej niż nieprawidłowych), plus trzy z pisania po rosyjsku, lecz z rozumienia języka mówionego – minus pięć, ogółem więc poszło mu kiepsko. To jednak chyba tylko zdopingowało go do dalszej pracy ze słownikiem rosyjsko-angielskim. Zaprenumerował również wydawaną po rosyjsku gazetę oraz „People's World", organ Socjalistycznej Partii Robotniczej.

EPSTEIN: Gdy zdumieni pracownicy działu pocztowego donieśli oficerowi operacyjnemu, kapitanowi Robertowi E. Blockowi, o fakcie, że Oswald otrzymuje „literaturę lewicową", ów zapytał o to Oswalda, [który] wyjaśnił, że on tylko chciał indoktrynować się w rosyjskiej teorii zgodnie z polityką marines. Choć nie do końca przekonany, Block więcej nie interesował się ową sprawą.

To, że Block i inni oficerowie marines nie zajęli się poważniej tą kwestią, spowodowało później wiele podejrzeń. Gdybyśmy jednak mieli zgadywać, to prawdopodobne wyjaśnienie jest takie, że Oswalda nie traktowano zbyt serio. Miał już opinię błazna i być może ze wszystkich sił starał się jeszcze spotęgować to wrażenie.

Z zeznania Richarda Dennisa Calla przed Komisją Warrena:
Przez ten czas [...] wielu żołnierzy w jednostce żartowało, że jest on rosyjskim szpiegiem; Oswaldowi takie uwagi zdawały się sprawiać przyjemność. Miałem wówczas płytę z nagraniem rosyjskiego utworu klasycznego pod tytułem Rosyjskie fajerwerki. Gdy puszczałem tę płytę, zjawiał się Oswald i pytał: „Wołałeś mnie?". Miałem też szachy, które składały się z pionków białych i czerwonych; Oswald zawsze wybierał czerwone, rzucając na przykład uwagę, że woli „Armię Czerwoną". Przez te żarty i zainteresowanie Oswalda rosyjskim przylgnęło do niego przezwisko „Oswaldikowicz".

Z zeznania Macka Osborne'a przed Komisją Warrena:

Raz zapytałem Oswalda, dlaczego nie wychodzi wieczorami, jak inni mężczyźni. Odpowiedział, że oszczędza pieniądze, [ponieważ] pewnego dnia zrobi coś, dzięki czemu stanie się sławny. Kiedy teraz patrzę na to z perspektywy, uważam – choć nie powiedział nic, co by na to wskazywało – że mówiąc to, miał na myśli podróż do Rosji [...].

On jednak rzadko poruszał się w jednym tylko kierunku, nie wypróbowując innych. Pociągała go także Kuba i rozmawiał o niej z Portorykańczykiem, kapralem Nelsonem Delgado.

NELSON DELGADO: [...] dość dobrze się dogadywaliśmy. Miał problemy w jednym z baraków i został przeniesiony do mojego.

LIEBELER: Czy wie pan, jakie problemy miał w tamtym baraku?

NELSON DELGADO: Ja zrozumiałem to tak, że nie chciał się dostosować. Kiedy przychodził czas na sprzątanie, na generalne sprzątanie koszar, nie chciał w tym uczestniczyć i przez cały czas się wykręcał. Z tego powodu sierżant, który był odpowiedzialny za barak, poprosił, żeby go stamtąd usunąć. Dlatego Oswald został przeniesiony do mojego baraku [...].

LIEBELER: Czy zauważył pan kiedykolwiek, że rcagował on lepiej, jeśli się go poprosiło o zrobienie czegoś zamiast rozkazywać?

NELSON DELGADO: Zgadza się [...] to właśnie na niego działało. Nigdy nie zwracałcm się do niego „Lee" ani „Harvey" ani „Oswald". Zawsze tylko „Oz".

LIEBELER: Oz?

NELSON DELGADO: Ozzie. Mówiłem tak: „Oz, może byś się dziś zajął łazienkami?". Nie ma sprawy, robił to. Ale gdyby ktoś z zewnątrz powiedział: „Dobra, Oswald, chcę, żebyś dzisiaj posprzątał ten teren", zaraz by usłyszał: „Dlaczego? Dlaczego ja muszę to robić? Dlaczego zawsze mi każecie to robić?". To był rozkaz, i on musiał go wykonać, ale on tego nie pojmował w ten sposób.

Liebeler kieruje rozmowę z powrotem na Kubę i przypomina Nelsonowi Delgado, że rozmawiał on z Oswaldem o tym, żeby tam pojechać i walczyć po stronie Fidela Castro, gdy ten wkroczy już do Hawany.

NELSON DELGADO: [...] Tak się złożyło, że dostałem przepustkę na pierwszego stycznia, kiedy Castro przejął władzę. Więc gdy wróciłem [Oswald] zobaczył mnie pierwszy i powiedział: „No, no, wziąłeś przepustkę, pojechałeś tam i im pomogłeś, a oni przejęli władzę". To był fajny żart [...]. Powtarzam, mówimy teraz o marzeniach [...]. Ja znam hiszpański, on ma pomysł, jak powinien działać rząd [...] moglibyśmy tam pojechać, zostać oficerami, poprowadzić wyprawę na którąś z pozostałych wysp i ją też wyzwolić [...].

Liebeler: To o tym rozmawiał pan z Oswaldem?

Nelson Delgado: Zgadza się [...], jak byśmy załatwili Trujilla i tak dalej, [ale] on zaczął snuć plany, chciał wiedzieć, jak można się dostać na Kubę [...] jak ktoś w jego sytuacji, Amerykanin, może [...] uczestniczyć w tamtejszym ruchu rewolucyjnym.

Powiedziałem mu, że na początek [...] zaufanie najlepiej zdobyć w ten sposób, że zna się język, zna zwyczaje; zaczął się więc przykładać do hiszpańskiego, uczyć się. Kupił sobie słownik, słownik hiszpańsko-angielski. Przychodził do mnie i rozmawialiśmy po hiszpańsku. Nie były to jakieś długie zdania, ale w sam raz. Po jakimś czasie przyzwyczaił się mówić do mnie po hiszpańsku.

Ten projekt nie miał przyszłości. W miarę jak amerykańskie media stawały się coraz krytyczniejsze wobec Fidela Castro i jego coraz silniejszych powiązań z ZSRR, Delgado zaczął zdawać sobie sprawę, że taki ruch zagroziłby jego przyszłości w wojsku, i odsunął się od Oswalda.

Przez okres pobytu Oswalda w Kalifornii zebrały się na jego temat inne oceny. Przygotowuje się do ucieczki do Rosji, ale sprawia wrażenie przykładnego pracownika. Jeden z oficerów w centrum kontroli wystawia mu za pracę dobrą ocenę.

William Donovan: [...] Czasami obserwował, czy nie pojawia się niezidentyfikowany samolot. Albo czy jakiś samolot nie ma kłopotów. Niekiedy rysował wykresy na tablicy. Czasami przekazywał informacje do innych punktów kontroli radarowej sił powietrznych lub marynarki wojennej. Kiedy indziej znów zamiatał podłogę, gdy sprzątaliśmy i zbieraliśmy się do wyjścia. Wszystkie te zadania wypełniał kompetentnie.

Czasami bywał trochę humorzasty. Lecz [...] jeśli tylko ludzie wykonują swoje zadania w pracy, to ich sprawa, czy są humorzaści [...]. Byłem z nim na warcie, gdy ogłoszono alarm. Odwracając się i przekazując to szefowi załogi i mnie [...] mówił, na czym polega zagrożenie [...] i jakie, jego zdaniem, powinniśmy podjąć działania [...]. Następnie czekał, żebyśmy mu powiedzieli, co ma robić, i robił to, niezależnie od tego, co to było.

Czasami grywali razem w szachy.

William Donovan: [...] faktycznie był dość dobrym graczem. Ja wygrałem w tamtym roku mistrzostwa szachowe bazy. Pamiętam, że czasami ze mną wygrywał.

To nie była bardzo duża baza. Ale nasze umiejętności w grze wydawały się porównywalne.

Stosunki Oswalda z sierżantem Donovanem ociepliły się do tego stopnia, że
podczas spokojniejszych momentów na służbie wdawali się w dyskusje.

WILLIAM DONOVAN: [...] Jego znajomość ze mną opierała się na tym, że ja właśnie świeżo ukończyłem Szkołę Służby Dyplomatycznej i byłem co najmniej
dostatecznie obeznany z sytuacją na całym świecie. On czuł się ogromnie
dumny z tego, że potrafi wymienić nie tylko przywódcę danego państwa, lecz
również pięciu czy sześciu ludzi zajmujących w nim ważne stanowiska. Pysznił się tym, że rozmawiał z przechodzącymi oficerami, którzy wchodzili i wychodzili z centrum kontroli radarowej. Z wielkim zaciekawieniem pytał ich,
co myślą o danej sytuacji, wysłuchiwał, co mają do powiedzenia i mówił:
„Bardzo dziękuję".
    Gdy tylko zostawaliśmy znów sam na sam, pytał mnie: „Zgadzasz się
z tym?".
    W wielu przypadkach było jasne, że oficer miał o danej sprawie takie samo
pojęcie jak [...] o rozgrywkach polo w Australii.
    Oswald mawiał wtedy: „Jeśli tacy ludzie są naszymi przywódcami, to coś jest
nie w porządku – bo ja niewątpliwie jestem od nich inteligentniejszy i mam
większą wiedzę".
    To było poważne nieporozumienie, które starałem się mu wyjaśnić: że ci lu-
dzie są oficerami marines i mają być wyszkoleni w sztuce prowadzenia walki,
nie muszą być analitykami polityki międzynarodowej [...].

Donovan był także trenerem futbolu w kompanii. Oswald starał się o przyjęcie
do drużyny.

ELY: Czy Oswald dobrze grał w futbol?

WILLIAM DONOVAN: Nie [...]. Myślę, że ważył zaledwie około sześćdziesięciu pięciu kilo, o ile pamiętam. Miał drobną budowę ciała.

ELY: Czy mimo to jednak powiedziałby pan, że był normalny, jeśli chodzi o szyb-
kość i zwinność?

WILLIAM DONOVAN: O tak; był dość szybki.

ELY: Czy zatem określiłby go pan jako wysportowanego, lecz zbyt drobnego, by
zostać naprawdę dobrym futbolistą?

WILLIAM DONOVAN: Nie sądzę, by w przyzwoitej szkole średniej doszedł choćby do rozgrywek międzyszkolnych. [Z drugiej strony] często usiłował kierować grą. Dobrze to czy źle, drużyną kieruje rozgrywający, i to on powinien kierować grą. Od tego jest. I nie wiem, czy [Oswald] sam zrezygnował, czy go wyrzuciłem. W każdym razie przestał grać.

Wprawdzie zawsze udawał tak niewzruszonego, jakby kierował się tylko rozumem, ale jego emocje, w tych rzadkich wypadkach, kiedy je okazywał, świadczyły, że to nieprawda.

Nieco wyraźniejszy obraz wyłania się z zeznania Kerry'ego Thornleya, który należał do najinteligentniejszych marines w bazie.

Thornleya ani nie zdziwiły poglądy Oswalda, ani mu szczególnie nie zaimponowały, ponieważ prenumerował biuletyn I.F. Stone'a. W tamtych czasach, według opinii obowiązujących w marines, była to czerwona szmata podobna do „Workera".

KERRY THORNLEY: Moje pierwsze wspomnienie Oswalda to wspomnienie pewnego popołudnia, kiedy siedział na wiadrze przed barakiem z innymi marines. Dyskutowali o religii. Włączyłem się do dyskusji. W jednostce wszyscy już wiedzieli, że jestem ateistą. Ktoś natychmiast mi powiedział, że Oswald też jest ateistą [...].

JENNER: Jak on na to zareagował?

KERRY THORNLEY: [...] wcale nie był tym urażony [...] zapytał mnie z tym swoim uśmieszkiem [...] „Co sądzisz o komunizmie?". Odpowiedziałem, że nie mam o komunizmie zbyt dobrego zdania, a on powiedział: „Cóż, a ja myślę, że komunizm to najlepsza religia". Wydawało mi się wówczas, że powiedział to po to, by wywołać szok. Miałem poczucie, że się zgrywa.

JENNER: Przed chłopakami, którzy siedzieli koło niego?

KERRY THORNLEY: Tak [...]. Uśmiechał się lekceważąco, kiedy to mówił, zresztą bardzo spokojnie. W żadnym razie nie wyglądał na fanatyka o płonących oczach.

Albert Jenner wkrótce zainteresował się, co Thornley sądzi i na inne tematy.

JENNER: Jakie miał nawyki osobiste – czy był schludny, czysty?

KERRY THORNLEY: Wyjątkowo niechlujny.

JENNER: Wyjątkowo niechlujny?

KERRY THORNLEY: Tak. To jednak, jak sądzę, nie musiało się pokrywać z jego życiem w cywilu, [ale] pasowało do ogólnego schematu jego osobowości: robić to, czego się nie powinno – taki rys przekory. [Oswald] starał się, jak mógł, pakować w tarapaty, ściągać na siebie gniew jakiegoś oficera czy sierżanta sztabowego. Wygłaszał głupie uwagi. Generalnie okazywał pełne goryczy nastawienie do służby w marines. Miał zwyczaj nasuwania sobie czapki na oczy [...] człowiekowi się wydawało, że robi tak dlatego, żeby nie musieć patrzeć na to, co go otacza.

JENNER: [...] żeby nie dostać dodatkowego zadania do wykonania czy [...].

KERRY THORNLEY: Nie [...] to była z jego strony po prostu, jak sądzę, próba wymazania wojska ze świadomości [...] kiedyś rzucił jakiś komentarz, w którym o to właśnie chodziło; że [...] nie podoba mu się to, na co musi patrzeć [...].

JENNER: A jak było z jego zdolnością przyswajania sobie tego, co czytał, i zdolnością krytycznego myślenia?

KERRY THORNLEY: [...] był bardzo inteligentny. W dyskusji zawsze radził sobie dobrze z każdym znanym mu faktem; szybko myślał. Oswald [na przykład] argumentował kiedyś, że komunizm to racjonalne podejście do życia, naukowe [...]. Zwróciłem się do niego, by przedstawił choć skrawek dowodu na poparcie idei, że historia toczy się tak, jak to opisali Marks i Engels [...] on spróbował udzielić mi zadowalającej odpowiedzi, co mu się nie udało, zdał sobie z tego sprawę i przyznał, że logicznie nie ma żadnego uzasadnienia dla komunistycznego rozumienia historii [...], ale że mimo to marksizm jest, jego zdaniem, najlepszym systemem z innych względów.

JENNER: Najlepszym na tle czego?

KERRY THORNLEY: Na tle – przede wszystkim na tle wszelkich religii [...]. Ta jego pierwsza uwaga, że komunizm jest najlepszą religią, cały czas mocno tkwi mi w pamięci. Nie uważał komunizmu za religię w ścisłym tego słowa znaczeniu, ale za wszechogarniający światopogląd kulturalny, który, gdy go się wprowadzi w jakimś państwie, sprawi, że stanie się ono lepsze niż pod wpływem, powiedzmy, światopoglądu rzymskokatolickiego czy hinduistycznego, czy islamskiego, i – wracając do jego argumentu – uważał, że w komunizmie jest dość dużo innych cech, które usprawiedliwiają to, że jego rozumienie historii trzeba przyjmować na wiarę.

JENNER: Jakie to cechy?

KERRY THORNLEY: Na przykład to, że uważał – podobnie jak Marks – że w kapitalizmie panuje wyzysk robotników [a] w obecnym systemie sowieckim, na przykład, pieniądze wydaje się z korzyścią dla ludu, że nie trafiają one do jednostek, które kierują przedsiębiorstwami [...].

JENNER: Czy poruszał pan z nim temat kosztów, jakie ponieść tam musi jednostka [...] w zakresie wolności osobistej w porównaniu z systemem kapitalistycznym czy demokratycznym?

KERRY THORNLEY: Jego nie dało się do tego przekonać. Odpowiedziałby: „Skąd wiesz?" [...]. Wychodził z założenia, że prawdopodobnie ulegliśmy propagandzie i że nic nie wiemy o tym, co się tam dzieje [...].

JENNER: Czy kiedykolwiek odniósł pan wrażenie, że on [...] może chcieć na własnej skórze doświadczyć tego, co się dzieje w Rosji?

KERRY THORNLEY: [...] Byłem jak najdalszy od takich przypuszczeń. Choć z pewnością mogę powiedzieć jedno: kiedy pojechał do Rosji, wydawało mi się to dla niego znacznie bardziej prawdopodobną alternatywą niż, powiedzmy, wstąpienie do Partii Komunistycznej w Stanach Zjednoczonych.

JENNER: Nie rozumiem.

KERRY THORNLEY: To pasowało do jego osobowości [...].

JENNER: Czy może pan rozwinąć tę myśl?

KERRY THORNLEY: Oswald nie był typem wojownika. Wówczas nie wydawało mi się, żeby był [...] w jakimkolwiek stopniu wojownikiem, człowiekiem, który pławiłby się w wyobrażaniu sobie siebie maszerującego w szeregach jakiejś wielkiej krucjaty. Należał do ludzi, którzy raczej [...] podchodzą do wszystkiego spokojnie. Na przykład, dzięki wyjazdowi do Związku Radzieckiego mógł doświadczyć tego, co, jego zdaniem, było pozytywną stroną komunizmu, a jednocześnie nie musiał szturmem zdobywać Bastylii, że tak powiem.

Thornley jednak szybko wyjaśnił, że nie rości sobie praw do dogłębnego zrozumienia Oswalda...

KERRY THORNLEY: Był absolutnie nieprzewidywalny. Przestaliśmy ze sobą rozmawiać, zanim ostatecznie opuściłem jednostkę [w czerwcu].

JENNER: Z jakiego powodu?

KERRY THORNLEY: Było to w sobotę rano. Zostaliśmy wezwani do udziału w paradzie na cześć podoficerów sztabowych, którzy odchodzili na emeryturę z marines. Nie było to nic niezwykłego. Co jakiś czas musimy poświęcać czas wolny w sobotę rano, by wziąć udział w takiej paradzie. Oczywiście, ponieważ każdy dopiero co wstał [...] i miał w perspektywie stanie przez cały ranek w upalnym słońcu i maszerowanie w kółko, wszyscy byli poirytowani [...]. Czekaliśmy na parkingu przy placu defiladowym. Tak się złożyło, że Oswald i ja siedzieliśmy obok siebie na kłodzie drzewa [i on] odwrócił się do mnie i powiedział coś o głupocie tej parady [...], jak go to złości; a ja odparłem, chyba tak brzmiały moje słowa: „Jak przyjdzie rewolucja, to ty to zmienisz".

Wtedy on rzucił mi spojrzenie zdradzonego Cezara i krzyknął: „O nie, i ty też, Thornley!". Pamiętam, że głos mu się załamał przy tych słowach. Z całą pewnością poruszyło go to, a mnie się nie wydawało, żebym powiedział coś istotnego. Włożył ręce do kieszeni, naciągnął sobie czapkę na uszy, odszedł i usiadł gdzieś dalej sam, a ja pomyślałem: no cóż, co się będę przejmował. Nigdy więcej się do niego nie odezwałem i on też się do mnie więcej nie odezwał.

JENNER: Czyli od tego czasu począwszy, nie rozmawiali panowie ze sobą?

KERRY THORNLEY: Tak; a wkrótce potem ja opuściłem jednostkę i wyjechałem za granicę.

Możliwe, że Oswald znów był zamieszany w szpiegostwo. Epstein dokładnie wylicza, ile kosztowała Oswalda podróż do Moskwy, porównuje to z sumą jego oszczędności z okresu służby w marines i wychodzi mu, że Oswald nic mógł odłożyć dość pieniędzy, by pokryć zamówione w Inturiście usługi de luxe. Brakowało mu do tego co najmniej 500 dolarów. W każdym razie nie można wykluczyć możliwości, że na tę różnicę Oswald zarobił, sprzedając informacje w Japonii, a istnieją również poszlaki wskazujące na to, że robił to także później w Los Angeles.

> EPSTEIN: Gdy okres służby Oswalda dobiegał końca, Delgado zauważył w jego papierach plik zdjęć ukazujących sylwetkę myśliwca z przodu i z profilu. Wiedział, że prawdopodobnie wykorzystywano je na zajęciach jako pomoce naukowe, i zastanawiał się, dlaczego znalazły się one w posiadaniu Oswalda.
>
> Oswald wrzucił zdjęcia do torby wraz z kilkoma innymi swoimi rzeczami i poprosił Delgado, żeby zaniósł tę torbę na dworzec autobusowy w Los Angeles, włożył ją do skrytki bagażowej i przyniósł mu klucz od niej. Delgado przypomina sobie, że Oswald dał mu za to dwa dolary.

Trudno nazwać to dowodem obciążającym, ale jeśli Oswald istotnie zdradzał kody radarowe w Japonii, to mógł podjąć taką działalność również i w Kalifornii.

Jeśli założyć, że tak było, to łatwiej wytłumaczyć dlaczego, chodząc z Ellą w Mińsku, bał się zasadzki przygotowanej przez wrogich Amerykanów. Wyjaśnia to także jego strach przed aresztowaniem po powrocie do Ameryki. Oczywiście, mógł uciec do Rosji, nie dopuszczając się żadnych aktów szpiegostwa w Japonii i USA, a mimo to jego lęk byłby zrozumiały – lecz nie aż tak dobrze. To raczej znajomość jego charakteru, a nie niezbite dowody, pozwala nam przypuszczać, że rzeczywiście wplątał się w działalność z pogranicza szpiegostwa na rzecz japońskich komunistów.

W każdym razie wykazuje się niebagatelną zręcznością w następnych posunięciach. Składa podanie o przyjęcie na szwajcarską uczelnię Albert Schweizer College, uwalniając się tym samym od obowiązku pozostania w Ameryce przez okres dwóch lat po zakończeniu służby, w rezerwie marines. W podaniu wymienia nazwiska Hemingwaya i Normana Vincenta Peale'a jako ulubionych autorów i pisze, że chciałby studiować filozofię i psychologię oraz zostać „autorem opowiadań o życiu współczesnej Ameryki" – tak, miał na to dość materiału. Równocześnie załatwia sobie także przedterminowe zwolnienie warunkowe z marines, pouczając Marguerite, jakie ma w tym celu przedsięwziąć kroki. Ponieważ w pracy spadła jej na nos puszka cukierków, udaje jej się otrzymać zaświadczenia od lekarza, prawnika i dwojga przyjaciół, że wskutek tego wypadku stała się osobą nie w pełni sprawną; istnieje konieczność, by jej syn wrócił z marines i ją utrzymywał.

Jednak gdy tylko we wrześniu 1959 roku Oswaldowi uda się uzyskać zwolnienie warunkowe, zatrzyma się on w Fort Worth jedynie na tyle długo, by powiedzieć Marguerite, że teraz będzie się zajmował działalnością importowo-eksportową i wypłynie w rejs. Pozostawi w jej mieszkaniu na przechowanie większość swoich rzeczy, da jej 100 dolarów i kilka dni później napisze do niej z Nowego Orleanu z lakonicznością, której nie powstydziłby się podziwiany przez niego Hemingway:

Zarezerwowałem bilet na rejs do Europy. Prędzej czy później musiałbym to zrobić i uważam, że najlepiej będzie, jeśli popłynę teraz. Pamiętaj, że mój system wartości jest inny niż Twój i Roberta. Trudno mi powiedzieć, co czuję. Po prostu muszę to zrobić. Nie mówiłem Ci o moich planach, ponieważ nie mogłem oczekiwać, że mnie zrozumiesz.

Następnego dnia wsiada na pokład SS „Marion Lykes", frachtowca przewożącego pasażerów z Nowego Orleanu do Hawru. Dociera do portu przeznaczenia 8 października. Następnie udaje się do Londynu i Helsinek. 15 października, z wizą w kieszeni, wsiada do nocnego pociągu do Moskwy. Na miejscu jest 16 października rano i od razu trafia w dobre ręce Rimmy, znanej nam już radzieckiej pilotki z Inturistu.

Prowadzono niekończące się dyskusje o tym, jak Oswald zdobył wizę i czy jego wjazd do świata sowieckiego odbył się zwyczajnie, czy też został z wyprzedzeniem zaaranżowany przez KGB. Najlepiej jest unikać tego rodzaju dyskusji, zresztą – co ma na celu ukazać następny rozdział, obchód po Moskwie i Mińsku – to, w jaki sposób Oswald dotarł na miejsce, prawie nie ma znaczenia.

Przyjrzyjmy się lepiej, jak na wieść o jego podróży do ZSRR zareagowała MACS-9 w Santa Ana.

WILLIAM DONOVAN: Na krótko przedtem, nim odszedłem z marines w połowie grudnia 1959 roku, dotarły do nas słuchy, że pokazał się w Moskwie. To spowodowało konieczność wielu zmian w hasłach samolotów, kodach, częstotliwościach radarowych i radiowych.

Znał rozmieszczenie wszystkich baz na Zachodnim Wybrzeżu, wszystkie częstotliwości radiowe wszystkich kompanii, wszystkie znaki taktyczne i siły wszystkich kompanii, liczbę i typ samolotów w danej kompanii, dowódców, kod potwierdzenia wchodzenia i wychodzenia z ADIZ (Air Defense Identification Zone – Strefy Identyfikacji Obrony Powietrznej). Znał zasięg naszego radaru. Znał zasięg naszego radia. Znał też zasięg radia i radaru sąsiednich jednostek.

Gdyby zapytał mnie pan o jakiś kod miesiąc po tym, jak wyjechałem z danej okolicy, to nie umiałbym podać ani jednego, z wyjątkiem własnego. Gdybym chciał je zapisać, to oczywiście mógłbym to po kryjomu zrobić i potem zabrać zapiski ze sobą. Jeżeli on jednak z premedytacją nie zapisał kodów, to wątpię, czy i jemu udałoby się je sobie przypomnieć po miesiącu [...].

ELY: Czy kody potwierdzenia zmienia się od czasu do czasu?

WILLIAM DONOVAN: Tak, od czasu do czasu się je zmienia.

ELY: Czy zmienia się je nawet wtedy, jeśli nie wydarzy się nic szczególnego, co samo w sobie spowoduje konieczność zmiany?

WILLIAM DONOVAN: Tak czy owak co pewien czas się je zmienia.

To może być jednym z powodów, dla których KGB nie okazał żywszego zainteresowania Oswaldem jako potencjalnym źródłem informacji wojskowych. Wkrótce zastanowimy się nad tym, czy oficerowie KGB dużo ukrywali przed autorem tej książki i jego współpracownikami; jeśli jednak na wieść o ucieczce Oswalda wszystkie kody zostałyby czym prędzej zmienione – a KGB z pewnością wiedział, że tak się stanie – to jasne, że mógł sobie pozwolić na cierpliwą obserwację Oswalda.

Ostatnie słowo oddajmy żołnierzowi piechoty morskiej; to fragment oświadczenia Petera Francisa Connora: „[...] twierdził, że imię Lee nadano mu na cześć Roberta E. Lee, którego określił jako największego człowieka w historii" [...].

8

Z powrotem w Moskwie i w Mińsku

Ucieczka Oswalda zdumiewała Amerykanów najbardziej z tego względu, że był on żołnierzem piechoty morskiej. A marines nie dezerterują; oni zatykają gwiaździsty sztandar na Iwo Jimie*. Oswald podważył jeden z pewników okresu zimnej wojny.

Z kolei skutek, jaki wywarła jego ucieczka na centralę KGB w Moskwie, można określić jako serię drobnych, lecz powtarzających się niepokojów.

W ciągu półrocznego pobytu w Moskwie i w Mińsku autor książki, Norman Mailer, Lawrence Schiller oraz ich tłumaczka Ludmiła Pierieswietowa rozmawiali z siedemnastoma oficerami KGB. Niektórzy z nich byli jeszcze w służbie czynnej, większość przeszła już na emeryturę. Z tych siedemnastu mężczyzn pięciu – w tym Igor i Stiepan – zgodziło się na dłuższą rozmowę. Biorąc pod uwagę to, że odpowiedzi na pytania szukaliśmy u ludzi należących do instytucji, która jest również swego rodzaju klubem, gdzie niepowołani nie mają wstępu, udało się nam uzyskać sporą ilość informacji. Można mieć wątpliwości co do tego, czy tych pięciu oficerów rzeczywiście było szczerych, czy też jedynie chcieli przekonać naiwnych gości z Ameryki do uwierzenia w jeszcze jedną legendę KGB. My jednak, choć początkowo nastawieni byliśmy bardzo sceptycznie, ostatecznie przyjęliśmy za dobrą monetę większość tego, co usłyszeliśmy, a to dlatego, że zaczął się z owych opowieści wyłaniać szkielet wewnętrznej logiki.

Weźmy taki przykład – w swoim dzienniku Oswald wybrał godzinę ósmą wieczorem na czas podcięcia sobie żył, podczas gdy Rimma, Rosa, lekarze ze szpitala im. Botkina oraz kilka świadectw lekarskich zgadzają się co do tego, że w izbie przyjęć pojawił się około czwartej po południu, a próby samobójczej dokonał półtorej godziny wcześniej. Oczywiście służba bezpieczeństwa mogłaby podstawić dwudziestu paru świadków i sfałszować ich zeznania, ale jaki miałaby w tym cel? Jaką chciała odnieść z tego korzyść? Jaki straszny zamiar ukryć? Chyba bez obawy można wnioskować, że to dokumenty szpitalne mówią prawdę, a Oswald, nie po raz pierwszy zresztą, coś pomylił albo po prostu skłamał.

Naturalnie, nie wszystkie relacje oficerów KGB dają się tak łatwo sprawdzić. Ponadto większość z nich pragnęła zachować anonimowość. Z pięciu najważniejszych dla nas oficerów KGB żaden nie życzył sobie występowania pod własnym nazwiskiem. „Proszę, nie podawajcie mojego nazwiska – powiedział jeden z nich – bo nie zaznam więcej spokoju na emeryturze. Media będą mnie prześladować".

---

* Iwo Jima – wyspa na Pacyfiku, gdzie Amerykanie wygrali trudną bitwę podczas drugiej wojny światowej (przyp. tłum.).

Ich prośby zostały spełnione. Igor i Stiepan to pseudonimy, a wypowiedzi trzech pozostałych oficerów połączyłem w wypowiedź jednej postaci. W odróżnieniu od Igora i Stiepana ci trzej wyżsi rangą oficerowie byli rozmowni – w końcu ta sprawa nie zagrażała ich reputacji. Zresztą wydawało się, że bawi ich dziwna natura tego dochodzenia. Ich odpowiedzi były zwykle wyczerpujące proporcjonalnie do wnikliwości pytań. Wkrótce wytworzyła się niepisana etykieta: zadawanie konkretnych, dociekliwych pytań przynosiło o niebo lepsze wyniki niż szukanie po omacku, ich niekonkretność zaś była ciężkim grzechem. Trzeba bowiem pamiętać, że to, co uważamy za brutalne dodatki do przesłuchań – tortury, łagry, otwarte poniżanie w miejscach publicznych – to były zwykle akcje MWD. KGB gardził nimi jako środkami mało wyrafinowanymi; podobnie pracownicy CIA krzywo patrzą na co bardziej brutalne poczynania ciężkich więzień, takich jak Marion i Attica, i w żaden sposób nie identyfikują się z tamtejszymi strażnikami.

Z tego warunku zbiorowej anonimowości wynikła decyzja o powołaniu do życia wyimaginowanego oficera KGB, niejakiego generała Marowa, który miał w pojedynkę przedstawiać opinie trzech różnych oficerów KGB. Wprawdzie nie wszyscy oni mieli stopień generała, ale ich głosy składają się na trio wyższych rangą oficerów KGB wypowiadających się na temat pobytu Oswalda w Rosji.

Niech więc będzie generał Marow. Gdybyśmy chcieli dopasować do nazwiska twarz, załóżmy, że wyglądałby jak nieżyjący już długoletni dyrektor CBS, William Paley. Wyżsi rangą oficerowie KGB byli z wyglądu zdumiewająco podobni do wielu Amerykanów, do dziennikarzy – Williama Phillipsa z „Partisan Review", Irwinga Howe'a z „Dissent" i Bena Bradleya z „Washington Post", czy pisarzy – Henry'ego Millera i Williama Faulknera. Jeden do złudzenia przypominał redaktora naczelnego wydawnictwa Random House, Jasona Epsteina, a jeszcze innego z kolei można by było w ciemnym pokoju wziąć za siedemdziesięcioletniego Normana Mailera. Thomas Wolfe zauważył kiedyś, że przedstawiciele tych samych profesji z różnych krajów są z reguły do siebie podobni – na przykład kelnerzy czy taksówkarze. Wniosek jest taki, że być może istnieją głębokie podobieństwa charakteru i funkcji między amerykańskimi intelektualistami, pisarzami i szefami środków masowego przekazu a wyższymi rangą oficerami KGB. Z jakże przewrotnym humorem urządzony jest świat!

Marow twierdzi, że nie wiedział, czy Oswald przekazywał informacje wojskowe japońskiej hostessie w tokijskim barze „Queen Bee". Powiedział jednak, że jeśli tak było, to prawdopodobnie centrala KGB w Moskwie już by o tym wiedziała pod koniec 1959 roku, kiedy to Oswald przybył do ZSRR.

„Taki kontakt – powiada Marow – ma oczywiście sporą wartość. Po każdym Amerykaninie – czy to wojskowym, czy handlowcu, czy naukowcu – każdy najmniejszy nawet ślad kontaktu przechowywało się w archiwach latami".

Jednak ucieczka Oswalda nie wywołała w centrali w Moskwie pozytywnych reakcji. „Gdybyśmy uzyskali taką informację z Japonii w 1957 czy 1958 roku, a mielibyśmy powód po temu, by cenić Oswalda jako potencjalnego agenta, to całkowicie straciłby on w naszych oczach wartość – twierdzi Marow – z chwilą, gdy zadeklarowałby chęć pozostania w ZSRR. W Ameryce wiedziano by o jego ucieczce i wówczas dla nas jego wartość byłaby zerowa. Wszelka współpraca z nim stanowiłaby zbyt wielkie ryzyko. To niepodważalny fakt".

Próba samobójcza Oswalda jeszcze bardziej utwierdziła organy w tym przekonaniu. „To była dla tego dżentelmena katastrofa, jeśli oczywiście wciąż żywił ambicje zostania agentem. KGB nigdy by kogoś takiego nie zwerbował".

Poza tym, mówi Marow, była jeszcze przygoda Oswalda w ambasadzie amerykańskiej. „Wychodzi ze szpitala im. Botkina, zjawia się w ambasadzie i rozmawia z amerykańskim urzędnikiem głośno i wyraźnie, jak gdyby mówił do wmontowanych w ściany mikrofonów, ich albo naszych. Mam wrażenie, że z Oswaldem musiało być coś nie w porządku. Normalny człowiek przecież w życiu nie przyszedłby do ambasady i nie powiedział: „No dobra, przekażę Rosjanom wszystkie moje tajemnice". Bo i po co? Co mógł przez tego rodzaju stwierdzenie osiągnąć? Po takim wystąpieniu żaden funkcjonariusz KGB nie mógłby przyjąć od niego informacji. Na pewno nie były zresztą na tyle cenne, żeby dla nich ryzykować dyskredytację naszych radzieckich władz. Informacje dla KGB muszą być przekazywane potajemnie, poufnie, z zachowaniem daleko idących środków ostrożności. Nigdy nie zwerbowaliśmy człowieka, który był dezerterem i niedoszłym samobójcą. To przecież odchylenie od normy".

Jednakże w pracy wywiadowczej czasami pojawiają się wątpliwości. Jeśli próba samobójcza Oswalda była pozorowana, jak KGB mógł się przekonać na podstawie orzeczeń lekarskich, pociągało to za sobą kolejne podejrzenia. Czy Oswald wypełniał jakiś nieortodoksyjny plan amerykańskiego wywiadu? Czy został wysłany do Związku Radzieckiego jako człowiek, którego zaprogramowano tak, by wydawał się nieodpowiedzialny? „Oto pytania, jakie musieliśmy sobie zadać, bo choć zachowywał się niepoważnie, to przecież wywiad USA mógł go wysłać na próbę, żeby zobaczyć, jak zareagujemy na tak dziwny bodziec. Była to hipoteza dość nieprawdopodobna, ale nie mogliśmy jej całkowicie odrzucić. A jeśli Oswald miał odegrać jakąś zupełnie nową rolę?".

Postanowiono więc, że w tej sytuacji organy nie będą działać, tylko obserwować. Nie szukano na przykład okazji, żeby otwarcie Oswalda przesłuchać, ponieważ byłby to aż nazbyt czytelny sygnał dla Amerykanów. KGB dysponował licznymi źródłami zdobywania informacji wojskowych w Japonii – zatem wysoce nieprawdopodobne było, by zwlekając z załatwieniem sprawy Oswalda, tracono coś wartościowego.

A jednak generał Marow nie wykluczał możliwości, że jeden z ich ludzi w Moskwie rozmawiał bezpośrednio z Oswaldem, ale nie jako oficjalny przedstawiciel służb bezpieczeństwa. Mógł to być oficer w przebraniu – na przykład udający radzieckiego reportera. „Ale z całą pewnością oficjalnego przesłuchania nie było. To nie jest tylko moje zdanie, ja to wiem".

Faktycznie było tak, mówi, że przy różnych okazjach przeprowadzało z Oswaldem wywiad trzech różnych dziennikarzy. Jeden z nich był bodaj prawdziwym dziennikarzem, choć służył również za informatora KGB, ale pozostali dwaj byli pracownikami moskiewskiej centrali i ich wywiady nigdy nie ukazały się drukiem. Użyteczną sztuczkę w ich pracy, zauważa Marow, stanowiło zadawanie przez wszystkich trzech dokładnie tych samych pytań; można było później porównać różnice w odpowiedziach i wykorzystać to jako element ogólnej oceny.

Ponieważ Oswald spędzał dużo czasu z dziewczyną z Inturistu, Marow potwierdza, że pewnie i ona dostawała instrukcje, o co go pytać.

„Jako że sama była młoda i nie miała takiej wiedzy z dziedziny wojskowości i elektroniki jak specjaliści, codziennie – codziennie – otrzymywała nowy zestaw pytań, które miała mu zadać. Oficer prowadzący jej sprawę mógł pytać o jakieś konkretne szczegóły, aż wreszcie ona coraz lepiej rozumiała, jakiego rodzaju pytania ma zadawać".

Istniała jeszcze jedna możliwość. Jeśli istotnie były żołnierz piechoty morskiej tak głęboko zraził się do systemu kapitalistycznego, że aż uciekł z kraju, mogło to posłużyć jako naoczny dowód, że w Ameryce wcale nie żyje się tak przyjemnie, jak to sugerują tamtejsze media. Ponieważ w centrali w Moskwie znajdował się specjalny wydział do spraw propagandy, także i on pewnie wystawił opinię, która dotarła aż na najwyższe szczeble Komitetu Centralnego, do Mikojana.

Niemniej jednak generał Marow upierał się przy tym, że różnice zdań między kontrwywiadem a departamentem do spraw propagandy KGB rozwiązywano bezkonfliktowo. „Celem było osiągnięcie porozumienia. Gdy się zbierze dwóch generałów, raczej nie rozmawiają ze sobą językiem formalnym. Jeden mówi tak: «Słuchaj, to co zrobimy z tym całym Oswaldem? On nam bruździ». «No tak, masz rację. To co, wysyłamy go z powrotem czy pozwalamy mu zostać? Bo coś musimy postanowić». Wiedzieliśmy oczywiście, że Mikojan życzył sobie, żeby faceta zostawić. To był ogromnie ważny element tej decyzji".

Wkrótce sprawa przedstawiała się następująco: za zatrzymaniem Oswalda w charakterze imigranta politycznego dla celów propagandowych generał Marow przytaczał następujące argumenty (po angielsku): „Pozytywne jest, że ten młody człowiek przyjechał do kraju mas pracujących, i tak dalej. Ale była i strona negatywna – stanowił on gorący węgiel w dłoni, bardzo gorący. Gdzie go rzucić? Trzeba mu dać pieniądze, jakąś pracę, bez przerwy trzymać go pod obserwacją, bronić przed ciekawskimi. A także rozstrzygnąć, czy w przyszłości nie zostanie czasem informatorem kontrwywiadu przeciwko Związkowi Radzieckiemu, ponieważ zawsze mógł, rzecz jasna, pójść do jakiejś ambasady czy gazety i opowiadać historie o tym, jak źle się dzieje w naszych republikach".

Z drugiej strony jednak, gdyby trzeba było go odesłać z powrotem do Stanów, nie stanowiłoby to dobrego rozwiązania. „Dlaczego tak naprawdę nasz kraj go nie chciał? W tamtych latach wyznawaliśmy ideę – zrealizowaną czy nie – bycia jak najbardziej ludzkimi, w najpełniejszym sensie tego słowa. W tej sytuacji Mińsk okazał się najodpowiedniejszym kompromisem". Marow wzruszył ramionami. Jego ulubione porzekadło mówi: „Kiedy dziecko ma siedem piastunek, na pewno straci oko".

Oswald zatem został umieszczony pod szklanym kloszem. Bacznie przyglądano się jego zachowaniu i gdy się okazało, że jest miernym robotnikiem, KGB przeżył swego rodzaju frustrację. Gdyby zaaklimatyzował się w fabryce radioodbiorników, można by się skupić na ciekawszych hipotezach: albo Oswald jest szczery, albo tak przebiegły, że udaje szczerość. A on tymczasem – ani jedno, ani drugie. Tylko trzymał nogi na stole.

Powinniśmy już znać Oswalda na tyle dobrze, by zrozumieć, jak źle wpływało na jego morale zajęcie w fabryce. Praca kolektywna była szczytem anonimowości. Produkt końcowy znaczył więcej niż osoba robotnika. Oswald nie po to przebył drogę z korpusu piechoty morskiej do Związku Radzieckiego, żeby stać się kimś anonimowym. Jeśli więc mógł zwrócić na siebie większą uwagę brakiem entuzjazmu dla pracy, to oczywiste, że siedział z nogami na stole. Chciał zaznaczyć swoją obecność i ciągle o sobie przypominać. Dramatyzował zatem sytuację poprzez ucinanie sobie drzemki.

Komisja Izby Reprezentantów do spraw Zabójstw wypowie się później o Oswaldzie tak: „Jego powrót do Stanów Zjednoczonych publicznie zaświadczył o całkowitej klęsce tego, co było najważniejszym czynem w jego życiu", ale bardziej prawdopodobne wydaje się, że Oswald wciąż uważał się za osobę ważną dla losów świata. Kto, jak nie on, tak skutecznie manipulował biurokracją USA i ZSRR? Prawdę mówiąc, udało mu się to nawet lepiej niż sądził, ponieważ niejeden analityk z CIA był święcie przekonany, że cała akcja została zaplanowana przez centralę KGB, bo przecież niemożliwe, żeby on sam, w pojedynkę, mógł do tego doprowadzić. Porażająca jest konstatacja, jak paranoiczne pojęcie w tamtych czasach miały o sobie nawzajem światowe supermocarstwa. Możemy być pewni, że ta paranoja będzie miała wpływ na kilka zdarzeń w życiu Oswalda już po jego powrocie do Ameryki.

Ale nie spieszmy się. To wszystko działo się powoli. CIA była tak samo dyskretna, powściągliwa, ostrożna i wyczulona na niuanse, jak KGB, kiedy chodziło o tego zbiegłego z kraju Amerykanina.

Oczywiście, cechy te w znikomym stopniu dotyczą matki Lee, Marguerite Oswald.

9

Matka

Cofnijmy się raz jeszcze do kwietnia 1960 roku, kiedy to Oswald przebywał w Związku Radzieckim od niecałych sześciu miesięcy. Agent FBI John W. Fain przeprowadzał wówczas dochodzenie w Teksasie:

[...] PANI OSWALD oświadczyła, że przeżyła duży szok i zdumienie, kiedy się dowiedziała, że jej syn wyjechał do Moskwy, do Rosji. Powiedziała, że nie ma pojęcia, jak się tam znalazł. Wiedziała, że miał zaoszczędzonych około 1600 dolarów z czasów służby w piechocie morskiej. Oświadczyła, że nie omawiał z nią uprzednio zamiaru wyjazdu do Moskwy, a także, że obiekt nigdy nie okazywał sympatii ideologiom komunistycznym, [ale] że zawsze był intelektualistą i czytał książki uważane za „głębokie". [Mimo iż pani Oswald] była przekonana, że obiekt jako człowiek dorosły ma prawo do podejmowania samodzielnych decyzji, to oznajmiła, że była bardzo zdziwiona i rozczarowana jego postępkiem [i] od 22 stycznia 1960 roku wysłała do niego trzy listy, ale wszystkie do niej wróciły. Oświadczyła, że boi się, że obiekt może ma kłopoty finansowe i znajduje się w niebezpieczeństwie, [dlatego] koresponduje ze swoim reprezentantem w Kongresie i z Departamentem Stanu USA, ponieważ bardzo się niepokoi, że obiektowi coś się stało.

Rzeczywiście, na miesiąc przed odbyciem rozmowy z Johnem W. Fainem rozpoczęła starania, by dowiedzieć się, co się dzieje z Lee. 6 marca 1960 roku napisała list do teksaskiego kongresmana Jima Wrighta, a następnego dnia do Christiana Herera w Departamecie Stanu:

Szanowny Panie!

W październiku 1959 mój syn (wiek 20 lat) Lee Harvey Oswald (numer identyfikacyjny 1653230) pojechał do Moskwy, do Rosji, trzy dni po zakończeniu służby w piechocie morskiej [...].

Bardzo się tym martwię, ponieważ nie mam z nim teraz w ogóle kontaktu [...].

Piszę do Pana, ponieważ wydaje mi się, że Lee prawdopodobnie ma kłopoty finansowe i nawet jeśli teraz zrozumiał, że popełnił błąd, to nie może opłacić sobie drogi powrotnej do domu. Prawdopodobnie potrzebna mu jest pomoc.

Zdaję sobie także sprawę z tego, że mojemu synowi może się w Rosji podobać. Że pewnie pracuje i jest w miarę zadowolony. W takim wypadku, mocno przekonana o tym, że jako jednostka ma prawo do podejmowania samodzielnych decyzji, w żadnym razie nie chciałabym mu stawać na przeszkodzie ani w żaden sposób na niego wpływać.

Jeśli w ogóle możliwe jest udzielenie mi informacji dotyczących mojego syna, byłabym naprawdę bardzo wdzięczna.

Z góry dziękuję za uprzejmość okazaną w tej sprawie.

Pozostaję

szczerze oddana

Mrs. Marguerite Oswald

Poufne noty krążyć będą między Departamentem Stanu a ambasadą amerykańską w Moskwie, by rozwiązać kwestię, czy ambasadzie wypada dowiedzieć się od Sowietów o miejsce pobytu Oswalda, lecz projekt dochodzenia spala na panewce.

Biurokracja to jedyna stworzona przez człowieka forma organizacji, której udaje się to, co zda się niemożliwe. Minie dziesięć i pół miesiąca, nim Marguerite Oswald ponownie skontaktuje się z Departamentem Stanu. Przez ten czas zbiera siły. Gdy teraz się odezwie, będzie już u drzwi. Na przesłuchaniu przed Komisją Warrena pani Oswald wyraźnie przypomina sobie to zdarzenie:

MARGUERITE OSWALD: [...] Przyjechałam do Waszyngtonu o ósmej rano. Podróżowałam pociągiem. Wzięłam pożyczkę na polisę ubezpieczeniową [i do tego] miałam na koncie w banku 36 dolarów, które podjęłam i kupiłam sobie parę butów. Mam na to wszystko dowody; oto data, kiedy wsiadłam do pociągu. Jechałam 3 dni i 2 noce, albo 2 dni i 3 noce. W każdym razie nie wzięłam kuszetki i całą drogę siedziałam.

Na dworcu w Waszyngtonie byłam o ósmej rano i od razu zadzwoniłam do Białego Domu. W centrali siedział Murzyn i powiedział mi, że biura nie są jeszcze otwarte, że zaczynają pracę dopiero o dziewiątej. Zapytał, czy chcę zostawić swój numer telefonu. Poprosiłam o połączenie mnie z prezydentem. A on mówi, że biura są jeszcze zamknięte. Powiedziałam wtedy: „Ja właśnie dopiero co przyjechałam z Fort Worth w Teksasie. Zadzwonię jeszcze raz o dziewiątej".

I zadzwoniłam o tej dziewiątej. Przez telefon wszyscy byli dla mnie bardzo uprzejmi. Mówili, że prezydent Kennedy jest właśnie na konferencji i że z przyjemnością przekażą mu, co mam do powiedzenia. Poprosiłam o połączenie z sekretarzem stanu Ruskiem i połączono mnie z jego biurem. Sekretarka powiedziała, że szef jest na konferencji, i zapytała, czym może mi służyć. „Cóż – powiedziałam. – Przyjechałam tu w sprawie mojego syna, który zaginął w Rosji. Chcę rozmawiać – osobiście rozmawiać – z sekretarzem Ruskiem". Na parę minut odeszła od telefonu. Czy mu wtedy przekazała wiadomość, czy co, nie wiem. Potem znowu się odezwała: „Pani Oswald, pan Rusk powiedział, żeby porozmawiała pani z panem Bosterem, który jest specjalistą od spraw Związku Radzieckiego" – o ile się nie mylę. Pan Boster był już na linii. Powiedziałam mu, kim jestem. On powiedział: „Tak, znam pani sprawę, pani Oswald. Czy odpowiadałaby pani godzina jedenasta jako termin spotkania?". A była dziewiąta rano. Odpowiedziałam więc – to dość ciekawa historia – odpowiedziałam: „Tak, panie Boster, pasuje mi ta godzina. Ale wolałabym nie rozmawiać z panem". Nie wiedziałam, kim był ten Boster. Powiedziałam: „Wolałabym raczej rozmawiać z sekretarzem stanu, panem Ruskiem. Jeśli jednak nie uda mi się porozmawiać z nim, to stawię się na spotkanie z panem o jedenastej".

Zapytałam jeszcze pana Bostera: „Panie Boster, czy mógłby mi pan polecić jakiś hotel w rozsądnej cenie?". On odpowiedział: „Nie wiem, jaka jest rozsądna cena, ale polecam hotel «Waszyngton». To niedaleko od Departamentu Stanu, więc powinno być pani na rękę".

Poszłam więc do hotelu „Waszyngton". Zapytano mnie, czy mam rezerwację. Powiedziałam: „Nie, nie mam, ale pan Boster z Departamentu Stanu polecił mi ten hotel". No więc dali mi pokój. Wykąpałam się i przebrałam. Poszłam na spotkanie [i] byłam w biurze pana Bostera o 10.30.

Zanim jednak tam dotarłam, przystanęłam przy telefonie w korytarzu i zadzwoniłam jeszcze raz do biura sekretarza Ruska, bo nie chciałam spotykać się z panem Bosterem, i zapytałam, czy mogłabym mówić z panem Ruskiem". Sekretarka powiedziała: „Pani Oswald, proszę porozmawiać z panem Bosterem. Zawsze to jakiś początek".

Więc poszłam do biura pana Bostera [a] on wyszedł i powiedział: „Pani Oswald, bardzo się cieszę, że przybyła pani wcześniej, bo zapowiadają okropną śnieżycę i otrzymaliśmy polecenie opuszczenia budynku przed końcem godzin pracy, żeby dojechać do domów".

Wezwał jeszcze [dwóch mężczyzn] i odbyliśmy naradę. Pokazałam papiery, tak jak tutaj pokazuję, i powiedziałam: „Panowie, wiem, że mi nie odpowiecie, ale mam wrażenie, że mój syn jest agentem". „Agentem radzieckim?". „Nie, agentem naszego rządu, Stanów Zjednoczonych – odpowiedziałam. – I chcę oświadczyć, że jeśli jest tym agentem, to niezbyt mi się to podoba, bo jestem bardzo uboga i właśnie powoli przychodzę do zdrowia po niedawnej chorobie".

Miałam czelność to powiedzieć. Przeszłam tyle bez ubezpieczenia, bez pieniędzy, bez zwrotu kosztów. Byłam zdeterminowana. No więc to powiedziałam.

RANKIN: Co oni na to?

MARGUERITE OSWALD: Nic. Powiedziałam im nawet: „Nie, od panów się niczego nie dowiem". Nie oczekiwałam, że mi odpowiedzą.

RANKIN: Czy chodziło pani o to, żeby dostać od nich pieniądze?

MARGUERITE OSWALD: Nie [...]. Mówiłam tylko, że uważam, że mój syn powinien być ze mną w domu – to dawałam im do zrozumienia. [Ale] nie powiedziałam dosłownie, że chcę, żeby syn wrócił do domu. Dałam do zrozumienia, że nawet jeśli jest agentem, to ja i tak uważam, że powinien wrócić do domu.

RANKIN: Czy mówiła pani coś takiego, że uważa pani, że jej syn bardzo dobrze wiedział, co robi, uciekając do Związku Radzieckiego, że może tam mu się bardziej podoba niż tutaj?

MARGUERITE OSWALD: Nie pamiętam, żebym coś takiego mówiła [...]. Powiedziałam – to pamiętam dokładnie – powiedziałam tak: „Wszystkie gazety oskarżają go o dezercję. Jeśli jednak zbiegł – bo, jak już powiedziałam wcześniej, nie wiedziałam, czy jest agentem – jeśli nawet zbiegł, to miał do tego święte prawo, jest dorosłym człowiekiem".

A oni na to: „Pani Oswald, chcemy pani powiedzieć, że nasz punkt widzenia jest taki sam". To była ich odpowiedź.

Marguerite nie zamierzała jednak odstąpić od bardziej interesującej wersji. Nieco później tego samego dnia 1964 roku, kiedy składała zeznania przed Komisją Warrena na temat wydarzeń z początku roku 1961, dodała:

MARGUERITE OSWALD: [...] 21 stycznia pojechałam do Waszyngtonu, w 1961 roku. Jakieś osiem tygodni później, 22 marca 1961 roku, dostałam z Departamentu Stanu list, w którym poinformowano mnie [...] że mój syn zamierza wrócić do Stanów Zjednoczonych – zaledwie osiem tygodni po mojej wizycie w Waszyngtonie.

Chcą panowie wiedzieć, dlaczego myślałam, że mój syn jest agentem. Przecież cały czas o tym mówię.

Oto kolejny ważny dowód, że mój syn był agentem [...]. 30 kwietnia 1961 ożenił się z Rosjanką – mniej więcej pięć tygodni później.

No a dlaczego człowiek, który chce wrócić do Stanów Zjednoczonych [zaledwie] pięć tygodni później decyduje się na małżeństwo z Rosjanką? Bo ja twierdzę tak – chociaż mogę się mylić – że to ambasada kazała mu się ożenić z tą Rosjanką [...].

RANKIN: Czy Marina kiedykolwiek powiedziała pani coś, na podstawie czego mogła pani sądzić, że pani syn Lee ożenił się z nią, ponieważ był agentem?

MARGUERITE OSWALD: Nie, proszę pana. Nie. W ogóle nigdy, ani razu.

RANKIN: Myśli pani, że ona go kochała?

MARGUERITE OSWALD: Uważam, że Marina na swój sposób go kochała. Ale uważam, że przede wszystkim chciała przyjechać do Ameryki. Pewnie Lee tyle jej naopowiadał o Ameryce, że chciała tu przyjechać [...].

RANKIN: Nie mam jasności co do tego polecenia w sprawie małżeństwa z nią. Chyba nie myśli pani, że pani syn jej nie kochał?

MARGUERITE OSWALD: Nie wiem, może i tak myślę. Jeśli był agentem i miał dziewczynę, a ślub z nią miałby przynieść korzyść krajowi, i ambasada pomogłaby mu wywieźć ją z Rosji – no to nie oszukujmy się, czyby ją kochał, czy nie, zabrałby ją do Ameryki, jeśli dzięki temu mógłby utrzymać kontakt z Rosjanami, tak jest.

RANKIN: Tak pani myśli?

MARGUERITE OSWALD: Dokładnie tak, jak mówię.

RANKIN: Czyli nie uważa pani, że syn ożenił się z nią z miłości?

MARGUERITE OSWALD: Nie wiem, czy mój syn ją kochał, czy nie. Ale mówię panu, dlaczego mógł to zrobić po tych pięciu tygodniach [...].

RANKIN: [...] Uważam, że to bardzo poważny zarzut w stosunku do syna, że mógłby tak postąpić wobec dziewczyny.

MARGUERITE OSWALD: Nie, proszę pana, to nic poważnego. Wiem trochę na temat CIA i tak dalej, o U-2, Powersie i sprawach, które zostały podane do wiadomości publicznej. Oni są gotowi dla kraju zrobić wszystko. Nie uważam, żeby taką znowu wielką rzeczą był ślub z Rosjanką i przywiezienie jej tu, żeby mieć kontakt z Rosją. Myślę, że to należy do obowiązków każdego agenta.

RANKIN: Myśli pani, że pani syn był do tego zdolny?

MARGUERITE OSWALD: Tak, proszę pana, uważam, że mój syn był agentem. Tak właśnie myślę.

Część II

Dobroczynność w Fort Worth

1

Miesiąc miodowy

Robert Oswald i jego żona Vada mieli dwoje dzieci; Lee i Marina mieli June. Robert miał mały dom. Poza tym, jak pamiętamy, Marguerite Oswald przyjechała z wizytą do Lee i Mariny na drugi dzień po ich przybyciu i podjęła nieodwołalną decyzję. Zrezygnuje z pracy pielęgniarki w Cromwell, przeniesie się do Fort Worth, wynajmie mieszkanie, a Lee i Marina zamieszkają z nią. Tym sposobem w ciągu dwóch czy trzech tygodni po powrocie Lee znów dostał się pod skrzydła matki. „Panie Rankin – opowiadała członkowi Komisji Warrena – nie było żadnych kłótni. To był piękny miesiąc. Marina czuła się bardzo szczęśliwa".

MARGUERITE OSWALD: […] Miałam telewizor, samochód, jeździliśmy na wycieczki.

Jak mówię, oni mogli sobie przychodzić i wychodzić, kiedy chcieli. Chodzili na długie spacery.

Jeśli nie zna pan Fort Worth, to z Rotary Apartment do domu towarowego Leonard Brothers jest około pięciu kilometrów, i oni tam często spacerowali, a potem wracali do domu – Marina z halką jak do kankana i spodniami, Lee kupił jej to za parę dolarów, które dostał ode mnie i od Roberta – wydał [je] na żonę.

To był bardzo szczęśliwy okres […].

RANKIN: Jak Marina wtedy panią traktowała?

MARGUERITE OSWALD: Dobrze. Ale nie podobały jej się rzeczy, które jej kupowałam.

Ja, jak pan widzi, jestem porządnie ubrana, nie mówię, że ślepo podążam za modą, ale – zanim zostałam pielęgniarką – obracałam się w świecie interesów i zarządzałam w sektorze obrotu towarowego. Znam się więc na ubraniach.

Raz kupiłam jej szorty. Ona chciała mieć krótkie, jak Amerykanki […].

A ja jej kupiłam takie trochę dłuższe.

A ona: „Ja nie podobać, mama".

Powiedziałam jej: „Marino, jesteś mężatką i nie wypada ci nosić tak krótkich szortów, jak młode dziewczyny".

„Nie, mama".

Podkreślam – Marina nigdy nie była zbyt zadowolona. „Nie, mama, nieładne, nie, mama, takie nie".

Mnie to nic a nic nie przeszkadzało. Myślałam, że ona nie rozumie, jak się u nas żyje. Nie było mi z tego powodu przykro [...].

„Nie było mi z tego powodu przykro" – mówi Marguerite i prawdopodobnie kłamie.

Z opisu innych ludzi, między innymi jej synów Johna i Roberta, Marguerite wyłania się jako osoba nieczuła, egocentryczna, łasa na pieniądze i jędzowata w sytuacjach, kiedy nie może postawić na swoim. Wszystko to bez wątpienia prawda, gdy w grę wchodzą ludzie, których nie kocha. Gdy jednak chodzi o Lee, gotowa jest odnaleźć w sercu zapomniane struny, by wybaczyć mu przypadki odtrącenia, zdrady i zatajenia przed nią zamiarów. Pomaga mu wydostać się z marines ze względu na trudną sytuację rodzinną, a on spędza u niej tylko jedną noc przed wyjazdem do Rosji, o którym zresztą jej nie uprzedza. Ona mimo to wciąż go kocha namiętnością iście operową, podobną niemym ariom ludzi, którzy nie mają talentu do miłości; uwielbia go tak, jak tylko samolubna kobieta, której nie ułożyło się z żadnym z trzech mężów, potrafi kochać jedno dziecko.

On zaś oczywiście za każdym razem, gdy wraca pod tłamszące skrzydła matki gotowej przecenić jego ograniczoną zdolność kochania, odtrąca jej uczucia. Oboje z Mariną mieszkają u Marguerite przez kilka tygodni; on znajduje pracę w blacharni Leslie Welding, gdzie zarabia 50 dolarów na tydzień. Nie płaci ani centa za czynsz i jedzenie, zarobione pieniądze wydaje tylko na halki „jak do kankana" dla Mariny. Marguerite utrzymuje rodzinę ze swoich oszczędności. Gotuje ulubione potrawy Lee. Marina zauważa, jak dużo Lee, który normalnie wybrzydza przy jedzeniu, potrafi pochłonąć, gdy gotuje Marguerite. Mieszkanie za darmo, jedzenia w bród i zachłanne domaganie się miłości. Lee odkłada zarobki z jednego tygodnia, potem z drugiego i zbiera na płatny z góry miesięczny czynsz w wysokości 59.50 dolarów za wynajem połowy małego bliźniaka, stojącego w rzędzie podobnych pudełkowatych domów przy Mercedes Street, przy której końcu stoi olbrzymi dom towarowy Montgomery Ward. Następnie wciąga do akcji Roberta i, nie uprzedzając o tym matki, wyprowadza się z jej mieszkania. Robert czekał w samochodzie, a Marina miała ze zdumienia oczy wielkie niczym spodki, słysząc, jak Lee przekrzykuje się z Marguerite. Odjechali, a Marguerite została w progu – ciemnooka bohaterka niemego filmu. Nie wiedziała, dokąd pojechał jej syn. Pobiegła nawet za samochodem. Ciąg dalszy zaczerpnijmy z książki Priscilli Johnson McMillan *Marina and Lee*:

McMillan: [...] jego matka, wcale nie zawstydzona, wkrótce pojawiła się w ich domu przy Mercedes Street. Nikt nie miał pojęcia, jak się tam znalazła, bo i Robert, i Lee robili wszystko, żeby zataić przed nią adres [ale trzy dni później Marina] usłyszała pukanie do drzwi. Otworzyła i, ku swojemu zdumieniu, zobaczyła, że to *mamoczka*, wyglądająca tak radośnie i beztrosko, jak gdyby histeryczna scena pożegnania nigdy nie miała miejsca. Marguerite przyniosła krzesełko dla dziecka oraz sztućce i naczynia dla Mariny i Lee. Marina zaprosiła ją do środka, Marguerite pobawiła się trochę z dzieckiem, a potem poszła.

MARINA OSWALD: [...] Było mi jej strasznie żal. [Lee i ja] pokłóciliśmy się, bo on powiedział: „Czemu jej otworzyłaś, nie chcę, żeby tu więcej przychodziła" [...]. Wydawało mi się to dziwne i nie chciało mi się w to wierzyć, ale on nie kochał matki. Zresztą ona nie była całkowicie normalna. Teraz wiem to już na pewno.

RANKIN: Czy wtedy mąż pani to mówił?

MARINA OSWALD: [...] Lee nie chciał z nią rozmawiać. Dla matki oczywiście to jest przykre, powiedziałam mu więc, żeby był w stosunku do niej uprzejmiejszy, ale on się nie zmienił. Myślę, że jednym z powodów było to, że ona dużo mówiła o tym, jak wiele zrobiła, żeby umożliwić Lee powrót z Rosji, a Lee uważał, że to właśnie on [...] włożył w to najwięcej wysiłku, i nie chciał na ten temat dyskutować [...].

Od tej chwili będziemy cytować z książki *Marina and Lee* więcej niż z jakichkolwiek innych źródeł, z wyjątkiem zeznań złożonych przed Komisją Warrena. McMillan przeprowadzała z Mariną wywiad-rzekę przez kilka miesięcy w roku 1964, po zamachu na prezydenta Kennedy'ego, i w pewnym sensie przygotowywała autoryzowaną biografię, ponieważ nikt poza nią nie miał takiego dostępu do wiedzy i wspomnień Mariny. Mimo że nie sposób zgodzić się z tym, jak McMillan rozumie Lee Harveya Oswalda (miała do niego podejście kliniczne), i mimo że część jej tekstu o Marinie z okresu mińskiego jest niedokładna, ponieważ w owym czasie Marina wciąż jeszcze usiłowała wiele rzeczy ukryć – to jednak książka jest nieocenionym źródłem wiadomości o domowych pieleszach Oswaldów. Niekoniecznie jednak trzeba się zgadzać z interpretacją wielu zachowań i postępków Lee proponowaną przez autorkę. Ponieważ nadarzyła się sposobność zapytania Mariny o ścisłość opisów McMillan scen z życia osobistego, można było wybrać z książki *Marina and Lee* tylko takie fragmenty, które sama Marina po trzydziestu latach, choć niechętnie, uznała za mniej lub bardziej zgodne z prawdą. Wydawało się to lepsze niż zmuszanie jej do sięgania pamięcią do wydarzeń, które zostały dawno zapomniane albo wyjałowione wskutek trzydziestu lat żywego zainteresowania mediów jej małżeństwem.

Na tym rozstaju cofnijmy się do zeznań przed Komisją Warrena. Marguerite opisuje członkom Komisji to samo wydarzenie, co Marina, ale w jej wersji nie przedstawia się ono ani w połowie tak dramatycznie.

Marguerite Oswald: [...] Kupiłam dziecinne krzesełko i zaniosłam do nich. Lee nie było wtedy w domu. A Marina nie wiedziała, do czego służą takie krzesełka. Zapytałam ją: „A u was w Rosji jak się karmi dzieci?".

„Sadzać dziecko na kolana, mama, i dziecko jeść na kolana" [...].

Jakieś dwa czy trzy dni później poszłam tam jeszcze raz, a Lee powiedział mi: „Mamo, chcę żebyś zrozumiała raz na zawsze – masz przestać dawać prezenty mnie i mojej żonie. Będę robił wszystko, żeby Marina miała ode mnie wszystko, co potrzeba. Zatrzymaj sobie swoje pieniądze i zatroszcz się o siebie, bo jak wydasz na nas wszystkie pieniądze, a jutro zachorujesz, to ja będę się musiał tobą opiekować". To było bardzo logiczne.

Zdecydowanie nakazał mi, żebym nie kupowała jego żonie rzeczy, których on sam nie mógłby kupić.

Rankin: Co pani na to odpowiedziała?

Marguerite Oswald: Zgodziłam się z nim. I powiedziałam – a był to dla mnie szok – że zrozumiałam wreszcie, jaką się okazałam typową teściową, do wszystkiego się wtrącałam. Ale to, oczywiście, każda matka czyni nieświadomie. Staramy się pomóc dzieciom i jakoś tam wtrącamy się w ich życie. A one wolałyby raczej robić wszystko po swojemu.

Rozumiem, że im przeszkadzałam i że mój syn chciał sam zaopiekować się żoną. Dlatego nie padło już na ten temat ani jedno słowo [...].

Od tamtej chwili mieli z Marguerite względny spokój, lecz spokój ich skromnego domostwa wkrótce zakłócił inny gość.

> Ze wspomnień Mariny: [...] Któregoś dnia Lee wrócił z pracy do domu i jeszcze nie zdążył się przebrać, a tu puka do drzwi jakiś mężczyzna. Okazało się, że to agent FBI. Poprosił Lee, żeby poszedł z nim do samochodu, który stał po drugiej stronie ulicy. W samochodzie siedział jeszcze jeden mężczyzna. Rozmawiali przez dwie godziny, aż się rozzłościłam na tych nieproszonych gości, no bo co to za przyjemność parę razy odgrzewać jedzenie. Lee wrócił bardzo przygnębiony, ale starał się nie dać tego po sobie poznać [...].

To już druga rozmowa tego samego agenta FBI, Johna W. Faina, z Lee Oswaldem.

Stern: Jak się zachowywał Lee Oswald podczas tej rozmowy?

John Fain: Był spięty, sztywny, jakby kij połknął. Budowę miał drobną, taką ptasią.

Stern: Czy odpowiedział na wszystkie pańskie pytania?

John Fain: Nie [...]. Udzielając odpowiedzi, był trochę bezczelny. To taki typ człowieka, który najwyraźniej nie chce nic o sobie wyjawić. Kiedy go zapytaliśmy, dlaczego wybrał się do Rosji, wyglądał tak, jakby go to bardzo zdenerwowało – zbielały mu wargi i cały zesztywniał. Zrozumiałem, że to silny przypływ emocji; powodowany nimi oświadczył, że nie ma zamiaru grzebać się w przeszłości. Zdecydowanie nie chciał się w to zagłębiać [...]. Chcieliśmy się dowiedzieć, czy Sowieci żądali czegoś od niego w zamian za udzielenie pozwolenia na powrót [...] powiedział: „Nie" [...]. Przez cały czas wszystko bagatelizował, pomniejszał też swoje znaczenie. Mówił: „Nie byłem aż taki ważny" [...].

McCloy: Miał pan poczucie, że nic stanowił zagrożenia dla bezpieczeństwa Stanów Zjednoczonych? [...].

John Fain: No cóż, wobec komunistów oczywiście zawsze jestem podejrzliwy. Uważam także, że każdy komunista stanowi zagrożenie, wszyscy oni bowiem są ateistami i materialistami; nie sądzę, żeby wiedzieli, jak jest naprawdę. Sprawdziliśmy, że nie [...] należał on do Partii Komunistycznej. Zamknąłem [więc] sprawę, ponieważ dochodzenie zostało zakończone [...]. On znalazł sobie zajęcie, pracował, mieszkał z żoną w tym bliźniaku i nie należał do Partii Komunistycznej [...].

Kongresman Ford: Czy na tym terenie ma pan, czy też miał pan wówczas, godnych zaufania informatorów?

John Fain: O tak. Tak. Znakomitych.

Pod koniec lat pięćdziesiątych amerykańscy komuniści zagrażali bezpieczeństwu Stanów Zjednoczonych mniej więcej tak, jak ginący gatunek amerykańskiego bawołu, niemniej jednak FBI dołożyło wszelkich starań, by przeniknąć w ich szeregi. Już z początkiem lat sześćdziesiątych duży odsetek najaktywniejszych członków Partii Komunistycznej USA stanowili działający pod przykrywką agenci FBI, dzięki którym Federalne Biuro Śledcze miało informacje o tym, co się dzieje w każdym zakamarku partii. Dlatego otwarcie noszący odznakę specjalni agenci FBI, tacy jak John Fain, porządni, bogobojni, prawomyślni i nie mający pojęcia o marksizmie, mimo wszystko mogli mieć pewność co do tego, czy dany osobnik należy do partii, czy nie.

Marguerite Oswald: [...] Powiedziałam do Lee: „Lee, chcę wiedzieć jedno. Dlaczego zdecydowałeś się wrócić do Stanów, skoro miałeś w Rosji pracę, i o ile wiem, dość dobrze ci się powodziło?" [...].
On na to: „Mamo, nawet Marina nie wie, dlaczego wróciłem do Stanów Zjednoczonych".

To wszystko, co udało mi się wydobyć z mojego syna. „Nawet Marina nie wie, dlaczego wróciłem do Stanów Zjednoczonych".

Czy Oswald byłby gotów się przyznać, że wrócił do Ameryki, by znaleźć sławę? Szukał tego, co w naszym narodzie ceni się najwyżej – Ameryka jest przecież krajem, gdzie każdy docenia wartość sławy. Oswald postrzegał siebie jako jeden z niewielu światowych autorytetów w dziedzinie złożonej i źle rozumianej natury komunizmu i kapitalizmu. Uznał, że posiada zupełnie wyjątkową wiedzę, że pojmuje straszną komedię zimnej wojny – czyli niemal tragiczne w skutkach błędne wyobrażenia i nieporozumienia między dwoma supermocarstwami.

Zatem spotkanie z Johnem Fainem, podczas którego zmuszony był przyznać, że nie znaczył wiele w Związku Radzieckim, musiało wpędzić go w długotrwałą depresję.

2

Zawartość kredensu

Składając drzwi aluminiowe, żaluzje i okna w fabryce Leslie Welding, Lee nie był ani odrobinę szczęśliwszy niż w fabryce radioodbiorników w Mińsku, w Leslie zaś prawdopodobnie musiał bardziej się przykładać do pracy. Znów to nie było to, czego szukał. Marzył o tym, żeby przy pracy nie brudzić sobie rąk – żeby nie mieć do czynienia z niczym cięższym niż książki i papier. W pierwszym tygodniu po powrocie do Ameryki poczynił nawet w tym kierunku pewne starania.

LIEBELER: Opowie nam pan o swojej pierwszej styczności z Lee Harveyem Oswaldem?

PETER PAUL GREGORY: Tak.
Było to w połowie czerwca 1962 roku. Siedziałem rano w biurze, kiedy zadzwonił telefon. Głos w słuchawce powiedział, że podano mu moje nazwisko w Bibliotece Publicznej Fort Worth. Wiedział, że uczyłem w bibliotece rosyjskiego. Powiedział, że szuka pracy tłumacza z języka rosyjskiego, chodziło o przekłady ustne lub pisemne, i że chciałby otrzymać ode mnie referencje potwierdzające jego kwalifikacje [...] zaproponowałem więc [...], żeby wpadł do mnie do biura, a ja z przyjemnością go sprawdzę. I przyszedł. Był u mnie około jedenastej przed południem i zrobiłem mu szybki sprawdzian – otworzyłem po prostu książkę na chybił trafił i poprosiłem, żeby przeczytał ze dwa akapity, a potem je przetłumaczył.

Poszło mu bardzo dobrze, dlatego napisałem list polecający, że, moim zdaniem, nadaje się na tłumacza; może tłumaczyć ustnie i pisemnie [...].

LIEBELER: Czy tego dnia zjedliście panowie razem lunch?

PETER PAUL GREGORY: Tak. Sprawdzian zrobiłem mu koło południa, więc zaprosiłem go na lunch, a podczas lunchu, naturalnie zaciekawiony tym, jak się wtedy żyło w Związku Radzieckim, wypytywałem go o różne rzeczy.

Peter Paul Gregory to sześciesięcioparoletni inżynier, specjalista od ropy naftowej, Rosjanin urodzony na Syberii, który przyjechał do Ameryki w roku 1923. Był swoim gościem na tyle zaintrygowany, że odwiedził go w domu przy Mercedes Street. Przygnębiony nędznymi warunkami, w jakich żyli Oswaldowie, postanowił, że najwyższy czas wprowadzić ich w środowisko rosyjskich emigrantów z okolic Dallas i Fort Worth. W połowie sierpnia zatem urządził przyjęcie, na które zaprosił swojego przyjaciela George'a Bouhe'a, księgowego urodzonego i wychowanego w Sankt Petersburgu, który chciał poznać Marinę, gdy dowiedział się o tym, że tak jak on dorastała w Leningradzie.

Bouhe był kawalerem po sześćdziesiątce i w zgodnej opinii znajomych lubił się rządzić, był grymaśny, uparty i potwornie obawiał się wszelkiego rodzaju komplikacji. Przed przyjściem na tę proszoną kolację zasięgnął języka u Maksa Clarka, prawnika firmy General Dynamics, o którym krążyły plotki, że pozostaje w dobrych stosunkach z wysokimi funkcjonariuszami FBI. Clark dał Bouhe'owi pewność, której ten tak potrzebował.

MAX CLARK: [...] Powiedziałem: „Jeśli chodzi o powrót Oswalda, może być pan pewien, albo nawet się założyć, że odkąd wrócił do Stanów Zjednoczonych, FBI śledzi jego ruchy. Bardzo bym się zdziwił, gdyby było inaczej" [...]. Powiedziałem: „Wie pan, oni dokładnie wiedzą, gdzie on mieszka", i dodałem jeszcze: „Wydaje mi się, że wiedzą też, z kim się kontaktuje, bo znam na tyle dobrze chłopców z FBI – oni wszystko wciągają do akt".

Bouhe pojawił się na kolacji. Marina odniosła wówczas swój pierwszy sukces towarzyski w Ameryce.

LIEBELER: Rozmawiał pan również z Mariną po rosyjsku, prawda?

GEORGE BOUHE: O tak. Muszę powiedzieć, że bardzo dobrze mówiła, ku mojemu szczeremu zdumieniu [...]. Pochwaliłem ją głośno, ponieważ większość przesiedleńców, których tu spotykaliśmy, którzy przeżyli wojny i wywózki do Niemiec i Francji, mówi bardzo łamaną, niewyszukaną ruszczyzną, którą starałem się korygować [...].

A ona powiedziała: „Babcia, która mnie wychowywała" – nie wiem, w jakim okresie – „to była kobieta wykształcona. Chodziła do"... i podała nazwę szkoły dla dobrze urodzonych panien. Coś w rodzaju... nie wiem... pan jest z Dallas? – na przykład Bryn Mawr*.

LIEBELER: To jakaś szacowna szkoła?

GEORGE BOUHE: Tak. Jej babka ją ukończyła – Marina podała mi nazwę tej szkoły, jednej z najlepszych. Instytut Smolny. Ukończenie takiej szkoły dawało młodej dziewczynie ogładę.

Czy te nieprawdziwe wiadomości przekazała mu Marina, czy też sam chciał w nie uwierzyć, by usprawiedliwić pozytywne wrażenie, jakie na nim wywarła? Pozytywna ocena to przecież dla snoba nie bagatela.

W każdym razie Bouhe zaczął się interesować życiem Oswaldów. Przerażony warunkami, w jakich obecnie mieszkali, ta dobrze wychowana sierota i amerykański zbieg z ZSRR, zorganizował spożywczo-odzieżową akcję ratunkową.

GEORGE BOUHE: [...] Mam wrodzoną potrzebę niesienia pomocy. Bardzo przypadła mi do gustu Marina, a także dziecko, które musiało sypiać na podłodze. Jak już wiele razy powtarzałem służbom bezpieczeństwa i FBI, mimo iż nie byłem krewnym Oswaldów, miałem poczucie, że jeśli mnie stać na dobry samochód i dobry posiłek, a wiem, że tuż obok czyjeś dziecko śpi na podłodze, to nie będzie mi ten posiłek tak bardzo smakował.

Pełen energii, która wydawała mi się niewyczerpana, gdy tylko zorientowałem się w sytuacji, pomyślałem, że postaram się pomóc im stanąć na nogi. Zawsze uważałem, że komunizm lęgnie się wśród nędzarzy i ludzi niezadowolonych z życia [...]. Myślałem, że dzięki temu, iż – że tak powiem – trochę ich odkarmię, dam dziecku łóżko i ubranka, pozbieram od naszych pań ubrania dla Mariny, która chodziła w łachmanach – a więc myślałem, że dzięki temu [Oswald] przestanie być tak rozgoryczony, bo był rozgoryczony. I że zrozumie, że jest tak, jak mu mówiłem – że tu można do czegoś dojść, jeśli się człowiek przyłoży do pracy. I dodałem: „Lee, strasznie dziwnie się czuję, że ja, cudzoziemiec, mówię tobie, rodowitemu Amerykaninowi, że w tym kraju człowiek może do wszystkiego dojść dzięki pracy i godnie żyć, bo tu są możliwości i trzeba z nich tylko korzystać" [...].

LIEBELER: Czy Oswald docenił pańskie starania?

---

* Bryn Mawr – ekskluzywny college dla dziewcząt (przyp. tłum.).

George Bouhe: Nie. Burknął coś na ten temat tuż po mojej drugiej czy trzeciej wizycie w ich domu, kiedy panie przyniosły ubrania dla Mariny i tym podobne rzeczy – ja nawet dałem Lee dwie koszule – nie nowe, używane. Wtedy po raz pierwszy zobaczyłem, że stara się okazać niezadowolenie.

Przymierzał te koszule i przymierzał mnóstwo razy, a to nie były nowe koszule. Wreszcie się odezwałem i powiedziałem: „Lee, to jest ubranie robocze. Włożysz te koszule trzy czy cztery razy, zbrudzisz je i wyrzucisz". On je w końcu złożył i mi oddał. „Nie potrzebuję ich".

Wtedy zrozumiałem, że nie podoba mu się to, że ja i kilka innych osób zrobiło zakupy dla nich i dla ich dziecka, bo mieli pustą lodówkę.

Warto odnotować też komentarz innego członka ekipy ratunkowej.

Liebeler: Pan Bouhe podarował im też łóżko dla dziecka?

Anna Meller: [...] Kupiłyśmy jej chyba sukienkę, pewnie trochę bielizny, kilka par majtek i rajstop; coś, co ona naprawdę była potrzebować i dużo jedzenia. Jednego dnia, kiedy przyjść tak z zakupami, Lee Harvey wrócić z pracy i był wściekły, dlaczego żeśmy to zrobili i to wszystko kupili, i powiedział: „Ja nie potrzeba". Był oszalały: „Ja nie potrzeba" – mówić.

Marguerite Oswald prezentuje przeciwny punkt widzenia.

Marguerite Oswald: [...] No bo w gazetach się pisało, że ci ich rosyjscy znajomi przyszli do nich do domu i [odkryli, że] nie było nic do jedzenia, nawet mleka dla dziecka.

A ja mówię, że Marina karmiła dziecko piersią.

[...] Może akurat w tamtej chwili nie mieli mleka w lodówce. Może Lee miał dopiero pójść po zakupy. Wiem, że nie żyli w nędzy [...]. Kiedyś przyniosłam im zakupy i papierowy ręcznik w rolce [...]. A kiedy przyszłam na drugi dzień, ten ręcznik był w kuchni, wisiał na wieszaku umocowanym na gwoździu.

Myślę, że to naprawdę ładnie, że młode małżeństwo, które nie ma pieniędzy, umie sobie radzić z taką fantazją i powiesić papierowy ręcznik na normalnym wieszaku. Oni dopiero zaczynali wspólne życie w nowym kraju. Nie mieli wcale pieniędzy. I właśnie w tym sęk. Ci ich znajomi Rosjanie, którzy byli poukładani, dorobili się samochodów i ładnych domów, nie mogli znieść tego, że ich rodaczka musi się bez tego obywać. To oni się wtrącali w ich życie. To oni się wtrącali w ich życie [...] i po niedługim czasie ich rodaczka miała już kojec, miała maszynę do szycia, miała łóżeczko dla dziecka [...].

A ja mówię, że młoda para wcale nie musi mieć kojca dla dziecka. Tu w Stanach Zjednoczonych mamy miliony małżeństw, których nie stać na kojec dla dziecka. Ja sama też byłam w takim położeniu.

Dlatego uważam, że te rzeczy nie były istotne.

Staram się podkreślić, że ci Rosjanie wtrącali się w ich życie i uważali, że ich rodaczka powinna mieć więcej, niż tak naprawdę potrzebowała.

A mój syn nie mógł wtedy sprawić jej tych wszystkich rzeczy. Dopiero zaczynał pracować [...], a w tym właśnie okresie zebrały im się te rzeczy od Rosjan.

Żaden mężczyzna nie lubi, kiedy inni dają – wtrącają się w jego życie i dają jego żonie różne rzeczy, których on nie może jej kupić. Moim zdaniem, to normalna ludzka cecha [...].

3

W samym sercu Teksasu

Oswald miał pecha, że wylądował w Fort Worth. Lepsze przyjęcie czekałoby go w Austin. W roku 1962 na Uniwersytecie Teksaskim we wspólnocie Wiara i Światło już od jakiegoś czasu mieszkało razem kilkuset Murzynów i białych. Radykalizm, przeciwstawiony głębokiemu konserwatyzmowi większości Teksańczyków, kwitł na południowym zachodzie Stanów na początku lat sześćdziesiątych. Oswald mógłby tam znaleźć pokrewne dusze. Radykalizm był nawet modny jako postawa przeciwna dzikiemu, zaciekłemu konserwatyzmowi Teksańczyków. A był on zaciekły nie bez przyczyny: ludzie, którzy jeszcze w poprzednim pokoleniu klepali biedę, pławili się teraz w bogactwie. Podobnie jak Arabowie, zawdzięczali swój dobrobyt ropie naftowej – a znaczyło to tyle, co zawdzięczać go diabłu. Wielu nowobogackich Teksańczyków, wychowanych na dobrych katolików i po części wciąż przestrzegających niektórych zasad surowego wychowania, nie czuło się swobodnie z tak szybko i łatwo nabytym majątkiem. Oczywiście byli jednocześnie pazerni na jeszcze większe zyski, a niepokój spowodowany odczuwaniem tak niechrześcijańskiej zachłanności sprawiał, że szukali usprawiedliwienia dla swojego stylu życia. Do tego celu znakomicie nadawał się antykomunizm. Amerykanie w ogóle, a już szczególnie Teksańczycy, głęboko wierzyli w antykomunizm w latach pięćdziesiątych i na początku lat sześćdziesiątych. Polowanie na czerwonych załatwiało od ręki niemal każdy problem moralny i duchowy. Mogli więc teraz być dobrymi chrześcijanami, zamiast zaprzątać sobie głowy sprzecznościami między umywaniem nóg biedakom a opływaniem w dobra doczesne.

Elita władzy w Teksasie nie potrzebowała filozofii bardziej skomplikowanej niż całkowite przeciwstawienie się komunizmowi. Nie możemy się zatem dziwić, że ten pogląd na świat przesączył się z warstw najwyższych do zamożnej klasy średniej, zamieszkującej przedmieścia Dallas i Fort Worth. Szczególnie sprawdzało się to w przypadku Rosjan (których równie dobrze możemy określać mianem emigrantów). W powszechnej opinii byli oni „szczodrzy, otwarci i pełni ludzkiego ciepła".

McMILLAN: Choć wzięli sobie do serca amerykański etos indywidualizmu i ciężkiej pracy, zachowali też wartości wpojone im przez Europę Wschodnią: ducha solidarności, dzielenia się z drugim człowiekiem, odpowiedzialności jednego za wszystkich.

A jednak ze składanych przed Komisją Warrena zeznań rosyjskich emigrantów przeziera raczej strach, duma, bezgraniczny patriotyzm oraz spora dawka czysto ludzkiego pragnienia sprawowania kontroli nad innymi. Oswald, jak zawsze wyczulony na wszelkie próby sterowania jego życiem z zewnątrz, widział, w jak dużym stopniu hojność emigrantów łączyła się ze zdobyciem władzy nad Mariną. Dla niego było to wypowiedzenie wojny. Będąc jej mężem wiedział, jak trudno było zdobyć nad nią władzę, i prędzej by skonał, niż dopuścił do tego, by emigranci ze swoją – w jego oczach niechlubną – przeszłością mieli kupić sobie prezentami jej lojalność.

Co znaczy „niechlubna przeszłość"? Wielu z tych emigrantów w pierwszych latach drugiej wojny światowej zostało – podobnie jak Wala – ujętych w łapance i wywiezionych na roboty do Polski i Niemiec. Różnica polega na tym, że Wala wróciła do Związku Radzieckiego, a oni nie. Pod koniec wojny udało im się przedostać do strefy amerykańskiej, a nie można powiedzieć, by w kwestii wojennej współpracy z Niemcami każdy z nich miał nieskazitelnie czyste sumienie. Według definicji doktora Johnsona*, „patriotyzm to ostatnia deska ratunku dla kanalii"; a rosyjscy emigranci niewątpliwie prześcigali się w okazywaniu niewolniczego uwielbienia dla Ameryki i amerykańskiego kapitalizmu. Powody takiego zachowania nie są niezrozumiałe – niektóre kraje trudniej jest opuścić niż inne. Rosja z niewiadomych przyczyn siedzi wysiedleńcom w duszach, co dowodzi fałszu głoszonej przez wielu emigrantów nienawiści do systemu sowieckiego. Nawet jeśli ktoś z nich nie współpracował z Niemcami, nawet jeśli miał w czasie wyjazdu do Ameryki w miarę czyste sumienie, to i tak duszę rozdzierał mu niewypowiedziany żal z powodu porzucenia ojczyzny. Dlatego właśnie emigranci nie chcieli słyszeć jednego dobrego słowa o komunizmie.

Dręczyły ich wątpliwości, wyrzuty sumienia, nic dziwnego więc, że szybko zaczęli nienawidzić Oswalda. Nie dość, że zdecydował się żyć w Związku Radzieckim, to na dodatek teraz, po powrocie, gardził nimi jako zdrajcami. Dawał im to zrozumienia, pogardliwie wydymając wargi, a oni odbierali to jako afront.

LIEBELER: Czy orientuje się pani, dlaczego Niemcy wywieźli panią z Rosji?

---

* Samuel Johnson – twórca osiemnastowiecznego słownika języka angielskiego (przyp. tłum.).

ANNA MELLER: [...] Ja została na wsi i pracowała dla Niemców dla kawałek chleba, żeby nie umrzeć z głodu, bo Rosja była w złym stanie, a potem szpital został z powrotem odzyskany. Ja poszła, bo jakbym została, umarłaby z głodu. W ten sposób, po trochu, po trochu zabierali mnie dalej głębiej w Polskę i Niemcy.

ALEX KLEINLERER: Zawsze byłem Ameryce bardzo wdzięczny. Amerykanie byli dla mnie bardzo życzliwi i mam o tym kraju dobre zdanie. Martwiło mnie, kiedy Oswald mówił coś przeciwko Stanom Zjednoczonym. Nie kłóciłem się z nim, ponieważ wydawał mi się niebezpieczny, i bałem się go. Pewnego razu powiedziałem mu, że w odróżnieniu od niego, ja przybyłem do tego kraju po wolność, a nie żeby szukać guza, krytykując Stany Zjednoczone.

KATIA FORD: [...] na stole leżały otwarte książki, między innymi Karola Marksa, a on nawet ich nie chował, kiedy wchodził gość. Ktoś powiedział, że widział, jak gdzieś na wierzchu leżała u niego książka o tym, jak być szpiegiem.

JENNER: [...] czy to pani opinia, że jeśli Amerykanin jedzie do Rosji z zamiarem osiedlenia się, to powinniśmy go tam zostawić?

LIDIA DYMITRUK: Zgadza się.

JENNER: I nie zachęcać do powrotu do Stanów Zjednoczonych?

LIDIA DYMITRUK: Nie zachęcać – albo jeśli on prosić, po prostu kazać mu tam zostać.

PANI WOSZYNIN: [...] oczekiwaliśmy raczej, że usłyszymy od Oswalda jakąś publiczną deklarację antykomunistyczną, jakieś – no, raporty, wykłady, czy zobaczymy kilka artykułów w gazetach, oczekiwaliśmy, że będzie się zachowywał jak osoba, którą komunizm rozczarował i która przyjechała tu z przekonania – jak nasi znajomi. Na przykład Eugene Lyons [...]. Więc jego zachowanie po przyjeździe, to, co słyszeliśmy o jego zachowaniu, było nienaturalne [...]. No bo czy dla osoby inteligentnej nie byłoby naturalne utrzymywać się z wygłaszania wykładów antykomunistycznych?

RANKIN: Czy mówił pani, dlaczego nie lubi pani rosyjskich przyjaciół? [...]

MARINA OSWALD: Uważał, że głupio postąpili, wyjeżdżając z Rosji; że wszyscy są zdrajcami [...] mówił, że obchodzą ich tylko pieniądze i pieniądze są dla nich miarą wszystkiego. Wydaje mi się, że może Lee im zazdrościł, w tym sensie, że im się lepiej powodziło niż jemu [...] nie lubił tego słuchać [...].

Czy zaczął zdawać sobie sprawę z tego, że w hierarchii wartości politycznych stali z Mariną po przeciwnych stronach przepaści? Ona wielbiła wartości klasy średniej.

W Rosji nie mógłby ujrzeć tego w tak jaskrawym swietle. Mimo sprzeczek, zdecydowała się w końcu pojechać do Ameryki; w gruncie rzeczy nie podobał jej się system sowiecki. Zawiodła się na nim, ponieważ okazał się nudny ze swoim systemem przywilejów i pompą, przeżarty korupcją, byle jaki. Lee poczuł się zdradzony przez pociąg Mariny do wartości wyznawanych przez emigrantów.

Z jego punktu widzenia sprawy przybrały zupełnie niespodziewany obrót. W Mińsku byli we własnych oczach zgraną parą małżonków – wprawdzie niedoskonałą, ale jednak parą. Ich małżeństwo miało przecież i dobre strony. Razem z ukochanym dzieckiem przyjechali do Ameryki. Wbrew wszelkim przeciwnościom dawali sobie radę. Marina popierała decyzje męża. Choć płaciła za to obawą o los krewnych, to jednak była mu posłuszna. Oboje wyznawali podobny system wartości.

Gdy jednak społeczność rosyjskich emigrantów okazała się oczarowana Mariną, a za nim nie przepadała, gdy Marina zachwycała się efektownym, choć dla Lee moralnie zeszpeconym obliczem amerykańskich dóbr, z pewnością odczuł, że ona odwraca się od jego planów życiowych. Polegały one na tym, żeby nie ustąpić pola, mimo miażdżącej przewagi nadzianego forsą wroga, lecz dumnie podjąć walkę partyzancką – nawet jeśli miałaby się ona toczyć wyłącznie w jego umyśle.

Nie możemy pozwolić, by Marguerite pozostała na uboczu. Była wprawdzie odsunięta od głównego nurtu wydarzeń, ale niezawodny instynkt podpowiadał jej, że demony towarzyskiej hańby zbierają siły przeciwko jej synowi.

To fakt, Marguerite nie zawsze czuła się mile widzianym gościem, zazdrosna o małżeństwo Lee i gotowa wbijać szpilki w jedno ciało, którym metaforycznie stali się Marina i Lee – była w końcu teściową, ale także przecież matką, i chciała chronić małżeństwo syna. Nie bez kozery otrzymała od Boga dar wyczuwania, że coś wisi w powietrzu, coś się święci. Wszczęła małe śledztwo, jak niegdyś, gdy dziwne zachowanie jej męża, pana Ekdahla, wzbudziło w niej podejrzenie, że być może ma on na sumieniu małżeńskie grzeszki. Szybko zaczęła podejrzewać Marinę. Któregoś dnia Marguerite wybrała się z wizytą do synowej na Mercedes Street, ale nie zastała jej w domu.

Marguerte Oswald: [...] Siedziałam w samochodzie na parkingu Montgomery Ward, skąd widać było ich dom, bo chciałam zobaczyć, z kim też Marina tam wróci [...].

Siedziałam w tym samochodzie cały dzień. A Mariny jak nie widać, tak nie widać.

Wreszcie wróciłam do siebie, zjadłam kolację, wyszłam i spotkałam Lee, który wyszedł właśnie z Montgomery Ward i kierował się do domu.

Nie mieli wtedy telefonu. Przypuszczam – to nie jest fakt – że Lee wyskoczył do telefonu, żeby podzwonić po znajomych i zapytać, gdzie jest Marina [...]. Wsiadł ze mną do samochodu. Mieliśmy do przejechania paręset metrów. Weszłam do domu razem z nim i zapytałam: „Lee, a gdzie Marina?". Wiedziałam, oczywiście, że nie ma jej w domu, bo przez cały dzień obserwowałam dom z samochodu.

On odpowiedział: „Nie wiem, pewnie wyszła gdzieś ze znajomymi".

„Mam ci zrobić kolację?".

„Nie, ona pewnie zaraz wróci i zjemy razem".

No to wróciłam do siebie. Nie będę się przecież wtrącać w ich pożycie małżeńskie [...]. Dwa dni później poszłam do nich. Mój syn coś czytał – on ciągle czytał – w dużym pokoju, a Marina była w sypialni. Nie widziałam jej. Poprosiłam Lee: „Powiedz Marinie, że przyszłam".

Ale Marina się nie pokazała.

Poszłam więc do sypialni, a ona tam siedziała ze spuszczoną głową i karmiła June. Zaczęłam z nią rozmawiać, ale nie podniosła głowy. Podeszłam więc z drugiej strony i zobaczyłam, że ma podbite oko.

Proszę państwa, uważam, że mężczyzna nie powinien bić żony, ale powiem tak. Czasem zdarza się tak, że kobieta aż się prosi, żeby jej podbić oko. Nie popieram takiego zachowania, ale jeszcze raz powtarzam, że nie było jej wtedy cały dzień w domu. A jej mąż w tym czasie pracował. I na własne oczy widziałam, że po przyjściu z pracy nie dostał nic do jedzenia. Nie mieli służącej, która by podała posiłek człowiekowi, co przyszedł z pracy. Moim zdaniem, obowiązkiem Mariny było siedzieć w domu i przygotować mężowi kolację.

Może to drobiazg, ale według mnie, to bardzo dużo mówi o ich domowych układach [...]. Pracowałam kiedyś w eleganckich domach i widziałam, jak ci eleganccy ludzie się kłócą. Raz na moich oczach pewien dżentelmen uderzył żonę. Wiemy, że takie rzeczy się zdarzają. Nie jest to nic chlubnego, ale zdarza się nawet w najelegantszych domach. Nie popieram takiego zachowania. Ale mówię państwu, że prawdopodobnie zawsze jest jakiś powód, jak to się mówi [...].

To podbite oko stało się pożywką dla plotek w społeczności rosyjskich emigrantów:

ANNA MELLER: Raz, kiedy przyszłyśmy do Mariny, a jej męża jeszcze nie było w domu, ma strasznego siniaka koło oka. Zapytałam ją: „Co się dzieje?". Marina była nieśmiała trochę. Ona jest nieśmiała trochę, tak trochę z natury, tak myślę. Powiedziała: „Muszę w nocy wstać i uspokoić dziecko i uderzać drzwi i uderzać głowę tu". Bardzo duży siniak.

GEORGE BOUHE: [...] zobaczyłem u niej podbite oko. Nie mając nic złego na myśli, zapytałem: „Co, wpadłaś na drzwi od łazienki?". Marina powiedziała: „Nie, on mnie uderzył".

LIEBELER: Czy kiedykolwiek widziała pani lub słyszała, że Marina kpi z Oswalda w towarzystwie?

ANNA HALL: Tak; często jej się to zdarzało.

LIEBELER: Czy przypomina sobie pani konkretne przykłady?

ANNA HALL: Zawsze na niego wyrzekała. Że nie jest mężczyzną. Że jest tchórzem. Nie wiem, chyba chodziło o to, że jest niedojrzały, czy coś podobnego. Że nie jest w pełni mężczyzną.

GEORGE BOUHE: [...] postanowiłem nigdy nie bywać u Mariny bez towarzystwa osoby trzeciej.

LIEBELER: Czy może nam pan powiedzieć, dlaczego postanowił pan postępować tak ostrożnie? [...]

GEORGE BOUHE: Ponieważ był z niego dziwny facet, a ja nie jestem skory do bitki. Potrafię być dobry w walce na słowa, ale nie na pięści. A [on] swoimi głupawymi uśmieszkami i minami dawał do zrozumienia, że nie jestem mile widzianym gościem, no, po prostu *persona non grata*, bo widocznie był zazdrosny o to, że raz zrobiłem im duże zakupy spożywcze [...].

W ciągu trzech pierwszych miesięcy w Fort Worth małżeństwo Oswaldów mocno cierpi z powodu tych incydentów, a zadane mu ciosy mogą okazać się nieuleczalne. Lee odwraca się od żony i zamyka się w sobie, w najbardziej zatęchłym zakamarku najobrzydliwszej części swojej osobowości – tchórza, który nie przedstawia sobą niczego w oczach innych mężczyzn. Od czasu do czasu będzie teraz wyładowywał sporą część swojej wściekłości, bijąc żonę.

4

Dobrze urodzony przyjaciel

Jeśli relacja o życiu Oswalda ma w którymś momencie szansę otrzeć się o kuszącą dwuznaczność powieści szpiegowskiej, to tylko wraz z chwilą pojawienia się w jego życiu barona George'a De Mohrenschildta – wysokiego, wykształconego, wpływowego, przystojnego pięćdziesięciolatka o nieprzeciętnej biografii.

McMILLAN: [...] urodził się w Mozyrze na Białorusi w 1911 roku [...] lubił [...] podkreślać [że] w jego żyłach płynie krew rosyjska, polska, szwedzka, niemiecka i węgierska [...]. Ród De Mohrenschildtów wywodzi się z bałtyckiej szlachty z czasów panowania szwedzkiej królowej Krystyny, a to najdumniejsza szlachta w całej Rosji. Męscy potomkowie rodziny mieli prawo do tytułu barona, lecz wyznawali tak liberalne poglądy, że tytułu owego nie używał ani ojciec George'a, Siergiej von Mohrenschildt, ani jego wuj Ferdynand (pierwszy sekretarz ambasady carskiej w Waszyngtonie, żonaty z córką Williama Gibbsa McAdoo, sekretarza skarbu i zięcia prezydenta Woodrowa Wilsona), ani sam George, ani jego starszy brat Dymitr.

Gary Taylor, były mąż córki De Mohrenschildta, Alexandry, dobrze opisuje barona.

GARY TAYLOR: Jest osobowością raczej dominującą; z natury dość krnąbrny i o dużej zmienności nastrojów – od wylewnej sympatii po krańcową antypatię. Zmienia nastrój tak łatwo, jak pstryknięciem włącza się i wyłącza światło.

JENNER: Jak opisałby pan jego wygląd zewnętrzny? [...]

GARY TAYLOR: To człowiek słusznej budowy, wzrostu około metr osiemdziesiąt pięć, ale potężnie zbudowany, jak bokser [...]. Ma bardzo szeroką klatkę piersiową, dzięki której wydaje się znacznie potężniejszy niż jest naprawdę [...].

JENNER: Dobrze. Proszę powiedzieć teraz coś więcej o cechach osobowości George'a De Mohrenschildta [...].

GARY TAYLOR: Powiedziałbym, że jest osobą łatwo wpadającą w gniew. Ale kiedy chce, potrafi być bardzo ujmujący [...].

JENNER: Czy jest osobą niekonwencjonalną? [...]

GARY TAYLOR: Tak. Czasami chodzi tylko w spodenkach kąpielowych czy coś w tym rodzaju, co – jak na człowieka w jego wieku, to znaczy pięćdziesięcio- czy pięćdziesięciodwuletniego – jest dość niezwykłe [...]. O ile mi wiadomo, w okresie, gdy byłem żonaty z jego córką, nie zajmował żadnego stanowiska, za które otrzymywałby pieniężne wynagrodzenie. Mógł zatem swój czas poświęcać całkowicie uprawianiu ulubionego sportu – tenisa. Grać potrafił nawet w temperaturze około zera stopni, w samych tylko spodenkach kąpielowych, jak już mówiłem, codziennie. De Mohrenschildtowie zawsze mieli kabriolety i zawsze jeździli nimi ze spuszczonym dachem, niezależnie od pogody. To ludzie bardzo aktywni, prowadzący aktywny tryb życia [...].

JENNER: Czy [jego żona] jest czasami równie niekonwencjonalna w kwestii ubioru, jak opisał to pan w przypadku jej męża?

GARY TAYLOR: Tak; jest bardzo podobna.

JENNER: Czyli też, podobnie jak on, chodzi po ulicy ubrana tylko w strój kąpielowy, zgadza się?

GARY TAYLOR: Tak, i to dość często. Zwykle nosi bikini.

Ponieważ pani De Mohrenschildt była apetyczną pulchną blondynką, wywarła wrażenie na mężczyznach przeprowadzających dochodzenie. Komisja Warrena zainteresowała się nią, to naturalne; De Mohrenschildtem jednak była wręcz zafascynowana. Jego zeznania zajmują 118 stron zapisanych drobnych drukiem. Niemal połowa tego obszernego materiału poświęcona jest biografii barona, no, ale szczegóły jego życia są tak barwne, iż istotnie nie sposób nie popadać co chwila w dygresje.

JENNER: [...] z dokumentów wynika [że pański brat Dymitr] został naturalizowany 22 listopada 1926 roku w Sądzie Okręgowym Stanów Zjednoczonych w New Haven, czyli tam, gdzie znajduje się uniwersytet Yale [...], czy te fakty pokrywają się z pana wspomnieniami?

GEORGE DE MOHRENSCHILDT: Tak; czas mniej więcej się zgadza. Pamiętam, że był w Yale z Rudym Vallee — mieszkali nawet razem w pokoju.

Jeśli chodzi o rozmowę o sławnych ludziach, na De Mohrenschildcie każdy mógł polegać. Był jedynym człowiekiem na świecie, który znał zarówno Jacqueline Kennedy jako dziecko, jak i Marinę Oswald, gdy była żoną Oswalda, a później wdową po nim. Miało się też pewność, że będzie chętnie o tym mówił. Wyczekiwał tylko stosownego momentu w rozmowie. Gdy członek Komisji Warrena, Albert Jenner, zarzucił mu przybycie z odkrytym torsem na oficjalną kolację – tak przynajmniej zeznało przed Jennerem sporo świadków – George miał powiedzieć, że ma słabość do szokowania bliźnich.

GEORGE DE MOHRENSCHILDT: Cóż [...] bawi mnie wytrącanie ludzi z nudnej rutyny. Czasami życie jest okropnie nudne.

JENNER: Wytrąca pan przy okazji z nudnej rutyny także i siebie?

GEORGE DE MOHRENSCHILDT: Może i tak.

Fakt, baron żył w tak wielu krajach, imał się tak wielu zajęć – był oficerem kawalerii w wojsku polskim, sprzedawcą bielizny w Belgii, filmowcem w Nowym Jorku i inżynierem naftowcem w Dallas – przeżył tak wiele przygód, tak często się żenił (czasem cynicznie, a czasem idealistycznie, czasem dla pieniędzy, a czasem z miłości; niegdyś bogaty jak żigolak, który wygrał w matrymonialną ruletkę, ale w roku 1962 musiał żyć z tego, co Jeanne – jego czwarta i ostatnia żona – zarabiała jako projektantka mody w firmie Nieman-Marcus), że istotnie mógł cierpieć na napady nudy. Zbyt liczne doświadczenia mogą okazać się równie niebezpieczne dla utrzymania zainteresowania życiem, jak te zbyt skąpe.

Dowiemy się o nim znacznie więcej, jeśli dokładnie wczytamy się w jego zeznania i wspomnienia, które dzieli trzynastoletnia przerwa. De Mohrenschildt zeznawał przed Komisją Warrena w roku 1964, a swoje wspomnienia o Oswaldzie spisał w roku 1977 (zostały one później opublikowane w dwunastym tomie przesłuchań Komisji Izby Reprezentantów do spraw Zabójstw). Zacznijmy może od wspomnień, bo De Mohrenschildt zamieszcza tam ciekawy opis okoliczności poznania Oswaldów. Twierdzi, że gdy emigranci opowiedzieli mu o nowych przybyszach, chciał dowiedzieć się o nich czegoś bliższego, więc w pierwszym czy drugim tygodniu września wybrał się do nich z wizytą. Teraz otwiera się okno, przez które wpadnie świeży powiew i wywietrzy zaduch jednogłośnych zeznań innych emigrantów. Ale dziwny to powiew.

Ktoś dał mi adres Lee i któregoś popołudnia, razem z moim przyjacielem, pułkownikiem Lawrencem Orlovem, pojechałem do Fort Worth, leżącego około 50 kilometrów od Dallas. Przejechaliśmy ten okropny odcinek, dzielący oba miasta, cały czas cuchnęło ściekami. W Teksasie są przepiękne otwarte przestrzenie, ale te tutaj były zniszczone i zanieczyszczone. Po jakimś czasie znaleźliśmy barak przy Mercedes Street, w okolicy slumsów, niedaleko Montgomery Ward.

Zapukałem do drzwi i otworzyła mi niegustownie, ale schludnie ubrana młoda kobieta [...]. Orlovowi wydała się piękna, mimo zaniedbanych zębów i mysich włosów [...].

Marina zaproponowała nam sherry i powiedziała, że Lee wkrótce wróci z pracy. Trochę rozmawialiśmy, żartowaliśmy; miała nawet spore poczucie humoru, ale poglądy, które głosiła, wydały mi się banalne. Wtedy wszedł Lee Harvey Oswald, który miał się niedługo okryć sławą czy raczej niesławą. Miał na sobie kombinezon i czyste buty robocze. Tylko ktoś, kto się nigdy nie zetknął z Lee osobiście, mógłby go nazwać osobą tuzinkową. „Jest w tym człowieku coś wyjątkowego" – powiedziałem sobie. Od razu można było wyczuć w nim człowieka bardzo szczerego i bezpośredniego. Mimo iż z wyglądu nie wyróżniał się niczym ponadprzeciętnym – miał pospolite rysy twarzy i był średniego wzrostu – w rozmowie okazał się skoncentrowany, myślący i zdecydowany. Miał odwagę głosić swoje przekonania i ich bronić, mówił o nich bez wahania. Cieszyłem się, że poznałem kogoś takiego, i przypomniały mi się moje studenckie czasy w Europie, kiedy to w gronie kolegów, przy litrach piwa, i nie zważając na upływający czas, dyskutowaliśmy o sprawach światowych i naszych ideach.

Na tym nie koniec pozytywnych uwag.

Angielszczyzna Lee była znakomita, wyszukana, raczej literacka, nie słychać w niej było południowego akcentu. Lee mówił jak dobrze wykształcony Amerykanin z nieokreślonej klasy społecznej.

[...] byłem zdumiony, że czytał tak trudnych autorów, jak Gorki, Dostojewski, Gogol, Tołstoj i Turgieniew, po rosyjsku [...]. Uczyłem kiedyś rosyjskiego na różnych poziomach zaawansowania na dużym uniwersytecie, ale z taką biegłością językową nie spotkałem się nawet u najlepszych studentów z ostatnich lat, którzy w kółko słuchali rosyjskich kaset i rozmawiali ze znajomymi Rosjanami.

[...] I Lee, i ja byliśmy nonkonformistami czy nawet rewolucjonistami [...] ale mnie do współczucia losowi ludzi biednych i głodujących skłoniły dopiero długie lata przeżyte w Ameryce Łacińskiej, a następnie śmierć syna i żałoba. W młodości byłem inny, myślałem tylko o pieniądzach i karierze, kombinowałem [...]. A Lee nie – był taki od dzieciństwa, dzięki czemu w moich oczach zdawał się człowiekiem pięknym i wartościowym.

[...] ogromnie wrażliwy społecznie, był marzycielem i poszukiwał prawdy. Takim ludziom bardzo ciężko jest żyć. Dlatego wiele osób uważało go za życiowo przegranego nieudacznika.

Bardzo często spotykam się z tym, że ludzie pytają mnie podejrzliwie, dlaczego ja, człowiek z kilkoma dyplomami uniwersyteckimi oraz o dość dobrym statusie finansowym i społecznym, zaprzyjaźniony z wieloma bogatymi tego świata, tak się zaprzyjaźniłem z tym „nieprzystosowanym radykałem", Lee Harveyem Oswaldem. No cóż [...] mówiłem już o jego bezpośredniości, kojącej osobowości, uczciwości oraz chęci bycia lubianym i docenianym. Uważam też, że do przywilejów wieku starszego należy nieprzejmowanie się tym, co myślą inni. Dobieram sobie przyjaciół spośród ludzi, którzy mi się podobają. Lee mi się podobał.

Wspomnienia De Mohrenschildta noszą tytuł *I'm a Patsy* (Jestem kozłem ofiarnym)*. Jeanne De Mohrenschildt przesłała je Komisji Izby Reprezentantów do spraw Zabójstw pocztą w dzień po samobójczej śmierci męża w marcu 1977 roku.

W roku 1964, gdy De Mohrenschildt zeznawał przed Komisją Warrena, nie wyrażał się w tak pozytywnych słowach ani o Lee, ani o Marinie:

GEORGE DE MOHRENSCHILDT: [...] Wydała mi się niespecjalnie ładna i raczej zagubiona – mieszkała w slumsach, nie umiała ani słowa po angielsku, dziecko nie wyglądało na najzdrowsze, warunki mieli okropne.

[...] Jak by ją określić – bardzo niedbała, zła matka, bardzo zła matka. Kochała dziecko, ale była złą matką, bo nie poświęcała mu wiele uwagi. I zdumiało nas jeszcze to, że mimo iż w Rosji pracowała w aptece, w ogóle nie miała pojęcia o chowaniu niemowląt, nie miała o tym zielonego pojęcia [...].

---

* „Jestem kozłem ofiarnym" – jedne z pierwszych słów Oswalda po aresztowaniu go w związku z zabójstwem Tippita i prezydenta Kennedy'ego (przyp. tłum.).

JENNER: Czy przypomina pan sobie wypowiedzenie następującej kwestii: „Ponieważ przez ostatni rok i trochę wcześniej mieszkaliśmy na stałe w Dallas, na jesieni mieliśmy nieszczęście poznać Oswalda, a przede wszystkim jego żonę Marinę".

GEORGE DE MOHRENSCHILDT: Tak.

JENNER: Co miał pan na myśli, mówiąc o nieszczęściu poznania Oswalda, a szczególnie jego żony Mariny?

GEORGE DE MOHRENSCHILDT: [...] nie jest miło znać człowieka podejrzanego o zabójstwo prezydenta Stanów Zjednoczonych. Ale ponieważ on nie żyje, to nieistotne. Wciąż jednak znamy Marinę. Mieliśmy nieszczęście ją znać – przysporzyło nam to nieskończenie wiele kłopotów, jakkolwiek na to patrzeć [...]. Takich ludzi jak my powinno się bronić przed poznawaniem ludzi takich jak Oswald. Może się mylę [...]. On był dla mnie po prostu smarkaczem, którym się bawiłem. Czasami ciekawiło mnie, co mu chodzi po głowie.
Ale z całą pewnością nie określiłbym się jego przyjacielem.

JENNER: Dobrze, może i tak. Ale – przynajmniej Marina wyraża się w następujący sposób – pan „był jedynym, który pozostał naszym przyjacielem".

GEORGE DE MOHRENSCHILDT: [...] nie byliśmy przyjaciółmi, nic podobnego. Byliśmy po prostu zbyt zajęci, żeby spędzać z nimi czas – kropka [...]. Oni byli w fatalnym położeniu, zagubieni, bez grosza. Zatem mimo iż oboje działali mi na nerwy, nie okazywałem im tego, bo to byłoby jak obrażanie żebraka – rozumieją państwo [...]. Nie brałem go poważnie – to wszystko.

JENNER: [...] A dlaczego? [...]

GEORGE DE MOHRENSCHILDT: No bo nie był człowiekiem na poziomie. Był niedokształconym chłopakiem z zapadłej prowincji [...] wygłaszał prostackie poglądy [...]. Miał umysł człowieka, który otrzymał wyjątkowo marne wychowanie i wykształcenie, a czytał dość trudne książki, w których często nie rozumiał nawet poszczególnych słów, a co dopiero sensu [...]. Jak więc można traktować poważnie kogoś takiego? Tacy ludzie budzą śmiech. Ale zawsze odczuwałem wobec niego trochę litości, moja żona też. Rozumieliśmy, że to człowiek zagubiony, szukający czegoś po omacku [...]. Nie miałem żadnego celu w słuchaniu go, bo w tym, co mówił, nic nie było, dosłownie ani śladu myśli [...]. Gdy już się dowiedzieliśmy, co się działo w Mińsku, jaka tam była sytuacja, ile kosztowała żywność, jak się ludzie ubierali, jak spędzali popołudnia – czyli wszystko, co nas interesowało – nasza ciekawość zmalała. Później jeszcze parę razy spotkaliśmy się z Lee Oswaldem i Mariną, ale tylko po to, żeby wręczyć im prezent albo zabrać ich na przyjęcie – bo wydawało nam się, że oni muszą umierać z nudów – zresztą w wypadku Mariny to była prawda.

Choć trzynaście lat dzieli negatywne w wydźwięku zeznania z roku 1964 i pochwały z roku 1977, przepaść dzieląca te dwie oceny jest zbyt wielka, by przypisać ją wyłącznie upływowi czasu. O co tu tak naprawdę chodzi?

5

Za żadne skarby

W jednym tylko miejscu wypowiedzi De Mohrenschildta z roku 1964 i 1977 nie są ze sobą sprzeczne. Jest to pewna wskazówka.

Oswald miał własny rękopis, pięćdziesiąt odręcznie zapisanych stron (z czego dziesięć zostało przepisanych na maszynie przez Pauline Bates kilka dni po powrocie Oswalda do Ameryki). Jest to tekst niezgrabny, nielogicznie skonstruowany, lecz niewątpliwie daje jasny obraz życia w Związku Radzieckim; w owym czasie przedstawiałby dla amerykańskiego wywiadu jakąś wartość. Oswald mógł zaoferować obraz Mińska z perspektywy robotnika. (Notabene spora część rękopisu Oswalda zamieszczona jest w apendyksie na końcu książki).

Wkrótce po zawarciu znajomości Oswald dał się namówić nowemu znajomemu na pokazanie mu tych stronic.

Oto przekaz De Mohrenschildta z 1977 roku o rozmowie z Oswaldem na temat owego rękopisu, odbytej w 1962 roku.

– Twoja opowieść jest bezpośrednia i szczera, ale źle napisana. Nie ma w niej żadnych sensacyjnych rewelacji i tak naprawdę nie wiadomo, po co właściwie powstała. Mnie osobiście się podoba, bo znam Mińsk, ale ile ludzi wie choćby, gdzie leży to miasto? I dlaczego miałyby ich zaciekawić twoje przeżycia? No, powiedz!

– Niewielu – potulnie zgodził się Lee.

By go nie urazić, nie powiedziałem mu, że kuleje też gramatyka, a składnia woła o pomstę do nieba. No i te długie, napuszone słowa [...].

Z uwag wypowiedzianych przed Komisją Warrena w roku 1964 wyłania się mniej więcej taka sama ocena.

GEORGE DE MOHRENSCHILDT: [...] To był po prostu opis życia w mińskiej fabryce. Niespecjalnie zły, ale i niespecjalnie dobry [...]. Tylko to przejrzałem. Zrozumiałem od razu, że nie nadaje się do druku. To się rzucało w oczy [...].

JENNER: Czy z powodu fatalnej gramatyki?

GEORGE DE MOHRENSCHILDT: Gramatyka była tam rzeczywiście fatalna.

JENNER: Ortografia też.

GEORGE DE MOHRENSCHILDT: Zgadza się.

Biorąc pod uwagę ogromne rozbieżności między wspomnieniami De Mohrenschildta a zeznaniem przed Komisją Warrena, w wielu innych punktach jasne jest, że co innego powodowało baronem w roku 1964, a co innego w roku 1977. Jednakże w tym konkretnym przypadku, dotyczącym kwestii wartości rękopisu Oswalda, jego reakcje są nieomal identyczne: jest to jedyne miejsce, w którym wspomnienia pokrywają się z zeznaniami. Nawet jeszcze w roku 1977 De Mohrenschildt robi, co może, by odwrócić uwagę od przypuszczenia, że w jakimkolwiek stopniu interesował się rękopisem Oswalda. Przecież dowody takiego zainteresowania mogłyby doprowadzić do podejrzeń, że baron miał do wykonania zadanie, którego częścią było właśnie zdobycie rękopisu Oswalda na czas wystarczająco długi, by sporządzić jego kopię i przekazać ją odpowiednim osobom. W roku 1977 De Mohrenschildt zatem wciąż rozważał – prawdopodobnie bojąc się, że coś będzie musiał powiedzieć – czy pozwolić wyjść na jaw prawdzie o swoich tajemnych powiązaniach z CIA. Jednak już kilka tygodni później, znalazłszy się w palącej potrzebie finansowej, zgodził się udzielić wywiadu Edwardowi Epsteinowi, choć zgoda ta nie była całkowita – jego spowiedź została przerwana przez samobójstwo. Większość z tego, co miał do powiedzenia, przepadła na zawsze.

Komisja Warrena traktowała George'a dosyć, jak na siebie, podejrzliwie i z wyjątkową uwagą zagłębiała się w szczegóły jego życiorysu. W końcu było tam sporo faktów, które należało sprawdzić.

Przyjechawszy do Nowego Jorku tuż przed wybuchem drugiej wojny światowej, De Mohrenschildt niebawem zaczął pracować u swojego kuzyna, barona Konstantine'a Von Maydella, pomagając mu w kręceniu filmu dokumentalnego o polskim ruchu oporu. Niedługo jednak po wkroczeniu armii sowieckiej do Polski Maydell został faszystowskim agentem – w każdym razie tak później dowiedziało się FBI. De Mohrenschildt twierdził, że wówczas „zbierał dane o ludziach zamieszanych w działalność pronazistowską" dla innego przyjaciela, Pierre'a Freyssa, szefa drugiego wydziału kontrwywiadu francuskiego. De Mohrenschildt niemal na pewno był w tamtym okresie podwójnym szpiegiem, ale to, czy bardziej lojalnym wobec Niemców, czy Francuzów, to już osobna kwestia.

W roku następnym starał się o przyjęcie w szeregi OSS (Office of Strategic Services – Biura Spraw Strategicznych), a jego nazwisko przewija się w kartotekach wywiadu wielu krajów przez następne piętnaście lat. Ukoronowaniem tych starań były dość poważne kontakty z CIA, szczególnie te, które dotyczyły badań geologicznych prowadzonych w Jugosławii oraz zachodniej Afryce w celu ustalenia tamtejszych zasobów ropy naftowej. (Nie trzeba dodawać, że zajęcie to wiązało się w dużym stopniu ze sporządzaniem map terenów o znaczeniu strategicznym). Po powrocie z Jugosławii w roku 1957 De Mohrenschildt zdał raport J. Waltonowi Moore'owi z Oddziału Kontaktów Krajowych CIA w Dallas.

Gdy się temu przyjrzeć z bliska, to zabawne, jak baron stara się podczas składania zeznań przed Komisją Warrena uniknąć podejrzeń, że się na tych sprawach choć trochę zna.

GEORGE DE MOHRENSCHILDT: [...] [Zanim] poznaliśmy z żoną Oswaldów [...] rozmawialiśmy o nich z Maksem Clarkiem, a także z Bouhe'em. Zapytałem pana Bouhe'a: „Myślisz, że pomagając Oswaldowi, będziemy bezpieczni?". [...]

JENNER: Dlaczego zadał pan to pytanie?

GEORGE DE MOHRENSCHILDT: Zadałem to pytanie, ponieważ Oswald był w Związku Radzieckim. Nie wiadomo, w jakim charakterze. I mógł być pod stałą, całodobową obserwacją FBI. Nie chciałem się w to wplątywać, rozumieją państwo.

Jesienią 1962 roku De Mohrenschildt przygotowywał największą transakcję swojego życia – poszukiwanie złóż ropy naftowej na Haiti, na czym mógł się dorobić majątku przy pomocy prezydenta Haiti, Duvaliera. George nie chciał, by jego nazwisko kojarzyło się ze Związkiem Radzieckim. Nie w tamtym okresie. Mając przed oczyma życiorys barona, Papa Doc świetnie zdawał sobie sprawę, że poszczególne etapy jego kariery nieomylnie wskazują na jedno: ten człowiek miał doświadczenia typowe dla szpiegów. A ponieważ w tym okresie poważnie liczono się z tym, że po sukcesie w Zatoce Świń Castro ruszy na Republikę Dominikany czy na Haiti, baron – ze swoim życiorysem – mógł mieć kłopoty z ułożeniem sobie stosunków z Duvalierem, który obawiał się infiltracji agentów Castro. George'owi przydałoby się więc, by CIA napomknęła tu i ówdzie, że jest przychylnie nastawiona do niego i jego planów związanych z Haiti.

Dlatego też zanim George zgodzi się spotkać z Oswaldem, nie tylko zapyta o radę Maksa Clarke'a, podobnie jak George Bouhe, ale również będzie się starał zawrzeć potrzebne mu porozumienie z CIA.

GEORGE DE MOHRENSCHILDT: [...] Zdaje mi się, że rozmawiałem – że pytałem o Lee Oswalda pana Moore'a, Waltera Moore'a.

JENNER: Kto to jest?

GEORGE DE MOHRENSCHILDT: Walter Moore to człowiek, który przesłuchiwał mnie z ramienia rządu po moim powrocie z Jugosławii. G. Walter Moore. To człowiek pracujący dla rządu – agent FBI albo CIA. Bardzo miły człowiek, niesłychanie inteligentny. Pracuje – o ile się orientuję – dla FBI w Dallas. Wiele osób uważa, że jest szefem FBI w Dallas. Ja nie wiem. Takich rzeczy się nie wie, prawda? Ale to człowiek pracujący dla rządu. Przeprowadzał ze mną rozmowę i wysłuchał raportu o moim pobycie w Jugosławii, mojej opinii o panującej tam sytuacji politycznej. Staliśmy się potem dość dobrymi przyjaciółmi. Od czasu do czasu się spotykaliśmy, jedliśmy razem lunch [...]. Moim zdaniem, to bardzo interesujący człowiek.

De Mohrenschildt musiał wiedzieć, że Moore nie pracował dla FBI i że nie nazywał się G. Walter, tylko J. Walton. Baron umyślnie chronił swoje powiązania z CIA, pozując na naiwnego. Ponieważ J. Walton Moore odbierał od niego raport dotyczący Jugosławii, De Mohrenschildt musiał wiedzieć, że Moore jest funkcjonariuszem CIA. FBI programowo nie zajmowało się sprawami zagranicznymi, a CIA jak najbardziej. Oczywiście w roku 1964 zabójstwo Kennedy'ego pokrzyżowało plany De Mohrenschildta. Gdyby CIA powiązała w jakikolwiek sposób jego nazwisko z nazwiskiem Oswalda, jego plany związane z Haiti ległyby w gruzach.

Jednak jeszcze w roku 1962 CIA potrzebowała kogoś, kto zręcznie wydobyłby z Oswalda informacje. Lee był dla nich zagadką. Podobnie jak kiedyś KGB brał pod uwagę możliwość, że ten dezerter z piechoty morskiej to agent CIA, teraz CIA mogła odwzajemnić radzieckim kolegom komplement. Czy KGB obrał nową taktykę? Może Oswald został przysłany z Rosji dla celów sowieckiej propagandy? Gdyby przeprowadzić oficjalne przesłuchanie i zakończyłoby się ono negatywnie, a Oswald znalazłby gazetę, która zgodziłaby się sprawę nagłośnić, mogłoby to spowodować międzynarodowe zamieszanie oraz, co niekorzystne, znów pogorszyć stosunki z szefem FBI, J. Edgarem Hooverem, bo przecież Oswald oficjalnie podlegał teraz „opiece" FBI. Teoretycznie CIA miała się do niego w ogóle nie zbliżać. Ale przecież musiała się dowiedzieć, co Oswald, który spędził w Związku Radzieckim dwa i pół roku, mógł jej przekazać o życiu w tym kraju. Wnikliwe przesłuchanie mogłoby wzbogacić wiedzę Agencji. Potrzeba faktycznie istniała, ale operację, mimo iż niewielką, należało przeprowadzić delikatnie. CIA opowiadałaby się raczej za badaniem, którego delikwent byłby nieświadomy – podobnie w Moskwie Oswald został wybadany bez składania oficjalnych deklaracji.

JENNER: Czy Oswaldowie, razem bądź każde z osobna, często odwiedzali pana w domu i spędzali u pana cały dzień?

GEORGE DE MOHRENSCHILDT: Usiłowałem ustalić, ile razy się z nimi w sumie widzieliśmy, ale to trudne zadanie. Bodajże dziesięć czy dwanaście razy, może więcej. Trudno powiedzieć [...].

JENNER: A [Oswald] zdawał sobie sprawę z tego, że namawiał pan [ludzi], żeby ich zapraszali [...].

GEORGE DE MOHRENSCHILDT: Tak [...] Prosiłem kilka osób, żeby ich zapraszały, bo byli tacy osamotnieni [...].

W powieści Normana Mailera pod tytułem *Harlot's Ghost* (Duch Harlota) bohater, zwany Hugh Montague, alias Harlot, wygłasza wykład o tym, w jaki sposób należy postępować, by zaskarbić sobie zaufanie osoby wybranej na agenta. Jak powtarza Hugh swoim słuchaczom, agentom CIA, działać należy na zasadzie „bezinteresownego uwodzenia". Następnie zadaje pytanie:

– Czy ktoś z was zna podstawową zasadę sprzedaży?

W górę uniosła się ręka Rosena.

– Klient nie kupi produktu, póki nie zaakceptuje sprzedawcy [...].

– Znakomicie – powiedział Harlot. – Ja, jako szef, mam natchnąć potencjalnego agenta, mojego klienta, jedną myślą. A mianowicie, że odpowiadam na jego potrzeby. Załóżmy, że mój klient jest człowiekiem samotnym i nie ma się przed kim wygadać. Jaką wówczas powinienem przyjąć taktykę?

– Wysłuchać go – odpowiedziało kilku z nas jednocześnie [...].

– Jasne   rzekł Harlot. – Na wszelki wypadek ludzi samotnych zawsze traktujcie tak, jak własnych podstarzałych bogatych krewnych. Starajcie się im dogadzać, by zapewnić sobie większy zapis w testamencie. Z drugiej strony jednak, jeśli klient okaże się ambitnym karierowiczem, zgrzytającym zębami ze złości na najmniejszą wzmiankę o przyjęciu, na które nie został zaproszony, to współczuciem i delikatnością niewiele wskóracie. Tu trzeba działać. Zabrać go ze sobą na jakąś wielką galę [...]. Lecz – dodał Harlot – przede wszystkim nie wolno tracić z oczu istoty sprawy. Tego, że zawiera się wyjątkową przyjaźń. Trzeba postępować tak, jak anioł stróż. A ponieważ to może obudzić w kliencie podejrzliwość, każdy z was, niczym prawdziwy anioł stróż, musi rozwiać jego podejrzenia. Rozsądnie jest zakładać, że klient w jakimś zakamarku swojej świadomości zdaje sobie sprawę, do czego zmierzacie, ale mimo to daje się wciągnąć do gry. Wtedy właśnie jest najlepszy moment, by namówić go do wykonania pierwszego kroku, [ale] niech przejście będzie łagodne [...]. Zredukujcie dramatyzm. Wymagajcie na początek niewiele [...]. Niech dojrzewa powoli [...]. Zaraz poprosicie o coś więcej. Czy przyjaciel mógłby wam pozwolić rzucić okiem na raport X? Tak się składa, że wiesz, że leży on u niego na biurku.

Oswald, rzecz jasna, nie był szkolony na agenta. Na takie czy temu podobne działanie było jeszcze o wiele za wcześnie. Bezpośredni cel stanowiło upewnienie się, czy zwerbował go KGB, a jeśli nie, to zręczne wydobycie z niego informacji o Mińsku oraz poznanie charakteru tego człowieka na tyle, by zdecydować, czy może się on na cokolwiek przydać.

Rankiem 29 marca 1977 roku Edward Epstein zakończył właśnie pierwszą część rozmowy z George'em De Mohreschildtem w Palm Beach. Korzystając z funduszy przyznanych mu przez pismo „Reader's Digest", zapłacił baronowi 4000 dolarów za cztery dni rozmowy. Po lunchu miał wrócić do domu, gdzie zatrzymał się George, na popołudniową sesję. Niespodziewanie nadeszła wiadomość od FBI, że w przerwie między sesją poranną a planowaną popołudniową De Mohrenschildt dowiedział się, że chce się z nim umówić na rozmowę śledczy z Komisji Izby Reprezentantów do spraw Zabójstw. Prawdopodobnie oznaczało to wstęp do wezwania go w celu złożenia nowych zeznań. De Mohreschildt mógł w dość znacznym stopniu kontrolować przebieg wywiadu z Epsteinem, ale z Komisją nie miałoby to szans powodzenia. Nie zwlekając, De Mohrenschildt się zastrzelił. Dla celów literackich Epsteina samobójstwo to było katastrofą. Zdążył się już sporo dowiedzieć i liczył na to, że usłyszy jeszcze dużo więcej. W Waszyngtonie ci członkowie Komisji, którzy uważali, że za śmierć Kennedy'ego odpowiedzialni byli ludzie z CIA, uznali nagły koniec De Mohrenshildta za morderstwo.

W książce zatytułowanej *Legend* Epstein przytacza to, czego zdążył się dowiedzieć od zmarłego:

De Mohrenschildt twierdził tego ranka, że miał do czynienia z CIA od początku lat pięćdziesiątych. Mimo iż nigdy nie otrzymywał od CIA pieniężnego wynagrodzenia, mówi, że „czasami wyświadczał przysługi" urzędnikom rządowym, powiązanym z CIA. Owi urzędnicy z kolei pomagali mu w zamian za to w jego zagranicznych interesach i kontaktach. Jako przykład podał kontrakt przyznany mu w roku 1957, w nagrodę za zbadanie wybrzeża Jugosławii. Zakładał, że właśnie jego „kontakty w rządzie" mu to ułatwiły, a rewanżował się raportami na temat tych urzędników jugosłowiańskich, którymi wyrażono zainteresowanie. Na tego rodzaju powiązaniach, jak to ujął, „zasadzało się" wydobycie ropy w krajach nisko rozwiniętych.

Pod koniec roku 1961 – De Mohrenschildt nie umiał przypomnieć sobie dokładnej daty – umówił się na lunch w centrum Dallas z jednym z owych „kontaktów", J. Waltonem Moorem [który] umyślnie kierował rozmowę na nowy tor – Mińsk. Zanim jeszcze Baron mu o tym powiedział, Moore wiedział już, że De Mohrenschildt spędził tam dzieciństwo. Moore opowiedział mu wtedy o byłym żołnierzu piechoty morskiej, który pracował w fabryce sprzętu elektronicznego w Mińsku przez cały zeszły rok i którym się „interesowano", ponieważ miał stamtąd wrócić i osiedlić się w okolicach Dallas. Mimo iż Moore nie wyraził żadnej prośby, De Mohrenschildt domyślił się, czego się od niego oczekuje – miał się dowiedzieć czegoś więcej o tym, co też ten niezwyczajny były żołnierz marines robił w Mińsku.

Latem roku 1962 De Mohrenschildt ponownie usłyszał o tym człowieku. Jeden ze współpracowników Moore'a wręczył mu adres Lee Harveya Oswalda w pobliskim Fort Worth, a następnie zasugerował, że może De Mohrenschildt chciałby go osobiście poznać [...]. [Wówczas] De Mohrenschildt jeszcze raz skontaktował się z Moorem [...]. Dał

Moore'owi do zrozumienia, że ogromnie przydatna byłaby dla niego pomoc ambasady amerykańskiej na Haiti. Zdawał sobie wprawdzie sprawę, że nie jest to coś za coś, miał jednak nadzieję, że jeszcze raz otrzyma ciche wsparcie, jak niegdyś w Jugosławii. „Za żadne skarby świata nie skontaktowałbym się z Oswaldem, gdyby nie sankcjonował tego Moore – wyjaśnił mi. – Miałem zbyt wiele do stracenia".

Część III

Trudne dni w Dallas

1

Wieczory w Dallas

George De Mohrenschildt wspomina, że w okresie od września 1962 roku do marca 1963 roku spotkał się z Oswaldem kilkanaście razy, jednak zeznania jego córki Alexandry sugerują większą częstotliwość spotkań. Oczywiście, Alexandra ma pożałowania godną pamięć do dat, podobnie zresztą jak Jeanne i George De Mohrenschildtowie, Marguerite Oswald, George Bouhe i niemal wszyscy rosyjscy emigranci. Daty podawane przez Marinę, biorąc pod uwagę serię szoków, jakie przeżyła, także rzadko okazywały się użyteczne. A przecież w studium szpiegostwa, zbrodni i romansu dokładna chronologia ma nieocenione znaczenie, ponieważ najlepiej wskazuje na motyw: kochanka, który składa przysięgę wierności, zanim dopuści się zdrady, widzieć będziemy w innym świetle niż tego, który przysięga wierność po jej dokonaniu. W pierwszym wypadku kochanek ma zdradziecką naturę; w drugim – żałuje popełnionego czynu.

Styl prowadzenia przesłuchań przez Komisję Warrena pozostawia wiele do życzenia, jednak gdyby nie zlecone przez nią staranne zbieranie danych o zarobkach Oswalda oraz jego miejscach pracy i zamieszkania, nie byłoby mowy o żadnej chronologii. Dzięki dochodzeniom przeprowadzonym przez FBI i Komisję Warrena wiemy przynajmniej, gdzie Oswald mieszkał, kiedy się przeprowadzał i kim byli niektórzy z jego kolegów.

Jeśli jednak chodzi o zmiany w jego życiu wewnętrznym, znamy bardzo niewiele szczegółów chronologicznych. Gdyby nie daty wypożyczenia i zwrotu książek dokumentowane przez Bibliotekę Publiczną w Nowym Orleanie (ani Fort Worth, ani Dallas nie mają takiej dokumentacji), nie mielibyśmy nawet pojęcia o tym, co i kiedy czytał.

To samo można powiedzieć o rosnącej zażyłości między De Mohrenschildtami a Oswaldami. Jeśli George i Jeanne wpadali do nich przy rozmaitych okazjach i pomagali im pokonywać kolejne kryzysy małżeńskie czy finansowe, lub też organizowali pomoc innych osób, ich znajomość – taka, jaka jawi się we wspomnieniach barona i jego zeznaniach – niespecjalnie się rozwijała. We wspomnieniach opisuje on, na przykład, następujące wydarzenie:

[...] Powiedziałem Lee, że znałem Jacqueline Kennedy, kiedy była mała, jak również jej matkę, ojca i wszystkich krewnych, i że cała rodzina była czarująca. Najbardziej lubiłem „Czarnego Jacka" Bouviera, ojca Jackie, cudownego Casanovę Wall Street.

Lee nie zazdrościł Kennedym i Bouvierom majątku ani pozycji społecznej, tego byłem pewien. Dla niego majątek i towarzystwo to były bzdury, ale nie miał nic przeciwko nim.

Zdajmy się na zdrowy rozsądek i przyjmijmy, że wspomnienia oddają ton, jakim De Mohrenschildt zwracał się do Lee w jego własnym domu – łaskawy, kosmopolityczny; baron zawsze gotów powiedzieć rozmówcy komplement o zaletach jego umysłu czy charakteru – a zeznania przed Komisją Warrena odsłaniają uczucia niewypowiadane w towarzystwie Lee. W zeznaniach dochodzą do głosu nagromadzone przez cały okres znajomości poirytowanie i znudzenie. W końcu baron musiał spędzić wiele godzin na pogłębianiu przyjaźni z tak nieodpowiednim dlań towarzyszem. Ale znał Lee na tyle dobrze, że pochlebiał jego skrytemu snobizmowi: Oswald wychodził przecież z założenia, że urodził się po to, by obracać się w towarzystwie osobistych znajomych światowych przywódców i ich pięknych żon. Szkoda, że nie możemy umieścić anegdoty De Mohrenschildta o Jacqueline Kennedy w kontekście chronologicznym, bo mogłoby to wyznaczyć moment, od którego Oswald zaczął bardziej mu ufać.

W każdym razie możemy założyć, że po miesiącu zdobywania przyjaźni Oswalda, 7 października, baron wziął w swoje ręce sprawę jego kariery. Poświadcza to zeznanie Gary'ego Taylora. W chwili składania zeznań był on już wprawdzie eks-zięciem De Mohrenschildta, więc jego słowa mogą być zaprawione żółcią, ale brzmią one tak:

GARY TAYLOR: Według mojej teorii, to De Mohrenschildt namówił go na przeprowadzkę do Dallas, podobnie jak sugerował mu i inne rzeczy – na przykład, gdzie ma szukać pracy. Wydawało mi się, że niezależnie od tego, co mu proponował, Lee go słuchał i robił tak, jak ten mu kazał, nieważne, czy chodziło o porę chodzenia spać, czy miejsce, gdzie mają zamieszkać, czy o pozwolenie Marinie na zamieszkanie z nami podczas jego pobytu w YMCA*.

W tym okresie, w październiku 1962 roku, dwa lata przed składaniem zeznań, Gary Taylor zajmował mieszkanie w Dallas z córką De Mohrenschildta Alexandrą i synkiem, który był w wieku June Oswald. George wystąpił z miłą propozycją poznania ich z Lee i Mariną. 7 października, w niedzielę, gdy George i Jeanne wybierali się z Dallas do Fort Worth, by wysłuchać koncertu Van Cliburna w wykonaniu pianistów radzieckich, umówili się wszyscy na spotkanie po południu u Oswaldów.

---

* YMCA (Young Men's Christian Association) – działająca w wielu krajach organizacja, która oferuje młodym ludziom noclegi w swoich schroniskach oraz rekreację w centrach sportowych (przyp. tłum.).

Możemy zgadywać, jak podchodziła do tego Alexandra – za nic nie odrzuciłaby rzadkiego zaproszenia od przystojnego i czarującego ojca, tym bardziej że wychowywała ją ciotka, a z ojcem nie widywała się często, bo w wieku szesnastu lat wyszła za mąż za Gary'ego, który miał wtedy lat dwadzieścia. W roku 1962 Gary był sfrustrowanym młodym filmowcem, zarabiającym na chleb jako taksówkarz. Przeżywali z Alexandrą kryzys – tym chętniej córka przyjęła zaproszenie ojca, zdające się obiecywać nieco większą zażyłość.

Gdy jednak około czwartej po południu w niedzielę przybyła do mieszkania Oswaldów przy Mercedes Street, byli tam też inni ludzie. Przyjęcie (bez poczęstunku) było w toku; gośćmi byli George Bouhe, Anna Hall z mężem, Jeanne i George De Mohrenschildtowie oraz – na ostatnim, lecz bynajmniej nieposlednim miejscu – Marguerite Oswald.

Określenie „nieposledni" nasuwa się automatycznie, gdy mowa jest o Marguerite, ale akurat w tym przypadku niekoniecznie się sprawdza:

Jenner: Czy zdążył pan wyrobić sobie o niej zdanie? [...]

Gary Taylor: Jak przez mgłę przypominam sobie dość pulchną kobietę, która wydawała się nie na miejscu wśród zgromadzonych tamtego popołudnia osób. I nie była chyba szczególnie zainteresowana tym, o czym się mówiło – myślę, że to skłoniło ją do wyjścia.

To smutne, ale wówczas przedostatni raz Marguerite widziała Lee żywego.

Marguerite Oswald: Było to w niedzielę. Poszłam tam [dwa dni później] we wtorek i [dom był pusty] [...]. Wtedy poszłam do Roberta, ale Robert był w pracy. Byłam bardzo podenerwowana. Nie mówili mi, że się wyprowadzają. [Vada] powiedziała: „Robert pomagał im się wyprowadzić. Dostaliśmy od nich całą zawartość lodówki".

Jak Marguerite mogła nie zdawać sobie sprawy, że przygotowania do wyprowadzki musiały nastąpić w tamtą niedzielę po jej wyjściu?

Jenner: No dobrze. I o czym jeszcze była mowa?

Gary Taylor: [...] o pracy Lee – z której chyba zrezygnował w piątek [...]. Przestał pracować. Nie wiem, czy go wyrzucili, czy inaczej rozstał się z pracodawcą – i chciał się przeprowadzić do Dallas [...]. Marina zamieszkała u mnie [...].

Jenner: Dlaczego?

Gary Taylor: [...] Żeby mieć dach nad głową, zanim on znajdzie pracę w Dallas [...]. Lee został tamtej nocy w Fort Worth, a [...] następnego dnia przeniósł większe rzeczy – zajmujące więcej miejsca niż ubrania – do garażu pani Hall i tam je zostawił na przechowanie. Potem przyjechał do Dallas i zamieszkał w tutejszej YMCA.

Gościom Oswalda wydawało się, że został wyrzucony z pracy, ale tak naprawdę sam z niej zrezygnował.

TOMMY BARGAS: [...] w żaden sposób nie dał do zrozumienia, że ma zamiar zrezygnować z pracy, zupełnie.

JENNER: Spodziewał się pan go zobaczyć następnego dnia?

TOMMY BARGAS: [...] nie zadzwonił, a w domu nie miał telefonu [...], dlatego nie starałem się z nim kontaktować [...], o ile pamiętam, przez ten krótki czas, jaki u nas przepracował [...] był dobrym pracownikiem. Uważam, że gdyby trzymał się tego zawodu, mógłby być z niego całkiem niezły blacharz – może.

Nasuwa się wniosek, że De Mohrenschildt nie tylko zapewnił Lee, że znajdzie sobie pracę w Dallas, lecz także osiągnął ważny dla siebie cel. Gdy Lee został rozdzielony z żoną, jego znajomość z baronem mogła rozwijać się znacznie szybciej.

I znów kolejna tajemnica. Lee i Marina będą mieszkać osobno przez pozostałą część października i pierwsze dni listopada – w sumie cztery tygodnie. Ona przez parę dni będzie mieszkać kątem u Gary'ego i Alexandry Taylorów w ich małym mieszkanku w Dallas, a potem przeniesie się do domu Anny Hall w Fort Worth, gdzie Lee będzie odwiedzał ją i June parę razy w tygodniu. Po odwiedzinach będzie udawał, że wraca na noc do swojego pokoju w YMCA w Dallas. Wszyscy, łącznie z Mariną, święcie wierzyli, że tam mieszka.

Sęk jednak w tym, że Lee figurował na liście mieszkańców YMCA tylko przez pięć dni – od 15 do 19 października. Jeśli zaś chodzi o poprzedni tydzień i dwa następne, nikt nie wiedział lub też nie chciał się przyznać, że wie, gdzie mieszkał Oswald. Ta luka nie została wypełniona mimo usilnych starań FBI i Komisji Warrena.

Kolejną zagadką jest źródło jego dochodów. Jak twierdzi Robert, Lee zwrócił mu pożyczone po przyjeździe z ZSRR 200 dolarów, a dokonał tego w okresie dwunastu tygodni, zarabiając tygodniowo zaledwie 50 dolarów i płacąc miesięczny czynsz w wysokości 59 i pół dolara. Nawet jeśli jedzenie i inne konieczne wydatki nie pochłaniały więcej niż 20 dolarów tygodniowo, to i tak zwrócenie Robertowi 200 dolarów było nie lada wyczynem – ale wtedy nie zostałby Oswaldowi już dosłownie ani cent.

Alexandra Taylor nagle przypomniała sobie coś w tej sprawie:

ALEXANDRA GIBSON: [...] Myślę, że mój ojciec pożyczał im pieniądze. Pożyczał? Sama nie wiem [...] musiał przecież mieć pieniądze, żeby zapłacić za mieszkanie w YMCA. Musiał mieć jakieś pieniądze na początek... Wiem, kto dawał mu pieniądze – George Bouhe [...]. On bardzo lubił pana Bouhe'a i [...] wydaje mi się, że myślał, że dzięki panu Bouhe'owi zdobędzie dobrą pracę [...]. Moim zdaniem George Bouhe bardzo się z nim przyjaźnił, bardziej niż mój ojciec, bardziej niż ktokolwiek z tamtego towarzystwa [...].

Możliwe, że albo Bouhe, albo De Mohrenschildt, albo i jeden, i drugi utrzymywali Lee przez jakiś czas. Z całą pewnością De Mohrenschildt, przy pomocy męża Anny Meller, Teofila, umówił Lee na kilka rozmów w sprawie pracy, na które Lee stawił się schludnie ubrany, uprzejmy i układny (jak zostało to później odnotowane w Teksaskim Urzędzie Pracy). Po trzech dniach dostał zajęcie, które mu się podobało – w specjalistycznej drukarni Jaggars-Chiles-Stovall. Firma ta dysponowała sporą gamą sprzętu fotograficznego i drukarskiego, a zatem była w stanie stworzyć reklamę od początku do końca, od otrzymania zamówienia aż do wysłania gotowych matryc do lokalnych gazet.

JOHN GRAEF: [...] Zapytałem go, gdzie był zatrudniony poprzednio, a on odpowiedział: „W piechocie morskiej" [...]. Ja na to: „Oczywiście został pan zwolniony honorowo", tak dla żartu, a on powiedział: „Tak", i kontynuował rozmowę.

Ta praca interesowała Oswalda bardziej niż jakakolwiek inna wcześniej czy później. Przez jakiś czas szybko się uczył i korzystał z możliwości oferowanych przez rodzaj wykonywanego zajęcia – dzięki różnorodnemu sprzętowi mógł sobie fabrykować fałszywe dowody tożsamości. Jego płaca, łącznie z nadgodzinami, dochodziła do 70 dolarów tygodniowo.

Wciąż nasuwają się pytania: co Oswald robił po pracy przez cały październik i gdzie mieszkał w Dallas? Przez te cztery dni, kiedy Marina i June mieszkały u Taylorów, Lee dwukrotnie je odwiedził, lecz, jak mówi Gary – „ani przez chwilę nie pobyli ze sobą sam na sam".

GARY TAYLOR: [...] Dosłownie tuż obok naszego domu był duży park, gdzie mogli iść na spacer, pobyć tylko ze sobą i porozmawiać – ale tak się nie stało [...]. To było jak spotkanie dwojga przyjaciół.

Przed przeprowadzką z Fort Worth Marina skarżyła się emigrantom, że Oswald w ogóle nie okazuje jej zainteresowania.

GEORGE DE MOHRENSCHILDT: Otwarcie mówiła o tym, że nie mają kontaktu fizycznego – i to w jego obecności. Mówiła: „On sypia ze mną tylko raz na miesiąc i nie mam z tego żadnej przyjemności". Tak intymnych rzeczy nie mówi się ludziom nieznajomym, a przecież byliśmy dla nich praktycznie nieznajomymi.

JENNER: Tak.

GEORGE DE MOHRENSCHILDT: Nie winię Lee za to, że trzasnął ją w końcu w twarz.

Marina zwierzała się z tego również Annie Hall. A jadąc kiedyś z Jeanne kabrioletem De Mohrenschildtów, wygłaszała uwagi o tym, jacy to atrakcyjni i umięśnieni są mijani na ulicy Murzyni. Jeanne, mimo niezwykłości swej biografii (była baletnicą w Chinach) oraz braku zahamowań w noszeniu bikini, była zaszokowana. Uważała, że kobiecie zamężnej zdecydowanie nie wypada wypowiadać się w ten sposób. Taki w każdym razie przedstawiła swój pogląd Komisji Warrena.

W małżeństwie mogą zdarzać się tygodnie i miesiące posuchy, porównywalne do wielkich połaci pustyni, które wielbłądy muszą pokonać, żywiąc się wyłącznie zapasami nagromadzonymi w garbie. Oswald wyraźnie odsunął się od Mariny. Znów ciśnie się na usta – podobnie jak w okresie jego służby w marines oraz dziwacznego pierwszego roku w Mińsku, kiedy to nie miał kobiety i zadowalał się platonicznymi randkami z Ellą German – pytanie, czy był homoseksualistą. Jeśli tak, był to jego skrywany przed światem dramat.

Wcale nie zakrawa na nieprawdopodobieństwo scenariusz, który zakładałby, że Oswald mieszkał przez tydzień z jakimś starszym mężczyzną, pokłócił się z nim, wyprowadził się na tydzień do YMCA, a potem się z nim pogodził i wrócił do niego na dwa tygodnie, przez cały czas otrzymując pieniądze za swoje usługi. Nie można takiego scenariusza udowodnić, ale przecież trzeba jakoś wyjaśnić te nieudokumentowane trzy tygodnie z jego życia. Ponieważ jednak nasza hipoteza nie ma oparcia w faktach, spróbujmy unieść się jeszcze wyżej. Możemy wymyślić sobie taką niespodziankę, jakie spotyka się w powieściach – przyjmijmy więc, choćby tylko na chwilę, że owym tajemniczym kochankiem był George Bouhe.

GEORGE BOUHE: […] Pragnąłem, jeśli tylko będzie to w mojej mocy, pomóc mu stanąć na własnych nogach, by mógł zapewnić utrzymanie żonie i dziecku. Powiedziałem – użyłem tych właśnie słów: „Lee, teraz masz pracę, gdzie jako czeladnik zarabiasz 1,45 dolara za godzinę. Jeśli tylko się do niej przyłożysz – dokładnie tak mu mówiłem – to w ciągu kilku lat zdobędziesz umiejętności, które wszędzie będą miały wartość".

A on odpowiedział: „Tak pan myśli?". I nawet nie powiedział dziękuję.

Potem dorzuciłem jeszcze: „Chciałbym wiedzieć, jak ci tam idzie" – co się zazwyczaj mówi w takich sytuacjach.

A on jakieś dwa czy trzy, może pięć dni później zadzwonił do mnie koło szóstej, chyba po wyjściu z pracy, i powiedział: „Dobrze mi idzie. Do widzenia".

Określenie George'a Bouhe'a jako „grymaśnego i upartego starego kawalera" funkcjonowało w tamtych czasach jako eufemizm oznaczający nieco podstarzałego homoseksualistę, wiodącego żywot rozsądny i stateczny, który dorobił się w ciągu życia wystarczająco dużo, by móc sobie pozwalać na różne przyjemności. Człowiekowi tak pod każdym względem porządnemu jak Bouhe Oswald – ze swoją niewdzięcznością – mógł się wydawać nie do zniesienia. Jak pisze Priscilla Johnson McMillan, Lee powoływał się na nazwisko Bouhe'a, „posuwał się nawet do podawania zmyślonego adresu". Jak zauważy później Bouhe w rozmowie z tą samą autorką: „On zawsze dostawał to, co chciał" [...].

Oto alternatywa dla tego scenariusza. Zakładamy teraz, że zażyłość między Oswaldem a De Mohrenschildtem zaszła dość daleko; De Mohrenschildt i jego ludzie ustalili, że Oswald nie pracuje na rzecz KGB, i podjęli poważne kroki, by zatrudnić Oswalda w charakterze prowokatora przeciwko Sowietom. Można sobie też wyobrażać, że Oswald mógł nawet być trzymany w jakiejś kryjówce i przeniesiony do YMCA tylko na tydzień, by uwiarygodnić historyjkę, że mieszkał tam przez cały czas.

Jednak te ponure spekulacje mnożą się chyba zbyt szybko, by hipoteza ta mogła być wiarygodna. Oswald spełnia za mało kryteriów, jakie zwykle bierze się pod uwagę przy naborze ludzi do tajnych akcji. Łatwiej jest wyobrazić go sobie jako homoseksualistę kryjącego się przed światem ze swoimi skłonnościami niż opłacanego nowicjusza, rozpoczynającego pracę dla CIA.

2

Walka Oswalda

Należy wszakże wymienić jeszcze jedną możliwość – jest ona chyba najbardziej ze wszystkich prawdopodobna, choć najmniej ekscytująca. Oswald całymi latami żył pod obserwacją – najpierw w piechocie morskiej, później w Związku Radzieckim, ostatnio zaś obserwowało go FBI i rosyjscy emigranci, by nie wspomnieć o ciągłych cierpkich uwagach Mariny. Zatem nie byłoby nic dziwnego w tym, gdyby jedynym jego życzeniem było ukrycie się gdzieś, gdzie nikt go nie znajdzie, pod fałszywym nazwiskiem i adresem; gdzie nikt nie będzie mógł go obserwować, chyba że on z własnej woli wyjdzie z ukrycia i uda się do kogoś z wizytą.

Jeśli komuś niezbyt odpowiada to, że usiłujemy wspólnie zrozumieć człowieka, który równie dobrze mógł wybrać każdą z tych trzech ścieżek, musi zdać sobie sprawę z tego, że począwszy od tej chwili będziemy zmuszeni postępować w taki właśnie sposób.

McMILLAN: Lee dużo czytał – *Mein Kampf* Hitlera oraz *The Rise and Fall of the Third Reich* (Powstanie i upadek Trzeciej Rzeszy) Williama L. Shirera. Wrócił również do znanych już sobie lektur [...] *Roku 1984* i *Folwarku zwierzęcego* Orwella [...] pożyczonych od [...] George'a De Mohrenschildta.

Mimo iż, jak już uprzedzaliśmy, w przypadku Oswalda rzadko można polegać na chronologii, trudno sobie wyobrazić okres jego życia, w którym byłby bardziej podatny na lekturę *Mein Kampf* i doszukiwanie się w sobie podobieństw do Hitlera, niż te kilka tygodni spędzonych samotnie w Dallas i przepracowanych na nisko płatnej posadzie, podczas gdy całym swym jestestwem czuł, że wbrew pozorom został stworzony do wyższych celów. Warto więc przytoczyć kilka myśli Hitlera:

Wkrótce się naocznie przekonałem, że zawsze można było zdobyć jakąś pracę, ale równie szybko doświadczyłem, jak łatwo ją stracić.

Niepewność, czy będę mógł zarabiać na chleb powszedni, niebawem wydała mi się jedną z najciemniejszych stron mojego nowego życia [...].

Czytałem uważnie mniej więcej wszystkie książki, które udało mi się zdobyć [...], a resztę czasu spędzałem na zatapianiu się we własnych myślach.

Jestem przekonany, że ludzie, którzy mnie wtedy znali, brali mnie za ekscentryka [...].

Przez pięć lat, podczas których zmuszony byłem zarabiać na życie, najpierw jako robotnik na dniówki, następnie jako malarz pokojowy, a zarobki były marne, nigdy nie zaspokajały nawet głodu [...] miałem tylko jedną przyjemność – moje książki.

Czytałem wówczas zachłannie i wnikliwie. Cały wolny czas, jaki zostawał mi po pracy, poświęcałem na uczenie się. Tym sposobem w kilka lat wykułem podwaliny pod studnię wiedzy, z której do dziś czerpię.

A nawet więcej:

W tym okresie nabrały w moim umyśle kształtu obraz świata i filozofia, która stała się granitowym podłożem całego mojego późniejszego działania. Do tego, co wówczas stworzyłem, niewiele już musiałem dodawać; i nic nie musiałem zmieniać.

Nie wolno zapominać, że na tym świecie nic, co jest naprawdę wielkie, nie zostało osiągnięte za pomocą koalicji, lecz zawsze było sukcesem jednego zwycięzcy [...]. Wielkich duchowych rewolucji, wstrząsających światem, nie sposób ani sobie wyobrazić, ani przeprowadzić inaczej, jak tylko poprzez tytaniczną walkę grup jednostek [...] (kursywa Hitlera).

„Grupy jednostek" należy oczywiście rozumieć jako synonim jednego człowieka. Możliwe, że De Mohrenschildt, zaintrygowany olbrzymim kontrastem pomiędzy anarchizmem Oswalda a jego podziwem dla władzy totalitarnej, podsunął mu pomysł sięgnięcia po *Mein Kampf*.

Igor Woszynin: [...] Dostałem od George'a zaproszenie do Klubu Bohemy, gdzie miał wygłosić jakiś wykład historyczny [...].

Stawiłem się tam.

George omawiał problem armii Własowa. Była to armia złożona z więźniów rosyjskich – to znaczy radzieckich [...], którzy chcieli walczyć przeciwko komunistom. [...]. W trakcie wykładu przemycał dużo pochlebnych opinii o takich ludziach, jak Himmler [...]. Powiedział: „Ostatecznie doszedłem do wniosku, że Himmler tak naprawdę nie był czarnym charakterem".

To dla George'a typowe.

Jenner: Czy uważa pan, że ta wypowiedź była szczera, czy też sądzi pan, że starał się on w ten sposób zaszokować słuchaczy?

Igor Woszynin: Sądzę, że starał się zaszokować słuchaczy. Tym bardziej że były wśród nich przynajmniej trzy osoby narodowości żydowskiej – Sam Ballen i Lew Aronson [i ja]. Widziałem, że Lew Aronson [...] poczerwieniał, okropnie poczerwieniał na twarzy. Bałem się, że biedak zaraz dostanie zawału. A George patrzył Aronsonowi prosto w twarz i dalej wychwalał faszystów i patrzył, jak to działa na człowieka, który był jego bliskim przyjacielem. Oczywiście Lew był ogromnie rozgoryczony – i rozumiem to, że potem pił z nim wódkę aż do rana. No więc tak – taką właśnie osobą był George [...].

De Mohrenschildt – który sam miał charakter wielce eklektyczny i zależnie od sytuacji głosił się raz zdeklarowanym prawicowcem, a raz lewicowcem, raz moralistą, a raz człowiekiem amoralnym, to arystokratą, to nihilistą, to snobem, to ateistą, to republikaninem, to znów zwolennikiem Kennedy'ego, przeciwni kiem segregacji rasowej, zaufanym potentatów naftowych, duszą artystyczną, socjalistą lub też niegdysiejszym apologetą nazizmu – nie mógł nie zauważyć, że między ideologią wyznawaną przez Oswalda a jego charakterem zieje prze paść. Jądro jego wizji politycznej stanowiła wolność dla wszystkich ludzi, a mimo to Marinę traktował tak, jakby był faszystowskim kapralem, musztrującym rekruta.

Alex Kleinlerer należy do grona emigrantów, którzy często kierują się emocjami, ale przytoczone przez niego zdarzenie daje nam pewne pojęcie o sytuacji w domu Oswaldów.

[...] Oswald zauważył, że Marina ma nie do końca dopięty zamek w spódnicy. Zawołał ją bardzo rozgniewanym i rozkazującym głosem [...]. Dosłownie brzmiało to: „Chodź tu!" po rosyjsku, a wypowiedział je tak, jak się woła psa, który coś przeskrobał, po to, żeby wymierzyć mu karę [...]. Gdy pojawiła się w drzwiach, płaskim, władczym tonem po chamsku zwrócił jej uwagę, że nie dba o ubiór, i dwa razy mocno uderzył ją w twarz. Marina przez cały czas trzymała dziecko na ręku. Twarz jej poczerwieniała, do oczu napłynęły łzy.

A wszystko to działo się w mojej obecności. Byłem mocno zażenowany i zły, ale od dawna bałem się Oswalda, więc nie powiedziałem ani słowa.

Lepiej jednak nie posuwać się za daleko w szukaniu analogii z Hitlerem. Oswald prawdopodobnie utożsamiał się z jego trudnym startem życiowym w Wiedniu i z pewnością otuchą napawał go fakt, że zwykłemu, fizycznie niczym nie wyróżniającemu się człowiekowi z zaledwie średnim wykształceniem na jakiś czas udało się zdominować pół świata. Bez wątpienia mógł zaakceptować sposób, w jaki Hitler czytał i przyswajał sobie wiedzę, zgodziłby się z jego teorią na temat wybitnych jednostek i zapewne przyklasnąłby następującemu fragmentowi z *Mein Kampf*:

[...] każdy, kto chce wyleczyć tę erę, która jest niezmiennie chora i zepsuta, musi po pierwsze zebrać odwagę, by wyjaśnić przyczyny choroby, [a następnie zorganizować] siły, które zdolne są walczyć w pierwszych szeregach o nową filozofię życiową.

A jednak najbardziej podstawowa idea Hitlera okazałaby się dla Oswalda niestrawna:

[...] *Bowiem tylko ci, którzy* [...] *uczą się doceniać kulturalną, gospodarczą, a nade wszystko polityczną wielkość własnej ojczyzny, mogą odczuwać wewnętrzną dumę z przywileju bycia synem takiego narodu* (kursywa Hitlera).

Oswald był marksistą. Rezygnacja z poglądów marksistowskich oznaczałaby dlań intelektualny rozpad. Pojęcie ojczyzny było mu wstrętne; czy można sobie wyobrazić, by odczuwał „wewnętrzną dumę z przywileju bycia Amerykaninem?" Nienawidził pojęć „rasa" i „naród o szczególnej misji historycznej". Ale sukces Hitlera to zupełnie inna sprawa – pewnie stanowił on dla Oswalda światełko nadziei w przepastnych lochach jego ambicji.

Jesienią 1962 roku – data nie jest do końca pewna – De Mohrenschildt zabrał Oswalda na spotkanie ze swoim znajomym, Samuelem Ballenem, z perspektywą, że Ballen albo zatrudni go w swojej firmie, albo załatwi mu równie obiecującą posadę. Spotkanie trzech mężczyzn trwało dwie godziny:

SAMUEL BALLEN: [...] przez te dwie godziny cały czas [rzucał] ogólne uwagi, uśmieszki, półsłówka, które miały dać mi do zrozumienia, że jest on w równym stopniu krytyczny wobec Stanów Zjednoczonych, co wobec ZSRR, i że postrzega siebie jako kogoś w rodzaju stojącego na uboczu intelektualisty, krytycznie, jak mówiłem, nastawionego wobec obu systemów [...].

[...] jedno, co od razu zaczęło na mnie działać jak płachta na byka, to fakt, że gdy tylko zaczynałem poważnie brać pod uwagę kontakty i ludzi, do których mógłbym go skierować – a on widział, że naprawdę się staram – parę razy powiedział i potem powtarzał aż nazbyt często: „Proszę się o mnie nie martwić, dam sobie radę. Nie ma pan powodu się o mnie martwić". Powtórzył te słowa tyle razy, że powoli zaczęło się to robić irytujące. Ogarnęło mnie poczucie, że ten człowiek nigdzie nie zagrzeje miejsca, że nie zaadaptuje się do żadnego kolektywu, do którego go skieruję.

Lee wykazał się brakiem wyczucia ducha korporacji, mówiąc: „Proszę się o mnie nie martwić". Korporacje zbudowane są wszakże na założeniu, że nie dość, że zajmują się swoimi pracownikami, to jeszcze się o nich martwią, ponieważ korporacja jest przecież w życiu pracownika czynnikiem najważniejszym. Chciałoby się rzec: podobnie jak w Związku Radzieckim.

3

„Nie chciałam kłamać"

7 października zostawiliśmy Marinę i June w mieszkaniu Taylorów. Następnego dnia Jeanne De Mohrenschildt umówiła Marinę na wizytę u dentysty. Na podstawic poniższej wymiany zdań możemy się domyślać, jak Marina irytowała Jeanne swoją obecnością.

JENNER: Od razu zauważyła pani, że ona była, że tak powiem, niedouczona?

JEANNE DE MOHRENSCHILDT: Jeśli chodzi o opiekę nad dzieckiem? [...] Jak najbardziej [...].

JENNER: Gdy smoczek upadał na podłogę, ona go podnosiła i wkładała z powrotem dziecku do ust?

JEANNE DE MOHRENSCHILDT: Nie; najpierw jeszcze wkładała go w swoje pełne bakterii usta, a potem dawała dziecku [...]. Podnosiła smoczek z podłogi. Na podłodze mniej było bakterii niż w jej zepsutych zębach, ale ona nie zdawała sobie z tego sprawy. To właśnie [...] było dla mnie nielogiczne. W końcu pracując w aptece [...].

Wprawdzie Jeanne jest z pochodzenia Rosjanką, ale nabrała amerykańskich nawyków higienicznych. Marina wyznawała inne zasady: tak bardzo kochała June, że wydawało jej się naturalne, iż miłość nada jej ślinie moc oczyszczającą. Może i miała rację. Miłość w połączeniu z bakteriami może mieć taki sam efekt jak środek dezynfekujący, masowo produkowany przez wielkie korporacje.

Wspólnymi siłami George Bouhe i De Mohrenschildtowie podjęli odpowiednie kroki w celu wyleczenia zębów Mariny. Dzięki Annie Hall, która mieszkała i pracowała w Fort Worth jako pomoc dentystyczna i umówiła Marinę na wizytę w przychodni stomatologicznej przy Baylor University, usunięto jej sześć zębów. W poniedziałek i środę, 8 i 10 października, rozpoczęto ponadto przygotowywanie uzupełnień. Bouhe pokrył koszty leczenia w wysokości 70 dolarów, Jeanne zaś odpowiadała za dowiezienie Mariny na wizytę, a następnie odwiezienie jej do Taylorów do Dallas. Można się domyślać, że dla Mariny była to droga przez mękę.

Alexandra Taylor, której za każdym razem powierzano opiekę nad June, także naświetla pewne problemy:

ALEXANDRA GIBSON: [...] Z chwilą kiedy Marina wychodziła, dziecko zaczynało płakać [...]. Gdy tylko się do małej zbliżałam, krzyczała. W ogóle nie spała [...].

JENNER: Czy myśli pani, że dziecko nie mogło się przyzwyczaić, że ktoś mówi do niego po angielsku, a nie po rosyjsku?

ALEXANDRA GIBSON: [...] Wydaje mi się, że dziecko nigdy nie przebywało z nikim poza rodzicami, to, moim zdaniem, grało ogromną rolę. Poza tym mała była bardzo rozpieszczona, matka i ojciec zawsze spełniali jej zachcianki.

Uzgodniono, że po zakończeniu wizyt u dentysty Marina wraz z June przeprowadzi się do Eleny Hall, ponieważ mówi ona po rosyjsku, ma większe mieszkanie niż Taylorowie i jest akurat w separacji z mężem, Amerykaninem. W wyniku tej przeprowadzki Lee był w Dallas, a Marina z powrotem w Fort Worth. Dzieliło ich około 50 kilometrów i nie mogli widywać się tak często jak dotychczas, ale w roli nadwornego krytyka Mariny znakomicie spisywał się Alex Kleinlerer:

Zauważyłem, że [ona] nie kiwnęła palcem w bucie, żeby pomóc pani Hall w pracach domowych. Pani Hall często narzekała na lenistwo Mariny, mówiąc, że wyleguje się ona prawie do południa i nie robi zupełnie nic [...], żeby jej pomóc.

Niemniej jednak w niektórych sprawach Elena Hall i Marina umiały współpracować. 17 października wieczorem zapukały do drzwi Alexandry Taylor. Były wyraźnie podekscytowane. Przed godziną ochrzciły June w ortodoksyjnym kościele prawosławnym. Elena Hall została matką chrzestną. Ponieważ Marina była pewna, że Lee z całą mocą sprzeciwiłby się jej planowi, zrobiła to „po kryjomu" i poprosiła Alexandrę, żeby mu o tym nie mówiła.

Jako że nazajutrz, 18 października, wypadały dwudzieste trzecie urodziny Lee, Marina zostawiła u Alexandry, za jej zgodą, paczkę z ubraniami dla niego.

(Wtedy Oswald często wpadał do Taylorów). Ledwo jednak zdążyła wrócić do Fort Worth, rozmyśliła się co do trzymania chrztu w tajemnicy. Gdy wieczorem zadzwonił Lee, wszystko mu powiedziała. Odbierając następnego dnia czekający na niego u Taylorów prezent, był spokojny. Alexandra powiedziała: „[...] mówił, że nie pochwala tego pomysłu, i to wszystko".

18 października, w urodziny Lee, Elena Hall miała wypadek samochodowy, po którym musiała spędzić osiem dni w szpitalu. Alexandra mówi o tym: „To był ogromny szok" [...].

Możemy sobie wyobrazić, że emigrantów ta nowina poruszyła do głębi, szczególnie gdy dowiedzieli się o chrzcie. Ów wypadek niewątpliwie spotęgował powszechny strach, jaki wzbudzał Oswald. Marina, ze swoją silną intuicją w sprawach magii, zapewne nie mogła się uwolnić od poczucia winy za przyłożenie ręki do wypadku Eleny Hall.

Skutkiem takiego obrotu sprawy był fakt, że Marina mieszkała teraz sama w mieszkaniu Eleny w Fort Worth. A ponieważ zaraz po wypisaniu ze szpitala Elena pojechała do Nowego Jorku, by na powrót połączyć się z mężem, Marina mieszkała sama przez ponad dwa tygodnie. Alex Kleinlerer, którego opiece powierzono mieszkanie i utrzymanie w nim jakiego takiego porządku, jak zwykle szafuje komplementami:

> Wielokrotnie zdarzało się tak, że gdy wpadałem do rezydencji Hallów w przerwie na lunch, zastawałem Marinę jeszcze nie przebudzoną. Musiałem dopiero budzić ją dzwonieniem i głośnym waleniem w drzwi. Zastawałem mieszkanie w nieładzie, niezmyte naczynia w zlewie albo jeszcze na stole, ubrania jej i dziecka rozrzucone po całym pokoju. Marina podchodziła do drzwi w szlafroku, rozczochrana i z oczami zapuchniętymi od zbyt długiego snu. Tłumaczyła się, dlaczego tak długo spała

Był to dla niej być może pierwszy dłuższy okres wypoczynku od lat. Kto wie, jak wyczerpujące okazały się dla niej ciężkie przeżycia w Leningradzie, Mińsku i Tek sasie? Ostatnio w przeciągu zaledwie dziesięciu dni wyrwano jej sześć zębów, została ochrzczona jej córka, a ona sama była pierwotną przyczyną – czy to możliwe? – strasznego wypadku. Nic dziwnego więc, że długo spała i budziła się niewypoczęta. Co noc borykała się z licznymi obsesjami, między innymi z dręczącym ją od dawna pytaniem: „Co mam dalej począć ze swoim życiem?".

Co paradoksalne, w tym okresie kwitło jej życie seksualne. Czary, które działają, pozytywnie wpływają na libido. (W przeciwnym razie nie byłoby czarowników). Pod nieobecność Eleny Lee przyjeżdżał do żony na całe weekendy i był pełen wigoru.

> McMillan: „To twój dom. Oddaję ci go w całości do dyspozycji!" – obwieszczał Marinie, gdy przyjeżdżał w piątek, wielkopańskim gestem ogarniając wszystko wokół. „I co, nie elegancki dom ci kupiłem?"

Marina pamięta, że „zawsze biegł do lodówki" i brał sobie colę czy kanapkę, choć w domu, kiedy sam płacił za zakupy, nigdy tego nie robił. „Pełna lodówka!" – wykrzykiwał z zachwytem, nim rzucił się na jedzenie […]. W nocy kochał się z Mariną, oglądając […] telewizję, a dzięki temu, że zajmowało to jego uwagę, miał mniejsze niż zwykle problemy z przedwczesnym wytryskiem. Potem kładli się spać w osobnych sypialniach; był to luksus, który – jak mówił Lee – sprawiał, że czuł się „jak lord".

Do 26 października szuka miejsca, gdzie mogliby razem zamieszkać. Ostatecznie decyduje się na mieszkanie przy Elsbeth Street w Dallas – mieszkanie na parterze, które oprócz drzwi frontowych ma też tylne wyjście. Przychodząc i wychodząc z domu, nie będzie więc zwracał na siebie uwagi.

4 listopada Lee i Marina wprowadzają się do mieszkania przy Elsbeth Street. Elena Hall, która przebywa jeszcze w Nowym Jorku, prosi zaufanego Kleinlerera o dopilnowanie, by przy okazji wynoszenia swoich dóbr doczesnych z jej garażu pan Oswald nie zabrał przypadkiem jej własności.

Lee namówił Gary'ego Taylora, żeby opłacił mu taksówkę, następnie wypożyczył wóz meblowy i obaj spędzili dużą część dnia na pakowaniu, przenoszeniu i rozpakowywaniu rzeczy oraz odprowadzaniu ciężarówki. Kleinlerer po raz ostatni wtrąca swoje trzy grosze:

Nadzorowałem pakowanie dóbr Oswaldów oraz ich odzieży do wozu meblowego. Było kilka takich momentów, kiedy musiałem interweniować, ponieważ Oswald zabierał rzeczy należące do pani Hall […]. Nie umiem powiedzieć, czy robił to umyślnie, czy też przez nieuwagę – tyle tylko, że takich sytuacji było kilka.

Alexandra Taylor towarzyszy Gary'emu w ostatnim etapie przeprowadzki i barwnie opisuje mieszkanie przy Elsbeth Street, które Oswaldowie mieli zajmować przez najbliższe parę miesięcy.

Alexandra Gibson: To była dziura. Straszna, okropnie brudna, fatalnie utrzymana, dosłownie prawie slumsy […] mieszkanie było duże, dosyć duże, bardzo dziwnie rozplanowane, pełno małych klitek, dużo drzwi, dużo okien. Podłoga w wielu miejscach okropnie wybrzuszona […] przechodząc przez pokój, szło się w górę i w dół. To nie było porządne mieszkanie, co to, to nie.

Jenner: Czy to był dom z cegły, z drewna? …

Alexandra Gibson: Z zewnątrz była to cegła, ciemna cegła. Mała kamienica, chyba jednopiętrowa, gdzie pleniły się chwasty, pełno było ludzi i śmieci.

McMillan: Pierwszego wieczoru w nowym mieszkaniu, 4 listopada, Marina nie kładła się spać do piątej rano, bo szorowała, co tylko się dało. Lee przez jakiś czas jej pomagał.

Umył lodówkę, a około dziesiątej wieczorem wyszedł. Powiedział, że opłacił nocleg w YMCA, więc prześpi się tam. Ale ponieważ na liście gości YMCA nazwisko Oswalda nie figuruje po 19 października, prawdopodobnie spędził tę noc w miejscu, w którym mieszkał przez ostatnie dwa tygodnie.

Albo też spędził tę noc z osobą, z którą ostatnio sypiał. Nigdy się nie dowiemy, jak było naprawdę – może wyszedł z nowego mieszkania tylko dlatego, że ogarnęła go furia, gdy zrozumiał, że żona nie cieszy się z tego, że znów są razem, tylko babrze się w proszku do czyszczenia. Albo też, wracając do niej, pożałował trybu życia, jaki ostatnio prowadził, nawet jeśli polegał on tylko na samotności i prywatności. W każdym razie nie można powiedzieć, by między Oswaldami zapanowała zgoda. Za dwa dni poważnie się pokłócą. Pójdzie o rzecz, której Marina nie uważała za istotną – o rozmowę z panią Tobias, żoną dozorcy budynku.

PANI TOBIAS: [...] Zapytałam go: „Jakiej jesteście narodowości?" [...]. On odpowiedział: „Jesteśmy z Czech" [...]. Tylko tyle udało mi się z niego wydobyć tego [pierwszego] wieczoru [...]. A kiedy zobaczyłam ją po raz pierwszy, zagadnęłam: „Pani mąż mówi, że jesteście Czechami", a ona pokręciła głową [...] ona była Rosjanką [...]. Powiedziała to po angielsku, powiedziała: „Mąż mi powiedział, że gdybym się przyznała, że jestem Rosjanką, ludzie byliby dla mnie nieuprzejmi" [...], a ja na to: „Nikt tu nie będzie dla pani nieuprzejmy [...] w moim domu będzie pani zawsze mile widziana" [...].

Lee był wściekły. Kolejny raz nie wykonała jego polecenia i mieszała mu szyki. Kłótnia robiła się coraz bardziej zacięta, co znacznie podsycała świadomość, że oto znów są razem i nie jest im z tym dobrze.

Dla niego od tej pory Marina równie dobrze mogłaby mieszkać z emigrantami. Powiedział jej, że kto zazdrości innym ich własności i stara się im przypodobać, jest w jakimś sensie prostytutką. Użył najbardziej obraźliwego rosyjskiego słowa, a Marina była nie tylko urażona do żywego, ale i rozsierdzona – on, który siał spustoszenie w lodówce Eleny Hall i sypiał w jej pościeli, mówił na nią, Marinę, *blad'*. To jedno słowo przekreśliło dla niej w połowie sens tego małżeństwa. Równie dobrze mogła wyjść za Rosjanina, który znał plotki o jej przeszłości w Leningradzie. Była tak roztrzęsiona, że wybiegła na ulicę.

Mimo iż była zapłakana, zdenerwowana i znała nie więcej niż sto słów po angielsku, udało jej się wytłumaczyć pracownikowi najbliższej stacji benzynowej, że chce zatelefonować do Anny Meller.

ANNA MELLER: Tak, tak. To było chyba w listopadzie, w poniedziałek około dziesiątej wieczorem. Zadzwoniła do mnie i powiedziała, że mąż ją pobił, że wyszła z domu, doszła na stację benzynową i mówiła temu panu, że nie ma ani grosza pieniędzy, ale ta dobra dusza pomogła jej wykręcić mój numer i ona ze mną rozmawia, czy może przyjść do mnie do domu. Ja nie mogłam z siebie słowa wydobyć, ponieważ do tego czasu nie wiedziałam, że oni w ogóle są w Dallas [...]. Poszłam do męża i zapytałam, czy możemy przyjąć Marinę. On nie chciał. Mamy małe mieszkanie i powiedział: „Nie ma dość miejsca". A ja zaczęłam go błagać jak szalona i powiedziałam: „Musimy pomóc biednej kobiecie, jest na ulicy z dzieckiem. Nie możemy jej tak zostawić; my też mieliśmy kłopoty i ludzie nam pomogli". Mój mąż powiedział: „Okay, niech przyjdzie". Powiedziała, że nie ma ani grosza przy sobie. A ja na to: „Weź taryfę i przyjedź, a my zapłacimy". No i koło jedenastej czy za dwadzieścia jedenasta przyjechała [do nas] do domu [...] z dzieckiem na ręku, parę pieluch, i to wszystko; ani płaszcza, ani pieniędzy, nic.

George Bouhe zebrał kilkoro rodaków na szybką naradę w tej sprawie.

McMillan: – Nie chcę radzić ani się wtrącać – powiedział Marinie [...]. Nie chcę wchodzić między męża i żonę. Jeśli od niego odejdziesz, to oczywiście ci pomożemy. Ale jeśli teraz powiesz, że tak, a potem do niego wrócisz, to na drugi raz nie spodziewaj się od nas pomocy.

– Nigdy nie wrócę do tego piekła – obiecała sobie Marina.

Związała się słowem. Chciała się trzymać z dala od Lee, a emigranci w taki czy inny sposób mieli się nią opiekować. Jeśli hipoteza, że George'a Bouhe'a łączył bliższy związek z Lee, nie jest całkowicie bezpodstawna, to jego zdecydowane stanowisko w kwestii separacji Mariny wskazuje na to, że był nie tylko grymaśny, łysiejący i uparty, lecz także – zakładając, że nie ułożyło mu się z Lee – mściwy.

Jako najbardziej postawny z emigrantów, George De Mohrenschildt został przez nich delegowany do odbycia z Oswaldem rozmowy na temat warunków separacji. Uzgodniono, że Lee i Marina spotkają się w mieszkaniu De Mohrenschildtów i zobaczą, czy uda im się dojść do porozumienia. De Mohrenschildt sugerował, że wskazana byłaby przy tym obecność Bouhe'a, ale ten się uchylił: „Jeszcze oberwę od niego po uszach, a to już wiek nie ten i nie to zdrowie". Następnie dodał: „Boję się tego człowieka. To wariat", na co De Mohrenschildt odpowiedział: „Nie masz się czego bać. Jest drobny jak ty".

Ustalono już czas i miejsce. Spotkanie miało się odbyć w niedzielę 11 listopada w mieszkaniu De Mohrenschildtów. Rankiem tego dnia June została pod opieką Anny Meller, Bouhe przywiózł Marinę na miejsce własnym samochodem i czym prędzej uciekł. Jeanne, Marina i George czekali na Lee, który wszedł „wyraźnie zażenowany tym, że taka scena rozgrywa się na oczach De Mohrenschildtów".

Po wyrzuceniu sobie wzajemnych żalów, przez co Marina i Lee jeszcze bardziej się rozsierdzili, Jeanne zaproponowała, żeby próbnie rozstali się na jakiś czas. George podaje swoją wersję wydarzeń:

Lee [wykrzyknął] na to: „Nie narzucicie mi tej hańby!". [...] Mówił bez ładu i składu i rwał się do bicia. Nigdy wcześniej nie widzieliśmy go w takim stanie.

„Jeśli to zrobisz, to już nigdy nie zobaczysz Mariny i June. Jesteś żałosny" – powiedziała spokojnie [Jeanne]. – „Mamy tu prawo chroniące przed przemocą".

„Gdy się już uspokoisz, obiecuję, że będziesz znów mógł się widywać z małą June" – wtrąciłem się, wiedząc, że Lee się boi, iż ktoś odbierze mu dziecko. Uspokoił się zatem, obiecał, że przemyśli wszystko [i] zapewnił nas, że nie będzie już stosował żadnej przemocy [...].

Lee i Marina poszli porozmawiać do innego pokoju. On chce, żeby ona do niego wróciła; ona mówi o rozwodzie. On jeszcze raz pyta, czy Marina do niego wróci; ona mówi, że do mieszkania przy Elsbeth Street wróci tylko w towarzystwie De Mohrenschildtów, i tylko po to, żeby zabrać stamtąd swoje ubrania.

MARINA OSWALD: [...] Chciałam mu po prostu pokazać, że nie jestem zabawką. Że kobieta to istota bardziej skomplikowana. Że nie można jej lekceważyć.

RANKIN: Czy napomknęła pani wtedy cokolwiek o tym, jak on powinien panią traktować, jeśliby pani do niego wróciła?

MARINA OSWALD: Tak. Powiedziałam mu, że skoro się nie zmieni, dalsze życie z nim nie będzie dla mnie możliwe. Ponieważ jeśli będziemy bez przerwy się kłócić, ucierpią na tym nasze dzieci.

RANKIN: Co on na to powiedział?

MARINA OSWALD: Powiedział, że to by było – że to będzie dla niego bardzo trudne. Że nie może się zmienić. Że muszę go zaakceptować takiego, jaki jest [...].

Impas. Ona nie zaakceptuje go takim, jaki jest. Wreszcie Lee godzi się na to, żeby się wyprowadziła. We czwórkę – dwoje De Mohrenschildtów i dwoje Oswaldów – jadą na Elsbeth Street. Lee siedzi cicho na tylnym siedzeniu kabrioletu. Gdy jednak wchodzą do mieszkania, Lee zmienia zdanie:

GEORGE DE MOHRENSCHILDT: [...] Lee powiedział: „Na Boga, nie zrobicie tego. Podrę jej sukienki i poniszczę zabawki June".

Tym razem naprawdę się wściekł. Ale Jeanne zaczęła mu cierpliwie tłumaczyć, że to mu w niczym nie pomoże. „Kochasz żonę?". Powiedział, że tak. Jeanne powiedziała: „Jeśli chcesz, żeby kiedyś do ciebie wróciła, to zachowuj się przyzwoicie".

A ja dodałem: „Jeśli nie będziesz się przyzwoicie zachowywał, to wezwę policję".

Byłem bardzo zdenerwowany całą tą sytuacją – przecież w końcu wtrącaliśmy się w nie swoje sprawy.

„Dobra – powiedział Lee. – Jeszcze się z tobą policzę".

Ja mu na to: „Ty się ze mną policzysz?". Trochę się wkurzyłem i powiedziałem: „I tak zabieram stąd Marinę".

Po jakimś czasie zacząłem wynosić z domu rzeczy. Lee mi nie przeszkadzał. Oczywiście, był drobnej budowy, dość wątły.

Po chwili zaczął pomagać mi wynosić rzeczy. Zupełnie zmienił zdanie.

JENNER: Zrozumiał, że to nieuniknione?

GEORGE DE MOHRENSCHILDT: Zrozumiał, że to nieuniknione i [...] całkowicie opróżniliśmy dom.

Mamy duży samochód, a wypełniony był po brzegi [...]. Bardzo powoli dojechaliśmy na drugi koniec miasta, do Lakeside, gdzie mieszkali Mellerowie, i tam ją zostawiliśmy.

A Lee został sam w prawie pustym mieszkaniu przy Elsbeth Street. W swoich wspomnieniach De Mohrenschildt porusza wątek osamotnienia Oswalda:

Następnego wieczoru Lee przyszedł do nas, sam. Znów chciał porozmawiać o całej sytuacji. Siedział z ponurą miną na naszej słynnej sofie, a my oboje staraliśmy się przemówić mu do rozumu.

– Obiło mi się o uszy, że istnieje miłość, której towarzyszy bicie i torturowanie – powiedziałem półżartem. – Poczytaj sobie markiza de Sade'a albo poobserwuj życie małych stworzeń – amour crapule, jak to mówią we Francji. Ale waszym kłótniom i bójkom nie towarzyszy seks, a to już naprawdę okropność [...].

– Jeśli rzeczywiście coś do siebie czujecie, to czy nie moglibyście się obejść bez gryzienia, drapania i bicia? – próbowała go podejść Jeanne z innej strony.

Lee siedział, patrząc ponurym wzrokiem, i nie odzywał się ani słowem [...].

Jeanne mówiła o miłym tymczasowym domu, gdzie mieszka teraz Marina z dzieckiem, i o tym, że obie mają tam zapewnioną doskonałą opiekę. Rzecz jasna, nie padło nazwisko Mellerów.

– Obiecuję ci, Lee, że kiedy ochłoniesz, dam ci ich adres i telefon, żebyś miał kontakt ze swoim dzieckiem. Nie powinno się oddzielać dziecka od ojca.

Lee uwierzył w szczerość mojej obietnicy, bo wiedział, że ja sam padłem ofiarą mściwej żony, która nie pozwoliła mi spotykać się z dziećmi [...].

Tamtego wieczoru rozstaliśmy się w dość smętnych nastrojach.

– Może nas znienawidzisz, Lee, a może któregoś dnia będziesz nam wdzięczny za to, że wymusiliśmy na tobie tę separację – powiedziałem. – W tej sytuacji jednak nie widzę innego wyjścia [...].

Lee przyznał mi rację, ale w oczach miał łzy.

– Pamiętaj, co mi obiecałeś. Niedługo dasz mi ich adres i telefon.

Podaliśmy sobie ręce i Lee wyszedł.

Marina i June nie mieszkały już u Mellerów, tylko u Fordów, którzy mieli większy dom. Katia Ford była jednoznacznie negatywnego zdania o przyszłości czekającej Marinę.

LIEBELER: Czy była w ogóle mowa [...] o ewentualnym rozwodzie? [...]

KATIA FORD: [...] nie chciała wrócić [...], ale nie nadawała się na pomoc domową i powiedziałam jej, żeby została z Lee – tak właśnie jej powiedziałam – i zaczekała, aż będzie umiała się sama sobą zająć [...].

LIEBELER: A ona co na to?

KATIA FORD: [...] nic nie powiedziała.

George'owi Bouhe'owi wydawało się, że znalazł rozwiązanie. Postarał się, żeby Marina zamieszkała z jeszcze inną emigrantką, Valentiną Ray, która mogłaby ją uczyć angielskiego, póki Marina nie poczuje, że jest gotowa żyć samodzielnie. Jednak Marina widocznie tęskniła za Lee, ponieważ podała mu swój aktualny numer telefonu.

McMILLAN: Parę minut po jej przyjściu zadzwonił i błagał, żeby zgodziła się z nim spotkać.

Czuję się samotny powiedział. Chcę zobaczyć Junie i porozmawiać z tobą o Święcie Dziękczynienia.

Marina się ugięła.

No dobrze powiedziała. To przyjdź.

W tym miejscu następuje konieczność przytoczenia niemal całej strony z książki McMillan *Marina and Lee*. Wprawdzie nie wypada w takiej sytuacji kręcić nosem, ale jest to nieuniknione, rozmowa małżonków bowiem najwyraźniej została wymyślona przez autorkę. Opowiadając o tym Priscilli Johnson McMillan w 1964 roku, Marina mówiła po rosyjsku, a z tłumaczenia autorki pewnie bardziej przebija jej własne wyobrażenie na temat romantycznego dialogu niż rzeczywisty sposób porozumiewania się, przyjęty przez Marinę i Lee – a my mamy już o nim jakieś pojęcie na podstawie zapisu rozmów sporządzonego przez KGB.

Choć trzeba wziąć poprawkę na tłumaczenie, prawdą jest też, że sceny pojednania między małżonkami z reguły są wzruszające, i taką właśnie scenę udaje się stworzyć McMillan:

McMillan: Marinie na widok męża ścisnęło się serce. Udali się do pokoju, by porozmawiać na osobności.

– Przebacz mi – powiedział. – Przepraszam. Dlaczego tak mnie dręczysz? Przychodzę po pracy do domu, a tam pusto. Nie ma ani ciebie, ani Junie.

– To nie ja cię wyrzuciłam – odparła Marina. – Sam tego chciałeś. Nie dałeś mi wyboru.

Mówił, że ją kocha. Zdawał sobie sprawę, że to niewiele, ale kochał ją najlepiej, jak umiał. Błagał, żeby do niego wróciła. Dodał, że Robert zaprosił ich na Święto Dziękczynienia, i strasznie by się czuł, gdyby musiał pójść bez niej.

Marina zrozumiała, że Lee jej potrzebuje. Nie miał przyjaciół, nie miał oprócz niej nikogo, na kim by mógł polegać. Mimo że traktował ją brutalnie, wiedziała, że ją kocha. Ale gdy chciał ją pocałować, odsunęła się. On ukląkł i zaczął całować ją po stopach i kostkach. W oczach miał łzy i znów błagał o wybaczenie. Powiedział, że postara się zmienić. Ma „okropny charakter" i nie może tego zrobić w mgnieniu oka. Ale zmieni się, powoli będzie się zmieniał. Nie może bez niej dalej żyć. A dziecko potrzebuje ojca.

– Dlaczego grasz Romea? – zapytała Marina, której było wstyd, że Lee leży u jej stóp. – Wstań, bo jeszcze ktoś wejdzie i zobaczy.

Jej głos brzmiał surowo, ale czuła, że serce jej mięknie.

Wstał wreszcie, ale upierał się, że nie wstanie z klęczek, póki ona mu nie wybaczy. Oboje płakali.

– Mój głuptasku – powiedziała Marina.

– Ty też jesteś moim głuptaskiem – odparł na to.

Nagle się rozpromienił. Zaczął okrywać dziecko pocałunkami i powiedział do żony: „Znów zamieszkamy wszyscy troje razem. Mamusia już więcej nie zabierze tatusiowi małej Junie".

We wspomnieniach spisanych dla FBI Marina relacjonuje to tak: „Byliśmy sami w pokoju, rozmawialiśmy i po raz pierwszy widziałam, jak płacze".

Z innych jej wypowiedzi wiemy jednak, że wcześniej widziała Lee płaczącego co najmniej osiem czy dziesięć razy, ale wciąż wydaje jej się, że wybucha płaczem po raz pierwszy. Czy mamy prawo sądzić, że to typowo rosyjska reakcja? Przecież otwarcie wyrażany przez dorosłego smutek to gratka, która nie trafia się co dzień. Podobnie jak każdy akt miłosny idealnie dopasowanych pod względem seksualnym kochanków zawsze wydaje się pierwszy, tak Marina za każdym razem reagowała emocjonalnie na płacz Lee. Opisując to wydarzenie, nabrała elokwencji:

Ze wspomnień Mariny: Której kobiecie serce nie zmięknie na taki widok, zwłaszcza jeśli jest zakochana? [Lee] prosił mnie o wybaczenie i obiecał, że postara się poprawić, jeśli tylko do niego wrócę. Proszę nie myśleć, że się przechwalam – że mówię to po to, żeby pokazać: no proszę, jak on ją kocha, nawet płacze. Ale [...] czułam, że jest człowiekiem nieszczęśliwym i nie potrafi kochać inaczej. To wszystko, kłótnie też, wyrażało w jego języku miłość. Zrozumiałam, że jeśli do niego nie wrócę, będzie mu bardzo ciężko [i] po raz pierwszy poczułam, że nie został stworzony do życia wśród ludzi, że w towarzystwie czuje się samotny. Współczułam mu i bałam się o niego. Obawiałam się, że jeśli do niego nie wrócę, to coś może się stać. Nie miałam na myśli nic konkretnego, ale intuicja mi podpowiadała, że nie mogę tego zrobić, [bo] on mnie potrzebuje [...]. Co można poradzić na to, jak człowiek był taki przez całe życie? Nie można go zmienić ot, tak. Doszłam jednak do wniosku, że jeśli tylko starczy mi cierpliwości, będzie się między nami lepiej układało i że to mu pomoże [...].

Trochę później tego wieczoru, po kolacji, Frank Ray odwiózł Lee, Marinę i June do mieszkania przy Elsbeth Street. Wieść o tym szybko rozeszła się wśród emigrantów. Jak można się było spodziewać, uznali oni zgodnie, że mają Oswaldów serdecznie dość.

JEANNE DE MOHRENSCHILDT: [...] naprawdę wściekli. Zmarnowaliśmy calutki dzień, tyle się nadenerwowaliśmy, tak się poświęcaliśmy, żeby coś dla nich zrobić, a ona nagle zmieniła decyzję. To po co się było tak przejmować? Dlatego od tamtej chwili czuliśmy niesmak [...].

Zdaniem pozostałych emigrantów, była to hańba w całym tego słowa znaczeniu. Bouhe oświadczył, że umywa od tej sprawy ręce. Wśród emigrantów krążyła następująca historia, która daje pewne pojęcie o ich poczuciu humoru:

McMILLAN: Ledwie Oswaldowie się pogodzili, zaczęła krążyć pogłoska, że Lee wyjął żonie z ust papierosa i zgasił go na jej ramieniu. Rosjanie wspominali, że u zarania reżimu bolszewickiego oficerowie Cze-ka, czyli tajnej policji, gasili papierosy na ciele więźniów, których chcieli złamać. Marina zaprzecza, jakoby jej mąż kiedykolwiek coś takiego jej robił. Rosjanie jednak byli przekonani, że to robił – co dobitnie świadczy o tym, jaki mieli do Oswalda stosunek.

To istotnie dosadnie powiedziane, lecz świadczy wyłącznie o złośliwości głęboko tkwiącej w tych ludziach. Lee pewnie niewiele się mylił w swojej ocenie emigrantów.

Ze wspomnień Mariny: Święto Dziękczynienia spędzaliśmy u Roberta w Fort Worth. Podoba mi się to miłe amerykańskie święto, bardzo przyjemnie jest je obchodzić. Na stacji benzynowej po drodze Lee zapytał mnie, czy mam ochotę posłuchać muzyki z filmu *Exodus*. Nie znałam tego filmu, ale muzyka bardzo mi się podobała. Lee sporo zapłacił za to nagranie, kilka razy je przesłuchał i powiedział, że to jedna z jego ulubionych melodii. Teraz, gdy Lee już nie żyje, lubię tę melodię jeszcze bardziej, ponieważ przypomina mi szczęśliwe chwile. Lee był w bardzo wesołym nastroju, dużo żartowaliśmy, robiliśmy sobie zdjęcia na stacji i śmialiśmy się z naszych wygłupów. U Roberta też było wesoło i świątecznie.

Możemy tu zacytować fragment z książki Roberta Oswalda *Lee*. Wspomina on to spotkanie jako beztroskie, ale bądźmy wyrozumiali: są rodziny, które nie umieją dobrze się bawić, jeśli w rozmowie porusza się sprawy istotne:

> John [Pic] i Lee po dziesięciu latach niewidzenia nie mogli się nagadać. Wymieniali się opowieściami o przeżyciach w Japonii, ale Lee nie wspominał o Rosji. My też nie poruszaliśmy tego tematu. Wydawało nam się, że lepiej poczekać, aż Lee z własnej woli powie coś, o czym chce powiedzieć. Ale on milczał.
>
> O matce też nie rozmawialiśmy […].

4

Boże Narodzenie i czerwony kawior

Dobrze, że wciąż sobie przypominamy o tym, że we wszystkich zeznaniach De Mohrenschildta przed Komisją Warrena krył się pewien podtekst. Otrzymanie lukratywnej posady na Haiti zależało od tego, czy George przekona Duvaliera, że nic poważnego nie łączy go z marksistą podejrzanym o zabójstwo prezydenta Kennedy'ego. De Mohrenschildt mógł wkraść się w łaski Duvaliera, gdyby mu się przyznał, że przesłuchiwał Oswalda z ramienia CIA, ale nawet najdrobniejsza aluzja na ten temat przekreśliłaby go w oczach tej instytucji.

GEORGE DE MOHRENSCHILDT: Prawdę mówiąc, cała ta sprawa poważnie mi szkodzi, szczególnie na Haiti, ponieważ prezydent Duvalier – no, mam kontrakt z tamtejszym rządem.

JENNER: Tak; właśnie chciałem o to zapytać.

GEORGE DE MOHRENSCHILDT: Doszły ich słuchy, że zostałem wezwany przez Komisję Warrena. Nikt nie wie, jak to się stało. I teraz prezydent, który wielce obawia się zamachu na swoje życie, kojarzy mnie z międzynarodową bandą zabójców i grozi mi wydalenie z [jego] kraju. Mój kontrakt może zostać zerwany.

Wiemy już zatem, dlaczego on i Jeanne tak negatywnie wyrażają się o Marinie i Lee. A jednak to subtelna gra. Jako stary wyga, George rozumie, że nie należy zbytnio przypochlebiać się specjalistom od wywiadu, bo wtedy zaczynają coraz więcej wymagać. Znacznie lepiej jest dawać do zrozumienia, że w razie czego ma się jakieś asy w rękawie. Dlatego zeznania chwilami przeczą sobie nawzajem.

George de Mohrenschildt: Do momentu, gdy człowiek [...] zostanie uznany za winnego decyzją sądu, ja nie będę tej osoby sądził i zawsze będę miał wątpliwości. W czasie składania zeznań wyczerpująco wyjaśniłem, dlaczego mam te wątpliwości. Głównie z tego powodu, że nie wykazywał on zapiekłej animozji w stosunku do prezydenta Kennedy'ego. Dlatego właśnie mam wątpliwości.

Jest to sposób przesłania CIA wiadomości – De Mohrenschildt, który jest wzorowym przykładem człowieka dbającego o własne interesy, nie będzie bronił Oswalda, nie mając odpowiedniej motywacji. Przypomina Agencji, że jej potrzebny jest wizerunek Oswalda jako samotnego, niezrównoważonego zabójcy, nie powiązanego z nią w żaden sposób. Sens zeznań De Mohrenschildta można pokrótce wyłożyć następująco: w tej sprawie mogę wam pomóc albo was pogrążyć.

Ogólnie jednak rzecz biorąc, George krył CIA: Oswald się nie liczył; budził w nim litość; widywali się rzadko. Dopiero w ostatnim roku życia De Mohrenschildt (nękany nawracającymi atakami szaleństwa, dręczony przerażającymi przywidzeniami – można by o nim napisać operę), napisał wspomnienia *I'm a Patsy*. Jak gdyby, zbliżając się do kresu życia, musiał odpokutować winę. W ostatnim roku życia był, w okresach wolnych od szaleństwa, wciąż sprawny umysłowo, przebiegły i pragmatyczny. Wydedukował więc, że w roku 1977 amerykańscy czytelnicy chcieliby dostać portret Oswalda skreślony z sympatią i zrozumieniem. Nic dość więc, że w swojej książce przedstawia Lee w korzystnym świetle, to jeszcze ujawnia, jak często spotykał się z Oswaldami od czasu ich pogodzenia się po separacji.

Kiedyś odwiedziłem ich w mieszkaniu przy Elsbeth Street w dzielnicy Oak Cliff [...] atmosfera tego domu i całej okolicy skłaniała do myśli samobójczych. Duży pokój był przestronny i nieprzyjemnie w nim pachniało, z okien sypialni i kuchni widać było ślepe ściany sąsiednich budynków. Ale Lee był dumny z własnego mieszkania, pokazywał mi swoje książki i czasopisma, jak również kilka listów z Rosji, które wspólnie przeczytaliśmy. Dom zdobiły śliczne zdjęcia rosyjskiej wsi, które Lee sam zrobił, a potem wywołał. Drzewa i pola, pełne uroku chłopskie chaty i zachmurzone skrawki nieba dziwnie kontrastowały z łuszczącymi się ścianami i ponurą atmosferą domu. Niektóre zdjęcia Lee oprawił w ramki, a nieoprawione były starannie poukładane w albumie [...] „Popatrz tylko na te cerkwie, popatrz na te pomniki!" – wykrzykiwał z dumą. Istotnie, niemal wszystkie jego zdjęcia były profesjonalne, miał słuszne prawo się nimi szczycić.

Miesiąc od Święta Dziękczynienia do Bożego Narodzenia to okres, w którym Oswaldom chyba żyło się razem najspokojniej.

Ze wspomnień Mariny: Kiedy się nie kłóciliśmy, byłam z moim Lee bardzo szczęśliwa. Pomagał mi w domu i [...] dużo czasu poświęcał June. Poza tym [...] znosił do domu mnóstwo książek z biblioteki i dosłownie je pochłaniał, czytał nawet po nocach. Czasem zdawało mi się, że on żyje w innym świecie, a [tu] tylko pracuje na utrzymanie rodziny, je i śpi. Może to nieprawda, ale, moim zdaniem, miał dwa światy, a większość czasu spędzał w swoim własnym. Przedtem, w Rosji, nie zauważyłam tego, ponieważ wówczas nie był aż tak zamknięty w sobie.

Z drugiej strony, Lee zaczął być nawet pomocny w domu – odkurzał, wynosił śmieci, a nawet ścielił wieczorem łóżko. Priscilla Johnson McMillan opisuje „okresy, kiedy całymi dniami chodził za Mariną krok w krok. Wtedy, jak mówi Marina, dosłownie «wykańczał ją pocałunkami»".

Pozwalał jej też dłużej poleżeć rano w łóżku, sam robił sobie śniadanie i parzył kawę, którą ona potem podgrzewała dla siebie. A w weekendy ten chodzący ideał nawet podawał żonie śniadanie do łóżka.

McMILLAN: […] przeważnie to on urządzał dziecku wieczorną kąpiel. Nie ufał Marinie w tym względzie, bał się, że utopi dziecko. Nalewał wody do wanny i troskliwie sprawdzał, czy ma odpowiednią temperaturę […]. Następnie, ku przerażeniu Mariny, wchodził do wanny, prawie zupełnie goły, tylko z ręcznikiem przewiązanym w pasie, i pluskał się z June, bawił się z nią, jak gdyby pragnął sam być dzieckiem.

– Mamo – krzyczał do Mariny – rozchlapaliśmy wodę na podłogę!

Marina kazała mu ją ścierać.

– Nie mogę – odkrzykiwał. – Jestem w wannie razem z Junie. Mamo – wołał znów za chwilę – przynieś nam zabawki!

I ona przynosiła zabawki.

– Mamo – wołał po raz trzeci – zapomniałaś o gumowej piłeczce!

I, ku uciesze dziecka, rzucał piłeczkę na wodę, rozbryzgując ją na wszystkie strony.

– Mamo – wołał po raz ostatni – przynieś nam ręcznik, tylko szybko. Mamy wodę w uszach.

Czyżby wkroczył w okres ponownie przeżywanego dzieciństwa? Wszyscy to robimy. Panuje ciche przekonanie, że jeśli człowiek wprowadzi się w niemowlęcy stan odczuwania, kiedy to jego oddech, on sam i kosmos nie są bytami, które dzieli przepaść, lecz zgrabnie, bez wysiłku składają się w całość, dzieje się coś cudownego. Człowiek cofa się do wczesnych lat dziecinnych, kiedy to można zmienić osobowość, a przynajmniej rozpocząć ten proces. Ma wtedy poczucie, że wcale niekoniecznie skazany jest na podążanie wytyczoną drogą do beznadziejnego, powolnego końca. Problem polega na tym, że bliźni surowo osądzają większość sposobów powrotu do tego stanu niemowlęctwa. Można się, na przykład, upijać do nieprzytomności, bezmyślnie wlepiać wzrok w telewizor, ćpać, układać pasjanse, spać bez końca albo godzinami wysiadywać w bujanym fotelu – ale ludzi oddających się każdej z tych czynności określa się niepochlebnie: alkoholik, telemaniak, ćpun, karciarz, leń albo stary tetryk. A przez takie określenia cierpi miłość własna, choć powroty do stanu dziecięcego dają chwilowe poczucie bło-gości. Nasza kultura preskryptywna zaszufladkowałaby Oswalda i jednogłośnie potępiła – za wspólną kąpiel z córką zostałby okrzyknięty uwodzicielem dzieci, a on przecież chciał jedynie sam stać się na powrót dzieckiem i w ten sposób za-stąpić Marguerite Mariną w tym zakamarku swojej psychiki, gdzie nagromadzi-ły się dawne problemy.

Przez jakiś czas byli też sobie bardzo bliscy jako mąż i żona.

McMILLAN: Mniej więcej właśnie w tym czasie Marina zgubiła portmonetkę, w której by-ło 10 dolarów przeznaczonych na zakupy, i spodziewała się, że czeka ją za to awantura albo nawet lanie. Gdy Lee prawie w ogóle nie zareagował na tę wiadomość, Marina wy-buchnęła płaczem. Lee starał się ją rozśmieszyć, najpierw mówiąc do niej jak do dziec-ka, a potem trochę po japońsku. Wymyślał różne gry po drodze do sklepu, gdzie kupił jej czerwony kawior, wędzonego śledzia i inne smakołyki.

Marina nie pamięta, żeby Lee kupował jej kawior, ale sama przyznaje, że jej pa-mięć przypomina teraz miasto, które przez długie lata było oblężone. Tak wiele w niej uległo zniszczeniu.

Nieważne. Czy z kawiorem, czy bez, Boże Narodzenie upłynęło w radosnej atmosferze. Ponieważ Lee nie stać było na kupienie choinki, któregoś wieczoru Marina wzięła sprawę w swoje ręce.

McMILLAN: [...] Wymknęła się po kryjomu na dwór, przyniosła do domu zieloną gałązkę, po-stawiła ją na biurku przed lustrem i poutykała na niej kawałeczki waty, które miały udawać śnieg. Następnego dnia zebrała 19 centów w drobnych monetach, które Lee zostawiał leżące luzem i [...] kupiła kolorowy papier i maleńkie ozdoby choinkowe. Pocięła papier, zrobiła łań-cuch i zawiesiła na gałązce ozdoby. Lee był zaskoczony i dumny. „Nigdy by mi nie przyszło do głowy, że potrafisz wyczarować choinkę za jedyne dziewiętnaście centów" – powiedział.

A jednak nie jest im dane długo cieszyć się szczęściem. Na przyjęciu bożonaro-dzeniowym pojawia się między nimi rozdźwięk. De Mohrenschildt namawia Ka-tię Ford, by zaprosiła Oswaldów na poświąteczne przyjęcie. Można się domyślić, że baron ma w tym inny cel poza sprawieniem znajomemu przyjemności, ponie-waż gdy Marina odrzuciła zaproszenie, bo nie miała z kim zostawić June, pod-jął odpowiednie kroki.

Zapewnił ją, że nie ma sprawy, że i tym się zajmie – zgodzili miłą panią, mó-wiącą po rosyjsku, żeby zaopiekowała się dziećmi w mieszkaniu De Mohren-schildtów. Zatem już bez przeszkód De Mohrenschildtowie i Oswaldowie wybra-li się na przyjęcie. Fordowie mieszkali w dużym nowoczesnym domu z ogromnym kamiennym kominkiem, w którym w ten świąteczny wieczór bu-zował ogień. Było mnóstwo świateł. Nie trzeba chyba dodawać, że pozostali go-ście zdumieli się na widok Oswaldów.

JEANNE DE MOHRENSCHILDT: Było dość sporo osób z kolonii rosyjskiej, poza tym pewna drobna Japoneczka [...]. Nie pamiętam jej nazwiska, bo zawsze mówiliśmy do niej po imieniu – Yaeko [...]. Podobno pochodziła z bardzo szacownej japońskiej rodziny. Była zamożna [...] pracowała trochę dla Neimana-Marcusa [...]. Była też muzykiem [...] grała w Orkiestrze Symfonicznej w Dallas [...]. Szczerze mówiąc, nigdy nie miałam do Yaeko zaufania. Wydawało mi się, że jest w niej coś śliskiego, może dlatego, że wychowałam się wśród Japończyków i wiem, co to zdradliwość. [Była] moim zdaniem dziwna, tak się wokół wszystkich kręciła i w ogóle. Jeszcze jedna rzecz się wtedy zdarzyła w związku z Yaeko.

JENNER: Dotyczyła Oswaldów?

JEANNE DE MOHRENSCHILDT: Tak [...]. To było strasznie dziwne, bo [Yaeko i Lee] praktycznie cały ten wieczór spędzili razem. Marina oczywiście była z tego powodu wściekła. Ten człowiek, który przyprowadził Yaeko, też się oczywiście wściekał, i wcale mu się nie dziwię. Marina mówiła mi, tak to zrozumiałam, że Oswald spotykał się później z Yaeko, co było dość niezwykłe, bo mi się zdawało, że Oswald w ogóle nie chce się z nikim spotykać, że tak powiem [...].

JENNER: A poza tym, jak Oswald zachowywał się na tym przyjęciu?

JEANNE DE MOHRENSCHILDT: Nie mam najmniejszego pojęcia, o czym rozmawiali. Ale wszyscy zwróciliśmy uwagę na to, że oni ze sobą rozmawiają, i śmialiśmy się z tego. Drażniliśmy się z Mariną, mówiliśmy, że jej mąż znalazł sobie teraz małą Japonkę. To było oczywiście tylko dla śmiechu, rozumieją państwo. No, ale najwyraźniej nie była to po prostu rozmowa, skoro potem się z nią spotykał i ona mu się podobała. Tego się dowiedziałam od Mariny. Naprawdę polubił Yaeko.

Dzięki Priscilli Johnson McMillan wiemy, co było przedmiotem ich rozmowy.

[...] japońskie i amerykańskie zwyczaje, ikebana – japońska sztuka układania kwiatów; panna Okui miała uprawnienia do jej nauczania. Marina zauważyła jednak, że [Yaeko] mówiła po rosyjsku i piła tylko coca-colę, nic mocniejszego. Przyszło jej na myśl, że być może panna Okui jest agentką amerykańskiego wywiadu. Podczas krótkiej rozmowy z Lee w kuchni ostrzegła go, żeby nie dyskutował z Japonką o polityce, a przede wszystkim nie wychwalał Chruszczowa. „Uważaj – powiedziała. – Ta dziewczyna jest ładna i ma dużo wdzięku. Ale może jest szpiegiem. Nie bądź wobec niej zbyt szczery". Nigdy przedtem ani nigdy potem nie czuła potrzeby, by ostrzegać swojego skrytego męża, żeby trzymał język za zębami.

Jeszcze jedna osoba oceniła pannę Okui dokładnie tak, jak Marina – George De Mohrenschildt. Wydawało się, że jego uwagę pochłania całkowicie uganianie się za spódniczkami, ale był czujny i podzielił się z Mariną swoim spostrzeżeniem: „Nie ufam tej Japonce. Myślę, że pracuje dla któregoś rządu, tylko nie wiem, dla którego".

Możemy przyjąć za pewnik to, że w trakcie wydobywania od Oswalda informacji De Mohrenschildt wielokrotnie rozmawiał z nim o seksie i z pewnością wiedział o tym, że Lee bardzo sobie ceni Japonki. W swojej książce *Legend* Edward Epstein poświęca tej sprawie więcej uwagi.

George De Mohrenschildt potwierdził następnie, że [...] [Oswald] nawiązał „w Japonii kontakt z komunistami" oraz że za namową tych „kontaktów" udał się do Związku Radzieckiego. Tak w każdym razie w zaufaniu powiedział mu Oswald. Obserwując ich z drugiego końca pokoju, De Mohrenschildt zastanawiał się, czy [Yaeko] stara się dowiedzieć czegoś o tym właśnie okresie życia Oswalda. W każdym razie [George] jej nie ufał.

Sama Yaeko nigdy nie wyjawiła tematu owej długiej rozmowy z Oswaldem [...]. Podczas przesłuchania przez FBI w 1964 roku powiedziała, że omawiali z Oswaldem „sztukę układania kwiatów".

Około północy De Mohrenschildt zasugerował Oswaldowi, żeby już iść [...]. Jak zauważyła Marina, Oswald zapisał sobie podany mu przez Yaeko numer telefonu; a następnie wyszedł za De Mohrenschildtem.

Jak to się wielokrotnie dzieje, gdy usiłujemy znaleźć w labiryncie przygód Oswalda wiarygodną drogę, ścieżka się rozwidla, a potem jeszcze raz biegnie w różnych kierunkach: 1) wszystko jest takie, jakim się wydaje; Oswald trafia na atrakcyjną dziewczynę, której i on się podoba; 2) De Mohrenschildt nie wie, czego się spodziewać po pannie Okui, ponieważ pracuje ona dla wywiadu japońskiego; 3) jest tak, jak uważa Marina, czyli Yaeko Okui ma powiązania z CIA, tyle że z sekcją, która nie wie o zadaniu George'a. I wreszcie czwarta możliwość: 4) De Mohrenschildt otrzymał instrukcje i spotkanie z młodą damą zaplanowano z wyprzedzeniem – panna Okui została podstawiona, by zaprzyjaźnić się z Oswaldem, dowiedzieć się od niego różnych szczegółów i przekonać się, czy może się on okazać bardziej użyteczny. George przyprowadził Oswaldów na to przyjęcie ze względu na pannę Okui, a on i Jeanne tylko pozorowali nieufność w stosunku do niej.

5

Karma dla organizmu

Na wypadek gdyby ktoś wątpił, dlaczego CIA nagle do tego stopnia zainteresowała się Oswaldem, warto przybliżyć jej złożoną naturę. Spośród wszystkich organizacji rządowych CIA zapewne najbardziej przypomina żywy organizm

– czyli poszczególne części, odpowiedniki żołądka, mózgu, płuc i kończyn, mimo iż mogą przekazywać sobie informacje, zwykle ograniczają to do minimum – sporo tych części funkcjonuje niemal zupełnie niezależnie od innych. Zakładając, że Oswaldem interesowała się CIA jako całość, pozbawiamy się szansy zrozumienia bardziej prawdopodobnych hipotez. Znacznie rozsądniej będzie przyjąć, że podawane z ust do ust informacje o Oswaldzie, które powoli przenikały do niektórych części tej instytucji, wzbudziły zainteresowanie jego osobą w niejednej enklawie CIA wśród kilku agentów, którzy w grudniu 1962 roku nie byli już mile widziani w biurze dyrektora.

Większości czytelników nie zaszokuje zapewne fakt, że w okresie wydarzeń w Zatoce Świń i przez następne półtora roku CIA zawarła z mafią niepisaną umowę co do tego, że trzeba zabić Fidela Castro. Był to bodaj najistotniejszy i najbardziej tajny aspekt większej operacji o kryptonimie „Mangusta", którą kierowano z największej na świecie placówki CIA – JM/WAVE, stacjonującej w Miami i na południu Florydy. Celem operacji było nękanie Kuby nalotami, bombardowaniami i innymi aktami sabotażu. Jednakże po kryzysie kubańskim w październiku 1962 roku zawarto z Chruszczowem porozumienie o unikaniu w przyszłości konfrontacji nuklearnej. Produktem ubocznym owego porozumienia był rozkaz Kennedy'ego dotyczący zakończenia operacji „Mangusta". Wkrótce potem FBI rozpoczęło rozbrajanie przeróżnych kubańskich ugrupowań antycastrowskich, które do tej pory przechodziły specjalne szkolenie w tajnych obozach nad Zatoką Meksykańską, od Teksasu po Florydę.

To przesunięcie w polityce Kennedy'ego doprowadziło do rozłamu w szeregach CIA. Niewielkie grupki oficerów, czując się zdradzone przez nową politykę prezydenta, zaczęły po kryjomu działać w enklawach. Dla nich Oswald bez wątpienia mógł być człowiekiem interesującym. Oczywiście, najpierw trzeba by było wybadać, z którą stroną tak naprawdę sympatyzuje, ocenić jego charakter i gotowość do podejmowania ryzyka. Ponieważ operacja „Mangusta" została zdegradowana, nie trzeba już było angażować całych wielkich zasobów CIA. Możliwe, że po wnikliwym wybadaniu Oswalda De Mohrenschildt wydał o nim pozytywną opinię: „Ten facet jest, ogólnie rzecz biorąc, na tyle zdesperowany, że stać go na niejedno".

Naturalnie, CIA nie przedstawiła na to Komisji Warrena żadnych dowodów, lecz Komisji Izby Reprezentantów do spraw Zabójstw udało się zdobyć zgromadzoną przez Agencję 144-tomową teczkę Oswalda, jak również przesłuchać niektórych związanych ze sprawą pracowników CIA, między innymi J. Waltona Moore'a. Epstein wypowiada się w tej sprawie bardzo konkretnie:

[...] chociaż uprzednio Moore „przypomniał sobie", że spotkał się z De Mohrenschildtem tylko dwa razy w życiu – raz w roku 1958 i raz w 1961 – dokumenty znalezione w teczce De Mohrenschildta w CIA wykazały, że „Moore i De Mohrenschildt byli w kontakcie częściej niż się przyznają". CIA ujawniła, że w ciągu wielu lat Moore niejeden raz przesłuchiwał De Mohrenschildta i przygotowywał raporty na podstawie otrzymanych od niego informacji. Moore sam potwierdził, że miał z De Mohrenschildtem „sporadyczny" kontakt w „celach informacyjnych" i choć utrzymywał, że nie przypomina sobie żadnej rozmowy na temat Oswalda, przyznał, że kontakty te mogły trwać do roku 1962.

Na pewno raporty z takich spotkań napływały z Dallas do centrum operacyjnego CIA w Langley w stanie Wirginia.

EPSTEIN: Ponieważ śledczy Komisji Warrena nie trafili na [takie raporty ze spotkań], widocznie były one systematycznie usuwane z akt. Dlaczego jednak CIA, która w tamtym czasie przez swoje Biuro Spraw Wewnętrznych legalnie przesłuchiwała około dwudziestu pięciu tysięcy obywateli amerykańskich rocznie, posuwała się tak niebezpiecznie daleko, by zatuszować to jedno przesłuchanie?

Epstein otworzył wyłożony aksamitem futerał na broń. Nie znalazł wprawdzie metaforycznego dymiącego pistoletu, ale niewątpliwie udało mu się ukazać wgłębienie w aksamicie, ślad po wyjętej broni. Pytanie: „Dlaczego CIA posunęła się tak daleko?" kieruje nas na trop próby zamachu na ważną postać w prawicowym John Birch Society* – generała Walkera. Próba będzie miała miejsce w Dallas w kwietniu 1963 roku. J. Walton Moore, który przyznał się poniewczasie do „sporadycznych" spotkań z De Mohrenschildtem, twierdził jednak, że nie trwały one aż do kwietnia 1963 roku. Tej granicy nie mógł przekroczyć; mogłoby to bowiem prędzej czy później doprowadzić do konieczności stwierdzenia, że odbywał z De Mohrenschildtem rozmowy na temat Oswalda i Walkera, to zaś z kolei doprowadziłoby do ujawnienia takich tajemnic, na których ujawnienie CIA nie mogła sobie pozwolić. To już lepiej było pomylić się co do daty i twierdzić, że nie spotykał się z De Mohrenchildtem od roku 1962. Za pomylenie dat nie można człowieka powiesić.

Między De Mohrenschildtem a Moore'em miało miejsce jeszcze jedno ciekawe zajście. We wrześniu lub październiku 1962 roku, po wydobyciu od Oswalda pięćdziesięciu stron jego zapisków o życiu w Związku Radzieckim, George pojechał w interesach do Houston. Gdy wrócił, stwierdził, że ktoś przeglądał pisany przez niego dziennik z 2000-milowej pieszej wyprawy do Meksyku i Ameryki Środkowej, którą odbył z Jeanne. Ponieważ zimą dość dużo czasu spędził w Gwatemali, gdy w tamtejszej dżungli CIA przygotowywała brygady antycastrowskie do inwazji na Kubę w kwietniu 1961 roku, i pracował teraz dla CIA, któryś z jego przełożonych mógł uznać za wskazane przejrzenie tych pism. Gdy jednak zobaczymy, jak opisuje tę akcję De Mohrenschildt przed Komisją Warrena, wydaje się ona pozornie pozbawiona sensu.

---

* John Birch Society – faszyzująca organizacja prawicowa (przyp. tłum.).

GEORGE DE MOHRENSCHILDT: [...]. Zostawiłem w szafce cały maszynopis, jakieś 150 stron. Gdy wróciłem z wycieczki i zacząłem przeglądać tekst [...] zauważyłem małe znaczki na poszczególnych stronach [...] małe znaczki stawiane ołówkiem [...].

Zapytałem żony: „Jeanne, czy ruszałaś moją książkę?". Ona odpowiedziała: „Oczywiście, że nie". Powiedziałem: „To niemożliwe". I na jakiś czas o tym zapomniałem.

Wieczorem [...] znów przyszło mi do głowy, że ktoś musiał wejść do mojego mieszkania i [...] robić zdjęcia. Była to wizja tak straszna, że Jeanne i ja przez całą noc nie mogliśmy usnąć. Następnego dnia zaś oboje spotkaliśmy się z Walterem Moore'em i [ja zapytałem]: „Czy ktoś od was [...] grzebał w moich papierach?". On odpowiedział: „Czy uważasz nas za tumanów, którzy zostawialiby po sobie takie ślady? Ależ nie, nie grzebaliśmy w twoich papierach" [...]. Nigdy nie doszedłem, kto to mógł być. Nadal pozostaje to dla mnie tajemnicą.

Oczywiście, znaczki na maszynopisie De Mohrenschildta mogły się na nim pojawić dla zmyłki, podczas gdy prawdziwym obiektem zainteresowania było sfotografowanie rękopisu Oswalda i notatek sporządzonych przez barona podczas wypytywania Oswalda. W CIA, podobnie jak we wszystkich organizacjach wywiadowczych, informacje są bardzo pilnie strzeżone, a ich przepływ ograniczony do danego wydziału, gabinetu czy nawet konkretnych agentów, i czasami niemałego wysiłku wymaga uzyskanie informacji z pokoju po drugiej stronie korytarza.

Niewykluczone, że na początku grudnia Oswald dostaje pieniądze albo od De Mohrenschildta, albo od jakiegoś jego współpracownika (chyba że – trop naszych dociekań zawsze się rozdziela – są to pieniężne podarunki od tajemniczego kochanka). Niezależnie jednak od źródła finansowania, faktem jest, że Oswald, od maja 1962 roku zadłużony w Departamencie Stanu na sumę 435,71 dolarów za podróż z rodziną z Moskwy do Nowego Jorku, zaczyna spłacać ów dług 13 sierpnia 1962 roku. Wysyła wtedy z Mercedes Street 10 dolarów gotówką, następnie zaś 5 września przelew na 9,71 dolara i kolejny 10 października na 10 dolarów i 19 listopada znów na 10, co razem wyniosło 39,71 dolara, śmieszną sumę wysupłaną przez okres czternastu tygodni. Aż tu nagle ni stąd, ni zowąd spłaca całą resztę długu – dziesięciokrotną wartość wysłanej dotąd sumy – 396 dolarów! – w okresie siedmiu tygodni, od 11 grudnia 1962 roku do 29 stycznia roku 1963: 190 dolarów przelewem 11 grudnia (zaledwie dwadzieścia trzy dni po wysłaniu 10 dolarów), kolejnych 100 dolarów 9 stycznia, i ostatni przelew 29 stycznia, na sumę 106.00 dolarów.

Komisja Warrena sporządziła specjalny bilans, by spróbować wyjaśnić, jak Oswaldowi udało się dokonać spłaty długu w tak krótkim czasie. W firmie Jaggars-Chiles-Stovall zarabiał tygodniowo nie więcej niż 70 dolarów, a często

10 czy 15 dolarów mniej. Czynsz za mieszkanie przy Elsbeth Street wynosił 59,60 dolara miesięcznie, na wydatki na jedzenie i inne rzeczy dla całej rodziny trzeba było liczyć 15 dolarów tygodniowo. Poza tym po stronie „wydał" uwzględniano najmniejsze nawet wydatki, o jakich była mowa w zeznaniach różnych osób. Był to budżet tak napięty, że dotkliwe skutki musiało mieć nawet zgubienie portmonetki z dziesięcioma dolarami.

W listopadzie, grudniu i styczniu Oswald zarobił odpowiednio 305, 240 i 247 dolarów; na życie wydał w tych samych miesiącach 182, 165 i 190 dolarów (oba zestawy liczb pochodzą z protokołu Komisji Warrena). A zatem w tym okresie Oswald zarobił 805, na życie wydał 527, na czysto zostało mu więc 278 dolarów. Wystarczy jednak, że odejmiemy od tej sumy resztę długu spłaconego Departamentowi Stanu, a wypadnie nam saldo ujemne w wysokości 118 dolarów – zresztą nawet i ta liczba zakłada, że Oswald nie miał żadnych innych wydatków poza tymi, które odnotowała Komisja Warrena. A wysoce nieprawdopodobne wydaje się założenie, że Komisji udało się odtworzyć jego wydatki co do centa.

Może warto znów rzucić okiem na zasady głoszone przez Harlota: pierwszym krokiem agenta jest zdobycie zaufania klienta. Następnym – oferowanie mu pieniędzy za usługi.

> – To łatwiejsze, niż wam się wydaje – powiedział Harlot [...]. – Można, na przykład, spłacić jakiś dawno zaciągnięty dług klienta, który pilnie domaga się spłacenia [...]. Świeżo upieczony agent będzie gotów na bardziej konkretny układ prędzej, niżbyście się tego spodziewali. Jeśli będzie czuł, że wdaje się w jakieś nieczyste sprawki, pieniądze pomogą mu się częściowo pozbyć wyrzutów sumienia [...] można się umówić na cotygodniową zapłatę [...]. Jakieś pytania?
>
>   – Czy można pozwolić, by agent wiedział, dla kogo pracuje?
>
>   – W żadnym razie [...] zapłata służy tak naprawdę tylko temu, by stworzyć poczucie więzi, nawet jeśli agent nie wie dokładnie, kim jesteśmy [...].

Całkowicie przeszliśmy w domenę spekulacji, ale wciąż istotne pozostaje pytanie: czy ktoś starał się pozyskać Oswalda do pracy w charakterze prowokatora w organizacjach lewicowych? To, że był w miarę szczerym wyznawcą marksizmu, nie byłoby dlań przeszkodą. Nie dla Oswalda. Pogardzałby działaczami amerykańskiej Partii Komunistycznej, widziałby w nich sowieckich pachołków, a Socjalistyczna Partia Robotnicza też nie mogła mu zaimponować, ponieważ popierała Trockiego i nie miała żadnej władzy. Spełniałby podwójną rolę. Pracując jako prowokator dla amerykańskiego wywiadu, mógł się sporo dowiedzieć o amerykańskim establishmencie wywiadowczym, a ta wiedza mogłaby mu się przydać w przyszłości, przy obalaniu starego porządku i wprowadzaniu nowych rządów. Ponieważ udało mu się wymusić na USA i ZSRR dwukrotne przekroczenie żelaznej kurtyny, miał pewność, że nie był zwyczajnym śmiertelnikiem. Praca prowokatora mogła mu otworzyć wiele perspektyw.

Należy jasno powiedzieć, że po wstrzymaniu przez Kennedy'ego operacji „Mangusta" i znalezieniu się w rozsypce większości sił antycastrowskich utworzyła się szara strefa. Na granicach establishmentu amerykańskiego wywiadu zaczęły rozbijać obozy walczące w ukryciu jednostki. Może uda nam się dojrzeć taki obóz, gdy Oswald znajdzie się w Nowym Orleanie.

Na razie zaś możemy spróbować odpowiedzieć sobie na jedno pytanie. Dlaczego Oswaldowi tak strasznie zależało na uregulowaniu długu w Departamencie Stanu? Przecież w raportach KGB niejeden raz pojawia się wzmianka o tym, że w Mińsku jeździł autobusami na gapę. A mało prawdopodobne, żeby człowiek, który oszukuje w kwestii małych opłat, bez szczególnego powodu honorował pożyczkę od Departamentu Stanu. Ale Oswald ma powód: jest nim otrzymanie nowego paszportu. Póki nie spłaci pożyczki, nie może wyjechać z Ameryki. Dlatego ją spłaca. Być może też zachęcają go do wyjazdu osoby trzecie.

6

Problemy w pracy

We wspomnieniach spisanych przez Marinę dla FBI znajduje się taki ustęp: „Nowy Rok był dla nas strasznie nudny, siedzieliśmy w domu. Lee wcześnie poszedł spać".

Była noc sylwestrowa. Marina wiedziała, że środowisko emigrantów urządza przyjęcia, ale jej i Lee nikt nie zaprosił. Mieszkając u Fordów, Marina starała się błyszczeć dowcipem i odniosła sukces. Ludzie byli nią oczarowani. Ale nic jej z tego nie przyszło. Przypomniała sobie ożywienie malujące się na twarzy Lee podczas rozmowy z Yaeko. Gdy rozmawiał z żoną, nie było po nim widać takiego szczęścia.

[...] siedziałam sobie i rozmyślałam o Rosji i moich tamtejszych przyjaciołach. Było to bardzo przygnębiające, a szczególnie myśl o domu, o krewnych, którzy się bawili, a ja, zamiast być z nimi, byłam samotna i nieszczęśliwa.

Pod wpływem takiego nastroju pomyślała o swojej byłej sympatii – Anatoliju, który był wysoki, ale niespecjalnie przystojny, i dziwacznie się ubierał. W Mińsku tak się wstydziła jego wyglądu, że na randkach kluczyła z nim po nieuczęszczanych ulicach, by nie zobaczyły go jej koleżanki. W zimowe wieczory przystawali na pustych podwórkach, żeby się całować, a w całowaniu Anatolij nie miał sobie równych.

W ten sylwestrowy wieczór 1963 roku napisała do niego list:

Kochany Anatoliju!

[...] chcę Ci życzyć szczęśliwego Nowego Roku.

Jednak nie dlatego piszę, ale dlatego, że czuję się bardzo samotna. Mąż mnie nie kocha i tu w Ameryce nie układa się nam tak, jak w Rosji. Smutno mi, że dzieli nas ocean i że nie mogę wrócić [...].

Żałuję, że nie doceniałam tego, jacy byliśmy razem szczęśliwi i jaki byłeś dla mnie dobry. Dlaczego o mnie wtedy nie walczyłeś? Wiem, zrobiłeś to dla mnie, ale teraz ja też tego żałuję. Wszystko mogło się ułożyć inaczej. Ale może po tym, jak Cię zraniłam, nie chciałbyś, żebyśmy do siebie wrócili [...].

Całuję Cię tak, jak całowaliśmy się kiedyś.

Marina

PS. Pamiętam śnieg, mróz, budynek opery – i Twoje pocałunki. Czy to nie zabawne, że nie czuliśmy wtedy zimna?

Najwyraźniej zastanawiała się, czy wypada jej wysłać ten list, ponieważ kilka dni z tym zwlekała. A potem wrócił do nadawcy z powodu niedostatecznego ofrankowania. Lee przeczytał jej go na głos.

McMILLAN: Lee ciężko usiadł na sofie i tak siedział przez długi czas, z głową opartą na rękach. Wreszcie się wyprostował.

– Wszystko co do słowa jest zmyślone – powiedział. – Zrobiłaś to specjalnie. Wiedziałaś, że poczta podniosła opłaty i że list do mnie wróci. Chciałaś wzbudzić we mnie zazdrość. Znam te wasze kobiece sztuczki. Nie dostaniesz więcej znaczków. I będę czytał wszystkie twoje listy. Od dziś też sam będę je wysyłał. Nigdy, przenigdy już ci nie zaufam.

Kazał jej na jego oczach podrzeć list.

W połowie stycznia, leżąc w nocy w łóżku, w mieszkaniu przy Elsbeth Street, Lee zapytał żonę, czy od ślubu była z innym mężczyzną. Powiedziała, że tak. Opowiedziała mu o spotkaniu z Leonidem Gelfantem, kiedy on był w Moskwie, i jak potem biegiem wracała do domu i czuła się zbrukana. Lee powtarzał wciąż: „Nabierasz mnie". Nie uwierzył jej. Była młoda i niewiele wiedziała o życiu, ale nie umiała zrozumieć, dlaczego jej nie uwierzył.

Pod koniec stycznia nie było już w ich małżeństwie tyle czułości, co jeszcze w grudniu. Lee ciągle był czymś pochłonięty. Wkrótce zaczął znikać z domu wieczorami na godzinę czy dwie – Marinie powiedział, że zapisał się na wieczorowy kurs maszynopisania.

W styczniu nie robi nic, co wskazywałoby na to, że jest drobnym prowokatorem, przechodzącym szkolenie; i gdyby nie jego niespodziewane spłacenie długu Departamentowi Stanu, można by nawet myśleć, że działa wyłącznie na własny rachunek. Ale pozostaje tajemnicza kwestia pieniędzy, których pochodzenia nie udało się dojść. Teraz Lee rzuca się w wir kupowania lewicowych pamfletów i opłacania prenumerat lewicowych czasopism, jak gdyby starał się w niektórych kręgach zdobyć opinię radykała.

EPSTEIN: W wydawnictwie Pioneer [...] związanym z pismem „The Militant" (Bojownik) (które Oswald prenumerował) zamówił następujące traktaty polityczne: *The Coming American Revolution* (Nadchodząca rewolucja amerykańska), *The End of Comintern* (Koniec Kominternu) oraz *Manifest Czwartej Międzynarodówki* [plus] angielskie słowa do pieśni „Międzynarodówka". W księgarni „Waszyngton" w Waszyngtonie zamówił prenumeratę [...] pism: „Ogoniok", „Sowietskaja Biełaruś", „Krokodił" oraz „Agitator". Z biblioteki miejskiej w Dallas [...] wypożyczał książki o marksizmie, trockizmie i amerykańskim imperializmie w Ameryce Łacińskiej, a w szczególności na Kubie.

To krótkotrwały, lecz nie jednorazowy okres wzmożonej aktywności Oswalda. Pod koniec listopada i w grudniu Lee pisał już do głównej siedziby Amerykańskiej Partii Komunistycznej w Nowym Jorku i zaproponował pomoc przy wydawaniu druków. Przesłał im próbki swoich prac z firmy Jaggars-Chiles-Stovall, między innymi plakat z napisem: „Czytaj «Workera», jeśli chcesz coś wiedzieć o pokoju, demokracji, bezrobociu, trendach w gospodarce", wydrukowany na materiałach firmowych. Otrzymał przychylną odpowiedź. Potraktowano go jak człowieka odpowiedzialnego. 19 grudnia dostał też odpowiedź od pisma „Worker": „Z przyjemnością przyjmujemy Pańską uprzejmą ofertę i od czasu do czasu będziemy korzystać z Pana usług. Te duże plakaty ogromnie się przydają na stoiskach z gazetami i w innych miejscach publicznych [...].

Od Boba Chestera z Robotniczej Partii Socjalistycznej nadszedł serdeczny list, pełen pytań technicznych:

116 University Place
New York 3, New York
9 12 1962

> Pan Lee H. Oswald
> Skr. poczt. 2915
> Dallas, Teksas

Szanowny Panie Oswald,

[...] znam się na reprodukcjach i drukarstwie offsetowym. Z próbek Pańskich prac wynika, że potrafi Pan wykonywać powiększenia, odbitki i ogólnie prace reprodukcyjne. Czy oprócz fotografii zna się Pan także i na innych stadiach procesu drukarskiego? Na przykład na projektowaniu i oprawie graficznej?

Mamy tu w Nowym Jorku stały kontakt z małą drukarenką offsetową. Zwykle gdy mamy jakąś pracę, zwracamy się z nią bezpośrednio tam. Jednakże może się przecież zdarzyć, że będziemy chcieli skorzystać z Pańskich umiejętności. Z konieczności, oczywiście, musiałaby to być praca, w której nie wiązałyby nas terminy [...].

Chciałbym się dowiedzieć, jakim aparatem fotograficznym Pan dysponuje; jakie maksymalnie może Pan robić powiększenia i negatywy, jak również uzyskać wszystkie inne informacje techniczne, jakich może nam Pan udzielić i dzięki którym moglibyśmy ocenić, w jaki sposób najskuteczniej może się nam Pan okazać przydatny [...].

Wszystkiego najlepszego na nowy rok pracy –

Bob Chester

Czy da się obliczyć, ile nowej energii wyzwoliło w nim traktowanie go serio przez innych? Tak, grudzień był dobrym miesiącem. Ale już styczeń został zatruty myślami o Anatoliju i innymi problemami.

De Mohrenschildt w swoich wspomnieniach pisze o tym tak:

[...] Nic bym o tym nie wiedział, gdyby nie Marina, która pewnego dnia przyszła do mnie wściekła i powiedziała: „Znalazłam w kieszeni Lee adres tej Japonki. Ten drań ma z nią romans".

Nic nie powiedziałem, tylko się uśmiechnąłem i pomyślałem: „No i dobrze".

„Japońska suka! – wykrzyknęła Marina z goryczą. – Kłóciliśmy się o nią i proszę, czym się to skończyło".

Zarobiła kolejną śliwę pod okiem.

Pod koniec stycznia Lee miał też kłopoty w pracy. Praca w firmie Jaggars-Chiles-Stovall odpowiadała mu wprawdzie bardziej niż jakakolwiek inna przedtem i potem, ale to było na jesieni. Przez trzy miesiące był właściwie czeladnikiem, uczył się nowych technik i nieoficjalnie czerpał korzyści dla siebie – w godzinach pracy mógł robić odbitki z własnych negatywów. Gdy był chłopcem, jego ulubionym programem telewizyjnym było „I Led Three Lives For The FBI" (Prowadziłem potrójne życie dla FBI), a teraz miał możliwość – nieocenioną dla każdego, kto lubi żyć pod więcej niż jednym nazwiskiem – wyrabiania sobie wizytówek, metryk urodzin i innych dowodów tożsamości.

Jednak mniej więcej w połowie stycznia w pracy pojawiły się niewyjaśnione zatargi. W wąskich korytarzach ciemni Lee zaczął popychać innych pracowników, potrącając ich podczas regulowania czułych powiększalników:

JENNER: [...] był nieważny? [...] Wykazywał egoizm i agresję?

DENNIS OFSTEIN: Tak; myślę, że albo mu się wydawało, że wszyscy mają mu ustępować z drogi, albo tak mu się zawsze dokądś spieszyło, [ale] przez ten pośpiech nie zwracał najmniejszej uwagi na innych [...].

JENNER: A czy nadawał się do zawodu, do którego się przyuczał?

DENNIS OFSTEIN: [...] pracował szybko, ale zauważyłem, że podczas normalnego dnia pracy sporo jego prac wracało do poprawki [...] wypuszczał dużo prac, które trzeba było wykonywać od nowa.

Szef działu, w którym pracował Oswald, wypowiada podobną ocenę:

JOHN GRAEF: [...] Kiedy tylko go prosiłem, żeby coś zrobił, chętnie to robił [i] był zły na siebie, jeśli popełnił błąd [...]. Nie chodzi o to, że się nie starał czy nie przykładał do pracy, ale [...] za często się zdarzało, że trzeba było po nim robić coś od nowa.

Może Oswald ma za dużo na głowie. 27 stycznia, dwa dni po spłaceniu długu Departamentowi Stanu, wypełnia kupon, podpisuje go fałszywym nazwiskiem Alik Hidell i wysyła 10 dolarów gotówką jako płatność z dołu do firmy wysyłkowej Seaport Traders Inc. w Los Angeles. Zamawia rewolwer firmy Smith & Wesson, kaliber 38, z pięciocalową lufą skróconą do dwóch i jednej czwartej cala.

Pistolety ze skróconą lufą służą do strzelania z bardzo małej odległości – naciskając na spust, dosłownie stoi się z ofiarą oko w oko. Dlatego taka broń działa żywiej na wyobraźnię właściciela niż pistolet z dłuższą lufą czy karabin.

Prawdopodobnie już podjął decyzję o zabiciu generała Edwina A. Walkera. A przynajmniej – weźmy poprawkę na egzystencjalną wagę takiego postanowienia – miał zamiar spróbować. Z pistoletu, z małej odległości. Skąd mógł wiedzieć, czy starczy mu odwagi? Nigdy przecież nie strzelał w gniewie do człowieka, którego wyraźnie przed sobą widział (chyba że to jednak on zabił szeregowca piechoty morskiej Martina Schrandta). A zatem wszystko wskazuje na to, że miał przed sobą największe ryzyko swojego życia. Przez cały luty czekał, aż poczta doręczy mu pistolet, ale się nie doczekał. Był na skraju wytrzymałości. Nic dziwnego, że czuł się rozdrażniony i potrącał ludzi w pracy.

7

„Poczuć trochę wzajemnej miłości"

13 lutego De Mohrenschildt zaaranżował u siebie spotkanie Oswalda z młodym geologiem, Volkmarem Schmidtem, który studiował psychologię w Heidelbergu. Gdy ci dwaj mężczyźni się zeszli, godzinami rozmawiali przy kuchennym stole.

EPSTEIN: Schmidt [...] starał się zdobyć zaufanie Lee, udając, że sympatyzuje z jego poglądami politycznymi, i wygłaszając poglądy jeszcze bardziej skrajne [...].

W świadomie melodramatyczny sposób poruszył temat generała Edwina A. Walkera, który został zmuszony do złożenia dymisji w wojsku z powodu otwarcie wyrażanego poparcia dla John Birch Society [...]. Zasugerował, że szerząca nienawiść działalność Walkera na Uniwersytecie Missisipi, gdzie rząd federalny usiłował wówczas unieważnić nowo wprowadzoną tam segregację rasową, była bezpośrednią przyczyną rozruchów i rozlewu krwi – w tym także śmierci dwóch dziennikarzy – w miasteczku studenckim. Przyrównał Walkera do Hitlera i powiedział, że obu powinno się traktować jak pozostających na wolności morderców.

Oswald momentalnie uczepił się analogii między Hitlerem a Walkerem, by udowodnić, że Ameryka skłania się ku faszyzmowi. W miarę mówienia wydawał się coraz bardziej zapalać do tematu.

Schmidt widział, że wreszcie do niego dotarł. Słuchając Oswalda precyzującego swoje przekonania polityczne, zaczął rozpracowywać jego – jak to nazwał – „portret psychologiczny". Oswald wydał mu się „osobnikiem całkowicie wyalienowanym", pochłoniętym obsesją ideologii politycznej i z silną skłonnością do autodestrukcji [...] postacią jakby rodem z powieści Dostojewskiego, którą jej własny tok rozumowania doprowadza do „logicznego samobójstwa".

Podobnie jak większość ocen psychologów, tak i ta jest zbyt wygodna dla oceniającego. Życiowym celem Oswalda była wielkość. Wierzył, że właśnie do niej został stworzony. Jeśli zaś w drodze do osiągnięcia tego celu trzeba było kilkakrotnie poważnie ryzykować, a któraś z ryzykownych prób mogła zakończyć się śmiercią, stanowiło to najzupełniej logiczne następstwo niebezpieczeństwa, a nie samobójstwo z wyboru.

Przez cały luty i marzec przygotowuje się do zamachu na Walkera. Kluczem do obrania go sobie za cel było dla Oswalda poczucie, że Walker to przyszły Hitler. A ta szczytna myśl – powstrzymać drugiego Hitlera, nim urośnie w siłę – powstała mu w głowie dlatego, że Oswald nie zdawał sobie sprawy, iż sam też mógłby być drugim Hitlerem. Na pewno w jego umyśle tkwiło świadome lub nieświadome – poczucie fizycznego podobieństwa do Hitlera. Na fotografii Oswalda z profilu wystarczy domalować wąsik, by podobieństwo stało się uderzające. Czy w swoich marzeniach Oswald zawarłby pakt z Mefistem? Dajcie mu zdolność Hitlera do pięcia się wzwyż, a on przekona masy do swojej wizji, znacznie bardziej idealistycznej. Najpierw jednak musi zgładzić pomniejszego bożka. Tak się złożyło, że pod ręką był generał Edwin A. Walker.

Zatem co noc Oswald zapewne wkraczał w snach do zamku szczytów naszych możliwości, gdzie w scenerii lochów i fos rozgrywają się najbardziej nieprawdopodobne wersje wydarzeń. Próbował wybadać, na co go stać. Czy starczyłoby mu odwagi, by zwycięsko zmierzyć się ze wszystkimi strachami, które niespodziewanie atakowały go z każdego zakamarka psyche?

Widocznie sny wydały niekorzystny wyrok; przez cały luty Lee był, jak twierdzi Marina, w paskudnym nastroju i robił się coraz bardziej agresywny.

W małych aktach przemocy w małżeństwie jest logika: w każdym razie jeśli przyjmiemy nieszlachetne założenie, że w ludziach tkwi zazwyczaj więcej zła, niż okazują to po sobie w towarzystwie przyjaciół i nieznajomych. Dlatego dla tchórzy małżeństwo to idealne rozwiązanie: tu kłótnie po prostu należą do rytuału. Każdy z partnerów może wydalać psychiczne ekskrementy, ciesząc się pełnym zrozumieniem, że ów proces, podobnie jak wszystkie procesy wydalania, jest korzystny dla zdrowia. Małżeństwo to prawdziwy bilans zerowy agresji.

Kłótnie Oswalda z Mariną w Mińsku należą do klasyki gatunku. Kłócili się ciągle, lecz samoregulująca się temperatura tych kłótni pozwalała im szybko znowu poczuć trochę wzajemnej miłości. W Ameryce jednak Oswald już nie cieszył się dziwacznym szacunkiem, jaki żywili dla niego Rosjanie, z racji tego, że był dla nich przypadkiem wyjątkowym. Przeciwnie, w Teksasie uważano go za lenia. Gorzej! Za antypatriotę. Ceną za to były codzienne małżeńskie wojny. „Ilość przechodzi w jakość" – napisał kiedyś Engels, w czterech słowach zamykając naturę tego procesu. W przypadku Oswalda odzwierciedlają one rzeczywistość: zaczyna regularnie bić żonę.

McMILLAN: Teraz już nie wymierzał jej jednego policzka otwartą dłonią, ale uderzał ją pięć czy sześć razy – i to pięścią. Gdy się zezłościł, momentalnie bladł i zaciskał mocno wargi. Jego oczy ziały nienawiścią. Głos zniżał się do ochrypłego szeptu, nie mogła więc zrozumieć, co mówi. Gdy zaczynał ją bić, czerwieniał na twarzy, a jego głos robił się donośny i pełen złości. Widać było po nim koncentrację, jak gdyby to Marina była sprawczynią każdego poniżenia, jakiego zaznał w życiu, i był zdecydowany zmieść ją z powierzchni ziemi [...].

Marina mogła się bronić tylko za pomocą słów.

– To, że mnie bijesz, pokazuje, jak zostałeś wychowany – powiedziała kiedyś.

– Nie mieszaj do tego mojej matki! – krzyknął Lee i uderzył ją jeszcze mocniej.

W Forth Worth bicie kończyło się na dwóch zaledwie uderzeniach, bardzo umownych klapsach, tak jakby matka karała dziecko, mówiąc: „A masz, znów coś przeskrobałeś, dostaniesz klapsa!". Ale teraz Marina nie bez podstaw bała się, co Lee zrobi następnym razem. Seks też stał się gwałtowny. Jakby to nie ten sam Oswald, cierpliwy adorator, który nigdy nie nastawał na Ellę German. Teraz „warczał na żonę: «Skończ to zmywanie. Lee ma chęć!», i usiłował ją posiąść. Upierał się, żeby uprawiali seks, kiedy tylko on będzie miał na to ochotę" [...]. Nabrał manier umięśnionego atlety. Mówi o sobie w trzeciej osobie – „Lee ma chęć!" – wyraża to poczucie siły. To kolejny dowód – jeśli jeszcze w ogóle trzeba to udowadniać – że stał się własną projekcją siebie.

W połowie miesiąca Marina ma pewność, że znów jest w ciąży, ale bicie nie ustaje. Lee najwyraźniej czuje się w potrzasku. Mówi jej, że musi wrócić do Związku Radzieckiego. Ona podejrzewa, że to nie przez żaden kurs maszynopisania, tylko przez romans Lee co dzień wraca do domu dopiero o ósmej wieczór.

Ale on istotnie uczy się pisania na maszynie w Crozier Tech High School. Są świadkowie na to, że przychodził na zajęcia, które odbywały się trzy razy w tygodniu. Jednak i w pozostałe dwa wieczory wracał do domu późno. Możliwe, że nie może wybaczyć Marinie sekretnego listu do Anatolija. W jego sercu wzbiera bezgraniczny szał przyszłego przywódcy legionów ludzi – taki przywódca musi mieć absolutny posłuch. W zaciszu domowym mogą się z Mariną kłócić, a nawet uciekać do bicia, ale jej nie wolno nawet pomyśleć o innym mężczyźnie.

Jeśli wiara we władzę totalną towarzyszy instynktom morderczym, tu się to uwidocznia. Człowiek zupełnie przeciętny, spokojny – jak postrzegano Oswalda w Mińsku – może doprowadzić się do stanu, w którym jest zdolny do morderstwa, i żyć w tym stanie jedynie dzięki pielęgnowaniu w sobie zwolennika władzy totalnej. Sprawę pogarsza jeszcze fakt, że Lee nie posiada nawet broni. Pistolet, który zamówił, wciąż nie nadchodzi. Prawie codziennie Lee sprawdza, czy w skrytce pocztowej nie leży awizo, ale go nie ma i nie ma. To tak, jakby do aktu miłosnego przygotowywał się mężczyzna, który nie wie, czy może polegać na swoim fallusie. Poirytowanie Oswalda odbija się na jego pracy.

JOHN GRAEF: [...] Dochodziły do mnie niewyraźne pogłoski o tarciach między nim a innymi pracownikami [...]. Napady złości, wyzwiska [...] mało kto go lubił. Bardzo trudno było z nim wytrzymać.

17 lutego dziennik „Dallas Morning News" zamieszcza artykuł o generale Walkerze. John Birch Society zyskuje na szacowności; ma ludzką twarz, a twarz ta należy do generała Walkera. Oswald dowiaduje się, że 28 lutego Walker wybiera się w pięciotygodniową podróż. Zostało mu tylko jedenaście dni, żeby go eka sować, a wciąż nie ma pistoletu.

Mniej więcej w tym czasie przychodzi z kilkutygodniowym opóźnieniem list od Wali, pisany 24 stycznia 1963 roku:

Moja kochana Marinoczko, dostaliśmy Twój list i kartkę z pozdrowieniami. Bardzo, bardzo dziękuję, że o nas nie zapominasz. Płakałam jak bóbr, gdy otrzymałam Twój list, podobnie jak Ty po otrzymaniu mojego [...]. Bardzo się cieszymy, że Alik to taki porządny człowiek. Wiesz, że zawsze go lubiliśmy, a teraz lubię go dwa razy bardziej niż przedtem. Zdjęcie jest prześliczne. Ty ładnie wyglądasz; mała Marinka sporo urosła. Tak bardzo chciałabym ją przytulić. Nie jest podobna do Ciebie; to wykapany Alik.

Bardzo się z tego zdjęcia ucieszyliśmy. Codziennie na nie patrzę i wydaje mi się, że jesteś tuż koło mnie. Zachowam je sobie. Wiesz, że ja też Cię kocham, mimo że czasami dawałam Ci burę; ale w sercu miałam dla Ciebie dużo czułości. Zajęłaś w nim miejsce córki i przyjaciółki. Bardzo nam przykro, że wyjechałaś tak daleko, no, ale co można na to poradzić? Życzymy ci, żeby ci się w życiu układało jak najlepiej. Rośnie Ci teraz dziedziczka – masz dla kogo żyć i pracować [...].

W czasie wakacji była u nas [córka] cioci Musi. Spędziła z nami jakieś cztery dni; wyrasta na bardzo interesującą dziewczynę – inteligentną i zdecydowaną. Poprosiła mnie: „Ciociu Walu, pokaż mi zdjęcie Mariny; jeszcze raz sobie je obejrzę i zapamiętam na zawsze" [...].

Ściskamy cię i całujemy.

Ucałuj ode mnie moją „wnusię".

Ciocia Wala i wujek Ilja

17 lutego, wielokrotnie ponaglana przez Oswalda, Marina pisze do ambasady radzieckiej, ale jej list jest suchy i nie ma szans poruszyć serca żadnego biurokraty. Jeśli jednak przedtem była zdecydowana nie wracać do Rosji, to list Wali może nieco ją zmiękczył:

Szanowny Towarzyszu Riezniczenko!

Zwracam się z prośbą o pomoc w powrocie do ojczyzny, do ZSRR, gdzie znów poczuję się pełnoprawną obywatelką. Proszę mnie poinformować, co powinnam w tym celu zrobić, np. czy będę musiała wypełnić jakieś specjalne formularze. Ponieważ obecnie nie pracuję zawodowo (z powodu opieki nad małym dzieckiem i nieznajomości języka angielskiego), zwracam się z prośbą o przyznanie mi materialnej pomocy na opłacenie podróży. Mój mąż zostaje tutaj, ponieważ jest z urodzenia Amerykaninem. Jeszcze raz proszę o pozytywne rozpatrzenie mojej prośby.

Z wyrazami szacunku

Marina Oswald

LIEBELER: Komisja wie skądinąd, że wiosną 1963 roku albo groziła pani samobójstwem, albo też faktycznie próbowała je popełnić. Czy może nam pani o tym opowiedzieć?

MARINA OSWALD: A czy mam prawo nie wypowiadać się na ten temat?

LIEBELER: Jeśli nie chce pani na ten temat mówić, to oczywiście może pani, ale ja naprawdę chciałbym usłyszeć, jak Lee na to zareagował. Ale jeśli nie chce nam pani powiedzieć, to trudno.

MARINA OSWALD: Po mojej próbie samobójczej Lee uderzył mnie w twarz, kazał mi iść do łóżka i już nigdy więcej tego nie próbować – bo zabijają się tylko głupcy.

LIEBELER: Czy mówiła mu pani, że zamierza to zrobić, czy też rzeczywiście pani spróbowała?

MARINA OSWALD: Nie; nic mu nie mówiłam, tylko to zrobiłam.

LIEBELER: Ale nie chce pani więcej o tym mówić?

MARINA OSWALD: Nie.

Rzuciła w niego drewnianą szkatułką, w której były szpilki, spinki do mankietów i biżuteria. Gdy Lee otrzymał cios, rzucił Marinę na łóżko, przydusił i powiedział: „Już nie żyjesz". W tym momencie dziecko zaczęło płakać, Lee puścił ją i zaniósł June do drugiego pokoju, a Marina została sama na łóżku.

Wtedy poszła do łazienki, stanęła na sedesie, przywiązała sznur do suszenia bielizny do wbitego wysoko drążka, a drugi koniec owinęła sobie wokół szyi. Od dawna była w depresji, a teraz jeszcze czuła się porzucona. On jej nie chciał, nie było więc dla niej odwrotu. Jeśli Lee kocha córkę, to się nią zajmie. Wie, że to był z jej strony samolubny akt, ale czuła, że dla nikogo się nie liczy. Samobójstwo było najlepszym wyjściem. A z całą pewnością było łatwiejsze niż powrót do Mińska.

Chwilę przedtem, zanim zdążyła zeskoczyć, wszedł Lee, uderzył ją i kazał jej zejść. Zdziwiła się, że przyszedł. Nie mogła uwierzyć, że komuś chciało się nią przejmować.

> MCMILLAN: Oboje zaczęli płakać jak dzieci.
>
> – Postaraj się zrozumieć – błagał ją. – Ty czasem też nie masz racji. Kiedy możesz, to nie trać cierpliwości. – Zaczął ją całować jak szalony.
>
> – Na Boga, wybacz mi. To się już nigdy, przenigdy nie powtórzy. Będę się starał i zmienię się, jeśli tylko mi pomożesz [...].
>
> Przez całą noc się kochali, a Lee w kółko powtarzał Marinie, że jest dla niego „najlepszą kobietą" i w łóżku, i pod każdym innym względem. Dla Mariny była to jedna z ich najbardziej udanych seksualnie nocy. I przez parę następnych dni Lee wydawał się spokojniejszy [...].

Pod koniec miesiąca Walker wyruszył w zapowiedzianą podróż i Lee się uspokoił. Trwało to kilka dni.

Potem znów zaczęły się awantury. Państwo Tobiasowie przekazują, jak reagowała na nie mała społeczność ubogiej ceglanej kamienicy przy Elsbeth Street:

MAHLON TOBIAS: [...] Parę razy próbowałem z nim porozmawiać, ale udało mi się wydobyć z niego tylko pomruki. To jeden z tych facetów, którym nie chce się do nikogo gęby otworzyć [...].

JENNER: A jaki mieli stosunek do Oswalda inni lokatorzy?

MAHLON TOBIAS: [...] Nie podobało im się, że ją tak ciągle bił. [Jeden lokator] mówi do mnie tak: „Ten facet to chyba tę dziewuchę zatłucze", a ja mu powiedziałem: „Mnie to guzik obchodzi. To ich sprawa" [...].

Pani Tobias wzbogaca komentarz swojego towarzysza życia.

PANI TOBIAS: [...] zawsze mieli spuszczone rolety, wiedzą państwo, zawsze mieli zasłonięte okna.

JENNER: Tak?

PANI TOBIAS: Tak – dzień i noc, i jak nikt tam u nas nie zasłania okien, to u nich zawsze były zasłonięte [...] tak dużo się kłócili [...] i lokatorzy przychodzili do nas i skarżyli się mężowi, że nie mogą spać, że dziecko płacze, i słychać, jak coś upada, jakby pani Oswald upadała na podłogę [...] jedna lokatorka, co mieszkała nad nimi [...] przyszła i powiedziała tak: „Pani Tobias, on chyba zrobił tam dziurę". Powiedziała: „Chyba ją popchnął". I faktycznie, okno było wybite, mój mąż musiał wstawiać szybę [...] wybili okno – chyba w trakcie awantury – nie wiadomo.

JENNER: Nie było pani przy tym?

PANI TOBIAS: Nie [dopiero lokatorzy] powiedzieli, że słyszeli brzęk szkła i najwyraźniej [Oswald] zasłonił dziurę dziecięcym kocykiem – bo okno było zasłonięte kocykiem [...] i mój mąż im powiedział, że jak się nie uspokoją [...] inni ludzie też mają prawo odpocząć, że przykro mu, ale będą musieli się kłócić gdzie indziej.

JENNER: I niedługo potem się wyprowadzili?

PANI TOBIAS: Tak; niedługo potem przenieśli się na Neely.

Mieszkanie przy Neely Street, zaledwie trzy przecznice dalej, mieści się na pierwszym piętrze, składa się z kilku małych pokoików i łuszczącego się starego balkonu. Jest tam też bardzo mały pokój wielkości szafy, który Oswald zawłaszcza i urządza w nim sobie gabinet. To właśnie w tym pokoiku będzie przez cały marzec pisał i kompletował dokumentację towarzyszącą jego postępującym teraz planom zabicia generała Edwina A. Walkera po jego powrocie do Dallas na początku kwietnia.

8

Pogromca faszystów

McMILLAN: [...] Pierwsze dwa wieczory na Neely Street Lee poświęcił na urządzanie mieszkania. Miał dryg do stolarki, zbił skrzynki na kwiaty na balkon i pomalował je na zielono. Sklecił też półki do swojego pokoju, wstawił tam krzesło i stół i w ten sposób powstał miniaturowy gabinet [...].

– Popatrz tylko – zwrócił się do niej [...]. – Pierwszy raz w życiu mam własny pokój. Będę tu pracował, zrobię sobie pracownię i będę wywoływał swoje zdjęcia [...]. Ale masz tu nie sprzątać, w ogóle masz tu nie wchodzić. Jak przyjdę i zobaczę, że choć jedna rzecz jest nie na swoim miejscu, to dostaniesz.

Posiadanie własnego gabinetu chyba obudziło w nim zamiłowanie do wygód.

McMILLAN: Gdy brał kąpiel, prosił, żeby Marina go umyła. Najpierw wystawiał w górę jedną nogę. Gdy kończyła ją myć i chciała zabierać się do drugiej, mówił: „Nie, prawa jeszcze nie jest czysta". Kazał jej myć jedną nogę cztery czy pięć razy, zanim zgadzał się podnieść drugą.

– Teraz czuję się jak król – mówił z błogością w głosie. Ale napominał ją, żeby była delikatniejsza. – Mam wrażliwą skórę, a ty masz prostackie ruskie nawyki.

Następnie odmawiał wyjścia z wanny, narzekając, że podłoga jest zimna, i kazał żonie kłaść na podłodze ręcznik. Gdy zrobiła, o co prosił, mówiła:

– No dobra, książę, teraz już możesz wyjść.

10 marca Oswald bierze w sensie przenośnym głęboki oddech i wyrusza na rekonesans. Przekrada się na uliczkę na tyłach domu Walkera, piętrowej willi przy Turtle Creek Boulevard nr 4011, i aparatem Imperial Reflex fotografuje podwórko i tylną ścianę budynku, prawdopodobnie po to, by zaznajomić się z rozmieszczeniem okien. Następnie pstryka kilka zdjęć torów kolejowych odległych o jakieś sześćset metrów. Motywy tego działania trudno zrozumieć, chyba że się założy, iż Oswald planuje już dokładnie, pod którym krzakiem w pobliżu torów ukryć broń, i zdjęcia potrzebne mu są do orientacji w terenie. Jeszcze raz docenia korzyści płynące z pracy w firmie Jaggars-Chiles-Stovall – nie będzie musiał korzystać z niczyjej pomocy przy wywoływaniu filmu i robieniu odbitek.

Dwa dni później, dokonawszy oceny swoich możliwości, dochodzi do wniosku, że potrzebny mu jest nie pistolet, lecz karabin, zamawia więc z katalogu wysyłkowego Artykułów Sportowych Kleina w Chicago karabin Mannlicher Carcano kaliber 6.5. Czy przyszłoby mu do głowy, że ten karabin będzie się cieszył najgorszą sławą w historii? Karabin z lunetą kosztuje 22,95 dolara, wliczając w to koszt przesyłki i doręczenia. Kilka dni później, 15 marca, Lee pisze do swojego brata Roberta, który właśnie dostał awans i zamierzał kupić sobie większy dom: „Zawsze dobrze jest korzystać z nadarzających się okazji. Cieszę się razem z Tobą".

To naczelna maksyma człowieka czynu. Oswald kierował się nią, czasami z lepszym skutkiem, czasami z gorszym, przez sporą część życia. Niewątpliwie jest ona kluczem do zrozumienia jego gotowości do kłamstwa: nieprawda wypacza rzeczywistość i daje możliwość manewru – wtedy można manewr wykonać. „Korzystaj z okazji, kiedy się nadarza".

Innej cechy człowieka czynu – zdolności do całościowego oglądu – niestety Oswaldowi brakuje. Gdy przychodzi do oceny własnej sytuacji, ma klapki na oczach. W tym samym liście do Roberta pisze: „Pracę mam bardzo fajną. W następnym miesiącu dostanę podwyżkę i już jestem dość biegły w pracy fotografika".

JOHN GRAEF: [...] pracowałem pewnego razu przy biurku, podniosłem głowę i [...] Lee czytał gazetę, a widziałem, że – że to nie była [...] taka zwyczajna gazeta i zapytałem go, co czyta, a on powiedział: „Rosyjską gazetę" [...] a ja powiedziałem: „Wiesz co, Lee, ja bym na twoim miejscu nie przynosił tu więcej czegoś takiego, bo niektórym mogłoby się nie spodobać, że to czytasz" [...] oczywiście, wiedziałem, jacy są ludzie i że [on] budzi ich podejrzliwość, i tak dalej, tym że ma tę gazetę i z nią paraduje, wymachuje nią wszystkim przed oczami.

W tym czasie w domu, w oprawionym na niebiesko brulionie, sprezentowanym mu przez George'a Bouhe'a, gdy ten był jeszcze w nastroju do dawania prezentów, Lee notuje wyniki każdej wyprawy rekonesansowej pod dom Walkera. Oprócz zdjęć znajdują się tam też rozkłady jazdy autobusów w promieniu około dwóch kilometrów od celu, a także przybliżone odległości do tylnych okien i drzwi z różnych pozycji z uliczki na tyłach domu. Znów odczuwa przyjemność, jaką za młodu sprawiało mu studiowanie podręcznika piechoty morskiej. Ma zamiłowanie do detalu. Jeśli generała może zabić tylko generał, to bilans wyjdzie zerowy. Nie trzeba chyba dodawać, że druga strona jego osobowości, rekrut, który gardzi wszystkimi oficerami bez wyjątku, skłania się teraz ku populistycznej opinii: generała może zabić i szeregowy! To dodaje sprawie pikanterii. Zatem szeregowiec-generał Oswald, dowódca i armia w jednej osobie, doskonali swoje plany. Do pomocy w obliczeniu odległości zabiera na swoje nocne wypady lunetę, którą przywiózł z Rosji. Jak każdy dobry generał wie, że im więcej czasu poświęci na przygotowania, tym bardziej nieuchronny stanie się moment ruszenia do bitwy, a tym samym rozpoczęcia na poły niewiarygodnego aktu zabicia bliźniego.

Karabin Mannlicher Carcano przychodzi po jakichś dwóch tygodniach od złożenia zamówienia. Tego samego dnia, 25 marca, z niemal dwumiesięcznym opóźnieniem, dociera również rewolwer Smith & Wesson ze skróconą lufą. Jeden jest do odebrania na poczcie, drugi w REA Express w pobliżu lotniska Love

Field. Czy Lee może nie uznać tego za dobry omen? Ponieważ obie sztuki broni dotarły doń jednego dnia, może też jednego dnia zostaną użyte. Niewykluczone, że tak właśnie było.

Kolega z pracy Oswalda, Jack Bowen, przypomina sobie, że po odebraniu karabinu na poczcie Lee przyniósł go do pracy i mu pokazał. Zachował się jak rodowity Teksańczyk. Teksas bowiem nie jest tylko jednym z pięćdziesięciu stanów USA, ale w równym stopniu odrębnym krajem z własnymi zwyczajami: tu dowodem przyjaźni jest pochwalenie się sąsiadowi świeżo nabytym karabinem.

Rytuałem było również czyszczenie broni. Ponieważ karabin traktuje się jak wiernego sługę – wiernego pod warunkiem, że będzie odpowiednio traktowany – czyszczenie go jest niemalże sakramentem. Drewno kolby i metal lufy poleruje się z zamiłowaniem. Podstawowy aksjomat brzmi: im częściej broń się czyści, tym celniej będzie ona strzelać. Zresztą każdy miłośnik broni, choć się do tego nie przyznaje, jest mistykiem. Między innymi dlatego amerykańscy kongresmani boją się National Rifle Association (Krajowego Związku Strzeleckiego). Mało który polityk zna się na mistykach i mało który polityk lubi coś, czego nie zna.

> Z raportu FBI: MARINA [...] powiedziała, że przypomina sobie teraz, że OSWALD czyścił karabin około czterech czy pięciu razy w tym krótkim okresie od otrzymania go 25 marca do zamachu na generała Walkera. Powiedziała [również] że całkiem możliwe, że poświęcał na ćwiczenie się w strzelaniu cały czas, gdy teoretycznie miał być w szkole, ale jeśli wtedy rzeczywiście ćwiczył, to ona o tym nic nie wiedziała.

Od 1 kwietnia Oswald nie uczęszczał już na kurs maszynopisania, ale nie powiadomił o tym Mariny.

> Z raportu FBI: [...] Karabin miał zawinięty w płaszcz przeciwdeszczowy. Powiedział Marinie, że idzie ćwiczyć strzelanie. Ona go zganiła. Ostrzegła, że złapie go policja. On odpowiedział, że tak czy owak wychodzi, a zresztą to nie jej sprawa. Nie powiadomił jej, gdzie będzie ćwiczył strzelanie, tyle tylko, że idzie w odludne miejsce [...].

Marinie wydawało się, że Lee wygląda bardzo podejrzanie. Za każdym razem, kiedy wynosił karabin z domu, wkładał ciemny wojskowy płaszcz, nawet jeśli było ciepło jak na tę porę roku. To dlatego, że mógł chować pod płaszczem broń.

W nocy krzyczał przez sen i mówił po angielsku coś, czego nie rozumiała; potem mamrotał i wyglądał na wystraszonego. Wyraźnie się czegoś bał. Nie wiedziała, kiedy i gdzie ćwiczy. Później ludzie mówili, że pewnie nad rzeką Trinity, gdzie był około dziesięciometrowej wysokości wał przeciwpowodziowy, który mógł posłużyć za strzelnicę.

Prawdę mówiąc, Marina starała się nie zbliżać do karabinu, kiedy sprzątała. Kto wie? A nuż by wystrzelił!

W ostatnim dniu marca, w niedzielę, Lee kazał Marinie, by go sfotografowała na podwórku. Miał na sobie czarną koszulę, czarne spodnie i ciemne kowbojskie buty. W lewej ręce trzymał karabin, w kaburze na biodrze miał pistolet, a w prawej ręce – pisma „Worker" i „The Militant". Przez całe lata zdjęcia, które zrobiła tego dnia Marina, były przedmiotem podejrzeń krytyków Komisji Warrena. Wyglądały na sfałszowane. Głowa Oswalda zwrócona jest w stosunku do ciała pod dziwacznym kątem, cień pod nosem kładzie się pionowo, a cień jego sylwetki – pod kątem. Te anomalie są tak ewidentne, że w roku 1964 dobry prawnik mógł zasiać w umysłach ławników prawdziwą wątpliwość, czy ciało trzymającego karabin należy do tego samego człowieka, co głowa – czyli do Oswalda. Dziś jednak wiadomo, że tak. Na zdjęciach robionych specjalnie w tym celu w Dallas, dokładnie o tej samej porze roku i porze dnia, wystąpiły identyczne niezgodności cienia. Choć znaleziono tylko jeden z oryginalnych negatywów, analiza ziarna negatywu pod mikroskopem wykazała, że ciało i głowa należą do tego samego człowieka. Co więcej, analiza ziarna odbitek, których negatywów nie znaleziono, wykazała, że pochodzą z tej samej rolki filmu, co negatyw odnaleziony. Zatem konkluzja nasuwa się sama: zdjęcia są autentyczne i zrobiła je Marina. Zostało nam więc tylko najbardziej osobliwe podejrzenie, że to instynkt, który wyrobił sobie Oswald w trakcie pracy w firmie Jaggars-Chiles-Stovall, kazał mu wykręcić szyję pod dziwnym kątem. Kto wie, ile koronkowej roboty wkłada w swoje scenariusze, świadomie i/lub nieświadomie?

Ciekawa jest reakcja Mariny na tę dziwaczną niedzielną sesję zdjęciową trzydzieści lat później. Ten Lee! Ubrany cały na czarno – idiota! Na pytanie, ile razy nacisnęła migawkę, odpowiedziała: „Co najmniej trzy", ale zapytana, czy równie dobrze mogło to być pięć czy sześć razy, powiedziała: „Nie wiem". Gdy zrobiła dwa zdjęcia, Lee powiedział: „Jeszcze raz", a potem: „Zaczekaj, to jeszcze nie koniec", i zmienił pozycję, tak że teraz zewnętrzne schody domu miał po lewej stronie. Zapytała: „Po co się tak głupio ubrałeś?", a on odpowiedział: „Dla potomności". Zauważyła: „Tak, dzieciom będzie bardzo miło widzieć, jak stoisz z tymi pistoletami", a on wymamrotał jakieś głupawe usprawiedliwienie. Był zażenowany tym, że tak się wygłupia.

Bardzo dokładnie wybrał czas, kiedy mieli robić zdjęcia. Nie chciał, żeby któryś z sąsiadów widział go z karabinem i pistoletem na podwórku. Dlatego nasłuchiwał i czekał, kiedy sąsiedzi udadzą się do kościoła – gdy wyszli, powiedział: „Okay, zróbmy to teraz, zanim wrócą".

Prawdopodobnie nazajutrz, w poniedziałek, Lee stracił pracę.

JOHN GRAEF: [...] Powiedziałem: „Lee, pozwól do mnie, chciałbym z tobą pomówić". Poszliśmy na zaplecze i oświadczyłem mu: „Lee, uważam, że czas na ostateczną rozmowę". Powiedziałem: „Nie ma teraz prawie ruchu w interesie, ale nie o to chodzi. Chodzi o to, że nie pracowałeś tak, jak powinieneś. Ludzie się na ciebie skarżyli", i tak dalej.

JENNER: Co powiedział, kiedy to usłyszał?

JOHN GRAEF: Nic. A ja dodałem: „Moim zdaniem, to najlepsza pora, żeby powiedzieć sobie do widzenia". Chyba dałem mu jeszcze parę dni czasu [...].

A on wcale nie wybuchł. Przez cały czas, zdaje się, wbijał wzrok w podłogę, a kiedy skończyłem, powiedział: „No cóż, dziękuję". I odwrócił się, i odszedł.

Być może uznał to za kolejny szczęśliwy omen. Nie musząc chodzić do pracy, będzie miał więcej czasu na przygotowanie zamachu na Walkera.

O ile John Graef sobie przypomina, Oswald dostał wymówienie albo w piątek 29 marca, albo w poniedziałek 1 kwietnia, a pracę kontynuował do 6 kwietnia. To idealny przykład na to, jak istotna dla ustalenia motywu jest chronologia. Jeśli bowiem Oswald został wyrzucony z pracy 29 marca, to bardzo możliwe, że poproszenie Mariny 31 marca o zrobienie mu zdjęć z karabinem i pistoletem było reakcją na to wydarzenie. Jeśli zaś dostał wymówienie 1 kwietnia, to związek między tymi dwoma wydarzeniami jest znacznie słabszy i możemy tylko przypuszczać, że słuchając Johna Graefa, Oswald przeklinał w duchu. Do diabła z wyrzuceniem z roboty – ale daj mi wrócić do ciemni i wywołać te klisze! W ostatnim tygodniu pracy nadal wyrabiał nadgodziny, ale to pewnie dlatego, że chciał zostawić Marinie trochę pieniędzy na wypadek, gdyby poszło mu źle.

Generał Walker był romantykiem. Swoją pięciotygodniową podróż z wygłaszaniem gościnnych wykładów ochrzcił mianem operacji Nocna Przejażdżka. Ponieważ miał wrócić do Dallas w poniedziałek 8 kwietnia – dzień czy dwa przed powrotem generała Oswald wziął karabin, udał się w okolice jego domu przy Turtle Creek Boulevard i przypuszczalnie zakopał broń przy torach kolejowych paręset metrów dalej. Podczas rekonesansu kościoła mormonów stojącego w pobliżu domu Walkera zauważył ogłoszenie o środowych nabożeństwach wieczornych. Prawdopodobnie doszedł do wniosku, że obecność nieznajomego na Turtle Creek Boulevard i równoległej uliczce będzie się wydawała mniej podejrzana, jeśli zamachu dokona właśnie w środę, 10 kwietnia.

Musimy założyć, że Oswald znalazł sobie jakąś kryjówkę w krzakach na uliczce na tyłach domu Walkera, z której mógł obserwować podwórko i okna. Być może generał będzie tak uprzejmy i pojawi się w oknie.

McMILLAN: Rano w środę, 10 kwietnia, Lee wyglądał, zdaniem Mariny, na melancholijnego i dość zasmuconego. Ze łzami w oczach przyznał się jej, że stracił posadę.

– Nie wiem dlaczego – powiedział. – Starałem się. Tak bardzo lubiłem tę pracę. Ale pewnie przyszedł ktoś z FBI i o mnie pytał, a szef nie chciał trzymać u siebie faceta, którym interesuje się FBI. Kiedy oni wreszcie zostawią mnie w spokoju?

Marinę przepełniało współczucie. Nie miała pojęcia, jak go pocieszyć. Kiedy wyszedł na cały dzień, była przekonana, że poszedł szukać pracy. Włożył swój lepszy szary garnitur i czystą białą koszulę.

10 kwietnia wieczorem, gdy Oswald zjawia się na uliczce na tyłach domu generała, nie wiemy, jak długo musi czekać, ale namierza Walkera, który, tak się fortunnie złożyło, siedział przy biurku w dobrze oświetlonym pokoju, przy odsłoniętych zasłonach i nie spuszczonych roletach. Nie wiemy, rzecz jasna, czy Oswald nerwowo przechadzał się tam i z powrotem, za każdym razem ukrywając w krzakach karabin, czy też miał tak dobrą kryjówkę, że mógł w niej siedzieć i czekać pół godziny czy godzinę, aż Walker podejdzie do biurka. Oczywiście, jeśli ktoś ma ochotę widzieć ruchy Oswalda tego wieczoru jako układ choreograficzny zaprojektowany przez Los, to przecież niewykluczone, że gdy Oswald się zjawił, Walker siedział już przy biurku. Siedział nieruchomo, wymarzony obiekt dla celownika Oswalda.

Lee strzelił i uciekł, nie sprawdzając, czy trafił. Już to daje nam pojęcie o tym, jak potworny lęk opadł go z chwilą pociągnięcia za spust.

Trzydzieści lat później Marina nie pamięta już, czy 10 kwietnia Lee wrócił do domu na kolację, czy nie – wydaje jej się, że nie – w każdym razie jednak dokładnie pamięta, że o ósmej wieczorem była sama i kładła June spać. Gdy nadeszła dziewiąta, a później dziesiąta, jej wyczulone uszy z coraz większym niepokojem nasłuchiwały każdego dźwięku dochodzącego z pustej Neely Street. Jej stan aż prosi się o to, by go nazwać; na myśl nasuwa się określenie: żoniny lęk. Bliska zażyłość z drugim człowiekiem sprawia, że czy tego chcemy, czy nie, wyczuwamy, kiedy dzieje się z nim coś złego. Szczególnie gdy nie ma go w domu, a jednak zdaje nam się, że jest tak blisko, jakby stał tuż obok, na pewno wiadomo, że dzieje się coś złego, coś bardzo złego.

O dziesiątej Marina czuje, że dłużej tego nie zniesie. Wdziera się do gabinetu-szafy Lee, do jego sanktuarium. Na biurku leży kartka, a na niej klucz. „Żegnaj" – mówi klucz samą swoją obecnością. Jak później przyzna się Marina FBI: „Włosy mi stanęły dęba na głowie". Wzięła kartkę do ręki i przeczytała, co Lee napisał. Wersja angielska, utrzymana w przyzwoitym, sztywnym stylu, jest dziełem tłumaczy tajnych służb, którzy wygładzili gramatyczne błędy w ruszczyźnie podejrzanego. Oto wierne tłumaczenie na język polski:

To jest klucz do skrytki pocztowej, która znajduje się na poczcie głównej przy Ervay Street. To ta sama ulica, gdzie mieści się drugstore, w którym zawsze musiałaś czekać w kolejce. Skrytka jest na poczcie, która znajduje się cztery przecznice za nim na tej ulicy. Zapłaciłem za skrytkę w zeszłym miesiącu, więc tym się nie przejmuj.

2. Wyślij informację o tym, co się ze mną stało, do ambasady [radzieckiej], dołącz wycinki z gazet (jeśli będzie coś o mnie w gazetach). Wierzę, że gdy tylko ambasada się o wszystkim dowie, będzie ci służyć pomocą.

3. Zapłaciłem komorne drugiego, więc tym się nie martw.

4. Niedawno opłaciłem też wodę i gaz.

5. Pewnie przyjdą pieniądze z pracy. Zostaną przesłane do skrytki pocztowej. Idź do banku i zrealizuj czek.

6. Moje ubrania itp. możesz albo wyrzucić, albo rozdać. Nie zatrzymuj ich. Ale chciałbym, żebyś zachowała moje osobiste zapiski (wojskowe, cywilne itd.).

7. Niektóre z moich dokumentów są w tej niebieskiej walizce.

8. Notes z adresami, które mogą Ci się przydać, leży na biurku w moim gabinecie.

9. Mamy tu przyjaciół. Pomoże Ci też Czerwony Krzyż.

10. Zostawiłem Ci tyle pieniędzy, ile tylko mogłem – 60 dolarów [...]. Ty i [June] będziecie mogły z tego żyć przez dwa miesiące, wydając tygodniowo 10 dolarów.

11. Jeśli przeżyję i zostanę uwięziony, to więzienie miejskie mieści się po drugiej stronie tego mostu, który zawsze przechodziliśmy, idąc do miasta [...].

9

Stoicyzm i majestat władzy

U podstaw logiki Oswalda leży następujące przekonanie: każdy, kto ma w sobie dość politycznej pasji, by osiągnąć stan gotowości do popełnienia morderstwa, ma też prawo zasiadać w gronie światowych przywódców. Możliwe, że taka była jego miarka. Zanim stanie się wielkim przywódcą politycznym – biorąc pod uwagę jego skromne początki – będzie może musiał dokonać kilku zabójstw.

Jak widać z listu zostawionego Marinie, był mniej więcej przygotowany na więzienie lub śmierć. Zgromadził zatem nie tylko dowody dokładnego przygotowania do akcji – plany, zdjęcia, rozkłady autobusów i list pożegnalny – lecz również wyłożył swoją myśl polityczną. Nie dość, że miał niepowtarzalny stopień szeregowca-generała, to jeszcze aspirował do godności generała-filozofa.

Nie wiedząc, czy jego idee społeczne będą wkrótce czytane z szacunkiem należnym ostatnim słowom zmarłego, czy posłużą jako dowód na rozprawie sądowej (a będzie to sprawa polityczna!), czy też – to najgorszy scenariusz – skończą jako kolejne notatki pisane do szuflady (szczególnie w sytuacji, kiedy nie będzie mógł namierzyć Walkera albo, co gorsza, stchórzy), zdecydował się na staranne odręczne napisanie swego przesłania. W porównaniu z jego innymi notatkami pojawia się tu stosunkowo mało błędów.

Zamieścimy spore fragmenty kilku części jego kredo. Zaledwie o pięć lat wyprzedził swój czas – już w roku 1968 nie czułby się tak ogromnie osamotniony.

W komunie hipisowskiej Haight-Ashbury wiele jego sformułowań brzmiałoby rozsądnie. Hipisi zjeżdżali wówczas do Północnej Karoliny i do Oregonu, by zakładać małe komuny na bardzo podobnych zasadach. Tak naprawdę to, co proponuje Oswald, to raczej proklamacja liberalizmu niż radykalne wezwanie do powstania zbrojnego; to menu składające się z piętnastu jednozdaniowych zasad programowych, dużych i małych, dla wolnego człowieka przyszłości.

System atejski

System przeciwstawiający się komunizmowi, socjalizmowi i kapitalizmowi

1. Demokracja na szczeblu lokalnym, państwo niescentralizowane.

A. Ma być zagwarantowane prawo do indywidualnej i kolektywnej przedsiębiorczości.

B. Faszyzm ma być zakazany.

C. Nacjonalizm ma zostać wyłączony z życia codziennego.

D. Prawnie zakazana ma być segregacja rasowa i dyskryminacja.

E. Ma być zagwarantowane prawo do swobodnej, niczym nieograniczonej działalności dla instytucji religijnych różnego rodzaju i wyznania.

G. Uniwersalne prawo głosu dla wszystkich osób powyżej 18 roku życia.

H. Wolność wygłaszania opinii na łamach prasy, w mowie i piśmie.

I. Ma zostać zakazana propaganda wojenna, jak również produkcja broni masowej zagłady.

J. Ma być powszechne bezpłatne szkolnictwo, obowiązkowe dla wszystkich do ukończenia 18 roku życia.

K. Ma być zakazana nacjonalizacja i komunizacja przedsiębiorstw prywatnych lub kolektywnych.

L. Praktyki monopolowe mają być uznane za kapitalistyczne.

M. Łączenie odrębnych przedsiębiorstw kolektywnych lub prywatnych w przedsiębiorstwa kolektywne ma być uznane za praktykę komunistyczną.

N. Osoby fizyczne mają nie płacić podatków.

O. Wysokie podatki od 30% do 90% mają być pobierane od zysków.

R. Podatki mają być pobierane przez ministerstwo podlegające organizacjom osób fizycznych. Podatki mają być wykorzystywane wyłącznie do celów budowy lub ulepszania projektów publicznych.

Przypuszcza na *status quo* atak z dwóch flank. Z systemem atejskim chce dotrzeć do rzesz Amerykanów – to jedna flanka. Stara się również obalić największą przeszkodę do powstania nowej, silnej partii lewicowej w Ameryce, czyli ni mniej, ni więcej, tylko Partię Komunistyczną USA. Oto dalszy tekst:

Jedynie określając się jako nie dość że niezależne, ale przeciwne wpływowi i dominacji radzieckiej, jednostki żyjące w stanie letargu i rozczarowania mogą mieć nadzieję na to, że wspólnym wysiłkiem uda im się wyzwolić radykalne ugrupowania z inercji.

Przez to, że Partia Komunistyczna USA odmówiła wyrażenia jednoznacznego potępienia sowieckich działań pirackich, postępowcy zostali zdegradowani do piątej kolumny Rosjan.

By uwolnić wątpiących i nie bezpodstawnie niepewnych, my, przyszli aktywiści, musimy usunąć stojącą na naszej drodze przeszkodę, a mianowicie przywiązanie Partii Komunistycznej USA do Związku Radzieckiego, radzieckiej władzy i radzieckiego komunistycznego ruchu międzynarodowego.

Łatwo przewidzieć, że nadchodzący kryzys gospodarczy, polityczny czy zbrojny, wewnętrzny bądź zewnętrzny, spowoduje ostateczny upadek systemu kapitalistycznego. Przy tym założeniu staje się zrozumiałe, jak przygotowanie odpowiedniej grupy ludzi może zapewnić niezależne działanie po przewrocie, działanie amerykańskie [...].

Czas pomówić o wyższych celach i poważnych wymaganiach:

Każdy, kto z własnego doświadczenia zna radziecki system komunistyczny i amerykański system kapitalistyczny, wie, że nie można między nimi wybierać, ponieważ nie ma wyboru. Jeden skazuje na ucisk, drugi – na ubóstwo. Oba charakteryzuje imperialistyczna niesprawiedliwość, zabarwiona dwoma różnymi odcieniami niewoli.

Jednak żaden racjonalnie myślący człowiek nie może zająć stanowiska bez reszty potępiającego oba systemy. Czy nam się to podoba, czy nie, istnieją na świecie dwa systemy, jeden zniekształcony nie do poznania przez niewłaściwy sposób wcielania go w życie, drugi zaś dekadencki i ginący w ostatnim stadium ewolucji.

System prawdziwie demokratyczny łączyłby w sobie lepsze cechy obu systemów, opierając się na systemie amerykańskim. Byłby on przeciwieństwem obu systemów w ich obecnej postaci.

To jest nasz cel.

Ale Oswald nie chce wszystkich odstraszyć. Czas na zastrzeżenie. Ponieważ wie już z doświadczenia (co go sporo kosztowało), że bardzo niewielu ludzi chętnie chwyci za broń, by walczyć z oboma systemami światowymi, trzeba dać do zrozumienia, że nadejdzie pomoc z kosmosu.

Nie mamy żadnego interesu w zbrojnym atakowaniu rządu Stanów Zjednoczonych, zresztą po co mielibyśmy okazywać niezadowolenie, skoro na rzecz upadku rządu Stanów Zjednoczonych działają siły znacznie większe, niż moglibyśmy sami zgromadzić.

W przypadku takiego ostatecznego kryzysu nie interesuje nas stanięcie bezpośrednio na czele rządu.

Czy był kiedyś dyktator, który w początkowej fazie rewolucji nie wydawał podobnych oświadczeń?

Lee Harvey Oswald podkreśli jednak oddanie, jakim będą musieli się wykazać zwolennicy systemu atejskiego:

[...] nasza doktryna może przemówić tylko do ludzi, w których umysłach nie ma strachu, lecz doktryna ta wymaga największej wstrzemięźliwości, stanu wczucia się w majestat władzy.

To jest doktryna stoicka, choć stoicyzm nie był praktykowany od wielu stuleci i nigdy nie w takim celu.

Wreszcie, ponieważ jest sobą, Oswald nie może nie obchodzić nawet własnego systemu. Dlatego dodaje na końcu kodę:

sprzedaż broni   pistoletów nie powinno się sprzedawać w żadnym wypadku, karabiny tylko za zezwoleniem wydanym przez policję, strzelby bez ograniczeń.

To właśnie pisał, przygotowując się do odebrania życia generałowi Edwinowi A. Walkerowi.

10

Czekanie na policję

Z raportu FBI: Oświadczyła, że około północy OSWALD wbiegł do domu bardzo poruszony i podekscytowany oraz pobladły na twarzy. Gdy tylko wszedł do domu, włączył radio. Potem położył się na łóżku i MARINA znów zwróciła uwagę na jego bladość. Zapytała go, co się stało, a on jej wyznał, że próbował zabić generała WALKERA, strzelając do niego z karabinu, ale nie wie, czy trafił. Powiedział, że chce się tego dowiedzieć z radia [...]. MARINA powiedziała, że się rozgniewała na Oswalda za to, że strzelał do generała Walkera, na co on odparł, że generał WALKER był przywódcą organizacji faszystowskiej i że usunięcie go było najlepszym wyjściem [...].

Oświadczyła, że OSWALD nie miał przy sobie karabinu, gdy wrócił do domu [...].

Trzydzieści lat później Marina tak wspomina powrót męża do mieszkania przy Neely Street:

Był zdyszany. Wrócił – ale jakby nie całkiem. Myślami wciąż był gdzie indziej. Pokazała mu kartkę, którą zostawił, a on powiedział: „Nie pytaj mnie o to". Włączył radio. Nie usłyszał tego, co go interesowało. Ona wciąż zadawała mu pytania, a on ją zbywał słowami: „Daj mi spokój". Poszła do łóżka i czekała tam na niego. Teraz nie pamięta, która to była godzina – ale on ciągle siedział w drugim pokoju, wciąż czekał, że usłyszy coś w radiu. Potem je wyłączył. Wyglądał na zaszokowanego. „Spudłowałem".

Zapytała: „O czym ty mówisz?".

Lee odpowiedział: „Myślałem, że zastrzeliłem generała Walkera".

Ona oczywiście aż wyskoczyła z łóżka: „Czyś ty zwariował? Jakie masz prawo? Kto to jest ten generał Walker?".

On powiedział: „Pomyśl, ilu ludzi by żyło, gdyby ktoś wyeliminował Hitlera".

Wyjaśnił, że generał Walker jest zwolennikiem nazizmu. Faszystą.

Marina oświadczyła mu, że nie ma prawa nikogo „eliminować".

On powtórzył to, co powiedział wcześniej: „Pomyśl, ilu ludzi by żyło, gdyby ktoś tak załatwił Hitlera".

Ona odparła: „Może to byłoby i dobre w czasach Hitlera, ale nie teraz. Nie w Ameryce. Zmień swoje poglądy".

To dziwaczna, niemal nieprawdopodobna rozmowa. Lee właśnie się dowiedział, że chybił. A było to prawie niemożliwe. Strzelał z odległości stu metrów. Widział Walkera przez lunetę. W celowniku głowa Walkera była ogromna. Nie można było chybić. Gdy tylko Lee nacisnął spust, poderwał się i uciekł. Jaki strach go gnał! Gdyby został na tyle długo, by strzelić jeszcze raz, mogłaby go ująć ochrona Walkera. Dlatego uciekał – a strachowi pewnie towarzyszyło uniesienie.

Następnie zakopał karabin – w jakże gorączkowym pośpiechu! – pojechał do domu i czekał na potwierdzenie swoich oczekiwań. Ale w radiu powiedzieli, że nie trafił. Musiał w tym momencie odczuć straszliwie silny ból – znów poczuł się najbardziej żałosnym marines w całym plutonie. Wtedy wyrzucił z siebie prawdę. Musiał przecież komuś powiedzieć, że strzelał do generała Walkera. I chybił!

Wymiana zdań o Hitlerze jest już mniej wiarygodna. To nie był odpowiedni moment. Być może Marina się pomyliła, może rozmowa miała miejsce następnego dnia. Ponieważ jednak nie możemy tego stwierdzić, powróćmy do jej wspomnień:

Lee wkrótce zasnął. Wyglądał na wykończonego. Wyglądał jak trup. Ona zaczęła chodzić po pokoju, jak przez te kilka godzin przed jego powrotem. Znów nasłuchiwała odgłosów z zewnątrz. Na ulicy było cicho. Pamięta, że spodziewała się, iż w każdej chwili do drzwi może zadzwonić policja. Nie miała pojęcia, czy Lee zrobił to sam, czy miał wspólników – nie podał jej żadnych szczegółów. Zapytała go, co zrobił z karabinem, a on odpowiedział: „Jest dobrze schowany, nikt go nie znajdzie".

Popatrzyła na śpiącego męża i położyła się obok niego, ale on rozwalił się na całą szerokość łóżka. Ręce i nogi miał rozrzucone, leżał nagą pupą do góry, plecy wystawił na powiew nocnego powietrza.

Gen. Walker: […] Była równo dziewiąta, większość świateł w domu się paliła, rolety nie były spuszczone. Siedziałem przy biurku, z ołówkiem w ręku i głową pochyloną nad kartką – wypełniałem zeznanie podatkowe. Nagle usłyszałem wybuch i huk tuż nad uchem.

LIEBELER: Co pan wtedy zrobił?

GEN. WALKER: Pomyślałem – majstrowaliśmy tego dnia przy żaluzjach – pomyślałem, że może ktoś rzucił petardę […]. Potem się rozejrzałem i zobaczyłem, że żaluzja jednak była w oknie i […] zauważyłem dziurę w ścianie, poszedłem więc na górę, wziąłem pistolet, zszedłem z powrotem na dół i wyszedłem tylnym wyjściem, chcąc zobaczyć, co się stało.

LIEBELER: Czy na zewnątrz znalazł pan coś, co mogło się łączyć z atakiem na pana?

GEN. WALKER: Nie, nic nie znalazłem. Schodząc po schodach, zauważyłem przez okno u końca drogi do kościoła samochód, skręcający w Turtle Creek. Nie mogłem rozpoznać jego marki. Widziałem tylko tylne światła i to, że jechał, a poza tym widok zasłaniają drzewa. Tym samochodem mógł odjechać ktoś, kto uciekał z miejsca przestępstwa.

Gdy Walker rozmawiał o tym incydencie z policją, jeden z policjantów powiedział: „On nie mógł chybić".

GEN. WALKER: […] gdy jednak później jeszcze raz to analizowałem, doszedłem do wniosku, że [strzelec] nie mógł widzieć ani drewnianych ram okna, ani żaluzji, ponieważ paliło się światło. [Z jego strony] okno musiało wyglądać jak jednolity prostokąt światła. Mógł być bardzo dobrym strzelcem i tylko przypadkiem trafić w stolarkę okienną.

LIEBELER: I tak faktycznie było?

GEN. WALKER: Tak, a to na tyle zmieniło tor kuli, że mnie nie trafiła. Drasnęły mnie jedynie odłamki kuli, które wbiły się w rękę leżącą na biurku – tylko odłamki.

Walker widział jadący ulicą samochód, a jego czternastoletni sąsiad, Kirk Coleman, podobno widział dwa samochody. Po usłyszeniu strzału podszedł do ogrodzenia na tyłach domu, popatrzył na ulicę i „zobaczył, jak jeden mężczyzna wkłada coś do bagażnika osobowego forda, a parę metrów dalej drugi mężczyzna wsiada do drugiego samochodu. Oba samochody ruszyły z piskiem opon".

Fragment rozmowy z Mariną, przeprowadzonej przez tajne służby: […] Gdy Lee Oswald przeczytał w gazecie o tym, że jakiś chłopak widział samochód z trzema mężczyznami w środku odjeżdżający z miejsca, gdzie nastąpił wystrzał, powiedział, że Amerykanom się zawsze wydaje, że do ucieczki z miejsca przestępstwa koniecznie potrzebny jest samochód, a on wolałby raczej polegać na własnych nogach niż na samochodzie. Powiedział też, że do domu Walkera dojechał autobusami i że po oddaniu strzału wrócił do domu innym autobusem.

Następnej nocy Lee miał napady lęku. Nie budził się, lecz dwa czy nawet trzy razy na godzinę drżał na całym ciele, leżąc u boku Mariny.

McMILLAN: [...] Bała się, była przerażona, że będzie chciał strzelić jeszcze raz [...]. Natychmiast zaczęła błagać Lee [...], żeby [już nigdy] tego nie robił. Powiedziała mu, że [...] to był znak opatrzności.

– Jeśli Bóg ocalił go tym razem, to znów go ocali. Temu człowiekowi nic jest pisane umrzeć. Obiecaj mi, że już nigdy, przenigdy tego nie zrobisz.

– Obiecuję.

Jako prawdziwa Rosjanka wierzyła oczywiście, że opatrzność objawia się najwyraźniej w chwilach, kiedy nikt nie wie, jak wydarzenia się dalej potoczą. „Obiecaj mi" poprosiła. I, jeśli dobrze pamięta, Lee odpowiedział: „Obiecuję". Być może podzielał jej wiarę.

Opatrzność opatrznością, ale nie wyjaśniliśmy jeszcze kwestii samochodów. Gerald Posner w swojej książce *Case Closed* (Sprawa zamknięta) prawie zbywa tę kwestię:

Wbrew temu, co pojawiło się w prasie, że [ów czternastolatek] widział dwóch mężczyzn wsiadających do dwóch samochodów i odjeżdżających z piskiem opon, podczas przesłuchania przez FBI powiedział, że widział tylko jeden samochód i że poruszał się on z normalną prędkością. W tym samym czasie na parkingu stało przynajmniej sześć innych samochodów. Inni sąsiedzi zaprzeczali wersji podanej przez Colemana, mówiąc, że po wystrzale nie odjechał stamtąd żaden samochód.

To podstawowa zasada w gromadzeniu dowodów· jeśli jeden świadek mówi „A", to zawsze znajdzie się drugi, który powie „Z".

Dużo jednak wskazuje na to, że Oswald dokonał zamachu na życie Walkera bez wspólników. Co więcej, znacznie trudniej byłoby znaleźć motywację oddania strzału do Walkera, gdyby Oswald nie działał w pojedynkę. Nie należy jednak zapominać, że ta książka jest jedynie próbą wniknięcia w jego charakter, nie rości sobie pretensji do odnalezienia jedynego właściwego tropu.

Przecież niewykluczone, że nie tylko Oswald miał motywację do zabicia Walkera. W tej próbie zamachu jest kilka zagadkowych aspektów. Gdyby nie pomoc kogoś w domu Walkera, kto w umówionym momencie skłoniłby generała, by usiadł na krześle stojącym przy jasno oświetlonym, niezasłoniętym oknie, jak długo musiałby Oswald czekać, aż generał przypadkiem pojawi się w oknie? Gdyby trwało to godzinami, czy jest możliwe, że nikt by go nie zauważył? (Oczywiście mógłby pozostać niezauważony, gdyby krył się w zaparkowanym samochodzie). Policja znalazła wprawdzie odprysk na świeżo malowanym ogrodzeniu, dzielącym ulicę od podwórka Walkera, i na tej podstawie wyciągnęła wniosek, że strzelec tam oparł karabin – to miejsce zgadzało się z trajektorią lotu kuli – ale oczywiście trudno uznać za dobrą kryjówkę ogrodzenie, które wystawia tył postaci strzelca na widok przechodniów.

Można wysunąć argument, że w trakcie przygotowań Oswald zapoznał się z planem domu i zwyczajami Walkera, ale nie jest to prawdopodobne. Walker wrócił z podróży dopiero 8 kwietnia, dwa dni przed zamachem. Wniosek jest więc następujący: jeśli Oswald działał na własną rękę, według wyznaczonego planu, to podchodząc w środę wieczorem pod dom Walkera, żeby go zastrzelić, zastał generała gotowego do współpracy. Jak już mówiliśmy wcześniej: fuks! Oczywiście, fuks może wynikać z trafnego postrzegania pozazmysłowego, a Oswald jest bodaj przykładem nieszczęśnika, który ma niezwykłego fuksa.

Nie odrzucajmy jednak hipotezy, że kilku prawicowych ekstremistów doszło do wniosku, iż generała Walkera trzeba się pozbyć i że dla ich ruchu byłby znacznie bardziej pożyteczny jako zmarły męczennik niż żywy chodzący problem. Sądzili, że prędzej czy później wyjdzie na jaw jego homoseksualizm. Życie jednak czasami pozwala wydarzeniom rozwijać się wolniej niż obawia się tego paranoja: homoseksualizm Walkera stał się tajemnicą poliszynela dopiero w latach osiemdziesiątych, gdy generał zbliżał się do osiemdziesiątki; doszło do tego w następstwie aresztowania go za molestowanie gliniarza w męskiej toalecie. Ale w kręgach znajomych generała jego skłonności były znane od dawna. John Birch Society miało dylemat.

I jeszcze jedna uwaga: jeśli duch zimnej wojny natchnął CIA do nawiązania poważnych stosunków z mafią w celu zlikwidowania Fidela Castro, to dlaczego by nie założyć, że różnych tego rodzaju operacji, choć na mniejszą skalę, dokonywało się na całym południowym zachodzie Stanów? Bojownicy o wolność kryli się w górach, jaskiniach i bagnach Ameryki, jak również w wielkich miastach, takich jak Miami, Nowy Orlean i Dallas. Decyzja o zabiciu Walkera mogła być jednym z etapów planu przejęcia przez nich władzy nad John Birch Society.

JENNER: Panie Surrey, czy przed 10 kwietnia 1963 roku widział pan samochód i siedzących w nim ludzi na terenie posiadłości generała Walkera lub w jej otoczeniu?

ROBERT SURREY: [...] 8 kwietnia; tak [...] krótko mówiąc, chodzi o to, że wieczorem, dwa dni przed zamachem, widziałem koło domu generała dwóch mężczyzn, którzy zaglądali w okna i w ogóle, i powiedziałem o tym generałowi następnego ranka. On z kolei zgłosił to we wtorek policji, a w środę w nocy do niego strzelano. To w skrócie wszystko, co się wydarzyło.

Trzeba by oczywiście wykonać spory przeskok myślowy, aby uwierzyć, że Oswald bierze teraz udział w prawicowym spisku; nie ma żadnych poszlak, że kontaktował się z tego pokroju ludźmi na ówczesnym etapie swojego życia. Z drugiej jednak strony, nie wiadomo, co robił (w każdym razie Marina nie wie na pewno) przez sto czy nawet dwieście godzin w okresie od października 1962 roku do kwietnia 1963 roku. Kto wie, czym się zajmował i z kim się spotykał? Nie mamy na przykład pojęcia, czy miał romans z Yaeko Okui, czy współpracował z nią przy jakichś zadaniach wywiadowczych; pewne jest tylko to, że Yaeko spotkała się z nim przynajmniej raz, na przyjęciu bożonarodzeniowym. Aż się prosi, by przytoczyć w tym miejscu przypis z książki Edwarda Epsteina:

> Podczas przesłuchania w Tokio w roku 1976 Okui powiedziała, że nie pamięta, o czym rozmawiała z Oswaldem, ale że ten jeden przelotny kontakt z nim „zniszczył jej życie". Odmówiła bliższych wyjaśnień.

Stworzyliśmy portret Oswalda samotnika, ale, jak to się okaże w Nowym Orleanie, ten człowiek ma niejedno oblicze. W każdym razie ktoś, kto może jednocześnie kontaktować się z organizacjami stalinowskimi i trockistowskimi, zaprzysięgłymi wrogami przez niemal trzy dekady, potrafi uporać się z każdą sprzecznością polityczną, jeśli tylko służyłoby to jego celom. Poza tym poglądy niektórych ultraprawicowców nie brzmią reakcyjnie, tylko liberalnie; a to, jak możemy się przekonać na podstawie lektury systemu, który Oswald nazwał atejskim, bardzo mu odpowiadało. Można dać wiarę temu, że faktycznie pragnął zabić Walkera; z tego jednak wcale nie wynika koniecznie, że wydawało mu się, iż może dokonać zabójstwa w pojedynkę.

Na słynnym, wykonanym przez Oswalda zdjęciu podwórka Walkera widać zaparkowany samochód, ale w odbitce jest dziura na tyle duża, że nie da się odczytać numerów na tablicy rejestracyjnej. Posner komentuje to w następujący sposób:

> Na zdjęciach materiałów dowodowych zabranych z mieszkania Oswalda po zabójstwie prezydenta widać, że już wtedy w odbitce była dziura. Poza tym zdjęcie zostało wykonane z takiej odległości, że tablica rejestracyjna samochodu w żadnym razie nie mogła być czytelna. Później ustalono, że samochód należał do jednego z adiutantów Walkera [...].

Zbyt pochopna jest konstatacja, że „tablica rejestracyjna samochodu w żadnym razie nie mogła być czytelna". Oswald pracował w firmie Jaggars-Chiles-Stovall, gdzie na co dzień w użyciu były wysokiej jakości soczewki, które zatrzymywały szczegóły negatywu przy ogromnych powiększeniach. Niewykluczone, że Oswald rozpoznał w sfotografowanym samochodzie wóz, którym jechał wraz ze wspólnikiem, i, zdjęty nagłym lękiem, wyciął numer rejestracyjny. Możliwe też, że zrobił to bez żadnego konkretnego powodu, tylko po to, by – w razie gdyby został złapany – zmylić władze, znużyć je dociekaniami, podsunąć im fałszywy trop. Był weteranem wojny z biurokracją i wiedział, że wygrać można tylko, gdy się wroga zmęczy. Przecież biurokracje sprawowały władze właśnie poprzez wyczerpywanie przeciwnika. Oswald rozumiał, że mało który sadysta potrafi znieść torturę, jaką sam chętnie zadaje (zostało to udowodnione!), a zatem jego plan polegał na nużeniu władz. Warto pamiętać, że w życiu, podobnie jak i w innych zagadkach, nie ma odpowiedzi, są tylko pytania. Ale można czerpać przyjemność z precyzowania pytań albo stawiania nowych. Analogicznie ma się sprawa z faktami – faktów nie ma, istnieją jedynie różne sposoby podejścia do tego, co określamy mianem faktów.

Można wysnuć z tego tylko jeden wniosek: Oswald prawie na pewno strzelał do Walkera oraz prawdopodobnie działał na własną rękę, fakty jednak są ze sobą czasami tak zdumiewająco sprzeczne, że niemożliwością jest definitywne stwierdzenie, czy dokonał zamachu bez pomocy osób trzecich.

11

Luneta

Z raportu FBI: Marina powiedziała, że zapytała OSWALDA, co zrobił z karabinem, bo się martwiła, że zostawił go gdzieś, gdzie ktoś by mógł go znaleźć. OSWALD powiedział, że zakopał karabin z dala od miejsca, z którego strzelał. Wspomniał następnie o jakimś polu, i o tym, że to pole było koło torów kolejowych.

[...] przypomina sobie, że OSWALD przyniósł na Neely Street karabin owinięty w płaszcz przeciwdeszczowy w niedzielę, cztery dni po próbie zamachu.

Schowawszy jego list pożegnalny w rosyjskiej książce kucharskiej, Marina mogła go teraz ostrzec, że jeśli znów będzie igrał z karabinem, to pójdzie na policję. Zakładała, że do tego czasu list będzie bezpieczny.

Co do notatek Lee na temat domu Walkera i rozkładów autobusów, nie miała takiej pewności.

MARINA OSWALD: [...] Po tym zamachu na Walkera tak się bałam, że [...] w domu są dowody, takie jak ten brulion.

LIEBELER: Czy rozmawiała pani o tym z Lee?

MARINA OSWALD: O tak [...]. Podsunęłam mu myśl, że strasznie niebezpiecznie jest trzymać coś takiego w domu.

Zdaje się, że w tym wypadku Lee wyjątkowo posłuchał żony.

McMillan: [...] następny widok, jaki ukazał się jej oczom, to Lee stojący nad ubikacją z jakimiś kartkami i pudełkiem zapałek w rękach. Powoli przedzierał kartki na pół, zgniatał w kule i kolejno przykładał do każdej zapałkę. Gdy tylko kula zaczynała się palić, wrzucał ją do ubikacji. Robił to z pochmurną miną, z niechęcią, jak gdyby palił na stosie swoje idee. Ale [...] nie spalił tych kartek, gdzie odręcznie wypisane były jego filozofia polityczna i program [...]. Marina widziała, jak niechętnie Lee pali swoje papiery. „Ciekawe, czy pali je dlatego – zadawała sobie pytanie – że mi nie ufa?".

Kilka dni wcześniej Lee był w szampańskim nastroju.

McMillan: W czwartek 11 kwietnia gazety wychodzące w Dallas zamieściły na pierwszych stronach artykuł o zamachu na życie Walkera. Lee specjalnie wychodził z domu po dzienniki poranne i popołudniówki [...].

Podczas [ich] lektury śmiał się do rozpuku.

– Amerykanie są tacy rozpuszczeni! – powiedział, dumny, że udało mu się uciec. – Nawet im nie przyjdzie do głowy, że człowiek może po prostu zrobić użytek z własnych nóg [...].

[...] Lee był zdumiony łatwością, z jaką udało mu się zbiec, oraz nieudolnością działania policji. Mieli przecież kulę, ale mylnie ją zidentyfikowali, zatem mylnie też zidentyfikowali broń, z której została wystrzelona.

Tu prawdopodobną interpretację podsuwa Priscilla Johnson McMillan:

Porwał się na czyn równy kataklizmowi – a nie został ujęty. Nawet włos mu z głowy nie spadł.

Dlatego bezsprzecznie najważniejszą lekcją, jaką Lee wyniósł z zamachu na Walkera, było przekonanie o własnej nietykalności. Wydawało mu się, że stoi w środku magicznego kręgu, a bezkarność spowija go płaszczem. Uczucie to niebezpiecznie pasowało do przekonania, które żywił na swój temat już wcześniej – że jest wyjątkowo uprzywilejowany. On, i tylko on, ma prawo dokonywać czynów, które pozostałym są wzbronione.

Priscilla McMillan zakłada chyba, że tego rodzaju przekonania zastygają w człowieku na zawsze, jak beton. Jednak, wedle wszelkiego prawdopodobieństwa, w oczach Oswalda często zmieniał się obraz własnego ja. W każdej chwili mógł paść ofiarą depresji. Te elementy jego zachowania, które wydają się nieracjonalne czy naznaczone zbytecznym okrucieństwem, to pewnie próby obrony wiary we własne siły. Bił Marinę nawet za najbłahszą uwagę, ponieważ gdyby spokojnie przyjął jej pomniejszające go określenie – wszystko jedno jakie; mogło to być zaledwie „ty głupku" czy „ty dzieciaku" – ucierpiałoby jego ego. Depresje zalewały go niby powódź. Nie możemy zapomnieć o tym, jak wielki dźwigał na barkach ciężar. Wierzył, że jest jedynym człowiekiem na świecie, który może znacząco wpłynąć na kształt jego przyszłości. Ale był dyslektykiem, na wpół zakochanym w kobiecie, która go nie szanowała; gorzej jeszcze, była gotowa – tak postrzegał – przejść na stronę wroga. Na domiar złego stracił właśnie jedyną pracę, którą lubił.

Tak, kilka dni po zamachu na Walkera Lee był w bardzo zmiennym nastroju, a tu znów pojawili się w jego życiu De Mohrenschildtowie. Wydarzyło się coś dziwnego:

Z raportu FBI: MARINA powiedziała, że kilka dni po [nieudanym] zamachu w domu przy NEELY STREET odwiedził ich GEORGE DE MOHRENSCHILDT i rzucił do OSWALDA żartobliwą uwagę mniej więcej tej treści: „Jak mogłeś nie trafić generała Walkera?".

Naturalnie Komisja Warrena musiała podążyć owym tropem. Na pytanie w tej kwestii otrzymała następującą odpowiedź:

MARINA OSWALD: De Mohrenschildt – gdy tylko Lee otworzył drzwi – zapytał go: „Jak mogłeś nie trafić, jak mogłeś go nie trafić?" […]. Lee nie odzywał się tego wieczoru. [Później] zapytał mnie, czy mówiłam o tym De Mohrenschildtowi, a kiedy powiedziałam, że nie, zapytał: „Jak on to odgadł?".

Nawet trzynaście lat po tym wydarzeniu George wciąż ubolewał nad stratami, jakie poniósł przez tę właśnie wypowiedź Mariny. W zeznaniu przed Komisją Warrena przyznał, że zapytał: „Spudłowałeś, strzelając do Walkera, Lee?", ale twierdził, że to nie to samo, co: „Jak mogłeś nie trafić?". W roku 1977 De Mohrenschildt napisał: „Ta moja niewinna uwaga zmieniła nasze życie".

To dość, by wyjaśnić jego animozję w stosunku do Mariny. W roku 1967 baron straci synekurę na Haiti i winę za to częściowo przypisze właśnie jej.

Spróbujmy prześledzić, jak to było naprawdę. Możemy zacząć od zeznania George'a z 1964 roku:

GEORGE DE MOHRENSCHILDT: Jeanne powiedziała mi tamtego dnia: „Chodź, zawieziemy króliczka małej Oswaldów".

JENNER: Było to w niedzielę wielkanocną?

GEORGE DE MOHRENSCHILDT: […] Nie pamiętam, czy to była niedziela wielkanocna […]. Może moja żona będzie dokładnie pamiętać datę. Pojechaliśmy do nich dość późno – chyba już spali. Spali, a my pukaliśmy do drzwi i wołaliśmy ich, aż wreszcie zszedł Lee Oswald nago, to znaczy półnago, może miał na sobie bokserki, otworzył drzwi, a my powiedzieliśmy, że mamy dla małej królika-zabawkę. To była bardzo krótka wizyta. Daliśmy im tylko tego królika i ja rozmawiałem z Lee, a Jeanne z Mariną […]. Oswald i ja staliśmy koło okna i wyglądaliśmy na zewnątrz. Pytałem go: „Jak tam w pracy? Czy zarabiasz porządnie? Jesteś szczęśliwy?" – jakieś tego typu pytania. Nagle Jeanne, która była z Mariną w drugim pokoju, powiedziała do mnie: „Zobacz, George, oni tu mają broń". Marina otworzyła szafę i pokazała Jeanne karabin, który niewątpliwie należał do Oswalda.

JENNER: To była broń? Czy przyjrzał jej się pan?

GEORGE DE MOHRENSCHILDT: Nie (...) Jeanne się jej przyglądała i [...] Marina powiedziała: „Ten głupi kretyn ciągle strzela do celu". Szczerze mówiąc, wydawało mi się to śmieszne, żeby strzelać do celu w Dallas, w środku miasta. Zapytałem go: „Dlaczego to robisz?" [a on odpowiedział] „Lubię strzelać do celu". Więc dla żartu, z czystej przekory, zapytałem: „To może ty spudłowałeś, strzelając do generała Walkera?". A on [...] tak jakby się skulił, kiedy zadałem mu to pytanie [...] i nic nie odpowiedział, tylko się uśmiechnął – zrobił taką ironiczną – nie, nie ironiczną – taką dziwną minę [...]. Zmienił mu się wyraz twarzy.

JENNER: [Czy przypomina pan sobie, że] ledwie otworzył panu drzwi, zapytał go pan: „Lee, jak mogłeś go nie trafić?".

GEORGE DE MOHRENSCHILDT: Nie. Nie przypominam sobie takiego zajścia [...]. Bardzo dokładnie pamiętam, że zapytałem: „Spudłowałeś, strzelając do generała Walkera?"

Prawdopodobnie baron z żoną wymyślili sobie tę historyjkę. Wedle zeznania Jeanne, odwiedziny miały miejsce o dziesiątej wieczór w sobotę, 13 kwietnia, trzy dni po zamachu. Ale wtedy karabinu nie było w szafie.

Jak twierdzi Marina, Lee wyjął karabin z kryjówki przy torach kolejowych dopiero w niedzielę. Jeśli jednak broń rzeczywiście była u nich w mieszkaniu już w sobotę wieczorem, to nie w szafie, ponieważ po przyniesieniu jej z powrotem Lee znów ją ukrył. Przecież właśnie w sobotę Marina, ogarnięta paniką, namówiła męża do zniszczenia papierów dotyczących Walkera. Zresztą nawet jeśli zeznanie Mariny jest nieścisłe i broń była w szafie, to czy Marina okazałaby się tak bezmyślna, żeby pokazywać ją Jeanne, mimo że tak mało czasu upłynęło od zamachu?

Bardziej prawdopodobna jest następująca wersja: Jeanne De Mohrenschildt odwiedziła Marinę wcześniej, 5 kwietnia, pięć dni przed zamachem na Walkera. George był wówczas w Nowym Jorku, załatwiając ostatnie formalności w związku z ich wyjazdem na Haiti, a Jeanne, która rzuciła pracę, żeby przygotować się do wyjazdu, miała po południu wolny czas i wpadła do Mariny na Neely Street. Gdy była w mieszkaniu Oswaldów, Marina – tak pisze McMillan – otworzyła szafę z ubraniami i pokazała Jeanne karabin Lee.

McMillan: – Popatrz tylko! – powiedziała Marina. – Ledwo nam starcza na jedzenie, a mój stuknięty mąż kupuje sobie karabin. Powiedziała Jeanne, że Lee ćwiczył strzelanie z tego karabinu.

Ojciec Jeanne kolekcjonował broń [...]. Jeanne momentalnie coś spostrzegła: [...] karabin Lee miał lunetę [...]. [Gdy] George wrócił z Nowego Jorku, powiedziała mu, zdaje się, że mimo iż Oswaldowie klepią biedę, Lee kupił sobie karabin z lunetą i ćwiczy strzelanie.

Ponieważ McMillan zamieszcza bez przypisu opis tego wydarzenia, musi on pochodzić od Mariny. Zeznając przed Komisją Warrena, Jeanne twierdziła, że nie potrafi rozpoznać lunety, ale jest to mało przekonujące, ponieważ przyznała się, że uwielbia strzelectwo. Mimo iż trudno uznać to dokładnie za to samo, co strzelanie z karabinu z lunetą, wciąż jednak prawdopodobne jest, że Jeanne nie chciała się przyznać ani do wizyty złożonej 5 kwietnia, ani do tego, że widziała lunetę. Gdyby się bowiem przyznała, niewątpliwie padłoby logiczne pytanie, czy powiedziała o tym George'owi, gdy wrócił z Nowego Jorku. To by zaś z kolei znaczyło, że George przed zamachem na Walkera wiedział o tym, że Oswald posiada karabin z lunetą. Taką wiedzą musiałby się bez wątpienia podzielić z oficerem prowadzącym sprawę.

Przyjrzyjmy się zeznaniom Jeanne i spróbujmy dostrzec kłamstwa i zabiegi zacierania szczegółów, do których musi się ona uciekać, by zataić wizytę u Mariny 5 kwietnia. Sprawą najwyższej wagi było dla niej ukrycie przed Komisją Warrena faktu, że ona i George wiedzieli o karabinie przed zamachem.

Jenner: Czy coś się wydarzyło w czasie Wielkanocy roku 1963, kiedy ich pani odwiedziła?

Jeanne de Mohrenschildt: Tak.

Jenner: Czy była to niedziela wielkanocna, czy poniedziałek?

Jeanne de Mohrenschildt: Nie, o ile sobie przypominam, była to Wielka Sobota. Aha, za pierwszym razem, kiedy pytało nas o to [FBI], całkiem pomieszały mi się daty. Myślałam, że to była jesień. Ale [teraz] sobie przypominam, że to był ten dzień, kiedy przyjechaliśmy do nich z takim wielkim różowym królikiem dla dziecka.

Jenner: Czy przyjechali państwo za dnia?

Jeanne de Mohrenschildt: Nie; to było wieczorem. Chyba po południu graliśmy w tenisa, potem gdzieś poszliśmy, a później sobie przypomnieliśmy, że na drugi dzień będziemy zajęci, a ja chciałam dziecku dać tego królika [...].

Już zdążyła dać do zrozumienia, że pamięć ma tak słabą, iż nie umie odróżnić jesieni od wiosny. Ale z drugiej strony pamięta, że to wydarzenie miało miejsce w sobotę wieczorem, w wigilię niedzieli wielkanocnej. Trudność położenia Jeanne polega na tym, że nie wie ona, ile wie Albert Jenner czy Komisja Warrena, ani też jak ścisłe i bliskie rzeczywistości było zeznanie Mariny. Ze względu na te wątpliwości uznała, że najlepiej udawać, gdzie się tylko da, że zawodzi ją pamięć.

Jeanne de Mohrenschildt: [...] przyjechaliśmy późnym wieczorem. Była dziesiąta, może później. Pamiętam, że dali nam coś do picia.

Jenner: Państwo przyjechali. A czy oni już położyli się spać?

Jeanne de Mohrenschildt: Chyba już leżeli w łóżku, bo w domu nie świeciło się światło. Pamiętam, że pukaliśmy do drzwi. Było ciemno.

Jenner: Lee podszedł do drzwi?

Jeanne de Mohrenschildt: Nie pamiętam, które z nich podeszło do drzwi, Lee czy Marina [...].

Bardziej prawdopodobne jest, że De Mohrenschildtowie umyślnie przyjeżdżają późno. Chcą wyrwać Oswaldów ze snu. Chcą ich zaskoczyć. Jeśli George De Mohrenschildt wie już, że Lee ma karabin z lunetą, to możemy założyć, że dostał rozkaz zorientowania się w miarę możliwości, czy to Oswald strzelał do generała Walkera.

Dlatego gdy powraca kwestia wcześniejszej wizyty, Jeanne usilnie stara się zaprzeczyć, jakoby była na Neely Street przed 13 kwietnia. Baczy jednak, żeby nie przesądzać o tym nieodwołalnie.

Jenner: Czy była tam pani wcześniej?

Jeanne de Mohrenschildt: Nie.

Jenner: Czyli wtedy była tam pani po raz pierwszy?

Jeanne de Mohrenschildt: Nie pamiętam. Może. Nie sądzę.

Jenner: Dobrze.

Jeanne de Mohrenschildt: Nie sądzę.

JENNER: A więc przyjechali państwo z wizytą. Proszę się rozluźnić.

JEANNE DE MOHRENSCHILDT: Staram się wszystko sobie przypomnieć, bo tu każdy najdrobniejszy szczegół może okazać się ważny.

JENNER: Ale jest pani podekscytowana. Proszę się uspokoić i opowiedzieć mi wszystko po kolei, jak było, najlepiej jak pani potrafi. Stali państwo na progu, do drzwi podeszła Marina albo Lee, i weszła pani z mężem do środka?

JEANNE DE MOHRENSCHILDT: Zgadza się.

JENNER: Proszę kontynuować. Proszę mi opowiedzieć, jak to było.

JEANNE DE MOHRENSCHILDT: Myślę... z tego co pamiętam, George usiadł na sofie i zaczął rozmawiać z Lee, a Marina oprowadzała mnie po domu – dlatego mówię, że wydaje mi się, że to była pierwsza wizyta, bo gdybym była u nich wcześniej, to po co pokazywałaby mi wtedy mieszkanie? Potem przeszłyśmy do drugiego pokoju, ona otworzyła szafę, a ja zobaczyłam, że stoi tam broń. Zapytałam: „Co tu robi ta broń?".

Pora rozstrzygnąć kwestię lunety. Jeanne De Mohrenschildt przyznała się, że uprawia strzelectwo i uwielbia strzelać do tarczy w wesołym miasteczku, ponieważ zdawała sobie sprawę, że mógł o tym wspomnieć ktoś z grona emigrantów. Mimo to jednak trzymała się zmyślonej reakcji na lunetę.

JENNER: Jak rozumiem z tego, co pani dotąd powiedziała, pierwszą rzeczą, która zwróciła pani uwagę, była luneta?

JEANNE DE MOHRENSCHILDT: Tak; ale nie wiedziałam, co to jest [...]. To nie był zwykły, prosty karabin. Na pewno.

JENNER: [...] czy to panią zaniepokoiło?

JEANNE DE MOHRENSCHILDT: Zapytałam tylko, na co mu, u licha, karabin?

JENNER: Co Marina na to odpowiedziała?

JEANNE DE MOHRENSCHILDT: Powiedziała: „O, on wprost przepada za strzelaniem [...] chodzi do parku i strzela do liści i takich tam". Ale nie widziałam w tym nic dziwnego, bo ja sama uwielbiam strzelectwo [...].

JENNER: Czy nie wydało się pani dziwne to, że on chodzi do parku miejskiego i strzela do liści?

JEANNE DE MOHRENSCHILDT: Ale on chodził z dzieckiem na spacery. Spacerował z małą, a w ten sposób dostarczał sobie rozrywki [...].

Nie dość, że Marina pokazała jej karabin, to jeszcze powiedziała, że Lee strzela z niego do liści! W miejskim parku! Jeśli spaceruje z June, to pewnie są tam i inne dzieci. Jeanne stara się, jak może, by pomniejszyć w swoich oczach i jednocześnie w oczach męża skłonność Oswalda do przemocy. Posuwa się nawet dalej niż George. Udaje, że Oswald wcale nie zareagował szczególnie na tę osławioną już uwagę jej męża.

JEANNE DE MOHRENSCHILDT: [...] George ze swoim poczuciem humoru oczywiście [...] zapytał: „Czy to może ty spudłowałeś, strzelając do Walkera?". Zaśmiewaliśmy się do rozpuku, to był jeden ze świetnych kawałów George'a, znanego kawalarza [...].

JENNER: Czy zwróciła pani uwagę na to, czy [Oswald] zmienił wyraz twarzy?

JEANNE DE MOHRENSCHILDT: Nie, w ogóle. To był tylko żart [...].

JENNER: Nie spojrzała pani na niego, żeby zobaczyć, jak zareagował?

JEANNE DE MOHRENSCHILDT: Nie; nie wzięłam tego na tyle poważnie, by mu się przyglądać.

19 kwietnia De Mohrenschildtowie wyjadą z Dallas do Nowego Jorku, Filadelfii i Waszyngtonu. Podczas pobytu w stolicy George namówi swojego protektora, Clemarda Charlesa, dyrektora Banque Commerciale de Haiti, na spotkanie z oficerem CIA Tonym Czaikowskim 7 maja 1963 roku. Łącznik CIA, Sam Kail, sugeruje, że „Charles mógł się okazać użyteczny w trwających wówczas staraniach, których celem było obalenie Castro" [...].

JENNER: Do Dallas wrócili państwo w maju?

JEANNE DE MOHRENSCHILDT: Pod koniec maja.

JENNER: Kontaktowali się państwo z Oswaldami?

JEANNE DE MOHRENSCHILDT: Nie. Słyszeliśmy, że podobno już wyjechali [...] dostaliśmy od nich z Nowego Orleanu kartkę z adresem. Ale chyba im nie odpisaliśmy [...]. Zamierzaliśmy wysłać im kartkę na Boże Narodzenie.

Ze wspomnień Mariny: … tymczasem doszłam do wniosku, że jeśli Lee nie ma pracy, to lepiej się przeprowadzić do innego miasta. Bałam się też, że w Dallas będzie go kusiło, żeby jeszcze raz dokonać zamachu na Walkera. Podsunęłam pomysł, żebyśmy wyjechali do Nowego Orleanu – rodzinnego miasta Lee, gdzie miał krewnych. Myślałam, że tam będzie się wstydził robić takie rzeczy, jak w Dallas. Chciałam, żebyśmy byli jak najdalej od okazji do grzechu.

George jeszcze raz zaprzecza.

GEORGE DE MOHRENSCHILDT: Jeszcze raz powtarzam, że zupełnie o nich zapomniałem – po tym, jak widzieliśmy się po raz ostatni.

Warto powtórzyć: najbliższe „dymiącej broni" jest odkrycie Edwarda Epsteina, że z kartoteki CIA zostały usunięte raporty z kontaktów De Mohrenschildta od kwietnia do maja 1963 roku. Czy mogły one nie odnotować prawdopodobnej konkluzji De Mohrenschildta, że to Oswald był owym zamachowcem, który strzelał do Walkera?

W notatkach do książki Edwarda Epsteina *Legend* znajduje się – bez przypisu – następująca lapidarna informacja:

[…] w roku 1964 w Houston George De Mohrenschildt powiedział przyjacielowi, Jimowi Savage'owi, że nieświadomie dał Marinie pieniądze, za które Oswald kupił sobie karabin. Marina zapytała go wiosną: „Pamiętasz te dwadzieścia pięć dolarów, które mi dałeś? Ten mój stuknięty mąż wydał je na karabin".

Podsumujmy straty z punktu widzenia CIA:

1. Agent kontraktowy George De Mohrenschildt, prowadzący sprawę Oswalda, wiedział przed 10 kwietnia o tym, że Oswald ma karabin z lunetą, i powiadomił o tym Agencję.

2. Po incydencie z Walkerem De Mohrenschildt był przekonany, że Oswald jest w to zamieszany, o czym powiadomił Agencję. Teraz zajmujący się sprawą agenci w kwaterze głównej w Langley wiedzieli, że pewien mieszkaniec Dallas, który niegdyś uciekł do Związku Radzieckiego, prawdopodobnie strzelał do generała Walkera.

3. Jeśli De Mohrenschildt przyznał się też oficerowi prowadzącemu sprawę, że dał Oswaldowi pieniądze na kupno karabinu z lunetą, to gdyby cała sprawa wyszła na jaw, Agencja zostałaby potępiona przez media za to, że nic nie zrobiła z potencjalnym zabójcą w Dallas, a na dodatek była prawie bezpośrednio odpowiedzialna za wręczenie mu broni.

4. Gdyby punkty 1, 2 i 3 zostały potwierdzone, byłaby to może niewielka, ale znacząca klęska w stosunkach CIA z opinią publiczną. Trudniej zmierzyć potencjał szkód, jakie mogły wyrządzić zniszczone raporty. Gdyby dokumenty te zo-

stały ujawnione, widniejące na nich symbole wskazałyby na to, kto w CIA wiedział, że Oswald jest potencjalnym zabójcą. Jeśli Agencja podejrzewała, że kilku jej ludzi mogło być zamieszanych w zabójstwo JFK – a jak można było nie podejrzewać, gdy wiedziało się o głośnym niezadowoleniu w JM/WAVE z powodu odwołania przez Kennedy'ego poparcia dla operacji „Mangusta"? – to prześledzenie drogi, jaką przeszły raporty De Mohrenschildta, wykazałoby, że wiedza o zamachu Oswalda na Walkera dotarła do takich enklaw CIA, o których istnieniu mało kto wie i powinien wiedzieć.

A jeśli stawka była tak wysoka, to czy możemy się dziwić, że raporty zostały usunięte? Jeśli punkt 4. zgadza się z rzeczywistością, to CIA słusznie mogła się obawiać czegoś więcej niż chwilowej dezaprobaty opinii publicznej.

Na tym musimy poprzestać. Jeśli cokolwiek łączy te spekulacje z przygodami Oswalda w Nowym Orleanie, to być może punkt wspólny leży w trójkącie bermudzkim, tworzonym przez prawicowe pieniądze, malkontentów w CIA i byłych agentów FBI. Rodzi się pytanie, czy działalność Oswalda w Nowym Orleanie należy wobec tego postrzegać na dwóch różnych poziomach: czy 1) wszystko, co robił, robił po prostu dlatego, że był sobą – Oswaldem?, czy też 2) wręcz przeciwnie, działał w charakterze prowokatora? Oczywiście widziałby to tak, że sam wykorzystuje ludzi, którzy jego wykorzystują. Znów odpowiedzi na te pytania nie będą jednoznaczne.

Część IV

Nowy Orlean

1

„Okropnie smutne życie"

Fragmenty niepublikowanego wywiadu z Marguerite Oswald z 1976 roku:

PYTANIE: Podobno była pani bardzo ładna.

MARGUERITE: To prawda. Byłam bardzo ładna [...]. Miałam przepiękne włosy. A zęby [...]. Miałam zęby jak perełki. Były po prostu piękne. Naprawdę. Byłam bardzo ładną dziewczyną – mówię tak, bo to prawda [...]. Miałam zdrową cerę, a moje oczy zmieniały kolor w zależności od ubrania, które miałam na sobie – jak było niebieskie, robiły się niebieskie, a jak zielone, to zielone [...]. Włosy miałam śliczne, kręcone. Cieszyłam się w młodości sporym powodzeniem.

PYTANIE: Jakie ma pani wykształcenie?

MARGUERITE: Żadne. Tylko rok chodziłam do szkoły średniej.

PYTANIE: Czy pani mąż, Robert E. Lee Oswald, interesował się generałem Robertem E. Lee?

MARGUERITE: Nie on, jego matka.

PYTANIE: Jego matka?

MARGUERITE: Ona go dosłownie uwielbiała.

Przed południem w czwartek 9 maja 1963 roku stara znajoma Lillian Murrét i Marguerite Oswald, Myrtle Evans, miała w swoim biurze nieruchomości niespodziewanego gościa. Od zamachu na życie generała Walkera minął prawie cały miesiąc.

MYRTLE EVANS: [...] w drzwiach stał jakiś młody człowiek i [...] czy mam do wynajęcia mieszkanie? [...] Powiedziałam, że może uda mi się coś dla niego znaleźć. On powiedział, że jego żona z dzieckiem została w Teksasie i że chce ją tu ściągnąć, jak tylko coś znajdzie [...].

Gdy schodziliśmy po schodach, popatrzyłam na niego bardzo uważnie i nie rozpoznałam go, ale coś kazało mi zapytać: „Ja ciebie skądś znam, prawda?", a on odpowiedział: „Jasne. Jestem Lee Oswald. Byłem ciekaw, kiedy mnie pani pozna". Zapytałam go: „Lee, a co ty robisz w Stanach? Myślałam, że jesteś w Rosji. Myślałam, że zrzekłeś się obywatelstwa amerykańskiego" [...], a on odpowiedział: „Nie. Pojechałem tam, ale nie zrzekłem się żadnego obywatelstwa". Mówił, że jest w Stanach już od dłuższego czasu i że stamtąd, z Rosji, przywiózł sobie żonę Rosjankę [...]. Powiedziałam mu wtedy: „Wiesz co, Lee, chyba nie znajdziemy nikogo, kto się zgodzi na wynajęcie mieszkania małżeństwu z małym dzieckiem, ale przejedziemy się po mieście i zobaczymy, a nuż coś się trafi". No i przejechaliśmy się po okolicy Napoleon Avenue i Louisiana Avenue i Carondelet, skręcając po prostu z jednej ulicy w drugą i wypatrując tabliczek o mieszkaniu do wynajęcia. Wreszcie jechaliśmy Magazine Street [...] i nagle Lee powiedział: „O, tu jest tabliczka" i [...] poszliśmy tam, zadzwoniliśmy do drzwi i [...] to mieszkanie było bardzo w porządku jak na taką cenę [...].

Powiedziałam: „Lee [...] nic lepszego nie znajdziesz" [...] duży pokój był naprawdę ogromny [...] przy wejściu oszklona weranda i podwórko i [...] żelazne ogrodzenie, jakie się spotyka w Nowym Orleanie [...]. Poradziłam Lee, żeby zostawił depozyt, bo wtedy właścicielka będzie mogła włączyć prąd, a on przecież chciał, żeby żona przyjechała już w sobotę [za dwa dni]. Następnie wsiedliśmy do samochodu i pojechaliśmy do domu. Chyba [...] wstąpiłam po drodze do sklepu, kupiłam funt szynki i coś tam jeszcze. Zjedliśmy razem lunch, on bodajże pił colę, i rozmawialiśmy. Zapytałam go: „No i jak to jest być z powrotem w Nowym Orleanie?". On odpowiedział: „Chciałem znów tu zamieszkać".

Powiedział: „Nowy Orlean to mój dom".

Dzięki tej rozmowie Myrtle Evans przypomniała sobie dużo faktów z przeszłości, między innymi to, że nie słyszała nawet o tym, że Lee Oswald wyjechał do Rosji, dopóki nie wpadła kiedyś na Lillian Murret.

MYRTLE EVANS: [...] Nie widziałam jej ładnych parę lat. Jestem katoliczką i ona też, [a] było takie spotkanie przy stoliku karcianym [...] w motelu „Fontainebleau", na które przyszło dużo pań, i grałyśmy w bingo i kanastę. Pieniądze miały iść na jakiś dobroczynny cel [...]. Ona mnie zagadnęła: „Myrtle, słyszałaś o Lee? Zrzekł się obywatelstwa amerykańskiego i wyjechał do Rosji, za żelazną kurtynę", a ja powiedziałam: „O mój Boże, to niemożliwe", ale ona powiedziała: „Tak było" [...].

JENNER: Czy wtedy po raz pierwszy dowiedziała się pani bądź też stała się świadoma faktu, że Lee Harvey Oswald mieszkał w Rosji?

MYRTLE EVANS: Tak; to znaczy na pewno mówili o tym w telewizji i pisali w gazetach, ale czasami jestem tak zabiegana, że nie mam czasu na czytanie gazet [...]. Dlatego często nie wiem, co się dzieje na świecie. Ona powiedziała: „Lee się zrzekł obywatelstwa Stanów Zjednoczonych", a ja na to: „Biedna Marguerite, to okropne; tak mi jej szkoda".

Myrtle faktycznie współczuła Marguerite. Nie mogła się o niej dość naopowiadać Albertowi Jennerowi.

MYRTLE EVANS: Tak; Margurite miała okropnie smutne życie, a była cudowną, wspaniałą żoną. Wyszła za tego Johna Pika i miała z nim dziecko, a on wcale nie chciał mieć dzieci, więc odeszła od niego i zamieszkała z siostrą, i zaczął się z nią umawiać [jej następny mąż] Oswald [...], który był agentem ubezpieczeniowym towarzystwa Virginia Life [...], potem wzięła z nim ślub i [...] urodziła dwóch synów, i byli bardzo szczęśliwi, ale on któregoś dnia kosił trawę i złapał go taki straszny ból, a ona była w zaawansowanej ciąży z Lee [...].
Jego ubezpieczenie na życie warte było chyba koło 10 000 dolarów, sprzedała więc dom, a że starsi synowie byli już w odpowiednim wieku, to posłała ich do tego domu [...] i poszła do pracy [a] Lee w domu zajmowała się taka para [...] jakaś para młodych. Nie wiem, jak się nazywali. Mówiła mi, że jacyś ludzie jej powiedzieli, że kiedy Lee siedzi w krzesełku, to strasznie płacze, i że chyba ci młodzi go biją. Kiedyś więc przyszła wieczorem do domu, nie uprzedzając ich o tym, a dziecko miało na nogach ślady po razach. Kazała się tym ludziom wynosić, i to natychmiast [...] myślę, że całą swoją miłość po śmierci męża przelała na Lee [...] zawsze chyba współczuła Lee, że jest półsierotą, i miała do niego słabość.

[Albert] Jenner miał anielską cierpliwość. Słuchał. Chciał wiedzieć, jak układały się stosunki między matką a synem po ich powrocie z Nowego Jorku, ponieważ wówczas Myrtle Evans wynajmowała im mieszkanie w budynku, którego sama była mieszkanką i administratorem.

JENNER: Jaką gospodynią była Margie?

MYRTLE EVANS: Bardzo dobrą; miała świetny gust; wykazywała [...] w tym kierunku wrodzone zdolności i nie była leniwa [...] zawsze miała w domu czyściutko i sama zawsze wyglądała jak z obrazka. Dlatego też, kiedy zobaczyłam ją w telewizji po tym wszystkim, a ona była taka wymizerowana i tak staro wyglądała, powiedziałam sobie: „To przecież nie może być Margie". Rzecz jasna, to była ona, ale gdyby znali ją państwo, zanim to wszystko się wydarzyło, zrozumieliby państwo, o co mi chodzi. Była piękna. Miała śliczne kręcone włosy.

JENNER: A jaki był Lee?

MYRTLE EVANS: No cóż [...] kiedy miał ochotę na kolację albo w ogóle na coś do jedzenia, to ryczał jak bawół. Krzyczał: „Mama, co z moją kolacją?". Czasami Margie była na dole i rozmawiała ze mną, ale kiedy się tak wydzierał, zrywała się na równe nogi i biegła zrobić mu coś do jedzenia. Całe jej życie kręciło się wokół tego chłopca. Niemożliwie go rozpieszczała. [Jeśli cofnąć się dalej w czasie] moje zdanie jest takie, że Lee pochłaniał tak dużą część uwagi matki, że im się nie układało – to znaczy jej i Ekdahlowi, właśnie przez Lee [...].

JENNER: Czy to tylko pani przypuszczenie?

MYRTLE EVANS: Tak, proszę pana; cały czas mam poczucie, że gdyby posłała go do szkoły z internatem, mogłoby jej się w życiu ułożyć, a biorąc pod uwagę stan majątkowy pana Ekdahla i tak dalej, to gdyby nie Lee, Margie żyłaby sobie jak królowa. Nie musiałaby się niczym martwić, jeśli chodzi o pieniądze, ale u niej na pierwszym miejscu były dzieci, to znaczy Lee. Po prostu całą miłość przelała na niego, tak mi się wydaje.

2

„Porusza się i mówi jak mężczyzna"

„Big Easy" (Wielki Luz) – jak się mówi o Nowym Orleanie – to być może jedyne amerykańskie miasto, gdzie średnie warstwy mafii niczym się nie różniły od zwykłych przedstawicieli klasy średniej, no ale może wynikało to stąd, że w Nowym Orleanie panuje większa niż gdzie indziej tolerancja. Niewykluczone, że to zasługa permisywizmu, który bierze się z tropikalnych upałów, iż ktoś może być właścicielem lokalu ze striptizem, a jednocześnie regularnie chodzić do kościoła. Jakby mieszkańcy Nowego Orleanu zakładali, że ludzkość to duchowy domek z kart, zbudowany na banknocie, a zatem pełen sprzeczności i na krawędzi upadku. Sprzeczności w charakterze jednostki były więc traktowane z równą wyrozumiałością.

Można by też powiedzieć, że Lee miał w Nowym Orleanie do załatwienia porachunki z młodości, ponieważ jako młody chłopak przez jakiś czas (gdy Marguerite nie było już stać na opłacanie mieszkania u Myrtle Evans) mieszkał nad klubem bilardowym przy Exchange Street, na skraju Dzielnicy Francuskiej, gdzie pełno było dziwek, drobnych złodziejaszków i szulerów. A trudno wyobrazić sobie dorastającego chłopaka, który słucha odgłosów nocnego życia ze swojego okna na piętrze i nie wyobraża sobie, że sam też uczestniczy w życiu ulicy, tak bogatym w wydarzenia.

Nie można jednak powiedzieć, że do Nowego Orleanu ciągnęły go z powrotem jedynie wspomnienia. Wiemy już, że Marina chciała, aby jak najszybciej opuścił Dallas. Poparła zatem jego decyzję wyjazdu i obiecała, że dołączy do niego, gdy tylko uda mu się zdobyć pracę. Do tego czasu miała mieszkać z nową znajomą, Ruth Paine. 24 kwietnia Lee wsiadł do autobusu jadącego do Nowego Orleanu. Gdy się tam znalazł, najpierw zadzwonił do ciotki, Lillian Murret, i zapytał, czy mógłby u niej pomieszkać przez kilka dni. Okazało się jednak, że minęło parę tygodni, zanim udało mu się przy pomocy Myrtle Evans znaleźć mieszkanie przy Magazine Street.

McMILLAN: [Murretowie] byli ludźmi skrajnie konserwatywnymi, potępiali jego wyjazd do Rosji, więc Lee się bał, że może nie będzie przez nich mile widziany w Nowym Orleanie. Przewidując taki obrót sprawy, wyznał Marinie, iż podejrzewa ich o życie ponad stan. Mąż Lillian, Charles Ferdinand Murret, do którego z czasów, kiedy był zawodowym bokserem, przylgnął pseudonim „Dutz", był urzędnikiem w stoczni. Lee podejrzewał, że jego wuj może kręcić na lewo jakiś interes, na przykład bukmacherstwo. Nie ma jednak żadnych dowodów, że tak było [...]

Owszem, są. Komisja Izby Reprezentantów do spraw Zabójstw (HSCA) przyjrzała się z bliska działalności Dutza Murreta i doszła do wniosku, że wiele łączyło go z

liczącymi się postaciami ze światka przestępczego, powiązanymi z organizacją Marcella [...] wspólnik Dutza Murreta służył kiedyś podobno jako asystent czy kierowca Marcella. Komisja dowiedziała się także, że pewien powiązany z Murretem człowiek, który poręczył za Oswalda i tym samym wydobył go z aresztu, gdzie ów przebywał w sierpniu 1963 roku za zakłócanie spokoju publicznego, współpracował z dwoma zastępcami Marcella.

JENNER: Jaki był Lee Harvey Oswald jako chłopiec?

CHARLES MURRET: Mówię panu, że za bardzo się nim nie interesowałem. Nie mogę panu nic powiedzieć, bo wcale nie zwracałem na niego uwagi. Chyba był rozwrzeszczanym dzieciakiem, wie pan; zawsze kiedy chciał coś od matki, to podnosił głos. Ale przypominam sobie wiele sytuacji, kiedy było dokładnie na odwrót. Lubił czytać i w domu raczej nie wchodził nikomu w drogę.

JENNER: Czy pan miał dobry kontakt z Marguerite?

CHARLES MURRET: Niezbyt [...].

JENNER: A jakie wrażenie zrobił na panu Lee wtedy, kiedy zjawił się u państwa po latach?

CHARLES MURRET: [...] Jakoś nie mogłem się do niego przekonać, ale mówił, że chce znaleźć pracę i mieszkanie i potem sprowadzić żonę z Teksasu, więc nie chciałem mu w tym przeszkadzać.

Wypowiedź Murreta brzmiałaby podobnie, gdyby w 1963 roku miał w Nowym Orleanie z Oswaldem dużo do czynienia, ale jej prawdziwość potwierdza zeznanie Lillian Murret, i ona podsuwa nam wyjaśnienie zagadki: może Murret i miał powiązania z mafią, ale i on, i jego żona wysoko cenili sobie ciężko zapracowany szacunek i wyższe wykształcenie, które mogli zapewnić swoim dzieciom. Oswald, ze względu na swój rosyjski epizod, nie był człowiekiem, którego Murret szczególnie chciałby u siebie gościć. Podobnie jak niemal każdy szaraczek z peryferii mafii, Dutz był zagorzałym patriotą.
      Ale właśnie przez Murreta poważnie brało się pod uwagę powiązania Oswalda z mafią. Nie ma jednak żadnych dowodów na to, że wuj i siostrzeniec starali się choć nieco ocieplić stosunki. Lee był krewnym Lillian; być może miał szczęście, że to ciotka, a nie wuj, odebrała telefon, kiedy dzwonił z dworca autobusowego. Ona go natychmiast zaprosiła.

LILLIAN MURRET: [...] mówił mi, że chce znaleźć pracę, a potem miał posłać po żonę, Marinę, i dziecko [...] poprosiłam [...], żeby opisał mi żonę, a on powiedział: „Jest dokładnie taka, jak wszystkie amerykańskie żony". Powiedział: „Nosi szorty".
      [...] Mówił też, że musi sobie kupować gazetę, żeby przeglądać oferty pracy i spróbować znaleźć coś dla siebie i [później] co rano wychodził z gazetą [...] i wracał dopiero po południu, na kolację. U mnie kolację jada się między 17.30 a 18.00, i Lee co dzień przychodził na czas, żeby zasiąść z nami do stołu. Po kolacji nie wychodził już z domu. Około 18.30 czy 19.00 siadał i oglądał telewizję, a potem szedł spać. Robił tak codziennie przez ten czas, kiedy u nas mieszkał. Ale w pierwszą niedzielę, kiedy był u nas, mówił... rozmawialiśmy o rodzinie i Lee mnie zapytał: „Wiesz coś o Oswaldach?", a ja [mu odpowiedziałam]: „Nie znałam żadnego poza twoim ojcem" [...]. Nie powiedział mi o tym, ale pewnie przy niedzieli poszedł na cmentarz, gdzie został pochowany jego ojciec [...]. Pewnie zapytał dozorcę, gdzie jest grób Oswalda.

Któregoś ranka starszy kuzyn Lee, John Murret, podarował mu białą koszulę z krótkimi rękawami i krawat, które Lee miał na sobie dziesięć tygodni później, kiedy na Canal Street rozdawał ulotki Fair Play For Cuba Committee (Komitetu na rzecz Uczciwych Stosunków z Kubą).

Lillian Murret: Tak, Lee zbierał się do wyjścia [...], a John chyba ubierał się do pracy. Uważał, że Lee źle się prezentuje. John [...] tak to delikatnie załawił – on umie podejść do ludzi – poprosił Lee i powiedział mu: „Lee, mam taką koszulę; weź ją; na mnie jest za mała. Włóż ją, a tu masz jeszcze do niej krawat". Dodał jeszcze: „No, stary, przecież musisz dobrze wyglądać, jeśli chcesz dostać tę pracę, rozumiesz", i dał Lee tę białą koszulę i krawat, żeby lepiej się prezentował podczas rozmowy w sprawie pracy, i Lee je przyjął.

9 maja, tego samego dnia, kiedy Oswald znalazł mieszkanie, rankiem udało mu się zatrudnić w firmie Reily Coffee.

Lillian Murret: [...] wrócił do domu, wymachując gazetą, przytulił mnie i nawet pocałował i wykrzyknął: „Mam! Mam!" [...]. Zapytałam go: „No dobrze, Lee, a ile tam płacą?". Odpowiedział [...] „Nie tak dużo, ale to mi wystarczy".

Powiedziałam mu: „No bo wiesz, Lee, tak naprawdę to niewiele umiesz robić. Jeśli ci się ta praca nie spodoba, to może pójdziesz do szkoły wieczorowej i wyuczysz się jakiegoś fachu" [...]. A on powiedział: „Nie, nie muszę iść do żadnej szkoły. Niczego się nie muszę uczyć. Już wszystko wiem". No i tak to było. Nic więcej już mu się nie dało powiedzieć [...].

Jenner: Czy kiedy pani to mówiła, odniosła pani wrażenie, że on naprawdę wierzył w swoją mądrość?

Lillian Murret: Tak jest, wierzył, że jest mądry.

Firma Williama B. Reily'ego zajmowała się dystrybucją produktu zwanego Luzianne Coffee. Oswald został przyjęty do oliwienia wielkich maszyn, mielących ziarna kawy.

McMillan: Na krótkim podaniu o pracę w tej firmie pobił chyba własny rekord kłamstw. Napisał, że mieszka przy French Street 757 (u Murretów) od trzech lat; że ukończył szkołę średnią, do której chodził tylko przez kilka tygodni; jako poręczycieli podał swojego kuzyna Johna Murreta, którego nawet nie poprosił o pozwolenie; sierżanta Roberta Hidella (to zbitka imienia brata Roberta i używanego przez Lee fałszywego nazwiska Hidell) „w czynnej służbie oddziału piechoty morskiej" (zmyślone od początku do końca); oraz porucznika J. Evansa, w czynnej służbie marines (to nazwisko i pierwsza litera imienia [męża Myrtle Evans], połączona ze zmyśloną rangą w piechocie morskiej).

Rozumie, że referencje to zawracanie głowy. Komu by się chciało marnować czas na sprawdzanie, czy referencje pracowników niższego szczebla są zgodne z prawdą? Ale jakiż z niego przemyślny łgarz! Każde podane przez niego nazwisko należy do innej dziedziny jego życia. Kłamstwa tworzy z przeszłości, teraźniejszości i przyszłości, przydaje mu się i rodzina, i marines, i nawet mąż Myrtle Evans, którego w życiu nie widział na oczy. Jest w tej komfortowej sytuacji, że ma z czego czerpać. Gdyby tylko wykorzystywał to do pisania wierszy, nie kłamstw.

Ale nie fałszuje faktów bez przyczyny. Nigdy nie wie, kiedy będzie musiał się kryć, dlatego woli zostawić za sobą mnóstwo fałszywych tropów, by zmylić przyszły pościg.

Poza tym teraz konieczność nakazuje mu przestać napawać się wszechwładną świadomością, że strzelał do generała. Chwilowo będzie się musiał zająć oliwieniem wielkobrzuchych maszyn.

Niewykluczone, że z chwilą pójścia do pracy traci wolność, jaką cieszył się przedpołudniami. Możliwe, że póki nie znalazł pracy, pysznie się bawił w Nowym Orleanie. Zeznanie Deana Adamsa Andrewsa daje trochę do myślenia. Czy jest zgodne z prawdą, to już osobna kwestia. Gerald Posner opisuje Andrewsa w następujący sposób: „Ważący ze sto pięćdziesiąt kilo czterdziestoczteroletni adwokat, znany ze skłonności do przesady i robienia wielu rzeczy na pokaz".

LIEBELER: Od FBI mam informacje, że [...] Lee Harvey Oswald przyszedł do pana do biura [...].

DEAN ANDREWS: Nie pamiętam dat, ale w skrócie było to tak: Oswald przyszedł do mnie do biura w towarzystwie jakichś młodych gejów, Meksykanów. Chciał się dowiedzieć, co można zrobić w związku ze zwolnieniem z marines z „żółtymi papierami". Wytłumaczyłem mu, że jak przyniesie pieniądze, to będę mógł zacząć działać [...].

LIEBELER: Kiedy przyszedł do pana po raz pierwszy, byli z nim geje. Przez to rozumie pan, oczywiście, że ludzie ci sprawili na panu wrażenie homoseksualistów?

DEAN ANDREWS: Oni tak jakoś świszczą. Nie wiem, czy to homoseksualiści, czy nie. My na nich mówimy geje [...].

LIEBELER: Czy widział pan jeszcze kiedyś kogoś z tej grupy? [...]

DEAN ANDREWS: Tak [...]. Na komendzie pierwszej dzielnicy. Policja zgarnęła ich za noszenie ubrań płci przeciwnej.

LIEBELER: Jak liczna była ta grupa?

DEAN ANDREWS: Około 50 osób [...]. Zająłem się tymi, których reprezentowałem. Byli w areszcie tymczasowym. Poręczyłem za nich i wyciągnąłem ich stamtąd [...].

LIEBELER: Mówi pan, że niektórzy z tych gejów aresztowanych przez policję [...] to ci sami, którzy byli u pana z Oswaldem?

DEAN ANDREWS: Tak [...].

LIEBELER: Pozwoli pan, że postaram się sprecyzować, ile czasu upłynęło od pojawienia się Oswalda w pańskim biurze a aresztowaniem tych młodych ludzi [...]. Miesiąc? [...]

DEAN ANDREWS: [...] Najwyżej dziesięć dni.

LIEBELER: Domyślam się, że w aktach nowoorleańskiej policji znajdują się daty aresztowania tych ludzi?

DEAN ANDREWS: Sprawdziłem akta pierwszej dzielnicy [...]. Oni zmieniają imiona, tak jak pan czy ja zmieniamy ubrania. Dziś taki może nazywać się Candy, na drugi dzień Butsy, a na trzeci – Mary [...]. Imiona i nazwiska to bardzo niepewna metoda ustalania tożsamości [...]. Ich przeważnie zna się z widzenia.

LIEBELER: Czy pamięta pan datę tego grupowego aresztowania?

DEAN ANDREWS: Nie; w Nowym Orleanie co piątek się kogoś aresztuje [...].

LIEBELER: Ale było to w maju 1963 roku?

DEAN ANDREWS: Tak [...].

LIEBELER: Czy Oswald zrobił na panu wrażenie geja?

DEAN ANDREWS: Trudno powiedzieć. Nie wiem. Trzymał się z nimi. Nie świstał tak jak oni, ale swój do swego ciągnie [...].

LIEBELER: Co ma pan na myśli mówiąc, że nie świstał?

DEAN ANDREWS: Nie był zniewieściały; nie miał wysokiego głosu; nie poruszał się i nie mówił jak kobieta; porusza się i mówi jak mężczyzna.

LIEBELER: [...] Czy było coś charakterystycznego w jego sposobie chodzenia?

DEAN ANDREWS: Nie zwracałem na to uwagi. Nie widziałem, jak chodzi, tylko tyle, co od drzwi do mnie do biura i z powrotem. Nie było nic takiego, co by zwróciło moją uwagę swoją niezwykłością, ale po prostu założyłem, że on zna tych ludzi i się z nimi trzyma. Oni nie mieli do mnie żadnego interesu. Ci trzej geje, z którymi do mnie przyszedł, obnosili się ze swoją innością. Na takich jak oni mówimy „cioty". Rozpoznaje się ich na pierwszy rzut oka. A jak jeszcze otworzą usta [...]. Z tymi, co się tak z tym afiszują, to nigdy nie wiadomo, jakie ich łączą stosunki z innymi ludźmi. Nie umiem powiedzieć, czy Oswald jest gejem, czy nie, tyle tylko, że przyszedł do mnie z tymi, jak to się u nas mówi, fagasami. I to chyba wszystko.

Zagadkowa kwestia homoseksualizmu Oswalda nieco się teraz wyjaśniła, z tym że wszystko to wiemy z ust człowieka, na którego słowach – jak twierdzi Posner – raczej trudno polegać. Zatem możemy dodać tylko kolejną wątpliwość do naszego wyobrażenia o stosunkach Lee z Mariną, gdy ona przyjeżdża, a jemu kończą się wakacje od małżeństwa.

Warto jednak przypomnieć sobie paradoks Oswalda. Nawet jeśli zawsze pozostanie dla nas do pewnego stopnia tajemnicą, to – tak czy owak – wiemy o nim coś więcej niż na początku. Jest on człowiekiem, którego nigdy nie zrozumiemy do końca, a jednak otaczające go drobne sekrety wzbogacają nasze wyobrażenie o nim. Echo jest mniej wyraźne niż dźwięk, który je wywołał, niemniej jednak jakieś jego odbicie dociera do naszych uszu. Jeśli rzeczywiście Oswald jest homoseksualistą, to tragedia jego małżeństwa polega na tym, że zaledwie połowiczny związek łączy go z Mariną, a jego drugą połowę pociąga seks z mężczyzną. Jeśli ponadto taką potrzebę wyrażał od czasu do czasu w młodości, w latach służby w marines, a także skrycie w Rosji i być może w Dallas, wówczas obraz odmalowany przez Deana Andrewsa nabiera wiarygodności. A już na pewno pozwala to wyjaśnić okresy, kiedy pożąda Mariny, przeplatające się z tak całkowitym brakiem zainteresowania, że ona aż skarży się nań przed ludźmi, których nawet dobrze nie zna. Co do pożycia seksualnego, można powiedzieć, że Lee był jej mężem przez nie więcej niż piętnaście tygodni w roku.

3

Nowe układy

Jeden z tych tygodni rozpoczyna się wieczorem 11 maja, kiedy to Ruth Paine przyjeżdża do Nowego Orleanu vanem z dwojgiem swoich dzieci, z Mariną i June. Wedle McMillan tego wieczora Lee i jego żona

cieszyli się, że znów są razem.

– Tak za tobą tęskniłem – powtarzał w kółko Lee. Tej nocy i rano kochali się trzy razy. Kochali się po raz pierwszy od 29 czy 30 marca, czyli od tego weekendu, kiedy Marina zrobiła Lee zdjęcie z karabinem.

Ponieważ jednak to wciąż ci sami Lee i Marina, niekoniecznie musiało wyglądać to aż tak czule. Ledwie Marina zobaczyła mieszkanie, powstały podwaliny pod nowe sprzeczki w Nowym Orleanie.

Ruth Paine: [...] Lee pokazał jej, oczywiście, wszystkie zalety wynajętego [mieszkania] [...]. Był zadowolony [...]. Było na tyle duże, że mogli mnie przenocować [...]. Pokazał małe podwórko porośnięte trawą, gdzie mogła się bawić June, i krzaczki dojrzałych truskawek. I wejście ze szklaną werandą. I dość duży salon. Był zadowolony z mebli i z tego, że właścicielka powiedziała, że są w stylu nowoorleańskim. A Marina najwyraźniej nie była tak zadowolona, jak się spodziewał. Myślę, że czuł... że chciał, żeby jej się podobało. To było widać.

Jenner: Proszę nam przytoczyć słowa Mariny. Co panią skłoniło, żeby sądzić, że mieszkanie jej się nie podobało?

Ruth Paine: Powiedziała, że jest ciemne i niezbyt czyste. Uważała, że owszem, podwórko jest ładne, że to ogrodzony kawałek zieleni, gdzie June będzie mogła się bawić, ale że prawie nie ma przepływu powietrza. I prawie natychmiast się okazało, że jest tam mnóstwo karaluchów.

Jenner: Czy ona to zauważyła i jakoś skomentowała?

Ruth Paine: Nie wiem, czy powiedziała to głośno. On się gęsto tłumaczył. Mówił, że robił, co mógł, żeby się ich pozbyć. Ale one się nie dały. Pamiętam, że zauważyłam, że gdy Marina przyjechała, był bardzo delikatny i jakby bezbronny.

Jenner: Był delikatny?

Ruth Paine: [...] miał nadzieję, że ona go pochwali, ale się przeliczył.

Priscilla Johnson McMillan pisze: „[...] Ruth przyszło nagle na myśl, że być może Lee nie zależało na Marinie, ale z całą pewnością zależało mu na jej opinii". Rzeczywiście. Jeszcze w Rosji obiecał jej, że zaopiekuje się nią w Ameryce; jak na razie nie spisywał się najlepiej. Teraz liczył na to, że nowe mieszkanie przypadnie żonie do gustu. Ale znów budząca się nadzieja została zdeptana przez Marinę, która miała serce czułe, lecz rogate.

Ruth Paine: [...] Kłócili się przez większą część weekendu. Bardzo niezręcznie się czułam w tej sytuacji. On jej mówił, że ma się zamknąć, mówił: „Powiedziałem tak i koniec dyskusji na ten temat".

Jenner: Jakie rozmowy tak się kończyły?

RUTH PAINE: Ja [...] przypominam sobie takie wrażenie, że sprawy, o których rozmawiali, były zbyt drobne, by wzbudzić w obojgu aż tak silne emocje. Przyszło mi do głowy, że może dodatkowo stresuję ich swoją obecnością, postarałam się więc jak najszybciej wrócić do Teksasu.

Ruth Paine przyjechała w sobotę, a wyjechała w poniedziałek. Możemy sobie wyobrazić, co czuła. Trzydzieści lat później Marina została zapytana o to, czy kiedykolwiek podejrzewała Lee o homoseksualizm, na co odpowiedziała, że nigdy nie dał jej po temu powodów. Ale faktem jest, że zawsze dostosowywała się do oczekiwań rozmówcy, kimkolwiek by był, więc po chwili namysłu dodała, że gdy Ruth mieszkała u nich w Nowym Orleanie przez te dwie noce, Lee kochał się z nią w nowy sposób. Lekko zażenowana, dała do zrozumienia, że brał ją od tyłu, czego nigdy wcześniej nie robił. I właśnie w tym momencie przeszła obok uchylonych drzwi Ruth Paine. Marina uważa, że Ruth prawdopodobnie ich widziała. „Lee – wspomina – wcale się nie wstydził", i to jej się naraz wydało jakimś dowodem na to, że być może miał kontakty homoseksualne (jak gdyby jego braku konsternacji w chwili, gdy został przyuważony podczas aktu miłosnego, nie można było uznać za normalne zachowanie heteroseksualne).

W każdym razie Ruth Paine mogła poczuć się niezręcznie.

Chyba najwyższa pora opisać, jak wyglądała: była wysoka, chuda, miała długą, wąską, usianą piegami twarz i była nawróconą kwakierką. Razem z mężem, Michaelem, oddawała się śpiewaniu madrygałów i tańcom ludowym. Dzięki temu się poznali.

Ruth nosiła szkła bez oprawek. Była osobą poważną. Przez setki stron zeznań, jakie złożyła przed Komisją Warrena, przewija się niewiele żartobliwych uwag. To samo można powiedzieć o Michaelu, szanowanym inżynierze, specjaliście od helikopterów, mężczyźnie suchym, wysokim i szczupłym. W zeznaniach jest równie poważny jak Ruth – na tej podstawie można sobie wyobrazić, że tych dwoje wyjątkowo porządnych ludzi żyło pod jarzmem prawdziwej szlachetności. Oboje zostali wychowani tak, by z szacunkiem traktować bliźnich, by stanowczo i nie idąc na żadne ustępstwa nie dopuszczać do głosu zwierzęcej, popędliwej strony swojej natury: można niemal usłyszeć, jak przy każdym oddechu napinają się krępujące ich sznury. Nie trzeba chyba dodawać, że było to małżeństwo nieudane. Szanowali się wzajemnie, owszem, zawsze traktowali siebie z szacunkiem, ale w czasie, gdy poznali Oswaldów, łącząca ich więź dawno się zerwała.

Marina poznała Ruth na przyjęciu w Dallas, które wyprawiał w lutym minionego roku pewien geolog, Everett Glover. Nikogo nie zdziwi pewnie fakt, że spotkanie zaaranżował De Mohrenschildt. Później Ruth Paine będzie z tego powodu osobą podejrzaną, póki ostatecznie rozważny, otwarty charakter jej zeznań, tak otwarty na potrzebę weryfikowania, a następnie udowadniania najmniejszych nawet szczegółów, nie wykaże, że nie mogłaby być agentką ani amerykańskiego, ani radzieckiego wywiadu. Nie miała instynktu zmyślania. Musiałaby być rzeczywiście wysokiej klasy aktorką, gdyby postać, jaką zaprezentowała Komisji Warrena, była jedynie graną przez nią rolą.

Podane przez nią emocjonalne wyjaśnienie powodu przyjaźni z Mariną nie jest skomplikowane. Ruth, jako kobieta kochająca zobojętniałego na nią męża, zapałała żywą sympatią do atrakcyjnej znajdy, która nie znała słowa po angielsku, bo jej mąż nie życzył sobie, żeby się nauczyła tego języka, ponieważ wówczas, tłumaczyła Marina, zapomniałby rosyjskiego.

Takie podejście wydało się Ruth nie do przyjęcia. Podobnie zresztą jak regularne naciski Lee na Marinę, żeby sama wróciła do Rosji. Michael Paine, który podzielał zdanie żony na temat Oswaldów, uważał, że zamiar Lee wysłania Mariny z powrotem do ZSRR zakrawał na zbrodnię.

Michael Paine: [...] Uważałem, że on traktuje ją jak swoją poddaną, a ponieważ wolałbym usłyszeć jej zdanie na temat Rosji, nie tylko jego opinię, chciałem, żeby nauczyła się mówić po angielsku; wtedy Ruth mi powiedziała, że Marina myśli, że być może będzie musiała wrócić do Związku Radzieckiego. Pomyślałem wtedy, że Stany są takie olbrzymie, iż powinna móc tu zostać, jeśliby chciała, zresztą najwyraźniej chciała. Zrobiła na mnie wrażenie osoby apolitycznej, a jednak uczciwej, sprawiedliwej i sumiennej [...].

Painowie wprawdzie nie mieszkali już razem, ale wciąż myśleli jak jedna osoba. Ruth uwielbiała rosyjski i przykładała się do jego nauki. Szybko doszła do wniosku, że gdyby Marina zamieszkała z nią w opuszczonym przez męża domu w Irving, w Teksasie, gdzie obecnie mieszkała z dziećmi, przyniosłoby im to obopólne korzyści. Michael Paine zgodził się na ten pomysł bez zastrzeżeń: „[...] nie miałem nic przeciwko temu, by opłacać jej pobyt, póki się jakoś nie urządzi".

Co ciekawe, 7 kwietnia, trzy dni przed dokonanym przez Lee zamachem na Walkera, Ruth Paine nie bez wysiłku napisała po rosyjsku długi list do Mariny. Z tonu tego listu możemy wnosić, że Marina zdążyła już wyjawić Ruth niejeden małżeński sekret. Bardzo możliwe, że – biorąc pod uwagę utajony cel takich zwierzeń (którym jest wyrzucenie z siebie złości, by można było na nowo pokochać), Marina pewnie odmalowała swoje życie z Lee w ciemniejszych barwach – w rzeczywistości owo życie nie wyglądało aż tak czarno.

Droga Marino!

Chcę Cię zaprosić, żebyś się do mnie wprowadziła i zamieszkała ze mną teraz, i kiedy urodzi się dziecko. Nie wiem, jak układa Ci się w domu z mężem. Nie wiem, co będzie lepsze dla Ciebie, June i Lee – mieszkać razem czy osobno. To, oczywiście, Twoja sprawa i Ty sama musisz zdecydować, co będzie lepsze i jakie wyjście wybierzesz. Chcę Ci uświadomić, że masz możliwość wyboru. Możesz się tu wprowadzić, na jak długo chcesz – kilka dni, tygodni, miesięcy. Dużo myślałam nad tym zaproszeniem. To nie jest kaprys.

Wydaje mi się, że dla nas obu byłoby to i przyjemne, i pożyteczne, gdybyśmy zamieszkały razem. Możemy sobie nawzajem pomagać. Gdy ty mówisz, mnie to pomaga. Jeśli od czasu do czasu poprawiłabyś mi błędy w mowie czy w listach, bardzo bym się cieszyła. To dla mnie tak ogromna pomoc, że uważam za oczywiste robienie zakupów dla nas obu, takich jak jedzenie, mydło itd. Lee musiałby ci dawać pieniądze tylko na ubrania i lekarstwa.

Możesz tu mieć spokój, jaki potrzebny jest w czasie ciąży. W ciągu dnia jest tutaj cicho, choć nie tak cicho jak u Was. Miałabyś dla siebie i June osobny pokój od ulicy. Nikt by wam nie przeszkadzał.

Myślę, że tu z łatwością nauczyłabyś się angielskiego. Uczyłabyś się słów ode mnie i od moich dzieci.

W ciągu dwóch tygodni mogłabym Cię nauczyć wszystkiego, co wiem o gotowaniu. W sprzątaniu nie jestem dobra. Może w tym akurat mogłabyś mi pomóc.

Nie chcę skrzywdzić Lee. Oczywiście, nie wiem, czego on chce. Być może jest z nim tak, jak z Michaelem, który raz chce ze mną mieszkać, a raz nie chce. Mogłabyś, na przykład, mieszkać tutaj od poniedziałku do piątku, a na weekendy wracać do domu. Przewozić musiałabyś tylko ubrania, pieluchy itp. Inne rzeczy, które będą potrzebne Tobie i June, będą tu na miejscu – łóżka, pościel, ręczniki, krzesełko dla June itd.

Proszę, przemyśl to i daj mi znać (teraz lub później), co myślisz o tym zaproszeniu. Jeśli jesteś zainteresowana [...] chcę napisać do Ciebie i Lee oficjalny list, tak aby wiedział to wszystko, o czym Tobie napisałam. To, gdzie mieszkasz Ty i June – to oczywiście kwestia, która go żywo obchodzi. Dlatego chcę z nim o tym pomówić otwarcie.

Twoja Ruth

Nasze wyobrażenie o Ruth nieco się zmienia, gdy dowiadujemy się, że w rzeczywistości nie wysłała tego listu. Rozważała, czy ma prawo, choćby i w najlepszych intencjach, wchodzić między męża a żonę.

Trzy tygodnie po napisaniu przez nią listu Lee wyjechał do Nowego Orleanu. Za jednogłośną zgodą stron, Paine'ów i Oswaldów, Marina i Lee wyprowadzili się z mieszkania przy Neely Street, po czym Marina na dwa tygodnie zamieszkała w Irving i bardzo to sobie chwaliła. Żyło jej się spokojnie, a Ruth ją szanowała.

Przechodząc obok uchylonych drzwi w mieszkaniu przy Magazine Street, Ruth kątem oka zobaczyła męża i żonę w łóżku; Marina najwyraźniej nie była z Lee tak nieszczęśliwa, jak opowiadała. Nic dziwnego, że Ruth na drugi dzień wyjechała, a jako osoba z gruntu dobra, starała się mieć nadzieję, że wszystko ułoży im się jak najpomyślniej.

4

Miłość, upał i smar

McMILLAN: Marina wcale nie kryła się z tym, że interesuje ją seks. Dość często podczas wieczornych spacerów wstępowali do kiosku i tam w najbardziej niesmacznych czasopismach oglądała zdjęcia nagich mężczyzn i kobiet. Lee udawał, że on jest ponad to [...]. Ale nieraz przyłapała go na kartkowaniu świerszczyka.

Oprócz June [...] seks był najjaśniejszą stroną ich małżeństwa. Mimo całego swojego purytanizmu Lee lubił się kochać. Po stosunku szedł do łazienki, żeby się umyć, wychodził nucąc arię i kładł się na łóżku tyłem do Mariny.

– Nie dotykaj mnie – mówił. – I nie mów ani słowa. Jestem teraz w raju. Nie chcę, żeby coś popsuło mi nastrój.

W nogach łóżka stało lustro. Lee kładł poduszki u wezgłowia, tak by widzieć, jak się kocha z żoną. Marinie się to nie podobało. Zabierała poduszki albo odwracała głowę. Bolało ją to, że lustro chyba bardziej podnieca Lee niż ona [...].

– Kogo całujesz – mnie czy lustro?

– Co, nie podoba ci się?

– Jasne, że nie – odpowiedziała i dała mu lekkiego klapsa w tyłek.

Można się było wściec. Jej męża, Lee Harveya Oswalda, bardziej pobudzał widok własnego ciała niż jej ciała. No, ale przecież Marina nie miała takiej matki jak Marguerite, która by jej powtarzała, jaka to jest cudowna. Ponieważ zaś wewnętrznie Lee był osobą znacznie mniej niezwykłą niż wynikałoby to z zachwytów Marguerite, naturalnie starał się jakoś zobaczyć w sobie tego człowieka, którego Marguerite nazywała cudownym – a od czasu do czasu lustro było na tyle uprzejme, że podsuwało mu miłe dla oka odbicie. Co za przystojny facet!

Czasami w nowoorleańskim upale Lee czuł się sexy. „Lubił przybierać przed lustrem to taką, to inną pozę – mówi Marina – a potem pytać: «Nie uważasz, że jestem zabójczo przystojny?». Lubił chodzić po domu nago. Nie wstydził się swojego ciała. Było gorąco i on rozbierał się do naga i siadywał na świeżym powietrzu, na werandzie. Po prostu to lubił".

Poza tym, oczywiście, się kłócili. Od wyjazdu Ruth jeszcze intensywniej. Ruth Paine nie zdawała sobie sprawy, że przy niej zachowywali się, jak umieli najlepiej.

McMILLAN: Marina czasami wstawała w nocy i szła do kuchni po coś zimnego do picia. A w kuchni roiło się od karaluchów.

– Chodź i podziwiaj swoje dzieło! – wołała w stronę sypialni.

Było to jego „dzieło", ponieważ Lee nie pozwalał jej używać spryskiwacza.

Przybiegał z sypialni nagi, ze środkiem przeciw karaluchom w sprayu, i wszędzie nim pryskał. Marina się śmiała, bo Lee był zbyt skąpy, żeby kupić porządny spray, był też zbyt skąpy, żeby zużywać go odpowiednio dużo, i na dodatek pryskał nie tam gdzie trzeba.

– Obudziłaś mnie po to, żeby teraz się ze mnie śmiać. – Był urażony.

W ciągu dnia oliwił maszyny; w nocy spryskiwał środkiem owadobójczym mieszkanie przy Magazine Street. Śmierdział oliwą i środkiem na owady. Upał jeszcze to nasilał. Nie powiedział żonie, że pracuje w fabryce kawy. Udawał, że w sklepie z materiałami dla fotografików, ale nie umiał wyjaśnić, dlaczego pachnie kawą. Wreszcie się przyznał. Musiał się przyznać. Nie dość, że przynosił ze sobą z pracy zapach, to jeszcze wpłynęła ona na jego nawyki. Chodził teraz w sandałach, starych roboczych spodniach i brudnych podkoszulkach, które rzadko zmieniał. Marinę może dręczyła myśl, że kiedyś w Mińsku wstydziła się tego, jak się ubierał Anatolij, a teraz Lee paraduje po ulicach brudny jak nieboskie stworzenie.

McMillan: – Nie opłaca mi się porządnie ubierać do pracy – wyjaśnł Marinie.

– W takim razie rób to dla siebie – powiedziała. – A jeśli nie dla siebie, to dla mnie.

– Po prostu mi się nie chce – odparł.

Brud w pracy – tłuszcz z ziaren kawy i smar do maszyn, upał, przeczucie, że nadchodzą nowe kłopoty. Lee ledwo trzyma nerwy na wodzy.

Jesse Garner: [...] Zapytałem go: „Lee, czemu nie mówisz po angielsku do swojej żony i córki? Żona by się w ten sposób poduczyła angielskiego, a małej byłoby łatwiej, kiedy pójdzie do szkoły".

Odpowiedział: „Będzie miała na to jeszcze dużo czasu", i od tamtej pory już nie usłyszałem od niego miłego słowa [...].

Liebeler: Czy pani osobiście miała jeszcze jakiś kontakt z Oswaldem?

Pani Garner: Tak. Kiedyś poszłam po komorne. Było już parę dni po terminie, to znaczy terminie zapłaty, a kiedy się na to pozwoli, to oni zwlekają i zwlekają, i w końcu człowiek się wcale nie doczeka [...] wychodził z domu, żeby złapać autobus na rogu ulicy, a na mój widok się odwrócił i [...] zapytałam go: „Panie Oswald, ma pan dla mnie komorne?" [...] Odpowiedział: „Tak, mam".

Chciał iść na przystanek, [ale] zawrócił [...] odepchnął mnie, przeszedł i poszedł po pieniądze i wrócił i mi je dał [...].

Liebeler: Dotknął panią?

Pani Garner: Dotknął mnie rękami, o tak, i popchnął [...]. Nie odezwał się ani słowem. Wrócił, dał mi pieniądze, i tyle.

LIEBELER: Kiedy miała pani następny raz...

PANI GARNER: No, nie rozmawiałam z nim już więcej, [bo] nie odpowiadał na „dzień dobry" ani „dobry wieczór" [...]. Tylko wieczorem wychodził za dom, zawsze ubrany w kąpielówki, w żółte kąpielówki z paskiem, nic poza tym, i wrzucał śmieci do mojego pojemnika i do innych pojemników na ulicy i nigdy się do nikogo nie odzywał, przechodził dosłownie pod drzwiami sąsiadów i nigdy do nikogo ust nie otworzył.

W pracy zazwyczaj też był taki milczący.

CHARLES LE BLANC: [...] skicrowałem go na czwarte piętro i kazałem mu zająć się wszystkim na czwartym piętrze. Powiedziałem, że niedługo wrócę, żeby sprawdzić [...] i za jakieś pół godziny czy czterdzieści pięć minut wróciłem [...] i nie mogłem go znaleźć. Zapytałem więc chłopaków, którzy pracowali na tym piętrze, czy go widzieli, i oni mówią, że tak, że parę razy przyłożył oliwiarkę do różnych maszyn, ale nie wiedzą, co się z nim później stało. No to zacząłem go szukać po całym budynku. Z jednej strony ma on cztery piętra, z drugiej trzy. Przeszukałem budynek od dachu po parter i nie mogłem go znaleźć. Wreszcie się znalazł i zapytałem go: „No i co, gdzieś się podziewał?". A on powiedział mi tylko tyle, że cały czas gdzieś się kręcił. Zapytałem go: „Ale gdzie?". A on powiedział: „No tu, po budynku", odwrócił się i odszedł.

Nieprzebieranie się z brudnych ubrań roboczych w czystą odzież po przyjściu do domu może się wiązać z tym, że kiedy był dzieckiem matka Lee za rzadko zmieniała mu pieluchy. Kiedy miał dwa i trzy latka, wiele było takich godzin, że Marguerite była w pracy, a zatrudniona przez nią do opieki para młodych się nim nie zajmowała. Teraz brud w miejscu pracy wydaje się kierować jego myśli ku broni. Czy możliwe, że brud i tłuszcz – jak odrętwienie spowodowane siedzeniem w brudnych pieluchach – budzi w nim niskie instynkty?

ADRIAN ALBA: [...] oczywiście, pracownicy fabryki Reily powiedzieli [FBI] po zamachu, że Lee Oswald spędzał co najmniej tyle samo czasu „w warsztacie Alby, co tu, w fabryce" [...].

LIEBELER: Mówi pan, że od czasu do czasu ktoś przychodził po niego do pana i wzywał go do fabryki?

ADRIAN ALBA: Pamiętam jakieś dwa czy cztery takie przypadki, że ktoś przychodził i mówił: „Lee, szukają cię tam. Jak tak dalej pójdzie, to cię wywalą z roboty". A Oswald mówił: „Już idę, już idę".

Oswald i Adrian Alba prowadzili ciekawe rozmowy w biurze warsztatu.

ADRIAN ALBA: Mamy tu automat z kawą i drugi z colą [...], a na stoliku leży około, bo ja wiem, od 80 do 120 czasopism. [Oswald] prosił o pozwolenie, jeśli chciał pożyczyć jedno czy dwa pisma, i trzymał je od trzech dni do tygodnia i zawsze pilnował, żeby mnie poinformować o tym, że je zwraca. A parę dni później znów pytał, czy może sobie pożyczyć jedno lub dwa czasopisma [...].

LIEBELER: Czy, pana zdaniem, wyróżniał się czymś szczególnym?

ADRIAN ALBA: Tak. Był małomówny [...]. Można było Lee Oswaldowi zadać dwa czy trzy pytania z rzędu, a jeśli temat wyraźnie go nie interesował, to po prostu dalej kartkował książkę, potem podnosił głowę i pytał: „Mówiłeś coś do mnie?" [...], ale wystarczyło powiedzieć słowo o pistoletach albo pismach o broni, a jemu rozwiązywał się język [...].

LIEBELER: Mam przed oczyma raport FBI. [Czy Oswald wspominał o tym, że] kula małego kalibru jest skuteczniejsza od kuli dużego kalibru, z czym pan się zgodził?

ADRIAN ALBA: [...] Wdaliśmy się w dyskusję, wychodząc od porównania szpikulca do lodu z nożem do krojenia chleba – o tym chyba nie mówiłem FBI – doszliśmy do tego, że lepiej by było zostać ranionym dziesięciocalowym nożem do chleba niż raz dźgniętym dwu- czy trzycalowym szpikulcem do lodu, co miało obrazować różnicę między raną od kuli dużego kalibru a raną od kuli małego kalibru.

LIEBELER: Na jakiej podstawie uznaliście z Oswaldem, że lepiej by było być ranionym nożem niż szpikulcem do lodu?

ADRIAN ALBA: Chodzi o krwotok wewnętrzny.

Mniej więcej w tym czasie Marina napisała do Ruth po rosyjsku list, który na angielski przełożono później na zlecenie Komisji Warrena:

25 maja 1963
Nowy Orlean
Droga Ruth! Cześć!
No proszę, minął już tydzień, odkąd dostałam Twój list. Nie mogę nic powiedzieć na swoje usprawiedliwienie, bo nie było żadnego powodu, żebym nie odpisała od razu. Ze wstydem muszę się przyznać, że łatwo ulegam nastrojom. A obecnie jestem w takim nastroju, że nic mi się nie chce. Gdy tylko wyjechałaś, cała „miłość" skończyła się jak nożem

uciął. Bardzo mi przykro, że Lee traktuje mnie tak, że w każdej chwili czuję, że jestem dla niego ciężarem. Obstaje przy tym, żebym wyjechała z Ameryki, ale ja wcale nie chcę. Bardzo mi się w Ameryce podoba i wydaje mi się, że nawet bez Lee jakoś bym tu sobie dała radę. Jak myślisz?

To zasadnicze pytanie, które nie daje mi spokoju dzień i noc. A Lee znów mi powiedział, że mnie nie kocha, więc, jak widzisz, wyciągnęłyśmy mylne wnioski. I Tobie, i mnie ciężko jest żyć z nieodwzajemnioną miłością – ciekawe, jak to się wszystko skończy? [...].

LILLIAN MURRET: Co robił w domu – jak się w domu odnosił do Mariny, to nie wiem, ale w mojej obecności był dla niej bardzo czuły i bardzo szarmancki. To znaczy otwierał jej drzwi samochodu i tak dalej – bardzo szarmancki. Czekał, aż pierwsza usiądzie, i tak dalej. Miał bardzo dobre maniery. To muszę mu przyznać.

JENNER: A jak ona odnosiła się do niego?

LILLIAN MURRET: Wydawało mi się, że tak samo. Kiedy byli w Nowym Orleanie, sprawiali wrażenie, że bardzo dobrze im się układa. Jeździli na targ francuski, kupowali kraby i krewetki, wracali do domu i gotowali sobie. Takie rzeczy sprawiały im dużą frajdę.

5

Uczciwe stosunki z Kubą

1 czerwca 1963
Szanowna Marino Nikołajewno!
W związku z Waszą prośbą o zgodę na wjazd do ZSRR z zamiarem osiedlenia się tam na stałe, w liście datowanym 18 kwietnia zwróciliśmy się do Was z prośbą o przyjazd do Waszyngtonu, jeśli to możliwe, i osobiste stawienie się w wydziale konsularnym naszej ambasady.

Jeśli nie możecie się zgłosić u nas osobiście, prosimy poinformować nas listownie o powodach, które skłoniły Was do wystąpienia o zgodę na wjazd do ZSRR [...].

Nie spieszyła się z odpowiedzią. Tego rodzaju sprawa może się ciągnąć latami.

Dla Lee to jednak nie błahostka. Marina nienawidzi jego zaabsorbowania polityką, a on nienawidzi tego kamienia młyńskiego u szyi, jakim jest dla niego małżeństwo. Przeszkadza mu w robieniu kariery politycznej. Atak na generała Walkera był dla Oswalda przykładem ostatecznego sprawdzianu, na co go stać. Czy jest wystarczająco bezwzględny, by zabijać w imię celów politycznych? Ponieważ nie trafił, strzelając do generała, nie może odpowiedzieć ze stuprocentową pewnością, że tak. Ponadto w tygodniach poprzedzających próbę zamachu musiał się całkowicie odsunąć od Mariny, jak gdyby morderczy instynkt mógł dojść w nim do głosu tylko wówczas, gdy on sam nie był zaspokojony seksualnie. Zatem pozostając w małżeństwie, skazałby się na życie całkowicie przeciętne; a jednak – inaczej nie można wytłumaczyć wielu jego zachowań – uwielbiał Marinę, a do tego bezgranicznie kochał June. Ale jego uczucie do June odbijało jak w lustrze jego zakochanie w sobie samym. Marinę zaś kochał jako kobietę, jako swoją trudną w pożyciu, uszczypliwą, upartą i często bardzo pociągającą żonę – choć czasami ledwo ją tolerował przez większą część miesiąca. Czy wielu młodych mężów bardzo się od niego różni? Albo młodych mężatek?

Bezwzględność! Musiał katować się myślą, że nie jest dość okrutny jak na rewolucjonistę, który musi być surowy i zdyscyplinowany. Pierwszą książką, jaką wypożycza z biblioteki publicznej w Nowym Orleanie, 23 maja, jest *Portrait of a Revolutionary: Mao Tse Tung*. Autor, Robert Payne, pisze o Mao tak: „Nawet wówczas reprezentował nowy typ człowieka; jednego z tych, którzy własnymi rękami budują całe cywilizacje". Jeśli to miała być ta szlachetna rola, którą Mao wywalczył sobie od historii, to Oswald nie mógł nie postanowić, że nie wystarczy być przywódcą; trzeba stworzyć zupełnie nowy sposób życia.

Najpierw jednak należy rozstrzygnąć drobną kwestię odgrywania czynnej roli w historii. Gdyby Oswald był celtyckim wojownikiem, szukałby odpowiedzi w runach; ale był tylko dwudziestotrzyletnim wyznawcą polityki rewolucyjnej, kroczącym drogą ku przyszłej chwale – a droga ta przechodziła przez Kubę. Jak to ujął Edward Epstein: „Gdyby tylko się znalazł w Hawanie, niewątpliwie nawiązałby kontakt z rządem Castro. Kiedyś nawet pochwalił się Marinie, że zostałby w tym rządzie „ministrem". Nie, nietrudno by było Oswaldowi uwierzyć, że gdyby udało mu się dostać na Kubę i dotrzeć do ludzi, którzy się liczyli, zostałby zaufanym doradcą do spraw bieżących wydarzeń w ZSRR. (W retrospektywie istotnie możemy postawić sobie pytanie – wcale nie retoryczne – czy doradcy Castro wiedzieli o radzieckiej rzeczywistości tak wiele, jak Oswald).

EPSTEIN: Problemem dla Oswalda był sposób, w jaki miał się tam dostać. Ponieważ w owym czasie obywatele amerykańscy nie mogli legalnie podróżować na Kubę, musiałby wystarać się o wizę w ambasadzie Kuby poza granicami USA, a żeby ją uzyskać, musiałby mieć jakieś dokumenty, potwierdzające jego poparcie dla władz kubańskich. Działania Lee w Nowym Orleanie służyły zdobyciu sobie reputacji zwolennika Castro.

26 maja
Szanowni Państwo!
Niniejszym zwracam się prośbą o przyjęcie mnie w poczet członków waszej organizacji [...].

Teraz, gdy mieszkam w Nowym Orleanie, zastanawiam się nad wynajęciem na własny koszt małego lokalu biurowego w celu utworzenia oddziału Komitetu na rzecz Uczciwych Stosunków z Kubą tu, w Nowym Orleanie. Czy mógłbym dostać zezwolenie?

Chciałbym także uzyskać informacje na temat kupowania ulotek itd. w dużych ilościach, jak również formularzy podań o członkostwo w Komitecie itd.

Miło też by mi było otrzymać portret Fidela, odpowiednio duży, by dało się go oprawić i powiesić w biurze.

Wynajęcie lokalu biurowego kosztuje tu 30 dolarów miesięcznie, i gdybym miał zapewniony stały dopływ materiałów, chętnie poniósłbym ten koszt.

Oczywiście, pracuję zawodowo i nie mógłbym dyżurować w biurze całymi dniami, lecz jestem pewien, że udałoby mi się uzyskać pomoc ochotników.

Czy mogliby Państwo dodać jakieś uwagi czy zalecenia?

Nie twierdzę, że ten projekt odniesie oszałamiający sukces, ale chętnie spróbuję założyć biuro, rozprowadzać ulotki i popularyzować Komitet na rzecz Uczciwych Stosunków z Kubą. [Państwo], o ile się orientuję, są jego trzonem, mam więc nadzieję, że szybko otrzymam odpowiedź.

Z wyrazami szacunku
Lee H. Oswald

RĘCE

PRECZ

OD KUBY!

Wstąp do Komitetu na rzecz Uczciwych Stosunków z Kubą

Oddział w Nowym Orleanie

Darmowe broszury, wykłady

Miejsce spotkań:

Zapraszamy wszystkich!

29 maja 1963

Lee H. Oswald

1907 Magazine Street

Nowy Orlean, Luizjana

Drogi Przyjacielu:

[...] Z wdzięcznością przyjmujemy Pana zainteresowanie stworzeniem oddziału Komitetu na rzecz Uczciwych Stosunków z Kubą w Nowym Orleanie. Postaram się [...] przedstawić Panu dokładny obraz tego, co taka decyzja za sobą pociąga [ponieważ] wiemy z doświadczenia, że [...] wymaga to poświęcenia ze strony zainteresowanych osób.

Musi Pan zdać sobie sprawę z tego, że będzie Pan podlegał niezwykle silnym naciskom [...] i nie będzie Pan mógł prowadzić działalności w taki sposób, który przyjmuje się za normę tu, na północnym wschodzie Stanów. Większość naszych oddziałów w większych miastach została nawet zmuszona do odstąpienia od zamiaru otwartego prowadzenia biura. Biuro krajowe z siedzibą w Nowym Jorku jest dziś jedynym biurem w całym państwie [...]. Większość oddziałów stwierdziła, że lepiej prowadzić działalność na pół prywatną z domu, a na korespondencję i ogłoszenia mieć specjalną skrytkę pocztową [...]. Spotykamy się z poważną i często agresywną opozycją, a to [powoduje] wiele niepotrzebnych incydentów, które odstraszają potencjalnych zwolenników. Z pewnością odradzałbym Panu zakładanie biura, a szczególnie takiego, do którego łatwo znalazłaby drogę miejscowa grupa fanatyków. A już na pewno doradzałbym, żeby nie zaczynał Pan od biura, tylko poczekał i na podstawie kilku akcji zorientował się, jak może Pan działać w tamtejszej społeczności [...]. Dużo nas nauczyły gorzkie doświadczenia ostatnich trzech lat [...].

Mam nadzieję, że wkrótce otrzymam od Pana wiadomość w tej sprawie i że w przyszłości współpraca będzie się nam układać pomyślnie. Proszę się ze mną kontaktować, gdyby chciał Pan omówić sprawę szerzej, będzie to zawsze mile widziane.

Z braterskim pozdrowieniem
V.T. Lee

Rankin: Czy słowa „A.J. Hidell, kierownik oddziału" zostały [...] napisane pani ręką?

Marina Oswald: Tak. [...] Lee napisał to na jednej kartce i kazał mi przepisać na tej tutaj, i zagroził, że jak nie przepiszę, to mi przyłoży [...]. Powiedziałam: „Wybrałeś takie nazwisko, bo brzmi podobnie jak Fidel", a on się zaczerwienił i powiedział: „Zamknij się, to nie twoja sprawa".

Rankin: Czy była mowa o tym, kim jest ów Hidell z podpisu?

Marina Oswald: Lee powiedział [...], że żaden Hidell nie istnieje [i] ja mu z tego powodu docinałam i [...] mówiłam, że to wstyd, żeby człowiek mający własne, porządne nazwisko wynajdował sobie inne, a on powiedział: „[...] Muszę tak zrobić, żeby ludzie myśleli, że mam dużą organizację" [...]. Kiedy zaangażował się w tę swoją działalność prokubańską, dostał list od kogoś z Nowego Jorku [...] od jakiegoś przywódcy komunistycznego, i bardzo się z tego cieszył, uważał, że ten człowiek, od którego dostał list, to wielka osobistość.

Kiedy się z niego śmiałam, bo trochę się wyśmiewałam z tej jego działalności, mówił mi, że go nie rozumiem, a ten list, rozumiecie państwo, to był dowód na to, że są ludzie, którzy rozumieją jego działania.

Ze wspomnień Mariny: [...] prawdę mówiąc, byłam po stronie Kuby. Mam dobre zdanie o nowej Kubie, ponieważ jeszcze w Rosji widziałam dużo znakomitych filmów o życiu na Kubie [i] doszłam do wniosku, że ludzie są zadowoleni ze zmian [...] i że rewolucja dała wielu z nich pracę, ziemię i lepsze warunki niż mieli wcześniej. Gdy przyjechałam do Stanów Zjednoczonych i słyszałam, że ludzie tu nie lubią Castro, to nie wierzyłam [...].

Ale nie popierałam Lee, ponieważ uważałam, że jest za mało liczącą się osobą, żeby tyle brać na swoje barki. Aż się stał zarozumiały dlatego, że robi takie ważne rzeczy i pomaga Kubie. Ale ja widziałam, że tu nikt nie myśli tak jak on. Więc jaki w tym sens? [...]. Kuba da sobie radę sama, bez pomocy Lee Oswalda. Uważałam, że lepiej by było, gdyby się zajął własną rodziną.

Babcia Mariny mówiła jej przecież: „Polityka to bzdury!". To nastawienie typowo rosyjskie: moim jedynym bogactwem jest moje życie prywatne! Pod tym względem Marina była zupełnym przeciwieństwem męża.

McMILLAN: Wierzyła w to, że rodzinę, czyli June i ją, kocha najbardziej, ale że zmusza się do stawiania polityki ponad wszystko, żeby być w zgodzie z ambitnym wizerunkiem siebie [...]. Wydawało jej się, że Lee nie działa w zgodzie ze sobą. Pragnęła mu wykrzyczeć w twarz: „Dlaczego nas tak dręczysz? Dobrze wiesz, że sam ani w połowie nie wierzysz w to, co mówisz".

Wracamy do podstawowego dylematu Oswalda: której części siebie będzie wierny – swojej potrzebie miłości czy pragnieniu władzy i sławy? Zawsze raczej lekceważy się przekonanie Oswalda, że miał on zadatki na wielkiego przywódcę. Jeśli nawet mieszka w nędznych warunkach i nikt oprócz niego samego nie bierze jego roli poważnie, to sam może podsycać w sobie wiarę w lepszą przyszłość, rozmyślając nad anonimowymi początkami Lenina i Hitlera. Jego idee są więc dlań co najmniej tak realne, jak rodzina, o którą zresztą naprawdę się troszczy – na swój sposób.

Możliwe jednak, że wydarzenia toczące się na arenie publicznej przeważyły szalę. 11 lipca Kennedy wystąpił w krajowej telewizji z przemówieniem, w którym wzywał do uchwalenia nowych praw obywatelskich. Tego samego dnia wieczorem Medgar Evers z NAACP (National Association for the Advancement of Colored People – Narodowego Stowarzyszenia na rzecz Ludności Kolorowej) został zastrzelony na progu swojego domu w Jackson w stanie Missisipi.

Jackson dzieliło od nowego Orleanu zaledwie trzysta kilkadziesiąt kilometrów. Na głębokim Południu Stanów wrzało. Oswald mógł postrzegać konieczność przeciwstawienia się temu wrzeniu w kategoriach obowiązku. 16 lipca, w dzień po pogrzebie Medgara Eversa, udał się na nabrzeże przy Dumaine Street, gdzie kotwiczył lotniskowiec USS „Wasp".

Oswald zaczął rozdawać otrzymane niedawno ulotki Komitetu na rzecz Uczciwych Stosunków z Kubą. Oto fragment wydrukowanego na ulotkach tekstu:

16 stycznia 1961 r. rząd Stanów Zjednoczonych wydał obywatelom amerykańskim zakaz podróżowania na Kubę. Niezastosowanie się do tego zakazu jest karane grzywną w wysokości 5000 dolarów lub pięcioletnim więzieniem, bądź też obiema karami jednocześnie [...].

Jakież to tajemnice kryją się na tej maleńkiej wysepce, liczącej 6,5 miliona ludności, że stała się ona tabu dla amerykańskich oczu? Mimo iż polityka Castro promuje turystykę na całej wyspie, nasz rząd tłumaczy nam naiwnie, że zakaz podróży wydany został dla naszego bezpieczeństwa [...].

• Dlaczego zatem inne państwa zachodnie, takie jak Kanada, Meksyk, Wielka Brytania, Francja, RFN itd., nie uważają, że bezpieczeństwo ich obywateli wymaga wprowadzenia zakazu podróży na Kubę? [...]

• Dlaczego również zezwala się, a wręcz popiera, podróżowanie do krajów BEZSPRZECZNIE komunistycznych, takich jak Polska, Jugosławia, a nawet Związek Radziecki?

Słowem, CO UKRYWA PRZED NAMI RZĄD?

• Czy to może dlatego, że nowe szkoły, domy mieszkalne i szpitale porewolucyjnej Kuby stanowią drastyczny kontrast z Kubą, która była plantacją USA, i to ciąży na sumieniu Ameryki? [...]

TWIERDZIMY, ŻE PRAWDY O KUBIE MOŻNA DOWIEDZIEĆ SIĘ TYLKO NA KUBIE ORAZ ŻE MAMY PRAWO SAMI OSĄDZAĆ TO, CO SIĘ TAM DZIEJE!

Rozdawanie ulotek miało kilka konsekwencji. Oto fragment raportu agenta specjalnego FBI z 21 lipca 1963 roku:

Wartownik Ray oświadczył, że późnym popołudniem, bodajże między godziną 15.00 a 17.00, podszedł do niego nieznany mu żołnierz z USS „Wasp" i powiedział, że oficer pokładowy USS „Wasp" rozkazuje wartownikowi Rayowi odszukać osobnika, który rozdawał ulotki o treści mającej związek z Kubą, i polecił temu osobnikowi, by przestał rozdawać te ulotki. Wartownik Ray [...] natychmiast udał się na nabrzeże przy Dumaine Street, gdzie zobaczył nieznanego sobie białego mężczyznę [...] w wieku lat dwudziestu kilku, około 1,75 wzrostu, 70 kilo wagi, szczupłej budowy ciała. Powiedział on, że rozdaje w okolicy ulotki żołnierzom marynarki wojennej USA oraz cywilom, którzy schodzą z pokładu USS „Wasp". Wartownik Ray oświadczył, że powiedział temu osobnikowi, że nabrzeże i budynki na brzegu rzeki Missisipi [...] podlegają Radzie Komisarzy Portu w Nowym Orleanie oraz że jeśli otrzyma zezwolenie od Rady Komisarzy, będzie mógł te ulotki rozdawać. Wartownik Ray oświadczył, że [...] ta osoba upierała się, że nie rozumie, po co miałoby mu być potrzebne czyjeś zezwolenie. Następnie wartownik Ray poinformował go, że jeśli nie opuści nabrzeża, to zostanie aresztowany. Słysząc to, ten osobnik odszedł z nabrzeża przy Dumaine Street [...].

Wartownik Ray oświadczył, że uważa, iż tym nieznanym mu białym osobnikiem, rozdającym ulotki, był Lee Harvey Oswald.

Nietrudno jest wyobrazić sobie tłumione napięcie, towarzyszące tej konfrontacji! Może i Oswald często bywa histerykiem w domu, ale na ulicy jest wzorem emocjonalnego opanowania: spokojny, stanowczy, stonowany, oficjalny, niezłomny. Jest nawet, by użyć jego ulubionego słowa, stoicki. Możemy się tylko domyślać, jak wiele kosztuje go ukrycie emocji. Mimo wszystko wykonuje kolejny krok. W następnym tygodniu, 24 czerwca, zacznie się ubiegać o paszport i zostanie to ukoronowane sukcesem – to spóźniona nagroda za spłacenie długu Departamentowi Stanu. Teraz znów będzie mógł wyjechać ze Stanów Zjednoczonych, i to jako ryzykant w politycznej grze o wielką stawkę. Jego lęk gwałtownie się uzewnętrznia.

McMILLAN: [...] któregoś wieczoru pod koniec czerwca miał cztery ataki lęku, podczas których trząsł się cały co pół godziny, nie budząc się ani razu. Podobnie jak w okresie przygotowań do zamachu na generała Walkera, ataki te zdają się zapowiadać decyzję, która sprawia mu ból.

Następnego wieczoru Marina przyglądała się, jak Lee czyta, a on podniósł na nią wzrok.

McMILLAN: [...] zobaczyła w jego oczach wyraz smutku. Odłożył książkę i poszedł do kuchni. Marina odczekała kilka minut. Położyła dziecko do łóżeczka i poszła za mężem. Siedział po ciemku okrakiem na krześle, obejmując je ramionami i trzymając głowę na oparciu. Patrzył w podłogę. Marina go przytuliła, pogłaskała po głowie i poczuła, że wstrząsa nim szloch [...].
Wreszcie powiedziała:
– Wszystko będzie dobrze. Ja rozumiem.
Tuliła go około kwadransa, a on, szlochając, powiedział jej, że jest zgubiony. Nie wiedział, co ma robić. W końcu wstał i wrócił do dużego pokoju.

Wspominając ten wieczór trzydzieści lat później, Marina powiedziała, że gdyby Lee chciał jej powiedzieć, co go gryzie, toby jej powiedział, ale lepiej było go o to nie pytać. Wciąż czuje ciężar, który go przygniatał. Coś mu tak bardzo ciążyło, a ona nie wiedziała co. Nigdy się nie dowiedziała. To było smutne, mówi. Kiedy trochę głodowali, on proponował jej, żeby wzięła mięso z jego talerza, a ona proponowała jemu, żeby wziął mięso z jej talerza. „Zostaw to dla siebie na później"– mówiło każde z nich.
Tego wieczoru czuli się sobie tak bliscy.

McMILLAN: [...] nagle zapytał:
– Chciałabyś, żebym ja też wrócił do Rosji?
– Chyba żartujesz.
– Nie – odpowiedział. – Pojadę z moimi dziewczynkami [...]. Będziemy wszyscy razem, ty, ja i June, i maleństwo [kiedy się urodzi]. Nic mnie tu nie trzyma. Już wolę żyć biedniej, ale nie musieć martwić się o przyszłość [...].

Chwilę później znaleźli się razem w kuchni. Lee objął ją za ramiona i kazał napisać do ambasady radzieckiej, że on też pojedzie. Podanie o wizę miał dołączyć do jej listu [...].

W ten weekend, 29 czy 30 czerwca, Marina napisała najdłuższy, najcieplejszy i, jak dotąd, jedyny pisany z własnej woli list do towarzysza Riezniczenki, szefa wydziału konsularnego ambasady ZSRR w Waszyngtonie.

Szanowny Towarzyszu Riezniczenko!
Otrzymałam od Was dwa listy z prośbą o podanie powodu, dla którego pragnę powrócić do ZSRR.

Pozwolicie, że najpierw przeproszę za tak długie milczenie i podziękuję, że w imieniu ambasady traktujecie mnie z taką wyrozumiałością. Powodem mojego milczenia były „problemy rodzinne", które są też jednym z powodów mojego pragnienia powrotu do ojczyzny. Głównym powodem jest oczywiście nostalgia, o której wiele się pisze i mówi, ale którą człowiek poznaje dopiero na obcej ziemi.

Do „problemów rodzinnych" zaliczam fakt, że [...] moi krewni byli przeciwni mojemu wyjazdowi do Ameryki i dlatego wstydziłabym zwrócić się do nich z prośbą o pomoc. Dlatego przed odpisaniem na Wasz list musiałam całą rzecz jeszcze raz dokładnie rozważyć.

Ale wszystko idzie ku lepszemu, ponieważ mój mąż wyraził szczere pragnienie powrotu do ZSRR wraz ze mną. Błagam Was, żebyście mu w tym pomogli. Tutaj nie mamy dużych perspektyw, nic nas tu nie trzyma. Ja na razie nie mogłabym pracować, nawet gdyby udało mi się znaleźć pracę. Mój mąż jest bezrobotny. Jest nam tu bardzo trudno żyć. Nie mamy pieniędzy, które mogłyby pokryć koszty mojej podróży do ambasady, nie mamy nawet jak opłacić szpitala i innych wydatków związanych z urodzeniem dziecka. Oboje bardzo prosimy, byście nam pomogli powrócić do ZSRR, abyśmy tam mogli pracować.

W podaniu nie napisałam, gdzie bym chciała mieszkać w Związku Radzieckim. Błagam Was, byście pomogli nam załatwić pozwolenie zamieszkania w Leningradzie, gdzie dorastałam i gdzie mam siostrę i brata z drugiego małżeństwa mojej matki. Wiem, że nie muszę Wam wyjaśniać, dlaczego chciałabym mieszkać w tym, a nie innym mieście. Leningrad jest sam w sobie dostatecznym wyjaśnieniem. Pozwalam sobie na takie stwierdzenie, nie umniejszając przy tym zalet innych radzieckich miast [...].

To są główne powody, dla których mój mąż i ja chcemy wrócić do ZSRR. Proszę o pozytywne rozpatrzenie naszej prośby. Proszę sprawić, byśmy znów byli szczęśliwi, pozwalając nam wrócić do kraju, który opuściliśmy przez własną głupotę. Chciałabym także, żeby moje drugie dziecko również urodziło się w ZSRR.

Z wyrazami szacunku
M. Oswald

Rano Lee zmienił zdanie. Odzyskał siły. Dołączył do listu Mariny krótki list od siebie, którego treść brzmiała następująco:

Szanowni Państwo!

Proszę o ekspresowe załatwienie wizy powrotnej dla obywatelki radzieckiej Mariny N. Oswald.

Urodzi ona w październiku dziecko, dlatego muszą Państwo wcześniej przyznać jej wizę i załatwić formalności związane z podróżą.

Moją prośbę o wizę wjazdową proszę rozpatrzyć oddzielnie.

Dziękuję

Lee H. Oswald

(mąż Mariny Nikołajew)

To, że poświęcił czas na branie pod uwagę jakiegoś działania, czasami znaczyło tylko tyle, że budował w swoim umyśle trampolinę, z której mógł skoczyć w zupełnie innym kierunku. Był istnym wcieleniem dialektyki – czy była w nim jakaś teza, która nie stworzyłaby antytezy? Taka jest zresztą zwykle natura narcyzów, którzy wiecznie prowadzą dialog wewnętrzny. Część ich jaźni wykazuje przewagę wieczorem, a rankiem zaczyna wygrywać druga część.

Listy Oswaldów do ambasady radzieckiej zostały wysłane 30 czerwca. Następnego dnia Oswald wypożyczył z biblioteki publicznej biografię Johna F. Kennedy'ego pióra Williama Manchestera, *Portrait of a President* (Portret Prezydenta). Może chce zobaczyć, co straci, wyjeżdżając z Ameryki. Pięć dni później wypożycza *Jeden dzień z życia Iwana Denisowicza* Sołżenicyna. Jeśli za rządów Chruszczowa może ukazać się drukiem tak odważnie napisana książka o więźniu gułagu, to oznacza, że w ZSRR zaczyna panować większa wolność. Kolejnych pięć dni później Oswald czyta *Russia under Krushchev* (Rosja pod rządami Chruszczowa) Alexandra Wertha. Szuka widocznie potwierdzenia słuszności decyzji o powrocie. Oczywiście, nie jest to jedyny temat, któremu poświęca uwagę. W następnym tygodniu przeczyta *Profiles in Courage* (Profile odwagi) Johna F. Kennedy'ego. Swoją drogą równocześnie z *Iwanem Denisowiczem* wypożyczył powieść *Hornblower i jego okręt Hotspur* C.S. Forestera. Pamiętajmy, że ma dopiero dwadzieścia trzy lata, i czasami thrillery i opowieści o morskich bitwach są mu bliższe niż polityka. 18 lipca wypożyczył *Five Spy Novels* (Pięć powieści szpiegowskich) w wyborze Howarda Haycrafta.

Możemy przypomnieć w tym miejscu, że pierwszą książką wypożyczoną przez niego z Biblioteki Publicznej w Nowym Orleanie, była biografia Mao autorstwa Roberta Payne'a. Musiał natknąć się w niej na następujący fragment, który zapewne dodał mu otuchy – jemu, który uważał się za pożeracza książek i niezależnego myśliciela:

Mao potrafił czytać dwa czy trzy razy szybciej niż inni ludzie. W bibliotekach obstawiał się stertami książek. Hsiao San nie znał nikogo, kto chłonąłby wiedzę w tak dużych ilościach i na tak różne tematy. [Jednakże, jak mówił Mao] czytanie to pestka, konieczne jest coś więcej – zrozumienie praw cywilizacji.

Odkrycie owych „praw cywilizacji" postawił sobie Oswald za zadanie i zabrał się do niego z takim zapałem i ufnością, jakie wykazywali piętnastowieczni żeglarze poszukujący drogi do Indii. Był dyslektykiem, a tak dużo czytał. Wśród dyslektyków takie czytelnictwo praktycznie się nie zdarza, ale Oswalda przecież nie da się zaszufladkować. Jest wyjątkowy, jak dowódca wyprawy. Jednak wyraźnie cierpi z tego powodu, że w wyprawie nie ubezpiecza go drużyna, że nie ma sprzętu, funduszy ani celu, który inni ceniliby na równi z nim, a jego partnerka jest jego najwytrwalszym krytykiem.

6

Ateizm i moralność

Nieświadoma tego, że Lee zaproponował Marinie, by wrócili do ZSRR całą rodziną, 11 lipca Ruth Paine napisała po rosyjsku list do Mariny, proponując jej coś wręcz przeciwnego:

> Skoro Lee już nie chce dzielić z Tobą życia i woli, żebyś wróciła do Związku Radzieckiego, weź pod uwagę możliwość zamieszkania ze mną. Oczywiście przez pierwszy rok czy dwa, dopóki dzieci trochę nie podrosną, musiałabyś być ode mnie zależna finansowo, ale proszę, nie wstydź się tego. Jesteś zdolną dziewczyną. Później, po roku czy dwóch, znajdziesz sobie w Ameryce pracę [...].
>
> Wiesz, mnie długo utrzymywali rodzice. Byłam od nich długo „zależna". Z przyjemnością byłabym dla Ciebie ciocią. To zupełnie wykonalne. Mamy dość pieniędzy. Michael by się ucieszył. Wiem o tym. Niedawno dał mi 500 dolarów na wakacje czy inne wydatki. Z tych pieniędzy można by opłacić lekarza i zapłacić za pobyt w szpitalu w październiku, kiedy urodzi się dziecko. Ufaj Bogu. Wszystko dobrze się skończy dla Ciebie i dla dzieci. Muszę przyznać, że myślę, iż właśnie Bóg sprawił, że miałam okazję Ciebie poznać. Może tak nie jest, ale ja tak myślę i w to wierzę [...].
>
> Marino, koniecznie przyjedź do mnie pod koniec września. Na parę miesięcy czy na parę lat. I nie przejmuj się pieniędzmi.
>
> Nie chcę skrzywdzić Lee tym zaproszeniem. Ale wydaje mi się, że będzie lepiej, jeśli nie będziecie mieszkać razem, skoro nie daje Wam to szczęścia. Rozumiem, co czuje Michael – nie kocha mnie i chce ułożyć sobie życia od nowa, znaleźć nową żonę. Wydaje mi się, że to nieuniknione, i dlatego lepiej, że nie mieszkamy razem. Nie wiem, co czuje Lee, ale chciałabym to wiedzieć. Na pewno teraz też jest mu ciężko. Mam nadzieję, że będzie mu miło, że będziesz u mnie, gdzie Ty i dzieci będziecie miały wszystko, co potrzeba, i on się nie będzie musiał tym martwić. Wtedy mógłby ułożyć sobie życie od nowa.
>
> Proszę, napisz [...].

Gdy Marina otrzymała ten list, pewnie minęło około dwóch tygodni od wieczoru, kiedy to Lee płakał w jej ramionach, więc ich sytuacja znów się zmieniła. Marina zapewne poważnie się zastanawiała nad propozycją Ruth.

Wkrótce nowe wydarzenia popsuły nastrój w domu Oswaldów.

CHARLES LE BLANC: Stał koło mnie i na mnie patrzył [więc] zapytałem go: „Skończyłeś smarowanie?". On powiedział, że tak [...] stał tak parę minut i nagle zapytał: „Podoba ci się tutaj?". Ja zapytałem: „Jak to?". On powtórzył: „Czy ci się tu podoba?", a ja powiedziałem: „No jasne, że mi się podoba. Długo już tu pracuję, jakieś osiem i pół roku czy coś takiego". On powiedział: „Nie chodziło mi o robotę". Ja zapytałem: „To o co?" A on mówi: „O ten cholerny kraj". Powiedziałem: „Co ty, pewnie, że mi się podoba. Kocham go. To przecież mój kraj". On się odwrócił i odszedł. Nic już więcej nie mówił.

LIEBELER: Czy w miarę upływu czasu coraz częściej [był nieobecny]?

CHARLES LE BLANC: Pod koniec to już się stało regułą. Chyba wtedy postanowili go zwolnić [...] miał taki nawyk, za każdym razem, kiedy koło kogoś przechodził [...] jak dzieciak, który się bawi w kowboja czy co – no, udawał, że jego palec to pistolet. Celował i mówił „pif-paf!", a ja na niego patrzyłem i myślałem sobie: „Boże, ten facet to niezły świr".

17 lipca Oswald stracił pracę.

ADRIAN ALBA: Przed odjazdem przyszedł do mnie do biura i powiedział [...]. „To do zobaczenia". Ja zapytałem: „Dokąd się wybierasz?", a on na to: „Tam, gdzie jest złoto". Ja zapytałem: „Czyli gdzie?", a on odpowiedział: „Mówiłem ci już, że jadę do Michaud [centrum badań kosmicznych NASA]". I mówi dalej: „Dostałem od nich odpowiedź, zwinąłem manatki w firmie Reily Coffee, u twoich sąsiadów, i teraz się tam wybieram".

Spędził wiele godzin na poważnych rozmowach z Albą na takie tematy, jak śmiertelność ran i zalety różnego rodzaju broni. Nie mógł mu teraz powiedzieć, że został wyrzucony z pracy. Porządni strzelcy żegnają się ze sobą w złotej poświacie – „Tam, gdzie jest złoto".

MCMILLAN: 17 lipca przypadały dwudzieste drugie urodziny Mariny. Lee obiecał, że kupi jej jakiś wyjątkowy prezent, sukienkę albo buty. [...] wrócił do domu o zwykłej porze, zapomniał, jaki to dzień. Podczas kolacji Marina siedziała z nosem spuszczonym na kwintę. On zapytał, co się stało.

– Dziś były moje urodziny – powiedziała.

Kilka minut później Lee się odezwał:

– Chodź, pójdziemy do miasta.

– Sklepy są już i tak pozamykane – odpowiedziała bez entuzjazmu.

Wziął ją do drugstore'u po drugiej stronie ulicy, kupił jej puder i coca-colę.

Następnego dnia oznajmił jej nowinę [...].

Odkąd Lee stracił pracę w palarni kawy, przestał się golić w weekendy. Czasami w dni robocze też się nie golił. Czasami mył zęby tylko przed pójściem spać. Rano nie mył twarzy. Bywało, że przez trzy dni z rzędu siedział w fotelu i gnił. Którejś nocy znów zaczął mówić przez sen.

McMillan: [...] przestał nawet używać mydła w kąpieli. Siedział po prostu niespokojnie w wannie, póki nie zebrał sił, żeby z niej wyjść.

– Nie jestem brudny – mówił.

Podczas posiłków bekał i nie mówił „przepraszam" [...]. Jego oddech stał się nieprzyjemny i Marina musiała go błagać, żeby mył zęby, szczególnie jeśli chciał ją całować.

– Jesteś moją żoną. Masz mnie kochać takiego, jaki jestem – mówił i podchodził do niej blisko, otwierał usta i z całej siły chuchał jej w twarz.

Możliwe, że Oswald częściowo denerwował się tym, że 27 lipca miał wygłosić wykład w seminarium jezuickim w Mobile w stanie Alabama. Mogła to być ciężka próba. Miał przemawiać do seminarzystów, którzy byli – w najlepszym razie – nieprzychylnie nastawieni do jego idei.

6 lipca kuzyn Lee, Gene Murret, który uczył się na księdza, wysłał mu list.

Drodzy Lee i Marino!

W lecie mamy tu, w seminarium, serię wykładów o sztuce, literaturze, ekonomii, religii, polityce itd. Zwykle wykłady odbywają się co tydzień lub co dwa tygodnie, w sobotę lub w niedzielę wieczorem. Ponieważ studiujemy filozofię, większość z nas interesuje się różnymi stadiami komunizmu, jest to bowiem temat praktyczny i bardzo na czasie.

Pragnęlibyśmy, żebyś przyjechał do nas z wykładem o współczesnej Rosji i tamtejszym praktykowaniu komunizmu. [Najbardziej by nam odpowiadało] gdybyś mógł wykładać, jeśli zechcesz, oczywiście, w sobotę 27 lipca wieczorem. Wykłady zazwyczaj rozpoczynają się o godz. 19.00 i trwają godzinę. Następnie jest pięciominutowa przerwa, a potem mówca odpowiada na pytania z sali, co trwa około pół godziny [...] chcemy, byś mówiąc do nas, czuł się swobodnie [...].

27 lipca Dutz i Lillian Murret zawieźli Lee i Marinę do seminarium do Spring Hill College w Mobile. Ponieważ kobietom nie wolno było słuchać wykładów, zostały oprowadzone po terenie uczelni.

Zanim się rozdzielili, ciocia Lillian zapytała Lee, czy przygotował sobie jakieś notatki, żeby się nie denerwować, a on, czy to kłamiąc, czy żeby dodać sobie odwagi, powiedział: „Nie martw się o mnie, ciociu. Ja często przemawiam publicznie". Nie ulega wątpliwości, że w marzeniach rzeczywiście wiele razy publicznie przemawiał.

Jedyny ślad, jaki zachował się po występie Lee, znajduje się w przesłuchaniu przez FBI dwóch obecnych przy tym księży.

Ojciec MULLEN powiedział, że OSWALD bardzo dobrze się znalazł [i] bardzo dobrze mówił oraz że wydawało mu się wówczas, że Oswald jest absolwentem college'u.

Przypomniał sobie również, że gdy rozmowa schodziła na tematy religijne, OSWALD zmieniał temat, nie chciał o tym mówić. Powiedział, że odniósł silne wrażenie, iż OSWALD jest ateistą.

Ojciec JOHN F. MOORE, SJ., profesor logiki i epistemologii w seminarium jezuickim [...] oświadczył, że OSWALD nie korzystał podczas wygłaszania wykładu z żadnych notatek, ale szło mu bardzo dobrze. Powiedział, że był przekonany, że Oswald ma wyższe wykształcenie, a przynajmniej ukończył college. Oświadczył również, że OSWALD nie wyglądał na zamożnego, był ubrany na sportowo. Następnie powiedział, że o ile sobie przypomina, OSWALD nie wygłaszał żadnych stwierdzeń, z których można by było wnioskować, że popiera ideę rewolucji. Nie odniósł wrażenia, by OSWALD był osobnikiem skłonnym do przemocy.

Raport FBI zamieszcza następnie streszczenie pytań i odpowiedzi, które nastąpiły po wykładzie Oswalda.

Pyt.: *Jak ateizm wpływa na moralność? Czy może istnieć moralność bez Boga?*

Odp.: Człowiek zawsze będzie robił to, co mu się podoba, niezależnie od tego, czy wierzy w Boga, czy nie. Rosjanie nie potrzebują Boga, żeby postępować moralnie; to ludzie, którzy mają silne wrodzone poczucie moralności, bardzo uczciwi, wierni w małżeństwie.

Pyt.: *Jaka jest tam moralność sehsualna w porównaniu so Stanami Zjodno czonymi?*

Odp.: W Rosji jest wyższa niż w Stanach Zjednoczonych. Tam jej uzasadnieniem jest dobro państwa.

Pyt.: *Co zrobiło na panu w Rosji największe wrażenie? Co się panu najbardziej podobało?*

Odp.: Opieka, jaką państwo zapewnia każdemu. Jak człowiek choruje, to choćby był najbiedniejszy, państwo się nim opiekuje.

Pyt.: *Co robi na panu największe wrażenie w Stanach Zjednoczonych?*

Odp.: Dobrobyt materialny. W Rosji trudno jest nawet kupić garnitur czy parę butów, a jeśli już uda się je zdobyć, to po bardzo wysokiej cenie.

Pyt.: *Co Rosjanie myślą o Chruszczowie? Czy wolą go od Stalina?*

Odp.: O wiele bardziej wolą Chruszczowa. To człowiek pracy, pochodzi z chłopstwa. Dam przykład na to, jak się zachowuje: kiedyś na przyjęciu, które było transmitowane przez radio, trochę za dużo wypił i zaczął kląć, a był na antenie. Tak on się zachowuje.

Pyt.: *Jak jest z religią wśród młodych Rosjan?*

Odp.: Młodzież radziecka odrzuciła religię.

Pyt.: *Dlaczego wrócił pan do Stanów Zjednoczonych?* (Pytanie nie zostało ujęte dosłownie w ten sposób, ale taki był jego sens).

Odp.: Gdy zobaczył, czego w Rosji nie dostaje, chciał wrócić do USA, gdzie materialnie jest o wiele lepiej. Wciąż wyznawał idee Sowietów, wciąż był marksistą, ale nie podobał mu się chroniczny brak dóbr materialnych, który Rosjanie musieli znosić. Wychwalał [również] Sowietów za spore sukcesy w odbudowie kraju i za koncentrowanie się na przemyśle ciężkim. W którymś momencie powiedział, że gdyby amerykańscy Murzyni wiedzieli, że w Rosji jest tak dobrze, to chcieliby tam pojechać.

Kolejne pytanie:

Pyt.: *Dlaczego Rosjanie nie rozumieją, że podlegają indoktrynacji i że zakłócając odbiór zagranicznych stacji, broni im się dostępu do prawdy?*

Odp.: Są przekonani, że kontakt nie wyszedłby im na dobre, że byłby niebezpieczny. Są przekonani o tym, że broniąc im dostępu do zachodnich audycji radiowych, państwo działa na ich korzyść.

Chociaż Marina nie przypomina sobie, jaki nastrój miał Lee w drodze powrotnej z Mobile, prawdopodobnie był z siebie dumny, ponieważ rozmawiając o dziecku, które miało przyjść na świat w październiku, po pierwsze, twierdził stanowczo, że urodzi się chłopiec, a po drugie, że będzie wiedział, jak go wychować.

McMillan: „Zrobię z mojego syna prezydenta". Mówił już w ten sposób przed narodzinami pierwszego dziecka i jeszcze raz [...] przed próbą zastrzelenia generała Walkera. Teraz jednak posunął się o krok dalej. Powiedział, że za dwadzieścia lat on będzie prezydentem lub premierem. Nie przeszkadzało mu to, że w Ameryce nie ma stanowiska premiera.

Być może miał na myśli zupełnie inną strukturę rządu. System atejski miał wprowadzić w Ameryce wielkie zmiany.

7

Wydarzenia wynikają ze znaków

Pod koniec lipca Oswald wysłał do siedziby Komitetu na rzecz Uczciwych Stosunków z Kubą w Nowym Jorku list następującej treści:

> Szanowny Panie Lee!
> Ucieszyłem się z Pańskich rad, dotyczących próby założenia przeze mnie oddziału Komitetu na rzecz Uczciwych Stosunków z Kubą w Nowym Orleanie. Mam nadzieję, że moje innowacje nie spotkają się z Pana dezaprobatą, uważam bowiem, że są w tym regionie konieczne.
> Zgodnie z Pana radą opłaciłem skrytkę pocztową (nr 30061).
> Wbrew Pana radom postanowiłem od samego początku prowadzić biuro.
> Jak może się Pan zorientować z okólnika, darowałem sobie kwestię zezwolenia, ale nie sądzę, żeby było to szczególnie ważne; może Pan uznać ten okólnik za nazbyt prowokujący, ale ja chcę, żeby przyciągał uwagę, choćby tylko uwagę garstki szaleńców. Zamówiłem w drukarni 2000 sztuk [...].
> Będę Pana informował o rozwoju wydarzeń. Nawet jeśli biuro będzie działało tylko przez miesiąc, to i tak więcej ludzi dowie się o Komitecie, niż gdyby nie było żadnego biura [...].

Jak V.T. Lee zeznał przed Komisją Warrena, ten list na tyle go rozczarował, że przestał korespondować z Oswaldem.

V.T. Lee: (...) po prostu zaczął działać na własną rękę, bez żadnej autoryzacji [...] gdy człowiek dostaje list z ofertą pomocy, to natychmiast myśli sobie: „Cudownie. Oto nowy kontakt w nowej dla nas części kraju, mam nadzieję, że to wypali". Ale potem, gdy ktoś wywija taki numer, łamie wszystkie zasady, któ-rych listę mu się przesyła, to rozczarowanie jest spore, jeśli wiązało się z tym jakieś nadzieje. Oczywiście ten człowiek nie działał na rzecz naszej organizacji z jej ramienia.

Oswald jednak był na razie nieświadomy tego, że jego ostatni list doprowadził do zerwania stosunków. Pisał więc:

> Szanowny Panie Lee!
> List dotyczy moich starań utworzenia oddziału Komitetu na rzecz Uczciwych Stosunków z Kubą w Nowym Orleanie.
> Zgodnie z planem wynająłem lokal na biuro, lecz trzy dni później właściciele go zamknęli z niejasnych dla mnie powodów, mówili coś o przebudowie itd.; na pewno Pan rozumie. Następnie opłaciłem skrytkę pocztową i za pomocą demonstracji ulicznych

i rozdawania ulotek udało mi się wzbudzić spore zainteresowanie, lecz nie pozyskałem nowych członków.

Staraniem grupy kubańskich uchodźców, *gusanos*, jedna z demonstracji ulicznych została zaatakowana i dostaliśmy oficjalne ostrzeżenie od policji. Ów incydent sprawił, że opuścili mnie dotychczasowi zwolennicy i zostałem sam.

Niemniej jednak rozdanych zostało tysiące ulotek i wiele, wiele broszur dostarczonych przez Pańskie biuro.

Udało nam się również pikietować flotę, która wpłynęła do portu. Aż byłem zaskoczony, jak wielu oficerów zainteresowało się naszymi materiałami.

Do skrytki pocztowej nieustannie napływają listy z pytaniami, na które będę się starał regularnie odpowiadać, najlepiej jak potrafię.

Dziękuję,

Lee H. Oswald

McMILLAN: List ten jest datowany na 1 sierpnia, a data na stemplu pocztowym to 4 sierpnia. W liście nie ma ani jednego wyrażenia zgodnego z prawdą, z wyjątkiem nawiązania do pikietowania floty, które miało miejsce półtora miesiąca wcześniej.

Niezwykłe jest to [...] że w poniedziałek, 5 sierpnia, dzień po nadaniu listu, Lee zaczął wcielać [w życie niektóre] opisane przez siebie wydarzenia.

Kwintesencją magii jest osiągnięcie takiego stanu świadomości, gdzie przeszłość i przyszłość to pojęcia wymienne. Klasyczny język hebrajski na przykład wyróżnia tylko dwa czasy gramatyczne: teraźniejszy oraz taki, który prawie nie czyni rozróżnienia między przeszłością a przyszłością. By wyrazić czynność dokonaną w przeszłości, wystarczy powiedzieć: „poszedłem", by zaś wyrazić tę samą czynność w przyszłości, należy tylko dodać na początku „i" („i poszedłem"), i będzie to znaczyć: „pójdę". Sugeruje to prymitywne poczucie istnienia – takie, które by przekraczało współczesny podział na to, co prawdziwe, i to, co zmyślone. W starożytnej gramatyce hebrajskiej wczorajszych wydarzeń nie postrzega się jako faktów, które już się zdarzyły, lecz jako wizje przyszłości, czyli znaki dane we śnie. W tym prymitywnym świecie wydarzenia wczorajsze mieszają się w ludzkiej pamięci z omenami z ostatniego snu. Gdy zatem ktoś mówi, że zrobił coś, czego jeszcze w rzeczywistości nie zrobił, stawia pierwszy krok na drodze kształtowania przyszłości. Wydarzenia wypływają ze znaków. Przyszłość nie może jak gdyby zaistnieć bez zarysowania jej kształtu a priori. Bóg najpierw wyobraża sobie świat, a następnie go stwarza. Jest w tym zawarty sens kabalistyczny: już przez sam akt wyobrażania sobie świata Bóg faktycznie go stworzył. (Reszta to tylko szczegóły!).

Przytoczmy jeszcze raz jedno zdanie z listu Oswalda do V.T. Lee: „Staraniem grupy kubańskich uchodźców, *gusanos*, jedna z demonstracji ulicznych została zaatakowana i dostaliśmy oficjalne ostrzeżenie od policji". Zostało to napisane 1 sierpnia.

CARLOS BRINGUIER: Pierwszy raz zobaczyłem Lee Harveya Oswalda 5 sierpnia 1963 roku, ale zanim zagłębimy się w tę sprawę z Oswaldem, chciałbym wyjaśnić państwu [...] jakie jest teraz moje stanowisko.

LIEBELER: Nie mamy nic przeciwko temu. Proszę mówić.

CARLOS BRINGUIER: [...] No bo tak, 24 sierpnia 1962 roku moja organizacja, Dyrektoriat Kubańskich Studentów, uczestniczyła w nalotach na Hawanę, a kilka dni później tu, w Nowym Orleanie, skontaktowała się ze mną pewna osoba z FBI, nazwiskiem Warren C. de Bruyes. Pan de Bruyes rozmawiał ze mną w barze Thompsona. Wtedy byłem jedynym z Dyrektoriatu Kubańskich Studentów tu na miejscu, i on mnie wypytywał o moją działalność [...], a kiedy powiedziałem, że jestem sam jeden, nie uwierzył i powiedział – cytuję: „Możemy infiltrować tę waszą organizację i dowiedzieć się, co tu robicie". Odpowiedziałem mu tak: „To cóż, będzie pan musiał mnie infiltrować, bo jestem tu sam jeden" [...].

Potem, po tej rozmowie z de Bruyesem, ciągle czekałem, że może zjawi się ktoś z FBI, żeby infiltrować moją organizację, gdy [więc] 5 sierpnia [1963 roku] przyszedł do mnie Oswald, miałem takie poczucie, że może to człowiek z FBI, a może komunista, [ale] miałem to poczucie tylko 5 sierpnia, bo cztery dni później przekonałem się, że Oswald nie jest agentem FBI, tylko agentem Castro.

[...] Tego dnia, 5 sierpnia, rozmawiałem w sklepie z pewnym młodym Amerykaninem – nazwisko jego Philip Geraci – i pięć minut później do sklepu wszedł pan Oswald [akurat] gdy wyjaśniałem Geraciemu, że [...] jest zbyt młody, że jeśli chce rozprowadzać materiały antycastrowskie, to mu dam te materiały, ale do walki nie pozwolę mu się włączyć.

W tym momencie [...] Oswald wyraził zgodę z moim punktem widzenia i okazał szczere zainteresowanie walką przeciwko Castro. Powiedział mi, że jest przeciwnikiem Castro i przeciwnikiem komunizmu [i] zapytał, czy mam jakieś materiały antycastrowskie po angielsku [ ]

Potem Oswald powiedział, że służył w piechocie morskiej, ćwiczył się w walce partyzanckiej i że chciałby uczyć Kubańczyków, jak walczyć przeciwko Castro. Co więcej, powiedział mi jeszcze, że sam też chciałby walczyć [...]. Było to 5 sierpnia.

Nie skorzystałem z jego oferty. Powiedziałem mu, że [...] do moich obowiązków tu w Nowym Orleanie należy tylko propaganda i informacja, a nie działalność militarna. Tak mu odpowiedziałem, [ale] zanim wyszedł ze sklepu, włożył rękę do kieszeni i zaproponował mi pieniądze.

LIEBELER: Oswald zaproponował panu pieniądze?

CARLOS BRINGUIER: Tak.

LIEBELER: Ile panu zaproponował?

CARLOS BRINGUIER: Nie wiem. Jak tylko włożył rękę do kieszeni i zaproponował: „To przynajmniej pomogę wam finansowo" – wtedy nie miałem pozwolenia od rady miasta na zbieranie pieniędzy w mieście – powiedziałem mu, że nie mogę przyjąć pieniędzy [...], że może je tylko przesłać bezpośrednio do siedziby organizacji [...] i podałem mu numer skrytki pocztowej [...] w Miami.

Philip Geraci, ten chłopak, który, zdaniem Bringuiera, był za młody, by wziąć udział w aktywnej walce, dokładniej podaje w swoim zeznaniu przebieg rozmowy z Oswaldem:

PHILIP GERACI: [...] wszedł i powiedział: „Przepraszam", i zachowywał się tak, jakby był trochę podenerwowany. Zapytał: „Czy to jest siedziba kubańska, siedziba kubańskich uchodźców?" [...]. I Carlos powiedział, że tak [...], wtedy Oswald powiedział coś w tym stylu: „To ekscytujące spotkać [...] prawdziwego kubańskiego uchodźcę, kogoś, kto naprawdę coś robi, żeby dopomóc w uwolnieniu Kuby..." [...]. Carlos odpowiedział mu w paru prostych słowach, nie wygłaszał wielkich mów [a potem musiał wyjść], więc zostaliśmy z Vance'em [moim kolegą] i Oswaldem sami.

Potem pytaliśmy go – rozumieją państwo, ciekawiła nas trochę partyzantka, [...] a on powiedział, że służył kiedyś w marines [...]. Powiedział, że sporo się tam nauczył [...]. Pamiętam, że powiedział, jak najlepiej wykoleić pociąg: owinąć łańcuch parę razy wokół szyny, zamknąć na kłódkę, i wtedy pociąg na mur musi się wykoleić. Powiedział, że najbardziej z tego wszystkiego podobało mu się, jak się uczyli o tym, w jaki sposób wysadzić most. Mówił, że trzeba na obu brzegach umieścić materiały wybuchowe i je detonować, wtedy z mostu zostaje tylko jedno przęsło. Mówił też, jak zrobić w domu pistolet i jak zrobić proch, jak w domu samemu zrobić proch [...]. Ale nie wdawał się w szczegóły. Nie prosiliśmy go zresztą o to. Przez ten czas zdążył wrócić Carlos [...] i słuchał, co Oswald mówi. No i to chyba wszystko.

Aha, jeszcze jedna ważna rzecz: Oswald wspominał coś, że ma wojskowy podręcznik z czasów, kiedy był w marines, i powiedział, że mi go da. Ja na to: „Nie ma sprawy. Nie trzeba. Może pan go dać Carlosowi". On powiedział, że okay, że przy najbliższej okazji da go Carlosowi.

Cztery dni później ta scena nabrała w oczach Carlosa Bringuiera większego znaczenia:

CARLOS BRINGUIER: [...] Następnego dnia, 6 sierpnia, Oswald znów przyszedł do sklepu [...] i zostawił dla mnie u mojego szwagra podręcznik marines z nazwiskiem „Lee H. Oswald" wypisanym u góry strony tytułowej. Kiedy wróciłem do sklepu [...] zainteresowałem się tym podręcznikiem i go sobie zatrzymałem, a później [...] 9 sierpnia wracałem do sklepu około drugiej po południu i przyszedł tam do mnie jeden z moich kolegów, Celso Hernandez, i powiedział, że na Canal Street jakiś młody człowiek niesie transparent z napisem „Niech żyje Fidel" po hiszpańsku [...]. Wtedy był w sklepie też inny Kubańczyk, Miguel Cruz, i wszyscy trzej poszliśmy [...] na Canal Street, żeby odszukać tego faceta [...], ale nie mogliśmy go znaleźć, [więc] ja wróciłem do sklepu, [a potem] przybiegł do mnie Miguel Cruz i powiedział, że ten facet znów się pojawił na Canal Street i że Celso go tam pilnuje.

Poszedłem tam [znów] i zdziwiłem się, gdy w tym facecie rozpoznałem [...] Lee Harveya Oswalda, [a kiedy] on mnie rozpoznał, też był zdziwiony, ale tylko przez kilka sekund. Natychmiast się do mnie uśmiechnął i podał mi dłoń. Ja się jeszcze bardziej rozzłościłem i powiedziałem mu, że trzeba nie mieć honoru, żeby tak postępować. Gdzie on ma honor? [...]. Był agentem Castro [...].

To było w piątek, koło trzeciej po południu. Zaczęło się wokół nas zbierać dużo ludzi, chcieli się zorientować, co jest grane. Zacząłem im tłumaczyć, co Oswald mi zrobił, bo chciałem nastawić Amerykanów przeciwko niemu, nie walczyć przeciwko niemu jako Kubańczyk, ale nastawić przeciwko Amerykanów, żeby to oni z nim walczyli. Powiedziałem im, że on jest agentem Castro, że jest zwolennikiem komunizmu, że usiłuje zrobić im to, co zrobił nam na Kubie: ich samych pozabijać, a ich dzieci wysłać na egzekucję. Takich używałem wtedy zwrotów.

Zgromadzeni gapie zezłościli się na Oswalda, zaczęli krzyczeć: „Zdrajca! Komunista! Wynoś się na Kubę! Zabić go!", i tym podobne [...] złe okrzyki, złe słowa.

W tym momencie pojawił się policjant i kazał Bringuierowi odejść.

CARLOS BRINGUIER: [Policjant powiedział, że] mam pozwolić Oswaldowi rozdawać ulotki – żółte broszury oddziału Komitetu na rzecz Uczciwych Stosunków z Kubą w Nowym Orleanie – a ja powiedziałem do tego policjanta, że jestem Kubańczykiem, wyjaśniłem mu, co Oswald mi zrobił, i powiedziałem [...], że nie odejdę stamtąd, póki Oswald stamtąd nie odejdzie, i że narobię zamieszania.

Policjant sobie poszedł, chyba zadzwonić na posterunek, i wtedy mój kolega Celso zabrał Oswaldowi ulotki, te żółte papierki, podarł je i rzucił w górę. Fruwało w górze dużo żółtych kartek. A ja byłem bardzo zły i [...] zdjąłem okulary i podszedłem do niego, żeby go uderzyć, ale kiedy wyczuł, co zamierzam zrobić, złożył ręce w kształt litery X, o tak (pokazuje).

LIEBELER: Skrzyżował ręce?

CARLOS BRINGUIER: Tak, zrobił tę swoją minę i powiedział: „Dobra, Carlos, jak chcesz mnie uderzyć, to mnie uderz".

Wtedy to sprawiło, że zrozumiałem, że on będzie się starał grać męczennika, jeśli go uderzę, i postanowiłem, że go nie uderzę. A parę sekund później przyjechały dwa samochody policyjne i [...] wsadzili Oswalda i moich dwóch kolegów do jednego samochodu, a ja pojechałem [...] drugim samochodem na posterunek policji Pierwszej Dzielnicy tu w Nowym Orleanie, [a potem] znaleźliśmy się wszyscy w jednym pomieszczeniu, w jednym małym pomieszczeniu, i kilku policjantów zaczęło pytać Oswalda, czy jest komunistą [...], a Oswald miał w tamtej chwili naprawdę zimną krew. Odpowiadał na te pytania, na które chciał odpowiadać, i nie był zdenerwowany, nie stracił panowania nad sobą, był pewny siebie w tamtej chwili.

LIEBELER: To mało prawdopodobne, przyzna pan, żeby Oswald chodził po ulicach i rozdawał ulotki, jeśli faktycznie zamierzał infiltrować ruch antycastrowski.

CARLOS BRINGUIER: Proszę pamiętać, że to było po tym, kiedy odrzuciłem jego ofertę i powiedziałem mu, że nie mam nic wspólnego z działalnością militarną i że tu nic dla niego nie ma, i kiedy zdecydowanie go odprawiłem [...] rozdawał ulotki i nie krył się z tym, dopiero po tym, jak go odprawiłem [...].

Oswald wylądował w więzieniu w piątek późnym popołudniem, a nie był to najlepszy moment, żeby się stamtąd wydostać. Dutz Murret wyjechał na trzydniowe rekolekcje, Lillian Murret była w szpitalu, czekała na operację oka. Jedyną osobą, która mogła Oswaldowi pomóc, była jego kuzynka Joyce Murret O'Brien, jedna z córek Lillian Murret. Nie wyciągnęła kuzyna z więzienia w piątek wieczorem, ale spędziła tam wystarczająco dużo czasu, by powiadomić władze o tym, że Lee Harvey Oswald był w Rosji.

LILLIAN MURRET: [...] była tam dwa razy, z pieniędzmi w ręku, ale za każdym razem wracała z niczym [...]. Mówiła mi, że rozmawiała z jakimś oficerem i ten człowiek poradził jej, żeby nie była głupia i nie rozstawała się z pieniędzmi, bo może ich już nie odzyskać [...]. Powiedział: „Niech się pani postara, żeby ktoś za niego poręczył". Joyce nie wiedziała więc, co robić. Dawno nie była w Nowym Orleanie [...]. Ten oficer pokazał jej transparent, który niósł Lee [...] „Viva el Castro". Kiedy Joyce to zobaczyła [...] powiedziała: „O Boże. Nie mam zamiaru go stąd wyciągać, jeśli zrobił coś takiego", i nie [...] dała pieniędzy. Dodała: „Proszę, miał szukać pracy, a robił coś takiego, przez cały dzień łaził po Canal Street z transparentami i takimi tam".

Następnego ranka Oswald znalazł się w centrum zainteresowania. A to oznacza, że był spokojny i opanowany. Przesłuchujący go oficer, porucznik Francis Martello z sekcji wywiadu komendy policji w Nowym Orleanie, sporządził raport z przesłuchania.

[...] następnie zapytałem go, czy jest komunistą, a on powiedział, że nie. Zapytałem go, czy jest socjalistą, a on odpowiedział: „Winny". Następnie długo rozmawialiśmy o filozofii komunistycznej i socjalistycznej oraz o Ameryce. Powiedział, że w pełni zgadza się z książką *Das Kapital*, którą to książkę napisał KAROL MARKS. Wiem, że ta książka całkowicie potępia amerykański system rządów. Zapytałem go, czy uważa, że komunistyczny sposób życia jest lepszy od amerykańskiego, a on odpowiedział, że w Rosji nie ma prawdziwego komunizmu. Powiedział, że MARKS [...] nie był komunistą, lecz socjalistą. Oświadczył, że z tego właśnie powodu nie uważa się za komunistę. Zapytałem go, jakie ma zdanie o formie komunizmu w Rosji, ponieważ mieszkał tam przez dwa lata, a on odpowiedział: „To syf". Powiedział, że mają tam „tłustych, głupich polityków, dokładnie tak, jak my tutaj" [...] zapytałem go, co sądzi o prezydencie JOHNIE F. KENNEDYM i NIKICIE CHRUSZCZOWIE. Powiedział, że ci dwaj bardzo dobrze się dogadują. Następnie zapytałem go, czy gdyby musiał opowiedzieć się po jednej ze stron lub wybierać między Rosją a Ameryką, to który z tych dwóch krajów by wybrał. Odpowiedział: „Opowiedziałbym się po stronie demokracji".

LIEBELER: Z pańskiego memorandum wynika, że pytał pan Oswalda, co sądzi o prezydencie Kennedym i premierze Chruszczowie [...].

FRANCIS MARTELLO: [...] wszystkie jego myśli zdawały się kierować w stronę socjalizmu i radzieckiego stylu życia, ale ze sposobu, w jaki mówił, wynikało, że lubi prezydenta – takie odniosłem wrażenie – a jeśli go nie lubi, to i tak mniej niż Chruszczowa. To bardzo szczególny typ człowieka, często spotykany wśród demonstrantów, z którymi miałem do czynienia podczas mojej dwuletniej służby w sekcji wywiadu. Ci ludzie jakby starali się siebie odnaleźć czy coś. Nie jestem specjalistą w tej dziedzinie, nie chcę wykraczać poza zakres moich obowiązków, ale co do niejednego z nich po dłuższych przesłuchaniach okazywało się, że w ich myśleniu jest coś dziwnego, co nie idzie logicznie w parze z ich działaniem.

LIEBELER: Czy dał do zrozumienia, który [kraj] był jego zdaniem mniejszym złem?

FRANCIS MARTELLO: Ze sposobu, w jaki mówił, odniosłem wrażenie, że uważał Rosję za mniejsze zło.

LIEBELER: Czy wyraził tę myśl bardzo dobitnie, czy też w duchu „a niech gęś kopnie jedno i drugie", że to wszystko jest w ogóle śmiechu warte, czy coś w tym rodzaju?

FRANCIS MARTELLO: Miał do tego stosunek nonszalancki. Mówił w sposób bardzo opanowany [...] bez żadnej agresji czy wybuchów emocji w jakiejkolwiek formie. Po prostu odbyliśmy bardzo spokojną rozmowę, nie było w niej absolutnie żadnych emocji.

LIEBELER: Czy było po nim widać wahanie, gdy przekazywał swoje przemyślenia panu, pracownikowi policji?

FRANCIS MARTELLO: Wcale się nie wahał, proszę pana.

Oswald jest spragniony rozmowy. Gotów jest rozmawiać z każdym. Chce zapewnić sobie wyjątkową pozycję na nowoorleańskiej scenie politycznej, towarzyskiej i w policyjnej kartotece. Ponieważ nie znamy jeszcze odpowiedzi na pytanie, czy działał na własną rękę, czy też na zlecenie jakiegoś oficjalnego, półoficjalnego bądź stworzonego na poczekaniu ugrupowania, musimy cały czas mieć świadomość, że istnieje kilka możliwości. I słusznie. Nie rozumiemy Oswalda ani trochę, jeśli uważamy, że gdyby FBI płaciło mu za przeprowadzanie dla nich lewicowych akcji, to musielibyśmy całkowicie zmienić o nim zdanie. Nawet gdyby rzeczywiście trochę działał dla Biura Federalnego, nie ma potrzeby zakładać, że był wobec niego lojalny. Pozostawał lojalny tylko wobec siebie i własnych idei. Akcje, których się podejmował dla innych – jeśli taka była prawda – dopasowywałby do swojego własnego programu, który polegał na tym, by przedstawić na Kubie wiarygodne referencje. Na zwróceniu uwagi na Komitet na rzecz Uczciwych Stosunków z Kubą w Nowym Orleanie skorzystałoby nie tylko FBI, którego celem było tworzenie okazji wyłapywania czerwonych, ale również sam Oswald, ponieważ urósłby we własnych oczach.

Pobudzony przez zainteresowanie policji jego osobą, informuje teraz porucznika Martello, że chce być przesłuchany przez kogoś z FBI. Najwyraźniej rozmowa z Martello sprawiła mu przyjemność i jest bardzo pobudzony. Czuje się gotów na wszystko – dlaczego więc nie miałby spróbować się zmierzyć z agentem FBI? Jeśli potrzebujemy motywu bardziej samolubnego, to przecież można z dużą dozą prawdopodobieństwa założyć, że Oswald się bał (wiedząc, jak silnie miejscowi nienawidzą Castro), że w więzieniu zostanie pobity i/lub zgwałcony; biorąc pod uwagę niezdecydowanie kuzynki Joyce, może będzie musiał spędzić w pudle jeszcze jedną noc. To, że prosi o widzenie z agentem FBI, kazałoby się zastanowić pracownikom więzienia i samym więźniom, czy opłaca im się go tknąć.

Zeznanie agenta specjalnego Johna Quigleya ze spotkania z Oswaldem jest modelowym przykładem zdolności FBI redukowania wydarzenia niezwykłego do najzupełniej zwyczajnego:

JOHN QUIGLEY: […] W trakcie przesłuchania w którymś momencie powiedział, że jedno ze spotkań Komitetu na rzecz Uczciwych Stosunków z Kubą zorganizował u siebie w domu. Zapytałem: „A jak skontaktował się pan z innymi członkami?". „Nie mam zamiaru odpowiadać na to pytanie". „Kim byli obecni na spotkaniu ludzie?". „Nie wiem". „Czy wie pan o nich cokolwiek?". „Tak. Przedstawiali się wyłącznie imionami". „Jakie to były imiona?". „Nie pamiętam". Było dla mnie jasne, że nic z niego nie wyciągnę [...] zapytałem go na przykład o A.J. Hidella [...]. „Pan Hidell miał telefon". „Jaki miał numer telefonu?". „Telefon został odłączony". „Ale jaki miał numer?". „Nie pamiętam".

STERN: Czy to było normalne, czy zdarzało się już wcześniej, że ktoś najpierw prosił o przesłuchanie, a później nie odpowiadał na pytania? Czy to się panu nie wydało dziwne?

JOHN QUIGLEY: Niekoniecznie; niekoniecznie. Często ludzie mają jakiś problem i chcą porozmawiać z agentem FBI, chcą mu opowiedzieć, na czym ów problem polega, ale gdy agent zacznie drążyć, to nie chcą rozmawiać. Uważam, że taka jest po prostu ludzka natura. Jeśli się drąży zbyt głęboko, to człowiek się zamyka.

Gdy Joyce wróciła do domu bez Lee, Lillian Murret zadzwoniła do przyjaciela rodziny, Emile'a Bruneau, stanowego komisarza do spraw boksu; poręczył za Oswalda do czasu rozprawy, która miała się odbyć 12 sierpnia. Lee wyszedł z więzienia przed południem w sobotę, 10 sierpnia.

W piątek w nocy Marina zasnęła dopiero o trzeciej, ale nie czuła przerażenia, jak wieczorem 10 kwietnia w Dallas. Tu, na Magazine Street, karabin Lee stał na razie w szafie, słusznie więc przypuszczała, że jej mąż został aresztowany za rozdawanie ulotek.

McMILLAN: Lee przyszedł do domu w dobrym humorze, brudny, nieogolony, z błyskiem rozbawienia w oku i ogólnie w wesołym nastroju.

– Byłem na komisariacie.

– Tak myślałam – powiedziała Marina. – Więc tak to się skończyło.

Chciała wiedzieć, gdzie nocował. Wyjaśnił jej, że na pryczach nie było materaców, zdjął więc z siebie wszystkie ubrania i z nich zrobił sobie materac.

– Spałeś nago?

– Było gorąco. Zresztą i tak byli tam sami mężczyźni. Jak im się nie podobało, to mogli mnie wcześniej wypuścić.

Oswald zdjął spodnie i miał w nosie to, co wygłodniali więźniowie myśleli o jego tyłku. Tak w każdym razie mówił. My jednak wiemy, że musiał wiedzieć, co ryzykuje. Nie zdejmuje się spodni, jeśli na jedną noc trafia się do aresztu.

McMILLAN: Tego wieczoru Dutz Murret, wróciwszy z rekolekcji, nie zwlekając poszedł do Oswaldów. Przeraził się na widok zdjęcia Castro wiszącego na ścianie i nie owijając w bawełnę, zapytał Lee, czy należy do jakiegoś „czerwonego" ugrupowania. Lee odpowiedział, że nie należy. Dutz powiedział mu jasno, że ma na drugi dzień stawić się w sądzie, a potem znaleźć sobie pracę i utrzymywać swoją rodzinę.

CARLOS BRINGUIER: 12 sierpnia stawiamy się w drugim sądzie miejskim w Nowym Orleanie. Ja z kolegami przyszliśmy pierwsi. Byli tam też inni Kubańczycy, i widzieliśmy, jak wszedł Oswald [...]. Sąd jest podzielony na dwie części, jedna dla białych, druga dla kolorowych i [...] on usiadł wśród kolorowych i to mnie też rozgniewało, bo widziałem, że stara się zdobyć sympatię kolorowych. Kiedy stanie przed sądem, będzie bronił Fidela Castro, będzie bronił Komitetu na rzecz Uczciwych Stosunków z Kubą, a kolorowi będą po jego stronie, a to dla jego sprawy ogromne osiągnięcie propagandowe. Z powodu takich rzeczy jak ta uważam, że to inteligentny facet, a nie żaden świr.

Oswald przyznał się do „zakłócania porządku", zapłacił grzywnę w wysokości 10 dolarów i wyszedł. Być może usadowienie się wśród czarnych zrównoważyło jego irytację spowodowaną koniecznością zapłacenia grzywny, ale możliwe też, że szczerze wyraził swoje poparcie dla kolorowych. Poza tym nie był to tani chwyt. Nie minęły jeszcze dwa miesiące od zastrzelenia Medgara Eversa w stanie Missisipi.

Czy Oswald nie dostrzegał ironii w tym, że z więzienia wyciągnął go Emile Bruneau, hazardzista na wielką skalę? To nawet było logiczne. Oswald przez całe życie ryzykował, grając o najwyższe stawki. Czasami mu się szczęściło, podobnie jak jego bliźnim. Niewątpliwie wierzył, że jak już szczęście się trafiło, to trzeba to wykorzystać i obstawić całą wygraną.

Ponieważ dobrze mu poszedł wykład w seminarium jezuickim, a aresztowanie uwiarygodniło jego pozytywny stosunek do Kuby Fidela Castro, nadszedł czas, by wykorzystać dla sprawy media.

McMILLAN: W piątek, 16 sierpnia [...] Lee z wyjątkową niecierpliwością czekał, aż Marina wyprasuje jego ulubioną koszulę. Już zadzwonił do miejscowych stacji telewizyjnych i zawiadomił, że tego dnia przed budynkiem Trade Mart w centrum Nowego Orleanu odbędzie się demonstracja Komitetu na rzecz Uczciwych Stosunków z Kubą.

Lee wynajął dwóch ludzi [...] do pomocy w rozdawaniu ulotek. Piętnasto- czy dwudziestominutowa demonstracja odbyła się bez przeszkód i tego wieczoru w telewizyjnych wiadomościach pojawiły się ujęcia Lee.

Nazajutrz o ósmej rano zapukały do drzwi Oswalda media w osobie chudego brodacza, Williama Kirka Stuckeya, gospodarza audycji „Latin Listening Post" w radiu WDSU.

8

Uczciwe stosunki

WILLIAM STUCKEY: [...] Poszedłem do niego wcześnie, bo chciałem go jeszcze zastać w domu.

JENNER: To była sobota?

WILLIAM STUCKEY: Tak, sobota. Zapukałem do drzwi i otworzył mi młody facet z nagim torsem. Miał na sobie tylko sfatygowane wojskowe spodnie. Zapytałem: „Czy pan Lee Oswald?", a on odpowiedział: „Tak".

Przedstawiłem się i powiedziałem, że chciałbym, żeby wystąpił tego dnia w moim wieczornym programie [...]. On powiedział, że zaprosiłby mnie do środka na kawę, ale jego żona i dziecko śpią, rozmawialiśmy więc na werandzie.

Oswald pokazał mu pamflet z mową Fidela Castro przetłumaczoną na angielski – *Rewolucja musi być szkołą nieskrępowanej myśli* – i esejem Sartre'a *Ideologia i rewolucja*.

WILLIAM STUCKEY: [...] Zapytałem go o liczebność jego organizacji, a on powiedział, że jest dość sporo [...] członków. Utkwiła mi w głowie liczba 12 lub 13, teraz nie umiem sobie przypomnieć dlaczego.

Oswald i dwunastu apostołów. Jako ideolog marzący o czynach, które wstrząsnęłyby światem, uważa to za naturalne, że wykazuje podobieństwo do każdego, od Jezusa do Hitlera.

JENNER: Proszę przytoczyć słowa, jakich użył przy tej okazji, jak najdokładniej pan potrafi.

WILLIAM STUCKEY: [...] był bardzo porywczy, upierał się, że nie jest szefem, tylko sekretarzem, i wtedy właśnie wyjął wizytówkę, na której było napisane, że [...] szefem jest ten drugi, Hidell [...]. Zrobił na mnie wrażenie człowieka bardzo logicznego, inteligentnego. Dziwna w nim była tylko ta cała organizacja. [Nie pasowało mi to do niego], że wstąpił do tego rodzaju ugrupowania [...] w ogóle na takiego nie wyglądał [...]. Jego schludność wprost mnie zdumiała [...] spodziewałem się jakiegoś piosenkarza country, kogoś w tym stylu [...] z brodą, w sandałach, a [...] tu spotkałem człowieka czystego i schludnego [i], jak mi się zdawało, ogromnie świadomego wagi wypowiadanych przez siebie słów, swoich gestów, takiego bardzo konkretnego [...]. Osobą, o której by się powiedziało, że budzi zaufanie. To właśnie był dla mnie zgrzyt – fakt, że człowiek tego pokroju należy do takiej organizacji [...].

Poprosiłem, żeby był u mnie w radiu po południu około piątej [...] zgodził się nagrać rozmowę nie na żywo.

JENNER: Dlaczego nie chciał pan z nim rozmawiać na żywo?

WILLIAM STUCKEY: Żeby uniknąć ewentualnych błędów. Rozmowa na żywo to niebezpieczna sprawa. Nigdy nie wiadomo, kiedy się człowiek potknie czy przejęzyczy, zawsze lepiej wiedzieć naprzód, co będzie na antenie, szczególnie w rozmowie z kimś tak kontrowersyjnym, jak przedstawiciel Komitetu na rzecz Uczciwych Stosunków z Kubą.

Niniejszy fragment pochodzi z trwającej w sumie trzydzieści siedem minut rozmowy. Tutaj i w debacie z przeciwnikami Castro, w jakiej Oswald weźmie udział kilka dni później, najlepiej prezentuje się jego styl przemawiania i umiejętność prowadzenia dyskusji. Gdyby nie był dyslektykiem, to więcej niż prawdopodobne jest, że pisałby co najmniej tak dobrze, jak mówił – a to, jak na polemistę dwudziestotrzyletniego, nie byłoby mało.

STUCKEY: Moim i państwa gościem jest dziś przedstawiciel chyba najbardziej kontrowersyjnej organizacji działającej w tym kraju na rzecz Kuby, Komitetu na rzecz Uczciwych Stosunków z Kubą – Lee Harvey Oswald. Pan Oswald jest sekretarzem nowoorleańskiego oddziału tego komitetu. Organizacja ta od dawna figuruje na czarnej liście Departamentu Sprawiedliwości i generalnie uważana jest za główny organ procastrowski w USA.

Ponieważ już od ładnych paru lat pracuję jako specjalista do spraw latynoamerykańskich w naszym mieście, od dawna wypatrywałem przedstawicieli tego ugrupowania. Ale dotąd nikt się publicznie nie pokazywał; dopiero w tym tygodniu Lee Oswald został aresztowany i ukarany za zakłócanie spokoju. Aresztowano go, gdy rozdawał literaturę procastrowską przechodniom, wśród których znalazło się kilku uchodźców kubańskich, zdecydowanych przeciwników Castro. Gdy dziś wreszcie udało nam się dotrzeć do pana Oswalda i zaprosić go do udziału w „Latin Listening Post", powiedział bez ogródek, że się zgadza, ponieważ może to pomóc jego organizacji zdobyć nowych członków w tej okolicy [...]. Ponieważ zdaję sobie sprawę, że nim zostało panu Oswaldowi powierzone to odpowiedzialne stanowisko, musiał się on zapewne wykazać wielką biegłością w dialektyce, przejdę teraz do zadawania panu Oswaldowi pytań.

Czy po takim wprowadzeniu Oswald mógł nie być wniebowzięty? Nie przebywa jednak w świecie dobrych manier, tylko w świecie mediów; gospodarz programu prędko przechodzi do ataku.

STUCKEY: Panie Oswald, wielu komentatorów i dziennikarzy w naszym kraju po-równuje Komitet na rzecz Uczciwych Stosunków z Kubą z amerykańską Partią Komunistyczną. Jak pan się na to zapatruje i czy należy pan do amerykańskiej Partii Komunistycznej?

OSWALD: Komitet na rzecz Uczciwych Stosunków z Kubą z siedzibą w Nowym Jorku, na Broadwayu pod numerem 799, został pod tym kątem zlustrowany przez specjalne podkomisje senackie. Poddano naszą organizację kontroli pod względem podatków, lojalności oraz ogólnie tego, gdzie, jak i dlaczego działamy. Nie znaleziono nic, co łączyłoby nas z Partią Komunistyczną USA. A jeśli chodzi o pana pytanie, czy jestem komunistą, to, jak już mówiłem, nie należę do żadnej innej organizacji [...].

STUCKEY: Czy pańskie ugrupowanie wierzy, że reżim Castro nie jest tak napraw-dę przygotowaniem terenu pod sowiecką kolonię na półkuli zachodniej?

OSWALD: Oczywiście. Castro jest niezawisłym przywódcą suwerennego państwa. Ma kontakty ze Związkiem Radzieckim [...]. To nie oznacza jednak, że jest od Rosji zależny. Utrzymuje kontakty handlowe z wieloma krajami, w tym także z Wielką Brytanią, w pewnym zakresie z Francją i innymi liczącymi się krajami Zachodu. Handluje nawet z bardziej niepodległymi państwami afrykańskimi, nie można więc wytykać Castro palcami i mówić, że jest radziecką marionetką [...]. Uważam, że bardzo wyraźnie było to widoczne podczas październikowego kryzysu, kiedy Castro zdecydowanie się wypowiedział, że – mimo iż premier Chruszczow upierał się, by przeprowadzić osobistą inspekcję baz rakietowych na Kubie, Fidel Castro odmówił.

STUCKEY: Czy uważa pan, że pański Komitet nadal popierałby premiera Castro tak jak dotychczas, gdyby Związek Radziecki zerwał stosunki z reżimem Castro na Kubie?

OSWALD: My go nie popieramy. My nie popieramy konkretnego człowieka. Popieramy ideę niezależnej rewolucji na półkuli zachodniej, wolnej od interwencji USA [...]. Jeśli Kubańczycy zniszczą Castro lub też w jakiś sposób udowodnią, że sprzeniewierzył się idei rewolucji, nie wpłynie to na stanowisko Komitetu [...].

STUCKEY: Czy uważa pan, że reżim Castro to reżim komunistyczny?

OSWALD: Sami Kubańczycy określają swój kraj [...] jako państwo marksistow-skie. Z drugiej strony jednak, takim samym państwem jest Ghana i kilka innych państw afrykańskich. Każdy kraj, który wyzwala się z pewnego rodzaju feuda-lizmu, tak jak Kuba, zwykle eksperymentuje z socjalizmem, z marksizmem.

Skądinąd Wielka Brytania ma socjalistyczny system opieki medycznej. Nie może-na teraz mówić, że Castro jest komunistą, ponieważ nie doprowadził rozwoju swojego kraju, swojego systemu aż tak daleko. Nie miał szans zostać komunistą. To eksperymentator, człowiek, który stara się znaleźć dla swojego kraju naj-lepsze wyjście. Jeśli wybierze socjalistyczny sposób życia, czy marksistowski, czy komunistyczny, mogą o tym decydować tylko Kubańczycy. My nie mamy do tego prawa [...].

Stuckey: Panie Oswald, czy jest to dla pana ważne, czy z działalności miejsco-wego oddziału Komitetu na rzecz Uczciwych Stosunków z Kubą odnosi korzyść Partia Komunistyczna i międzynarodowy komunizm?

Oswald: Hm, to pytanie jest, zdaje się, typowym pytaniem, na które nie ma do-brej odpowiedzi. Postaram się jednak na nie odpowiedzieć. Popieranie komuni-zmu jest sprzeczne z moim programem, moim osobistym programem. Popiera-nie komunizmu międzynarodowego jest sprzeczne z programem naszego Komitetu. My się tą kwestią nie zajmujemy. Zajmujemy się problemem Kuby. Nie uważamy, by w jakichkolwiek okolicznościach – popierając sprawę Kuby, opo-wiadając się za Fidelem Castro – było to sprzeczne z wiarą w demokrację. Wręcz przeciwnie [...].

Zaczęli rozmawiać o innych krajach Ameryki Łacińskiej. Oswald powiedział: „Czy znajdzie pan choć jednego urzędnika, kogokolwiek, kto zna się na Amery-ce Łacińskiej i powie, że w Nikaragui nie ma dyktatury?". Doszli do sedna spra-wy. Stuckeyowi mogło się wydawać, że teraz zapędzi Oswalda w kozi róg.

Stuckey: Bardzo ciekawe. Rzeczywiście, od lat już słyszymy o tych dyktaturach, ale mnie interesuje jedno: dlaczego w zeszłym roku do Stanów Zjednoczonych nie zbiegł żaden mieszkaniec Nikaragui, a zbiegów kubańskich mieliśmy jakieś 50–60 tysięcy. Jakie jest oficjalne stanowisko Komitetu na rzecz Uczciwych Sto-sunków z Kubą w tej sprawie?

Oswald: Dobre pytanie. Sytuacja Nikaragui znacznie się różni od sytuacji Kuby pod rządami Castro. Ludzie raczej nie uciekają ze swojego kraju, póki w ich ży-ciu nie pojawi się jakiś nowy czynnik, nowy system. Muszę powiedzieć, że w Ni-karagui z całą pewnością żaden nowy czynnik nie pojawił się od trzystu lat. Lu-dzie w Nikaragui żyją dokładnie tak samo, jak zawsze żyli ludzie w Nikaragui. Mówię teraz o przeważającej większości Nikaraguańczyków. Ich państwo jest dyktaturą feudalną, dziewięćdziesiąt procent ludności trudni się tam rolnic-twem. Rolnicy są słabo wykształceni. Ich poziom życia jest jednym z najniż-szych na całej półkuli zachodniej [więc] w ich życiu nie pojawił się żaden nowy element, nic, co by ich wyzwoliło. Dlatego zostają w Nikaragui. Uchodźcy z Ku-

by natomiast to ciekawy temat. Nie muszę chyba mówić, że są wśród nich przestępcy ścigani na Kubie za zbrodnie przeciwko ludzkości. Większość z tych ludzi osiedliła się w Nowym Orleanie, urządziła sobie za brudne pieniądze sklepy
i handluje z mieszkańcami Nowego Orleanu. To są ludzie, którzy z całą pewnością nie chcą wrócić na Kubę, którzy z pewnością musieli z Kuby uciec. Jest też
inny rodzaj uchodźców. To chłopi, którym nie podoba się kolektywizacja kubańskiego rolnictwa. Są też inni, którzy mają takie czy inne powody [...] by zbiec
z Kuby. Większość z nich [...] po zwróceniu się do rządu Kuby z prośbą o wydanie wizy wyjazdowej dostaje pozwolenie na wyjazd. Niektórzy z różnych powodów nie chcą się ubiegać o te wizy albo wydaje im się, że ich nie dostaną – i ci
uciekają z Kuby na łodziach, uciekają, którędy mogą. Moim zdaniem, stosunek
rządu Kuby do tego jest taki: „Chcą uciekać, to tym lepiej".

STUCKEY: To bardzo ciekawe, co pan mówi, panie Oswald. Ponieważ od dłuższego czasu zajmuję się zawodowo tą tematyką, od trzech lat przeprowadzam rozmowy z kubańskimi uchodźcami i z tego, co wiem, ostatni człowiek Batisty,
z którym oficjalnie rozmawiałem, opuścił Kubę około dwóch i pół roku temu. Pozostali, z którymi rozmawiałem, to byli taksówkarze, robotnicy, ludzie pracujący na plantacjach trzciny cukrowej itp. Sądziłem, że to właśnie tacy jak oni mieli skorzystać na rewolucji [...].

OSWALD: [...] Wie pan co, rewolucje mają to do siebie, że wymagają pracy. Rewolucje wymagają poświęcenia, [a] ludzie, którzy uciekli z Kuby nie umieli się
przystosować do nowych warunków, które pojawiły się w ich życiu. To są ludzie
słabo wykształceni. To są ludzie, którzy nie zostali na Kubie, by pozwolić się
uczyć młodym. Oni się boją alfabetu, boją się nowego, boją się, że przez kolek-
tywizację coś stracą. Boją się, że stracą na tym, że zamiast tej ich trzciny cukrowej posadzi się jakąś inną roślinę, jakiś inny produkt, ponieważ Kuba zawsze
była krajem jednej uprawy, z grubsza rzecz biorąc. To są ludzie, którzy nie umieli się przystosować.

STUCKEY: Panie Oswald, mówi pan o „tej ich trzcinie cukrowej". Większość Kubańczyków, z którymi rozmawiałem, którzy mieli coś wspólnego z rolnictwem,
od półtora roku nie posiadała ani skrawka ziemi. Wszyscy co do jednego pracowali na nie swoich plantacjach trzciny cukrowej.

Stuckey wytoczył wprawdzie ważki argument, ale Oswalda to nie jest w stanie
powstrzymać. Ma on odruchy polemiczne godne Richarda Nixona – przez trzy
zdania leje wodę, układa sobie w głowie odpowiedź, a następnie ją wygłasza.

OSWALD: Zgadza się, rzeczywiście tacy jak oni uciekają z rządzonej przez Castro
Kuby. To się zgadza. To prawda, to szczera prawda, i cieszę się, że poruszył pan

ten temat. Ci ludzie pracowali kiedyś dla United Fruit Company czy innych amerykańskich firm, zajmujących się rafinacją cukru i rafinacją ropy naftowej na Kubie. Pracowali tylko kilka miesięcy w roku – podczas sezonu. Nigdy nie posiadali niczego na własność, a teraz mają poczucie [...], że został im odebrany przywilej pracy przez pięć miesięcy w roku. Mają poczucie, że teraz muszą pracować przez okrągły rok, by sadzić nowe uprawy, tworzyć nową gospodarkę, i dlatego czują się tak, jakby zostali okradzeni [...] z prawa robienia tego, co im się żywnie podoba [...]. Nie zdają sobie jednak sprawy z tego, że okradziono ich z prawa do bycia wykorzystywanym, bycia oszukiwanym, bycia obrabowywanym przez nowoorleańskie spółki, które zabierały należny im zysk. Oczywiście, teraz muszą się dzielić. Wszyscy dostają obecnie po równo. Na tym polega kolektywizacja i niektórym trudno jest się z nią pogodzić – tym, którzy wolą brutalną gospodarkę kapitalistyczną.

JENNER: [...] dostarczył pan FBI zapis tej rozmowy?

STUCKEY: Nie, dałem FBI kasetę w poniedziałek po emisji rozmowy, czyli 20 sierpnia 1963 roku. Powiedziałem im, że moim zdaniem, to bardzo interesujący materiał, a jeśli chcą mieć zapis, to mogą sami go sporządzić, i tak rzeczywiście zrobili. Sporządzili zapis i oddali mi kasetę, i przy okazji dali zapis rozmowy [...].

JENNER: [...] opowie nam pan o tej audycji?

STUCKEY: Tak. Jak już mówiłem, to była taka luźna rozmowa. Trwała 37 minut. Po jej zakończeniu cofnęliśmy taśmę, żeby ją przesłuchać. Oswald był zadowolony [...]. Myślę, że wydawało mu się, że dokonał nie wiadomo jakiego wyczynu.

Potem jeszcze raz przewinąłem taśmę w jego obecności i z pomocą montażysty wybrałem kilka [...] jego komentarzy, w których mówił, że Castro jest niezawisłym przywódcą wolnego i suwerennego państwa. Reszta, o ile sobie przypominam, to było moje streszczenie innych najważniejszych kwestii poruszonych w tej trzydziestosiedmiominutowej rozmowie. Audycja weszła na antenę zgodnie z planem.

JENNER: To po montażu ile minut zostało z rozmowy?

STUCKEY: Pięć.

JENNER: Pięć minut?

STUCKEY: Dokładnie cztery i pół.

JENNER: [...] Czy to był pana ostatni kontakt z Oswaldem?

STUCKEY: Nie [...]. Powiedziałem mu, że porozmawiam z dyrektorem i zobaczę, czy zainteresowałoby go puszczenie całej trzydziestosiedmiominutowej kasety. On [jednak] uznał, że zainteresowanie słuchaczy będzie większe, jeśli zamiast puszczać kasetę, zorganizujemy drugi program, debatę z udziałem kilku miejscowych antykomunistów, którzy zbiliby niektóre argumenty Oswalda [...].

Wybrałem pana Edwarda S. Butlera, dyrektora Information Council Of Americas (Rady Informacji Obu Ameryk) w Nowym Orleanie [...], organizacji antykomunistycznej. Jej głównym zadaniem jest [rozprowadzanie] silnie antykomunistycznych [...] kaset wśród stacji radiowych w całej Ameryce Łacińskiej [...].

JENNER: Czy [pan Butler] był człowiekiem dobrze obeznanym w dziedzinie, której się poświęcał?

STUCKEY: Tak; dlatego poprosiłem go o udział w debacie, na co się zgodził. Aha, pozwoliłem mu najpierw przesłuchać tamtą trzydziestosiedmiominutową rozmowę. Na drugiego eksperta poprosiłem pana Carlosa Bringuiera, [by] audycja miała autentycznie kubański posmak.

Potem zadzwonił do mnie Oswald [...] powiedziałem mu, że urządzamy taką debatę, i zapytałem, czy byłby zainteresowany udziałem, a on odparł, że tak, jak najbardziej, i zapytał: „A z iloma będę musiał walczyć?". W ten sposób informował się, ile osób poza nim weźmie udział w debacie.

JENNER: Użył tych słów?

STUCKEY: Tak; ale żartował [...]. Powiedział, że pomysł wydał mu się interesujący.

Lee jest gotów uwierzyć, że rzeczywiście jest tak dobry, jak mu się wydawało, odkąd zaczął dominować w dyskusjach politycznych w jednostce marines.

Oczywiście, mocy machiny, której będzie musiał stawić czoło, nie ocenia ani w połowie tak trafnie jak własnych możliwości, kiedy jest w dobrej formie.

> McMILLAN: Rozmawiając tego dnia z informatorem FBI, Stuckey, o ile dobrze pamięta, został połączony z szefem lub zastępcą szefa Biura w Nowym Orleanie, a ten przeczytał mu przez telefon niektóre informacje z teczki Oswalda, między innym fakt, że był w ZSRR, próbował zrzec się amerykańskiego obywatelstwa, mieszkał tam przez prawie trzy lata i ożenił się z Rosjanką. Stuckey poszedł do FBI i udostępniono mu teczkę, jak również wycinki z moskiewskich gazet z okresu przyjazdu Oswalda do ZSRR.

JENNER: A czy gdy Oswald przyszedł do studia w środę o 17.30, nie zdawał sobie sprawy, że pan to zrobił, że ma pan te wiadomości i że zasięgnął pan o nim języka?

STUCKEY: Nie zdawał sobie z tego sprawy. W ciągu dnia [...] zadzwonił pan Butler i powiedział, że on też dowiedział się tego samego [...] chyba od House Un-American Activities Committee (Krajowej Komisji do spraw Działań Antyamerykańskich) [i] uzgodniliśmy, że wykorzystamy te informacje w popołudniowej audycji.

JENNER: [...] Uważał pan, że się tego nie spodziewa i że będzie to dla niego szok?

STUCKEY: Właśnie.

JENNER: Proszę mówić dalej.

STUCKEY: [...] Około wpół do szóstej przyszedłem do studia. Oswald pojawił się w bardzo grubym szarym flanelowym garniturze. To był sierpień w Nowym Orleanie, upał niesamowity, a on przyszedł w tym obszernym, źle skrojonym garniturze. Był zgrzany i chyba niewygodnie się czuł. Miał niebieską koszulę i ciemny krawat, i czarny notes [...] potem wszedł pan Butler z panem Bringuierem. Obaj przynieśli ze sobą kilogramy literatury, statystyk [...].

JENNER: Czy Oswald znał już pana Butlera?

STUCKEY: [...] Wydaje mi się, że wiedział, kim jest. Oswald zapytał mnie o coś w związku z jego organizacją, a ja odpowiedziałem: „Jest dokładnie tym samym, co twoja; też jest jednostką propagandową, tyle że po drugiej stronie muru" – i to zaspokoiło jego ciekawość.

Myślę, że z punktu zaszufladkował ją jako beznadziejną organizację prawicową [...].

Carlos Bringuier zamienił z Oswaldem kilka słów przed rozpoczęciem debaty.

BRINGUIER: [...] Starałem się być jak najbardziej uprzejmy. Naprawdę uważam, że najwięcej, co mogłem zrobić, to wydobyć jednego komunista z Partii Komunistycznej i nastawić go do działania przeciwko komunizmowi, ponieważ [wtedy] on naprawdę wiedzieć, co znaczy komunizm. I powiedziałem do Oswalda, że nie mam nic przeciwko niemu osobiście, tylko ideologicznie. Powiedziałem mu, że dla mnie to niemożliwe widzieć Amerykanina, że jest komunista, bo komunizm stara się zniszczyć Stany Zjednoczone i że w każdej chwili [...] kiedy pomyśli, że może zrobić coś dobrego dla swojego kraju, dla swojej rodziny i dla siebie, to może przyjść do mnie, bo ja go przyjmę, bo powtarzam mu, że nie mam wcale nic przeciwko niemu osobiście. On się do mnie uśmiechnął. Powiedział mi – odpowiedział mi, że on jest na dobrej stronie, na właściwej stronie, a ja jestem na złej stronie i że on robi to, co uważa za najlepsze. Wtedy powiedział takie słowa.

Zanim weszliśmy do sali debaty, zobaczył podręcznik marines, który miałem ze sobą, bo nie wiedziałem, co się stanie w trakcie debaty, i będę musiał mieć ze sobą tę broń, żeby zniszczyć go osobiście jako zdrajcę, jeśli zrobi coś źle w trakcie debaty. Kiedy zobaczył podręcznik marines, uśmiechnął się do mnie i powiedział: „Posłuchaj, Carlos, nie próbuj przeprowadzić inwazji z pomocą tego podręcznika marines, bo jest przestarzały i to będzie klęska". Wtedy powiedział taki żart [...].

Zaczęli – Oswald contra Bringuier, Butler, Stuckey i moderator dyskusji, niejaki Slatter. Po przedstawieniu sobie gości nie ociągano się z przejściem do rzeczy.

BILL STUCKEY: [...] Pan Butler zwrócił moją uwagę na pewne wycinki z gazet [...] w roku 1959 pan Oswald starał się zrzec amerykańskiego obywatelstwa i zostać obywatelem radzieckim. Inny wycinek z roku 1962 mówi, że pan Oswald wrócił ze Związku Radzieckiego z żoną i z dzieckiem po spędzeniu tam trzech lat. Czy to się zgadza, panie Oswald?

OSWALD: Tak, to się zgadza. Tak.

BILL STUCKEY: Rzeczywiście mieszkał pan przez trzy lata w Rosji?

OSWALD: Tak, to prawda, i uważam, że fakt, że przez jakiś czas mieszkałem w Związku Radzieckim doskonale mnie kwalifikuje do odrzucenia zarzutów, że komuniści kontrolują Kubę i Komitet na rzecz Uczciwych Stosunków z Kubą.

SLATTER: Panie Oswald, [czy to prawda, że] chciał pan kiedyś zrzec się obywatelstwa amerykańskiego i zostać obywatelem radzieckim? [...].

OSWALD: Nie sądzę, by miało to szczególny związek z tą dyskusją. Dyskutujemy o stosunkach kubańsko-amerykańskich.

SLATTER: Ja zaś uważam, że jedno z drugim się łączy, panie Oswald: mówi pan, że Kuba nie podlega Rosji, ale pana przeszłe działanie wykazuje, że łączą pana bliskie związki z Rosją i, być może, z komunizmem. Nie wiem, czy przyznaje się pan do tego, że jest pan lub był komunistą, czy mógłby pan to wyjaśnić? Czy jest pan lub był komunistą?

OSWALD: Odpowiedziałem na to pytanie przed audycją, w innej audycji radiowej.

STUCKEY: Czy jest pan marksistą?

OSWALD: Tak, jestem marksistą.

Butler: Na czym polega różnica?

Oswald: Różnica jest taka, jak różnice pomiędzy takim krajami, jak Gwinea, Ghana, Jugosławia, Chiny i Rosja. Bardzo, bardzo wielkie różnice. Różnice, które mierzymy, udzielając pomocy, powiedzmy, Jugosławii w wysokości około stu milionów dolarów rocznie.

Butler: To nie ma związku z tematem. Na czym polega ta różnica?

Oswald: Różnica, jak już mówiłem, jest bardzo wielka. Wiele partii, wiele państw opiera się na marksizmie. Wiele krajów, takich jak Wielka Brytania, wykazuje aspekty czy cechy silnie socjalistyczne. Mógłbym dać za przykład upaństwowioną opiekę medyczną w Anglii.

Butler: Mówiłem o...

Slatter: Panowie, muszę na chwilę przerwać rozmowę. Tę ożywioną dyskusję będziemy kontynuować po krótkiej przerwie na reklamę.

REKLAMA

Stuckey: Panie Oswald, w odpowiedzi na pytanie pana Butlera powiedział pan, zdaje się, że kwestie pana przeszłości nie mają związku z dzisiejszą dyskusją. Jestem odmiennego zdania, ponieważ jako że odmawia pan ujawnienia tożsamości innych członków pańskiej organizacji, wyłącznie pan reprezentuje Komitet na rzecz Uczciwych Stosunków z Kubą w Nowym Orleanie. A zatem każdy, kto zainteresuje się organizacją, powinien wiedzieć o panu coś więcej. Dlatego proszę powiedzieć, w jaki sposób utrzymywał się pan przez te trzy lata, które spędził pan w Związku Radzieckim. Czy otrzymywał pan subwencje od rządu?

Oswald: No dobra – hm – odpowiem na to pytanie bezpośrednio, bo nie spocznie pan, póki nie usłyszy odpowiedzi. Pracowałem w Rosji [...]. Jak mówię, nigdy nie zrzekłem się obywatelstwa i byłem w ciągłym kontakcie z ambasadą USA.

Butler: Przepraszam, czy mogę coś wtrącić? Jedno z pana oświadczeń jest nieprawdziwe. Dziennik „Washington Evening Star" z 31 października 1959 roku na pierwszej stronie donosi, że Lee Harvey Oswald, były żołnierz piechoty morskiej, zamieszkały przy Connally Street 4936 w Fort Worth w stanie Teksas, zwrócił swój paszport ambasadzie USA w Moskwie [i] ubiegał się o obywatelstwo radzieckie. Mnie się wydaje, że oddając paszport, zrzekł się pan obywatelstwa amerykańskiego.

OSWALD: Oczywistym dowodem na to, że nie ma pan racji, jest mój powrót do Stanów Zjednoczonych. Osoba, która zrzeka się obywatelstwa, zostaje prawnie pozbawiona prawa powrotu do USA, [ale] jak już mówiłem, cała ta rozmowa – a zostało nam niewiele czasu – oddala się od problemów kubańsko-amerykańskich. Niemniej chętnie porozmawiam na swój temat przez pozostałą część programu [...].

SLATTER: Przepraszam, przerwę panu na chwilę. Uważam, że pan Oswald ma rację. Nie traćmy z oczu organizacji, którą kieruje on w Nowym Orleanie – Komitetu na rzecz Kuby.

OSWALD: Komitetu na rzecz Uczciwych Stosunków z Kubą.

SLATTER: Z pewnością doskonale zdaje pan sobie sprawę z panującego w Ameryce negatywnego nastawienia do Kuby. Stosunki dyplomatyczne z Kubą zerwaliśmy już oczywiście jakiś czas temu. Powiedziałbym, że Castro jest w naszym kraju osobą najbardziej znienawidzoną. I teraz pytanie praktyczne: co pan zamierza swoją działalnością osiągnąć? Jak zamierza pan doprowadzić do „uczciwych stosunków z Kubą", znając negatywny stosunek Ameryki do tego kraju?

OSWALD: Główna myśl Komitetu na rzecz Uczciwych Stosunków z Kubą zasadza się na postulacie wznowienia stosunków dyplomatycznych, handlowych i turystycznych z Kubą. To jedno z naszych głównych założeń. Za tym jesteśmy. Nie zgadzam się z tym, że sytuacja dotycząca stosunków amerykańsko-kubańskich nie cieszy się poparciem. Jesteśmy w mniejszości, to na pewno, [ale] staramy się nakłonić Stany Zjednoczone do podjęcia działań bardziej sprzyjających Kubańczykom i nowemu reżimowi na Kubie. Nie jesteśmy w żadnym stopniu kontrolowani przez komunistów, pomimo faktu, że mieszkałem kiedyś w Rosji, pomimo faktu, że byliśmy lustrowani, pomimo wszystkich tych faktów nasz komitet jest niezależną organizacją nie związaną z żadną inną organizacją. Nasze cele i nasze ideały są jasno określone i doskonale wpasowują się w amerykańską tradycję demokracji.

BRINGUIER: Czy zgadza się pan z Fidelem Castro, który w swoim ostatnim przemówieniu z dnia 16 lipca bieżącego roku określił prezydenta Stanów Zjednoczonych Johna F. Kennedy'ego jako prostaka i złodzieja? Czy zgadza się pan z panem Castro?

OSWALD: Nie zgodziłbym się z tym akurat doborem słów. Niemniej jednak i ja, i Komitet na rzecz Uczciwych Stosunków z Kubą uważamy, że rząd Stanów Zjednoczonych, a przede wszystkim Departament Stanu i CIA, popełnił w stosunkach z Kubą niewybaczalne błędy. Błędy, które popychają Kubę do sfery działalności, powiedzmy, bardzo dogmatycznego państwa komunistycznego, takiego jak Chiny [...].

Program wkrótce dobiegł końca.

STUCKEY: [...] Uważam, że po tym programie Komitet na rzecz Uczciwych Stosunków z Kubą, jeśli rzeczywiście kiedykolwiek istniał w Nowym Orleanie, nie miał tam już żadnej przyszłości, ponieważ publicznie wykazaliśmy związek tej organizacji z człowiekiem, który przez trzy lata mieszkał w Rosji i był zaprzysięgłym marksistą.

Co ciekawe – a raczej powinienem powiedzieć, co niebezpieczne – to fakt, że Oswald wydawał się takim sympatycznym, bystrym młodym chłopakiem i przed tym programem był niesłychanie wiarygodny. Myśleliśmy, że pewnie uda mu się zdobyć sporo nowych członków, jeśli rzeczywiście poważnie mu na tym zależy. Ale po emisji tego programu 21 sierpnia doszliśmy do wniosku, że to już niemożliwe [...].

JENNER: Czy po zakończeniu emisji widział pan Oswalda po raz ostatni?

STUCKEY: Nie [...] pozostali trzej uczestnicy debaty wyszli, a Oswald wyglądał na nieco przygnębionego, zaproponowałem więc: „Chodźmy gdzieś na piwo", na co on powiedział: „Dobra". Wyszliśmy ze studia i poszliśmy do baru „Comeaux", jakieś paręset metrów od studia. Wtedy po raz pierwszy zaczął się inaczej zachowywać, zarzucił jakby stanowisko półformalne i trochę się rozluźnił. Wówczas zobaczyłem go odprężonego, nieskrępowanego. Rozmawialiśmy około godziny [...] swoją drogą [...] powiedział mi wtedy, że [ten] garnitur kupił w Rosji, a oni tam nie bardzo znają się na szyciu ubrań [...].

Zapytałem go, jak to się stało, że zainteresował się marksizmem i czy miała na niego jakikolwiek wpływ rodzina. On powiedział: „Nie", i wyglądał tak, jakby go ta myśl rozbawiła. „Nie – powiedział. – Moja rodzina to typowi nowoorleańczycy" – i na tym się chyba skończyło [...].

JENNER: Czy czuł się dobrze w pana towarzystwie – to znaczy czy chętnie mówił, był zadowolony...

STUCKEY: Był odprężony, miło ze mną rozmawiał. Chyba mu ulżyło, że już jest po wszystkim. Odniosłem wrażenie, że ulżyło mu, bo nie musiał już trzymać w tajemnicy swojego pobytu w Rosji, i że ukrywanie tego faktu mu ciążyło [...].

JENNER: Czy po tym godzinnym *tête-à-tête* w barze „Comeaux" spotkał się pan jeszcze z Oswaldem?

STUCKEY: Wtedy widziałem go po raz ostatni w życiu [...].

Reakcja Stuckeya na Oswalda wydaje się reakcją dość typową jak na człowieka mediów. Z jednej strony, Oswald to przeciwnik w debacie, a zatem bez wahania można wykorzystać przeciwko niemu wszystko, co się da – rozłożyć siły w dyskusji cztery do jednego, zmienić jej temat (Rosja zamiast Kuby) – a wszystko to bez śladu wyrzutów sumienia. Ludzie mediów muszą jednak być wszystkiego nieskończenie ciekawi (przynajmniej dopóty, dopóki ich ciekawość nie zostanie zaspokojona) i nie chowają urazy – jeśli pognębią rozmówcę, to są na tyle mili, że nie okazują mu niechęci czy antypatii, tylko zainteresowanie i pełne dystansu współczucie dla kolejnego zajmującego okazu pod szkiełkiem.

Stuckey podsumowuje to tak:

STUCKEY: [...] Odniosłem wrażenie, iż Oswald uważa, że inni ludzie ustępują mu pod względem intelektu.

JENNER: Proszę rozwinąć tę myśl.

STUCKEY: [...] Ja poświęciłem mu trochę uwagi, a inni nieszczególnie. Wydawało mi się, że sprawia mu przyjemność rozmowa z kimś, kogo nie uważa za głupiego [...]. Nie mówię, że była w jego zachowaniu jakaś arogancja. Tylko – no, wiadomo, po człowieku widać, czy jest inteligentny, przynajmniej ja to widzę, a ten człowiek był inteligentny [...] i chciał mieć okazję, by się tą swoją inteligencją wykazać – takie odniosłem wrażenie.

Program jednak pozostawił blizny.

McMILLAN: Marina nie miała pojęcia, co Lee czytał, ale z głębi mieszkania widziała, że czasami wcale nie czytał. Po prostu siedział na werandzie i wyglądał na ulicę [...].

Któregoś wieczoru w ostatnim tygodniu sierpnia Marina wyszła z June na spacer. Wracając do domu o zmroku, zastały Lee przykuchniętego na werandzie, wymierzającego karabin w jakiś cel na ulicy. Wtedy po raz pierwszy od kilku miesięcy zobaczyła go z karabinem w ręku – i była przerażona.

– Co ty wyprawiasz? – zdumiała się.

– Wynoś się stąd – odpowiedział. – Nie odzywaj się do mnie [...].

Kilka dni później znów przyłapała go wieczorem na werandzie z karabinem w ręku.

– Znów się bawisz bronią, co? – zapytała z ironią w głosie.

– Fidel Castro potrzebuje obrońców – odpowiedział Lee. – Zamierzam wstąpić do jego armii ochotniczej [...].

Później podczas domowej krzątaniny Marina często słyszała szczęknięcia karabinu dochodzące z werandy, gdy Lee przesiadywał tam wieczorami. Słyszała je trzy razy na tydzień, może częściej, aż do połowy września.

9

Reorganizacja

Tydzień po debacie radiowej Oswald napisał list do Komitetu Centralnego Partii Komunistycznej USA. Jest on ciekawy ze względu na bijącą zeń skromność i pozorną szczerość. Czyżby Lee po raz pierwszy w życiu prosił o radę? Czy też może napisał ten list na czyjeś polecenie – w celu zaskarbienia sobie sympatii przywódcy Partii Komunistycznej USA?

> 28 sierpnia 1963
> Towarzysze!
> Proszę, doradźcie mi, jak mam postąpić w pewnej osobistej sprawie [...].
> W roku 1959 w Moskwie starałem się zrzec obywatelstwa amerykańskiego na rzecz obywatelstwa radzieckiego, do dziś jednak nie dopełniłem wymaganych w tych okolicznościach formalności.
> W roku 1962 wróciłem do USA i rzuciłem się w wir walki o postęp i wolność w Stanach Zjednoczonych. Chciałbym się dowiedzieć, czy, waszym zdaniem, nadal mogę walczyć mimo obciążającej mnie przeszłości, czy nadal mogę otwarcie zmagać się z siłami wrogimi postępowi, czy też powinienem zawsze pozostawać w cieniu, czyli w podziemiu.
> Nasi przeciwnicy mogliby wykorzystać fakt mojego pobytu w Związku Radzieckim przeciwko każdej sprawie, w którą bym się zaangażował, mogliby wysuwać zarzuty, że organizacja, do której należę, jest kontrolowana przez Rosjan itp. Jestem pewien, że rozumiecie, o co mi chodzi.
> Oczywiście, mógłbym publicznie zaświadczyć (gdyby zaszła taka potrzeba), że chciałem zrzec się obywatelstwa amerykańskiego w ramach prywatnego protestu przeciwko prodyktatorskiej polityce Stanów Zjednoczonych itd. Co powinienem, waszym zdaniem, zrobić? Jaka taktyka jest ogólnie najlepsza?
> Czy powinienem odstąpić od wszelkiej działalności na rzecz postępu?
> Tu, w Nowym Orleanie, jestem sekretarzem miejscowego oddziału Komitetu na rzecz Uczciwych Stosunków z Kubą i przyznam, że korzystałem z tego stanowiska, by szerzyć idee komunistyczne. W programie miejscowej stacji radiowej zostałem zaatakowany przez przedstawicieli organizacji kubańskich uchodźców za fakt mieszkania w Związku Radzieckim itd.
> Mam poczucie, że być może zadziałałem na szkodę Komitetu, rozumiecie więc, że odczuwam potrzebę zwrócenia się po radę do zaufanych, doświadczonych bojowników o postęp. Proszę, doradźcie mi, co mam robić.
>
> Z braterskim pozdrowieniem
> Szczerze oddany
> Lee H. Oswald

Na ten list odpowiedział Arnold Johnson, jeden z przywódców Partii Komunistycznej USA.

19 września 1963

Szanowny Panie Oswald!

[...] Choć rzeczywiście niektórzy ludzie mogą wykorzystać wspomniany przez Pana fakt pobytu w Związku Radzieckim, uważam, że musi Pan zdać sobie sprawę, iż jako obywatel amerykański, przebywający obecnie we własnym kraju, ma Pan prawo należeć do dowolnie wybranych organizacji o najróżniejszym charakterze, w tym także Komitetu na rzecz Uczciwych Stosunków z Kubą. Często dla niektórych ludzi lepiej jest, by pozostawali w cieniu, zamiast pokazywać się publicznie. Zakładam, że teraz jest to kwestia czysto akademicka i możemy omówić ją później.

Pański

Arnold Johnson

Niezależnie od tego, czy Oswald działał na własny rachunek, czy jako płatny prowokator, jego działalność dla Komitetu na rzecz Uczciwych Stosunków z Kubą powoli się kończyła; rozdał tysiące ulotek, lecz ani to, ani rozgłos na antenie radiowej nie przyciągnęły choćby jednego nowego członka.

Odkrył wielką przepaść między rozgłosem a jego namacalnymi skutkami. Także i on uwierzył w amerykański sen o bonanzie: dzięki rozgłosowi zdobywa się bogactwo i/lub sławę i/lub władzę. Brudny sekret, którego nie zdradza się porządnym obywatelom amerykańskim, poszukującym bonanzy, to fakt, że krótkotrwały rozgłos nie przynosi nikomu ani majątku, ani sławy, ani władzy – zapewnia jedynie pięć minut w świetle fleszy.

Ponieważ zaś usilne starania Oswalda nie przyniosły żadnych skutków, pozostało mu tylko jedno radykalne wyjście – wyjazd do Hawany. Fidelowi Castro mógł się okazać bardziej użyteczny na miejscu.

McMILLAN: Przeszkody były ogromne. Lee odłożył trochę pieniędzy, ale raczej za mało, by wystarczyło na podróż na Kubę. Ponadto Departament Stanu zakazał obywatelom amerykańskim podróżowania na Kubę i pismo „The Militant" przez całe lato publikowało historie Amerykanów, którzy po powrocie z wyspy musieli iść do więzienia lub płacić grzywny. To jednak była pomniejsza przeszkoda, gdyż Lee nie zamierzał wracać. Miał nadzieję zostać tam na stałe [...]. A gdyby mu się nie spodobało, pojechałby do Chin lub starał się o ponowne pozwolenie na wjazd do ZSRR, gdzie połączyłby się z Mariną. Problem polegał na tym, jak się dostać na Kubę.

Oczywiście brał już pod uwagę najbardziej brawurowe scenariusze. Zaproponował Bringuierowi, że przyłączy się do jego grupy, która miała zaatakować Kubę, bo był to sposób przedostania się na jej terytorium. Prawdopodobnie Oswald planował, że po przybyciu na miejsce odłączyłby się od grupy uchodźców i zaoferował posiadane o nich informacje ludziom Castro, na których z pewnością prędko by się natknął.

Jak niebezpieczne warianty rozważał! Ten plan aż się roi od niebezpieczeństw; ma się tak do zwykłego niebezpieczeństwa, jak wynaturzony seks do uprawiania miłości na sposób bardziej konwencjonalny.

Marina pamięta pewien upalny wieczór, kiedy siedzieli w dużym pokoju, było gorąco, a oni byli biedni. Nie mieli klimatyzacji. A to było lato w Nowym Orleanie. I mąż, i żona obficie się pocili. Nagle ni stąd, ni zowąd Lee zapytał:

– A może porwalibyśmy samolot?

Ona zapytała:

– Jacy „my"?

– Ty i ja – odpowiedział.

– W Rosji ci się nie podobało, teraz nie podoba ci się w Ameryce – więc kolej na Kubę.

– Mówię poważnie – powiedział Lee.

Marina powiedziała:

– No dobrze, będę musiała wysłuchać ciebie i twojego głupiego pomysłu.

– Nie będziesz musiała nikogo zabijać – zapewnił Lee.

Ona powtórzyła to jako pytanie:

– Zabijać?

– Będzie ci potrzebny pistolet – powiedział – i ja też będę miał broń, ale nie będziesz musiała nikogo zabijać. Tylko postraszyć.

Ona odparła:

– No rzeczywiście, wszyscy się będą mnie bali – ciężarnej kobiety, która trzyma pistolet, a nawet nie wie, jak się powinno go trzymać.

On mówił:

– Powtarzaj za mną...

Chciał, żeby powiedziała po angielsku: „Łapy do góry". Ona nie potrafiła nawet tego powtórzyć. Zaczęła się śmiać. On usiłował ją przekonać:

– Powtarzaj za mną...

Ale to było fiasko, kompletne fiasko.

Była w ciąży z Rachel, a Lee starał się ją nauczyć, co ma powiedzieć po angielsku pasażerom samolotu. Ona jednak nie umiała nawet wymówić słów *Stick'em up*. Wszyscy by padli ze śmiechu. Powiedziała Lee: „Naprawdę masz świra. Boże, nie mamy co do garnka włożyć, a ty wymyślasz takie bzdury". Nie była zrzędliwą żoną i nie marudziła, że on ma zarabiać pieniądze. Nie chciała, żeby zarabiał krocie; chciała tylko, żeby był zadowolony z tego, co ma.

Relacjonowała to wydarzenie trzydzieści lat po tym, jak miało miejsce, i powiedzieliśmy jej: „Nie ma pani umysłu zbrodniarza. Jak na tamte czasy, to nie był zły pomysł na porwanie samolotu. Kobieta w ciąży. Wszystko sobie dokładnie przemyślał. Schowałaby pani pistolet pod brzuchem. Była mu pani niezbędna".

MARINA: Powiedziałam mu: „Przykro mi, ale się nie zgadzam".

PYTANIE: W tym momencie pewnie powiedział sobie w duchu: „Ożeniłem się z niewłaściwą kobietą".

MARINA: Pewnie mówił to sobie od samego początku.

Chciała zbyć tę rozmowę.

MARINA: To było tak dawno temu. Mam teraz pięćdziesiąt dwa lata. Dawno się z tym pożegnałam. Nie muszę się nikomu spowiadać z tego, co robiłam, mając dwanaście, trzynaście czy dwadzieścia lat. Idę do nieba. Już mam rezerwację.

PYTANIE: Gdziekolwiek pani pójdzie, otoczą panią kołem i poproszą: „Niech nam pani opowie o Lee Harveyu Oswaldzie".

MARINA: Gdzie, w niebie?

PYTANIE: Powiedzą: „Marino, czekaliśmy, aż nam pani o tym opowie".

MARINA: Czy żona z reguły nie dowiaduje się o wszystkim ostatnia?

Można zrozumieć frustrację Oswalda: jest żonaty z kobietą, która nie umie docenić piękna genialnego planu przestępstwa. Wszystko sobie dokładnie przemyślał: kobieta w ciąży – kto by zwrócił na nich uwagę przy wchodzeniu na pokład samolotu?

Mniej więcej w tym czasie stłukło się im lustro – po prostu spadło ze ściany i się zbiło. Marina była nieszczęśliwa, bo był to bezsprzecznie zły omen. Któregoś ranka spojrzała na bursztynowe serduszko, które trzymała w szkatułce: było pęknięte. Pomyślała, że to znaczy, iż ktoś wkrótce umrze.

Z raportu FBI: [...] powiedział, że lepiej byłoby porwać samolot lecący z wybrzeża do którregoś z miast w środku kraju, ponieważ wydawałoby się to mniej podejrzane niż wsiadanie na pokład samolotu lecącego za granicę. OSWALD miał taki plan. polecieć samolotem lecącym z Nowego Orleanu do innego miasta w USA, a później przesiąść się na samolot, który miał zamiar porwać [...].

Powiedział MARINIE, że on, OSWALD, będzie siedział z przodu ze swoim pistoletem, a MARINA będzie siedziała z tyłu z pistoletem, który jej kupi. Wezmą ze sobą swoją córkę, JUNE. Zmuszą załogę, by zmieniła trasę lotu i poleciała na Kubę. OSWALD powiedział MARINIE, że ma w umówionym czasie stanąć z tyłu samolotu i krzyknąć „Ręce do góry!" po angielsku. Ona powiedziała OSWALDOWI, że nie potrafi tego wymówić. On odparł, że wobec tego ma to powiedzieć po rosyjsku i wyciągnąć pistolet, a każdy już będzie wiedział, czego ona od nich chce [...].

OSWALD obiecał, że kupi MARINIE do akcji porwania samolotu lekki pistolet [ale ona] powiedziała, że ma nie kupować pistoletu, ponieważ ona nie weźmie udziału w planowanym porwaniu. OSWALD oświadczył, że chciałby, żeby nauczyła się chociaż trzymać pistolet, ale ona odmówiła [...].

Powiedziała, że OSWALD chciał ją namówić na udział w porwaniu przy co najmniej czterech okazjach [...].

Podczas planowania porwania samolotu OSWALD zaczął uprawiać w domu ćwiczenia w celu zwiększenia swojej siły fizycznej.

McMillan: Lee regularnie ćwiczył przez kilka tygodni, wzbudzając tym w domu wiele śmiechu. Po ćwiczeniach nacierał całe ciało mocno pachnącą maścią, brał zimny prysznic i wychodził z łazienki czerwony jak rak.

Przyniósł do domu rozkład lotów krajowych i dużą mapę świata, którą przypiął pinezkami na werandzie. Linijką mierzył na mapie odległości [...].

By upamiętnić tak apokaliptyczne przedsięwzięcie i zapewnić sobie dobre przyjęcie na Kubie, Lee powiedział Marinie, że nienarodzone dziecko – a mógł to być tylko chłopiec – powinno nosić imię Fidel. Marina odparła mu na to, że nie zgadza się nosić w swoim łonie żadnego Fidela.

Ustąpił jej. Próbował jeszcze raz ułożyć swoje życie. Mimo decyzji o wyjeździe na Kubę bierze pod uwagę przeprowadzenie się z rodziną do Waszyngtonu, Baltimore czy Nowego Jorku. Cokolwiek postanowi, musi mieć papiery. W Nowym Jorku będzie mógł je pokazać członkom Partii Komunistycznej czy Robotniczej Partii Socjalistycznej. Jeśli zaś dotrze na Kubę, będzie mógł się wykazać zgromadzonym dossier.

Przez cały czas jednak część osobowości Lee musi czuć się tak zdruzgotana, jakby w jego wnętrznościach wybuchł granat. Debata radiowa przekreśliła bardzo wiele; a teraz na jego barkach spoczął dodatkowo ogromny ciężar znalezienia sposobu dostania się na Kubę oraz zupełnie przeciwny wariant przeprowadzki na Wschodnie Wybrzeże, do Nowego Jorku, Waszyngtonu czy Baltimore, i wstąpienia do Partii Komunistycznej.

Te dylematy znajdują odbicie w jego notatkach. Jeśli można mówić o dysleksji jako przejawie pewnego stanu ducha, to niniejsza próbka jest najgorsza ze wszystkich zamieszczonych w jedenastu tomach Warren Commission Exhibits (Dowodów Rzeczowych Komisji Warrena).

Oto oryginał owej próbki życiorysu, który Oswald miał zamiar albo zaprezentować na Kubie, albo użyć jako atutu w staraniu się o przyjęcie do Partii Komunistycznej:

I first read the communist manifesto and 1st volume of capital in 1954 when I was 15 I have study 18th century plosipers works by Lein after 1959 and attened numerous marxist reading circle and groups at the factory where I worked some of which were compulsory and other which were not. also in Russia through newspapers, radio and T.V. I leared much of Marx Engels and Lenins works. such articles are given very good coverage daliy in the USSR.

I dokładne polskie tłumaczenie, zachowujące błędy literowe i interpunkcyjne oryginału:

Pierwszy raz przeczytałem manifest komunistyczny i 1-y tom kapitału w roku 1954 kiedy miałem 15 lat studiował 18-wiecznych lofzofów dzieła Leina po 1959 roku i braem udział w licznych kołach czytania literatury marskistowskiej i grupach w fabryce w której pracowałem niektóre z nich były obowiązkowe a niektóre nie. również w Rosji dzięki gazetom, radio i T.V. poznałem wiele dzieł Marks, Engels i Lenina. tego rodzaju artykułom poświęca się dzienine dużo uwagi w ZSRR.

Jakiż to kontrast w porównaniu z rozmową ze Stuckeyem! Tu Oswald pokazuje nam się od najgorszej strony. Jak wielki jest jego niepokój: ambicja zawsze gna go ku światom, w których nie ma prawie żadnego rozeznania (nawet nie zna hiszpańskiego) – i ten niepokój wyraża się w każdej błędnie napisanej sylabie, kiedy opisuje swoje umiejętności „agitatora ulicznego" i „mówcy radiowego".

Ponieważ w jego listach do urzędów zwykle występuje mniej błędów, możemy zakładać, że zazwyczaj poprawiał brudnopis, korzystając z pomocy słownika. Jednak w tym tekście, który mógł okazać się najważniejszy, nie wprowadził żadnych poprawek. To przekonujący dowód, że odczuwał coś, co graniczyło z wszechogarniającą paniką.

Jednak wszystko to należy już do przeszłości, gdy przyjeżdża Ruth Paine. Napisała do Mariny 24 sierpnia, że wpadnie do nich we wrześniu, będzie bowiem przejazdem w Nowym Orleanie, wracając z odwiedzin u krewnych na Wschodnim Wybrzeżu i Środkowym Zachodzie.

Zgodnie z obietnicą, Ruth zjawiła się w Nowym Orleanie 20 września. Lee ciepło ją przywitał. Ruth mówiła później, że był w bardzo dobrym nastroju. Nigdy nie widziała go w tak świetnym humorze. Jeśli ostatni napad lęku był głęboki jak otchłań, to teraz Lee, z właściwą mu łatwością zmiany nastrojów, wynurzył się z otchłani i wzleciał ku bezchmurnemu niebu i południowemu słońcu. Podjął ostateczną decyzję: wybierze Kubę. Tym samym rozwiązał duży problem. Ponadto wszystkimi szczegółami, związanymi z drugim porodem Mariny, do którego pozostał jakiś miesiąc, zajmie się Ruth. Załatwi, co trzeba, w Parkland Hospital w Dallas, a on nie będzie musiał za to dużo płacić, ponieważ przepracował pół roku w firmie Jaggars-Chiles-Stovall i może udokumentować zameldowanie w Teksasie. O ile Ruth wiedziała – to znaczy, ile Lee pozwolił Marinie jej powiedzieć – on sam wybierał się na poszukiwanie pracy do Houston. Miał przyjechać po żonę i dzieci, kiedy tylko się urządzi.

Marina oprowadziła Ruth po Dzielnicy Francuskiej. Zaglądały przez uchylane drzwi do knajp ze striptizem – dwie kobiety, jedna wysoka, druga drobniutka, trzymające za ręce troje dzieci. Lee w tym czasie się pakował. Karabin owinął w koc. Zamierzał ukryć go w samochodzie Ruth przed ich poniedziałkowym wyjazdem.

McMillan: Ledwie się pożegnali i samochód ruszył, Ruth usłyszała, że opona hałasuje. Podjechała na odległą o kilkaset metrów od mieszkania Oswaldów stację benzynową, by zmienić oponę. Lee poszedł za samochodem w sandałach, w których zwykle chodził po domu. Marina wzięła go na stronę i jeszcze raz się z nim pożegnała. Była dla niego czuła, mówiła, że ma na siebie uważać i dobrze się odżywiać.

– Przestań – powiedział. – Nie wytrzymam tego. Chcesz, żebym się rozpłakał na oczach Ruth?

Najtrudniejsze było dla niego ukrycie przed Ruth, że być może żegna się z żoną na zawsze. Oboje łykali łzy. By odzyskać równowagę, Lee zaprowadził June do automatu z colą,

– No, Junie – powiedział. – Pokaż paluszkiem, co byś chciała.

[...] Gdy się opanował, ostrzegł Marinę, że pod żadnym pozorem ma nie mówić Ruth, że on się wybiera na Kubę.

Spędził w mieszkaniu jeszcze jedną czy dwie noce. Nie wiadomo dokładnie, kiedy wyjechał z Nowego Orleanu, ale udało mu się to zrobić bez zapłacenia pani Garner komornego za ostatnie dwa tygodnie. Ona widziała wprawdzie, jak Lee w niedzielę wieczorem znosił rzeczy do samochodu Ruth, ale powiedział jej, że Marina jedzie do Teksasu urodzić dziecko, a on zostaje. Ale nie został. Zwiał.

Część V

Protagoniści i prowokatorzy

1

Protagoniści i prowokatorzy

Oswald wyjeżdża z Nowego Orleanu, a my wciąż nie wiemy, czy wiódł tam podwójne życie, czy nie. Czasami tak nam się wydawało, zresztą innym też. Powstała imponująca liczba książek autorstwa wyznawców teorii spiskowych, badających wiele możliwości działalności szpiegowskiej Oswalda. A jednak mimo upływu trzydziestu lat wciąż nie ma jednoznacznych dowodów na to, że był powiązany z FBI, CIA, wywiadem wojskowym czy też jakimikolwiek ugrupowaniami kubańskimi. Wciąż można wierzyć, że Oswald był po prostu zahukanym mężem z przerostem ambicji, o niezrównoważonej psychice, skłonnością do przemocy wobec żony — i to była jego cała żałosna egzystencja.

Taką interpretację przedstawiają Priscilla Johnson McMillan w książce *Marina and Lee*, Jean Davidson w *Oswald's Game* (Gra Oswalda), a ostatnio także Gerald Posner w *Case Closed* (Sprawa zakończona), w dziele, które ogromnie uradowało wszystkie środki przekazu, niechętnie nastawione do filmu Olivera Stone'a *JFK* oraz generalnie urażone teoriami spiskowymi.

Zamysł niniejszej książki opiera się zaś na tym, by pracować nad nią bez z góry ustalonych wniosków, czy to popierających, czy potępiających Oswalda, autor nawet początkowo skłaniał się ku teorii spiskowej. Jednak plan był taki, by jak długo się da, traktować Oswalda na jego własnych warunkach – to znaczy rozumieć postępowanie tego człowieka w świetle pobudek wynikających wyłącznie z niego samego, póki takie założenie nie stanie się sprzeczne z faktami. Z analizowania życia Oswalda w taki właśnie sposób wynika hipoteza: był on protagonistą, aktorem pierwszoplanowym, człowiekiem czynu – krótko mówiąc, postacią o większym znaczeniu niż inni skłonni by byli przypuszczać. Autor zaakceptował ten punkt widzenia do tego stopnia, że nie zamierza odeń odstąpić z byle powodu. I na tym właśnie zasadza się niebezpieczeństwo! Na początku hipotezy nam służą – umożliwiają logiczne uporządkowanie faktów podczas zgłębiania częściowo niejasnego tematu. Gdy jednak korzyści tej metody się mnożą, człowiek czuje się moralnie zobowiązany (jak nuworysz, który dopiero co się dorobił), by zaciekle bronić się przed zepsuciem. W przeciwnym razie bowiem użyteczna dotychczas hipoteza będzie uparcie wpływać na każdą dodatkową informację i w ten sposób zwycięży z założonym przez badacza obiektywizmem.

Czuję, że w moim przypadku taka możliwość kiełkuje. Możliwe, że hipoteza robocza stała się dla autora ważniejsza niż próba dotarcia do prawdy. Jeśli bowiem Oswald pozostanie bezsprzecznie ważnym protagonistą (cóż z tego, że czarnym charakterem), przyniesie to ogromną korzyść i zasługę – zmniejszy się ciężar dręczącej Amerykę gigantycznej obsesji, powietrze oczyści się z istnej plagi historii – absurdu. Póki jednak Oswald jest płotką, niezrównoważonym samotnym zabójcą, któremu przypadkiem udało się zabić potencjalnie wielkiego prezydenta, to – o czym już była mowa w tej książce – na Ameryce ciąży klątwa absurdu. W tym wydarzeniu nie było sensu, we wszechświecie nie ma żadnej harmonii. A z absurdu historycznego (takiego jak wojna w Wietnamie) rodzą się wszystkie bolączki społeczne.

Jest jeszcze, oczywiście, alternatywa przedstawiona w filmie Stone'a *JFK*. Według niego prezydent Kennedy został zabity przez architektów wielkiego spisku, najpotężniejszych oficerów amerykańskich sił zbrojnych, wywiadu i mafii – przez nieprzeliczone szeregi rzeczników panującego w establishmencie zła. Takie wyjaśnienie zaspokaja wprawdzie naszą potrzebę życia z fantazją, stawiania wszystkiego na jedną kartę w wielkich wojnach, lecz również budzi lęk: my jesteśmy mali jak pyłki, a siły zła są ogromne.

Rzecz jasna, szanse na to, by spisek tego kalibru się powiódł i pozostał tajemnicą, też są nieduże. A Oswald byłby ostatnim człowiekiem na ziemi, którego przywódca takiego spisku wybrałby do tego zadania. Choć film *JFK* potwierdza rosnące w nas ponure przeczucie, że wolność odbierają nam w dziewięćdziesięciu procentach siły o niebo od nas potężniejsze (ta hipoteza Stone'a nadaje jego dziełu atmosferę), to nawet nie zbliża się do rozwiązania podstawowej kwestii: czy Lee Harvey Oswald zabił JFK, a jeśli tak, to czy działał w pojedynkę, czy jako uczestnik większego spisku?

Biorąc pod uwagę fakt, że spisek ma zwykle właściwości drożdży – rośnie i rośnie w miarę podpierania dowodami każdego wyjaśnienia, czytelnik z łatwością zrozumie, dlaczego przyjemniej jest postrzegać Oswalda jako protagonistę. Jako człowieka, któremu, choć z ociąganiem, musimy przyznać niejakie znaczenie, zwłaszcza pamiętając o jego skromnych początkach. To, powtarzam, pozwoli nam całą sprawę postrzegać jako tragiczną, a nie absurdalną. Jeśli osobistość tak ważną jak Kennedy nagle pozbawia się podstępem życia, to lepiej jest, choć nie wiadomo dlaczego, gdy i jego zabójca jest człowiekiem nietuzinkowym. W takim wypadku można – do pewnego stopnia – opłakiwać także sprawcę, który swoim czynem przekreślił własne szanse na przyszłość. Sto razy bardziej wolimy tragedię od absurdu. Na tym właśnie polega korzyść postrzegania Oswalda jako bohatera (czy też, jak kto woli, antybohatera) tragicznego i jednocześnie budzącego wściekłość, a nie jako smarkacza powarkującego na żonę czy też kozła ofiarnego.

Trzeba jednak wciąż pamiętać o niebezpieczeństwie pomijania ciekawych tropów, wskazujących wyraźnie na istnienie spisku. Tajemnice są niczym gigantyczne jaskinie. Nie można być dumnym z tego, co się już zwiedziło, nie będąc otwartym na jeszcze niezbadany labirynt grot. Zanim więc opuścimy na dobre Nowy Orlean, musimy jakoś się uporać z wydarzeniami, które nie pasują do wizerunku Oswalda, jaki wyrobiliśmy sobie, obserwując go przez tych kilka upalnych miesięcy – maj, czerwiec, lipiec i sierpień i większą część września.

Możemy zacząć od niezbyt ważnego zeznania młodego kubańskiego barmana, Evaristo Rodrigueza, pracownika baru „Habana" przy Decatur Street 117 w Dzielnicy Francuskiej. Jego wypowiedź, choć niezbyt ważka, ma tę zaletę, że przypomina nam o pokrewieństwie prozy Ernesta Hemingwaya z hiszpańską frazą i składnią.

EVARISTO RODRIGUEZ: [...] mężczyźni weszli do baru [...] ten, który mówił po hiszpańsku, zamówił tequilę. Powiedziałem mu, ile kosztuje [...] 50 centów. Przyniosłem mu tequilę i trochę wody. Wyrzekał na cenę [...] i powiedział coś, chodziło o to [...], że właściciel baru pewnie jest kapitalistą. Trochę powykłócaliśmy się o cenę, ale to minęło. Drugi mężczyzna – później dowiedziałem się, że to Oswald – zamówił lemoniadę. Nie wiedziałem, co mu podać, bo u nas w barze nie ma lemoniady. Zapytałem Oresta Penę, jak mam zrobić [lemoniadę]. Orest powiedział, żebym wlał do szklanki trochę aromatu cytrynowego, dolał wody i policzył mu za to 25 centów [...].

LIEBELER: O jakiej porze dnia to się wydarzyło?

EVARISTO RODRIGUEZ: To się wydarzyło [...] między 2.30 a 3.00 rano. Nie jestem pewien, czy to była dokładnie ta godzina, ale nie potrafię sobie przypomnieć dokładniej

LIEBELER: Czy któryś z tych mężczyzn był pijany?

EVARISTO RODRIGUEZ: Ten mężczyzna, który później okazał się Oswaldem, obejmował tego Latynosa, i Oswald wyglądał na dość pijanego [...].

LIEBELER: Czy potrafi pan określić narodowość mężczyzny, który towarzyszył Oswaldowi?

EVARISTO RODRIGUEZ: [...] To mógł być Meksykanin; to mógł być Kubańczyk; w tej chwili sobie nie przypominam.

LIEBELER: A jak wyglądał [ten drugi]? [...].

EVARISTO RODRIGUEZ: [...] miał jakieś 28 lat, bardzo owłosione ręce [...] był przysadzisty, bardzo barczysty, wzrostu około metr siedemdziesiąt [...] ważył pewnie koło siedemdziesięciu pięciu kilo [...].

LIEBELER: A ile na pana oko mógł mierzyć Oswald?

EVARISTO RODRIGUEZ: Na tyle dobrze go nie widziałem [...], bo Oswald był pijany i prawie przez cały czas wisiał tamtemu na ramieniu [...].

LIEBELER: Czy Oswald wymiotował?

EVARISTO RODRIGUEZ: Tak, zwymiotował na stolik i na podłogę.

LIEBELER: A potem wyszedł na ulicę i dalej wymiotował?

EVARISTO RODRIGUEZ: Ten, co wyglądał na Latynosa, wyprowadził go na ulicę, gdzie Oswald dalej wymiotował.

LIEBELER: W co był Oswald ubrany?

EVARISTO RODRIGUEZ: O ile dobrze pamiętam, Oswald miał na sobie ciemne spodnie i białą koszulę z krótkimi rękawami.

LIEBELER: Czy miał krawat?

EVARISTO RODRIGUEZ: Oswald miał coś, co wyglądało na małą muchę.

LIEBELER: Jest pan pewien?

EVARISTO RODRIGUEZ: [...] miał rozpięty pod szyją kołnierzyk i to coś zwisało mu z jednej strony.

LIEBELER: To była przypinana mucha?

EVARISTO RODRIGUEZ: Tak, przypinana [...].

LIEBELER: Kiedy to było? W jakim miesiącu?

EVARISTO RODRIGUEZ: Dokładnie nie pamiętam, ale wiem, że jakiś rok temu, przypuszczam, że w sierpniu.

Czy możliwe, żeby pomylił mu się maj z sierpniem? W Nowym Orleanie bywa w maju równie gorąco, jak w sierpniu, a człowiek towarzyszący Oswaldowi to mógł być jeden z Meksykanów, którzy razem z nim byli u prawnika Deana Adamsa Andrewsa w sprawie jego zwolnienia z korpusu piechoty morskiej.

Z drugiej strony jednak, jeśli rzeczywiście był to sierpień lub wrzesień, to barman mógł opisać tego Meksykanina czy Kubańczyka, który przypuszczalnie pojedzie do Dallas z Oswaldem oraz mężczyzną zwanym Leopoldo. Tych dwóch tajemniczych osobników poznamy w następnym rozdziale. Tak czy owak, Evaristo Rodriguez opowiedział nam zdarzenie, które nie pasuje do naszej koncepcji. O ile Marina pamięta, Lee spędził z nią w domu w Nowym Orleanie każdą noc, z wyjątkiem tej, kiedy został aresztowany. Zatem albo ją zawodzi pamięć, albo wydarzenie to miało miejsce na początku maja (bądź w noc poniedziałkową lub wtorkową, 23 lub 24 września, po wyjeździe Mariny do Irving z Ruth Paine). Albo też człowiekiem w barze nie był Oswald.

Przynajmniej jeden szczegół tej historyjki brzmi prawdopodobnie. Oswald, okropnie pijany w środku nocy, wiszący na ramieniu drugiego mężczyzny, prawdopodobnie by wymiotował.

W tym epizodzie pojawia się również Orest Pena, szef baru. Pena jest mężczyzną typu macho – ale bez przesady. Jest macho rozsądnym – to oksymoron, lecz jakżeby mógł Kubańczyk kierujący kubańską placówką o dumnie brzmiącej nazwie „Habana" nie mieć skłonności do godzenia sprzeczności? Do niego ten oksymoron pasuje.

OREST PENA: [...] zapytali mojego barmana, Evaristo, dlaczego tak dużo liczę sobie za drinki, i powiedzieli, że jestem kapitalistą, który liczy sobie za dużo za drinki. On wziął i do mnie przyszedł i powiedział mi o tym. Ja powiedziałem: „Nie przejmuj się. Już ci zapłacą?". „Tak". „Nie przejmuj się. Jak się będziesz przejmował każdym klientem, to zwariujesz".

Niedługo potem Orest Pena mówił o FBI i swoich z nim powiązaniach.

OREST PENA: [...] gdy wstąpiłem do organizacji antycastrowskiej w Nowym Orleanie, zaczął do mojego baru bardzo, bardzo często przychodzić jeden agent FBI, de Bruyes, i pytał mnie o wielu różnych ludzi, Latynosów, co o nich wiem, co o nich myślę. Mówiłem mu, co wiedziałem; że niektórzy popierali Castro, a niektórzy nie. Mówiłem mu, co widziałem. Nigdy go nie pytałem, czego się o tych ludziach dowiedział z innych źródeł.

LIEBELER: Czy czasami dzwonił pan do FBI i przekazywał informacje podsłuchane w rozmowach, które toczyły się w pana barze?

OREST PENA: Tak [...]. Potem do organizacji przyszedł de Bruyes [...].

Liebeler: Wstąpił?

Orest Pena: Nie, nie wstąpił, ale trzymał się bardzo, bardzo blisko [...] wiedzieliśmy, że jest agentem FBI. Od czasu do czasu przychodził do mnie do baru i pytał mnie to o tego, to o tamtego, o różnych ludzi tu w Nowym Orleanie. Mówiłem mu więc [...] o ludziach, o których wiem na pewno, że popierają Castro tu, w Nowym Orleanie. Tak czy owak więc, ten de Bruyes mi przeszkadzał [...].

Liebeler: De Bryues panu przeszkadzał?

Orest Pena: Tak. No. Któregoś dnia więc poszedłem do FBI. Wezwali mnie do FBI. Nie pamiętam dokładnie, po co mnie tam wezwali. I powiedziałem [...] szefowi de Bruyesa [...], że nie będę gadał z de Bruyesem. Że nie ufam mu jako Amerykaninowi.

Liebeler: Czy podał mu pan powód tego braku zaufania?

Orest Pena: Ponieważ on pałętał się za blisko takiej jednej organizacji antycastrowskiej [...]. Dwa dni później przyszedł do mnie do pracy. Powiedział mi: „Chcę z tobą pogadać". Ja powiedziałem: „Dobra, to chodźmy". On mi powiedział, że mam o nim więcej nie mówić, bo może mi ściągnąć poważny kłopot na głowę. Powiedział: „Jestem człowiekiem FBI. Mogę ci ściągnąć na głowę poważny kłopot".

Komisja Izby Reprezentantów do spraw Zabójstw podaje własną ocenę tej sprawy:

> [De Bruyes] przyznał, że od czasu do czasu nieformalnie korzystał z usług Peny jako źródła informacji, z uwagi na to, że Pena był właścicielem baru w Nowym Orleanie, odmówił jednak określenia go jako informatora, ponieważ ten nie składał mu systematycznie raportów.

HSCA dodaje następnie: „[...] w Federalnym Biurze Śledczym nie ma żadnego śladu, że Pena służył za informatora. Także i to podtrzymywało zeznanie de Bruyesa, że nie korzystał on regularnie z usług Peny jako źródła informacji" [...].

Nie kłóćmy się o drobiazgowe definicje; teraz już wiemy, że Pena był pomniejszym informatorem FBI. Ponieważ de Bruyes nie założył mu teczki, można chyba logicznie przyjąć, że agent FBI, który w podobny sposób wykorzystywał Oswalda jako informatora, także nie robiłby sobie zachodu z zakładaniem teczki.

Są także inne ślady współpracy FBI z Oswaldem.

Z raportu Komisji Izby Reprezentantów do spraw Zabójstw: Adrian Alba zeznał przed komisją, że [...] pewnego dnia do warsztatu wszedł agent FBI i zażyczył sobie skorzystać z jednego z naprawianych tam samochodów tajnych służb. Agent się wylegitymował i Alba pozwolił mu wyprowadzić samochód, ciemnozielonego studebakera. Później tego samego dnia, lub nazajutrz, Alba zauważył, jak przed budynkiem Reily Coffee ten właśnie agent w samochodzie wręcza Oswaldowi białą kopertę. Nie zamienili ze sobą ani słowa. Oswald, schylony, odwrócił się od okna samochodu i przyciskając kopertę do piersi, szedł w kierunku Reily Coffee. Alba był przekonany, że podobną transakcję widział też dzień czy dwa dni później, wracając z lunchu, ale tym razem nie udało mu się dojrzeć, co zostało wręczone Oswaldowi [...].

Zeznając przed Komisją Warrena, Alba nie opowiedział o transakcjach Oswalda z agentem FBI. W 1978 roku oświadczył Komisji Izby Reprezentantów do spraw Zabójstw, że te incydenty przypomniały mu się dopiero w roku 1970; z zakamarków pamięci pomogła je przywołać reklama telewizyjna, pokazująca sprzedawcę biegającego w kółko od sklepu do taksówki, pomagającego klientowi w wynoszeniu zakupów.

Komisja Izby Reprezentantów do spraw Zabójstw dokładnie zbadała księgi Alby w celu potwierdzenia jego zeznań. Z ksiąg wynikało, że w roku 1953 kilku agentów tajnych służb w różnym czasie wzięło z warsztatu dwa studebakery, forda i chevroleta, nie zostało jednak odnotowane, by któryś z tych samochodów wziął agent FBI.

Oczywiście. Przecież Alba nie bardzo mógł pokazać kontrolerowi ze służb specjalnych, że któryś z pracowników jego warsztatu wydał samochód agentowi FBI. Jednak taką transakcję z powodzeniem można było załatwić za pomocą gotówki. Wtedy nie zostałaby ona wpisana do ksiąg.

Zatem Komisja Izby Reprezentantów do spraw Zabójstw miała wybierać, komu wierzyć: czy człowiekowi, któremu pamięć odświeżyła po sześciu latach od złożenia zeznań przed Komisją Warrena reklama telewizyjna, czy też zeznaniom kilku agentów FBI. Komisja do spraw Zabójstw musiała – chyba że czuła się na siłach podkopywać wiarygodność FBI jako całości – uważać agentów Diura za ludzi, którym prawość charakteru nie pozwoliłaby niczego ukrywać.

Na podstawie oświadczenia, które Hoover wygłosił zaledwie dwadzieścia cztery godziny po zamachu na JFK, tego mianowicie, że Oswald popełnił ten czyn w pojedynkę, ludzie FBI błyskawicznie pojęli, o co chodzi: najlepiej będzie, jeśli w wyniku śledztwa dojdą do z góry ustalonych wniosków. Taki proces gwarantował bagatelizowanie zeznań, niszczenie dowodów rzeczowych, a także, skoro już przy tym jesteśmy, ich fabrykowanie. Wszystkie te przestępstwa były jednak niczym w porównaniu z obowiązującym wówczas powszechnie przykazaniem: unikaj tropów wiodących w przeciwnym od założonego kierunku.

Podjęta w przeciągu doby decyzja Hoovera była prawdopodobnie odruchowa: w zakamarkach instytucji rządowych – zarówno w FBI, jak i CIA – kryło się tyle okropności, że trzeba było nakazać unikanie skutecznego, wnikliwego dochodzenia. Znaleziono zatem najlepsze w tej sytuacji wyjście – imitację wnikliwego dochodzenia. FBI wychodziło wręcz ze skóry, by zdobyć, na przykład, garść informacji o wszystkich pasażerach autobusu z Laredo do Meksyku, którym jechał Oswald. Zajęło to zapewne setki roboczogodzin, a wynikło z tego tylko tyle, że odnaleziono ponad dwadzieścia osób, których z Oswaldem łączyło jedynie to, że przypadkiem jednocześnie podróżowali tym samym środkiem transportu publicznego. Ale nigdy, na przykład, nie podjęto prób wniknięcia w nowoorleańskie organizacje pro- i antycastrowskie. Wedle niepisanej umowy wszystkim działaniom FBI w sprawie Oswalda przyświecał nakaz przeprowadzenia szeroko zakrojonego śledztwa, lecz bez wgłębiania się w jakikolwiek jego aspekt. Zatem główni podejrzani w każdym śledztwie dotyczącym spisku, Kubańczycy działający w Miami, Nowym Orleanie, Houston i Dallas, nie zostali poddani obserwacji w roku 1964, gdy trop był jeszcze ciepły. Ale czy w tym światku terrorystów, tajnych agentów i prowokatorów można było odkryć coś więcej niż to, że organizacją procastrowską skrycie manipulują przeciwnicy Castro lub odwrotnie? Zamach na Kennedy'ego oznaczałby koniec dla każdej organizacji, która zostałaby w jego następstwie zdemaskowana. FBI na wieki okryło się niesławą, decydując się nie wnikać w sprawę. Oczywiście Hoover nie mógł pozwolić swoim ludziom na przekraczanie pewnych ustalonych granic, ponieważ mogłaby wtedy wyjść na jaw współpraca w spisku na życie Fidela Castro kilku wysokich oficerów FBI z takimi grubymi rybami ze świata przestępczego, jak Sam Giancana i John Rosselli.

Hoover oczywiście przejmował się losem CIA w znacznie mniejszym stopniu niż kierowanym przez siebie FBI, które musiało ratować własny tyłek. A właściwie tysiące tyłków! Ponad dziesięć lat później zostaną ujawnione niektóre działania COINTELPRO (Counter-Intelligence Program – Program Kontrwywiadowczy), tajnej podgrupy FBI.

Warto w tym miejscu przytoczyć fragment książki Davida Wise'a *The American Police State* (Amerykańskie państwo policyjne):

Najbardziej oburzającym z działań FBI była operacja COINTELPRO, którą Biuro Federalne prowadziło przez piętnaście lat, w latach 1956–1971. W ramach tego programu tajne ramię rządu USA za pieniądze podatników nękało amerykańskich obywateli i rozsadzało od środka ich organizacje, korzystając z wachlarza potajemnych technik. Jak podsumował po zbadaniu sprawy COINTELPRO na własną rękę Komitet Kongresu do spraw Wywiadu: „Niszczono kariery, zrywano przyjaźnie, podważano reputacje, rujnowano przedsiębiorstwa, a w niektórych przypadkach zagrażano życiu". [...] Ukryta, potężna ręka rządu kierowała zza kulis [...] rozpadem małżeństw, wyrzucaniem ludzi z pracy, a nawet podburzaniem do przemocy [...]. Gdy rozpracowywano sprawę po sprawie, wyszło na jaw, że niejeden informator FBI odgrywał rolę *agent provocateur*, często ucząc grupy działaczy, jak używać środków wybuchowych i podburzając ich do popełniania pewnych przestępstw.

COINTELPRO można było rozpoznać po charakterystycznym sposobie działania. Czasami bywało tak, że najbardziej porywczy, nieracjonalny, żenujący i/lub szalony członek grupy lewaków, studentów czy Czarnych Panter* był prowokatorem FBI, który namawiał pozostałych członków do coraz to bardziej niecnych czynów. Pod wpływem agentów COINTELPRO studenci uniwersytetu Berkeley słyszeli tego rodzaju namowy: spalmy na kampusie psa, żeby pokazać Ameryce prawdę o wojnie w Wietnamie. Dopiero w roku 1971 dzięki Davidowi Wise'owi dowiedzieliśmy się, że „Robert Hardy, informator FBI, zeznał, iż był faktycznym przywódcą grupy trzydziestu działaczy antywojennych, którzy zorganizowali atak na komisję poborową w Camden w stanie New Jersey [...]. «Tego, co umieli, nauczyli się ode mnie – powiedział – jak ciąć szkło i bezszelestnie otwierać okna [...], jak otwierać szuflady bez klucza»".

Nie ma żadnych dowodów na to, że organizacja COINTELPRO jako taka miała coś wspólnego z Oswaldem na początku lat sześćdziesiątych, ale niektóre jego poczynania noszą jej piętno. Program COINTELPRO składał się z siedmiu punktów, z czego dwa odpowiadały umiejętnościom Oswalda – chodzi mianowicie o wejście do Partii Komunistycznej i Robotniczej Partii Socjalistycznej. Jak na dwudziestoparolatka Oswald dobrze orientował się w działalności lewackiej. Prawie na pewno wiedział, że pod koniec lat trzydziestych Stalin wydał rozkaz zamordowania Lwa Trockiego i że czyn ten, dokonany poprzez uderzenie ofiary czekanem w głowę, miał głęboki oddźwięk w ruchach lewicowych aż do lat pięćdziesiątych. Zwalczające się nawzajem frakcje Partii Komunistycznej i Robotniczej Partii Socjalistycznej miały na początku lat sześćdziesiątych zupełnie różne programy, a mimo to 31 sierpnia 1963 roku Oswald napisał list do Robotniczej Partii Socjalistycznej, a następnego dnia do Partii Komunistycznej, informując biura obu ugrupowań w Nowym Jorku, że zamierza niebawem przeprowadzić się w okolice Baltimore i Waszyngtonu, chciałby się zatem skontaktować z tamtejszymi działaczami partyjnymi.

Nie trzeba koniecznie zakładać, że jeśli Oswald dostawał pieniądze od COINTELPRO czy podobnej organizacji, to otrzymał dokładne wskazówki i szczegółowy plan działania. Ponieważ amerykańskie organizacje lewicowe są małe, sabotaż nie polega w ich przypadku na wypełnianiu konkretnych, z góry założonych zadań, lecz raczej na stwarzaniu różnego rodzaju problemów i zniszczeń. Przyjęcie przez jednego człowieka członkostwa w Partii Komunistycznej i Robotniczej Partii Socjalistycznej gwarantowało zasianie zamętu w ich szeregach, szczególnie w wypadku, gdyby jego członkostwo w obu tych organizacjach wyszło na jaw.

Przez cały czas Oswald pozostaje pod obserwacją agentów FBI i ich informatorów.

---

* Czarne Pantery – terrorystyczna organizacja murzyńska, działająca w latach sześćdziesiątych i siedemdziesiątych na rzecz poprawy sytuacji Murzynów (przyp. tłum.).

Dnia 26 czerwca 1963 r. nasza placówka w Nowym Jorku dowiedziała się z zaufanego źródła, że niejaki Lee Harvey Oswald, skr. poczt. 30061, Nowy Orlean, Luizjana, wysłał list do „Workera", do Nowego Jorku. Nasze biuro w Nowym Orleanie sprawdziło tę skrytkę pocztową i uzyskało potwierdzenie, iż została ona wynajęta L.H. Oswaldowi [...] dalsze dochodzenie wykazało, że Oswald mieszka w Nowym Orleanie przy Magazine Street 4905 [...] [i] zostało to potwierdzone dnia 5 sierpnia 1963 r. przez panią Garner, zamieszkałą w Nowym Orleanie przy Magazine Street 4909. Tego samego dnia Oswald przestał pracować w firmie William B. Reily Coffee Company w Nowym Orleanie, Magazine Street 640.

Przypominamy sobie zapewne, że gdy John Fain, agent FBI, który pierwszy rozmawiał z Oswaldem po jego powrocie do USA, zapytał, czy Oswald należy do amerykańskiego wywiadu, usłyszał w odpowiedzi: „To pan nie wie?".

Oczywiście, że nie wiedział. COINTELPRO stanowiła dość szczególną jednostkę FBI, dlatego pracujący tam prowokatorzy nie byliby znani z nazwiska ani takim agentom, jak Fain, ani zwyczajnym informatorom Partii Komunistycznej. Organizacje wywiadowcze specjalizują się w tym, że utrzymują niektóre wydziały w tajemnicy przed swoimi oficjalnymi pracownikami. Często praca ludzi działających w tajnych enklawach pozostaje w sprzeczności z metodami i działalnością właściwej organizacji.

Z punktu widzenia Lee działalność tajnego prowokatora dawała mu okazję do rozgrywania własnej gry w ramach innej, większej. Jeśli dostawał pieniądze od FBI, to być może złamał obowiązujące zasady, gdy poprosił w nowoorleańskim więzieniu o widzenie z agentem FBI. Bodaj nawet nie zdawał sobie sprawy z tego, że agent, który do niego przyjdzie, nie będzie wiedział o jego działalności; dlatego też, gdy tylko zorientował się, że Quigley nie przyszedł, by wydostać go z aresztu, stracił ochotę do rozmowy.

Poruszamy się po omacku. Mogło być też tak, że Quigley wiedział o tym, iż Oswald jest przypadkiem specjalnym, albo Oswald mógł mu o tym powiedzieć. Quigley, jako profesjonalista, nie przekazałby tej informacji Komisji Warrena.

A jednak myśl, że Oswald pracował dla FBI, kłóci się z naszym wyobrażeniem o nim jako o człowieku, którego nie można było łatwo kupić. Zbyt głęboko nienawidził amerykańskiego kapitalizmu. Po chwili zastanowienia można jednak dopuścić myśl, że istotnie nawiązał stosunki z FBI. Przecież znakomicie czułby się w roli człowieka udającego, że służy siłom, które tak naprawdę zamierza zniszczyć. I, oczywiście, listy do Partii Komunistycznej i Robotniczej Partii Socjalistycznej mógł pisać z myślą, że oszukuje swoich agentów prowadzących w FBI, podczas gdy faktycznie przygotowywał się do wykonania ruchu zupełnie przeciwnego. Nie planował bowiem udania się na północny wschód Stanów, tylko na Kubę. Z drugiej strony, jeśli przeżywał nawroty niepewności co do przeszkód, jakie czekają go w drodze do Hawany, to może rzeczywiście poważnie brał pod uwagę możliwość, że będzie prowadził normalne życie rodzinne i pracował na rzecz radykalnych organizacji w Baltimore czy Filadelfii. Niewykluczone, że po udanych wystąpieniach Oswalda pod presją w audycjach Stuckeya, jego agenci prowadzący z COINTELPRO zdecydowali, że mógłby zostać zatrudniony przy przedsięwzięciach bardziej zaawansowanych, związanych z czołowymi radykałami na wschodzie Stanów.

Jeszcze bardziej prawdopodobna jest taka wersja, że jeśli Oswald był prowokatorem, to opłacający go ludzie nie musieli być oficjalnie powiązani z FBI. Ten wniosek jednak tylko powiększa naszą frustrację.

Musimy sobie jeszcze raz przypomnieć, jaka w owym czasie panowała atmosfera. W następstwie kryzysu kubańskiego w roku 1962 nienawiść do komunizmu dochodziła u prawicowych Amerykanów do szczytu. Co gorętsi zwolennicy prawicy fanatycznie nienawidzili Kennedy'ego.

Gdy jeszcze weźmiemy pod uwagę to, że w FBI i CIA, by nie wspominać o wywiadzie wojskowym i wywiadzie marynarki wojennej, także znajdowało się sporo prawicowych zelotów, bardzo prawdopodobne jest, że tacy patrioci zatrudnieni w przyrządowych organizacjach współdziałali z osobami prywatnymi i wspólnie dopuszczali się półlegalnych i nielegalnych wyczynów, które wykraczały nawet poza szeroko zakreślone granice COINTELPRO.

W Nowym Orleanie dwiema najważniejszymi osobami tego pokroju byli W. Guy Banister i David Ferrie.

2

Prawicowi awanturnicy

Ciekawe, którego gwiazdora kina wybrałby Guy Banister na odtwórcę jego roli – Edwarda G. Robinsona, Jamesa Cagneya, Victora McLaglena czy Humphreya Bogarta. To niebezpodstawne pytanie.

Banister brał udział w ujęciu i zabiciu Johna Dillingera oraz został szefem oddziału FBI w Chicago; miał list polecający do samego J. Edgara Hoovera. Służył w charakterze G-mana w FBI, gdy społeczeństwu jeszcze to się wydawało romantyczne, podobno podczas drugiej wojny światowej działał w wywiadzie marynarki wojennej, wreszcie został powołany przez burmistrza Nowego Orleanu na stanowisko zastępcy szefa policji.

Anthony Summers podaje w swojej książce *Conspiracy* (Spisek) zwięzłe i eleganckie streszczenie kariery Banistera w Nowym Orleanie:

W roku 1957, w wieku 58 lat, Banister został zmuszony do odejścia na emeryturę w następstwie incydentu w nowoorleańskim „Old Absinthe House", gdzie podobno groził kelnerowi pistoletem. Wszystkie źródła są zgodne co do tego, że Banister jest cholerykiem i lubi sobie tęgo popić. Został w Nowym Orleanie i otworzył Guy Banister Associates, nominalnie agencję detektywistyczną. Faktycznie jednak z wywiadowczej przeszłości Banistera, połączonej z jego wizją siebie jako superpatrioty, wynikła wyprawa krzyżowa przeciwko komunizmowi. Banister należał do krańcowo prawicowego John Birch Society, do luizjańskiego Komitetu do Badania Działalności Antyamerykańskiej oraz do paramilitarnej organizacji obywatelskiej [...] [jeszcze] w roku 1963, jak mówią byli pracownicy Banistera, biura „agencji detektywistycznej" zarzucone były bronią wszelkich typów. To nie przypadek, że siedziba kubańskiego rządu na uchodźstwie, Kubańskiej Rady Rewolucyjnej, mieściła się w tym samym budynku, co agencja Banistera. Dla jego potrzeb, i dla potrzeb jego kubańskich protegowanych, budynek miał znakomitą lokalizację – w pobliżu mieściły się miejscowe biura CIA i FBI [...].

Tak się składa, że również w pobliżu agencji Banistera, o przecznicę dalej, mieściła się firma Reily Coffee i warsztat Adriana Alby. Swoją drogą, adres Camp Street 544, czyli adres Banistera, widniał na pieczątce na wewnętrznej okładce czterdziestostronicowej broszury Komitetu na rzecz Uczciwych Stosunków z Kubą, podobnej do tych, które Oswald rozdawał na Canal Street, co skończyło się sprzeczką z Carlosem Bringuierem.

Stosunkom potencjalnie łączącym Oswalda z Banisterem poświęcono obszerne rozdziały w niejednej książce o zabójstwie Kennedy'ego, ale jednoznacznych dowodów na nie nie ma. Przybijając pieczątkę z jego adresem na broszurach Komitetu na rzecz Uczciwych Stosunków z Kubą, Oswald dawał do zrozumienia, że wynajmuje w tym budynku biuro; właściciel budynku jednak, Sam Newman, twierdzi, że przez całe lato były tam trzy wolne pomieszczenia biurowe, a Oswald żadnego z nich nie wynajmował. Nie istnieją żadne kwity.

Oczywiście, jeśli Banister płaciłby Oswaldowi za jakąś potajemną robotę, to unikałby sytuacji, kiedy mogliby być razem widziani albo zostawić jakiś ślad w dokumentach. Z drugiej strony, biorąc pod uwagę powiązania Banistera, trudno sobie wyobrazić, by nie zdawał on sobie sprawy z olbrzymich możliwości Oswalda.

Nie wyrzucajmy z pamięci kwestii brakujących raportów CIA z okresu, kiedy Oswald dokonał zamachu na Walkera. Jak pamiętamy, przypuszczalnie raporty zginęły, ponieważ poprzez prześledzenie ich wędrówki z biurka na biurko można by dojść do tego, kto, co i kiedy w Agencji wiedział. Z raportów wynikałoby prawdopodobnie, że informacja o nieudanym zamachu na Walkera dotarła do jakiegoś pracownika CIA, który miał styczność z działaczami prawicy, takimi jak Banister. Nie istnieje, rzecz jasna, nic bardziej kuszącego nad ciekawą spekulację, opartą na kolejnej ciekawej spekulacji. Jeśli więc nie ma przekonujących dowodów na powiązania Banistera z Oswaldem, można to wykorzystać jako argument przemawiający za tym, że ich stosunki były na tyle poważne, iż po zabójstwie Kennedy'ego dopilnowali oni, by zaginął po ich kontaktach wszelki ślad. Ale to tylko mgła prawdopodobieństwa, już nawet nie cień pewności.

Nieco lepiej przedstawia się sprawa z Davidem Ferriem. W wieku piętnastu lat Oswald był kadetem w Cywilnym Patrolu Powietrznym, a ponieważ Ferrie był jedną z najważniejszych osób w jego nowoorleańskiej filii, od dawna toczy się spór o to, czy znał Oswalda.

SUMMERS: [...] Zaprzeczył, jakoby kiedykolwiek miał styczność z Oswaldem. Ponieważ twierdził również, że nie wiedział, iż Kubańska Rada Rewolucyjna miała siedzibę przy Camp Street, a jest to fakt, którego niewątpliwie był świadom, zaprzeczenia Ferriego powinny wzbudzić podejrzenia. FBI jednak przeprowadziło nędzną namiastkę dochodzenia w kwestii członkostwa Oswalda w Cywilnym Patrolu Powietrznym, i sprawa została zarzucona. [Jednakże] Komisja do spraw Zabójstw odnotowała [...] że „popularność [Ferriego] wśród młodych ludzi mogła mieć związek z tym, że się nimi nad wyraz interesował [...]. Często urządzał przyjęcia, gdzie alkohol lał się strumieniami" [...].

Homoseksualizm Ferriego i jego szczególna słabość do młodych chłopców były udowodnione. [Wreszcie] zachowanie Ferriego wobec chłopców w Patrolu Powietrznym doprowadziło do skandalu. Byli świadkowie orgii pijackich, na których snuli się nadzy chłopcy, i to ostatecznie doprowadziło do zakończenia kadencji Ferriego w nowoorleańskiej jednostce. Nie ma dotąd dowodów na to, że w tego rodzaju igraszkach brał udział Oswald, lecz – mając szesnaście lat i wkraczając dopiero w dorosłe życie płciowe – był z pewnością podatny na wpływ takich ludzi, jak Ferrie. Komisja do spraw Zabójstw zauważyła, że – niezależnie od homoseksualizmu – Ferrie wywierał „ogromny wpływ" na swoich podopiecznych w Patrolu. Analiza przeprowadzona za zlecenie Komisji dodaje, że Ferrie „namówił kilku chłopców do wstąpienia do armii".

Istnieje jeden niewyjaśniony fakt z okresu pierwszego roku służby Oswalda w marines. Ponieważ jego jednostka stacjonowała w Bazie Powietrznej Keesler w Missisipi, zaledwie kilka godzin jazdy autobusem od Nowego Orleanu, Oswald co weekend jeździł do Nowego Orleanu na przepustkę. Daniel Powers, który powiadomił o tym Komisję Warrena, zakładał, że Oswald odwiedzał wówczas krewnych. Lillian Murret zeznała jednak, że Lee w tym okresie tylko raz do niej zadzwonił, a Marguerite mieszkała wówczas w Fort Worth. Powstaje zatem kolejne niczym nie poparte podejrzenie, że Oswald spotykał się wtedy z Ferriem.

Należy wspomnieć, że Ferrie był zapewne najbardziej charakterystycznym ze wszystkich znanych Oswaldowi ludzi. Dziwacznie wyglądał, w późniejszym wieku łysiał, stracił włosy na głowie i brwi. Zamiast brwi nosił ścinki angory (dzięki czemu w mitologii zabójstw figuruje postać komiczna); gdy Oswald go poznał w roku 1955, był pilotem o fenomenalnych zdolnościach, które przeszły do legendy (potrafił wylądować w dżungli na polance wielkości znaczka pocztowego), hipnotyzerem, zapaleńcem poszukującym lekarstwa na raka, pewnym, że uda mu się je znaleźć, katolickim biskupem teologii, którą sam wymyślił. Na wszelki wypadek był również prywatnym pilotem ojca chrzestnego Nowego

Orleanu, Carlosa Marcello. W sumie Ferrie był osobowością na tyle barwną, że z pewnością pociągał młodych, nieszczęśliwych marines, takich jak Oswald, który nie miał jak wykorzystać weekendowej przepustki.

Ferriego i Banistera łączyła osoba Carlosa Marcello – Banister wiele razy pracował jako detektyw dla G. Wraya Gilla, głównego adwokata Carlosa Marcello. Ci wszyscy, którzy wierzą w to, że zawsze znajdą się powiązania, mogli badać możliwość, że Banister i Ferrie są ogniwem łączącym CIA, FBI i mafię. A zatem Oswald, jako ich znajomy, również był pośrednio powiązany z tymi wszystkim grupami. Niestety, jednak nie ma na to dowodów. Nie znaleziono nikogo, kto latem 1963 roku choćby przelotnie widział Oswalda i Ferriego razem w Nowym Orleanie.

Pozostaje jeszcze słynny wrześniowy poranek, kiedy to, 60 kilometrów na północ od Nowego Orleanu, w niewielkim miasteczku Clinton w stanie Luizjana pojawiła się czarna limuzyna i ostentacyjnie zaparkowała koło biura meldunkowego. Tego ranka ustawiła się przed nim długa kolejka czarnych, którzy czekali na wciągnięcie ich na listę uprawnionych do głosowania w wyborach. Akcję tę zorganizował Kongres Równości Rasowej (CORE). Z limuzyny wysiadł młody człowiek i dołączył do czekających w kolejce. W samochodzie został kierowca i drugi pasażer. Ów młody człowiek został później zidentyfikowany przez ludzi z kolejki jako Lee Harvey Oswald, a pasażer jako David Ferrie. Nowoorleański prokurator okręgowy, Jim Garrison, który postawił Claya Shawa przed sądem, oskarżając go o udział w spisku na życie JFK, obstawał przy tym, że kierowcą był właśnie Clay Shaw. Gdy następnie Garrison stracił na wiarygodności, niektórzy zwolennicy teorii spiskowej byli za tym, że kierowcą, opisywanym przeważnie jako przystojny, siwy mężczyzna w średnim wieku, był Guy Banister.

Anthony Summers doszedł do wniosku, że cała ta historia nie miałaby sensu, gdyby uczestniczył w niej Shaw. Faktycznie, po cóż by miał jeden z najbogatszych i najbardziej wpływowych ludzi w Nowym Orleanie jechać sześćdziesiąt kilometrów za miasto i siedzieć cały dzień w samochodzie, przypatrując się czekającym w kolejce po prawo głosu Murzynom? Banister byłby bardziej na miejscu. W jego oczach CORE był organizacją lewicową, gotową zniszczyć całe Południe w ramach strategii komunistów, których celem było zrujnowanie Stanów Zjednoczonych. Koordynator CORE obecny tamtego dnia w Clinton pomyślał, że czarna limuzyna miała przypominać organizacji o nieprzychylnie wobec niej nastawionym FBI. Kongres przeżył już tego lata wiele prób zastraszenia.

Młody biały mężczyzna, który wysiadł z samochodu i ustawił się razem z czarnymi w kolejce, trzy godziny czekał, by wreszcie stanąć przed biurkiem urzędnika biura meldunkowego, Henry'ego Palmera. Wtedy „wyjął legitymację Marynarki Wojennej USA [...] wypisane było na niej nazwisko [...] Lee Harvey Oswald i adres w Nowym Orleanie".

Summers: Jak twierdzi Palmer, Oswald mówił, że chciał podjąć pracę w pobliskim East Louisiana State Hospital [i] miałby większe szanse, gdyby się zameldował [w Clinton]. Palmerowi ta sprawa wydała się dziwna, nie na miejscu pośród wniosków ubiegających się o prawo głosu Murzynów. Wreszcie powiedział Oswaldowi, że nie przebywa w tej okolicy na tyle długo, by kwalifikować się do zameldowania. Oswald podziękował mu i odszedł.

Ten epizod z Clinton zdaje się wskazywać na znajomość Oswalda z Ferriem, który już wtedy całkowicie wyłysiał, a dzięki rudej peruce, brwiom z angory i nadzwyczaj białej karnacji został zidentyfikowany jako jeden z trzech mężczyzn siedzących w limuzynie. Gdy więc Gerald Posner chciał zamknąć sprawę Oswalda i przesądzić raz na zawsze o tym, że działał on w pojedynkę, musiał dowieść, że ten epizod się nie wydarzył. Z jego punktu widzenia bowiem powiązanie Oswalda z Ferriem było niemile widziane, ale nie stanowiło jedynej zagadki, którą musiał jakoś wyjaśnić.

Posner: Pierwszy problem dotyczy czasu domniemanej wizyty. Według Summersa, epizod ten miał miejsce „na początku września". W żadnym razie nie mógł wydarzyć się później, ponieważ Oswald na stałe wyjechał z Nowego Orleanu i stanu Luizjana 24 września […]. Reeves Morgan, reprezentant tego okręgu we władzach stanowych, powiedział, że Oswald odwiedził go w jego domu, by poinformować się w sprawie pracy w szpitalu. W powietrzu czuć było chłód i Morgan pamięta, że palił w kominku. Dane Urzędu Meteorologicznego USA mówią, że od początku września do 24 września temperatury w dzień wahały się koło 90 stopni Fahrenheita, tylko na parę dni spadły do 80 stopni, a wilgotność powietrza utrzymywała się duża. Z pewnością nie było dnia „chłodnego", kiedy trzeba by aż palić w kominku. Urzędnik biura meldunkowego, Henry Palmer, z wielkim przekonaniem twierdził, że wizyta nastąpiła „w pierwszym tygodniu października, około szóstego czy siódmego". Oswald był wtedy w Dallas.

Nie skreślajmy września tak łatwo. Posner wspomina o temperaturach w ciągu dnia sięgających 90 stopni Fahrenheita oraz o tym, że „tylko na parę dni spadły do 80 stopni" […]. Te temperatury były mierzone koło południa. Tak się składa, że 23 i 24 września, w ciągu tych dwóch dni, kiedy Oswald został sam w Nowym Orleanie, bo Marina wyjechała z Ruth Paine, najniższe zanotowane temperatury wynosiły odpowiednio 62 i 56 stopni. A dla ludzi starszych, przyzwyczajonych do życia w temperaturze około 90 stopni, ranki i wieczory mogły być na tyle chłodne, by zaistniała potrzeba rozpalenia w kominku. Nawet jeśli Oswald przyszedł o dziesiątej rano, wewnątrz domu mógł jeszcze panować poranny chłód, a gospodarz rozpalił ogień, by ogrzać stare kości.

Posner musiał też jakoś ustosunkować się do konkluzji Komisji Izby Reprezentantów do spraw Zabójstw z roku 1979, stwierdzającej, że sześciu przesłuchanych przez Komisję świadków, którzy byli w Clinton tego dnia w 1963 roku, złożyło „wiarygodne i znaczące zeznania". Posnerowi udało się jakoś uzyskać dostęp do akt Edwarda Wagmanna, jednego z adwokatów Claya Shawa. Trzeba to uznać za nie lada wyczyn. Prawnicy bogaczy na Południu Stanów zazwyczaj nie palą się do udostępniania wyjątkowych materiałów śledczym z Północy, chyba że ci mają znakomite rekomendacje. W każdym razie Posner dotarł do oryginalnych reakcji świadków z Clinton, które trafiły pierwotnie do Jima Garrisona, i postanowił obalić hipotezę, że w samochodzie byli Oswald, Ferrie i Banister (i/lub Shaw) i że razem pojechali do Clinton. Niewątpliwie udało mu się wykazać, jak bardzo oryginalne oświadczenia świadków różnią się od oświadczeń złożonych później przed Komisją Izby Reprezentantów do spraw Zabójstw. Jedna osoba widziała w samochodzie tylko mężczyznę i kobietę oraz małe dziecko w foteliku. Inni świadkowie z kolei – czterech mężczyzn, dwóch lub jednego. Problem polegał na tym, że jak zauważył James DiEugenio w biuletynie „Back Channels" z września 1994 roku, Oswald był poprzedniego wieczoru w Jackson w stanie Luizjana, około 25 kilometrów od Clinton, a Posner zebrał zeznania świadków z dwóch różnych miast i połączył je w jedno.

Zatem najmocniejszą kartą, jaka pozostała Posnerowi w ręku (nie przewidział, że ostatecznie okaże się ona najsłabszą), było opieranie twierdzenia o zaistnieniu tego wydarzenia we wrześniu na fakcie, że nie było wtedy wystarczająco chłodno. Oczywiście, gdyby do wizyty rzeczywiście doszło w październiku, to młodym człowiekiem legitymującym się urzędnikowi biura meldunkowego, Henry'emu Palmerowi, nie był Oswald. Ale kim w takim razie byli ludzie, którzy przyjechali w październiku do Clinton i dlaczego zadali sobie trud podrabiania dokumentów Oswalda? Problem z zamknięciem jego sprawy polega na tym, że gdy tylko uda się wreszcie domknąć drzwi, powstaje szczelina w ścianie.

Zamknięcie sprawy zabójstwa prezydenta Johna Fitzgeralda Kennedy'ego byłoby wielką ulgą, ale trzeba by mieć pewność, że istnieją ku temu podstawy. Posner na przykład jest zbyt pewien tego, że Oswald i Ferrie nigdy się ze sobą nie zetknęli.

POSNER: Ferrie był przesłuchiwany przez FBI 27 listopada 1963 roku i zaprzeczał, jakoby znał Oswalda z Cywilnego Patrolu Powietrznego. Akta Patrolu wykazują, że Ferrie był jego członkiem do końca roku 1954, ale został zwolniony dyscyplinarnie, ponieważ wygłaszał do kadetów nieprzewidziane regulaminem wykłady na tematy polityczne. Gdy w roku 1955 złożył podanie o reaktywację w prawach członka, zostało ono rozpatrzone odmownie. Ponownie został przyjęty w poczet członków w grudniu 1958 roku. Nie był więc nawet członkiem Cywilnego Patrolu Powietrznego w roku 1955, gdy należał tam Oswald.

Jednak w listopadzie 1993 roku w telewizyjnym programie *Frontline* zaprezentowane zostało grupowe zdjęcie, zrobione w 1955 roku, przedstawiające grupę szesnastu chłopców i mężczyzn na pikniku. Ponieważ Oswald i Ferrie znaleźli się na przeciwnym krańcach zdjęcia, Posner może teraz najwyżej utrzymywać, że Ferrie myślał, iż mówi prawdę, gdy twierdził, że nie zna Oswalda.

Faktem jest, że istnieje duże prawdopodobieństwo, iż zostali sobie przynajmniej przedstawieni. Ponieważ Ferrie miał wówczas wiele kontaktów seksualnych z nastolatkami, mógł nie pamiętać, że spał z Oswaldem; podobnie mężczyźni heteroseksualni, utrzymujący intymne kontakty z wieloma kobietami, często mają kłopot z przypomnieniem sobie każdego zbliżenia. Poza tym, oczywiście, gdyby nawet Ferrie miał takie wspomnienia, to wypierałby się ich po zabójstwie prezydenta. Posner usiłuje sprawę definitywnie rozstrzygnąć, pisze więc: „[...] powiedział prawdę". Zbyt pochopnie, ponieważ nie może tego wiedzieć.

Ta dyktatorska skłonność do pomijania niuansów, jakby niepotrzebnie zaciemniały one obraz sytuacji, najjaskrawiej uwidocznia się w jego sposobie traktowania Sylvii Odio, którą poznamy w następnym rozdziale. Najpierw jednak musimy rozstrzygnąć, w jaki sposób Oswald wyjechał z Nowego Orleanu. Nie ma u pisarza wady bardziej godnej potępienia niż niepotrzebne drażnienie czytelnika; lecz, niestety, nawet wyjazd Lee Harveya z Nowego Orleanu nie jest pozbawiony komplikacji.

3

Niewytłumaczalna wizyta

Po wyjeździe Mariny z Nowego Orleanu do Ruth Paine, do Irving w stanie Teksas, Lee albo jeszcze przez parę dni mieszkał w mieszkaniu przy Magazine Street, albo nie. Sąsiedzi go widzieli, ale ich zeznania są sprzeczne. Mógł opuścić mieszkanie w poniedziałek lub wtorek wieczorem. W środę, gdy zajrzała tam pani Garner, po Lee nie było już śladu.

W środę rano w sklepie Winn-Dixie przy Magazine Street zrealizowany został czek na 33 dolary (zasiłek dla bezrobotnych), możliwe jednak, że pieniędzy nie podjął sam Oswald, ponieważ FBI nie potwierdza autentyczności podpisu. Nie znalazł się też nikt, kto widziałby w środę Oswalda wsiadającego do autobusu z Nowego Orleanu do Houston – a to byłby najbardziej logiczny przystanek w drodze do stolicy Meksyku, gdzie Oswald miał nadzieję otrzymać wizę kubańską.

Nie jesteśmy pewni, gdzie przebywał, aż do czwartku około 2.35 w nocy. Wtedy bowiem, w późnych godzinach nocnych, wsiadł do autobusu Continental Trailways nr 5133, z Houston do Nuevo Laredo. Następnie przez cały czwartek jechał na południe i w piątek, 27 września, rano był w Meksyku. Podróż autobusem trwała trzydzieści jeden i pół godziny.

Wciąż jednak nasuwa się pytanie: czy Oswald pojechał w środę prosto z Nowego Orleanu do Houston? Czy też wyjechał z Nowego Orleanu z niezidentyfikowanymi wspólnikami, pojechał aż do Dallas i tam był jednym z trzech mężczyzn, którzy w środę około 21.00 zapukali do drzwi atrakcyjnej Kubanki, Sylvii Odio?

Jak się dowiadujemy z jej zeznania, szykowała się wtedy do wyjścia na randkę. Ponieważ, jak twierdzi, była do gości nastawiona bardzo podejrzliwie, trzymała drzwi zamknięte na łańcuch. Nie bez powodu. Jej ojciec, niegdyś potentat samochodów ciężarowych na Kubie, przebywał wówczas w więzieniu na Isle of Pines, osadzony tam za udział w spisku na życie Fidela Castro. Sylvia Odio przeżyła najpierw stres związany z aresztowaniem ojca, a następnie rozwód w Puerto Rico, i pozostawała pod opieką psychiatry. Nic dziwnego, że te przeżycia wpoiły jej nieufność wobec obcych. Jeden z trzech gości powiedział, że są członkami JURE (Junta Revolucionaria), antycastrowskiego ugrupowania, założonego między innymi przez jej ojca.

Najwięcej mówił nieznajomy, który był wysoki, szczupły i przedstawił się jako Leopoldo. Drugi mężczyzna był przysadzisty i „oślizły". Obu Sylvia Odio opisała jako „Kubańczyków z proletariatu", choć niższy z nich mógł równie dobrze być Meksykaninem. Trzeci mężczyzna był Amerykaninem i „powiedział tylko parę słów po hiszpańsku, starał się być miły".

LIEBELER: Czy miała pani [drzwi] zamknięte na łańcuch?

SYLVIA ODIO: Nie; odemknęłam łańcuch, kiedy powiedzieli, że są członkami JURE i [...] jeden z nich powiedział: „Jesteśmy dobrymi znajomymi pani ojca". To pamiętam, bo nie sądziłam, by mój ojciec mógł się przyjaźnić z takimi ludźmi, chyba że byli to znajomi z jego działalności antycastrowskiej. On [Leopoldo] podał mi wiele szczegółów, gdzie i kiedy spotykał się z moim ojcem, czym się zajmował. Przytoczyli mi prawie niemożliwe do zdobycia szczegóły dotyczące takich spraw, o których może wiedzieć [tylko] ktoś [...] bardzo dobrze poinformowany [...]. Powiedział też: „Chcieliśmy pani przedstawić tego Amerykanina. Nazywa się Leon Oswald". Powtórzył to dwa razy. Moja siostra Annie stała już wtedy koło mnie, podeszła do drzwi. Przyszła, żeby zobaczyć, co się dzieje [...]. I [Leopoldo] powiedział: „Właśnie przyjechaliśmy z Nowego Orleanu, próbowaliśmy tam zorganizować taki ruch i [...] myśleliśmy, że coś nam się uda zrobić". Mówił to wszystko bardzo szybko, nie tak jak ja teraz. Wiedzą państwo, jak Kubańczycy szybko mówią [...]. Potem, chyba z uprzejmości, zapytałam tego Amerykanina: „Czy był pan kiedyś na Kubie?" A on powiedział: „Nie, nigdy nie byłem na Kubie".

Zapytałam: „Interesuje się pan naszym ruchem?", a on odparł: „Tak".

[...] Powiedziałam: „Panowie wybaczą, ale muszę teraz wyjść", i powtórzyłam: „Napiszę do ojca i powiem, że panowie mnie odwiedzili" [...]. I chyba na tym rozmowa się skończyła. Oni wyszli i przez okno widziałam, jak odjeżdżają samochodem. Nie pamiętam jakim. Mimo że usiłowałam sobie przypomnieć.

LIEBELER: Czy zauważyła pani, który z nich siedział za kierownicą?

SYLVIA ODIO: Ten wysoki, Leopoldo.

LIEBELER: Leopoldo?

SYLVIA ODIO: Tak. O, przepraszam, zapomniałam o jednej ważnej rzeczy. Ciągle wspominali o tym, że przyszli do mnie tak późno wieczorem – była prawie dziewiąta wieczór – bo wybierają się w jakąś podróż. Powtórzyli to dwa czy trzy razy [...]. Następnego dnia zadzwonił do mnie Leopoldo. Wróciłam z pracy do domu, więc to musiał chyba być piątek. Czyli ich wizyta wypadła w czwartek. Starałam się dojść do ładu z tymi datami. Próbował się ze mną spoufalić, gdy rozmawialiśmy przez telefon. Przymilał się, mówił, jaka jestem piękna [...]. Tak właśnie zaczął rozmowę. Potem zapytał: „Co pani myśli o tym Amerykaninie?". A ja odpowiedziałam: „Nic".

On powiedział: „Wie pani, chodzi nam o to, żeby poznać go z ludźmi z kubańskiego podziemia, bo to fantastyczny człowiek, postrzelony [...]. [Leon] mówi, że ofiary z nas [...], bo prezydenta Kennedy'ego trzeba było zabić zaraz po Zatoce Świń" [...]. Ta rozmowa zaczęła mnie niepokoić.

[Leopoldo] powtórzył jeszcze raz, że wyjeżdżają, ale że po powrocie do Dallas bardzo chcieliby się ze mną zobaczyć. Potem wspomniał jeszcze coś o Oswaldzie. Powiedział, że [Oswald] służył w piechocie morskiej i że strasznie chce pomóc Kubańczykom i że jest wspaniały. Właśnie takim słowem go określił: „wspaniały" [...]. Trzy dni później napisałam do ojca i wspomniałam o tym, że dwóch z tych ludzi nazwało się jego przyjaciółmi. W grudniu, ponieważ listy tam długo idą, ojciec odpisał mi: „Nie znam żadnego z tych ludzi. Nie daj im się w nic wciągnąć" [...].

Pod koniec rozmowy Sylvia Odio została zapytana:

LIEBELER: Czy teraz, po obejrzeniu zdjęć, ma pani wątpliwości, że mężczyzna, który przyszedł do pani domu, to Lee Harvey Oswald?

SYLVIA ODIO: Nie mam najmniejszych wątpliwości.

Sylvia Odio uważa, że wizyta trzech mężczyzn nie mogła mieć miejsca wcześniej niż o godzinie 21.00 w czwartek, 26 września, ale wtedy Oswald był już od ładnych paru godzin w drodze do Meksyku. Potwierdza to kilku świadków. Zatem albo Sylvia Odio pomyliła wieczór czwartkowy ze środowym, albo też ów Amerykanin, kimkolwiek był, nie był Oswaldem. Oswald mógłby się u niej znaleźć praktycznie tylko w takim wypadku, gdyby w środę ktoś (na przykład Leopoldo) zawiózł go z Nowego Orleanu do Dallas (a jest to co najmniej dziesięć godzin drogi). Stamtąd zaś albo ktoś go odwiózł na południe na autobus wyjeżdżający z Houston w czwartek, 26 września, o godzinie 2.35 w nocy (który miał być w Laredo w stanie Teksas w sam raz na popołudniowe połączenie z Meksykiem, kolejne dwadzieścia godzin podróży), albo Oswald złapał w środę wieczorem w Dallas autobus, z którego w Alice w stanie Teksas o godzinie 10.25 rano następnego dnia mógł się przesiąść na autobus jadący z Laredo do Meksyku. Prawdopodobnie jednak pojechał do Houston, ponieważ pamięta go małżeństwo Anglików z Liverpoolu, państwo McFarlandowie:

ODP.: Mieliśmy przesiadkę na dworcu autobusowym w Houston w Teksasie 26 września o drugiej w nocy, a dopiero koło szóstej, kiedy zrobiło się jasno, zobaczyliśmy go po raz pierwszy, a ostatni – gdy czekał przy bagażniku, najwyraźniej na odbiór bagażu [w Meksyku].

PYT.: Kiedy po raz pierwszy zorientowali się państwo, że człowiekiem, którego spotkali państwo w autobusie, był Lee Harvey Oswald?

ODP.: Kiedy zobaczyliśmy jego zdjęcia w gazetach.

Jeśli Sylvia Odio myli się co do daty, to Oswald był w środę wieczorem, około 21.00. Jeśli jednak rzeczywiście chodzi o czwartek lub piątek, to Amerykanin, którego Leopoldo określił jako gotowego strzelać do Castro czy do Kennedy'ego, podszywał się pod Oswalda, znając jego nazwisko z audycji Stuckeya, nadanej latem w Nowym Orleanie. W takim razie jednak dlaczego Sylvia Odio upierała się, że tym człowiekiem był Oswald? Może podobieństwo było tak uderzające, że Lee Harvey rzeczywiście mógł się stać kozłem ofiarnym.

Pierwszy wywiad z Odio przeprowadzili 18 grudnia 1963 dwaj agenci FBI, James P. Hosty i Bardwell D. Odum. Pewnie nie trzeba im było mówić, że jej zeznanie, jeśli zostanie potwierdzone, poważnie zagrozi niepisanej umowie trójcy Warren-Hoover-Dulles, iż Oswald od początku do końca działał sam. W takim wypadku Komisja Warrena musiałaby dociekać, kim byli wspólnicy Oswalda – a to by oznaczało konieczność wniknięcia w podziemie pro- i antycastrowskie w Miami, Nowym Orleanie, Houston i Dallas. Głębokim niepokojem napawało szczyty hierarchii władzy to, że trzeba by było nie wiadomo jak straszną cenę zapłacić za towarzyszące temu odkrycia: za COINTELPRO, Giancanę, Rossellego i liczne próby zabicia Castro.

Dzięki zręcznej żonglerce faktami i zeznaniami, której będziemy mieli okazję się przyjrzeć, FBI udało się zażegnać to obosieczne niebezpieczeństwo. Swoją drogą, ciekawe, co było dla nich straszniejsze: Oswald-u-drzwi czy ktoś-podszywający-się-pod-Oswalda-u-drzwi?

4

Zgrabne wybrnięcie

W swojej książce *The Last Investigation* (Ostatnie śledztwo) Gaeton Fonzi podaje następującą interpretację:

> [...] 23 sierpnia 1964 roku, gdy gotowa już była pierwsza wersja raportu Komisji Warre-
> na, J. Lee Rankin napisał do J. Edgara Hoovera: „Dla Komisji istotne jest, by stwierdze-
> nia pani Odio zostały albo potwierdzone, albo unieważnione".
>
> Miesiąc później, gdy raport był już w składzie, sprawa Odio wciąż miała znaczenie
> kluczowe. W memorandum do swojego przełożonego członek Komisji Warrena, Wesley
> Liebeler, napisał tak: „[...] Odio może mówi prawdę. Jeśli się okaże, że tak, Komisja nie
> wypadnie najlepiej. Nie ma co wychodzić na głupców i chwytać się brzytwy, by uniknąć
> konieczności przyznania się do istnienia problemu".

Piętnaście lat później Komisja Izby Reprezentantów do spraw Zabójstw praktycznie podważy stanowisko Komisji Warrena, oświadczając, że „zeznanie [Odio]
jest, ogólnie rzecz biorąc, wiarygodne [...] za wielce prawdopodobne należy
uznać, że jednym z tych mężczyzn był Lee Harvey Oswald, a przynajmniej ktoś
do niego podobny".

Śledczy Komisji Izby Reprezentantów do spraw Zabójstw (cytowany już Gaeton Fonzi) został wyznaczony do przeprowadzenia wywiadu z Sylvią Odio i jej
siostrą Annie. Komisja nie była jednak chętna do wyciągania zbyt daleko idących wniosków z rezultatów jego rozmowy. Miała zamiar stwierdzić, że prezydent został zabity w wyniku spisku zawiązanego przez mafię. Odio zatem także i dla Komisji była zawadą, ponieważ jej zeznanie kierowało podejrzenia na
Kubańczyków i zajmujących się nimi agentów CIA.

Sprawa przycichła do roku 1993, roku wydania książki Posnera *Case Closed*.
Jest ona tak skupiona na potwierdzeniu stanowiska Hoovera o braku spisku, że
nawet gdyby napisał ją zespół wykwalifikowanych pracowników FBI, nie mogłaby się bardziej przysłużyć jego potrzebom.

Ponieważ do zamknięcia sprawy Oswalda konieczne jest zdezawuowanie zeznania Odio, Posner usiłuje to osiągnąć poprzez podważanie jej wiarygodności.

POSNER: Miała problemy emocjonalne na długo przed sprawą z Oswaldem. W Puerto Rico, gdzie mieszkała do roku 1963, nim przeprowadziła się do Dallas, leczyła się u psychiatry w związku z rozpadem małżeństwa. Z raportów FBI wynika, że psychiatra uznał
ją za niezrównoważoną psychicznie i pod względem fizycznym i psychicznym niezdolną
do opieki nad dziećmi. (41) Inny lekarz, który kiedyś został wezwany, bo Odio dostała
„ataku nerwowego", doszedł do wniosku, że wywołała atak specjalnie, by zwrócić na siebie uwagę sąsiadów. Opisał ją jako bardzo niezrównoważoną młodą kobietę i dowiedział

się skądinąd, że mieszkając w Miami, po powrocie do Stanów w 1961 roku, także leczyła się u psychiatry. (42)

Na rozprawie rozwodowej w roku 1963 odebrano jej prawo do opieki nad dziećmi na podstawie zarzutów o ich zaniedbanie. (43)

Wszystkie trzy odnośniki – (41), (42) i (43) – stanowią odwołanie do memorandów FBI traktujących o stanie Odio przed jej przyjazdem do Dallas. Tego wieczoru, gdy rozmawiała z trzema niespodziewanymi gośćmi, jej potomstwo bynajmniej nie było zaniedbane. Cała czwórka mieszkała z nią w jej małym mieszkaniu. Posner mógł to wydedukować na podstawie takich fragmentów jej zeznania przed Komisją Warrena, jak na przykład ten: „moja siostra Annie [...] przyszła [...] żeby popilnować mi dzieci", czy fragmentu zamieszczonego stronę wcześniej: „Powiedziałam im wtedy, że nie mam czasu, bo opiekuję się dziećmi". Ale wówczas musiałby traktować jej zeznania na równi z memorandami FBI. Dalej, w części książki, której jako źródła posłużyli ludzie FBI, Posner pisze, że Silvia Herrera, teściowa Odio, „powiedziała nawet, że Odio jest doskonałą aktorką i, gdyby chciała, mogłaby taki zmyślony epizod przekonująco opowiedzieć". By dowieść swego, Posner posiłkuje się zdaniem nawet nie teściowej, ale byłej teściowej!

W innym miejscu z kolei pisze tak: „Gdy prezydent został zabity, chodziła [do psychiatry] od ponad siedmiu miesięcy, przynajmniej raz w tygodniu, czasami jeszcze częściej".

To, że chodziła do psychiatry przynajmniej raz w tygodniu, czy, jak dodaje z nadzieją Posner, „czasami jeszcze częściej", znaczy tylko, że potrzebowała psychicznego i emocjonalnego wsparcia; Posnerowi tak naprawdę przydałaby się raczej pacjentka, która przesiadywałaby u lekarza przez pięć dni w tygodniu.

W wywiadzie przeprowadzonym przez Posnera z Carlosem Bringuierem (starym wrogiem Oswalda) pada ciężkie oskarżenie wobec Odio. „Ale uważam, że to możliwe – mówi Bringuier –

że ktoś do niej przyszedł z wizytą. Mnóstwo ludzi działało tam wtedy w różnych organizacjach. Wydaje mi się jednak, że po zabójstwie Kennedy'ego jej pierwszy impuls pewnie był taki, jak mój: jak najszybciej zadzwonić do FBI i powiedzieć im: „Ten facet u mnie był!". Jednak nie zrobiła tego, tylko [po wyjściu ze szpitala] jak gdyby nigdy nic powiedziała o tym w rozmowie sąsiadce, a ta z kolei przekazała to FBI, i jedynie dlatego wyszło to na jaw. Przez to właśnie jestem podejrzliwie nastawiony do tej jej historyjki. Coś tu nie gra, wiem z własnego doświadczenia, jak się zachowałem i jak się poczułem, kiedy zdałem sobie sprawę, że miałem styczność z człowiekiem, który zabił prezydenta Stanów Zjednoczonych. Kiedy usłyszałem nazwisko Lee Harvey Oswald, to aż podskoczyłem. Nie dokończyłem lunchu – natychmiast zadzwoniłem do FBI. A może przez to całe zamieszanie po zabójstwie coś się Odio pomyliło i przypisała twarz i nazwisko Oswalda jakiejś innej osobie. Spotykałem się z takimi wypadkami w mojej karierze prawniczej. Nieraz bywało tak, że po wypadku czterech świadków podawało cztery różne wersje wy-

darzeń, a każdy z nich był przekonany, że mówi prawdę. Przeszliby nawet pomyślnie badanie wykrywaczem kłamstw. Ona uważa, że mówi prawdę. Nie chciałbym jej zarzucać,
że kłamie, ale się myli.

W przekonującej analizie Bringuiera brakuje jednak ważnego rozróżnienia: jego
do zerwania się z krzesła i chwycenia za telefon gnało poczucie triumfującej
sprawiedliwości i pragnienie odwetu, a Odio była przerażona. Nie znała mężczyzn, którzy u niej byli, i nie wiedziała, czy nie zjawią się ponownie, jeśli ona
opowie o ich wizycie. Bała się nawet dwanaście lat później, gdy Fonzi odnalazł
ją w Miami.

Case Closed Posnera w dalszym ciągu opiera się na raportach FBI, a pomija
zeznania złożone przed Komisją Warrena:

> POSNER: Odio z uporem obstaje przy tym, że przed zabójstwem Kennedy'ego odwiedziło ją
> w jej mieszkaniu trzech mężczyzn, wśród których był Oswald. Jedną z osób, której o tym
> powiedziała, była Lucille Connell. Podczas przesłuchania przez FBI w roku 1964 Connell ze-
> znała, że Odio powiedziała jej o Oswaldzie dopiero po zabójstwie prezydenta. Oświadczyła
> wtedy, że zna Oswalda i wie, że miał pogadanki dla grup kubańskich uchodźców w Dallas.

Ostatnie zdanie, jeśli jest prawdziwe, całkowicie dyskredytuje Odio. Ale Posner
nie pozwala jej przemówić własnym głosem.

LIEBELER: Czy powiedziała pani pani Connell, że widywała pani Oswalda na spotkaniach antycastrowskich i że wygłaszał on pogadanki dla grup kubańskich
uchodźców, że był bardzo inteligentny i błyskotliwy i przemawiał porywająco?

SYLVIA ODIO: Nie.

LIEBELER: Jest pani pewna, że nie mówiła pani tego?

SYLVIA ODIO: Nie.

LIEBELER: Czy widywała pani Oswalda na zebraniach?

SYLVIA ODIO: Nigdy [...] jej prawdopodobnie chodziło o Johna Martino, [który] był
na Isle of Pines przez trzy lata [...]. [Pani Connell] była na tym zebraniu. Ja nie
poszłam. [Martino] przyjechał do Dallas i miał pogadankę o warunkach panu-
jących na Kubie. Ona była jedną z uczestniczek spotkania.

LIEBELER: Pani Connell?

SYLVIA ODIO: Tak. Była tam też moja siostra Annie [...].

Gaeton Fonzi przeprowadzał wywiad z Annie Odio w roku 1975 i pytał ją o spotkanie z Sylvią, które miało miejsce kilka godzin po zabójstwie prezydenta. W następującym fragmencie przytacza słowa Annie:

„Pierwsze, co pamiętam, to to, że kiedy weszłam do pokoju, Sylvia się strasznie rozpłakała. Chyba ją zapytałam: «Ty znasz tego faceta, którego pokazywali w telewizji, tego, co zastrzelił prezydenta Kennedy'ego? Ja go chyba skądś znam». A ona powiedziała: «Nie wiem, nie pamiętam, ale wydaje mi się, że gdzieś go już widziałam». Potem zapytała mnie: «Pamiętasz tych trzech, którzy do nas przyszli?»". W tym momencie, mówi Annie, nagle jej się przypomniało, gdzie już widziała Lee Harveya Oswalda.

Możemy dalej cytować Gaetona Fonziego:

Sylvia i Annie zgodnie [...] postanowiły nic nikomu o tym nie mówić. „Strasznie się bałyśmy, byłyśmy przerażone – wspomina Sylvia. – Obie byłyśmy bardzo młode, ale miałyśmy wiele obowiązków, musiałyśmy się opiekować matką, braćmi i siostrami, a ojciec był w więzieniu. Bałyśmy się i nie wiedziałyśmy, co się dzieje. Obiecałyśmy sobie, że nikomu o tym nie powiemy". Oczywiście, powiedziały Lucille Connell, [która] powtórzyła to zaufanej przyjaciółce, i wkrótce do drzwi Odio zapukało FBI. Ona mówi, że była to ostatnia rzecz na świecie, której by sobie życzyła, ale gdy przyszli, poczuła się zobowiązana do powiedzenia prawdy.

Fonzi rozmawiał z siostrami Odio w latach 1975–1979. W roku 1964 FBI szukało sposobu na podważenie wiarygodności zeznania Sylvii Odio i znalazło.

POSNER: FBI było przekonane, że rozwiązało zagadkę Sylvii Odio, gdy odnaleziono trzech mężczyzn, którzy być może odwiedzili ją w jej mieszkaniu pod koniec września. Loran Hall, zagorzały przeciwnik Castro, wykazywał uderzające podobieństwo do człowieka, którego Odio opisała jako przywódcę swoich gości – Leopolda. 16 września 1964 roku Hall powiedział FBI, że we wrześniu 1963 roku był w Dallas, zbierał bowiem tam fundusze, i odwiedził Sylvię Odio. Podał też nazwiska towarzyszących mu mężczyzn: Lawrence Howard i William Seymour.

Wróćmy do Gaetona Fonziego i pozwólmy mu dokończyć ten wątek:

[...] Hall twierdził, że [...] zbierał fundusze na działalność antycastrowską wraz ze swoimi dwoma towarzyszami i że jeden z nich był podobny do Oswalda. Komisja Warrena uchwyciła się tego i w końcowym raporcie przytoczyła ów wywiad ze szczegółami, stwarzając wrażenie, że gośćmi Odio był Hall i jego towarzysze [...].

Komisja Warrena nie odnotowała jednak w końcowym raporcie – choć o tym wiedziała – że kolejne przesłuchania FBI wykazały, iż towarzysze Halla zaprzeczali, jakoby byli w tamtym czasie w Dallas; że żaden z tej trójki nie przypominał wyglądem Oswalda; że

Sylvia Odio nie rozpoznała ich na pokazanych jej zdjęciach; oraz że podczas powtórnego przesłuchania przez FBI Loran Eugene Hall przyznał się, że zmyślił całą tę historyjkę. (Później, zeznając przed Komisją Izby Reprezentantów do spraw Zabójstw, Hall wypierał się tego, że w ogóle mówił FBI o swojej wizycie w mieszkaniu Odio).

Zeznania jednak pomyślnie zbiegły się w czasie. Loran Hall odwiedził siedzibę FBI 16 września 1964 roku, a Raport Komisji Warrena ukazał się osiem dni później. Powiadomiona o zeznaniach Halla Komisja Warrena zamieściła w ostatecznej wersji raportu zapis jego pierwszego przesłuchania oraz dodała od siebie rozstrzygającą konkluzję: „Lee Harvey Oswald nie był w mieszkaniu Sylvii Odio we wrześniu 1963 roku".

Cztery dni później, 20 września, Hall odwołał swoje wcześniejsze zeznania i cała historyjka przestała mieć sens. Jednak Komisja Warrena, która wstrzymała druk 16 września, tym razem nie miała zamiaru tego robić. Nie zwróciła też opinii publicznej uwagi na zaistniały wskutek tego błąd.

We wspinaczce wysokogórskiej istnieje manewr, który udaje się tylko najlepszym. Polega na wykonaniu kilku chwytów błyskawicznie jeden po drugim. Żaden z nich nie może dać oparcia rękom ani nogom dłużej niż na chwilę, ale pozwala wspiąć się o cennych kilkadziesiąt centymetrów wyżej, do następnego zaczepienia dla rąk, i jeszcze następnego, aż wreszcie siłą rozpędu wspinacz dociera do miejsca na skale, gdzie może bezpiecznie stanąć. Trzeba przyznać, że J. Edgar Hoover wykonał ten manewr po mistrzowsku. Ciała wprawdzie nie miał sprawnego jak alpinista, ale za to giętki umysł.

Pora teraz przenieść się do Meksyku. Być może nigdy nie dowiemy się na pewno, czy Oswald miał coś wspólnego z wizytą u Sylvii Odio, dysponujemy za to materiałem, z którego możemy się dowiedzieć, co robił w ambasadzie radzieckiej w Meksyku. Pochodzi on z książki autorstwa oficera KGB, który był naocznym świadkiem tych wydarzeń.

5

Meksyk

Autobus, którym Oswald jechał z Laredo do Meksyku, przybył na miejsce o godzinie 10 rano w piątek, 27 września 1963 roku. Lee, z dwiema torbami, podróżną i podręczną, gdzie trzymał wszystkie ważne papiery, studiował ceny hoteli, aż wreszcie zdecydował się na „Hotel del Comercio", w którym pokój z łazienką kosztował 1,28 dolara za dobę.

Następnie udał się do ambasady kubańskiej. Dysponujemy wszelkimi podstawami, by uważać, że był całkowicie pewny uzyskania wizy od Kubańczyków, ponieważ wyrobił sobie opinię poplecznika Castro. Miał przy sobie wycinki z gazet, ukazujące i opisujące jego aresztowanie, miał papier listowy założonego przez siebie oddziału Komitetu na rzecz Uczciwych Stosunków z Kubą w Nowym Orleanie i kwity na sumy wydane na procastrowskie ulotki. Gdyby jeszcze któryś ze zwolenników Castro słyszał go w radiu, jak rozmawiał z Billem Stuckeyem, Oswald zyskałby dodatkowy atut – potwierdzenie osób trzecich.

Pierwszą osobą spotkaną przez niego w ambasadzie była Silvia Duran, z którą rozmawiał po angielsku. Słuchała Oswalda przez bite piętnaście minut. Ciekawie opisuje to Posner, opierając się na zeznaniach konsula Eusebia Azcue przed Komisją Izby Reprezentantów do spraw Zabójstw:

> [...] [Oswald] powiedział jej następnie, że wybiera się do ZSRR, lecz chce otrzymać wizę tranzytową, by po drodze zatrzymać się na Kubie na co najmniej dwa tygodnie. Zaczął kłaść jej na biurko dokumenty, każdy opatrując krótkim komentarzem [...] [i powiedział], że chce wyjechać najdalej 30 września, czyli za trzy dni [...]. Duran, zdeklarowana marksistka, zapałała do Oswalda sympatią [...] [i] wezwała, Eusebia Azcue, by zapytać, czy mógłby przyspieszyć proces w przypadku tego młodego Amerykanina.

Azcue powiedział Oswaldowi, że nie może nadać sprawie szybszego biegu, ponieważ musi otrzymać potwierdzenie od rządu kubańskiego w Hawanie. Ponadto Oswald musi wypełnić formularz podania oraz załączyć pięć zdjęć paszportowych. Gdy Lee wrócił ze zdjęciami i wypełnionym formularzem, dowiedział się, że najlepszym sposobem przyspieszenia trybu wydania wizy jest zdobycie w ambasadzie radzieckiej pozwolenia na wjazd do ZSRR.

Oswalda wyraźnie przygnębiły te piętrzące się przed nim przeszkody. Zaczął protestować. Jako przyjaciel Kuby powinien dostać wizę na poczekaniu. Azcue odparł, że może otrzymać ważne piętnaście dni pozwolenie na wjazd na Kubę, jednak dopiero po uzyskaniu wizy radzieckiej. Albo może załatwić sprawę w normalnym trybie, a to potrwa w Meksyku kilka tygodni. Oswald odparł, że nie ma tyle czasu, i wkrótce wdał się z konsulem w tak głośną sprzeczkę, że zwabiony jej odgłosami wyjrzał z gabinetu inny pracownik ambasady, Alfredo Mirabel Diaz.

Oswald udał się na pierwszą z dwóch wizyt do ambasady radzieckiej, która mieściła się zaledwie kilka przecznic dalej, co było mu na rękę. Przez całe lata te jego dwie wizyty u Rosjan były źródłem nieporozumień lub dezinformacji: CIA zainstalowała kamery na budynku po przeciwnej stronie ulicy od wejścia do ambasady, a mimo to w archiwach CIA nie ma zdjęć Oswalda przekraczającego bramę w jedną lub drugą stronę. Prawdopodobnie CIA miała zdjęcia Oswalda wchodzącego do ambasady radzieckiej, ale zostały one usunięte po zamachu na prezydenta. To zresztą nic dziwnego, jeśli Oswald zwrócił na siebie uwagę Agencji już przy okazji zamachu na Walkera.

Możemy być pewni, że Oswald rzeczywiście odwiedził ambasadę radziecką i rozmawiał z trzema agentami KGB, pełniącymi tam obowiązki urzędników konsulatu. Jeden z nich, Oleg Nieczyporienko, napisał później książkę *Passport to Assassination* (Paszport do zabójstwa), która dość szczegółowo opisuje oba te spotkania.

Oswald dotarł do ambasady o godzinie 12.30 i czekał w recepcji na jednego z pracowników konsulatu, Walerija Władimirowicza Kostikowa. Ten wreszcie do niego wyszedł, wysłuchał prośby o wizę, przejrzał jego papiery i usłyszał, że Oswald „w Stanach Zjednoczonych jest stale śledzony przez FBI i [...] chce wrócić do ZSRR".

Kostikow miał akurat zebranie, na które musiał się stawić, ale sprawa tego człowieka nie była sprawą rutynową. Najwyraźniej jego wizyta miała się przeciągnąć. Kostikow wezwał więc przez telefon kolegę, Olega Maksimowicza Nieczyporienkę.

„Posłuchaj, jest tutaj taki jeden *gringo* – powiedział Kostikow [...]. – Prosi o wizę do Związku Radzieckiego. Podobno już tam mieszkał, ożenił się z jedną z naszych dziewcząt. Mieszkają teraz w Stanach, ale bruździ im FBI. Podejdź no tu i zorientuj się, o co w tym wszystkim chodzi. To mi wygląda na coś w sam raz dla ciebie. Ja się spieszę, muszę lecieć".

Nieczyporienko dodaje:

Zbliżając się do małego budynku, w którym mieścił się wydział konsularny, zobaczyłem nieznajomego. Mężczyzna miał na oko jakieś dwadzieścia pięć, dwadzieścia siedem lat, stał na schodach i opierał się o framugę drzwi [...]. Patrzył na mnie tak, jakbym był przezroczysty, zdawał się zaprzątnięty własnymi myślami, nie zareagował nawet, kiedy podszedłem całkiem blisko. Był ubrany w jasną marynarkę, sportową koszulę z rozpiętym kołnierzykiem i brązowe czy szare pomięte spodnie. Przywitałem nieznajomego skinieniem głowy. Odpowiedział mi tym samym.

Kostikow, który dzielił gabinet z Nieczyporienką, przedstawił sobie obu mężczyzn i wyszedł. Oswald i Oleg zostali sami. Amerykanin, poproszony o zajęcie miejsca, usiadł i, widocznie przejęty, zaczął mówić. Wyglądał na ogromnie zmęczonego.

Po raz wtóry Oswald wyciągnął swoje papiery, narzekał na FBI i powiedział, że przyjechał do Meksyku, by otrzymać wizę do dwóch krajów – turystyczną na Kubę oraz wizę na stały pobyt w ZSRR.

W duchu przeklinałem Walerija za „przekazanie" go mnie i uznałem, że czas już kończyć to spotkanie. Miałem w planie dnia ważniejsze sprawy. Wyjaśniłem Oswaldowi, że zgodnie z panującymi u nas zasadami, wszelkie kwestie związane z wyjazdem do ZSRR załatwiają nasze placówki w kraju zamieszkania petenta. W jego przypadku jednak moglibyśmy zrobić wyjątek i dać mu do wypełnienia papiery, które następnie muszą zostać przesłane do Moskwy. Odpowiedź jednak miał mimo wszystko otrzymać pod adresem stałego zameldowania. Musiałoby to potrwać minimum cztery miesiące.

Oswald słuchał moich wyjaśnień uważnie, ale z jego gestów i wyrazu twarzy jasno wynikało, że jest zawiedziony i coraz bardziej zły. Gdy skończyłem mówić, powoli nachylił się ku mnie i, na granicy panowania nad sobą, praktycznie wykrzyczał mi w twarz: „Nie mogę sobie pozwolić, żeby tak długo czekać! To nie dla mnie! Dla mnie to wszystko się tragicznie skończy!".

Wzruszyłem ramionami i wstałem, dając znak, że nasze spotkanie dobiegło końca. Gdy Oswald wkładał papiery do kieszeni marynarki, trzęsły mu się ręce. Wyprowadziłem go z budynku i pokazałem, którędy ma iść do bramy. Wyszedł najwyraźniej niezadowolony z wyniku naszej rozmowy. Wyglądał na niezmiernie wzburzonego. W ten oto sposób zakończyła się pierwsza wizyta Oswalda w naszej ambasadzie w Meksyku.

Jednak w ciągu dnia Nieczyporienko myślał jeszcze o tym Amerykaninie, który przyszedł do nich w południe, tak wytrącony z równowagi przez FBI.

W postępowaniu z cudzoziemcami kierowaliśmy się przede wszystkim – i chyba się nie mylę, przyjmując, że tak samo postępują i inne służby wywiadowcze – zasadą „pół na pół". To znaczy, że prawdopodobieństwo uzyskania dobrych, potencjalnie wartościowych informacji równe było prawdopodobieństwu, że informator jest „wtyczką", czyli pułapką zastawioną na nas przez wroga, czego konsekwencji nie da się przewidzieć.

Myśląc o człowieku, który odwiedził nas tego dnia i ważąc kryteria jednej i drugiej „połowy", doszedłem do wniosku, że on nie należy do żadnej z tych dwu kategorii, czyli że nie przedstawia dla nas żadnej wartości [...]. Było jasne jak słońce, że nasz kontrwywiad w kraju już go prześwietlił. A teraz, kiedy obserwuje go FBI, to niech oni się o niego martwią, pomyślałem.

Wieczorem Nieczyporienko, relaksując się w towarzystwie Kostikowa w meksykańskiej kantynie, dowiedział się od niego o telefonie od Silvii Duran. Po wizycie w ambasadzie radzieckiej Oswald wrócił do Kubańczyków i powiedział, że Rosjanie dali mu promesę, a Silvia Duran chciała się dowiedzieć, czy to prawda. Kostikow wyprowadził ją z błędu. Siedząc przy piwie, przez jakiś czas obaj Rosjanie rozmawiali o Oswaldzie. Ponieważ sami byli młodzi i mogli się poszczycić znakomitą formą fizyczną, przyjemność sprawiało im rozważanie, czy ten człowiek jest schizofrenikiem, czy tylko neurotykiem.

I Kostikow, i Nieczyporienko wyglądali prawie jak rodowici Meksykanie. Służyli w Meksyku na tyle długo, by zapuścić brody i wąsy, poza tym obaj mieli śniadą cerę. Może zresztą przykładali szczególną wagę do wyglądu. Dla oficera wywiadu podobieństwo do rodowitych mieszkańców kraju, w którym pracuje, jest dużym plusem. Ci dwaj zaczęli chyba nawet do pewnego stopnia myśleć jak Meksykanie – co nie będzie bez znaczenia w niezwykłym epizodzie, który wydarzy się już nazajutrz rano, w sobotę, kiedy Oswald ponownie odwiedzi ambasadę.

Kostikow, Nieczyporienko oraz ich bezpośredni przełożony, Jackow, byli gwiazdami drużyny siatkarskiej radzieckiej dyplomacji. Na sobotni poranek zaplanowany był „poważny mecz" przeciwko drużynie złożonej z personelu wywiadu wojskowego – GRU.

To jeden z przejawów ironii losu, towarzyszących podróży Oswalda do Meksyku: że w tym tak ważnym dla niego dniu, gdy ponownie zjawia się w ambasadzie radzieckiej, by przekonać urzędników, iż z uwagi na swoje wyjątkowe kwalifikacje powinien otrzymać wizę w trybie natychmiastowym – oni są myślami gdzie indziej. Jego obecność sprawia tylko, że coraz bardziej maleją ich szanse na punktualne stawienie się na mecz.

Paweł Jackow, który przyszedł do biura w ten sobotni poranek pierwszy, doznał ulgi, gdy zjawił się Kostikow, ponieważ cudzoziemiec, który właśnie przyszedł do nich na rozmowę, mówił po angielsku, a Jackow znał w tym języku kilka słów na krzyż. Kostikow opisał później tę scenę Nieczyporience. Warto ją dokładnie prześledzić:

Otworzyłem drzwi do pierwszego gabinetu i zobaczyłem Pawła siedzącego przy biurku, a przy drugim biurku, dosuniętym do tamtego po prawej stronie, plecami do okna siedział ten Amerykanin, który był u nas dzień wcześniej. Był rozczochrany, wymięty i nieogolony. Wyglądał na zaszczutego i był znacznie bardziej podenerwowany niż poprzednim razem. Pozdrowiłem go, a on odpowiedział mi kiwnięciem głowy. Paweł też wydawał się spięty. Zwrócił się do mnie tak: „Pomóż mi. Nie do końca rozumiem, czego on chce" [...]. W tym momencie Oswald z własnej inicjatywy [...] powiedział, że [...] pojechał do Związku Radzieckiego w charakterze turysty i został tam z powodów politycznych. Mieszkał przez jakiś czas na Białorusi, ożenił się z Rosjanką i wrócił do Stanów Zjednoczonych. Dawał nawet do zrozumienia, że niby miał tam do spełnienia jakąś tajną misję. Oznajmił, że jest komunistą i należy do organizacji, która broni Kuby. Paweł przerwał jego monolog i powiedział, że skoro Oswald był w Związku Radzieckim, mieszkał tam i pracował, to prawdopodobnie potrafi się wysłowić po rosyjsku, i spojrzał na niego z dezaprobatą. Bez słowa komentarza Oswald przeszedł na łamaną ruszczyznę. Do samego końca rozmowa toczyła się po rosyjsku [...].

Opowiadając swoje dzieje, Oswald znów, jak poprzedniego dnia, starał się je udokumentować, pokazując różne papiery [...] i powtórzył, że pragnie w trybie natychmiastowym otrzymać wizę do ZSRR [...]. Powiedział, iż motywuje go to, że bardzo trudno żyje mu się w Stanach Zjednoczonych, że bez przerwy jest obserwowany, a nawet prześladowany, że służby specjalne wtrącają się w jego życie prywatne, że przesłuchiwana jest jego żona, sąsiedzi. Stracił pracę, ponieważ kręcili się tam ludzie z FBI i zadawali pytania. Opowiadając to wszystko, niejednokrotnie wyrażał obawę o swoje życie.

Jak twierdził, marzył o powrocie do dawnej pracy w Związku Radzieckim i prowadzeniu tam spokojnego życia z żoną i resztą rodziny. Bardzo ciepło mówił o swojej żonie i dziecku.

Przez cały czas opowiadając, Oswald był niezmiernie wzburzony i wyraźnie zdenerwowany, szczególnie gdy mówił o FBI, ale nagle wpadł w ton histeryczny, zaczął szlochać i krzyczał przez łzy: „Boję się [...] oni mnie zabiją. Wpuśćcie mnie!". W kółko powtarzał, że jest prześladowany i że oni śledzą go nawet tu, w Meksyku. Nagle sięgnął prawą ręką do lewej kieszeni marynarki i wyciągnął rewolwer, mówiąc: „Widzicie? Muszę go nosić, żeby chronić życie", i położył go na biurku, przy którym siedzieliśmy.

Osłupiałem i spojrzałem na Pawła, który lekko zbladł, ale potem szybko powiedział do mnie: „Podaj mi tę spluwę". Wziąłem rewolwer ze stołu i podałem Pawłowi. Oswald, szlochając, ocierał łzy. Nie zareagował na moje zachowanie. Paweł wziął rewolwer do ręki, otworzył magazynek, wytrząsnął kule na otwartą dłoń i włożył je do szuflady. Następnie podał mi rewolwer, a ja odłożyłem go na biurko. Oswald dalej szlochał, aż wreszcie wziął się w garść. Chyba było mu obojętne, co zrobiliśmy z jego bronią. Paweł nalał wody do szklanki i podał mu. Oswald wypił parę łyków i postawił szklankę przed sobą.

W tym momencie Nieczyporienko, ubrany w szorty, gotów iść na mecz, zapukał do drzwi, by zabrać kolegów. Otworzył drzwi i wszedł do środka. Byli już spóźnieni.

Ale mecz nie wchodził już w rachubę. Przez ten rewolwer na stole. Nieczyporienko wyszedł i zamknął za sobą drzwi. Potem Jackow opowiadał mu, co się dalej działo:

[…] miał oczy mokre od łez i trzęsły mu się ręce […]. Zacząłem go pocieszać, mówić, że może mu się to wydaje straszne, [ale] powody jego prześladowania nie są [dla nas] jasne. Walerij powtórzył po angielsku kilka wypowiedzianych przeze mnie zdań. Co do jego wizy do ZSRR, to jeszcze raz wyjaśniliśmy naszemu gościowi, jakie obowiązują zasady, ale widząc, w jakim jest stanie, dałem mu wymagane formularze. W odpowiedzi na wielokrotnie powtarzane prośby, żebyśmy poparli jego starania o wizę kubańską, zamiast dawać mu wizę radziecką, powiedzieliśmy, że Kuba to niepodległy kraj, który sam decyduje o przyznawaniu wiz […].

Oswald pomału się uspokajał […] [ale] nie wziął formularzy, które chcieliśmy mu dać. Ogromne wzburzenie przerodziło się teraz w depresję. Wyglądał na zawiedzionego i straszliwie sfrustrowanego. Porozumieliśmy się z Walerijem wzrokiem i, dając do zrozumienia, że temat dyskusji został wyczerpany i że czas ją zakończyć, wstałem od biurka. Oswald podniósł się z krzesła, biorąc przy tym rewolwer i wkładając go pod marynarkę, do kieszeni spodni albo za pasek. Odwracając się do Walerija, raz jeszcze powiedział coś o tym, że jest śledzony. Schyliłem się, by wyjąć z szuflady kule. Podałem je Oswaldowi, a on wrzucił je do kieszeni marynarki. Pożegnaliśmy się skinieniem głowy. Walerij również wstał, spokojnie otworzył drzwi na korytarz i, przepuściwszy Oswalda przodem, wyszedł tuż za nim […].

W tym momencie Oleg widocznie ponownie otworzył drzwi, bo na opowieść Jackowa nakłada się jego własna wersja:

Wyraźnie usłyszałem Oswalda mówiącego, że boi się wracać do Stanów Zjednoczonych, gdzie zostanie zabity. „Ale jak mnie nie zostawią w spokoju, to będę się bronił". Walerij potwierdza, że Oswald rzeczywiście wypowiedział te słowa.

Zostało to sformułowane ogólnie, Oswald nie miał na myśli nikogo konkretnego. Wtedy był to dla nas pusty frazes. Co się z nim będzie działo w jego kraju, to już jego problem. Przypomnieliśmy sobie te słowa dopiero nieszczęsnego 22 listopada. Gdy wyprowadzałem Oswalda z budynku na podwórze i wskazywałem mu drogę do bramy, on wcisnął głowę w ramiona i podniósł kołnierz marynarki, żeby zakryć twarz i uniknąć w ten sposób sfilmowania umożliwiającego identyfikację [...].

Pisząc niniejszą książkę, zapytaliśmy Nieczyporienkę, jak to możliwe, że odpowiedzialny agent KGB zwrócił nie tylko broń, ale i kule człowiekowi tak wyraźnie wzburzonemu jak Oswald. Nieczyporienko wzruszył ramionami. „Stało się i już" – powiedział. Nie mógł wytłumaczyć dlaczego. Wprawdzie zrobił to Jackow, ale w tym czasie nie było to niczym niezwyczajnym.

„Czy gdyby to samo zaszło w Londynie, któryś z panów oddałby mu kule?".

„Nigdy" – odpowiedział Nieczyporienko.

Dzięki temu, że zaprzeczył, opowiedziana przez niego historia stała się bardziej wiarygodna. Można wysunąć hipotezę, że tych trzech oficerów KGB służyło w Meksyku na tyle długo, by rozumieć, że źle jest pozbawiać mężczyznę jego broni. To bowiem, zgodnie z logiką meksykańskich *cantinas*, równało się pozbawieniu męskości, a dla Meksykanina nie było aktu bardziej nieludzkiego.

„No dobrze – indagowano dalej oficera – oddanie broni jeszcze można zrozumieć. Ale kule?! A gdyby Oswald załadował broń po wyjściu za bramę i zastrzelił pierwszego lepszego przechodnia? A potem powiedział: «To Rosjanie mi dali te kule!»".

Nieczyporienko pokręcił głową. Stało się, co się miało stać. Może trzeba było przy tym być, żeby uwierzyć. Po prostu nie bali się tego, że ten Oswald wyjdzie na ulicę i narobi zamieszania, strzelając do ludzi.

Nigdy by się do tego nie przyznali, ale niewykluczone, iż myśleli, że broń może mu się przydać w obronie przed FBI. W końcu ilu ludzi z FBI w analogicznej sytuacji nie uwierzyłoby, że zbieg z Rosji będzie potrzebował kul, by bronić się przed KGB?

Albo – jeśli zabawimy chwilę przy motywie podanym przez Jackowa – może nie chciał on stworzyć sytuacji, w której Oswald poszedłby do ambasady USA w Meksyku i oznajmił, że Sowieci przetrzymują jego własność. Przecież ten człowiek mógł być zręcznym prowokatorem.

W każdym razie trzej oficerowie KGB, Jackow, Kostikow i Nieczyporienko, nie dotarli tego dnia na mecz siatkówki przeciwko GRU. Zajęci byli nadawaniem szyfrowanej wiadomości do centrali w Moskwie, opisującej spotkanie z Oswaldem. Czuli się winni, ponieważ ich drużyna przegrała z GRU.

Tamtego deprymującego sobotniego poranka Oswald udał się z ambasady radzieckiej do kubańskiej i wdał się w kolejną kłótnię z konsulem, Eusebio Azcue:

POSNER: Oswald znów żądał, by na podstawie dokumentów świadczących o jego politycznej wiarygodności wydano mu wizę, ale konsul powtórzył, że bez wizy radzieckiej jest to niemożliwe [...]. „Słyszę, że wygłasza skierowane przeciwko nam oskarżenia – wspomina Azcue. – Wyzywa nas od biurokratów, w bardzo niemiły sposób. W tym momencie ja też tracę cierpliwość i każę mu wyjść z konsulatu, być może nieco za agresywnie czy emocjonalnie". Powiedział Oswaldowi, że „taki człowiek jak on, zamiast pomagać rewolucji kubańskiej, tylko jej szkodzi". Azcue przysunął się do Oswalda, gotów siłą zmusić go do opuszczenia ambasady. „Wtedy wychodzi z konsulatu – wspomina Azcue – coś jakby sobie mruczy pod nosem i trzaska drzwiami, znów w bardzo nieuprzejmy sposób. Wtedy widzieliśmy go po raz ostatni".

Aż żal bierze, gdy wyobrażamy sobie Oswalda, jak idzie ulicą z torbą pełną dokumentów. Tyle wysiłku i starań włożył w ich skompletowanie, a nie zrobiły na nikim wrażenia.

W niedzielę poszedł obejrzeć walkę byków, a w poniedziałek jeszcze raz zajrzał do Nieczyporienki. Czy z Moskwy nadeszła pozytywna odpowiedź w sprawie jego wizy? Nie, powiedział Nieczyporienko.

Oswald poszedł na dworzec autobusowy i kupił bilet do domu. W roku 1959 i później jeszcze raz w roku 1962 udało mu się narzucić swoją wolę gigantycznym biurokracjom Związku Radzieckiego i Stanów Zjednoczonych, teraz jednak nie umiał powtórzyć tego wyczynu.

Wyjechał z Meksyku w środę o godzinie wpół do dziewiątej rano. Jakieś trzydzieści godzin później był z powrotem w Dallas. Nie odwiedził Mariny w domu Ruth Paine w Irving, tylko zapłacił za nocleg w YMCA i, jak się można domyślać, spał sam, tuląc w ramionach garstkę popiołów – jedyne, co zostało z jego planów.

Część VI

Punkt kulminacyjny

1

Droga do domatorstwa

W drodze powrotnej z Meksyku wydarza się znaczący incydent. Przekraczając granicę Teksasu, Oswald zjada banana. Ponieważ napisy na tablicach głoszą, że nie wolno wwozić do Stanów Zjednoczonych produktów spożywczych, przed kontrolą celną w Laredo pospiesznie pochłania jedzenie, które ma ze sobą. Niech się pan nie spieszy – słyszy nagle – może pan spokojnie dokończyć banana.

To drobny epizod, ale wiele mówi o tym, jak Oswald się zmienił. Po wybrykach w Meksyku przez jakiś czas ma zamiar przestrzegać przepisów. W ciągu całego dorosłego życia wahał się, czy ważniejsza jest dla niego sława, czy rodzina, a ta ostatnia podróż przeważyła szalę. Wyjeżdżał z USA w przekonaniu, że prawdopodobnie widzi Marinę ostatni raz w życiu; wracając postanawia, że będzie kochającym mężem.

Przyjechał do Dallas po południu i pierwsze kroki skierował do Teksaskiej Komisji Pracy, gdzie złożył zamówienie na ostatnie należne mu wypłaty zasiłku dla bezrobotnych i wpisał się na listę poszukujących pracy. Na noc zatrzymał się w YMCA, a następnego dnia rano ubiegał się o pracę zecera. To zajęcie jest dla niego tak odpowiednie, jak zajęcie kasjera w banku dla Bustera Keatona. Dyslektyk miałby zostać zecerem! A może widzi w tym po prostu możliwości drukowania własnych materiałów?

Rozmowa kwalifikacyjna wypadła zdecydowanie dobrze: „Oswald był przyzwoicie ubrany i schludny. Na brygadziście działu wywarł korzystne wrażenie [...]. Ponieważ miał już doświadczenie w pracy w fabryce, byłem zainteresowany zatrudnieniem go w naszej firmie [...].

Na swoje nieszczęście Oswald podał, że pracował uprzednio w firmie Jaggars-Chiles-Stovall, więc Theodore F. Gangl, kierownik fabryki, który przeprowadzał z nim rozmowę, sprawdził to i dopisał na odwrocie podania Oswalda: „Bob Stovall nie poleca tego człowieka. Został zwolniony, bo ma opinię wichrzyciela – przejawia ciągoty komunistyczne”.

Przekonany, że dostanie pracę, Oswald zadzwonił do Mariny, która mieszkała u Ruth w Irving, i pojechał tam autostopem.

McMillan: Chodził za nią po domu krok w krok jak mały psiak, wciąż ją całował i powtarzał: „Strasznie za tobą tęskniłem".

Lee spędził u Paine'ów cały weekend. Ruth zostawiała Oswaldów samych tak często, jak tylko mogła, starała się nawet zabierać June, żeby im nie przeszkadzała. A oni, beztroscy jak dzieci, huśtali się na huśtawkach na podwórku [...]. Przez cały weekend Lee okazywał żonie ogromną troskliwość, zachęcając ją, by więcej jadła, szczególnie bananów i jabłek, żeby piła soki i mleko, aby się wzmocnić przed przyjściem dziecka na świat. Ale Marina widziała, że myślami jest gdzie indziej, martwi się, czy dostanie pracę. Gdy Ruth odwoziła go na dworzec autobusowy w poniedziałek w południe, Lee zapytał, czy Marina mogłaby u niej zostać, póki on nie znajdzie zajęcia. Ruth odpowiedziała, że Marina może zostać tak długo, jak chce, i że jest mile widzianym gościem.

Wróciwszy do Dallas, Lee wynajął pokój u Mary Bledsoe. Z jej zeznania już po paru zdaniach wynika, że jest tak typową gospodynią wynajmującą pokoje, że bez trudu można ją sobie wyobrazić, naturalnie z zaciśniętymi wargami.

Ball: Czy rozmawiała pani z nim na temat korzystania z lodówki?

Mary Bledsoe: Mówił, że chce coś włożyć do lodówki, a ja powiedziałam... nie miałam nic do powiedzenia, tylko odchrząknęłam i wyjaśniłam: „Nie, mam małą lodówkę".

A on na to: „Skorzystam z niej tylko ten jeden raz". Był bardzo, bardzo uprzejmy.

Ball: Poszedł na zakupy?

Mary Bledsoe: Kupił masło orzechowe, sardynki i banany i trzymał to wszystko u siebie w pokoju, z wyjątkiem mleka, i jadł tam, jadł w pokoju. To mi się też nie podobało [...]. Później rozmawiał z kimś przez telefon i mówił w obcym języku [...]. Byłam w swoim pokoju, a telefon był tam [pokazuje], i to mi się nie podobało, więc powiedziałam do koleżanki, powiedziałam jej tak: „Nie podoba mi się, jak ktoś mówi w obcym języku".

Oswald jest wielkim snobem, ale zważywszy na to, z jakimi ludźmi ma do czynienia, czy można mu się dziwić?

Płacił za pokój siedem dolarów tygodniowo. W piątek, wybierając się znów do Irving, rozmawiał z panią Bledsoe o mieszkaniowych sprawach:

Mary Bledsoe: [...] powiedział: „Chcę mieć posprzątane w pokoju i świeżą pościel".

A ja powiedziałam: „Posprzątam i zmienię pościel, kiedy się pan wyprowadzi, bo wyprowadza się pan".

On zapytał: „Dlaczego?".

A ja mówię: „Bo nie będę już panu wynajmować pokoju" […].

On powiedział: „Proszę mi oddać pieniądze". Chodziło o dwa dolary.

Powiedziałam: „Nie mam tych pieniędzy".

Wyprowadził się w sobotę rano […].

Bez dwóch dolarów. Był to dopiero pierwszy tydzień po powrocie. Ponieważ wymówiono mu pokój bez podania powodu i nie dostał pracy, którą się spodziewał dostać, Oswald doszedł do wniosku, że FBI ostrzega przed nim ludzi. Dlatego przy wynajmowaniu następnego pokoju, wróciwszy do Dallas po drugim weekendzie w Irving, pani Earlenc Roberts, która opiekowała się pensjonatem pod nieobecność właścicielki, pani Johnson, Lee podał nazwisko O.H. Lee. Możliwe, że właśnie przez to fałszywe nazwisko, O.H. Lee, zakończył się dramat, jakim było jego życie.

Jego stosunki z Earlene Roberts układały się nieco tylko lepiej niż z panią Bledsoe.

BALL: Czy kiedykolwiek pani z nim rozmawiała?

EARLENE ROBERTS: Nic; nic był rozmowny.

BALL: Czy mówił „dzień dobry"?

EARLENE ROBERTS: Nie.

BALL: Albo „do widzenia"?

EARLENE ROBERTS: Nie.

BALL: Nic?

EARLENE ROBERTS: Nie odzywał się ani słowem.

BALL: Czy pani go zagadywała?

EARLENE ROBERTS: No tak – mówiłam mu „dzień dobry", a on najwyżej na mnie popatrzył – popatrzył na mnie spode łba i, nie zatrzymując się, szedł do swojego pokoju.

Przez najbliższe czterdzieści dni podczas weekendów w Irving Oswald będzie się często widywał z Ruth Paine i z żyjącym z nią w separacji mężem Michaelem.

Ruth, jak już wspomnieliśmy wcześniej, jest apostołem rozsądku i praworządności, liberałem tak archetypowym, jak pani Bledsoe jest typową gospodynią.

Ruth Paine wprawdzie nie rozumie dobrze Lee, ale też trudno od niej wymagać, by zgadywała skryte myśli młodego człowieka, który duchową strawę pobiera w równym stopniu od zwolenników władzy absolutnej i anarchistów.

Niemniej jednak Ruth Paine stała się jednym z głównych świadków Komisji Warrena, choć FBI początkowo jej nie ufało – czy była może agentką KGB, której zadaniem było trzymanie się Mariny? FBI prędko doszło też do tego, że mąż Ruth, Michael, był synem Lymana Paine'a, amerykańskiego radykała, który w latach trzydziestych pojechał do Norwegii, by odwiedzić przebywającego tam na wygnaniu Lwa Trockiego.

Przesłuchując Ruth, Komisja Warrena odkryła, że napisała ona o Lee i Marinie wiele listów do matki. Ponieważ listy te wplatają się w jej zeznania i świadczą o talencie Ruth do trafnego opisywania reakcji na Lee i Marinę, jej zeznania zajmują w dokumentach Komisji Warrena najwięcej miejsca – więcej nawet niż zeznania De Mohrenschildta, Mariny, Marguerite i Roberta Oswaldów czy kapitana Fritza z policji w Dallas. Jedyną wadą tego bogatego materiału jest to, że nie dowiadujemy się zeń prawie niczego nowego. Nie jest dla nas szczególnym zaskoczeniem fakt, że Oswald jest już na poły doskonałym mężem.

RUTH PAINE: Wiosną bardzo go nie lubiłam, bo myślałam, że chce się po prostu pozbyć żony i że mu na niej nie zależy [...]. Potem, kiedy widziałam się z nim pod koniec września w Nowym Orleanie, wydał mi się dużo sympatyczniejszy. To doskonały moment, żeby przytoczyć pozostałą część listu do matki, który napisałam 14 października, bo wskazuje on na coś, co, moim zdaniem, powinno się ogłosić publicznie, a ja jestem jedną z niewielu osób, które mogą o tym zaświadczyć. Tu Lee Oswald ukazuje się jako normalny człowiek, jako człowiek nawet dość przeciętny, a nie jako potwór, który planował porzucenie żony i był oschły i wrogi wobec wszystkich, z którymi się zetknął.

W tym krótkim okresie, kiedy przyjeżdżał na weekendy, widziałam w nim człowieka, któremu zależy na żonie i dziecku i który stara się być miłym gościem, chociaż tak naprawdę wolałby być sam.

Nie był rozmowny. [W tym liście] jest napisane: „Kochana Mamo! On przyjechał półtora tygodnia temu i od tego czasu szuka pracy. Jestem przekonana, że to dla niego bardzo przygnębiające. Zeszły weekend i jeszcze poprzedni spędził tu z nami i był miłym dodatkiem do naszej powiększonej ostatnio rodziny. Bawił się z Chrisem" – moim trzyletnim synem, który wówczas miał dwa latka – „oglądał w telewizji mecze piłki nożnej, zheblował drzwi, które nie były dobrze dopasowane [...]. I w ogóle wprowadził w domu tak potrzebną atmosferę obecności mężczyzny. Choć na początku miałam o nim kiepskie zdanie, teraz go polubiłam".

Następny fragment może nieco przybliży nam sposób myślenia Michaela Paine'a, który zastanawiał się, jak będzie to wyglądało od strony moralnej.

LIEBELER: Kiedy przeprowadził pan z żoną rozmowę o tym, czy pozwolić Marinie z wami zamieszkać? Czy było to przed ich powrotem z Nowego Orleanu?

MICHAEL PAINE: Tak.

LIEBELER: I wtedy doszedł pan do wniosku, że nie widzi pan przeszkód, by Marina miała przyjechać; zgadza się?

MICHAEL PAINE: Tak, zgadza się. Oczywiście Ruth bardzo ostrożnie ich wysondowała i zdała mi relację również z tego, jaką [Oswald] miał minę, kiedy im to proponowała, a on wydawał się raczej zadowolony, nie zmartwiony.

LIEBELER: Czy kiedy Marina zamieszkała u państwa w domu i Oswald bywał tam w październiku i listopadzie [...] czy [pana zdanie] potwierdziło się na podstawie obserwacji jego zachowania przez ten czas?

MICHAEL PAINE: Tak, potwierdziło się.

LIEBELER: Nie uważał go pan za osobę skłonną do używania przemocy czy też kogoś, kto mógłby dopuścić się takiego czynu, jak zabicie prezydenta?

MICHAEL PAINE: Nie – widziałem, że jest rozgoryczony. Że ma sporo bardzo negatywnych opinii o ludziach i o świecie, że ma bardzo mało wyrozumiałości dla innych, ale myślałem, że jest nieszkodliwy.

KONGRESMAN FORD. Czy ta opinia różniła się od tej, jaką powziął pan przy pierwszym spotkaniu z Oswaldem?

MICHAEL PAINE: Kiedy się poznaliśmy, byłem dość zaszokowany, szczególnie tym, że przy zupełnie obcym człowieku tak ostro zwracał się do żony i wtedy [...] doszedłem do wniosku, że chciałbym wyzwolić Marinę spod władzy tego człowieka, zainteresowałem się [więc] tym, żeby pomóc jej od niego uciec. Oczywiście, nie zamierzałem jej do tego przymuszać. Nie chciałem rozdzielać rodziny, która mogła jako tako funkcjonować.

LIEBELER: Czy rozgoryczenie, które wyczuł pan po jego powrocie z Meksyku, było czymś nowym?

MICHAEL PAINE: Nie. To rozgoryczenie tkwiło w nim od początku, [ale] gdy Marina się do nas wprowadziła, przybrała na wadze i wyładniała. Zaczęła lepiej wyglądać i wydawało mi się, że ich stosunki przestały być napięte. Nie kłócili się. Gruchali jak dwa gołąbki. Ona siadywała mu na kolanach, a on jej szeptał do ucha czułe słówka.

Gdy Lee wracał do Dallas po weekendzie spędzonym w Irving, co wieczór dzwonił i co wieczór miał tę samą niewesołą nowinę: jeszcze nie znalazł pracy.

Później wielu zwolenników teorii spiskowych uzna, że zatrudnienie go w Teksaskiej Składnicy Podręczników było wysoce podejrzane. Prawda jednak jest taka, że dostał tę pracę dzięki jednej z sąsiadek Ruth Paine, która powiedziała, że „jej brat pracuje w Składnicy Podręczników i że chyba mają tam wolne miejsce". To, że Oswald dostał tę pracę przez Ruth, było naturalnie jednym z powodów, dla których FBI początkowo było wobec niej podejrzliwe.

ROY TRULY: Zadzwoniła do mnie jakaś pani z Irving, powiedziała, że nazywa się Paine [i powiedziała:] „Panie Truly, pan mnie nie zna, ale moja sąsiadka ma brata [Wesleya Fraziera], który pracuje u pana i mówi, że macie teraz dużo pracy. Zastanawiałam się, czy nie przydałby się panu do roboty jeszcze jeden pracownik […]. Mieszka tu ze mną taki miły młody człowiek z żoną i z dzieckiem, a jego żona oczekuje drugiego dziecka, ma termin za parę dni. Ten człowiek na gwałt potrzebuje pracy".
Powiedziałem pani Paine, żeby go do mnie przysłała, a ja z nim porozmawiam – że nie mam dla niego nic stałego, ale jeśli się nada, to może na krótki czas coś się dla niego znajdzie […].
On przyszedł, przedstawił się i wziąłem go do siebie do biura na rozmowę. Wydał mi się spokojny i dobrze wychowany.
Dałem mu do wypełnienia podanie i on je wypełnił […]. Zapytałem, czy ma jakieś doświadczenie zawodowe, gdzie pracował, a on powiedział, że skończył służbę w piechocie morskiej i wyszedł z wojska […].

Nie przyznał się, że pracował w firmie Jaggars-Chiles-Stovall.

ROY TRULY:[…] sądząc, że dopiero co wyszedł z piechoty morskiej, nic już więcej nie sprawdzałem. Nie miałem dla niego żadnej stałej posady. Wyglądał mi na porządnego młodego człowieka – był spokojny i dobrze wychowany. Używał zwrotu „proszę pana" – a wielu młodych dziś tego nie robi.
Powiedziałem mu więc, żeby przyszedł do pracy szesnastego rano […].

BELIN: Czy może pan opisać, jak przebiegała jego praca w okresie, kiedy u pana pracował?

ROY TRULY: Przez ten czas, który u mnie przepracował, wybijał się nieco ponad przeciętną […] dobrze wykonywał swoją pracę.

BELIN: Jaką dostawał zapłatę?

ROY TRULY: 1,25 dolara za godzinę [...] pracował sam. Jego praca była takiego rodzaju, że nie potrzebował pomocy, tylko czasami prosił o nową dostawę [...]. Dlatego nie miał wielu okazji, żeby gadać z innymi chłopakami.

Myślałem sobie wtedy, że to dobra cecha, bo czasami trzeba chłopaków rozganiać i mówić im: „Przestańcie tyle gadać, weźcie się do roboty".

Wydawało mi się też, że się przykładał do pracy.

W ten piątek, 18 października, wypadły jego dwudzieste czwarte urodziny. Od trzech dni miał nową pracę, Marina miała niedługo rodzić, a w domu czekało na niego niespodziewane przyjęcie urodzinowe, stół był ładnie udekorowany. Jak powiedziała Priscilli Johnson McMillan Marina, Lee „nie mógł powstrzymać łez". To wzruszający moment, póki nie zdamy sobie sprawy, że to kolejna ogromna sprzeczność między dwiema stronami jego natury – stoikiem a człowiekiem, który przy lada okazji płacze. Oczywiście, łzy wyrażają też czułość, a on przejmuje się stanem Mariny – masuje jej kostki u nóg i podkłada poduszki pod plecy. Ale jest przecież synem Marguerite, perfekcjonistą.

McMILLAN: Co weekend przywoził ze sobą brudne ubrania, które Marina miała wyprać i wyprasować. Często odmawiał włożenia na siebie świeżo przez nią uprasowanej koszuli, twierdząc, że nie uprasowała jej jak należy. Ledwie siadali do kolacji, warczał na żonę: „Dlaczego nie ma mrożonej herbaty? Wiedziałaś, że przyjadę". Albo robił minę obrażonego dziecka i sepleniąc, żalił się, że nie może jeść, bo Marina zapomniała dać mu łyżkę i widelec. Ani razu nie wstał po nie sam i nie wyręczał żony, która była w ostatnich dniach ciąży [...].

Ale głaskał ją po głowie, gdy oglądali tego wieczoru telewizję.

Pod koniec weekendu, 20 października, Marina zaczęła odczuwać bóle porodowe. Lee musiał pozwolić, by Ruth zawiozła ją do szpitala Parkland w Dallas, a sam został w Irving z June i dwojgiem dzieci Ruth. Nie umiał prowadzić samochodu.

Po zaledwie dwóch godzinach Marina urodziła córeczkę. Lee dowiedział się o tym dopiero w poniedziałek rano przed wyjściem do pracy, bo spał już, kiedy Ruth wróciła do domu.

McMILLAN: Po południu tego dnia wrócił do Irving z Wesleyem Frazierem, ale nie wiadomo czemu miał opory przed pójściem do szpitala. Ruth początkowo nie wiedziała, co o tym myśleć, ale domyśliła się, że Lee boi się, żeby ktoś się nie dowiedział, że już ma pracę, i nie kazał mu pokryć kosztów pobytu żony w szpitalu. Ruth powiedziała, że szpital wie już, że on ma pracę; zapytano ją o to poprzedniego wieczoru w izbie przyjęć, a ona powiedziała prawdę. To jednak niczego nie zmieniło. Pobyt na oddziale położniczym tak czy owak był bezpłatny. Gdy Lee to usłyszał, zgodził się iść do szpitala.

Marina nie wiedziała o tym, że początkowo nie chciał przyjść. Siadając na jej łóżku, powiedział: „Mamusiu, jesteś cudowna. Tylko dwie godziny. Tak łatwo rodzisz". W oczach miał łzy.

Ze wspomnień Mariny: Bardzo się cieszył z narodzin kolejnej córki, nawet trochę się popłakał. Powiedział, że dwóm dziewczynkom będzie razem lepiej – będą dla siebie siostrami [...]. Z tego szczęścia mówił wiele głupot i był dla mnie bardzo czuły, a ja czułam się szczęśliwa, widząc, że on się trochę poprawił, to znaczy więcej myśli o rodzinie.

Podczas następnego weekendu w Irving Lee stał się wzorem kochającego ojca.

McMillan: Trzymał dziecko na rękach i głaskał je po głowie.

– Jest najładniejszym, najsilniejszym dzieckiem na świecie – chwalił się. – Ma dopiero tydzień, a już podnosi główkę. Jesteśmy silne, bo mama karmi nas mlekiem, a nie butelką, która jest albo za gorąca, albo za zimna. Mama daje nam to, co najlepsze.

Przyglądał się jej paluszkom, jej „delikatnym usteczkom" i jej ziewaniu. Wszystkim się zachwycał i twierdził, że jego córeczka jest co dzień ładniejsza.

– Wygląda dokładnie tak, jak jej mama – mówił.

Pełne nazwisko córeczki Lee brzmi Audrey Marina Rachel Oswald, ale wszyscy nazywają ją Rachel.

Ojcostwo wyzwala w Lee konserwatystę. Marina stara się wyjaśnić mu sytuację małżeńską Ruth, ale on nadal surowo ocenia zachowanie Michaela.

McMillan: Lee uważał, że po ślubie mężczyzna jest zobowiązany pragnąć być z żoną i mieć dzieci. Oburzał się na Michaela, że się ożenił, mimo że nie chciał mieć dzieci. Potępiał go za to, że przychodził do domu, jadł kolację i spotykał się z dziećmi jak normalny ojciec rodziny, a potem od nich odchodził [...]. Lee zwykle nie interesował się prywatnym życiem innych ludzi. Teraz jednak regularnie wypytywał Marinę, przez telefon i podczas weekendowych wizyt, jak się układa Ruth i Michaelowi. Chyba po raz pierwszy zobaczył w Paine'ach istoty ludzkie. Widać po nim było nawet świadomość, że on i jego rodzina zawadzają być może w tym skromnym parterowym domu na ranczu [...].

Marina dostała list od swojej młodszej siostry Galiny z Leningradu:

29 września 1963
Leningrad
Cześć, kochana Marinoczko!
[...] często śni mi się mama; to dość niemiłe, bo przecież ona nie żyje. A kiedy się budzę, jestem wystraszona [...].

Marinoczko, jak by to było miło, gdybyś przyjechała tu, do ojczyzny; mogłabyś znaleźć pracę i Twój mąż miałby pracę, a dzieci mogłyby iść do państwowego przedszkola, i wszystko by było dobrze. Ale czy pozwolą Ci znów wrócić? Jeśli przyjęłaś amerykańskie obywatelstwo, to mogą Ci nie pozwolić, a w ogóle to wydaje mi się, że byłoby Ci bardzo trudno wyjechać. Ale, szczerze mówiąc, wolałabym, żebyś mieszkała tutaj. Bezrobocie to najgorsze nieszczęście w życiu. My tu tego nie mamy; nie wiemy nawet, co to znaczy bezrobocie. Sama zresztą wiesz. Farmaceuci są w Leningradzie rozrywani. Przyjedź, ja cały czas na Ciebie czekam. Jeśli będzie Wam ciężko, to Wam pomożemy [...].

Przyjedź, Marina. Będziemy sobie razem chodzić na spacery, Ty i ja, wspominać młodość. Było wtedy miło, mogłaś wyjść za mąż i zostałybyśmy razem w Leningradzie. Ale byłyśmy głupie.

Marinoczko, kochana, pisz do mnie o wszystkim ze szczegółami. Ja też zawsze się cieszę, kiedy dostaję od Ciebie list [...].

Galka

Choć treść listu mówi sama za siebie, to wywołał on również nieprzewidziane skutki. Dzięki programom przechwytywania korespondencji zapoznali się z nim niewątpliwie i Sowieci, i Amerykanie. Tym sposobem FBI, które straciło Oswalda z oczu po jego wyjeździe z Nowego Orleanu, znów znało jego adres w Ameryce.

2

Cień FBI

Po południu w piątek, 1 listopada, gdy Marina układała włosy, przygotowując się na przyjazd Lee, w domu Ruth w Irving zjawił się agent FBI. Był to śniady, silny, przystojny mężczyzna nazwiskiem James P. Hosty. Jak mówił później Komisji Warrena, miał wtedy około czterdziestu spraw do załatwienia w Dallas i okolicach. Jeszcze w kwietniu zlokalizował Oswalda na Neely Street, ale ten wyprowadził się, nim Hosty zdążył z nim porozmawiać. Teraz Hosty nie tylko znał adres w Irving, lecz również wiedział, że Oswald był w Meksyku i złożył wizytę w tamtejszej ambasadzie radzieckiej i kubańskiej. Ponieważ FBI miało na terenie ambasady radzieckiej swoją wtyczkę, wiedziało, że Oswald spotkał się z Walerijem Kostikowem, którego FBI i CIA rozpoznały jako oficera w czynnej służbie Trzynastego Wydziału KGB – czyli jednostki, która od czasu do czasu zajmowała się zadaniami określanymi eufemistycznym mianem „mokrej roboty". Jak można sobie wyobrazić, FBI miało o Kostikowie mniej sympatyczną opinię niż Oleg Nieczyporienko, który przedstawiał go jako gwiazdę drużyny siatkarskiej.

McMillan: Ruth robiła coś koło domu, gdy [Hosty] się pojawił […]. Serdecznie się z nim przywitała, zaprosiła go do środka i, usiadłszy w salonie, przerzucali się uprzejmościami. Hosty powiedział, że w odróżnieniu od Komitetu do Badania Działalności Antyamerykańskiej, FBI nie jest organizacją, która urządza polowania na czarownice.

Stopniowo Hosty kierował rozmowę na Lee. Czy mieszkał w domu Ruth? Ruth odpowiedziała, że nie. Czy wie, gdzie on mieszka? Znów w odpowiedzi padło nieoczekiwane „nie". Ruth nie wiedziała, gdzie Lee mieszka, ale wiedziała, że gdzieś w Dallas, stawiała na dzielnicę Oak Cliff. Czy Ruth wie, gdzie on pracuje? Wyjaśniła Hosty'emu, że Lee uważa, iż przez FBI miał kłopoty z pracą. Hosty ją zapewnił, że FBI nie ma zwyczaju zwracać się bezpośrednio do pracodawców. To wystarczyło, by Ruth ustąpiła i powiedziała, gdzie Lee pracuje. Razem poszukali adresu Składnicy Podręczników w książce telefonicznej. Lee pracował przy Elm Street 411.

Mniej więcej wtedy do pokoju weszła Marina.

McMillan: Zanim Hosty wyszedł, Marina błagała go, żeby nie wtrącał się do pracy Lee. Wyjaśniła mu, że mąż miał trudności ze znalezieniem pracy i uważa, że zostaje zwalniany, „bo interesuje się nim FBI" […].

„Nie sądzę, by stracił jakąś pracę z powodu FBI" – powiedział łagodnie Hosty.

Ruth i Marina zachęcały gościa, by został u nich dłużej. Mówiły, że jeśli chce się spotkać z Lee, to on będzie na miejscu o 17.30. Hosty jednak musiał wracać do biura; i […] poprosił Ruth, by się dowiedziała, gdzie Lee mieszka. Ruth myślała, że nie będzie to przedstawiało najmniejszego problemu: po prostu zapyta Lee.

Ruth Paine: Powiedziałam agentowi Hosty'emu, że jeśli w przyszłości Marina zamieszka z Lee, a ja będę wiedziała gdzie, będę miała z nimi kontakt, to jeśli będzie chciał, mogę mu przekazać ich adres. Następnego dnia czy jeszcze wieczorem tego samego dnia, w każdym razie niedługo potem, Marina powiedziała mi, gdy zmywałyśmy naczynia, że, jej zdaniem, ich adres to ich sprawa […]. To mnie zaskoczyło. Nigdy wcześniej tak się do mnie nie odzywała, a ja nie widziałam nic złego w tym, co powiedziałam.

Możemy tylko się domyślać, jak Oswald gniewałby się na posłuszeństwo okazywane władzom przez Ruth Paine w imię szczerości i uczciwości, która nie ma nic do ukrycia.

Lee przyjechał w dobrym nastroju, ale w chwili gdy usłyszał o wizycie Hosty'ego, wyraźnie się zdenerwował. Podczas kolacji zstąpił w głębiny milczenia. Przez cały weekend był aktywny, rozwieszał pieluchy na lince na podwórzu, bawił się z dziećmi pod drzewem i oglądał w telewizji piłkę nożną, co było dla niego największą rozrywką w sobotnie i niedzielne popołudnia, ale przez cały czas myślami pozostawał przy FBI. Dał Marinie wyraźne wskazówki: gdy znów przyjdą, miała zapamiętać ich samochód, umieć opisać, ile ma drzwi i jakiego jest koloru i, co najważniejsze, zanotować numer rejestracyjny. Powiedział jej nawet, że samochód może nie stać przed domem Ruth, ale na pewno będzie gdzieś na ulicy, prawdopodobnie przed domem sąsiadów. Był w nastroju, który znała aż za dobrze z czasów, gdy mieszkali przy Neely Street, i przez całe niedzielne popołudnie w milczeniu oglądał mecz piłki nożnej.

McMILLAN: Michael był w domu i parę razy przeszedł nad Lee, który leżał na podłodze. Michaela gryzły wyrzuty sumienia. Uważał, że zachował się grubiańsko, przechodząc nad Lee bez słowa [...]. Nie przeszkadzało mu to, że Lee leży na podłodze w jego domu, ogląda telewizję i sprawia, że robi się ciaśnicj. Michael myślał, że – jak na człowieka określającego się mianem rewolucjonisty – Lee ma strasznie dużo wolnego czasu [...]. „Leżenie całymi dniami i oglądanie telewizji – mówił sobie w duchu Michael – to jak na rewolucjonistę dziwny sposób spędzania czasu".

Późnym popołudniem Ruth udzieliła Lee trzeciej lekcji jazdy samochodem – uczyła go cofać, parkować i skręcać w prawo. Jej zdaniem, tego dnia Lee chwycił, na czym polega parkowanie.

Dwa dni później, we wtorek, 5 listopada, znów przyszedł Hosty. Jego druga wizyta u Ruth była jeszcze milsza niż pierwsza.

JENNER: [...] czy to już wszystko, co potrafi sobie pani na ten temat przypomnieć?

RUTH PAINE: Chyba jeszcze jedno. Agent Hosty zapytał mnie [...], czy problem nie jest natury psychicznej. Chodziło mu o Lee Oswalda. Odpowiedziałam, że nie umiem zrozumieć procesów myślowych człowieka, który wyznaje filozofię marksistowską, ale że to zupełnie co innego niż podejrzewanie go o niezrównoważenie psychiczne czy niemożność funkcjonowania w normalnym społeczeństwie

Powtórzyłam Lee, że mnie o to zapytano. Nic na to nie odpowiedział, tylko szyderczo się zaśmiał, prawie bezgłośnie.

Istnieje wątpliwość co do tego, czy podczas drugiej wizyty Hosty'ego Marina rozmawiała z nim, czy nie. On sam sobie tego nie przypomina, ale Marina upiera się, że rozmawiała i że to była miła rozmowa.

Ponieważ Marina, podobnie jak Lee, również była zdolna do działania jednocześnie na różnych frontach, udało jej się także wyśliznąć na chwilę z domu i zapamiętać kształt i kolor samochodu Hosty'ego oraz numer rejestracyjny. Gdy tylko wróciła do swojej sypialni, zanotowała to wszystko na kartce papieru.

McMILLAN: Później rozmawiała z Ruth o tym, czy mówić Lee o tej wizycie. Ruth uważała, że lepiej by było poczekać z tym do weekendu, i Marina się z nią zgodziła. Każdą rozmowę telefoniczną w tym tygodniu (a dzwonił dwa razy dziennie, w przerwie na lunch i o godzinie 17.30) Lee zaczynał od pytania: „Był ktoś z FBI?". Za każdym razem Marina odpowiadała, że nie.

Gdy tylko Lee przyjechał w piątek po południu, natychmiast poszedł na podwórze, gdzie Marina wieszała pieluchy, i zapytał:

– Byli tu jeszcze raz?

Marina odpowiedziała, że tak [...].

– Jak mogłaś zapomnieć?

– Ostatnim razem się zdenerwowałeś [...].

– Bardziej się denerwuję, jeśli to przede mną ukrywasz. Dlaczego ciągle musisz coś przede mną kryć? Nigdy nie mogę na ciebie liczyć [...].

„Nigdy nie mogę na ciebie liczyć!". To odwieczny okrzyk każdego męża i żony, których małżeństwo jest tylko po części udane, a im nie udaje się przeskoczyć muru, który dzieli ich od pozostałej części.

McMillan:

– Lee, on jest taki miły. Nie bój się. Objaśnił mi tylko moje prawa i obiecał, że będzie ich bronił.

– Głupia jesteś – powiedział Lee [...]. – Nie obchodzą go twoje prawa. Przychodzi tu, bo to jego obowiązek [...] mam nadzieję, że nie dałaś mu pozwolenia na obronę twoich „praw"?

– Oczywiście że nie – odparła Marina. – Ale się z nim zgodziłam.

– Głupia jesteś – powtórzył. – Przez te „prawa" zyskasz tyle, że będą ci zadawać dziesięć razy więcej pytań niż przedtem. Jak ambasada radziecka się dowie, że pozwoliłaś temu człowiekowi bronić swoich „praw", to znajdziesz się w niezłych tarapatach [...].

Jedyne, co poprawiło mu nieco humor, to fakt, że Marina zanotowała numer rejestracyjny wozu Hosty'ego. Z samego rana w sobotę, 9 listopada, Lee zapytał Ruth, czy może mu pożyczyć swoją maszynę do pisania. Następnie w takiej pozie, jakby miał coś do ukrycia, zakrywając stronę, którą przepisywał na maszynie, pracował nad czymś, co najwyraźniej było dla niego ważne. Okazało się, że jest to list do ambasady radzieckiej w Waszyngtonie.

Szanowni Państwo!

Piszę, by poinformować Państwa o tym, co zaszło od czasu mojej rozmowy z towarzyszem Kostinem w ambasadzie ZSRR w Meksyku.

Nie mogłem zostać w Meksyku na czas nieokreślony, ponieważ moja wiza meksykańska ważna była tylko na piętnaście dni. Nie mogłem ryzykować ubiegania się o jej przedłużenie, wówczas bowiem musiałbym podać swoje prawdziwe nazwisko, wróciłem zatem do USA.

Mieszkam teraz z Mariną Nikołajewą w Dallas w stanie Teksas.

FBI nie interesuje się obecnie moją działalnością w postępowej organizacji Komitet na rzecz Uczciwych Stosunków z Kubą, w którego nowoorleańskim oddziale pełniłem obowiązki sekretarza, ponieważ nie mieszkam już w stanie Luizjana.

Tu, w Teksasie, odwiedził mnie agent FBI, James P. Hosty. 1 listopada ostrzegł mnie, że jeśli będę się starał zaangażować w działalność Komitetu na rzecz Uczciwych Stosunków z Kubą w Teksasie, to FBI znów się mną „zainteresuje". Agent ten również „zasugerował", że moja żona mogłaby „zostać w USA pod opieką FBI", czyli że mogłaby się zrzec obywatelstwa radzieckiego.

Oczywiście i ja, i moja żona ostro sprzeciwiliśmy się tej taktyce osławionego FBI.

Wcale nie zamierzałem kontaktować się z ambasadą Kuby w Meksyku, dlatego jej pracownicy nie byli przygotowani na moją wizytę. Gdybym zgodnie z planem dotarł do Hawany, tamtejsza ambasada ZSRR by mi pomogła. Oczywiście zawinił tu ten głupi kubański konsul. Cieszę się, że został już zastąpiony przez kogoś innego.

Był to dziwaczny list i trudno sobie wyobrazić, by mógł służyć jakiemuś celowi. Pracownicy ambasady w Waszyngtonie byliby wobec niego nieufni. Albo umysł Oswalda nie działał tak sprawnie, jak zazwyczaj, jeśli chodziło o manipulowanie ludźmi, albo napisał on ten list z założeniem, że zostanie przeczytany przez FBI i narobi zamieszania między formalną a tajną częścią tej instytucji. To taka akcja COINTELPRO zaimprowizowana przez Oswalda. Pamiętajmy, że nazwę COINTELPRO wymyśliło FBI, a nie Ian Fleming, twórca Jamesa Bonda.

Jeszcze raz musimy zadać sobie pytanie, czy Oswald faktycznie pracował dla COINTELPRO bądź podobnego ugrupowania. Z tego pytania wynika następne: czy Oswald starał się uwolnić od tego ugrupowania, czy chciał je skompromitować? A może zaczął wariować od wywieranej na niego presji upodobnienia się do zwykłych ludzi?

W każdym razie niewykluczone, że jego reakcja na Hosty'ego jest odbiciem presji wywieranej nań przez grupę, od której otrzymywał pieniądze. Możliwe, że ukrywając się w Dallas, przez jakiś czas poczuł się wolny, a wizyta Hosty'ego, choć miała niewinny charakter, znów wywołała w Oswaldzie zrozumiałą do pewnego stopnia paranoję. On przecież nie mógł wiedzieć, kto się z kim kontaktuje w FBI.

Jego zdenerwowanie da się, oczywiście, wytłumaczyć racjonalnie. Jeśli zgodził się pracować w charakterze czynnego prowokatora dla ludzi, których uważał za agentów FBI, to zapewne obiecano mu, że FBI nie będzie odwiedzało go ani w pracy, ani w domu. Teraz reguły gry się zmieniły.

W każdym razie dwa dni później, 12 listopada, w czasie przerwy na lunch, Oswald udał się do głównego biura FBI przy Commerce Street, do którego nie miał daleko ze swojej Składnicy Podręczników, i „z dzikim błyskiem w oku", jak opisała to recepcjonistka, dał jej niezaklejoną kopertę z listem do Hosty'ego. Hosty wyszedł wtedy na lunch.

Co do treści listu, musimy polegać na oświadczeniu Hosty'ego, któremu jednak trudno ufać, ponieważ jego przełożony, Gordon Shanklin, rozkazał mu zniszczyć ów list. Hosty zeznał – ale wiadomo, ile takie zeznanie jest warte w podobnych okolicznościach – że w tym liście Oswald zabronił mu odwiedzać i niepokoić jego żonę oraz dał do zrozumienia, że jeśli Hosty nie zaniecha tych wizyt, to on, Oswald, jest gotów działać przeciwko FBI. Nie można było stwierdzić, czy miała to być osobista pogróżka, czy też ostrzeżenie o zamiarze wstąpienia na drogę sądową.

Hosty twierdzi, że ciągle otrzymywał tego rodzaju anonimowe listy, więc nawet nie mógł wiedzieć, czy ten akurat został napisany przez Oswalda, czy przez kogoś innego. Po prostu włączył go do akt. Taka obojętność jednak nie przystaje do faktu, że Hosty wiedział o wizycie Oswalda w Meksyku i o tym, że dwukrotnie odwiedził on ambasadę radziecką oraz dwa razy rozmawiał z agentem KGB, który, wedle informacji FBI, był ekspertem od „mokrej roboty".

Ruth tymczasem także przeżyła atak paranoi. W niedzielę 10 listopada, pisząc na maszynie list do ambasady radzieckiej, Lee zostawił jego odręczny brudnopis na biurku Ruth. Ona, płonąc z ciekawości, do której nie chciała się przyznać, przeczytała kilka pierwszych linijek i była nimi tak poruszona – „Towarzysz Kostin, kto to słyszał!" – że:

Ruth Paine: Następnie przeczytałam list w całości i zastanawiałam się – wiedziałam, że to nieprawda – i zastanawiałam się, dlaczego to napisał. Muszę też powiedzieć, że byłam na niego zła, że pisał nieprawdę na mojej maszynie do pisania. Uważałam, że mam niejakie prawo to przeczytać.

Wychodzi z niej ukryta zaborczość. Spośród zajmujących setki stron wypowiedzi Ruth Paine to jedna z niewielu, z której wynika, że wszechświatem rządzi coś jeszcze poza rozumem.

Jenner: Czy kiedykolwiek rozmawiała z nim pani o [tym liście]?

Ruth Paine: Nie. Byłam tego bliska [...]. Późnym wieczorem on oglądał w telewizji jakiś film szpiegowski, a ja wstałam z łóżka, usiadłam obok niego na sofie i powiedziałam: „Nie mogę zasnąć", chcąc nawiązać rozmowę o liście [...]. Ale, z drugiej strony, trochę się obawiałam i nie wiedziałam, co mam robić.

Kongresman Ford: W jakim sensie się pani obawiała?

Jenner: Obawiała się pani, że może pani wyrządzić fizyczną krzywdę?

Ruth Paine: Nie, nie [...], choć nie wydaje mi się, żebym jasno zdawała sobie sprawę z tego, czego właściwie się boję. Usiadłam, powiedziałam, że nie mogę zasnąć, a on na to: „Pewnie się denerwujesz jutrzejszą wizytą u adwokata".

Wiedział, że nazajutrz miałam się spotkać ze swoim adwokatem, żeby omówić kwestię rozwodu. Tak się składa, że nie to było powodem bezsenności, ale [...] bardzo miło z jego strony, że o tym pomyślał. Dałam więc sobie spokój, a [...] później przeprosiłam go i poszłam się położyć.

W piątek, 15 listopada, gdy Lee zadzwonił w południe, by porozmawiać o przyjeździe do Irving w przyszły weekend, Marina zasugerowała mu, że może Ruth i Michael potrzebują trochę czasu dla siebie. Może i ona szukała chwili wytchnienia od Lee. Jego reakcja emocjonalna na drugą wizytę Hosty'ego dosyć ją wyczerpała, a to na pewno nie wpłynęło dobrze na jej pokarm. Nie powiedziała tego wprost, ale on ochoczo przystał na sugestię i powiedział, że nie ma sprawy; i tak ma w ciągu weekendu coś do załatwienia w Dallas.

Nikt nie wie, czym poza pracą zajmował się Oswald w Dallas między poniedziałkiem 11 listopada a środą 20 listopada. Dwudziestego pierwszego, w czwartek, na dzień przed wizytą Kennedy'ego w Dallas, przyjechał do Irving – o dzień wcześniej niż zwykle. Wiadomo zatem, jak spędził akurat ten dzień, ale przez okres dziesięciu dni od 11 listopada do 20 listopada jedyną datą, o której coś nam wiadomo, jest 12 listopada, kiedy to Oswald udał się do siedziby FBI, by spotkać się z Hostym.

Gerald Posner dużą wagę przywiązuje do wypowiedzi Earlene Roberts o tym, że nigdy nie widziała, by Oswald wychodził wieczorem. Pomija jednak uwagę, którą dorzuciła później, zeznając przed Komisją Warrena: „A jeśli wychodził, to wtedy, kiedy już spałam, więc nic o tym nic wiedziałam".

Jego pokój, mały i wąski, mieścił się na parterze i miał niskie okna, Oswald mógł więc wymykać się niepostrzeżenie, kiedy tylko chciał. Nie przytaczamy tego po to, by udowodnić, że prowadził nocne życie, tylko żeby podkreślić – a tego nigdy nie za dużo – że niejeden rzekomo niezbity fakt, przytaczany przez autorytety, solidnością i wytrzymałością przypomina skorupkę jajka.

Wieczorem 17 listopada w niedzielę, gdy Lee, zgodnie z umową, nie przyjechał do Irving, ale również nie zadzwonił, Marina zaczęła się niepokoić.

McMILLAN: [...] widząc, jak Junie bawi się tarczą telefonu i mówi: „Tata, tata", postanowiła nagle:

– Zadzwońmy do taty.

Marina nie radziła sobie z telefonem, więc to Ruth zadzwoniła [...] odebrał jakiś mężczyzna.

– Czy zastałam Lee Oswalda? – zapytała Ruth.

– Nie mieszka tu żaden Lee Oswald [...].

Nazajutrz, 18 października, Lee jak zwykle zadzwonił w porze lunchu.

– Dzwoniłyśmy do ciebie wczoraj wieczorem – powiedziała Marina. – Gdzie byłeś? [...]

Po drugiej stronie nastąpiła długa chwila ciszy.

– O, cholera. Ja tam nie mieszkam pod prawdziwym nazwiskiem.

Marina zapytała dlaczego.

– Ty nic nie rozumiesz – powiedział Lee. – Nie chcę, żeby FBI też zaraz wiedziało, gdzie mieszkam.

Kazał jej nie mówić o tym Ruth [...].

Marina była wystraszona i zaszokowana.

– Znów zaczynasz te swoje głupstwa – zrobiła mu wymówkę. – Te swoje komedie. Jak nie jedna, to druga. A teraz to zmyślone nazwisko. Do czego to wszystko doprowadzi?

Lee musiał wracać do pracy. Powiedział, że zadzwoni później.

Marina gniewała się nie na żarty za to jego fałszywe nazwisko. Dla niej oznaczało to, że on nigdy nie wyrzeknie się swoich wielkich idei; w jego zaangażowaniu w politykę nie bez sporej racji widziała truciznę dla ich małżeństwa. A idee miał równie wielkie, jak potrzebę kłamstwa.

Nie wybaczy mu tego pseudonimu O.H. Lee, choć on nieraz ją o to poprosi. Niejednokrotnie odmawiała mu wybaczenia. Zepsuje to nawet ich ostatnią wspólną noc. Jak większość partnerów w małżeństwach, które są tylko na poły dobrane, wybrała sobie najgorszą porę na dąsy.

Następnie Lee popełnił błąd, dzwoniąc do niej wieczorem w poniedziałek 18 listopada i wdając się w kłótnię. Nakazał jej wykreślić swój numer telefonu z notesu z telefonami Ruth. Miała to zrobić po to, żeby FBI nie udało się tego numeru zdobyć. Marina powiedziała mu, że nie tknie własności Ruth.

„Rozkazuję ci go wykreślić" – powiedział Lee. Miał tak nieprzyjemny głos, że Marina odpowiedziała: „Nic z tego", i odłożyła słuchawkę.

Lee nie zadzwonił do niej ani we wtorek, ani w środę. W czwartek, 21 listopada, w godzinach pracy zagadnął Wesleya Fraziera.

WESLEY FRAZIER: [...] Stałem sobie i przyjmowałem zamówienia, a on zapytał: „Mógłbym dziś po południu zabrać się z tobą do domu?".

Ja powiedziałem: „Jasne. Mówiłem ci już, że możesz się ze mną zabierać, kiedy tylko chcesz, kiedy tylko chcesz zobaczyć się z żoną, to cię podrzucę, nie ma sprawy". [Potem] mi się skojarzyło, że przecież to nie jest piątek, i zapytałem: „Dlaczego jedziesz dzisiaj?".

A on mówi: „Jadę do domu, bo muszę zabrać karnisze". Powiedział: „Wiesz, do mojego mieszkania".

[...] Powiedziałem: „Dobra", i więcej o tym nie myślałem [...].

Oswald dojrzał już do poważnej decyzji. To dopiero wstęp do ostatecznego kroku, ale postanowił zabrać karabin do Składnicy Podręczników w piątek, 22 listopada. Przez cały tydzień w pracy mówiło się o wizycie prezydenta Kennedy'ego. W gazetach opublikowano trasę jego przejazdu. Kolumna samochodów miała przejechać Elm Street obok Teksaskiej Składnicy Podręczników. Nasz

Oswald, co połowę życia strawił na czytaniu książek, a obecnie pracował w miejscu, skąd wysyłano podręczniki amerykańskim uczniom i studentom, przygotowuje się być może do popełnienia czynu, który ogromna większość miłośników książek bez namysłu by potępiła.

Rankin: Czy powiedział pani, że przyjedzie w najbliższy czwartek [21 listopada]?

Marina Oswald: Nie [...].

Rankin: A zamach miał miejsce dwudziestego drugiego.

Marina Oswald: Trudno tego nie pamiętać.

Rankin: Czy mąż podał pani powód, dlaczego przyjechał do domu w czwartek?

Marina Oswald: Powiedział, że czuł się samotny, bo nie przyjechał w poprzedni weekend, i chciał się ze mną pogodzić [...].

Rankin: Gniewała się pani na niego?

Marina Oswald: Oczywiście, że się gniewałam, [a] on się tym przejmował [...]. Bardzo się starał mnie ułagodzić. Dość dużo czasu spędził na składaniu pieluch i zabawie z dziećmi na ulicy.

Rankin: Jak dała mu pani do zrozumienia, że się na niego gniewa?

Marina Oswald: Nie odzywałam się do niego.

Rankin: A jak on okazywał, że się tym przejmuje?

Marina Oswald: [...] Kilka razy próbował zagaić rozmowę, ale ja nie odpowiadałam. Mówił, że nie chce, żebym się na niego gniewała, bo go to przygnębia [i] zaproponował, żebyśmy wynajęli mieszkanie w Dallas. Powiedział, że ma dość mieszkania w pojedynkę i że może gniewam się na niego dlatego, że nie mieszkamy razem, i że jeśli chcę, to jutro wynajmie mieszkanie w Dallas [...]. Powtórzył to nie raz, ale parę razy, lecz ja nie ustąpiłam. Powiedział jeszcze, że ja znów wolę przyjaciół od niego i że go nie potrzebuję.

Rankin: Co pani na to odpowiedziała?

Marina Oswald: Powiedziałam, że lepiej będzie, jeśli zostanę z Ruth do wakacji [...], ponieważ kiedy Lee mieszka sam, a ja u Ruth, wydajemy mniej pieniędzy.

Powiedziałam mu, żeby kupił mi pralkę, bo przy dwójce dzieci jest mi za ciężko prać ręcznie.

RANKIN: Co on na to odpowiedział?

MARINA OSWALD: Przyrzekł, że kupi mi pralkę.

RANKIN: A co pani na to odpowiedziała?

MARINA OSWALD: Że dziękuję, że będzie lepiej, jeśli kupi coś dla siebie, że ja się obejdę [...].

RANKIN: Czy to jeszcze bardziej go przygnębiło?

MARINA OSWALD: Tak. Potem przestał ze mną rozmawiać, oglądał telewizję, a później się położył. Ja poszłam spać później. On poszedł do łóżka koło dziewiątej. Ja się położyłam około 23.30 [i] wydawało mi się, że on tak naprawdę nie śpi, ale nie odezwałam się do niego.

Od zupełnego załamania w Meksyku Lee przeszedł do pomniejszych klęsk. Marina, mieszkając z Ruth, jest stosunkowo niezależna. Już nie potrzebuje go, by przeżyć. Z drobnych przejawów tyranii, stosowanych przez niego w czasie trwania ich małżeństwa, możemy wnioskować, jak głębokie jest jego pełne obawy przed samotnością przekonanie, że jeśli żona by go nie potrzebowała, to nie chciałaby mieć z nim nic wspólnego. Jego potrzeba miłości zatem (a nie zdolność do miłości) była ogromna. Miłość chroniła go przed fizycznym atakiem na całą ludzkość, a można przyjąć, że Kennedy był wówczas najdoskonalszym przedstawicielem rasy amerykańskiej. W przeddzień przyjazdu Kennedy'ego Lee musiał się bardzo bać o to, czy Marina go jeszcze kocha. Kennedy był typem mężczyzny, którego każda kobieta (a już na pewno Marina) uznałaby za bardziej atrakcyjnego od niego, Oswalda. Tak, męczyło go to, czy żona choć trochę go kocha. Dla niego nie było otchłani równie głębokiej, jak otchłań nieodwzajemnionej miłości.

Tego listopadowego wieczoru w Teksasie mrok już gęstniał, ale nie przestało być ciepło – można się było bawić na powietrzu.

McMILLAN: Lee wyszedł na trawnik przed domem i bawił się z dziećmi, póki nie zrobiło się ciemno – z dziećmi Paine'ów, sąsiadów i z June. Brał June na barana i oboje wyciągali ręce w górę, by złapać motyla. Potem Lee starał się chwytać spadające liście dębu dla June.

Wyczuwa się w tym coś ostatecznego: oto ostatnia okazja wspólnej zabawy – łapanie spadających dębowych liści.

McMILLAN: Wieczór był spokojny. Lee powiedział Ruth, jak już wcześniej mówił Marinie, że był w FBI, chciał się widzieć z którymś z agentów i zostawił list, w którym jasno wyraził, co myśli o ich wizytach. Marina mu nie uwierzyła. Myślała, że „udaje bohatera" i że to kolejny przypadek jego samochwalstwa. Potem rozmowa przy kolacji była tak zwyczajna, że nikt jej nie pamięta; Ruth odniosła jednak wrażenie, że stosunki między Oswaldami były „serdeczne", „przyjazne", „ciepłe" – „jak to bywa z parą, która godzi się po małej sprzeczce".

Ruth jak zwykle trafia w dziesiątkę, w sam środek tarczy kompletnej pomyłki. Oswald osiągnął stan spokoju, jaki niektórzy mężczyźni odczuwają przed walką, gdy lęk jest na tyle głęboki, że przypomina cichą egzaltację: wreszcie mam ruszyć do akcji, która swoim znaczeniem będzie odpowiadała ważności mojego życia.

McMILLAN: Marina stała jeszcze przy zlewie, gdy Lee wyłączył telewizor, wsunął głowę do kuchni i zapytał, czy może pomóc. Marina pomyślała, że wygląda na zasmuconego.
– Idę się położyć – powiedział. – Pewnie nie przyjadę na weekend.
– Dlaczego?
– To by było za często. Przecież jestem dzisiaj.
– Okay – zgodziła się Marina.

JENNER: Co pani robiła tamtego wieczoru? Czy miała pani okazję zauważyć, co robił Oswald?

RUTH PAINE: Zjedliśmy jak zwykle kolację, potem ja wykąpałam dzieci, położyłam je do łóżeczek i przeczytałam im bajkę, czyli byłam w innej niż oni części domu. Kiedy skończyłam, Lee leżał już w łóżku, a było wtedy koło dziewiątej. Poszłam do garażu, żeby pomalować dzieciom klocki, i pracowałam tam przez jakieś pół godziny. Zauważyłam że kiedy weszłam [do garażu] paliło się tam światło [...].

JENNER: Czy to było dziwne?

RUTH PAINE: Tak, to było dziwne [...]. Doszłam do wniosku, że [Lee] był w garażu [przede mną]. Oni oboje brali stamtąd swoje rzeczy od czasu do czasu, cieplejsze ubrania na chłodniejsze dni, nie było więc w tym nic nadzwyczajnego [...], ale pomyślałam, że bezmyślnością z jego strony było niezgaszenie światła.

Być może Lee poszedł do garażu, by rozłożyć karabin i zapakować lufę i kolbę w długą papierową torbę, którą posklejał z mniejszych w Składnicy Podręczników i przywiózł ze sobą do Irving tego popołudnia.

McMILLAN: Marina jak zwykle położyła się spać ostatnia. Godzinę siedziała w wannie, „wygrzewając kości" i nie myśląc o niczym konkretnym, nawet o prośbie Lee, by przeprowadzili się do Dallas. Gdy wsunęła się do łóżka, Lee leżał na brzuchu i miał zamknięte oczy. Marina wciąż jeszcze cieszyła się przywilejami z okresu ciąży, wolno jej było spać ze stopami opartymi o tę część ciała Lee, o którą akurat się oparły. Chyba około trzeciej nad ranem położyła stopę na jego nodze. Lee nie spał i nagle, z niemą gwałtownością, podniósł nogę, mocno odepchnął jej stopę i się odsunął.

„No, no, ależ ma wredny nastrój" – pomyślała Marina.

W tamtej chwili intymne dotknięcie żoninej stopy musiało go zaboleć – było fałszywą obietnicą, a jej celem – odwrócenie jego myśli od śmiałych planów.

McMILLAN: Zazwyczaj Lee budził się przed dzwonkiem budzika i wyłączał go, by nie budzić dzieci. Rankiem w piątek, 22 listopada, budzik zadzwonił, a Lee się nie zbudził.

Marina nie spała i jakieś dziesięć minut później powiedziała:

– Czas wstawać, Alka.

– Okay.

Nie pocałował jej na do widzenia. Powiedział tylko, że zostawił na biurku trochę pieniędzy.

Gdy Marina wstała, zobaczyła, że leży tam aż 170 dolarów. Wiemy, że tym samym jemu zostało tylko kilka dolarów na ucieczkę z miejsca przestępstwa, był więc to jego sposób sugerowania, by Marina zadzwoniła do niego do pracy. Ale ona nie miała zamiaru dzwonić. Jej system ostrzegawczy nie był włączony. Nie zauważyła nawet, że zostawił obrączkę w filiżance na toalecie, a było to coś, co mu się nigdy wcześniej nie zdarzyło.

3

Gołębie poderwały się z dachu

Z raportu FBI: Rankiem dnia 22 listopada 1963 roku, około godziny 7.10, LINNIE MAE RANDLE stała przy zlewie w kuchni i wyglądała przez okno, gdy zobaczyła LEE HARVEYA OSWALDA idącego [...] ku sąsiadującemu z kuchnią garażowi. Uchyliła nieco drzwi z tyłu domu, żeby zobaczyć, co on będzie robił. Ujrzała, że OSWALD podszedł do samochodu jej brata, otworzył prawe tylne drzwi [...] zawołała brata, BUELLA WESLEYA FRAZIERA, i powiedziała, że OSWALD czeka [...].

Pani RANDLE oświadczyła, że gdy widziała OSWALDA [...] niósł on zawinięty w brązowy papier podłużny pakunek, który wyglądał na dość ciężki [...].

FRAZIER podszedł do samochodu, wsiadł na miejsce kierowcy, a OSWALD na miejsce obok niego, z przodu. Wyjeżdżając z podwórka, FRAZIER spojrzał do tyłu i zauważył, że na tylnym siedzeniu leży długi pakunek koloru jasnobrązowego. [OSWALD] wyjaśnił, że są to karnisze. FRAZIER wówczas powiedział: „A tak, mówiłeś wczoraj, że chcesz zabrać karnisze" [...].

FRAZIER oświadczył, że pojechał razem z OSWALDEM do pracy i zaparkował samochód jakieś dwie przecznice na północ od budynku [Teksaskiej Składnicy Podręczników]. OSWALD pierwszy wysiadł z samochodu i FRAZIER [...] zauważył, że OSWALD [...] trzymał jeden koniec pakunku [...] pod pachą, a drugi chyba w prawej ręce. OSWALD ruszył następnie w stronę budynku, nie odwracając się do FRAZIERA, i szedł zwrócony plecami do niego całą drogę, jakieś 200–300 metrów [...]. Wchodząc do budynku Teksaskiej Składnicy Podręczników, OSWALD wyprzedził FRAZIERA o co najmniej 150 metrów, a gdy FRAZIER wszedł do budynku, nie widział OSWALDA i nie wiedział, dokąd ten poszedł. Następnie już go z pakunkiem nie widział.

Ruth Paine zbudziła się po wyjściu Lee.

RUTH PAINE: [...] w domu było niezwykle cicho i przeszło mi przez myśl, że może Lee zaspał, [ale] rozejrzałam się po domu i w zlewie znalazłam plastikowy kubek, z którego najwyraźniej ktoś pił, uznałam więc, że Lee wypił kawę i wyszedł [...].

JENNER: Czy w tym plastikowym kubku zostały resztki kawy?

RUTH PAINE: Tak, kawy rozpuszczalnej.

Gdy o ósmej rano do pracy przyszedł nadzorca Składnicy Podręczników, Roy Truly, widział, że Lee już pracuje, ma w ręku podkładkę z plikiem kartek.

McMILLAN: Wiedząc o fascynacji Mariny prezydentem i jego żoną, Ruth, wychodząc, zostawiła włączony telewizor [...] [i Marina] usadowiła się na sofie, by obejrzeć [...] transmisję ze śniadania, na które pan Kennedy był zaproszony w Fort Worth. Dostał od kogoś w prezencie dużą czapkę i wyglądało na to, że się z niej cieszy.

Po śniadaniu Jack Kennedy wrócił na parę minut do pokoju hotelowego, by odpocząć przed czekającym go i jego otoczenie krótkim lotem Air Force One z Fort Worth do Dallas. W następującym fragmencie, pochodzącym z książki Williama Manchestera *Death of a President* (Śmierć prezydenta), mówi Pierwsza Dama:

„Czy to nie przemiłe z ich strony, Jack? – powiedziała. – Ogołocili całe muzeum z cennych przedmiotów, by przyozdobić ten obskurny apartament". Biorąc do ręki katalog, powiedziała: „Zobaczmy, czyja to zasługa". Na ostatniej stronie figurowało kilka nazwisk.

Pierwszym z nich było Mrs. J. Lee Johnson III. „Zadzwońmy do niej – zaproponowała. – Pewnie jej numer jest w książce telefonicznej". Tym sposobem Ruth Carter Johnson, żona wydawcy gazety wychodzącej w Fort Worth, niespodzianie została ostatnią telefoniczną rozmówczynią Kennedy'ego przed jego śmiercią. Była wtedy w domu, opiekowała się chorą córką. Oglądała w telewizji transmisję ze śniadania w sali balowej i gdy usłyszała w słuchawce głos prezydenta, oniemiała.

Mrs. J. Lee Johnson III! Nie można nie zauważyć, że jej nazwisko po mężu zawiera inicjał imienia J. Edgara Hoovera, w środku ma imię Lee, a kończy się nazwiskiem następcy Jacka Kennedy'ego na stanowisku prezydenta. (Dodatkową premią jest brzmienie jej nazwiska panieńskiego: Carter.) Być może wszechświat lubi rozrzucać zbiegi okoliczności wokół brzegów leja, w którym zbiegają się wielkie wydarzenia.

MANCHESTER: [Kennedy] przeprosił, że nie zadzwonił wcześniej, wyjaśniając, że do hotelu dotarł z żoną dopiero po północy. Następnie słuchawkę przejęła pani Kennedy. Jej głos wydał się pani Johnson tryskający energią i pełen entuzjazmu. „Niełatwo im przyjdzie wyciągnąć mnie stąd, jest tu tyle wspaniałych dzieł sztuki – powiedziała. – Oboje jesteśmy wzruszeni. Bardzo pani dziękujemy".

Ken O'Donnell, asystent prezydenta, przyniósł nieprzyjemne wieści. W dzienniku „Dallas Morning News" znajdowało się płatne ogłoszenie na całą stronę, w czarnej obwódce, jakiej używa się przy drukowaniu nekrologów. Jednym tchem witano tam prezydenta i oskarżano go o to, że jest narzędziem w rękach komunistów. Ludzie, którzy zamieścili to ogłoszenie, podpisali się „Amerykański Komitet do spraw Wykrywania Faktów".

Kennedy'ego nie rozbawiło to, co przeczytał. Widać to było na jego twarzy, gdy podawał „Dallas Morning News" Jackie.

MANCHESTER: Uleciała z niej cała energia; zrobiło jej się niedobrze. Prezydent pokręcił głową. Cicho zapytał Kena: „Do czego to podobne, żeby gazeta zrobiła coś takiego?". Następnie zwrócił się do żony: „[...] Wiesz co, wczoraj wieczorem były wymarzone warunki do zabicia prezydenta". [...] Powiedział to zwyczajnym tonem, a ona nie potraktowała tego poważnie; w ten sposób komentował ogłoszenie [...]. „Mówię serio – dodał. [...]. – Padał deszcz, była noc, a nas wciąż popychano w tłoku. Gdyby ktoś miał w walizce pistolet...". W obrazowym geście wyciągnął palec wskazujący w stronę ściany i dwa razy szybko poruszył kciukiem, udając odbezpieczanie. „Potem mógł rzucić broń i walizkę – udał, że coś rzuca, i odwrócił się na pięcie – i wmieszać się w tłum".

Lot do Dallas trwał niecałe dwadzieścia minut. Wiceprezydent Johnson czekał na lotnisku Love Field, stał na czele komitetu powitalnego. Państwo Kennedy usiedli na tylnym siedzeniu prezydenckiej limuzyny, miejsca z przodu zajęli gubernator Connally z małżonką. Mieli udać się do „Trade Mart" na lunch zaplanowany na godzinę dwunastą trzydzieści.

Na piątym piętrze Teksaskiej Składnicy Książek zerwana była duża część podłogi i przez całe rano ekipa pięciu mężczyzn kładła parkiet. Lee kręcił się w okolicach piątego piętra, ale oni nie zwracali na niego szczególnej uwagi, ponieważ był zajęty wypełnianiem zamówień na sterty książek leżących jakieś sto pięćdziesiąt, dwieście metrów dalej. Poza tym przez większość czasu go nie widzieli, ponieważ na całej powierzchni magazynowej na piątym piętrze były ściany z kartonów ułożonych od podłogi aż po sufit.

McMILLAN: O godzinie 11.45 czy 11.50 pięciu mężczyzn pracujących przy układaniu podłogi zrobiło sobie przerwę na lunch. Wsiedli do wind towarowych i ścigali się, kto pierwszy znajdzie się na parterze. Jadąc w dół, zobaczyli Lee stojącego przy windzie na czwartym piętrze.

Znalazłszy się na dole [jeden z mężczyzn] Givens zorientował się, że zostawił na piątym piętrze kurtkę, w której miał papierosy. Wjechał windą z powrotem na górę i jeszcze raz zobaczył Lee.

Inny z mężczyzn, Bonnie Ray Williams, planował obejrzenie przejazdu prezydenta. Z piątego piętra był dobry widok na kolumnę prezydenckich samochodów, które miały nadjechać od Houston Street. Na Elm Street pojazdy czekał ostry zakręt w lewo; gwoli ścisłości, ten zakręt był tak ostry, że pojazdy będą musiały zwolnić i Kennedy'ego będzie widać jak na dłoni. Bonnie Ray Williams nie zjechał zatem z pozostałymi na dół windą towarową, tylko zjadł lunch na piątym piętrze. Ponieważ żaden z jego kolegów nie wracał, musiał sam spożyć posiłek. Następnie poszedł na dół ich poszukać.

Jeśli nawet Oswald krył się za kartonami pełnymi książek na drugim końcu piętra, to te wędrówki tam i z powrotem pewnie go zdenerwowały. Skąd miał wiedzieć, czy będzie sam, gdy nadejdzie czas? Tuż po drugiej stronie kartonów mógł się znaleźć tłum wiwatujących i hałasujących robotników.

Na Dealey Plaza ludzie zebrali się na trawiastym pagórku i dwóch trójkątnych trawiastych wysepkach, uformowanych u zbiegu Elm Street, Main Street i Commerce Street. Ludzi były setki, większość ustawiła się po obu stronach Elm Street. Panowała atmosfera przypominająca nieco wiejski jarmark w słoneczny dzień. Nadchodzi wielkie wydarzenie, z armaty zostanie wystrzelony człowiek, ale ledwo usłyszycie wystrzał, już będzie po wszystkim. Mimo to ludzie czekający na Elm Street wyczuwają podniecenie tłumu zgromadzonego kilkaset metrów dalej, na chodniku przy Main Street, obserwującego przejazd kolumny pojazdów w stronę Dealey Plaza, jak powolny przypływ. Czas zatrzymał się w miejscu. Ludzie traktowali każdą chwilę jak sumkę pieniędzy, której mieli więcej nie oglądać.

Nie co dzień prezydent przyjeżdża do Teksasu, a nawet do Dallas, światowej stolicy ubezpieczeń.

Forrest Sorrels, agent tajnych służb, szef biura w Dallas, siedział w samochodzie otwierającym kolumnę. Jechał około dziewięćdziesięciu metrów przed limuzyną prezydenta.

STERN: Czy przypomina pan sobie, że wypowiedział pan na głos uwagę o oknach, gdy jechał pan Main Street?

FORREST SORRELS: Owszem, tak; na Main Street był ogromny tłum. Ludzie stali wzdłuż całej ulicy. Powiedziałem: „O Boże, popatrzcie tylko […]. Wychylają się nawet z okien" […].

STERN: Czy skręcając w prawo z Main Street w Houston Street, zauważył pan coś w oknach lub budynkach w zasięgu pana wzroku?

FORREST SORRELS: Tak, zauważyłem […]. Składnica Podręczników, gdy skręcaliśmy w prawo w Houston Street, była dokładnie naprzeciwko nas […]. Zobaczyłem ten budynek [i] dokładnie pamiętam, że w oknach było kilku kolorowych, nie w środku budynku, tylko jakieś dwa piętra od góry […]. Ale nie widziałem żadnego poruszenia – nikt się nie ruszał ani nic […]. Oczywiście, nie pamiętam, żebym widział w oknach jakiś przedmiot przypominający karabin, żeby ktoś celował z okien […]. Nie było żadnego poruszenia, o ile widziałem, to zupełnie nikt się nie ruszał.

Postawmy się w sytuacji strzelca, który ulokował się w kryjówce zbudowanej z kartonów na piątym piętrze. Gdy kolumna pojazdów zbliżała się do budynku Składnicy od Houston Street, strzelec miał niczym niezakłócony widok na ciało i twarz prezydenta, siedzącego na tylnym siedzeniu odkrytej limuzyny. To łatwy strzał, gdy cel rośnie w celowniku lunety w miarę posuwania się do przodu.

Jednak wyszkoleni specjaliści patrzą uważnie w okna Składnicy Podręczników z samochodu, który jedzie pierwszy, a policjanci na motocyklach nie spuszczają z budynku wzroku. Instynkt snajpera pewnie kazał się strzelcowi cofnąć, odejść kilka metrów od okna i skryć się w ciemności.

Poza tym snajper jest amatorem i nie jest pewien, czy starczy mu odwagi, by przekroczyć Rubikon, którym będzie oddanie strzału. Co się stanie, jeśli palec na spuście odmówi mu posłuszeństwa i jeśli on nie strzeli; czy jeszcze kiedykolwiek sobie zaufa?

Kolumna zwalnia i skręca w lewo, w Elm Street. Przepadła pierwsza wielka okazja.

Z przesłuchania FBI: Ja, BONNIE RAY WILLIAMS, dobrowolnie składam następujące oświadczenie […].

Jestem mężczyzną rasy czarnej, urodziłem się 3 września 1943 roku w Carthage, w stanie Teksas [...].

22 listopada 1963 roku, wraz z HAROLDEM „HANKIEM" NORMANEM i JAMESEM EARLEM JARMANEM JUNIOREM, również, tak jak ja, pracownikami Teksaskiej Składnicy Podręczników, byłem na piątym piętrze budynku i wyglądałem przez okna, czekając na kolumnę prezydenckich samochodów [...].

Wreszcie limuzyna wioząca JFK przejechała pod ich oknami.

BONNIE RAY WILLIAMS: Na końcu zauważyłem, że podniósł rękę do góry, o tak. Pomyślałem, że odgarnia włosy z czoła. I wtedy usłyszałem głośny strzał – najpierw pomyślałem, że to na cześć prezydenta albo że to motocykl strzelił [...]. Tak naprawdę nie zwróciłem na to uwagi, bo nie wiedziałem, co się dzieje. Drugi wystrzał zabrzmiał tak, jakby rozległ się w tym budynku, drugi i trzeci wystrzał. I brzmiał – nawet budynek zadrżał, po tej stronie, gdzie my byliśmy. Cement spadł mi na głowę.

BALL: Mówi pan, że spadł panu na głowę cement?

BONNIE RAY WILLIAMS: Cement, żwir, piasek czy coś takiego [...], bo aż okna zadrżały i w ogóle. Harold [Norman] siedział obok mnie i powiedział, że to dochodzi znad naszych głów. Gdyby chcieli państwo wiedzieć dokładnie, co mu odpowiedziałem, to mogę powiedzieć.

BALL: Słuchamy.

BONNIE RAY WILLIAMS: Powiedziałem dokładnie: „Chrzanisz".

To uwaga godna zapamiętania. Przed chwilą stało się coś niezwykłego. „Chrzanisz". Hank Norman przyznał koledze rację.

McCLOY: [...] po tym, jak usłyszał pan strzały, czy przyszło panu na myśl, żeby wbiec na górę [na piąte piętro] i zobaczyć, czy ktoś tam jest? [...].

NORMAN: Nie.

McCLOY: Czy uważał pan, że wejście na górę może być niebezpieczne?

NORMAN: Tak.

Nieuzbrojony nie rwałby się zbytnio do wchodzenia po schodach na górę i stawania twarzą w twarz z człowiekiem, który strzelał. Nie za taką pensję. James Earl Jarman stwierdził, że czas, żeby się „stąd jak najszybciej zmywać".

Agent tajnych służb Forrest Sorrels nie dojrzał, z którego okna padł strzał, ponieważ jego samochód, jadący przed lincolnem prezydenta Kennedy'ego, był już wówczas na Elm Street, a przez tylną szybę nic się nie dało zobaczyć, bo kąt był zbyt duży. Sam odgłos jednak trwale wrył mu się w pamięć.

STERN: Czy może pan ocenić, ile czasu upłynęło od pierwszego strzału do trzeciego?

FORREST SORRELS: Tak. Na głos liczyłem sekundy i, moim zdaniem, było to bardzo, bardzo blisko sześciu sekund.

STERN: Pan chyba wciąż słyszy te strzały.

FORREST SORRELS: Będę je słyszał do końca życia – jest to coś, czego nie potrafię wymazać z pamięci.

Równie mocno wryło się to w pamięć żony wiceprezydenta, Lady Bird Johnson.

> Wszystko zaczęło się tak pięknie. Po porannej mżawce zza chmur wyszło jasne i piękne słońce. Jechaliśmy do Dallas [...]. Ulice były pełne ludzi – pamiętam całe mnóstwo ludzi – dzieci uśmiechnięte od ucha do ucha; plakaty; konfetti; ludzie machali z okien [...].
>
> Wtem [...] zabrzmiał ostry, głośny trzask – wystrzał [...]. Potem chwila ciszy i dwa strzały, jeden tuż po drugim. Był tak odświętny nastrój, że pomyślałam, że to pewnie petardy czy jakaś salwa honorowa [...]. Przez krótkofalówkę usłyszałam: „Uciekajmy stąd", i człowiek z tajnych służb, który był z nami, chyba [Rufus] Youngblood, skoczył z przedniego siedzenia na Lyndona, rzucił go na podłogę i powiedział: „Głowy na dół".
>
> Senator Yarborough i ja schowaliśmy głowy. Samochód błyskawicznie przyspieszył – jechał coraz szybciej i szybciej [...].

Oficer Marrion Baker, członek obstawy motocyklowej prezydenta, mówił Komisji Warrena o bezpośrednich przeżyciach innych oficerów, jadących na motocyklach osłaniających otwartą limuzynę, w której siedzieli państwo Kennedy i państwo Connally.

BELIN: Dobrze. [Ten oficer] jechał z przodu, po lewej stronie limuzyny prezydenta?

MARRION BAKER: Tak. Zgadza się.

BELIN: Co powiedział panu na temat krwi?

MARRION BAKER: [...] Powiedział, że ten pierwszy strzał, to on nie wie, skąd padł. Odwrócił głowę do tyłu, odruchowo, wie pan, a potem znów się odwrócił i padł drugi strzał, a potem trzeci, kiedy krew chlusnęła na jego hełm i przednią szybę.

BELIN: Czy mówił, że szyba została zbryzgana z przodu, czy od środka?

MARRION BAKER: [...] No... czy z przodu, czy od środka, to nie wiem. Ale miał zakrwawioną całą prawą stronę hełmu.

BELIN: Hełmu?

MARRION BAKER: Munduru też.

Baker będzie pierwszym policjantem, który wejdzie do budynku Składnicy Podręczników i spotka tam Oswalda.

Najpierw jednak wróćmy z nim na Main Street, gdzie jedzie powoli na motocyklu w odległości kilku pojazdów od prezydenta:

MARRION BAKER: Zbliżając się do tego rogu Main i Houston, zaczęliśmy skręcać w prawo. Uderzył we mnie silny podmuch wiatru i o mało co nie straciłem równowagi.

BELIN: Jak pan ocenia, z jaką prędkością mógł pan wtedy jechać, pamięta pan?

MARRION BAKER: [...] wlekliśmy się naprawdę powoli.

BELIN: [...] Proszę nam teraz powiedzieć, co się stało, gdy skręcił pan w Houston Street.

MARRION BAKER: Jak już złapałem równowagę, a zabrało mi to jakieś 50, 60 metrów, coś w tym rodzaju, to wtedy usłyszałem te strzały [...]. Od razu skojarzyłem, że to strzały z karabinu, bo dopiero co wróciłem z polowania na jelenie i [dlatego] skojarzyłem, że to wystrzał z karabinu dużego kalibru.

BELIN: Dobrze [...] co pan zrobił i co pan widział?

MARRION BAKER: [...] Natychmiast spojrzałem w górę i miałem wrażenie, że strzały padły z budynku [...] naprzeciw mnie [...] tego budynku Składnicy Podręczników, [bo] jak patrzyłem, wszystkie gołębie poderwały się z dachu [...] i zaczęły krążyć w górze [...]

BELIN: [...] Co pan zrobił po trzecim strzale?

MARRION BAKER: Dodałem gazu i podjechałem do rogu ulicy, jakieś 500, 600 metrów od miejsca, gdzie [...] usłyszeliśmy strzały [...]. Wyglądało mi na to, że było tam jakichś 500, 600 ludzi [którzy] zaczęli biegać we wszystkie strony, chcąc uciec i zejść strzelcowi z drogi [...].

BELIN: Pan wtedy wbiegł do budynku, zgadza się?

MARRION BAKER: Zgadza się.

BELIN: Co pan zobaczył i co pan zrobił, wbiegłszy do budynku?

MARRION BAKER: Gdy znalazłem się w budynku [...] po prostu zapytałem, gdzie jest winda. Odezwał się pan Truly i wydaje mi się, że powiedział: „Jestem kierownikiem tego budynku. Proszę za mną, panie władzo, pokażę panu drogę". Podbiegliśmy, nie bardzo szybko, tylko takim dobrym kłusem, na tył budynku [...] on usiłował ściągnąć windę służbową [...]. Krzyknął: „Spuścić tu tę windę!".

BELIN: Ile razy krzyknął, czy przypomina pan sobie?

MARRION BAKER: Wydaje mi się, że dwa razy [...]. Ja powiedziałem: „Chodźmy schodami" [...].

BELIN: Jaki miał pan wtedy zamiar?

MARRION BAKER: [...] Wejść na samą górę, tam, skąd mi się wydawało, że padły strzały, i zobaczyć, czy uda się tam coś znaleźć [...].

BELIN: I czy od razu wszedł pan po schodach na samą górę?

MARRION BAKER: Nie [...]. Gdy dobiegłem do pierwszego piętra, pan Truly mnie wyprzedził [...] kątem oka zobaczyłem w stołówce mężczyznę, który szedł odwrócony do mnie tyłem [...] jakieś 60 metrów ode mnie.

BELIN: I co pan zrobił?

MARRION BAKER: Krzyknąłem do niego i powiedziałem: „Proszę tu podejść". Odwrócił się i podszedł prosto do mnie [...].

BELIN: Podszedł wtedy do pana?

MARRION BAKER: Tak [...].

BELIN: Czy miał coś w rękach?

MARRION BAKER: Nie miał nic w rękach.

BELIN: Dobrze. Czy pan miał coś w rękach?

MARRION BAKER: Tak; miałem [...] miałem wyciągnięty rewolwer.

BELIN: Kiedy wyjął pan rewolwer?

MARRION BAKER: Kiedy zaczynałem wbiegać po schodach [...]. Wydaje mi się, że wobec wszystkich byłem podejrzliwy, bo miałem wyciągnięty rewolwer.

KONGRESMAN BOGGS: Tak.

MARRION BAKER: [...] Pan Truly podszedł do mnie, ja się do niego odwróciłem i zapytałem: „Zna pan tego człowieka? Pracuje tu?" A on mówi, że tak, no to ja się natychmiast odwróciłem i pobiegłem na górę [...].

KONGRESMAN BOGGS: Czy gdy go pan zobaczył, był zdyszany, wyglądał, jakby biegł, czy coś w tym rodzaju?

MARRION BAKER: Nie. Wyglądał normalnie.

KONGRESMAN BOGGS: Czy był spokojny i opanowany?

MARRION BAKER: Tak. Nie powiedział ani słowa. Tak naprawdę nawet ani trochę nie zmienił wyrazu twarzy.

BELIN: Czy skulił się lub odsunął, gdy przystawił mu pan rewolwer do twarzy?

MARRION BAKER: Nie [...].

BELIN: [...] czy padły jeszcze jakieś słowa po tym, jak pan Truly powiedział, że on tam pracuje?

MARRION BAKER: Wtedy nawet na niego drugi raz nie spojrzałem [...]. Natychmiast się odwróciłem i pobiegłem na górę.

4

Popołudnie w kinie

Winny czy niewinny, przeciętny człowiek niewątpliwie by się wzdrygnął, gdyby podstawić mu pod nos lufę pistoletu. Oswald musiał być w tamtym momencie w wyjątkowym stanie, tak spokojny, że nic go nie mogło poruszyć, jakby odpoczywał w nieruchomym środku snu. Zakładając oczywiście, że to on był człowiekiem, który strzelał do Kennedy'ego z piątego piętra. Są jednak ludzie, dla których jego spokój jest najbardziej przekonującym dowodem niewinności. Jak człowiek mógłby wycelować i trzykrotnie strzelić do ruchomego celu, zobaczyć, że trafił, a mimo to poderwać się z miejsca, schować karabin między kartonami po przeciwnej stronie pomieszczenia, bezszelestnie zbiec po schodach cztery piętra w dół i bez zadyszki stać w stołówce i patrzeć beznamiętnie na Bakera i jego pistolet? Wielu krytykom wydaje się to niemożliwe do pogodzenia z faktem, że Oswald był na piątym piętrze, gdy miała miejsce strzelanina. Zakładając jednak, że to rzeczywiście on strzelał do Kennedy'ego, można znaleźć odpowiedź na to pytanie: Oswald pokonał jeden z najpotężniejszych oporów psychicznych – zabił władcę. Był to psychiczny ekwiwalent przekroczenia bariery dźwięku. Wszystkie urządzenia pokładowe przestały działać. Oswald patrzył na pistolet Bakera z transcendentnym spokojem, ale taki stan z pewnością nie trwał dłużej niż chwilę. Kilkadziesiąt sekund później Oswald chyłkiem wybiegł z Teksaskiej Składnicy Podręczników i owo godne podziwu, choć krótkotrwałe opanowanie zaczęło go opuszczać. Gdy zobaczymy Oswalda następnym razem, oczami wielce uprzedzonego świadka – jego poprzedniej gospodyni, pani Bledsoe! – będzie wyglądał jak szaleniec.

Przedtem jednak musimy zrozumieć wpływ, jaki wywarły na jego zmysły Elm Street i Dealey Plaza, z chwilą gdy wyszedł z budynku Składnicy. Jeśli rzeczywiście był zabójcą, to znamy go już na tyle dobrze, by wiedzieć, że cały ranek przeżył otulony w duchowy kokon, a głosy innych ludzi dochodziły do niego z daleka, niby odgłos echa zza gór. Był skupiony na swojej misji, czas odmierzało mu bicie jego własnego serca, opanował go tak silny strach, że nic nie mogło go poruszyć. Miał w sobie taką wewnętrzną ciszę, jaką niektórzy ludzie odczuwają, gdy nadchodzi ostateczny moment podjęcia decyzji: czy starczy mu odwagi, by pociągnąć za spust, i czy trafi do celu? Wszystko inne, także i rosnące podniecenie tłumu zgromadzonego w pobliżu Składnicy, nie docierało do niego, podobnie jak nie dociera do nas to, co mijający nas na ulicy człowiek mruczy sobie pod nosem. Zajrzał głęboko w siebie i oczekiwał ostatecznego wyroku.

Zapewne wciąż był w tym stanie, gdy nastąpiła konfrontacja z oficerem Bakerem.

Wyjście na Dealey Plaza musiało więc być dla Oswalda takim przeżyciem, jakim byłoby wypadnięcie przez okno. Setki ludzi popychało się i biegało w napadzie histerii. Płakali mężczyźni i kobiety. Syreny policyjne z wyciem zbliżały się do Dealey Plaza ze wszystkich pobliskich ulic i alei.

Akt oddania strzałów do Kennedy'ego był dla Oswalda sprawdzianem, czy potrafi zmierzyć się z wizją wielkiego czynu, który momentalnie wyniesie go z przeciętności do nieśmiertelności. W wizji tej nie było miejsca dla nikogo innego. Nawet dla ofiary.

Teraz jednak wszyscy otaczający go ludzie zachowywali się jak niepoczytalni. Jakby sam jeden spowodował wybuch w kopalnianym szybie, a następnie wyszedł na powierzchnię i niespodziewanie stanął przed tłumem wdów i sierot. Nie miał z tą sceną nic wspólnego. Szybkim krokiem oddalił się od Składnicy Podręczników i dopiero kilka przecznic dalej wsiadł do autobusu.

Jedną z pasażerek autobusu była pani Bledsoe, kobieta, która oszukała go na dwa dolary na czynszu w jego pierwszym tygodniu po powrocie z Meksyku do Dallas.

MARY BLEDSOE: [...] Wsiadł Oswald. Wyglądał jak szaleniec. Rękaw miał tu porwany [pokazuje]. Koszulę miał zniszczoną [...] była w niej dziura. Był brudny. Nie patrzyłam na niego. Nie chciałam, żeby wiedział, że go widzę, więc po prostu odwróciłam wzrok i mniej więcej wtedy kierowca powiedział, że strzelano do prezydenta.

Być może pani Bledsoe przypomniała sobie błysk w oku Oswalda, gdy mu mówiła, że będzie musiał się od niej wyprowadzić.

Autobus posunął się naprzód o kilkaset metrów i stanął. Zatrzymał go korek koło Dealey Plaza. Oswald podszedł do kierowcy, poprosił o otworzenie drzwi i wysiadł, następnie udał się na dworzec autobusowy linii Greyhound, gdzie jest postój taksówek.

WILLIAM WHALEY: Zapytał: „Jest pan wolny?".
Odpowiedziałem: „Jasne. Wsiadaj pan". A on nie otworzył tylnych drzwi, tylko przednie, co jest w Teksasie dozwolone, i usiadł [...] na przednim siedzeniu. Mniej więcej wtedy jakaś starsza pani, chyba to była starsza pani, nie pamiętam nic poza tym, że wetknęła głowę przez okno od strony pasażera, powiedziała: „Panie kierowco, czy może mi pan tu zamówić taksówkę?".
[...] uchylił trochę drzwi jakby miał zamiar wysiąść i powiedział: „Niech pani weźmie tę", a ona na to: „Nie, kierowca może mi tu ściągnąć drugą".
Nie wezwałem taksówki, bo wiedziałem, że zanim zadzwonię, to ktoś przyjedzie, na postoju zawsze któryś z nas stoi. Zapytałem go, dokąd chce jechać, a on powiedział: „North Beckley 500".

Zacząłem jechać [...] pod ten adres, a wszędzie było pełno wozów policyjnych na sygnale, kręciły się po całej okolicy, no, po prostu wielkie zamieszanie, więc powiedziałem: „Co jest, do diabła? Ciekawe, o co, u diabła, to całe zamieszanie?".

On się nie odezwał ani słowem. Pomyślałem więc, że należy do ludzi, którzy nie lubią rozmawiać, dlatego więcej nic do niego nie mówiłem.

Ale gdy podjechałem już dość blisko do Beckley North 500, powiedział: „Niech pan tu stanie", i stanąłem przy krawężniku. Dał mi banknot dolarowy, taryfa wyniosła 95 centów. Dał mi banknot dolarowy i nic nie powiedział, po prostu wysiadł, zamknął drzwi i przeszedł przed taksówką na drugą stronę ulicy. Stojąc, blokowałem oczywiście ruch, więc wrzuciłem bieg i odjechałem [...].

Oswald przeszedł szybkim krokiem kilkaset metrów dzielących go od pensjonatu. Oficer Baker, który wycelował w niego pistolet w Składnicy Podręczników, przedstawiał zapewne widok na tyle elektryzujący, że Oswald wrócił do wynajmowanego pokoju po swój rewolwer.

EARLENE ROBERTS: [...] w ten piątek przyszedł do domu w niezwykłym pośpiechu.

BALL: O której godzinie to było?

ROBERTS: To było po tym, jak strzelano do prezydenta Kennedy'ego. Koleżanka mi powiedziała: „Roberts, strzelali do prezydenta", a ja powiedziałam: „O, nie". Ona powiedziała: „Włącz telewizor", i włączyłam, ale nie mogłam złapać obrazu, i wszedł Oswald, a ja na niego spojrzałam i powiedziałam: „O, pan się spieszy". On nie powiedział ani słowa, dosłownie nic. Poszedł do swojego pokoju i przebywał tam około trzech czy czterech minut.

Gdy wyszedł, miał na sobie inną wiatrówkę niż poprzednio. Być może przyszło mu do głowy, że już ogłoszono, jak był tego ranka ubrany. Nie wiedział o tym, ale świadek na Dealey Plaza, Howard Brennan, który szczycił się wyjątkowo dobrym wzrokiem, podał już opis mężczyzny z karabinem, którego widział w oknie na piątym piętrze. Opis ten jest dość ogólny, ale może pasować do Oswalda. Został podany przez media o godzinie 13.45, piętnaście minut po trzech strzałach i około piętnastu minut przedtem, nim Oswald na zawsze opuścił wynajmowany pokój.

Z zeznania Howarda Brennana przed Wydziałem Szeryfa Okręgu Dallas: [...] Zobaczyłem go, zanim nadjechał samochód prezydencki. Po prostu siedział i patrzył w dół, wyraźnie czekał [...], aż zobaczy prezydenta. Nie zauważyłem w tym mężczyźnie nic niezwykłego. Był to biały mężczyzna w wieku trzydziestu paru lat, przystojny, szczupły, mógł ważyć jakieś osiemdziesiąt, osiemdziesiąt pięć kilogramów. Miał na sobie jasne ubranie, ale z całą pewnością nie garnitur. Następnie zwróciłem uwagę na samochód prezydenta, jak skręcał w lewo, [i] wtedy zobaczyłem tego człowieka, którego opisałem, celującego z karabinu dużego kalibru [...]. Potem ten mężczyzna zabrał karabin i zniknął mi z pola widzenia. Nie wydawało mi się, żeby się spieszył [...].

Nikt nie widział Oswalda przez dziesięć minut od wyjścia z wynajmowanego pokoju do pojawienia u zbiegu Dziesiątej ulicy i Dalton. Przez ten czas musiał przejść sporo ponad kilometr ulicami, wzdłuż których stały jednorodzinne domy mieszkalne. Koło skrzyżowania Dziesiątej ulicy z Dalton Oswald – lub też człowiek, który odpowiada jego ogólnemu rysopisowi (wypowiedzi świadków różniły się w kwestii identyfikacji jego osoby, adwokat zatem miałby tu pole manewru) – został zatrzymany przez funkcjonariusza policji J.D. Tippita, który patrolował tamtą okolicę, jeżdżąc powoli wozem policyjnym. Tippit prawdopodobnie usłyszał przez radio rysopis podejrzanego. Od godziny 12.45 został on czterokrotnie podany przez policyjne radio. Zatrzymany posłusznie wypełnił rozkaz Tippita, by oprzeć ręce z prawej strony na przedniej szybie wozu policyjnego, tak w każdym razie opisywali to później świadkowie. Policjant Tippit wysiadł powoli z wozu, nie wyjąwszy pistoletu z kabury, i zaczął od przodu obchodzić samochód, ale dostał cztery kule i zginął z ręki człowieka, który grzecznie trzymał ręce na szybie, lecz zdjął je na czas odpowiednio długi, by wyjąć rewolwer i strzelić. Jeden ze świadków usłyszał, jak ten człowiek powiedział: „Biedny głupi glina", zanim zaczął uciekać. Biegnąc, wyrzucał zużyte łuski.

Wiele dowodów wskazuje na to, że to Oswald zastrzelił Tippita, ale ponieważ ta książka nie jest dziełem prawniczym, technicznym czy dowodowym, lecz powieścią – naszym celem jest zrozumienie Oswalda – załóżmy, że skoro zabił Kennedy'ego, to w naszej ocenie jego osoby mieści się założenie, iż po ujrzeniu wycelowanej w niego lufy pistoletu, wyjściu na Dealey Plaza i krótkiej wizycie w wynajętym pokoju był na tyle oszalały, tak, oszalały, że mógł również zabić Tippita. Jeśli jednak nie strzelał do Kennedy'ego, to niewielkie, lecz wprowadzające niejasności szczegóły, wiążące się z tym drugim zabójstwem, nabierają większego znaczenia. Gdyby Oswald nie był winny zabójstwa Kennedy'ego, dlaczego miałby strzelać do Tippita?

W każdym razie Oswald, bo wszystko wskazuje na to, że to on, idzie kilka minut później Jefferson Street, kilkaset metrów dalej. John Calvin Brewer, młody kierownik sklepu obuwniczego przy Jefferson Street, zauważa, że ten człowiek daje nura w długi korytarz między bliźniaczymi oknami wystawowymi sklepu obuwniczego, w chwili gdy z wyciem syren przejeżdżają ulicą wozy policyjne, kierując się w stronę miejsca zabójstwa Tippita. Gdy mijają sklep, nieznajomy odwraca się tyłem do ulicy, by siedzący w samochodach policjanci nie mogli dojrzeć jego twarzy. Kierownik sklepu dochodzi do wniosku, że nieznajomy wygląda na „wystraszonego" i „zagubionego". Rzeczywiście, gdy tylko wozy policyjne znikają z pola widzenia, na oczach Brewera ten mężczyzna ukradkiem, nie płacąc za bilet, wchodzi do jednego z sąsiednich budynków – kina „Teksas". Brewer podchodzi zatem do kasjerki, informuje ją o tym, a ona dzwoni na policję.

Teraz nastąpi zwięzły opis wydarzeń, zamieszczony w jednotomowym Raporcie Komisji Warrena:

Wozy patrolowe wiozące co najmniej piętnastu policjantów zebrały się pod kinem „Teksas". Posterunkowy M.N. McDonald wraz z posterunkowymi R. Hawkinsem, T.A. Hutsonem oraz C.T. Walkerem weszli do kina tylnym wejściem. Pozostali policjanci weszli przez drzwi frontowe i przeszukali balkon. Śledczy Paul L. Bentley pobiegł na balkon i kazał kinooperatorowi zapalić światła na sali. Brewer czekał na McDonalda i innych policjantów przy tylnym wejściu, wyszedł wraz z nimi na scenę i wskazał mężczyznę, który wszedł do kina, nie płacąc za bilet. Mężczyzną tym był Oswald. Siedział sam w ostatnim rzędzie sali na parterze, bliżej prawej strony środkowego rzędu foteli. W sali na parterze siedziało około sześciu czy siedmiu osób i tyle samo na balkonie.

McDonald przeszukał najpierw dwóch mężczyzn siedzących na środku sali, mniej więcej w dziesiątym rzędzie. Wyszedł z tego rzędu do przejścia między fotelami. Gdy doszedł do rzędu, gdzie siedział podejrzany, nagle się zatrzymał i kazał temu mężczyźnie wstać. Oswald wstał z fotela, podnosząc ręce do góry. Gdy McDonald zaczął sprawdzać, czy Oswald nie ma broni u pasa, usłyszał, jak ten mówi: „Cóż, teraz już po wszystkim". Następnie Oswald uderzył McDonalda lewą pięścią między oczy.

BELIN: Kto kogo pierwszy uderzył?

JOHN CALVIN BREWER: Oswald pierwszy uderzył McDonalda i [...] przewrócił go. McDonald upadł na siedzenie. Potem w mgnieniu oka się podniósł [...] i zobaczyłem pistolet – w ręku Oswalda [...]. Ktoś krzyknął: „On ma broń!".

Paru oficerów się z nim siłowało i zabrało mu [pistolet], a on się bronił, ciągle się bronił, i usłyszałem, jak jakiś policjant krzyczy, nie wiem, kto to był: „Zachciało ci się zabić prezydenta, tak?". Widziałem pięści w ruchu. Bili go.

BELIN: Czy on im wtedy oddawał?

JOHN CALVIN BREWER: Tak; oddawał im.

BELIN: Co się stało później?

JOHN CALVIN BREWER: Wkrótce potem założyli mu kajdanki i wyprowadzili go [...].

BELIN: Czy słyszał pan, że Oswald coś mówi?

John Calvin Brewer: Kiedy go wyprowadzali, zatrzymał się, obrócił i krzyknął: „Nie stawiam oporu przy aresztowaniu!", chyba dwa razy. „Nie stawiam oporu przy aresztowaniu!". Wyprowadzili go na zewnątrz.

W całej historii życia Oswalda, wszystkich jego nieszczęść, to jedyna wzmianka – z wyjątkiem utarczki z braćmi Neumeyerami w szkole średniej – o tym, że uderzył innego mężczyznę.

McMillan: Został odwieziony na komendę policji, gdzie dotarł około czternastej. Kłębił się tam tłum reporterów na wypadek, gdyby się okazało, że zostanie aresztowany podejrzany o zabójstwo prezydenta. Zapytano Oswalda, czy wchodząc chciałby zakryć sobie twarz. „Dlaczego miałbym zakrywać twarz? – odparł. Nic zrobiłem nic, czego musiałbym się wstydzić".

5

Panika

W poprzednim rozdziale zostawiliśmy Lady Bird Johnson w samochodzie z agentem tajnych służb ochraniającym jej męża. Wraz z pozostałymi pasażerami kuliła się, by nie było ich widać przez okna samochodu nabierającego prędkości i oddalającego się od Składnicy Podręczników.

Nagle zahamowali tak gwałtownie, że zastanawiałam się, czy nie wpadną w poślizg. Skręciliśmy w lewo i podjechaliśmy pod jakiś budynek. Spojrzałam w górę i zobaczyłam napis „szpital" [...]. Agent tajnych służb wyciągnął nas z samochodu, dokądś nas kierował, prowadził i poganiał. Ostatni raz obejrzałam się do tyłu i zobaczyłam że na tylnym siedzeniu samochodu prezydenta leży coś różowego, jak płatki kwiatów osypane z drzewa.

Była to Jackie Kennedy, tuląca ciało męża.

Może pół godziny później Lady Bird ponownie spotkała Jackie Kennedy, która wchodziła i wychodziła z sali operacyjnej, gdzie lekarze starali się utrzymać Jacka Kennedy'ego przy życiu, to znaczy starali się podtrzymać pracę serca, mimo iż prezydent stracił sporą część mózgu. Jackie Kennedy znalazła duży kawałek mózgu na tylnym siedzeniu prezydenckiej limuzyny i odtąd przez cały czas trzymała go w dłoni obciągniętej białą rękawiczką. Wreszcie w milczeniu, odrętwiała, przekazała go chirurgowi, którego dotknęła łokciem i zwróciła jego uwagę na to, co trzyma w ręce.

Lady Bird nic o tym nie wiedziała.

[...] Nagle w wąskim korytarzu stanęłam twarzą w twarz z Jackie. Było to chyba dokładnie naprzeciwko drzwi do sali operacyjnej. O niej zawsze się myśli – o takiej osobie, jak ona – że jest odizolowana, chroniona; była samotna. Nie sądzę, bym kiedykolwiek w życiu widziała kogoś aż tak samotnego. Podeszłam do niej, objęłam ją i coś powiedziałam. Jestem pewna, że było to coś w rodzaju: „Niech Bóg ma nas wszystkich w opiece", ponieważ moje uczucia w stosunku do niej były zbyt burzliwe, by ubrać je w słowa.

A w Irving Ruth i Marina wciąż pozostają w stanie pewnej nieświadomości.

RUTH PAINE: [...] Właśnie zaczęłam przygotowywać lunch, [gdy] usłyszałam wiadomość, że strzelano do prezydenta. Przetłumaczyłam to Marinie, ona nie zrozumiała tego z telewizyjnego oświadczenia. Płakałam, gdy jej to tłumaczyłam. Potem usiadłyśmy przed telewizorem, nie interesowało nas już przygotowywanie lunchu, czekałyśmy, aż powiedzą coś więcej.

Wyjęłam świece i je zapaliłam, moja córeczka też zapaliła świeczkę. Marina zapytała mnie: „Czy w ten sposób się modlicie?", a ja powiedziałam: „Tak, to mój własny sposób modlitwy".

Marina pierwsza zdała sobie sprawę, że to wydarzenie może mieć z nimi bezpośredni związek.

RANKIN: Czy pani Paine mówiła coś o tym, że może być w to zamieszany pani mąż?

MARINA OSWALD: [...] powiedziała tylko: „Aha, strzały padły z budynku, w którym pracuje Lee".

Serce mi stanęło. Poszłam zaraz do garażu, żeby sprawdzić, czy jest tam karabin, zobaczyłam, że koc wciąż tam leży, i powiedziałam: „Dzięki Bogu". Pomyślałam: „Czy rzeczywiście istnieje na świecie człowiek na tyle głupi, że mógłby zrobić coś takiego?". Ale wtedy już byłam dość zdenerwowana [...].

To był brzydki sekret Mariny. Nie powiedziała Ruth o tym, że Lee miał karabin, który owinął w zielony koc i zapakował wraz z resztą bagażu do kombi Ruth Paine, gdy jechały z Mariną z Nowego Orleanu do Irving. Teraz zrolowany zielony koc leżał na podłodze w garażu. Paine'owie myśleli, że to jakiś sprzęt turystyczny.

Gdy Marina wróciła do dużego pokoju, Ruth powiadomiła ją, że prezydent Kennedy nie żyje.

Ze wspomnień Mariny: Byłam tym tak zaszokowana, że bez zahamowań płakałam. Nie wiem dlaczego, ale opłakiwałam prezydenta, jakbym straciła bliskiego przyjaciela, chociaż pochodzę z zupełnie innego kraju i bardzo mało o prezydencie wiedziałam.

Ruth ciągle jeszcze nie martwiła się obecnością Lee w Teksaskiej Składnicy Książek.

SENATOR COOPER: Czy przyszło pani do głowy, że to Lee Oswald mógł być tym człowiekiem, który strzelał?

RUTH PAINE: Zupełnie nie; nie.

JENNER: Dlaczego, pani Paine?

RUTH PAINE: Nigdy nie myślałam o nim jako o człowieku skłonnym do przemocy. Nigdy nie mówił nic złego o prezydencie Kennedym [i] nic nie wiedziałam, że miał broń [...]. Doskonale pamiętam, że siedziałyśmy na sofie, gdy podano ostateczną wiadomość o tym, że prezydent nie żyje. Ona powiedziała do mnie: „Teraz tych dwoje dzieci będzie musiało dorastać bez ojca" [...].

McCLOY: Proszę się uspokoić.

SENATOR COOPER: Może odpocznie pani chwilę?

RUTH PAINE: Mogę mówić dalej. Przypominam sobie, [że] płakałam, kiedy usłyszałam, że prezydent nie żyje, i moja córeczka też była zdenerwowana, ale jak zawsze przejęła nastrój ode mnie, nie wynikał on ze zrozumienia sytuacji. Płacząc, utuliła się do snu na sofie, a ja przeniosłam ją do łóżeczka. Christopher już spał w kołysce. June była w łóżeczku i też spała.

JENNER: Czy Marina okazywała emocje? Płakała?

RUTH PAINE: Nie. Powiedziała mi: „Też czuję się bardzo źle, ale chyba na różny sposób okazujemy to, że jesteśmy zdenerwowane". Faktem jest, że nie płakała.

Potem rozległo się bardzo głośne pukanie do drzwi. Gdy Ruth Paine otworzyła, na progu stało sześciu policjantów. Powiedzieli, że są z biura szeryfa w Irving i policji w Dallas:

JENNER: Czy pani coś powiedziała?

RUTH PAINE: Nic nie powiedziałam. Chyba po prostu szczęka mi opadła. Człowiek stojący na czele grupy powiedział w ramach wyjaśnienia: „Zatrzymaliśmy Lee Oswalda. Jest podejrzany o zastrzelenie funkcjonariusza policji". Wtedy po raz pierwszy przeszło mi przez myśl, że Lee może być [...] w jakiś sposób zamieszany w wydarzenia tego dnia. Poprosiłam ich, by weszli do środka. Powiedzieli, że chcą przeszukać dom. Zapytałam, czy mają nakaz. Odpowiedzieli, że nie. Wyjaśnili, że jeśli będę się upierała przy konieczności nakazu, to mogą go natychmiast zdobyć od miejscowego szeryfa. Powiedziałam, że nie, nie trzeba, że mogą wejść i się rozejrzeć.

Zdaniem Mariny, zachowanie policjantów było „nie bardzo uprzejme":

MARINA OSWALD: [...] Przez cały czas nie odstępowali mnie ani na krok. Chciałam się przebrać, ponieważ byłam w rzeczach, które nadają się tylko do noszenia po domu. A oni nawet nie pozwolili mi zmienić ubrania [...]. Byli dość brutalni. Wciąż powtarzali, że mam się pospieszyć.

RANKIN: Kiedy odkryła pani, że w zrolowanym kocu nie ma karabinu?

MARINA OSWALD: Gdy przyszli policjanci i zapytali mnie, czy mój mąż miał karabin, a ja powiedziałam: „Tak".

RANKIN: Co zdarzyło się później?

MARINA OSWALD: Zaczęli przeszukiwać dom. Gdy doszli do garażu [...] pomyślałam: „No tak, to teraz go znajdą".

Ruth Paine stała na kocu, gdy Marina powiedziała jej, że karabin znajduje się pod jej stopami. Ruth przetłumaczyła to policjantom, a oni kazali jej zejść z koca.

RUTH PAINE: Wtedy z niego zeszłam i funkcjonariusz podniósł go, trzymając w środku, a on się tak zgiął.

JENNER: Wisiał tak, jak wisi teraz w pani ręku?

RUTH PAINE: W tamtej chwili poczułam, że ten człowiek znalazł się w bardzo poważnych tarapatach [...].

W oczach policjantów te dwie kobiety były wysoce podejrzane. Mówiły między sobą po rosyjsku i przynajmniej jedna z nich wiedziała o karabinie. Zdecydowano, że będą musiały pojechać na policję.

RUTH PAINE: [...] Marina chciała się przebrać ze spodni, jak ja to już wcześniej zrobiłam, w sukienkę. Oni nie chcieli jej na to zezwolić. Powiedziałam: „Ma do tego prawo, jest kobietą, ma prawo się ubrać tak, jak chce, zanim wyjdzie z domu". I wysłałam ją do łazienki, żeby się przebrała. Policjant otworzył drzwi od łazienki i powiedział, że nie, nie ma czasu się przebierać. Ja jeszcze umawiałam się z opiekunkami do dzieci, chciałam zostawić dzieci w domu pod opieką, a jeden z policjantów powiedział coś takiego: „Lepiej niech to pani szybko załatwi, pani Paine, albo po prostu weźmiemy dzieci ze sobą i zostawimy w izbie dziecka, kiedy będziemy z paniami rozmawiać".

A ja na to powiedziałam: „Lynn, ty też możesz z nami pojechać". Nie lubię, jak ktoś mi grozi. A Christopher wciąż spał, więc zostawiłam go w domu, ale wzięłam moją córkę Lynn, Marina wzięła swoją córkę i niemowlę, stanowiliśmy więc sporą grupę, gdy jechaliśmy samochodem do miasta na komendę policji [...].

[Funkcjonariusz] siedzący na przednim siedzeniu odwrócił się do mnie i zapytał: „Jest pani komunistką?", a ja odpowiedziałam: „Nie, nie jestem. Nie czuję nawet potrzeby, by odwoływać się do Piątej Poprawki*". Jego to zadowoliło. Pojechaliśmy na komendę policji i tam czekałyśmy, aż znajdą czas, żeby nas przesłuchać.

W szpitalu Parkland zrobiło się wielkie zamieszanie. O godzinie 13.00 na sali operacyjnej ogłoszono śmierć prezydenta. Lyndon Johnson był nie na żarty zaniepokojony, że otoczeniu byłego i/lub obecnego prezydenta może coś poważnie zagrażać, postanowił zatem, że wszyscy powinni czym prędzej udać się na lotnisko Love Field, gdzie mieli wejść na pokład Air Force One i odlecieć z Dallas przed oficjalnym ogłoszeniem śmierci prezydenta. Skąd można było wiedzieć, co stoi za tym fatalnie udanym zamachem? Odgłos wystrzałów na Dealey Plaza był czymś bardzo konkretnym. Mogła to być manifestacja John Birch Society, mafii, procastrowskich Kubańczyków, antycastrowskich Kubańczyków lub też – to wersja najstraszniejsza i najbardziej niebezpieczna ze wszystkich, oby Bóg sprawił, by okazała się nieprawdziwa – mogło się okazać, że to jeden z pierwszych kroków Rosjan, planujących wywołanie trzeciej wojny światowej.

Lyndon Johnson wprawdzie nie wypowiadał tych hipotez na głos, lecz jego instynkt dobrego Teksańczyka kazał mu zmiatać z Teksasu, nim rozejdzie się wiadomość o tym, że Kennedy nie żyje. Jako najlepszy w historii lub jeden z najlepszych – w ocenie senatorów – przywódca większości w Senacie, Lyndon Johnson ufał swojemu ogromnemu talentowi do przewidywania przyszłych wydarzeń, lecz w obliczu wydarzenia tak strasznego, jak to, zdolność przewidywania może się przerodzić w paranoję – bierzmy nogi za pas i uciekajmy.

Jacqueline Kennedy okazała się niewzruszona. Nie zgadzała się zostawić ciała Jacka w Dallas. Ludzie z otoczenia Lyndona Johnsona znajdowali się już na pokładzie Air Force One o godzinie 13.33 czasu centralnego, kiedy to została

---

* Piąta Poprawka do amerykańskiej konstytucji traktuje o tym, że w sprawie kryminalnej nie trzeba przytaczać faktów świadczących na własną niekorzyść oraz o tym, że nikt nie może zostać osadzony w więzieniu lub pozbawiony majątku, jeśli nie orzeknie o tym sąd. Ruth Pain prawdopodobnie miała na myśli Pierwszą Poprawkę, która gwarantuje obywatelom m.in. wolność wyznania (przyp. tłum.).

ogłoszona światu śmierć Johna F. Kennedy'ego – siedzieli w samolocie stojącym na pasie startowym i otoczonym kordonem straży, gdy rozgrywała się ponura komedia. Urzędnicy miasta Dallas kłócili się z zasmuconymi, zagniewanymi członkami delegacji towarzyszącej JFK. Szło o to, czy można im wydać ciało. Zbrodnia została popełniona w Teksasie, dlatego tam też powinna odbyć się autopsja. Teksas jest stanem suwerennym. Podobno wszystko skończyło się tak, że agenci tajnych służb wyciągnęli broń i siłą wyrwali ciało jurysdykcji stanu Teksas. W każdym razie dopiero kilka minut po 14.00 Jacqueline Kennedy, generał brygady oraz czterech agentów tajnych służb umieścili trumnę w karetce i ruszyli na lotnisko. Na pokład Air Force One weszli o godzinie 14.18. Lyndon Johnson, który wykazał tyle uprzejmości i/lub politycznej mądrości, by nie startować bez Jackie Kennedy i ciała prezydenta, wykorzystał czas przed odlotem na zaprzysiężenie na prezydenta przez miejscowego sędziego – nie wolno całkowicie lekceważyć uczuć Teksańczyków! Jackie Kennedy siedziała przy trumnie męża przez całą drogę do domu.

Lady Bird opisuje tę godzinę z życia Jacqueline Kennedy ze swojego punktu widzenia:

Początkowo zaprowadzono nas do głównej prezydenckiej kabiny w samolocie – ale Lyndon szybko powiedział: „Nie, nie", i natychmiast stamtąd wyszliśmy; czuliśmy, że to miejsce należy się Jacqueline Kennedy [...]. Weszłam tam, by zobaczyć się z panią Kennedy i, choć było to bardzo trudne, ona starała się maksymalnie ułatwić sprawę. Mówiła takie rzeczy, jak na przykład: „Lady Bird, to dobrze, że zawsze tak bardzo was oboje lubiliśmy". Powiedziała: „Och, a gdyby mnie tam nie było? Tak się cieszę, że przy tym byłam". Popatrzyłam na nią. Suknia pani Kennedy była poplamiona krwią. Na jej prawej rękawiczce – jej, kobiety zawsze nieskazitelnie ubranej – była skorupa z krwi, krwi jej męża. Zawsze nosiła rękawiczki, ponieważ była do nich przyzwyczajona. Ja nigdy nie umiałam się przyzwyczaić do noszenia rękawiczek. To był chyba jeden z najbardziej szokujących widoków – ona nienagannie, elegancko ubrana i umazana krwią. Zapytałam ją, czy mam przysłać kogoś, żeby pomógł jej się przebrać, a ona powiedziała: „Nie. Może później [...] ale nie teraz"[...].

Powiedziałam: „Och, pani Kennedy, wie pani, że nigdy nie chcieliśmy, ja i Lyndon, żeby on był nawet wiceprezydentem, a teraz, Boże drogi, do czego to doszło". Gotowa byłam zrobić wszystko, żeby jej pomóc, ale nie dało się nic zrobić [...], dlatego dość szybko wyszłam i wróciłam do głównej części samolotu, gdzie siedzieli pozostali.

6

Powrót Marguerite Oswald

Na posterunku policjanci pokazali Marinie karabin Mannlicher Carcano, a ona powiedziała, że nie potrafi go zidentyfikować, ponieważ nienawidzi broni. Nie widzi różnicy między jednym jej rodzajem a innym.

W tamtej chwili bała się nie tego, że Lee zabił Kennedy'ego, ale że policja może zacząć podejrzewać jej męża o strzelanie do generała Walkera. Zapytała, czy może zobaczyć się z Lee, ale policjanci powiedzieli, że Lee jest przesłuchiwany, a przesłuchanie prawdopodobnie potrwa cały dzień. Być może będzie mogła się z nim zobaczyć nazajutrz.

Wówczas pojawiła się Marguerite Oswald. Gdy usłyszała wiadomość o aresztowaniu Lee, wybierała się właśnie do pracy.

MARGUERITE OSWALD: Miałam zmianę od 15.00 do 23.00 [...]. Zjadłam lunch, włożyłam fartuch pielęgniarski [...]. Muszę wychodzić z domu o 14.30. Dlatego miałam mało czasu na oglądanie przejazdu prezydenta.

Siedziałam na sofie, kiedy ogłoszono wiadomość, że strzelano do prezydenta [...]. Jednak nie mogłam dłużej oglądać telewizji. Musiałam stawić się w pracy.

Wsiadłam więc do samochodu i jakieś kilkaset metrów od domu włączyłam radio. Usłyszałam, że Lee Harvey Oswald został ujęty jako podejrzany.

Momentalnie zawróciłam samochód i pojechałam z powrotem do domu, chwyciłam za telefon, [...] zadzwoniłam do „Star Telegram" i zapytałam, czy mogliby po mnie kogoś przysłać, bo wiedziałam, że nie mogłabym sama pojechać do Dallas. Posłuchali mnie. Przysłali dwóch [...] reporterów „Star Telegram" [...].

Czekając na nich, Marguerite odebrała telefon od pielęgniarki, którą miała zmienić. W wywiadzie udzielonym Lawrence'owi Schillerowi w 1976 roku (używając praktycznie takiego samego tonu, rytmu i idiomatyki jak podczas składania zeznań przed Komisją Warrena w roku 1964) mówiła tak:

[...] było mniej więcej pięć po trzeciej, a ja się nie pojawiłam, i ona zapytała: „Dlaczego jesteś w domu? Dlaczego, dlaczego nie przyszłaś mnie zmienić?". Odpowiedziałam: „Bo mój syn został ujęty w związku z zabójstwem prezydenta Kennedy'ego" [...]. A ona, nigdy tego nie zapomnę, [...] ona mnie zganiła. Powiedziała okropnym tonem: „Cóż, mogłaś przynajmniej wziąć za słuchawkę i mnie o tym powiadomić, żebym mogła znaleźć kogoś na zastępstwo za ciebie". W którymś momencie ja... przez cały czas ktoś mnie ganił. Nikt mi nie współczuł i nie rozumiał, że jestem istotą ludzką i mam swoje uczucia i swoje łzy.

Warto się przyjrzeć, jak niewiele różni się jedna jej wypowiedź od drugiej mimo upływu dwunastu lat.

MARGUERITE OSWALD: Zaraz jak przyjechałam [...] dobitnie poprosiłam o rozmowę z agentami FBI. Moje życzenie zostało spełnione. Zostałam skierowana do pomieszczenia [...].

RANKIN: Jaka to pora dnia?

MARGUERITE OSWALD: Około 15.30. Idę pod eskortą do jakiegoś gabinetu i dwóch Brownów, agentów FBI, braci, jak rozumiem [...].

RANKIN: Chodzi pani o to, że nosili nazwisko Brown?

MARGUERITE OSWALD: Nosili nazwisko Brown [...] powiedziałam im, kim jestem. Oświadczyłam: „Chcę z panami pomówić, ponieważ wydaje mi się, że mój syn jest agentem rządu, i ze względu na bezpieczeństwo kraju nie chcę, żeby to wyszło na jaw [...]. Chcę, żeby to zostało utrzymane w całkowitej tajemnicy, póki nie rozpocznie się śledztwo. Tak się składa, że wiem, że Departament Stanu dostarczył mojemu synowi pieniędzy na powrót do Stanów Zjednoczonych, i trudno przewidzieć, jakie skutki miałoby ogłoszenie tego publicznie, dlatego proszę, czy mogliby panowie to zbadać i zatrzymać w tajemnicy?".
Oczywiście dla nich była to nowina.
Zostawili mnie w tym gabinecie [...] rozumieją państwo, martwiłam się o bezpieczeństwo mojego kraju [...].

RANKIN: Czy wiedziała pani coś ponadto i czy powiedziała pani tym agentom, dlaczego uważa pani, że jej syn jest agentem?

MARGUERITE OSWALD: Nie, nic im nie powiedziałam. [Ale] jeden z nich powiedział: „Dużo pani wie o swoim synu. Kiedy ostatni raz się pani z nim kontaktowała?".
Odpowiedziałam: „Nie widziałam się z synem od roku".
On powiedział z ironią: „Ależ pani Oswald, mamy uwierzyć, że się pani z nim nie kontaktowała? ... Jest pani matką".
Odpowiedziałam: „Niech panowie sobie myślą, co chcą, [ale] mój syn nie chciał, żebym się mieszała do jego życia. Nie wtajemniczał mnie w swoją działalność. To prawda, święta prawda, że nie widziałam syna od roku".
Wyszli i więcej ich już nie widziałam.
Przysłali stenografkę z sąsiedniego gabinetu, żeby ze mną siedziała, a ona zaczęła zadawać mi pytania.
Powiedziałam jej: „Młoda damo, nie mam zamiaru odpowiadać na żadne pytania. Musi się pani pogodzić z tym, że będę tu po prostu siedziała".

W rozmowie Marguerite z Schillerem z roku 1976 znów nie widać upływu dwunastu lat:

> Powiedziała: „No cóż, pani Oswald, mam tu z panią siedzieć" [i] nie próbowała mi zadawać żadnych pytań ani nic. Powiem teraz coś, co uwłacza mojej godności, ale wszyscy jesteśmy ludźmi, a to znaczy, że to nie uwłacza mojej godności. Powiedziałam jej, że chcę pójść do łazienki. Ale nie mogłam nawet wyjść z tego gabinetu, byłam trzymana pod kluczem. Ona powkładała do kosza na śmieci pełno gazet i pozwoliła mi się tam załatwić. Byłam oburzona i wściekła, [ale] nie mówiłam za dużo, ponieważ odnosiłam wrażenie, że ona jest pracownikiem sądu.

MARGUERITE OSWALD: Siedziałam w tym gabinecie około dwóch czy trzech godzin sam na sam, proszę państwa, z tą kobietą, która wciąż wchodziła i wychodziła, [wreszcie] zostałam odprowadzona pod eskortą do gabinetu, gdzie była już Marina i Ruth Paine. I, oczywiście, od razu się rozpłakałam i przytuliłam Marinę. Marina podała mi Rachel, której nigdy wcześniej nie widziałam. Aż do tamtej chwili nie wiedziałam, że mam drugą wnuczkę. Popłakałam się. Marina też się popłakała. A pani Paine powiedziała: „Och, pani Oswald, tak się cieszę, że mogę panią poznać. Marina często wyrażała chęć skontaktowania się z panią, szczególnie gdy urodziło się dziecko. Ale Lee nie chciał".
Powiedziałam: „Pani Paine, pani mówi po angielsku. Dlaczego więc pani się ze mną nie skontaktowała?".

> McMILLAN: Marina nie miała pojęcia, jak długo byli na policji, lecz wreszcie pozwolono jej, Ruth, Michaelowi i czworgu dzieciom wrócić do domu Paine'ów. Nie pamięta, co jedli, czy w ogóle coś jedli, i kto gotował. W domu panował rozgardiasz. Roiło się w nim od reporterów, którzy chcieli rozmawiać z Mariną, Ruth i Marguerite. Nagle między Ruth a Marguerite padły gniewne słowa.

MARGUERITE OSWALD: Wspominam o tym dlatego, że gdy byłam w domu [pani Paine] pięć minut, ktoś zapukał do drzwi i weszli dwaj przedstawiciele pisma „Life".
Ich nazwiska. Jeden to był Allan Grant, a drugi Tommy Thompson.
Ja nie zostałam im przedstawiona [...].

RANKIN: O której godzinie to było?

MARGUERITE OSWALD: Około 18.30. Dopiero co przyjechaliśmy [...]. Byliśmy w domu pięć minut, kiedy zapukali do drzwi.
Pani Paine od razu powiedziała: „Mam nadzieję, że mają panowie kolorowy film i będziemy mieli parę dobrych zdjęć".
Ja nie wiedziałam, kim oni są.

Ale domyśliłam się, że są dziennikarzami, na podstawie tego, co powiedziała pani Paine i tego, że mieli aparat.

Tommy Thompson zaczął przeprowadzać wywiad z panią Paine. Powiedział: „Pani Paine, proszę mi powiedzieć, czy Marina i Lee żyją w separacji, skoro Lee mieszka w Dallas?".

Ona odpowiedziała: „Nie, stanowią szczęśliwą rodzinę. Lee mieszka w Dallas z konieczności. Pracuje w Dallas, a tu jest Irving, i nie ma tu jak dojeżdżać, ale co weekend przyjeżdża zobaczyć się z rodziną".

„No dobrze – pytał dalej – a jakim jest mężem i ojcem?".

Ona powiedziała: „Normalnym. Bawi się ze swoimi dziećmi. Wczoraj wieczorem karmił June. Ogląda telewizję, po prostu robi zwyczajne rzeczy" [...].

Gdy ten epizod się rozgrywał, we mnie aż się gotowało ze złości, panowie, bo nie życzyłam sobie tego rodzaju rozgłosu. Uważałam, że jest niepożądany, tuż po zabójstwie i następnie aresztowaniu mojego syna.

Ale byłam gościem pani Paine.

Miałam okazję, by okazać wdzięczność. Odezwałam się [...] i powiedziałam: „Przepraszam panią, pani Paine. Jestem u pani w domu i doceniam fakt, że gości mnie pani tutaj. Ale nie pozwolę, by składała pani oświadczenia, które są niezgodne z prawdą. Ponieważ tak się składa, że wiem, że złożyła pani oświadczenie niezgodne z prawdą. A tak w ogóle to nie popieram tego rozgłosu. No i jeśli mamy pozwolić na opisanie naszej historii w piśmie „Life" – wtedy już wiedziałam, że o to pismo chodzi – to chciałabym dostać za to pieniądze. Moja synowa z dwójką małych dzieci i ja jesteśmy bez grosza, a skoro mamy udzielić tych wszystkich informacji, to uważam, że powinnyśmy dostać za to pieniądze" [...].

Na to przedstawiciel pisma „Life" wstał i powiedział: „Zadzwonię do redakcji, pani Oswald, i zobaczę, co tam powiedzą na pomysł opublikowania waszej historii".

[...] Zamknął za sobą drzwi i rozmawiał przez telefon bez świadków. A w pokoju dziennym nikt się nie odzywał [...].

Wyszedł z pokoju po rozmowie telefonicznej i powiedział, że nie, że firma nie pozwoli mu zapłacić nam za historię. Zaproponował jednak, że pokryją koszty naszego pobytu w Dallas, wydatki na jedzenie i inne, mieszkanie w hotelu.

Powiedziałam mu, że się nad tym zastanowię.

Oni nadal się kręcili po domu. Bez przerwy robili zdjęcia. Fotograf, pan Allan, przez cały czas, bez przerwy robił zdjęcia. Byłam okropnie zmęczona i zdenerwowana. Zrolowałam pończochy do kostek i takie moje zdjęcie jest w piśmie „Life" [...]. Wstałam i powiedziałam: „Protestuję przeciwko takiemu naruszaniu prywatności. Zdaję sobie sprawę, że jestem w domu pani Paine. Ale panowie robią mi zdjęcie bez mojej zgody, zdjęcie, które nie chcę, żeby zostało opublikowane". To jest to najgorsze, na którym zwijam pończochę. Chciałam, żeby mi było wygodniej.

Chodził też za Mariną po sypialni. Ona rozbierała June. On wszystko fotografował. A pani Paine się tym napawała – tak powiem. Pani Paine cieszyła się, że oni robią te zdjęcia [...], aż ja się wreszcie zdenerwowałam i powiedziałam: „Mam dość. Proszę się dowiedzieć, jakie mogą nam panowie załatwić zakwaterowanie, mojej synowej i mnie, żebyśmy były w Dallas i mogły pomóc Lee, i proszę mi dać znać jutro rano".

I poszli.

RUTH PAINE: [...] Wtedy było już ciemno, myślę, że było koło dziewiątej wieczorem. Poprosiłam Michaela, żeby wyszedł i kupił hamburgery w restauracji *drive--in*, żebyśmy nie musieli gotować. Zjedliśmy je i zaczęliśmy się przygotowywać na spoczynek [...].

Tuż przed udaniem się do łóżka Marina powiedziała mi, że dosłownie poprzedniego wieczoru Lee jej mówił, że ma nadzieję, że wkrótce znowu razem zamieszkają. Gdy to mówiła, miałam wrażenie, że ona czuje się zraniona i zagubiona i zastanawia się, jak on mógł powiedzieć coś, co wskazywało na to, że chce z nią być, podczas gdy na pewno planował już coś, co nieuchronnie miało spowodować ich separację. Zapytałam ją, czy uważa, że Lee zabił prezydenta, a ona odpowiedziała: „Nie wiem".

McMILLAN: Później Marina odkryła coś strasznego. Przypadkiem natknęła się wzrokiem na biurko i stwierdziła, że jakimś cudem policja przeoczyła coś, co było jej własnością. Była to krucha, bladobłękitnozielona filiżanka, malowana w fiołki, z cienkim złoconym brzeżkiem, która należała kiedyś do babci Mariny, tak delikatna, że światło przeświecało przez nią jak przez pergamin. Marina zajrzała do środka. Leżała tam obrączka ślubna Lee.

Ponieważ obrączka była na niego za duża, czasami w pracy chował ją do kieszeni, żeby jej nie zgubić. Ale nigdy nie zdarzyło się tak, żeby jej nie miał przy sobie. A tego ranka zostawił obrączkę w domu.

Były i inne odkrycia. W książeczce, którą prowadzili dla June, Marina znalazła dwa zdjęcia Lee trzymającego karabin i rewolwer, te same głupie zdjęcia, które kazał jej zrobić w tę głupią niedzielę przy Neely Street.

McMILLAN: Wyjęła je ostrożnie z książki i w zaciszu swojej sypialni pokazała teściowej. „Mamo – poinformowała, wskazując na zdjęcia i wyjaśniając po angielsku najlepiej, jak umiała – Walker, to Lee". „O, nie" – jęknęła Marguerite [i] położyła palec na ustach, pokazała na drzwi i powiedziała: „Ruth, nie". Pokręciła głową, chcąc dać do zrozumienia, że Marina ma nie pokazywać zdjęć Ruth ani nikomu nic o nich nie mówić.

To porozumienie co do ukrywania dowodów zakończyło piątkowy wieczór w Irving. Gdzie jest teraz Lee? Ostatni raz widzieliśmy go około godziny drugiej po południu. Co się działo, odkąd wszedł na komendę policji w ratuszu, poinformowawszy policję, że nie będzie zakrywał twarzy, ponieważ nie zrobił nic, czego musiałby się wstydzić?

7

Czyhająca na zewnątrz ośmiornica

Pandemonium na drugim piętrze komendy policji w ratuszu miejskim w Dallas zaczęło przybierać na sile w godzinę po aresztowaniu Lee i przybierało tak dzień i noc (z małą przerwą na wczesne godziny ranne) przez piątkowe popołudnie i wieczór, całą sobotę i niedzielę rano. Na drugim piętrze tłoczyli się reporterzy z Ameryki, z Zachodu i pozostałych części świata, jak również każdy węszyciel i dziennikarzyna z radia i TV, któremu udało się zdobyć bilet do Dallas. Opisy podane przez kapitana Willa Fritza, który podczas tych czterdziestu czterech godzin prowadził wielokrotnie przerywane przesłuchanie Oswalda, oraz Forresta Sorrelsa, szefa tajnych służb w Dallas, udatnie odmalowują tę scenę.

HUBERT: Czy brał pan pod uwagę to, że bliskie sąsiedztwo, stłoczenie i liczba ludzi mediów stwarza zagrożenie? [...].

WILL FRITZ: Nie znaliśmy wielu z tych ludzi. Znaliśmy bardzo niewielu. Znaliśmy miejscowych. Było tam wiele osób z zagranicy i niektóre z nich wyglądały niechlujnie. Nie mieliśmy pojęcia, co to za ludzie.

Dlatego nie chcieliśmy, żeby w ogóle tam byli, gdyby ktoś nas pytał o zdanie. Poza tym oślepiały nas światła kamer, a jeśli człowiek nie widzi, gdzie idzie i co robi, to wszystko się może zdarzyć.

Nie myśleliśmy, że będą nam świecili po oczach, a tu światła nas oślepiały. Kiedy wychodziliśmy z biura więzienia, momentalnie rozbłyskały światła i nas oślepiały.

Z dziennikarzami z Dallas mamy dobre układy. Robią to, o co ich prosimy. [Nasi] ludzie tak się nie zachowywali. [Ale pozostali] byli podnieceni i zachowywali się jak tłuszcza.

FORREST SORRELS: [...] Trzeba było torować sobie drogę łokciami, uważać, żeby nie potknąć się o kable i statywy. Prawie za każdym razem, kiedy wychodziłem z gabinetu kapitana Fritza, jak tylko otworzyły się drzwi, rozbłyskiwały flesze. Skończyło się to tak, że idąc korytarzem, osłaniałem ręką oczy, żeby nie oślepiało mnie to jasne światło. Kable były przeciągnięte przez gabinet zastępcy szeryfa: przeprowadzone z dołu po ścianie budynku, przez okno, przez całą długość gabinetu, do generatorów z prądem. Wszędzie sterczały druty, trzeba je było przyklejać do podłogi, żeby ludzie się o nie nie potykali i nie przewracali. To były warunki, których nie da się tak łatwo wytłumaczyć i opisać.

Jak ośmiornica, media uchwyciły się tego wydarzenia wszystkimi odnóżami i, trzymając je mocno w uścisku, blokowały możliwość jakiegokolwiek ruchu. Media stały się nową siłą w ludzkim życiu – były już na drodze do przejęcia kontroli nad wszystkim, o czym miał się wkrótce przekonać Nixon przy okazji afery Watergate i Oswald w krótkiej jak błyskawica chwili, o godzinie 11.22 w niedzielę rano, po dwóch dniach ściągania na siebie ustawicznie uwagi, której odmawiano mu przez prawie całe życie.

Cofnijmy się jednak i przyjrzyjmy wydarzeniom tego dnia w jakimś porządku, choć porządku było w nich niewiele.

Ball: [...] O której godzinie dowiedział się pan, że prezydent został zastrzelony?

Will Fritz: [...] jeden z agentów tajnych służb przypisanych do [naszej] dzielnicy [...] dostał wiadomość przez krótkofalówkę i mój szef Stevenson [...] poprosił mnie, żebym pojechał do szpitala, [ale] ja miałem poczucie, że to nie tam powinniśmy jechać, że powinniśmy jechać na miejsce przestępstwa, a on powiedział: „Dobrze, to jedźcie tam" [...].

Gdy kapitan Fritz przybył do Składnicy Podręczników o godzinie 12.58, nakazał zapieczętować budynek i zaczął go metodycznie przeszukiwać piętro po piętrze.

Will Fritz: Zaczęliśmy na dole, tak. Oczywiście różni ludzie mnie wołali, kiedy znajdowali coś, o czym, ich zdaniem, powinienem wiedzieć. W trakcie tych poszukiwań biegałem z piętra na piętro i po niedługim czasie ktoś [...] zawołał, żebym podszedł do frontowego okna narożnego. Na piątym piętrze w rogu znaleźli kilka pustych naboi [...].

Ball: Co pan wówczas zrobił?

Will Fritz: Powiedziałem im, że mają [...] niczego nie ruszać, póki ludzie z laboratorium nie zrobią zdjęć dokładnie w tym miejscu, gdzie naboje leżały [...].

McCloy: [...] Czy było tam coś, na czym strzelec mógłby oprzeć rękę, coś, czego można by użyć do oparcia ręki?

Will Fritz: Tak; [jedno pudło] stało na oknie, a drugie na podłodze. Kilka pudeł było ułożonych jedne na drugich po prawej stronie strzelca, dzięki czemu był niemal niewidoczny z pozostałej części piętra. Gdyby był [tam] ktoś jeszcze, to wątpię, czy widziałby, gdzie on siedział.

[…] Kilka minut później wezwał mnie jakiś oficer i powiedział, że znaleźli karabin koło klatki schodowej od tylnego wyjścia […].

BALL: Czy gdy pan tam był, podszedł do pana pan Truly?

WILL FRITZ: Tak […]. Podszedł do mnie pan Truly i powiedział, że jeden z jego pracowników opuścił budynek i […] podał mi jego nazwisko – Lee Harvey Oswald i […] adres w Irving.

Z zeznania Truly'ego wyłania się człowiek, który jest poza podejrzeniami, znalazł się jednak w podejrzanej sytuacji.

ROY TRULY: […] Zauważyłem, że wśród chłopaków nie ma Lee Harveya Oswalda […]. Zapytałem Billa Shelleya, czy go nie widzi, on się rozejrzał i powiedział, że nie […]. Stał tam pan Campbell i powiedziałem do niego: „Brakuje mi tu jednego chłopaka. Nie wiem, czy mam to zgłaszać, czy nie" […]. [A on] powiedział: „No cóż, na wszelki wypadek lepiej to zgłoś". Potem wszystko potoczyło się tak szybko.

Wziąłem za telefon […] i podałem jego nazwisko, ogólny rysopis i numer telefonu i adres w Irving […].

BELIN: Dlaczego nie pytał pan o żadnego innego pracownika?

ROY TRULY: Tylko co do tego jednego byłem pewien […], że go brakuje. [Następnie] powiedziałem Lumpkinowi, że brakuje mi jednego chłopaka – „Nie wiem, czy to ma jakieś znaczenie, czy nie". A on na to: „Chwileczkę. Przekażemy to kapitanowi Fritzowi".

[A kapitan Fritz] mówi: „Dziękuję, panie Truly. Zajmiemy się tym".

I parę minut później zszedłem na dół.

Jakiś reporter szedł za mną i zapytał mnie, kim jest Oswald. Powiedziałem temu reporterowi: „Chyba masz pan uszy jak zając. Nie chcę mówić o chłopaku, o którym sam nic nie wiem. To straszne". Albo coś mniej więcej w tym duchu.

Powiedziałem: „Proszę mi dać spokój. Nie wspominajmy tego nazwiska. Najpierw trzeba się czegoś dowiedzieć".

Kapitan Fritz przyjechał do ratusza, żeby się upewnić, czy ów brakujący pracownik ma na policji kartotekę, lecz gdy dotarł na miejsce

[…] dowiedzieliśmy się, że został zabity jeden z naszych funkcjonariuszy [i] zapytałem, kto [go] zastrzelił, a oni mi powiedzieli, że ktoś nazwiskiem Oswald. Zapytałem: „Jego

pełne dane?". Podali mi je, a ja powiedziałem: „To podejrzany, którego szukamy w związku z zabójstwem prezydenta".

W tym momencie Fritz chciał już wysyłać kilku ludzi do domu w Irving, lecz jeden z policjantów powiedział mu: „Panie kapitanie, możemy oszczędzić panu
czasu. On tam siedzi".
Tak, siedział w pokoju przesłuchań w miejskim ratuszu.

WILL FRITZ: Wtedy [...] zapytałem ich, ile mamy dowodów w sprawie zabicia oficera, a oni odpowiedzieli, że kilku naocznych świadków [...] poinstruowałem
ich, żeby jak najszybciej ściągnęli tych świadków w celu identyfikacji podejrzanego i żebyśmy bardzo porządnie przygotowali sprawę zabicia funkcjonariusza,
tak abyśmy mogli bez nakazu trzymać Oswalda w areszcie podczas prowadzenia
śledztwa w sprawie zabójstwa prezydenta, w której nie mieliśmy tylu świadków.

Teraz mając podejrzanego w areszcie, Fritz mógł rozpocząć przesłuchanie.

BALL: Czy może pan opisać pokój przesłuchań?

WILL FRITZ: [...] pokój 317, na drugim piętrze budynku [...] jakieś trzy na
cztery i pół metra [...]. Wszystkie ściany szklane, drzwi wychodziły na korytarz [...].
    Mój gabinet nie nadaje się do takich celów. Oczywiście nigdy wcześniej cze-
goś takiego u siebie nie przeprowadzaliśmy. Nie mam tylnego wyjścia i nie mam
drzwi prowadzących do windy na dół do więzienia, tylko muszę przechodzić
przez około sześćdziesięciometrowej długości korytarz. Za każdym razem, kiedy przechodziliśmy korytarzem do więzienia lub z powrotem, musieliśmy prze-
ciskać się z nim przez tłum tych ludzi [z prasy i telewizji] a oni, oczywiście, krzyczeli do niego i mówili mu różne rzeczy, czasami nieprzyjemne, a czasami takie,
które widać sprawiały mu przyjemność, a czasami go przygnębiały; uważam, że
to bynajmniej nie pomogło w prowadzeniu przesłuchania. Przez to wszystko on
był ciągle podenerwowany.

BALL: A samo przesłuchanie?

WILL FRITZ: [...] mieliśmy w pokoju sporo osób, jak na prowadzenie przesłuchania. Znacznie lepiej jest, i o wiele łatwiej skupić uwagę i myśli przesłuchiwane-
go na tym, co się do niego mówi – tak uważam – jeśli obecne są nie więcej niż
dwie, trzy osoby.
    Ale w sprawie takiej natury [...] oczywiście nie mogliśmy powiedzieć tajnym
służbom ani FBI, że nie chcemy, żeby z nami współpracowali [...] dlatego, rzecz
jasna, ich też poprosiliśmy do środka, ale przez to zrobił się spory tłum.

BALL: Czy miał pan magnetofon?

WILL FRITZ: Nie; nie miałem magnetofonu. Potrzebny nam jest magnetofon, gdybyśmy go wówczas mieli, to znacznie lepiej poradzilibyśmy sobie z tym przesłuchaniem.

BALL: Policja w Dallas nie ma magnetofonu?

WILL FRITZ: Nie; kilka razy zwracałem się z prośbą o magnetofon, lecz do tej pory go nie otrzymałem.

BALL: Podczas przesłuchania również wielokrotnie panu przerywano, zgadza się?

WILL FRITZ: Tak; dość dużo razy nam przerywano [...]. Nie sądzę, żeby można było zrobić dużo więcej, chyba że usunęłoby się stamtąd cały ten tłum. Uważam jednak, że znacznie łatwiej byłoby mi wydobyć z niego przyznanie się do winy albo kilka prawdziwych faktów, gdybym po prostu z nim usiadł i spokojnie porozmawiał.

Tak, kapitan Fritz nie miał do dyspozycji magnetofonu i notował odpowiedzi Oswalda w notesie; był miły, niemal sympatyczny, niskiego wzrostu, zbudowany jak byk i nosił okulary o grubych szkłach. Słynął w Dallas ze swoich zdolności do prowadzenia przesłuchań, które jeden i ten sam człowiek – prokurator okręgowy Henry Wade – uważał jednocześnie za bardzo dobre i zupełnie do niczego.

HENRY WADE: [...] Fritz prowadzi swego rodzaju jednoosobową operację. Nikt oprócz niego samego nie wie, co on robi. Nawet, na przykład, ja. Mnie też niechętnie się przyznaje, co planuje, ale nie mówię tego lekceważąco. Powiem tak: kapitan Fritz jest najlepszy ze wszystkich znanych mi ludzi w znajdowaniu winnego, ale najsłabszy w zdobywaniu dowodów, a mnie bardziej interesuje zdobywanie dowodów, i na tym zasadza się nasz konflikt.

Rozwiązanie zagadki przestępstwa i dowody umożliwiające ukaranie winnego to często dwie zupełnie różne rzeczy. Prawa korpusu dowodowego są ściśle określone i pełne pułapek. Jeśli policjant prowadzący śledztwo niewłaściwie sformułuje pytanie, odpowiedź może być nieważna jako materiał dowodowy lub nawet spowodować zmianę wyroku w apelacji.

Sztywne reguły prowadzenia śledztwa przeszkadzają przesłuchującemu. On stara się nawiązać kontakt z podejrzanym, usiłuje go uspokoić, nawet w koleżeński sposób doprowadzić do przyznania się do winy. To się nie pokrywa z podejściem prokuratora okręgowego. W interesie oskarżyciela leży zachowanie do-wodów w stanie nienaruszonym.

Niezależnie od tego, czy przesłuchującego bardziej interesuje rozwiązanie zagadki przestępstwa, czy też zgromadzenie tylu dowodów, by zapewnić wyrok skazujący, lepiej jest – zarówno w pierwszym, jak i w drugim przypadku – nie mieć magnetofonu. To urządzenie przecież ujawni każdy krok, który można uznać za naruszenie praw więźnia. Biorąc pod uwagę sztuczki, groźby i pułap-ki, którymi najeżone są przesłuchania, zapis na taśmie magnetofonowej to bo-gate źródło apelacji.

Oficerowie KGB w Rosji nie wierzyli, że komenda policji w mieście tak du-żym jak Dallas może funkcjonować bez magnetofonu, no, ale KGB nie musiało bawić się w takie subtelności jak Miranda* (czy poprzedzające ją podobne prze-pisy), a zatem nie rozumiało, że jeden błąd w sformułowaniu, widoczny w za-pisie z przesłuchania, może doprowadzić do uniewinnienia podejrzanego.

Być może kapitan Fritz napomknął tu i ówdzie o potrzebie posiadania ma-gnetofonu, lecz prawdopodobnie wcale go nie potrzebował – aż do tego wyjąt-kowego listopadowego weekendu, kiedy to trzeba się było uporać nie tylko z Lee Harveyem Oswaldem, lecz również z rosnącymi podejrzeniami całego świata, że policja miasta Dallas ma coś na sumieniu, jeśli chodzi o tego faceta.

Można uwierzyć, że w tych okolicznościach Fritz starał się jak mógł. Tak się przynajmniej wydaje.

W każdym razie zaczął od spokojnych, stosunkowo prostych pytań.

Will Fritz: Zapytałem Oswalda, dlaczego figurował pod tym drugim nazwi-skiem [...] O.H. Lee. On powiedział, że ta pani go źle zrozumiała, zapisała je w ten sposób, a on tego nie sprostował.

Gdy Fritz go zapytał, dlaczego podczas oglądania filmu miał ze sobą pistolet, Oswald odpowiedział: Wie pan, jak to jest z pistoletami. Po prostu miałem go ze sobą".

Ball: Czy ostrzegł pan Oswalda, zanim przesłuchiwał go pan po raz pierwszy?

Will Fritz: Tak [...]. Powiedziałem mu, że wszystko, co powie, może zostać wy-korzystane przeciwko niemu [...].

Ball: Czy odpowiedział coś na to?

---

* Miranda – decyzja Sądu Najwyższego USA z 1966 roku stanowiąca o tym, że w chwili aresztowa-nia policja musi poinformować aresztowanego o przysługujących mu prawach, w tym także prawie do milczenia (przyp. tłum.).

Will Fritz: Powiedział mi, że nie chce adwokata i raz czy dwa razy powtórzył, że nie chce odpowiadać na żadne pytania [...] za każdym razem mówiłem, że jeśli nie chce, to nie musi. Potem znów zaczynał ze mną rozmawiać.

Zważywszy na irytację spowodowaną obecnością tylu osób w pomieszczeniu, niebawem musiały zacząć padać pytania bardziej osobiste.

Ball: Zapytał go pan, czy zabił Tippita?

Will Fritz: O tak.

Ball: I co powiedział?

Will Fritz: Wyparł się tego [...]. „Jeden jedyny raz zakłóciłem prawo, a było to w kinie. Uderzyłem w kinie oficera, on dał mi w oko, i chyba sobie na to zasłużyłem". I jeszcze: „To był jedyny raz, kiedy złamałem prawo". Powiedział: „To jedyna rzecz, której jestem winny".

Ball: Zapytał go pan o to, czy przechowywał karabin w garażu w Irving?

Will Fritz: Tak, owszem. Zapytałem go o to i zapytałem, czy przywiózł go z Nowego Orleanu. Powiedział, że nie.

Ball: Że nie przywiózł.

Will Fritz: Zgadza się. Poinformowałem go, że w mieszkaniu Paine'ów powiedziano nam, że miał karabin i że go tam trzymał zawinięty w koc, a on oświadczył, że to nieprawda.

Oswald nie miał zamiaru otwierać żadnych drzwi. Jak długo nie przyznawał się do posiadania karabinu, mógł twierdzić, że ktoś go wrabia.

Próżność jednak nie pozwala mu zbyt długo siedzieć cicho. Skoro jest to potyczka na spryt, to chce okazać się lepszy od przesłuchującego. Gdy ta przyjemność zaczyna coraz więcej kosztować, Oswald znów nabiera ostrożności. Lecz jest w transie, w bitewnym szale.

Pokazano mu zdjęcie, na którym trzyma karabin, a on zaprzeczał, jakoby było to jego zdjęcie.

Will Fritz: [...] powiedział, że to nie jest jego zdjęcie. „[...] to moja twarz, ale [ktoś] dopasował do niej ciało innego człowieka". Powiedział: „Świetnie się znam na fotografii, długo zajmowałem się fotografią zawodowo. To jest zdjęcie, które zrobił ktoś inny. Nigdy w życiu tego zdjęcia nie widziałem".

Czasami zachowywał się potulnie; czasami z kolei miał odzywki tak cyniczne, że zakrawały wręcz na bluźnierstwo.

WILL FRITZ: [...] Powiedziałem mu: „Wiesz, zabiłeś prezydenta, a to bardzo poważne oskarżenie".

On się tego wyparł i powiedział, że nie zabił prezydenta.

Powiedziałem, że prezydent nie żyje. A on na to, że za parę dni ludzie o tym zapomną i że będą mieli nowego prezydenta [...].

DULLES: Jaki był stosunek Oswalda do policjantów i autorytetu policji?

WILL FRITZ: Wie pan, nie miałem z nim żadnych kłopotów. Jeśli tylko prowadziło się z nim rozmowę spokojnie, tak jak ja teraz z państwem, to rozmawiało się dobrze, póki nie zadałem pytania, które miało jakieś znaczenie, w którym chodziło o dowód. Wtedy on natychmiast mówił, że mi na to pytanie nie odpowie. Wręcz przewidywał, o co mam zamiar zapytać. Szczerze mówiąc, w pewnym momencie był w tym tak dobry, że go zapytałem, czy przypadkiem nie ma doświadczenia, czy nie był uprzednio przesłuchiwany.

DULLES: Czy nie był uprzednio przesłuchiwany?

Pytanie to zadaje Allen Dulles: przesłuchiwany przez kogo? Możliwe, że w tym momencie Dulles poczuł się jak oblany kubłem zimnej wody.

WILL FRITZ: [Powiedział, że] po jego powrocie z Rosji długo przesłuchiwali go ludzie z FBI i że próbowali różnych metod. Powiedział, że próbowali metody kumplowskiej i metody kompleksowej, i, niech no pomyślę, jeszcze jednej metody, którą wymienił. Powiedział: „Ja to rozumiem".

Doszło do jednej awantury. Niedługo po tym, jak zaczęło się poważne przesłuchanie, zadzwonił Gordon Shanklin, szef FBI w Dallas.

WILL FRITZ: [...] Pan Shanklin poprosił, żeby przy przesłuchaniu mógł być obecny pan Hosty. Powiedział, że chce, żeby to był akurat on, bo on zna tych ludzi [...].

[...] [Shanklin] powiedział też kilka innych rzeczy, których wolę nie powtarzać. Co mam zrobić, jeśli [mój asystent] się z tym nie pospieszy. Więc [...] wyszedłem na korytarz i poprosiłem [Hosty'ego] do środka.

Przypomnijmy sobie, że istnieje coś takiego, jak list do Hosty'ego, który Oswald zostawił w kwaterze głównej FBI. Być może Shanklin zdał sobie teraz sprawę z istnienia tego kawałka papieru.

Ledwie Hosty wszedł do pokoju przesłuchań i Oswald usłyszał jego nazwisko, wszystko się zmieniło.

WILL FRITZ: [...] pan Hosty zabrał głos i zapytał go [...] czy był w Rosji i czy był w Meksyku, a to Oswalda bardzo zirytowało, uderzył pięścią w biurko, wpadł w zły nastrój [i] powiedział, że nie. A wcześniej mówił, że był w Rosji. Był w Rosji, chyba tak powiedział, przez dłuższy czas [...].

BALL: Czy była mowa o żonie Oswalda?

WILL FRITZ: Tak. Powiedział – odezwał się do Hosty'ego, powiedział mu tak: „Dwa razy napastowałeś moją żonę", i dość się zdenerwował, więc chciałem go trochę uspokoić, bo zauważyłem, że jeśli rozmawiałem z nim spokojnie i nienerwowo, to nietrudno z niego coś wydobyć. Zapytałem go, co ma na myśli, mówiąc o napastowaniu, bo pomyślałem, że może chodzi mu o przemoc fizyczną czy coś w tym rodzaju, a on powiedział: „On jej groził". I powiedział jeszcze: „W zasadzie powiedział jej, że będzie musiała wrócić do Rosji". Powtórzył: „Dwa razy napastował moją żonę".

Oswald znów uderzył pięścią w stół. Ponieważ ręce miał skute z przodu kajdankami, odgłos uderzenia rozległ się pewnie w całym pomieszczeniu. Skutek był taki, że Oswald zdumiał przesłuchujących go ludzi ładunkiem osobistego zaangażowania w napaść na agenta FBI. Ale też nie był to bynajmniej koniec kłopotów agenta Hosty'ego.

McMILLAN: [...] gdy Hosty wrócił z przesłuchania Oswalda w więzieniu okręgowym w Dallas, w biurze już czekał na niego szef FBI Gordon Shanklin z listem, który Oswald zostawił kilka dni wcześniej. Shanklin, który wydawał się „poruszony i zdenerwowany", zapytał Hosty'ego o okoliczności otrzymania tego listu oraz jego wizyt u Ruth Paine i Mariny Oswald. Wedle rozkazu Shanklina Hosty podyktował memorandum, w którym przedstawił wszystko, co wiedział, i dał je Shanklinowi w dwóch egzemplarzach.

Po tym incydencie piątkowe przesłuchanie kilkakrotnie przerywano w celu identyfikacji Oswalda przez świadków. Kierowca taksówki, William Whaley, był jednym z ludzi, których poproszono o rozpoznanie Oswalda. Odbyło się to w tradycyjny sposób. Whaley siedział za lustrem weneckim i gapił się na zebraną w tym celu grupkę.

WILLIAM WHALEY: [...] sześciu mężczyzn, nastolatków. Wszyscy skuci razem. Kazano mi wskazać, który z nich był moim pasażerem.
Wtedy miał na sobie czarne spodnie i białą koszulkę, i to wszystko. Ale mógłbym go wskazać, nawet gdybym go nie poznał, wystarczyło posłuchać, jak

wydziera się na policjantów i mówi im, że to nie w porządku, że ustawiają go z tymi nastolatkami i tak dalej [...].

BALL: Ustawili go do okazania ze znacznie młodszymi mężczyznami?

WILLIAM WHALEY: Z pięcioma innymi [...] młodymi dzieciakami, może wzięli ich z więzienia.

BALL: Czy wyglądał na starszego niż tamci chłopcy?

WILLIAM WHALEY: Tak.

BALL: I mówił, tak?

WILLIAM WHALEY: Nie okazywał najmniejszego szacunku policjantom [prowadzącym okazanie] i mówił im, co o nich myśli [...] próbowali go wsadzić za kratki bez porządnego dochodzenia i on zażądał adwokata.

BALL: Czy to panu pomogło w zidentyfikowaniu tego mężczyzny?

WILLIAM WHALEY: [...] każdy, kto nie byłby pewny, wskazałby tego właściwego, choćby tylko na tej podstawie. Mnie to nie pomogło, bo jak tylko go zobaczyłem, wiedziałem, że to ten [...]. Jak człowiek jeździ na taksówce tyle lat co ja, to uczy się oceniać ludzi, a ja sobie pomyślałem, jak tylko wsiadł do taksówki, że to pijaczek, który od jakichś dwóch dni nie pił, bo tak wyglądał, takie miałem o nim zdanie [...].

O godzinie 19.10 w piątek Oswald został wezwany przed sąd i oskarżony o morderstwo policjanta Tippita. Następnie został z powrotem odprowadzony do pokoju przesłuchań. Później tego wieczoru jeszcze raz zostanie przeprowadzony przez telewizyjne kable i światła na kolejne okazanie, przed Howardem Brennanem, świadkiem, który widział strzelca na piątym piętrze. Brennan jednak tego wieczoru nie potwierdził jednoznacznie tożsamości podejrzanego.

BALL: [...] dwóch policjantów z obyczajówki oraz funkcjonariusz i urzędnik więzienia uczestniczyli w tym okazaniu razem z Oswaldem?

WILL FRITZ: Zgadza się. Pożyczyłem tych z obyczajówki. Trochę się bałem, że gdybym wziął więźnia, to mógłby on zrobić Oswaldowi krzywdę, był [...] nastrój przeciwko niemu wtedy, [a] nie miałem w swoim gabinecie oficera takiej postury, żeby mógł się ustawić do okazania razem z Oswaldem. Dlatego poprosiłem dwóch funkcjonariuszy z obyczajówki, czy mogliby mi pomóc, a oni powiedzieli, że z przyjemnością. Zdjęli płaszcze i krawaty i upodobnili się wyglądem do więźniów i skutek był na tyle dobry, że mogli stanąć koło Oswalda. Na trzeciego wzięliśmy mężczyznę, który pracuje w biurze więzienia, cywila.

BALL: Jak pan uważa, czy ci trzej byli ubrani trochę lepiej niż Oswald?

WILL FRITZ: No cóż, nie sądzę, żeby była między nimi jakaś wielka różnica. Tamci trzej mieli na sobie zwyczajne ubrania służbowe, i jak zdjęli krawaty i rozluźnili sobie kołnierzyki, to wyglądali zupełnie zwyczajnie.

Oczywiście Oswald jedyny miał posiniaczoną twarz. Z drugiej strony Brennan miał swoje powody, żeby nie wskazywać na Oswalda.

HOWARD BRENNAN: Uważałem wtedy, i dalej tak uważam, że to była akcja komunistów, i wydawało mi się, że nie ma [poza mną] żadnego naocznego świadka. Gdyby się rozniosło, że ja jestem świadkiem, to moja rodzina albo ja, albo i ona, i ja, znaleźlibyśmy się w niebezpieczeństwie.

BELIN: A gdyby go pan nie zidentyfikował, czy nie było prawdopodobne, że policja go wypuści?

HOWARD BRENNAN: Nie. Czynnikiem, który wpłynął na moją decyzję bardziej niż powody osobiste, było to, że wiedziałem, że oni już oskarżają go o inne morderstwo i że go nie wypuszczą.

BELIN: Jakie inne morderstwo?

HOWARD BRENNAN: Funkcjonariusza Tippita.

BELIN: A co się zdarzyło od tamtego czasu, że zmienił pan zdanie?

HOWARD BRENNAN: Jak Oswald został zabity, to dość poważnie mi ulżyło […]. Nie było już bezpośredniego zagrożenia.

Gdy tego wieczoru Brennan odmówił identyfikacji, Oswald znów został poddany przesłuchaniu. Ciągnęło się ono przez pół nocy.
    Warto wysłuchać reakcji policjanta, który wraz z kapitanem Fritzem był obecny przy tym, jak Oswalda przesłuchiwała policja z Dallas, tajne służby i FBI.

ELMER BOYD: Mówię państwu, nigdy nie widziałem takiego człowieka jak on.

STERN: W jakim sensie?

ELMER BOYD: No, zachowywał się, jakby był inteligentny; jak tylko mu się zadało pytanie, odpowiadał natychmiast – wcale się nie wahał [...]. Nigdy nie widziałem człowieka, który potrafiłby odpowiadać na pytania tak jak on [...].

STERN: Oczywiście to był dla wszystkich długi dzień – czy pod koniec dnia sprawiał wrażenie, że nadal nad sobą panuje, czy też wyglądał na zmęczonego lub wyczerpanego?

ELMER BOYD: No, zmęczenia nie było po nim widać [...]. Myślę, że pewnie był zmęczony, ale tego nie okazywał.

STERN: To dość nienaturalne – wręcz, powiedziałbym, wyjątkowe; to dość niezwykłe, żeby ktoś oskarżony o zabicie dwóch ludzi, w tym prezydenta Stanów Zjednoczonych, pod koniec dnia tak dobrze nad sobą panował.

Tak, Stern porusza ważną kwestię.

ELMER BOYD: Tak; mówię państwu – Oswald odpowiadał na pytania, aż [wreszcie] wstał i powiedział: „To miało być krótkie przesłuchanie, a znacznie się przedłużyło". Dodał też: „Uważam, że odpowiedziałem na wszystkie pytania, na które zamierzałem odpowiedzieć, i nie mam zamiaru mówić nic więcej".
    I z powrotem usiadł.

Na jakiś czas został nawet odprowadzony do swojej celi. Następnie został postawiony przed sądem i oskarżony o morderstwo prezydenta Kennedy'ego. Postępowanie prowadził sędzia pokoju David Johnston w małym pomieszczeniu, pełnym szaf z aktami. U dołu formularza, który wypełnił sędzia, było napisane: „Brak nakazu – przestępstwo podlegające karze śmierci".
    Tak zakończył się najdłuższy dzień 1963 roku, 22 listopada, który dobiegł końca dopiero w sobotę rano. W sobotę po południu Lee dostanie pozwolenie na widzenie ze swoim bratem Robertem, Mariną i Marguerite.

8

Dziurawy czarny sweter

Ponieważ pismo „Life" zgodziło się zapłacić za ich pobyt w hotelu Adolphus, Marguerite z Mariną i dziećmi przeniosła się tam z Irving na drugi dzień rano.

MARGUERITE OSWALD: Byłyśmy w hotelu „Adolphus" między 9.30 a 10.00.

RANKIN: Jaki to był dzień?

MARGUERITE OSWALD: [...] sobota rano, 23 listopada.

Gdy byłyśmy w pokoju, wszedł agent FBI, pan Hart Odum, wraz z innym agentem, i chciał, żeby Marina poszła z nim na przesłuchanie [...]. A ja powiedziałam: „Nie, teraz pójdziemy zobaczyć się z Lee". Kiedy on wszedł, jadłyśmy właśnie śniadanie [...].

Więc powiedział tak: „Czy może pan powiedzieć pani Oswald – to do tłumacza – że chciałbym jej zadać kilka pytań?" [...].

Ja powiedziałam: „To się na nic nie zda. Niepotrzebnie mówi pan to tłumaczowi, ponieważ moja synowa z wami nie pójdzie [...] wszystkie oświadczenia, jakie złoży Marina, zostaną przekazane przez adwokata".

Pan Odum powiedział do tłumacza [...]: „Proszę powiedzieć pani Oswald, żeby sama zdecydowała, co chce robić, a nie słuchała teściowej" [...].

Wtedy właśnie do pokoju wszedł mój syn Robert i pan Odum powiedział: „Robercie, chcielibyśmy zabrać Marinę i zadać jej kilka pytań".

On powiedział: „Niestety, przykro mi, ale nic z tego, postaramy się znaleźć adwokatów dla niej i dla Lee".

Wtedy pan Odum wyszedł.

Poszliśmy do sądu i siedzieliśmy tam i siedzieliśmy, a kiedy my byłyśmy w sądzie, mój syn Robert był przesłuchiwany przez – nie wiem, czy to byli agenci tajnych służb, czy FBI – w oszklonym pomieszczeniu [...]. No i czekałyśmy tak dłuższą chwilę [...] po południu, zanim wreszcie zobaczyłyśmy się z Lee.

RANKIN: Czy był przy tym obecny ktoś jeszcze? [...].

MARGUERITE OSWALD: Nie. Marina i ja zostałyśmy zaprowadzone tam, gdzie mają rozmównice i telefony. Marina wzięła słuchawkę i rozmawiała z Lee po rosyjsku. To jest moja słaba strona. Nie wiem, o czym oni mówili. Lee wydawał się bardzo opanowany i pewny siebie. Był porządnie pobity. Miał podbite oczy i twarz całą w siniakach i w ogóle. Ale zachowywał się spokojnie. Uśmiechał się do żony i rozmawiał z nią, a potem ja wzięłam słuchawkę i powiedziałam: „Kochanie, jesteś taki posiniaczony, twoja twarz. Co oni ci robią?".

On powiedział: „Nie martw się, mamo. Siniaki mam po bójce" [...]. Rozmawialiśmy dalej i zapytałam go: „Czy mogę ci jakoś pomóc?".

On powiedział: „Nie, mamo, wszystko jest w porządku. Znam swoje prawa i będę miał adwokata [...]. O nic się nie martw" [...]. I to była cała moja rozmowa z nim.

Panowie, musicie zrozumieć jedno. Słyszałam w telewizji, jak mój syn mówił: „Ja tego nie zrobiłem. Ja tego nie zrobiłem" [...]. Myślę, że zdążyli już panowie poznać mój temperament. Nie obrażałabym mojego syna, pytając go, czy strzelał do prezydenta Kennedy'ego. Dlaczego? Bo słyszałam na własne uszy, jak mówił: „Ja tego nie zrobiłem, ja tego nie zrobiłem".

Mnie to wystarczyło. Nie zadałam mu tego pytania.

Rozmowa Mariny z Lee była niemal równie krótka.

RANKIN: [...] zapytała go pani, czy zabił prezydenta Kennedy'ego?

MARINA OSWALD: Nie. Powiedziałam: „Nie wierzę, że to zrobiłeś, i wszystko dobrze się skończy".

Przecież nie mogłam go oskarżać – był moim mężem.

RANKIN: A co on na to odpowiedział?

MARINA OSWALD: Powiedział, że mam się nie martwić [...]. Ale po jego oczach widziałam, że jest winny. Starał się robić wrażenie dzielnego. A jednak, czytając z jego oczu, mogłam powiedzieć, że się bał.

To było tylko takie wrażenie. Trudno to opisać.

RANKIN: Czy mogłaby nam pani troszkę pomóc, mówiąc, co takiego zobaczyła pani w jego oczach, że tak pani pomyślała?

MARINA OSWALD: Jego oczy powiedziały mi „żegnaj". Widziałam to. Mówił, że wszystko dobrze się skończy, ale sam w to nie wierzył.

Marguerite Oswald potrafi wykorzystać do maksimum to, co ma, gdy przychodzi do obrony Lee.

RANKIN: Mniej więcej, ile czasu pani i Marina spędziłyście z pani synem?

MARGUERITE OSWALD: Ja byłam przy telefonie może jakieś trzy czy cztery minuty, a potem Marina jeszcze raz wzięła słuchawkę i rozmawiała z Lee [i potem] wyszłyśmy [...]. Marina zaczęła płakać. Powiedziała: „Mamo, ja mówię Lee ja kocham Lee, a Lee mówi on mnie bardzo kocha. I Lee mówi mi, że mam kupić buty dla June".

Oto człowiek, którego oskarża się o zamordowanie prezydenta. Mija drugi dzień czy, powiedzmy, doba, odkąd go przesłuchują. Jest opanowany. I myśli o butach dla swojej córeczki.

Bo June nosiła buty tej małej Paine'ów, jak mi powiedziała Marina – czerwone tenisówki z przetartymi noskami. Mój syn przejmuje się butami dla dziecka, [mimo że] jest w takim strasznym położeniu. Więc widocznie czuje się niewinny lub pewny, że wszystko będzie dobrze, tak jak mi mówił.

Następnie przychodzi kolej na wizytę Roberta. Odkąd bracia widzieli się przy okazji Święta Dziękczynienia, minął rok, ale że są braćmi, to ich rozmowa toczy się po torach wyznaczonych parametrami braterstwa. Poniższy fragment pochodzi z książki Roberta Lee:

Gdy jeszcze chwilę porozmawialiśmy o niemowlęciu i Marinie, wreszcie zapytałem go prosto z mostu:

– Lee, o co, do pioruna, chodzi?

– Nie wiem – odpowiedział.

– Nie wiesz? Posłuchaj, mają twój pistolet, mają twój karabin, oskarżyli cię o zabójstwo prezydenta i policjanta. A ty mi mówisz, że nie wiesz. Daj spokój, chcę wiedzieć, co jest grane.

Lee zesztywniał i wyprostował się, jego rysy twarzy nagle bardzo się ściągnęły.

– Nie wiem, o czym oni mówią – powiedział bardzo pewnie i zdecydowanie. – Nie wierz w te całe tak zwane dowody.

Dokładnie przypatrywałem się jego twarzy, starając się z jego oczu lub miny wyczytać odpowiedź na moje pytanie. On to przejrzał, i kiedy wpatrywałem się w jego oczy, powiedział spokojnie: „Bracie, niczego tam nie znajdziesz".

Robert jednak nie ma zamiaru tak łatwo się poddać. Pyta o nowojorskiego prawnika, z którym Lee usiłował się skontaktować. Lee udziela wymijającej odpowiedzi, dając do zrozumienia, że to tylko ktoś, kogo chce mieć jako swojego adwokata. Nie ma zamiaru mówić Robertowi, że wybrany przez niego adwokat, John Abt, bronił przywódców Partii Komunistycznej, Gusa Halla i Benjamina Davisa, którym zarzucano zawiązanie spisku planującego obalenie rządu Stanów Zjednoczonych. Prawda bowiem wywołałaby kłótnię silniejszą niż braterska więź.

Robert jednak zna Lee na tyle, że wyczuwa w tej sprawie coś wielce podejrzanego. Mówi:

– Załatwię ci tutejszego prawnika.

– Nie – powiedział. – Nie wtrącaj się do tego.

– Mam się nie wtrącać? Wygląda na to, że zostałem w to wciągnięty.

– Nie chcę nikogo stąd – powiedział bardzo stanowczo. – Chcę właśnie tego.

– No dobra, w porządku.

Darem, jaki Południowcy wysysają z mlekiem matki, jest niedoprowadzanie rodzinnych nieporozumień zbyt daleko. Doskonale znają stare historie o krewnych, którzy przez dwadzieścia lat nie odpuścili drobnej urazy i wreszcie przyjechali do domu kuzyna z naładowaną bronią w ręku i go zastrzelili.

McMILLAN: [...] tuż po wizycie Mariny Oswald starał się połączyć telefonicznie z Abtem. Od nowojorskiego operatora udało mu się zdobyć numer domowy i służbowy Abta, lecz nie zastał go pod żadnym z tych telefonów [...].

Fritz pytał później, czy Oswaldowi udało się dodzwonić do Abta. Odpowiedział, że nie, a następnie grzecznie podziękował Fritzowi za pozwolenie na skorzystanie z więziennego telefonu.

Możemy sobie wyobrazić konsternację Partii Komunistycznej w Nowym Jorku, gdy życzenie Oswalda, by jego obrońcą był Abt, zostało wydrukowane w gazetach. Jeśli Oswald pracował dla COINTELPRO, to wygląda na to, że się z tej pracy nie wycofał!

Albo, co też jest możliwe, po prostu obstawał przy swoim. Abt wiedziałby, jak poprowadzić polityczną obronę i jak udramatyzować proces. Partia Komunistyczna musiałaby słono za to zapłacić, ale w rachunku zysków i strat Oswalda jego osobisty plus z nawiązką zrekompensowałby wielki minus po stronie Partii.

Ruth Paine: Potem około 15.30 czy 16.00 [po południu] zadzwonił telefon [...].

Jenner: Czy poznała pani głos? [...].

Ruth Paine: Głos powiedział: „Mówi Lee".

Jenner: Proszę jak najdokładniej przypomnieć sobie, co pani powiedziała i, jeśli to możliwe, wszystko, co on powiedział, i dokładnie, co pani powiedziała.

Ruth Paine: Powiedziałam: „No, cześć".

Lee poinstruował ją, żeby zadzwoniła do Abta wieczorem, kiedy tylko zmaleją opłaty za minutę połączenia. „Ruth była zdumiona – zdumiona jego zuchwałą pewnością siebie [...], [ale] mimo oburzenia i złości, próbowała dodzwonić się do Abta i [...] nie udało jej się. Przebywał on wówczas w letnim domu w Connecticut i nie można się było z nim skontaktować.

Ball: Zapytał go pan jeszcze raz o broń, zgadza się?

Will Fritz: Pytałem go o wiele rzeczy w ten [sobotni] poranek, to jasne [...].

Ball: I zapytał go pan o rozmiar i kształt [papierowej] torby, prawda?

Will Fritz: Przez cały czas nie przyznawał się do tego, że przyniósł ten pakunek [...] Mówił, że przyniósł ze sobą tylko lunch [...].

Kłamstwo było narzędziem, którym Oswald posługiwał się przez całe życie. Ale teraz sprawa przedstawiała się inaczej. Kiedyś potrafił wymyślić na poczekaniu pięć kłamstw, by wprowadzić w błąd jedną osobę, teraz zaś każde jego kłamstwo badało pięciu ekspertów od prawdomówności. Jego narzędzie miało się teraz zmierzyć z najbardziej wytrzymałym materiałem ludzkim.

WILL FRITZ: Zapytałem go [znów] o to zdjęcie, a on powiedział [...], że to wcale nie jest jego zdjęcie [...].

BALL: [...] że zdjęcie zrobił ktoś inny i nałożył jego twarz?

WILL FRITZ: Zgadza się; tak.

McMILLAN: Niedługo po godzinie 17.00, w sobotę, Louis S. Nichols, prezes Izby Adwokackiej w Dallas, [został zaprowadzony] na czwarte piętro, do celi Oswalda pozostającej pod specjalnym nadzorem. Oswalda umieszczono w środkowej z trzech cel, a sąsiednie były puste. Leżał na pryczy. Wstał, by przywitać się z Nicholsem, a potem obaj mężczyźni rozmawiali, siedząc na pryczach, które dzieliło około metra. Nichols wyjaśnił, że przyszedł zobaczyć, czy Oswald nie potrzebuje adwokata.

Oswald zapytał go, czy zna nowojorskiego adwokata nazwiskiem John Abt.

Nichols powiedział, że nie.

Cóż, odpowiedział Oswald, to jest człowiek, przez którego chciałby być reprezentowany. Gdyby to się jednak nie udało, Oswald powiedział, że jest członkiem ACLU (American Civil Liberties Union) i chciałby, żeby reprezentował go ktoś z tej organizacji. Gdyby jednak i to się nie udało, dodał, „i mógłbym znaleźć tu [w Dallas] prawnika, który wierzyłby we wszystko to, w co ja wierzę, i wierzył tak, jak ja wierzę, i wierzył w moją niewinność – tu Oswald się zawahał – na ile tylko będzie mógł, to być może zgodzę się, żeby mnie reprezentował".

Jakąś godzinę później, o szóstej wieczorem w sobotę, Marina i Marguerite wraz z June i Rachel zostały przeniesione przez pracowników tajnych służb z hotelu „Adolphus" (gdzie było zbyt tłoczno, by zapewnić im dobrą ochronę) do „Executive Inn" koło lotniska Love Field. Zanim rozgościły się w nowych pokojach, postanowiły spalić zdjęcie Lee, na którym pozował z pistoletem zatkniętym za pasek i karabinem w podniesionej ręce.

RANKIN: Czy wcześniej wspominała jej pani coś o spaleniu zdjęcia?

MARGUERITE OSWALD: Nie. Ostatni raz widziałam to zdjęcie [...], kiedy usiłowała mi powiedzieć, że ma je w bucie. Oświadczam teraz, że [...] podarła zdjęcie i przytknęła do niego zapaloną zapałkę. Potem ja je wzięłam, wrzuciłam do klozetu i spuściłam wodę [...].

RANKIN: Jaki to był dzień?

MARGUERITE OSWALD: Sobota, 23 listopada. Spuściłam podarte i nadpalone kawałki zdjęcia. I nie padło przy tym ani jedno słowo. Nie padło przy tym ani jedno słowo.

Nie wiedziały, że zdjęcie, które niszczą, nie jest kluczowym dowodem, lecz zaledwie jedną z wielu odbitek filmu znajdującego się już w rękach policji, która znalazła inne odbitki tego samego zdjęcia wśród rzeczy Oswalda przechowywanych w garażu Paine'ów.

Marguerite obudził w niedzielę rano atak lęku. Tak jakby jeszcze jeden problem, na razie niewidoczny, miał się zaraz ujawnić i dołączyć do innych jej problemów, których było mnóstwo. Gdzie miały z Mariną mieszkać i z czego miały żyć? Były dwiema samotnymi kobietami, które potrzebowały pomocy. Powinny też móc ze sobą rozmawiać bardziej intymnie, bez oficjalnego pośrednictwa sterczącego nad nimi tłumacza z tajnych służb czy FBI.

Tego ranka szybko wpadła na to, kto mógłby być ich tłumaczem: Peter Paul Gregory, ten sam, który dawał lekcje swego ojczystego języka rosyjskiego w bibliotece Publicznej w Fort Worth. Tak, tak widać musiało być, ponieważ Marguerite pobierała lekcje u Petera Paula Gregory'ego na początku tego roku, kierowana myślą, że jeśli Lee znów przyjdzie ochota się z nią widywać, to będzie umiała konwersować ze swoją wnuczką po rosyjsku. To była mrzonka. Zarzuciła ten pomysł po dwóch lekcjach. Pan Gregory nie dał po sobie poznać, że jej nazwisko coś mu mówi, a poza tym rosyjski to bardzo trudny język.

A jednak tak właśnie miało być. Peter Paul Gregory był pierwszą osobą spoza rodziny, którą Lee poznał, gdy przed piętnastoma miesiącami przyjechał do Fort Worth z Rosji Sowieckiej.

MARGUERITE OSWALD: Więc zadzwoniłam [...]. Powiedziałam: „Panie Gregory, nie powiem panu, kim jestem, ale zna pan mojego syna i synową, a ja znalazłam się w tarapatach. Jestem w pobliżu".

On powiedział: „Przykro mi, ale nie będę rozmawiał z kimś, kogo nie znam".

RANKIN: Jakie nazwisko mu pani podała?

MARGUERITE OSWALD: Nie podałam mu żadnego nazwiska.

Powiedział: „Przykro mi, ale nie będę rozmawiał z kimś, kogo nie znam".

A ja jeszcze raz powiedziałam: „Ale dobrze zna pan mojego syna".

On powiedział: „A, to pani Oswald".

Ja powiedziałam: „Tak, proszę pana, tu pani Oswald. Jesteśmy teraz w «Executive Inn» koło Love Field, bez grosza. Czy nie zna pan kogoś, kto mógłby przyjąć mnie i synową pod swój dach i dać nam gościnę na ten czas, póki to się dzieje, byśmy mogły być blisko Lee? Potrzebuję pomocy, panie Gregory".

On powiedział: „Pani Oswald, w którym pokoju pani mieszka? Pomogę pani. Proszę spokojnie czekać. Spieszę z pomocą".

I tak się skończyła moja rozmowa z panem Gregorym.

Marguerite nie mogła o tym wiedzieć, ale w ratuszu trwały przygotowania do przeniesienia Oswalda do więzienia okręgowego, gdzie miał pozostawać pod dozorem biura szeryfa i gdzie łatwiej rzekomo miano mu zapewnić bezpieczeństwo. Przeniesienie do więzienia okręgowego planowano od godziny trzeciej po południu w sobotę, omawiano i zmieniano warianty bezpiecznego pokonania tej drogi, zmieniono także godzinę.

BALL: Czy braliście pod uwagę przewiezienie go w nocy?

WILL FRITZ: [...] w sobotę wieczorem zadzwonił do mnie mundurowy kapitan – nazywał się, o ile pamiętam, Frazier – i powiedział mi, że odebrali telefon z pogróżkami i że trzeba Oswalda przenieść.

A ja na to, że cóż, nie wiem. Powiedziałem, że nie ma żadnej ochrony [...]. Zadzwonił jeszcze raz za parę minut i powiedział, [...] żebym go jednak zostawił tam, gdzie jest.

Następnie zdecydowali się na przeniesienie go w niedzielę o dziesiątej rano, ale nawet na tę porę nie zdążyli.

WILL FRITZ: Zrobiłem jedną rzecz, o której powinienem państwu powiedzieć. Kiedy szef wrócił i zapytał, czy jestem gotów go przenieść, poinformowałem go, że już złożyłem skargę [...] na to, że w biurze więzienia zostały zamontowane kamery. Bałem się, że nie uda się nam wyjść z nim z więzienia, jeśli będą te kamery i przed biurem będzie stało tylu ludzi.

Gdy więc szef wrócił, zapytał, czy jesteśmy gotowi do przeniesienia. Powiedziałem: „Będziemy gotowi, kiedy ochrona będzie gotowa", a on zapewnił: „To już załatwione". Powiedział: „Ludzie stoją po drugiej stronie ulicy, a wszyscy reporterzy siedzą w garażu" i powtórzył: „Wszystko załatwione [...] stoi tam furgonetka do transportu pieniędzy, w której mamy go przewieźć", a ja powiedziałem: „Szefie, nie podoba mi się pomysł, żeby przewozić go w furgonetce". Nie znaliśmy, oczywiście, kierowcy, nic o nim nie wiedzieliśmy ani o tej furgonetce też. Szef powiedział: „Dobrze, w porządku. Przewieź go w swoim aucie, jeśli chcesz, a furgonetki użyjemy dla zmyłki [...].

Prawda jest taka, że Fritz, wiedząc o tym, że kto inny przejmie odpowiedzialność za Oswalda, gdy tylko zostanie przeniesiony do szeryfa, rozmawiał z więźniem przez większą część niedzielnego ranka. Wreszcie o jedenastej, bo ostatnia część przesłuchania trwała o godzinę dłużej niż się spodziewano, Oswald został przygotowany do transferu.

McMILLAN: Ale koszula, którą miał na sobic, kiedy został aresztowany, została przesłana do laboratorium kryminalnego w Waszyngtonie, i Oswald był ubrany tylko w koszulkę z krótkimi rękawami. Do gabinetu Fritza trafiło kilka wieszaków z ubraniami Oswalda i policjanci wybrali z nich najlepszą, ich zdaniem, koszulę i chcieli, by ją włożył. Oswald jednak był nieugięty. Nie, mówił, i upierał się, że chce włożyć dziurawy czarny sweter. Był teraz ubrany tak, jak na zdjęciach, które robiła Marina, cały na czarno: czarne spodnie i czarny sweter. Fritz zasugerował Oswaldowi, żeby włożył coś na głowę, żeby zakryć twarz. Oswald ponownie odmówił, jak dwa dni wcześniej, kiedy szedł do więzienia. Chciał, by świat zobaczył, kim jest.

Eskortowany przez kapitana Fritza i czterech śledczych, Oswald [dotarł] do piwnicy komendy policji [o godzinie 11.20], gdzie miał wsiąść do czekającego samochodu [...].

BALL: Jak daleko był pan za Oswaldem? [...]. Czy Oswald szedł za panem?

WILL FRITZ: Szedł za mną.

BALL: Ile stóp za panem, według pana szacunków?

WILL FRITZ: W stopach, to powiedziałbym, że jakieś osiem stóp [...]. Najpierw zadzwoniliśmy na dół i powiedzieli nam, że wszystko jest w porządku [...]. Zostawiłem moich oficerów w więzieniu [i] zapytałem dwóch oficerów spoza więzienia, czy bezpieczeństwo jest w porządku, a oni powiedzieli, że jest w porządku. Ale kiedy wyszliśmy [...] zaczął na nas napierać tłum i policjanci [...].

Bez niepotrzebnej przesady można powiedzieć, że miasto Dallas, ta zbiorowa dusza Teksasu, do dziś nie pozbierało się z tego, co wydarzyło się w ciągu następnych kilku sekund, gdy z tłumu wyszedł mężczyzna i na oczach wszystkich zabił Lee Harveya Oswalda.

9

„On płakać; on mokre oko"

Przynajmniej pochowajmy Lee, zanim postaramy się zrozumieć, co mogło kierować umysłem Jacka Ruby'ego.

MARGUERITE OSWALD: O 11.30 w niedzielę [...] mój syn [Robert] i pan Gregory przyszli do „Executive Inn" podekscytowani. W całym pokoju suszyły się pieluchy. Mój fartuch był uprany. Nie miałam ze sobą żadnych ubrań.
Poszłam w [mokrym] fartuchu.
„Pospieszcie się, musimy was stąd wydostać".

Nie należę do osób, którym się rozkazuje, panowie pewnie już to wiedzą. Zapytałam: „Po co ten pośpiech? Mamy tu pieluchy i w ogóle. Chcę wiedzieć, co się stało".

„Mamo, mamo, nie mów tyle. Musimy was stąd wydostać".

Pan Gregory powiedział: „Pani Oswald, posłucha pani i pozbiera rzeczy? Musimy was stąd wydostać" [...].

Powiedziałam: „Od wczoraj nie robimy nic innego, tylko uciekamy z jednego miejsca w drugie. Dajcie nam parę minut. Pójdziemy, ale musimy spakować rzeczy" [...].

„Pani Oswald, porozmawiamy później. Musimy was stąd wydostać".

Rankin: Czy miała pani w tym pokoju telewizor?

Marguerite Oswald: Tak.

To było prawdziwe błogosławieństwo boże. Oglądałyśmy z Mariną telewizję. Ona oglądała więcej niż ja. Byłyśmy bardzo zajęte, panie Rankin. Dzieci miały biegunkę i w ogóle. Byłam bardzo zajęta dziećmi i tą rosyjską dziewczyną [...]. Tylko częściowo dochodziły nas słuchy o tym, co się dzieje. Ale Marina chciała wiedzieć. „Mamo, chcę zobaczyć Lee". Miała nadzieję, że Lee będzie w telewizji, i rzeczywiście był. Ale tego ranka, w niedzielę rano, powiedziałam: „Kochanie, wyłącz telewizor. Pokazują w kółko to samo".

I wyłączyłam telewizor. Dlatego Marina i ja nie widziałyśmy, co się stało z moim synem.

Wyłączyłyśmy telewizor.

Więc nic nie wiedziałyśmy.

A Robert i pan Gregory jak szaleni upierali się, żebyśmy się spakowały i uciekały.

Jak zeszliśmy na dół, wszędzie było pełno ludzi z tajnych służb.

Na jedną reakcję można było liczyć na pewno: Marguerite Oswald zjeży się na widok władzy.

Marguerite Oswald: [...] jak tylko wsiedliśmy do samochodu, pan Gregory powiedział: „Zabieramy was do domu teściowej Roberta".

[...] To są mleczarze, ci teściowie Roberta. Oni chcieli nas tam zabrać, a to jest jakieś siedemdziesiąt kilometrów od Dallas.

I ja powiedziałam: „Nie, nie wywieziecie mnie do dziury zabitej deskami [...]. Chcę być w Dallas, gdzie mogę pomóc Lee".

„Ale ze względów bezpieczeństwa to najlepsze miejsce. Nikt tam nie trafi".

Zapytałam: „Ze względów bezpieczeństwa? Bezpieczeństwo możecie mi zapewnić w pokoju hotelowym w mieście. Nie jadę do tej wioski. Chcę być w Dallas, gdzie mogę pomóc Lee".

Oni dlatego mnie wtedy za bardzo nie lubili, bo wszystko było załatwione, mieliśmy jechać na tę małą farmę. A ja nie zamierzałam tam jechać.

Nie mogłabym ścierpieć, gdybym była sześćdziesiąt czy siedemdziesiąt kilometrów od Dallas, a mój syn siedział tam w więzieniu za morderstwo. Musiałam być tam, w Dallas, [ale] potrzebowałyśmy z Mariną ubrań – Marinie i dziecku potrzebne były ubrania. Wtedy zdecydowali, że powinniśmy pojechać do Irving [...].

Kiedy przyjechaliśmy na miejsce, zaprowadzili nas do domu szefa policji. I wszędzie wokół stały samochody.

Jak tylko się zatrzymaliśmy, agent tajnych służb powiedział: „Strzelano do Lee".

A ja zapytałam: „Gdzie dostał?".

On powiedział: „W ramię".

Rozpłakałam się i powiedziałam: „Marina, Lee został ranny".

Marina poszła do domu szefa policji w Irving zadzwonić do pani Paine, żeby przygotowała pieluchy i inne rzeczy [...].

A ja siedzę w samochodzie z tym agentem. Marina jest teraz w tamtym domu [...].

Coś mówią przez krótkofalówkę, a ten agent tajnych służb na to: „Nie powtarzaj. Nie powtarzaj".

Zapytałam: „Mój syn umarł, tak?".

A on nie odpowiedział.

Powiedziałam: „Odpowiedz pan. Chcę wiedzieć. Jeśli mój syn umarł, chcę pomedytować".

On powiedział: „Tak, pani Oswald, pani syn właśnie przestał oddychać" [...].

Kiedy usłyszałam tę wiadomość, poszłam do tego domu i powiedziałam: „Marina, nasz Lee nie żyje".

Obie się popłakałyśmy. A oni wszyscy oglądali to wydarzenie w telewizji. Telewizor był odwrócony do nas tyłem, tak że ja i Marina nic nie widziałyśmy. Posadzili nas na sofie i żona tego szefa policji podała nam kawę. A telewizor był do nas odwrócony tyłem. Wszyscy mężczyźni patrzyli w telewizor. Prawdopodobnie to dopiero co się stało, bo tamten mężczyzna powiedział: „Nie powtarzaj". A ja się uparłam, że chcę wiedzieć.

Podali nam kawę [...].

W niedzielę po południu tajne służby postanowiły przenieść Marinę, Marguerite, June i Rachel do „Inn of the Six Flags", motelu na trasie z Dallas do Fort Worth, który w listopadzie prawie świecił pustkami. Przedtem powstała jednak kwestia, czy matce i żonie wolno będzie zobaczyć zwłoki Lee.

MARGUERITE OSWALD: Natychmiast powiedziałam: „Chcę zobaczyć Lee". Marina powiedziała: „Ja też chcę zobaczyć Lee".

A szef policji i pan Gregory powiedzieli: „Lepiej by było zaczekać, aż znajdzie się w domu pogrzebowym i doprowadzą go do jakiego takiego stanu".

Powiedziałam: „Nie, ja chcę zobaczyć Lee teraz".

Marina powiedziała: „Ja też, mnie chcę zobaczyć Lee" [...].

Nie chcieli nam na to pozwolić [...] najwyraźniej dlatego, że był to brzydki widok. Ale ja się upierałam i Marina też [...].

Po drodze do samochodu starali się nas przekonać, żebyśmy zmieniły zdanie. I pan Mike Howard – on prowadził samochód – powiedział: „Pani Oswald, ze względów bezpieczeństwa byłoby dużo lepiej, gdyby zaczekała pani trochę z zobaczeniem Lee" [...].

Ja powiedziałam: „Ze względów bezpieczeństwa chcę, żeby pan wiedział, że jestem obywatelką amerykańską, i mimo że jestem biedna, to mam takie same prawa, jak każdy inny człowiek, a pani Kennedy została odwieziona pod eskortą do szpitala, żeby zobaczyć ciało swojego męża. Domagam się, żeby mi zapewniono ochronę i odwieziono mnie do szpitala, żebym mogła zobaczyć mojego syna".

Panowie, wymagam takich samych praw, jakie mają inni.

Pan Mike Howard powiedział: [...] „Chcę pani powiedzieć, że kiedy przyjedziemy na miejsce, nie będę w stanie zapewnić państwu ochrony. Nasza ochrona na tym się kończy. Od tego momentu o państwa bezpieczeństwo zatroszczy się policja" [...].

Ja na to: „Dobrze. Jeśli mam umrzeć, to umrę w ten sposób. Ale zobaczę mojego syna".

Pan Gregory powiedział – i to najokropniejszym tonem, do końca życia tego nie zapomnę – pamiętajcie, panowie, mój syn został oskarżony, i dopiero co go straciłam. Powiedział: „Pani Oswald, jest pani taką egoistką. Stwarza pani zagrożenie dla życia tej dziewczyny i tych dwojga dzieci".

Chcę to rozwinąć. On nie myślał o mnie. Myślał o tej Rosjance. Będę to stale powtarzać – ci Rosjanie zawsze myślą tylko o swojej rodaczce. On na mnie normalnie warczał.

A ja powiedziałam: „Panie Gregory, nie mówię w imieniu mojej synowej. Ona może robić, co chce. Mówię, że ja chcę zobaczyć mojego syna".

I w końcu zawieźli nas do szpitala [...].

Rankin: Co wydarzyło się potem?

Marguerite Oswald: Potem zszedł na dół pan Perry, lekarz [...]. I powiedział: „Zrobię, cokolwiek panie sobie zażyczą [...]. Ale powiem tyle: nie będzie to przyjemne. Wszystka krew została odprowadzona z jego ciała i byłoby znacznie lepiej, gdyby go panie zobaczyły, kiedy będzie przygotowany".

Ja powiedziałam: „Jestem pielęgniarką. Stykałam się już ze śmiercią. Chcę teraz zobaczyć mojego syna".

[Marina] powiedziała: „Ja też chcę zobaczyć Lee". Rozumiała więc, co ten lekarz mówił.

Odprowadzono nas do pomieszczenia na piętrze. Mówili, że to kostnica, ale to nieprawda. Ciało Lee leżało na szpitalnym [...] stole, takim, jakie są na salach operacyjnych. A dokoła stołu stało dużo policjantów, pilnowali ciała. Oczywiście, widać było jego twarz. Marina weszła pierwsza. Uniosła mu powieki. Co do mnie, jestem pielęgniarką, a nie sądzę, że potrafiłabym to zrobić. To bardzo, bardzo silna dziewczyna, potrafi się zdobyć nawet na otwarcie oczu umarłemu. I powiedziała tak: „On płakać. On mokre oko". Do lekarza. A lekarz powiedział: „Tak".

Ja wiem, że płyny wyciekają z nieboszczyka i że ciało rzeczywiście jest wilgotne. Dlatego nawet nie dotykałam Lee. Chciałam tylko [...] mieć pewność, że to mój syn.

Wychodząc z tego pomieszczenia, zwróciłam się do policjantów: „Uważam, że pewnego dnia zwiesicie głowy ze wstydu".

Powiedziałam: „Tak się składa, że znam kilka faktów świadczących o tym, że może to jest cichy bohater tego wydarzenia" [...].

I z tymi słowami wyszłam z pokoju.

Następnie zostaliśmy [...] przedstawieni kapelanowi [...] szpitala Parkland [i ja] powiedziałam mu, że uważam, że mój syn był agentem [i] chcę, żeby został pochowany na cmentarzu Arlington.

Panowie, nie wiedziałam, że [tam] miał być pochowany prezydent Kennedy. Wiedziałam tylko, że mój syn był agentem i że zasłużył na to, żeby go pochować na cmentarzu Arlington. Dlatego rozmawiałam o tym z kapelanem [i] zapytałam go, czy mógłby porozmawiać z Robertem, ponieważ [...] jak tylko zaczynałam coś mówić, on mówił: „Mamo, daj spokój" [...].

Ze szpitala zostają przewiezieni do „Inn of Six Flags". Robert wygłasza komentarz, że „po niecałej godzinie od naszego przyjazdu gospoda przypominała obóz wojskowy":

ROBERT OSWALD:

– Teraz brakuje tylko tego, żeby jeszcze ktoś z was został zabity lub ranny. Wtedy mielibyśmy naprawdę poważne kłopoty – powiedział do mnie jeden z agentów.

Czuliśmy się całkowicie odcięci od świata. Nie pozwalano nam czytać gazet, słuchać radia ani oglądać telewizji w niedzielę po południu i wieczorem.

Robert przez cały wieczór zajęty był załatwianiem przewidzianego na poniedziałek pogrzebu Lee. Pierwszym krokiem było znalezienie przedsiębiorcy pogrzebowego.

ROBERT OSWALD: Przedsiębiorca pogrzebowy zaczął dzwonić po różnych cmentarzach, żeby przygotować mi grunt pod kupno kwatery dla Lee. Cmentarze jeden po drugim odmawiały choćby wzięcia pod uwagę przyjęcia zwłok Lee [...].

Przedsiębiorca pogrzebowy był na tyle miły, że szukał dalej, a ja zacząłem dzwonić po różnych pastorach z okolic Dallas i Fort Worth, by poprosić ich o odprawienie uroczystości pogrzebowych [i] byłem zdumiony ich reakcją [...]. Pierwszy, drugi, trzeci i czwarty bez owijania w bawełnę nie zgodzili się nawet wziąć mojej prośby pod uwagę.

Jeden z pastorów, ważny członek Rady Kościołów w Dallas, wysłuchał mnie niecierpliwie [...], a potem ostro odparł:

– Nie, nie możemy tego zrobić i koniec.

– Dlaczego? – zapytałem [...].

– Pański brat był grzesznikiem.

Odłożyłem słuchawkę. Kiedy kładłem się spać w niedzielę wieczorem, kwestia, kto będzie odprawiał pogrzeb Lee, była wciąż nie rozstrzygnięta, choć termin pogrzebu był już ustalony na poniedziałek na godzinę czwartą po południu.

Będzie to nad nim wisiało przez całe poniedziałkowe przedpołudnie. Aż przykro patrzeć na jego zdenerwowanie. Robert jest na najlepszej drodze do kariery na stanowisku kierowniczym. Jednak, jak wielu innym ludziom z gruntu poczciwym, wydaje mu się, że musi zdusić w sobie wszelkie odchylenia od normy, i pal sześć, ile go to będzie kosztować. Ów psychiczny koszt można zmierzyć natężeniem spisków, jakie człowiek widzi wszędzie wokół siebie. W Robercie odzywa się odziedziczony po matce dar do wymyślania naprędce mało prawdopodobnych scenariuszy. Na przykład, gdy w towarzystwie Mariny i policji spotkał się z Ruth i Michaelem Paine'ami w piątek po południu, tylko raz na nich popatrzył, a już był przekonany, że Paine'owie to osobnicy wysoce podejrzani i być może mają konszachty z Rosjanami. Może wrażenie to spowodowane było lekko wyczuwalną w ich zachowaniu manierą arystokratyczną. Robert zapewne naoglądał się sporo transmisji z postępowania w sprawie Algera Hissa* na początku ery telewizji.

Jest również wyczulony na coraz poważniejsze tarcia między tajnymi służbami a FBI. Słyszy, co mówią między sobą agenci tajnych służb.

ROBERT OSWALD: Już w piątek wieczorem doszły do moich uszu domysły, że być może za zabiciem prezydenta stał spisek i [...] zastanawiałem się, czy Marina nie należała przypadkiem do takiego spisku. W sobotę i w niedzielę w Dallas krążyły plotki, że do „spisku" może należeć któraś z agend rządowych. Przed nadejściem niedzielnego wieczoru zdałem sobie sprawę, że agendą, na którą pada największe podejrzenie, jest FBI.

Zważywszy na trzymane w tajemnicy istnienie COINTELPRO na początku lat sześćdziesiątych, faktycznie były powody do podejrzeń (wkrótce dane nam bę-

---

* Alger Hiss – były urzędnik Departamentu Stanu USA, oskarżony w 1948 roku o przynależność do komunistycznej siatki szpiegowskiej; przysięgał w sądzie, że jest niewinny, i w roku 1950 został skazany na karę więzienia za krzywoprzysięstwo (przyp. tłum.).

dzie zobaczyć, jak dalece J. Edgar Hoover nie ufał swoim ludziom), lecz w tym wypadku pogłoska zapewne wzięła się z plotek krążących między policjantami po tym, jak w gabinecie kapitana Fritza Oswald wygłosił istną tyradę, stając twarzą w twarz z Hostym. Oczywiście uwielbienie dla budzących podejrzenia sytuacji leży głęboko w naturze Amerykanów, a trudno sobie wyobrazić Amerykanów bardziej typowych niż policja miasta Dallas.

Stwierdzenie, że Amerykanie lubują się w paranoi, wymaga przynajmniej krótkiego wyjaśnienia: nasz kraj został zbudowany dzięki ekspansywnej wyobraźni ludzi, którym wciąż marzyły się ziemie leżące dalej i dalej na zachód. Wyruszając w nieznane, wielu Amerykanów za cały majątek miało potęgę wyobraźni. Gdy granica została ostatecznie ustalona, fantazja automatycznie przeobraziła się w paranoję (którą można przecież zdefiniować jako wymuszone ograniczenie wyobraźni; odpowiednikiem paranoi w świecie sztuki jest scenariusz). I oto, proszę, tam gdzie ekspansja dobiegła końca, na wybrzeżu Pacyfiku, wyrosło Hollywood. Od początku rozsyłało szpule filmu po całej Ameryce, której wyobraźnia, zamknięta między dwoma oceanami, odczuwała potrzebę scenariuszy. Pod koniec lat pięćdziesiątych i na początku sześćdziesiątych sporo tych scenariuszy obrało sobie za temat antykomunizm – wyobraźnia Ameryki widziała zagrożenie ze strony Czerwonych czyhające na każdym kroku, także w postaci Mariny Oswald.

Teraz więc do żałoby Roberta po śmierci brata, przerażenia zabójstwem prezydenta oraz podejrzenia, że Lee był jego sprawcą, dołączyła jeszcze podejrzliwość wobec Mariny i Paine'ów, plus nowe sceptyczne spojrzenie na FBI, a na koniec konstatacja, że łatwiej byłoby załatwić pogrzeb dla trędowatego niż dla jego brata Lee Harveya Oswalda.

ROBERT OSWALD: Wreszcie w poniedziałek około jedenastej rano zjawiło się w „Inn of the Six Flags" dwóch pastorów luterańskich, którzy chyba nam współczuli. Jeden został w holu, ale drugi przyszedł, żeby się z nami spotkać. Biuro Krajowej Rady Kościołów w Dallas poprosiło ich, żeby do nas przyszli i zaproponowali odprawienie nabożeństwa pogrzebowego, które zostało wyznaczone na ten sam dzień na godzinę szesnastą na cmentarzu Rose Hill.

Pastor nie wyglądał na zachwyconego tym, że ma odprawiać to nabożeństwo, ale niechętnym tonem zapewnił, że będzie na cmentarzu o czwartej.

Dlaczego ci wszyscy pastorzy postępowali tak nie po chrześcijańsku? Cóż, w Dallas–Fort Worth udzielenie ostatniej posługi Oswaldowi mogło przekreślić szanse pastora na przeniesienie w przyszłości do bardziej prestiżowego kościoła. Do rodziny Lee szybko dotarła wiadomość, że pastor luterański, który wyraził zgodę na odprawienie nabożeństwa, teraz cofnął dane im słowo.

Podczas tych niewesołych negocjacji Marguerite wreszcie udało się przekonać jednego z agentów tajnych służb, by nagrał na taśmę jej wypowiedź – chciała bowiem przekazać potomnym, dlaczego, jej zdaniem, Lee miał pełne prawo do pochówku na cmentarzu Arlington. Nie mówiła długo, gdy z sypialni z płaczem wyszedł Robert. Marguerite powiedziała więc do mikrofonu: „Przykro mi, zgubiłam wątek, ponieważ mój syn płacze".

Marguerite Oswald: [...] Przez chwilę myślałam, że Robert płacze z powodu tego, co mówiłam, i żałuje, że nie słuchał mnie wcześniej, kiedy usiłowałam powiedzieć mu o ucieczce Lee i mojej wyprawie do Waszyngtonu. Ale Robert płakał dlatego, że odebrał właśnie telefon z wiadomością, że nie uda nam się zgodzić żadnego pastora do odprawienia nabożeństwa nad grobem mojego syna.

Wspominając ten cios, Marguerite dzieli się z Komisją Warrena swoim osobistym kredo, które wygłasza z dumą:

Marguerite Oswald: [...] Ja nie jestem związana z żadnym Kościołem. Życie nauczyło mnie tego, że moje serce jest moim kościołem. [W tym sensie] przez cały dzień siedzę w kościele, medytuję. [Ponadto] zwykle pracuję w niedziele, opiekuję się chorymi, a ludzie, dla których pracuję i którzy chodzą do kościoła [...] ani razu nie powiedzieli mi: „Pani Oswald, dziś ja zostanę w domu i zajmę się matką, a pani niech sobie pójdzie do kościoła".

Rozumieją państwo, ode mnie się oczekuje, żebym w niedziele pracowała.

Dlatego mam swój własny kościół. I czasami wydaje mi się, że jest on lepszy niż te drewniane budowle [...].

Moje serce jest moim kościołem – to kredo ludzi samotnych.

Tymczasem komplikacje się mnożą. W którymś momencie pojawia się kolejny pastor.

Marguerite Oswald: [...] przyszedł do „Six Flags" niejaki wielebny French z Dallas i usiedliśmy na sofie. [Robert] gorzko płakał, rozmawiając z wielebnym Frenchem, i starał się go nakłonić do wniesienia ciała Lee do kościoła. A on wymieniał powody, dla których nie może tego zrobić.

Wtedy ja się wtrąciłam i powiedziałam: „Jeśli Lee jest zbłąkaną owieczką i dlatego nie chcecie go wnieść do kościoła, to [właśnie] on jest tym, który powinien się tam znaleźć" [...].

A ten agent [który do tej chwili] miał na tyle poczucia przyzwoitości, żeby siedzieć cicho w drugim kącie pokoju, [...] powiedział: „Pani Oswald, proszę się nie odzywać. Tylko pogarsza pani sprawę".

Że też miał czelność – [a potem] wielebny French [powiedział nam] że nie może przyjąć ciała Lee do kościoła. I zgodziliśmy się na nabożeństwo w kaplicy.

Agent, który powiedział Marguerite, że tylko pogarsza sprawę, wkrótce znów pojawia się w jej opowieści:

MARGUERITE OSWALD: [...] Był dla mnie bardzo, bardzo nieuprzejmy. Jak tylko się odezwałam, on na mnie warczał. Akurat w tym czasie pokazywali w telewizji pistolet Lee. Ja powiedziałam: „Jak mogą mówić, że Lee zastrzelił prezydenta? Nawet jeśli udowodnią, że to był jego pistolet, to nie znaczy, że go użył – nikt nie widział, że go używa".

On się odszczeknął i powiedział: „Pani Oswald, my wiemy, że on zastrzelił prezydenta".

Wtedy podeszłam do Mike'a Howarda i zapytałam: „Co się dzieje z tym agentem? On zaraz wybuchnie. Odkąd tu jest, nie robi nic innego, tylko mi ubliża".

Ten odpowiedział: „Pani Oswald, on był przez trzydzieści miesięcy osobistym ochroniarzem pani Kennedy i może jest do pani trochę uprzedzony".

A ja powiedziałam: „Niech sobie zatrzyma swoje osobiste opinie dla siebie. Jest tu na służbie".

Jeśli chodzi o zaciekłą obronę własnego ego, Marguerite nie ustępuje żadnemu agentowi tajnych służb czy FBI.

Jej skargi na pozbawione współczucia zachowanie otaczających ją ludzi nie cichną. Marguerite trudno przychodzi odczuwać żałobę, ponieważ najpierw musi rozprawić się ze wszystkim, co wprawia ją w niezadowolenie, a jest tego tak dużo, że żal nie ma do niej dostępu.

MARGUERITE OSWALD: Marina była bardzo niezadowolona z sukienki – przyniesiono jej dwie sukienki. „Mamo, za długa". „Mamo, źle leży". A wyglądała w nich ślicznie. Widzą państwo, że ja wiem, jak się porządnie ubrać. Obracam się w świecie interesów jako kierownik. Sukienka ślicznie leżała na Marinie. Ale jej się nie podobało.

Powiedziałam: „Och, kochanie, włóż płaszcz. Idziemy na pogrzeb Lee. Zobaczysz, będzie dobrze".

A miałyśmy godzinę na wybranie się na pogrzeb.

Powiedziałam: „W życiu nic zdążymy. Marina tak się guzdrze".

A ona odpowiedziała: „Ja nie guzdrze. Muszę zrobić kilka rzeczy".

Gdy Marina narzekała na sukienkę, moja mała wnuczka, dwuletnia – jest bardzo kochanym dzieckiem, obie są dobrymi dziećmi – stała koło mamy. A Marina zdążyła się już porządnie zdenerwować. Nie podobała jej się sukienka. Marina właśnie czesała włosy. Wzięła grzebień i uderzyła nim June w głowę. Powiedziałam jej: „Marina, nie rób tak". A ten agent – szkoda, że nie wiem, jak się nazywał – warknął na mnie i powiedział: „Pani Oswald, niech ją pani zostawi w spokoju". Odpowiedziałam: „Niech mi pan nie mówi, co mam mówić mojej synowej, kiedy bije moją wnuczkę grzebieniem po głowie" [...].

No i dlaczego ten człowiek to robił?

RANKIN: Czy twierdzi pani, że ten agent robił coś niewłaściwego, jeśli chodzi o Marinę? [...].

Marguerite Oswald: Nie. Mówię – i będę to podkreślać tak mocno, jak tylko mogę – i twierdziłam tak od początku – że uważam, że cały nasz problem ma źródło w rządzie. I podejrzewam tych dwóch agentów o spiskowanie z moją synową [...].

Rankin: O jakim spisku pani mówi?

Marguerite Oswald: O zabójstwie prezydenta Kennedy'ego.

Rankin: Uważa pani, że w spisek zamieszani byli ci dwaj agenci tajnych służb, Marina i pani Paine?

Marguerite Oswald: Tak, tak uważam. I oprócz nich jeszcze jeden wysoki urzędnik.

Żal, strach, wściekłość i rosnąca antypatia wobec Marguerite Oswald to emocje panujące w samochodzie wiozącym rodzinę Lee na cmentarz, który zgodził się przyjąć jego ciało. Tam odbędzie się ostatnia posługa.

Robert Oswald: Marina, mama i dzieci weszły do kaplicy pierwsze. Ja szedłem za nimi, a ze mną Mike Howard i Charlie Kunkel.

Kaplica była zupełnie pusta. Nie było śladu jakichkolwiek przygotowań do nabożeństwa pogrzebowego.

„Nic nie rozumiem" – powiedziałem do Mike'a i Charliego, a oni najwyraźniej też byli zdumieni. Powiedzieli, że postarają się dowiedzieć, o co chodzi.

Dwie czy trzy minuty później jeden z nich wrócił do kaplicy, gdzie na niego czekaliśmy.

„Cóż, przyjechaliśmy o parę minut za późno – powiedział. – Nastąpiło jakieś nieporozumienie i trumna została już przeniesiona na miejsce pochówku. Nabożeństwo odbędzie się tam".

Do czego Marguerite dodaje w swoim zeznaniu: „Robert gorzko zapłakał". Musiała wiedzieć, jak nienawistne będą mu te liczne opisy jego we łzach, opisy którymi sama szafuje w zeznaniu przed Komisją Warrena.

Wzdłuż ogrodzenia cmentarza co kilka metrów stali na straży oficerowie w mundurach.

Trumna okryta była materiałem i grabarze podobno nie wiedzieli, że spoczywa w niej Lee Harvey Oswald. Powiedziano im, że nazwisko zmarłego brzmi William Bobo.

Oczywiście, wkrótce prawda wyszła na jaw. Na cmentarzu pojawiła się horda dziennikarzy.

Robert Oswald: Krętą drogą podjechaliśmy na miejsce, gdzie Lee miał być pochowany. Chwilę przedtem, zanim tam dotarliśmy, jeden z ludzi z tajnych służb odwrócił się do Boba Parsonsa i powiedział:

– Posłuchaj, ty tu zostań w samochodzie z karabinkiem. Gdyby coś się działo, to strzelaj.

– Nic nie sprawiłoby mi większej przyjemności niż skoszenie piętnastu czy dwudziestu dziennikarzy – odparł Bob.

Luterański pastor, który obiecał, że będzie na cmentarzu o czwartej, jeszcze się nie pojawił, a tajne służby dowiedziały się, że wcale nie przyjdzie. Na cmentarz Rose Hill z własnej woli przyjechał wielebny Louis Saunders z Rady Kościołów z Fort Worth, żeby zobaczyć, czy nie mógłby w jakiś sposób pomóc Marinie i rodzinie zmarłego. Gdy powiedziano mu, że ów pastor się nie pojawi, wielebny Saunders wygłosił proste słowa nabożeństwa żałobnego [...].

Dałem znak ręką Mike'owi Howardowi, a gdy do mnie podszedł, powiedziałem, że zamierzałem otworzyć trumnę, i chciałbym, żeby wszyscy dziennikarze i gapie się odsunęli. On skinął głową i niemal natychmiast sześciu czy ośmiu policjantów z Fort Worth w cywilu utworzyło swego rodzaju kordon ochronny w kształcie półkola, odgradzając nas od tłumu i zapewniając namiastkę prywatności.

Mama, Marina, dzieci i ja wstaliśmy wtedy i podeszliśmy do otwartej trumny. Gdy obrzuciłem twarz brata ostatnim, długim spojrzeniem, odwróciłem się i poszedłem znów na miejsce, gdzie siedzieliśmy. Zauważyłem wtedy półkole ochraniających nas policjantów, którzy byli poważni i mieli kamienne twarze [...].

Mieli kamienne twarze, a Robert płakał. Już od dwóch dni nie był w stanie się kontrolować. Jego emocje wydają się najsilniejsze ze wszystkich zgromadzonych bliskich Lee. Ale w miłości starszego brata do młodszego zawsze zawiera się jakiś paradoks, ponieważ młodszy brat jest pierwszym człowiekiem, którym można sterować i pogardzać, którego można upominać, drażnić i dręczyć, podczas gdy w głębi serca, czasami zupełnie nieświadomie, z biegiem lat gromadzi się wielki zapas miłości.

Miesiąc po przybyciu do Moskwy, w 1959 roku, Lee napisał do Roberta długi list; być może po śmierci brata Robert przypomniał sobie jego treść. Ów list niewątpliwie nie łączył się z niedawnymi wypadkami i zapewne nie był komunikatem, który przypadł Robertowi do gustu – wręcz przeciwnie, praktycznie podważał bowiem wszystko, w co Robert wierzył – ale mimo to jego ton wskazywał na istniejącą między braćmi więź. Czy teraz było to jednym z powodów zgryzoty Roberta? Słowa napisane w anonimowym pokoju hotelowym przez młodzieńca, który dopiero niedawno ukończył dwadzieścia lat, tak jasno odzwierciedlają pasję, niewinność i idealizm młodego człowieka, że być może zajmowały poczesne miejsce w uczuciach, jakie Robert żywił do młodszego brata. Teraz, podczas pogrzebu Lee, warto powrócić do tego listu, by się przekonać, jak wiele zmian zaszło w ciągu czterech lat.

16 list. 1959

Kochany Robercie!

[...] Robercie, zapytam Cię o coś: W imię czego popierasz rząd amerykański? Jakie ideały wyznajesz? Nie mów „wolność", bo wolność jest słowem, którego używają od zawsze wszystkie narody. Jeślibyś mnie o to zapytał, to powiem, że ja walczę za komunizm. To słowo przywodzi Ci na myśl niewolników i niesprawiedliwość, ale to przez amerykańską propagandę [...] mówisz o korzyściach. Czy uważasz, że dlatego tu jestem? Dla osobistych, materialnych korzyści? Szczęście nie wypływa z ciebie samego, nie polega na posiadaniu domu, dawaniu i otrzymywaniu. Szczęście to uczestniczenie w walce, w której nie ma granicy między własnym, osobistym światem a światem w ogóle. Ja nigdy nie wierzyłem, że w tym stadium rozwoju Związku Radzieckiego znajdę tu większe korzyści materialne niż miałbym w USA [...].

Prawdopodobnie wiesz bardzo niewiele o tym kraju, więc Ci o nim opowiem. Przekonałem się, tak jak się spodziewałem, że to, co pisze się o Związku Radzieckim w Ameryce, to w większości kłamstwa. Ludzie mają tu teraz siedmiogodzinny dzień pracy i w soboty pracują tylko do trzeciej, a niedziele mają wolne. Mają też udogodnienia socjalne, co oznacza, że nie płacą za mieszkanie czy opiekę medyczną. Pieniądze na to pochodzą z zysków, do których powstania ci ludzie przyczyniają się swoją pracą, a które w USA trafiają do kieszeni kapitalistów [...]. Najważniejszy jest [tu] fakt, że oni wcale nie pracują dla pracodawców, mleczarz jest pod względem społecznym równy kierownikowi fabryki. To nie znaczy, oczywiście, że mają taką samą płacę. Znaczy to po prostu, że na ich pracy zyskuje wspólne dobro wszystkich.

Ludzie tu są dobrzy, ciepli, pełni życia. Chcieliby, żeby wszystkie narody żyły w pokoju, ale równocześnie chcą też, by gospodarczo zniewoleni ludzie Zachodu uzyskali wolność. Wierzą w swoje ideały i całkowicie popierają własny rząd i państwo.

Mówisz, że się mnie nie wyrzekłeś. Dobrze, cieszę się, ale powiem Ci, pod jakimi warunkami przystaję na tę ugodę.

Chcę, żebyś zrozumiał, co teraz powiem. Nie mówię tego nieświadomie lub ot, tak sobie, ponieważ, jak wiesz, służyłem w wojsku i wiem, czym jest wojna.

1. W razie wojny zabiłbym każdego Amerykanina, który włoży mundur i będzie bronił rządu amerykańskiego – każdego Amerykanina.

2. W moim przekonaniu nic mnie nie łączy z USA.

3. Chcę, i będę, prowadzić normalne, szczęśliwe i spokojne życie tu, w Związku Radzieckim, do końca moich dni.

4. Że matka i Ty nie jesteście (wbrew temu, co pisały gazety) dla mnie bliskimi, lecz tylko przykładowymi amerykańskimi robotnikami.

Nie powinieneś wspominać mnie takim, jakim byłem, ponieważ dopiero teraz pokazuję Ci, jaki jestem. Nie jestem zgorzkniały i przepełniony nienawiścią, przyjechałem tu tylko po to, żeby odnaleźć wolność. Prawda jest taka, że nareszcie czuję się jak wśród swoich. Ale nie dajcie się zwieść wrażeniu, że żyję teraz w innym świecie. Ludzie tu są bardzo podobni do Amerykanów i ludzi na całym świecie. Po prostu mają komunistyczny system gospodarczy i ideał komunizmu, którego nie ma w USA [...].

Teraz pada w Moskwie śnieg, dzięki czemu wszystko bardzo ładnie wygląda. Patrzę na Kreml i Plac Czerwony i właśnie skończyłem obiad, *miaso* i *kartoszkę*, mięso i ziemniaki. Widzisz więc, że Rosjanie nie różnią się tak bardzo od Ciebie czy ode mnie.

Lee

Nie ulega wątpliwości, że Lee przeznaczył ten list nie tylko dla oczu Roberta, lecz również radzieckich urzędników. Z pewnością chciał zaimponować swojemu nowemu państwu gotowością do służenia mu. Nie wiedział, że jego oracja trafia na grunt jednomyślności władz radzieckich co do tego, że ten młody Amerykanin w gruncie rzeczy nie zna się na marksizmie. Istotnie, marksizm miał opanowany na poziomie sprzed pierwszej wojny światowej. Nie miał pojęcia o przytłaczającym ogromie nowego systemu ani o słoniowaciźnie biurokracji, która bujnie się rozrosła z chełpliwego przekonania Lenina o tym, że natura ludzka jest jak rzeka – że można stawiać na niej tamy i regulować ją zgodnie z wizją inżynierów społecznych, przepełnionych duchem rewolucji.

Ten młodzieńczy list do Roberta ma zatem w sobie teraz coś z ironii odrzuconego testamentu, pod względem romantycznej przesady podobny wyznaniu miłości do dawnego obiektu westchnień. Zahartowanie ducha Oswalda możemy zmierzyć drogą, jaką pokonał od owego namiętnego wybuchu uczuć do grobu, do którego został złożony pod nazwiskiem William Bobo.

Część VII

Morderca amator

1

Morderca amator

Tajemnica Oswalda zawiera się w zagadce Jacka Ruby'ego. Pierwsza z nich nękała establishment amerykańskiego wywiadu strachem, że jest w nią zamieszany; drugiej ani rusz nie może zrozumieć zupełnie nikt. Drobny bandyta z chicagowskich ulic, którego matka była niezrównoważona psychicznie i często hospitalizowana, ma powiązania z mafią. Są to powiązania nic różniące się szczególnie od powiązań dziesiątków tysięcy innych drobnych bandytów we wszystkich większych miastach amerykańskich – to znaczy, z jednej strony, kruchych, a z drugiej, poufałych, tak że na podstawie tego samego materiału dowodowego można by ich albo skazać, albo uniewinnić. Ale dorastał wśród członków mafii i jest na ty z mafiosami średniego szczebla. Z mafią łączy go też specyficzny kodeks wartości, ale nigdy formalnie nie zostaje jej członkiem – jest zbyt szalony, zbyt zapalczywy, za bardzo skoncentrowany na sobie i za bardzo żydowski, nawet jak dla mafii żydowskiej. A jednak po części jest z ducha czysto mafijnego – chce być znany jako patriota, zakochany w swoim kraju i jego mieszkańcach. Jest lojalny. Wybierzcie go, a on was nie zawiedzie.

Doskonale znamy jego słynną motywację, prawdziwą czy zmyśloną. Tak go dotknęła śmierć JFK, poczuł się tak osierocony, że zamknął na weekend swoje lokale ze striptizem, a wizja Jackie Kennedy, która będzie musiała przyjechać na powrót do Dallas, by zeznawać w sprawie Oswalda, była dlań tak przerażająca, że postanowił zastrzelić oskarżonego – „tego typa", jak go określił. Ale podjął tę decyzję dosłownie w ostatniej chwili. Nie działał z premedytacją. O godzinie 11.17 w niedzielę rano, po staniu w kolejce w biurze Western Union, skąd wysłał 25 dolarów jednej ze swoich tancerek, której na gwałt było potrzeba pieniędzy, przeszedł przez ulicę i wszedł do budynku policji. Tam wpadł na Oswalda. Jego wyjście z sutereny pod eskortą policji i przejście do samochodu, który miał go zawieźć do więzienia okręgowego, filmowały telewizyjne kamery. Tam też, trwale zapisując w umysłach Amerykanów otwarte usta ofiary i niedowierzanie jego strażników, Ruby zabił Oswalda. Nigdy wcześniej śmierci żadnego człowieka nie oglądały takie rzesze ludzi, wpatrzonych z uwagą w ekrany telewizorów.

Większość z nich wierzyła, że Ruby był płatnym mordercą, działającym z rozkazu mafii. Logika tego założenia wskazywała na istnienie spisku, którego celem było zabicie nie tylko Kennedy'ego, ale i Oswalda, który za dużo wiedział.

Ten pomysł, klarowny jak dobry scenariusz filmowy, nie wyjaśnia tylko jednego: dlaczego Ruby stał w ogonku w biurze Western Union i czekał na swoją kolej, by wysłać striptizerce 25 dolarów, a cenne minuty mijały i Oswald mógł w każdej chwili zostać przeniesiony. Na to pytanie nie można udzielić odpowiedzi. Ilu wspólników (a w większości musieliby to być policjanci) byłoby potrzebnych do skoordynowania takiego posunięcia? Nikt, kto ma do odegrania kluczową rolę w starannie przemyślanym planie, którego moment kulminacyjny przewidziany jest w chwili wyprowadzenia ofiary z budynku policji, nie marnowałby czasu na czekanie w biurze Western Union po drugiej stronie ulicy, kiedy do akcji zostało mu tylko kilka minut. Gdyby choreografię takiej sceny dla opery przygotowywał reżyser, zajęłoby mu to ładnych parę godzin.

Sam Ruby powiedział w ostatnim wywiadzie, udzielonym przed śmiercią na raka, że nie było najmniejszej szansy, by znalazł się tam dokładnie w chwili, gdy Oswald wychodził, chyba że „byłby to najdoskonalszy spisek w historii świata [...] losy mogłyby się potoczyć inaczej, gdybym zjawił się tam pół minuty wcześniej lub później".

Zatem śmierci Oswalda akompaniują jęki pogwałconej logiki. Jednak z pozoru wszystko wskazuje na to, że tego przestępstwa dokonała mafia.

W książce bardzo inteligentnie badającej rysy w amerykańskim establishmencie, *The Yankee and Cowboy War* (Wojna Jankesów i Kowbojów), Carl Oglesby pierwszy wysunął hipotezę, że Ruby starał się dać do zrozumienia sędziemu Earlowi Warrenowi, iż mafia na sto procent kazała mu dokonać przestępstwa. Gdyby tylko Warren jeszcze tego samego dnia wyekspediował jego, Jacka Ruby'ego, do Waszyngtonu, to on, Jack Ruby, powiedziałby całą prawdę, a na dowód tego poddałby się na miejscu próbie wykrywacza kłamstw.

Podczas lektury tych oświadczeń, wchodzących w skład zeznań Jacka Ruby'ego, trudno nie dać wiary temu, że Oglesby ma rację. W przeciągu pół godziny Ruby powtarza swoją prośbę pięć razy.

JACK RUBY: Czy jest jakiś sposób, żeby mnie przetransportować do Waszyngtonu?

SĘDZIA WARREN: Słucham?

JACK RUBY: Czy mógłby mnie pan w jakiś sposób przetransportować do Waszyngtonu?

SĘDZIA WARREN: Nic mi o tym nie wiadomo. Przy najbliższej okazji z przyjemnością pomówię o tym z pańskim adwokatem.

JACK RUBY: Nie sądzę, by mój adwokat, Joe Tonahill, dobrze mnie reprezentował. Nie sądzę...

Odcina się od Joego Tonahilla. Już wyraźniej nie może powiedzieć, że wie, dla kogo pracuje jego adwokat.
   Za chwilę powtarza, co mówił wcześniej

JACK RUBY: [...] Proszę państwa, nigdy ze mnie nic nie wydobędziecie, jeśli nie znajdę się w Waszyngtonie.
   Jeśli rozumieją państwo, co chcę powiedzieć, muszą mnie państwo wziąć do Waszyngtonu na testy.
   Czy wyrażam się zbyt dramatycznie? Jakby coś mi się pomieszało?

SĘDZIA WARREN: Nie, mówi pan bardzo rozsądnie i jestem naprawdę zdumiony, że pamięta pan aż tak wiele, jak to się dotąd okazało.
   Opowiadał pan bardzo szczegółowo.

JACK RUBY: Jeśli nie przetransportują mnie państwo do Waszyngtonu – a nie jestem wariatem, jestem przy zdrowych zmysłach – nie chcę uniknąć odpowiedzialności za zbrodnię, której jestem winny.

Mija pięć minut. Mowa jest o czym innym.
   Wreszcie Ruby jeszcze raz ponawia prośbę, posuwa się nawet o krok dalej.

JACK RUBY: [...] Proszę państwa, jeśli chcą państwo wysłuchać pozostałej części mojego zeznania, muszą mnie państwo szybko przetransportować do Waszyngtonu. Ma to związek z panem, panie sędzio.
   Czy mówię jak człowiek trzeźwo myślący?

SĘDZIA WARREN: Tak; proszę mówić dalej.

JACK RUBY: Chcę powiedzieć prawdę, a tutaj nie mogę. Nie mogę tutaj powiedzieć prawdy. Czy to brzmi sensownie?

SĘDZIA WARREN: Cóż, nie mówmy o sensowności. Ale rzeczywiście rozumiem, dlaczego nie może pan powiedzieć Komisji prawdy.

Nie może i już. Nie w Dallas. Ruby niemalże krzyczy im w twarz: półgłówki! Nie rozumiecie, że tu nie mogę powiedzieć prawdy? Wy tutaj nie rządzicie. Nie możecie zapewnić mi ochrony w Dallas. Zarżną mnie w celi, a strażnicy tylko odwrócą wzrok.

JACK RUBY: [...] Mój opór przed mówieniem... czy żaden inny świadek tej historii nie stwarzał takich problemów?

SĘDZIA WARREN: Pan ma największy problem ze wszystkich przesłuchanych przez nas dotąd świadków.

JACK RUBY: Mam po temu wiele powodów [...]. A jeśli państwo wyrażą prośbę, żebym natychmiast wrócił z państwem do Waszyngtonu, to się nie da załatwić, prawda?

SĘDZIA WARREN: Nie, to się nie da załatwić. To się nie da załatwić. To zależy od wielu rzeczy, panie Ruby.

JACK RUBY: Na przykład?

SĘDZIA WARREN: Zwróciłoby to uwagę opinii publicznej. I ludzie. Trzeba by było mieć więcej ludzi do dyspozycji. Gdybyśmy nawet pana stąd przenieśli, to i tak tam nie jest możliwe zapewnienie panu bezpieczeństwa, nie mamy oficerów pilnujących porządku. Poza tym zajmowanie się takimi rzeczami nie wchodzi w zakres naszych obowiązków [...].

Ruby próbuje im to wytłumaczyć w najprostszy sposób: „Panowie, moje życie jest w niebezpieczeństwie". Następnie dodaje: „I nie chodzi o to, że zostałem uznany za winnego". (Został skazany na śmierć przez sąd w Dallas). Usiłuje im powiedzieć: zostanę zabity na długo przed planowaną egzekucją.

JACK RUBY: Czy mówię jak człowiek trzeźwo myślący?

SĘDZIA WARREN: Tak. Mówi pan całkowicie trzeźwo.

JACK RUBY: Czy od chwili, gdy zacząłem zeznawać, z wyjątkiem momentów, gdy poniosły mnie emocje, sprawiałem wrażenie, że mówię do rzeczy, że to, co mówiłem, ma sens?

SĘDZIA WARREN: Tak. Zrozumiałem wszystko, co pan mówił. A jeśli czegoś nie zrozumiałem, to wyłącznie z własnej winy.

JACK RUBY: Proszę więc posłuchać. Mogę nie dożyć jutra, żeby dokończyć składania zeznań [...] jedyne, co chcę przekazać do publicznej wiadomości, a nie mogę powiedzieć tego tutaj, to szczerą prawdę o wszystkim, dlaczego popełniłem ten czyn, ale tutaj nie mogę powiedzieć [...].

Panie sędzio, gdyby wiedział pan w tej chwili, że zagrożone jest pańskie życie, jak by się pan czuł? Czy nie odmawiałby pan dalszych zeznań, choć ode mnie pan wymaga ich składania?

Sędzia Warren: Owszem, uważam, że na pańskim miejscu miałbym niejakie opory. Tak, raczej tak. Myślę, że bardzo starannie bym przemyślał, czy stanowi to zagrożenie dla mojego życia, czy nie.

Jeśli uważa pan, że coś, co robię, czy coś, o co pytam, w jakikolwiek sposób zagraża pana życiu, chcę, żeby pan bez wahania powiedział o tym po zakończeniu przesłuchania.

Jack Ruby: Ale co wtedy? Nic mi to nie da.

Sędzia Warren: Nie; nic to nie da.

Jack Ruby: Więc nie podejmie pan żadnych kroków?

Sędzia Warren: Nie będę wiedział, jakie mam podjąć kroki, jeśli nie powie pan, o co chodzi.

Jack Ruby: Mówił pan, że ma pan nieograniczoną władzę, że może pan robić wszystko, czego pan zapragnie, zgadza się?

Sędzia Warren: Tak.

Jack Ruby: Bez żadnych ograniczeń?

Sędzia Warren: [...] Mamy prawo przesłuchiwać każdego, kogo zechcemy, i mamy prawo [ ] weryfikować zeznania w sposób, który uznamy za stosowny.

Jack Ruby: Ale nie ma pan prawa zabrać ze sobą do Waszyngtonu więźnia, gdyby pan zechciał?

Sędzia Warren: Nie; jeśli chcemy, to możemy wzywać świadków do Waszyngtonu, ale wysłuchaliśmy, tu w Dallas, zeznań chyba dwustu czy trzystu ludzi, nie wzywaliśmy nikogo do Waszyngtonu.

Jack Ruby: Tak; ale ci ludzie nie byli Jackiem Rubym.

Sędzia Warren: Nie; no właśnie.

Jack Ruby: No właśnie.

Podczas przerwy Ruby usiłuje przesłuchujących powiadomić o tym, jak niezmiernie czuje się zagrożony.

Jack Ruby: Panowie, cała moja rodzina jest w niebezpieczeństwie. Życie moich sióstr jest w niebezpieczeństwie.

Sędzia Warren: Tak?

Jack Ruby: Moje naturalnie też, ale to było wiadome od początku. Moich sióstr: Evy, Eileen i Mary [...]. Moich braci: Sama, Earla, Hymana, i naturalnie moje. Moich szwagrów i szwagierek: Harolda Kaminskiego, Marge Ruby, żony Earla, i Phyllis, żony Sama Ruby'ego, życie ich wszystkich jest w niebezpieczeństwie [...] tylko dlatego, że są moimi krewnymi – czy to brzmi dla pana dostatecznie poważnie, panie sędzio?

Sędzia Warren: Nie może być nic poważniejszego, jeśli to rzeczywiście prawda [...].

W tym momencie Ruby zaczął tracić nadzieję, że do sędziego Warrena coś dotrze. Nie wie, jak bardzo prawdopodobne jest to, że ponad pół roku wcześniej dotarło do sędziego Warrena jeszcze bardziej poufne przesłanie – samotny strzelec; żadnego spisku; tego wymaga pokój i dobro naszego kraju. Ruby, którego wrażliwość jest przytłumiona z bólu, ale mimo to odbiera sygnały z zewnątrz, zaczyna zdawać sobie sprawę z tego, że nie uda mu się nic wskórać. Jeśli nadal będzie tak mówił, a Warren nie będzie go słuchał, to zapis przesłuchania będzie dla mafii powodem, by ukarać jego i jego rodzinę. Dlatego powraca do swojej starej śpiewki, do swojej historyjki. Przywołuje nazwisko Jackie Kennedy.

Jack Ruby: [...] Do głębi współczułem pani Kennedy, było mi jej ogromnie żal, że musiała przez to wszystko przejść – śledziłem dość dokładnie to, co się działo. Myślałem sobie, że ze względu na pamięć prezydenta ktoś powinien sprawić, żeby nie musiała wracać tu i oglądać sądzenia tej nieludzkiej zbrodni.
  Nigdy nie miałem okazji tego powiedzieć ani poprzeć, ani udowodnić.

Ponieważ mówił już o zagrożeniu życia swojego oraz swoich braci i sióstr, a sędzia Warren mimo to nie chce go zabrać do Waszyngtonu, Ruby musi teraz oczyścić z podejrzeń mafię. Dlatego wspomina w zeznaniu o John Birch Society, ale bardzo niejasno... bardzo niejasno... Nikt go nie rozumie.

Jack Ruby: [...] działa obecnie takie stowarzyszenie, John Birch Society, a jednym z najważniejszych tam ludzi jest Edwin Walker – proszę to przyjąć na słowo, panie sędzio.

Niestety, ponieważ umożliwiłem tym ludziom dojście do władzy, z powodu popełnionego przeze mnie czynu zagrożone jest życie wielu osób.

To do pana nie dociera, prawda?

Sędzia Warren: Nie; nie rozumiem pana.

Ruby wraca więc do Jackie Kennedy. Ta historyjka nie jest wprawdzie bardzo przekonująca, ale przynajmniej nie można udowodnić, że jest nieprawdziwa. A już szczególnie przy sposobie wyrażania się Ruby'ego, który najpierw coś mówi, zaraz się z tego wycofuje, raz się do czegoś przyznaje, a raz nie, krąży do okoła tematu; nie sposób wniknąć w jego myśli i obalić jego wersji.

Jack Ruby: Tak [...] krótka notka w gazecie, że [...] pani Kennedy być może będzie musiała wrócić na rozprawę Lee Harveya Oswalda.

To spowodowało, że zrobiłem to, co zrobiłem. To spowodowało, że to zrobiłem.

Nie wiem, panie sędzio, dałem się ponieść emocjom. Pamiętam, że zanim ta myśl powstała mi w głowie, nie miałem żadnych takich myśli; nigdy nie odczuwałem złości w stosunku do tej osoby. Nikt inny nie kazał mi niczego robić.

„Nikt [...] nie kazał mi niczego robić".

Jeśli kopia zapisu tego zeznania przedostanie się na zewnątrz – a w paranoicznym umyśle Ruby'ego roi się od prawników – to zawsze może wybronić się, wskazując na to właśnie zdanie: „Nikt inny nie kazał mi niczego robić".

To dla niego sprawa poważna i wysoce nieprzyjemna. On, Jack Ruby – dobry człowiek szczodrego serca, który zaczynał na ulicach Chicago, ale wywalczył sobie porządne czy prawie porządne życie, ma teraz albo zostać skazany przez rząd, albo zabity przez jakiegoś mafijnego pachołka, strażnika więziennego czy skazańca. W więzieniu, które nie jest dla niego bezpiecznym miejscem, za zbrodnię, której od początku nie chciał popełnić.

To potwornie niesprawiedliwe wobec Ruby'ego, myśli Ruby, a jeszcze bardziej niesprawiedliwe wobec jego rodziny. Ludzie, którzy ukarzą go, jeśli sypnie, są źli. A zło nie ma granic, czego dowiódł Hitler. Jeśli więc Jack Ruby wyjaśni Komisji Warrena, że był tylko narzędziem w zabiciu Oswalda, pionkiem szefów mafii, których rozkaz przekazali mu pośrednicy, to mafiosi będą wściekli, że ich wsypał. Z zemsty zabiją wszystkich Żydów. Bezpieczeństwo Żydów i tak zawsze wisi na włosku.

Spróbujmy zrozumieć jego sposób rozumowania. Ruby nie jest szalony. Ale mało mu do szaleństwa brakuje: poczucie ważności własnego istnienia jest u niego jeszcze silniejsze niż u Oswalda. Jeśli zabiją Ruby'ego, myśli Ruby, to cała jego bliższa i dalsza rodzina, krewni i Żydzi na całym świecie znajdą się w niebezpieczeństwie.

Podejmuje zatem jeszcze jedną próbę:

JACK RUBY: [...] to byłoby dość duże ryzyko, gdybym powiedział panu to, co powinienem powiedzieć [...] jestem w trudnym położeniu i nie wiem, jak mógłbym z tego cało unieść głowę [...]. Powiem panu jedno [...]. W tej chwili postępuje eksterminacja narodu żydowskiego. Wskutek tego w naszym kraju nastąpi zupełnie nowa forma rządów. Wiem, że nie dożyję naszego następnego spotkania.
  Czy mówię jak wariat?

SĘDZIA WARREN: Nie; myślę, że naprawdę pan w to wierzy, inaczej bowiem nie mówiłby pan tego pod przysięgą.

JACK RUBY: Ale to bardzo poważna sytuacja. Teraz jest już chyba za późno, żeby to powstrzymać, prawda?

Jeśli nie uda mu się ocalić siebie, to i nie uda mu się ocalić ludzkości. Nie zdaje sobie z tego sprawy, ale jest duchowym bratem Oswalda. I jeden, i drugi wierzył, że odpowiedzialność za losy ludzkości spoczywa na jego barkach.
  Podejmuje ostatnią próbę. Ile razy będzie musiał to wyraźnie powtórzyć? Czy oni nie mogą zrozumieć, dlaczego on musi jechać do Waszyngtonu na zeznania z wykrywaczem kłamstw?

JACK RUBY: Zostałem użyty do pewnego celu i wydarzy się coś tragicznego, jeśli nie wysłuchają państwo moich zeznań i jakoś mnie nie obronią, żeby moi bliscy nie cierpieli za to, co zrobiłem.

Tak, jeśli ja zostanę zabity, to i mój naród zostanie zabity.

JACK RUBY: [...] Bo kiedy państwo stąd wyjadą, to koniec ze mną. Koniec z moją rodziną.

KONGRESMAN FORD: Panie sędzio, przecież pan Ruby będzie miał nadal zapewnioną maksymalną ochronę i bezpieczeństwo, prawda?

JACK RUBY: Ale teraz, gdy wyjawiłem pewne informacje [...].

Usiłuje dać do zrozumienia kongresmanowi Fordowi, że tego dnia za dużo powiedział. Że zagraża to jego bezpieczeństwu. „Chcę poddać się próbie wykrywacza kłamstw – mówi im – ale może niektórzy ludzie nie chcą znać prawdy, którą ode mnie wydostaniecie. Czy to brzmi wiarygodnie?".
  Jeśli Ruby nie oszalał, jeśli jeszcze trochę mu do szaleństwa brakuje – to znaczy jest bardzo zdenerwowany, ale pozostaje przy zdrowych zmysłach – to rze-

czywiście chyba usiłuje im powiedzieć, że działał jako płatny morderca. Jednak pozostaje kwestia tego dziwacznego czekania w kolejce w biurze Western Union. Jak ją wytłumaczyć?

Przypomnijmy, jaki stosunek do Kennedy'ego miała mafia. Bez tego nie możemy iść dalej.

Przez cały rok 1963 ze szczytów mafijnej hierarchii dochodziły stłumione pomruki. „Kto usunie ten kamień z mojego buta?" – pytał Carlos Marcello, mając na myśli Kennedy'ego. Santos Trafficante wyrażał się dosadniej. Jimmy Hoffa bladł z wściekłości, gdy rozmowa schodziła na Kennedych. Po 22 listopada nie tylko krążyły plotki, że rozkaz zabicia Kennedy'ego wydali Marcello, Trafficante i Hoffa, lecz nawet Komisja Izby Reprezentantów do spraw Zabójstw w 1979 roku doszła do wniosku, że winna jest prawdopodobnie mafia (choć, oczywiście, nie znaleziono żadnych jednoznacznie obciążających dowodów).

Ostatnimi czasy trochę więcej konkretów podała książka Franka Ragano *Mob Lawyer* (Adwokat mafii). Trudno jednak powiedzieć, że chodzi w niej głównie o wzbudzenie kontrowersji w kwestii zabójstwa Kennedy'ego. Ragano wyraźnie zaznacza, że Marcello i Trafficante chcieli, by Hoffa uwierzył, że to oni byli odpowiedzialni za ten czyn. „Powiedz mu, że wyświadczyłem mu przysługę, i to niemałą, więc ma u mnie dług" – powiedział Marcello Frankowi Ragano. Przekazuje Hoffie wiadomość w klasycznie sycylijskiej metaforze, że właściwym sposobem odpłacenia się za przysługę tej klasy może być udzielenie pożyczki w wysokości trzech i pół miliona dolarów z funduszu związku zawodowego Teamsters* na inwestycję w luksusowy hotel w nowoorleańskiej Dzielnicy Francuskiej, który pragnęli otworzyć Marcello i Trafficante. Ragano podaje, że przy tej rozmowie nie było żadnych świadków, tylko on i Trafficante (który już nie żyje).

Niemniej jednak ta informacja pobudza umysł do rozważenia dwu hipotez, a dla naszych celów z obu wynika to samo. Każda hipoteza, choćby na początku wydawała się nie wiadomo jak dziwaczna czy niemożliwa do przyjęcia, albo się broni, albo pada, w zależności od tego, czy potrafi wyjaśnić znane już fakty. Nasze dwie hipotezy nie dość, że się bronią, to jeszcze czerpią siły z licznych szczegółów, które pozbierał z różnorakich źródeł Gerald Posner w celu dokładnego odtworzenia działania Jacka Ruby'ego w ciągu trzech dni, kiedy Oswald siedział w areszcie – piątku, soboty i niedzieli. Rozdział o Rubym jest bodaj najbardziej przemyślaną i najlepiej napisaną częścią książki Posnera.

Posner gromadzi szczegóły, by wykazać, że Ruby nie działał z czyjegoś polecenia, lecz był niezrównoważony psychicznie. Na z górą trzydziestu stronach tekstu śledzi zachowanie Ruby'ego po śmierci prezydenta.

---

* Teamsters – największy związek zawodowy w USA (około dwóch milionów członków). W latach pięćdziesiątych i ponownie w roku 1988 znalazł się w centrum słynnego skandalu politycznego i finansowego (przyp. tłum.).

Interesujące będzie wykorzystać skrupulatnie zebrane przez Posnera szczegóły, by poprzeć teorię przeciwną, a mianowicie, że Ruby zabił Oswalda na odgórny rozkaz.

Rozważmy teraz nasze dwie hipotezy. Pierwsza z nich, bardziej skomplikowana, zakłada, że we wrześniu, październiku czy listopadzie Marcello i/lub Trafficante rzeczywiście wydali rozkaz zabicia Jacka Kennedy'ego. Ze względu na wagę tego czynu i związane z nim niebezpieczeństwo musieli przedsięwziąć wielkie środki ostrożności: całkowicie się od tego czynu odgrodzić, a rozkaz przekazać przez szereg pośredników; każdy pośrednik znałby tylko tego, z którym zetknął się bezpośrednio. Szczegóły wykonawcze zamachu pozostawiono ludziom na drugim końcu łańcucha decyzyjnego – tym, którzy mieli zamachu faktycznie dokonać. Ostrożność posunięta była tak daleko, że Marcello i/lub Trafficante nie znali ani zabójcy (czy zabójców), ani daty, ani miejsca zamachu. Mógł zostać dokonany wszędzie – w Miami, w Teksasie, w Waszyngtonie, w Nowym Jorku – to nie było istotne. Do nich ślady tak czy owak nie mogły doprowadzić.

Tuż po ogłoszeniu wiadomości o zamachu na prezydenta mafiosi przyjęli zapewne (czy mogli inaczej?), że ktoś wypełnił ich rozkaz. Gdy więc się dowiedzieli, że w chwili aresztowania Oswald nazwał siebie kozłem ofiarnym, jego los był już przesądzony. Kozioł ofiarny sypie – Oswalda należało zatem usunąć. Fakt, że Oswald był siostrzeńcem Dutza Murreta, a przez to można by się doszukać jego powiązań z mafią, w oczach Marcella nieodwołalnie przesądził o konieczności pozbycia się go. To, że nie był zabójcą na ich usługach i że nie miał z nimi nic wspólnego, mogło nawet nie przyjść mafiosom na myśl. Nie mieli zamiaru odtwarzać łańcucha pośredników. Wydali natychmiastowy rozkaz: załatwić Oswalda. Tym razem im się spieszyło, dlatego prawdopodobnie nie było aż tylu pośredników, co poprzednio; na wykonawców rozkazu wybrano być może kilku ludzi w Dallas, czy to spośród miejscowych, czy też profesjonalistów, których szybko przerzucono z Florydy jeszcze w piątek po południu. Ruby – tak zakłada hipoteza – był jednym z tych ludzi. Jako amator, dziwak, mógł nie mieć dostatecznej motywacji do odwalenia tej roboty. Miał jednak dwie zalety: po pierwsze, cokolwiek by mówić, należał do kręgu kulturowego mafii, czyli w razie czego trzymałby język za zębami, a po drugie miał wyjątkową możliwość dostępu do Oswalda. Mafia znała charaktery i nawyki setek ludzi. Wiedzieli więc także, że Ruby ma dobre, przyjacielskie układy z przynajmniej setką gliniarzy w Dallas. Ergo, może się bez problemu dostać do Oswalda. Nie jest pewnie najbardziej odpowiednim człowiekiem do tej roboty, ale niewątpliwie ma największą szansę na wykonanie jej w jak najkrótszym czasie.

Zatem przekazano mu rozkaz przez kogoś, z kim spotkał się w piątek po południu. Zupełnie bezpodstawne zdaje się typowanie Ralpha Paula, najstarszego przyjaciela Ruby'ego, który miał wówczas sześćdziesiąt lat, Paul bowiem był człowiekiem spokojnym i z mafią nie łączyło go nic poza tym, że prowadził restaurację w Dallas. Oczywiście można argumentować, że właściciele restauracji w dużych miastach rzadko kiedy nie mają powiązań z mafią. Ralph Paul był także jednym z najbliższych przyjaciół Ruby'ego i Ruby był mu dłużny kilkadziesiąt tysięcy dolarów, o czym mafia na pewno wiedziała. Ralph Paul mógł przekazać wiadomość: „Zabij Oswalda, a oni się tobą zaopiekują".

Gdyby ktoś pytał, jak Ruby mógłby dokonać takiego przestępstwa i nie ponieść za nie odpowiedzialności, to odpowiedź jest prosta – z dobrym adwokatem dostałby zaledwie kilka lat albo, gdyby linia obrony opierała się na niepoczytalności oskarżonego, nie musiałby nawet wcale siedzieć w więzieniu. Na pewno poprawiłaby się jego sytuacja finansowa. Uregulowano by jego długi i spłacono pieniądze, które był winien IRS (International Revenue Service – Międzynarodowemu Urzędowi Skarbowemu). A i motywację miał Ruby piękną, choć trochę szaloną – prawdopodobnie nawet sam ją wymyślił, ponieważ po części już się nią kierował, już zdawał się nią zauroczony. Był człowiekiem nad miarę sentymentalnym, więc rzeczywiście mogła mu sprawiać ból sama myśl o tym, jak Jackie Kennedy będzie cierpiała, zeznając w Dallas. Aktor może grać postać mordercy, kochanka, policjanta czy złodzieja, jeśli choć w jednej dwudziestej utożsamia się z tymi osobami. Ruby był niedoszłym aktorem; spełniał pierwszy wymóg adepta sceny – miał uczucia na podorędziu, do tego stopnia nawet, że co rusz wpływały na jego składnię, dlatego czasami tak trudno jest zrozumieć sens wypowiadanych przez niego zdań.

To była hipoteza numer jeden. Hipoteza druga jest prostsza. Marcello i Trafficante wymieniali się z Hoffą pogróżkami o nasłaniu płatnego mordercy na prezydenta, ale nie wydali rozkazu. Pienili się ze złości, ale bali się wykonać taki krok. Gdy zaś prezydent został zabity, dojrzeli w tym okazję do zgarnięcia sporych zysków z funduszy Teamsters, postarali się więc, by Hoffa dowiedział się o tym, że to oni nakazali zabójstwo. Ragano napomyka o tym w swojej książce *Mob Lawyer*: „Skoro nadarzała się okazja zrobienia dużej kasy, Santa i Carlosa stać było na wmówienie Jimmy'emu, że załatwili zabójstwo specjalnie na jego korzyść". Jimmy mógł okazać swoją wdzięczność, przekazując pieniądze z funduszy Teamsters na pożyczkę na budowę hotelu. Problemem był tylko Oswald. Gdyby zaczął mówić, a trzeba było założyć, że będzie mówił, to Hoffa się dowie, że Marcello i Trafficante nie mieli nic wspólnego z zabójstwem na Dealey Plaza. Oswald zatem musiał zostać przeznaczony do odstrzału.

Hipoteza Numer Jeden i Hipoteza Numer Dwa różnią się znacznie, lecz z obu wypływa ten sam wniosek – zważywszy na to, że trzeba działać szybko, Jack Ruby zostaje namaszczony na ich płatnego mordercę.

Z jego zachowania jasno wynika, że nie poczytał sobie tego za honor. To zadanie oznacza obrócenie jego dotychczasowego życia w ruinę. Ralph Paul – jeśli to on był ostatnim ogniwem łączącym mafię z Rubym – nie wygłaszałby osobistych pogróżek, ale, z drugiej strony, nie musiał. Zlekceważenie takiego rozkazu zapewne okazałoby się bardziej zgubne w skutkach niż jego wykonanie. Ruby mógł tylko zgadywać, od kogo ewentualnie wyszedł ten projekt, ale niezależnie od tego, kim był pomysłodawca, na pewno pozostawał w dobrej komitywie z diabłem.

Jesteśmy teraz w stanie sprawdzić, czy zgromadzone przez Posnera szczegóły zgadzają się, czy zaprzeczają punktowi stycznemu naszych dwu hipotez. Pierwsze pytanie, które należy zadać, dotyczy czasu, kiedy Ruby mógł odebrać rozkaz. Najwcześniejszym możliwym do przyjęcia momentem jest jego rozmowa z Ralphem Paulem około godziny 14.45 tego piątkowego popołudnia. Wprawdzie od publicznego ogłoszenia śmierci prezydenta minęła dopiero godzina i piętnaście minut, ale mafiosi mogli zadziałać natychmiast. Marcello i Trafficante słynęli bowiem nie tylko z ostrożności, ale i z tempa podejmowania decyzji.

POSNER: W wykazie rozmów telefonicznych „Carousel" figuruje rozmowa z restauracją [Paula] „Bullpen" o godzinie 14.42, trwająca niecałą minutę. Dowiedziawszy się, że Paula nie ma w restauracji, lecz jest w domu, Ruby zadzwonił tam do niego. Wykaz mówi, że zadzwonił do Paula o godzinie 14.43.

RALPH PAUL: [...] kiedy wróciłem do domu, zadzwonił do mnie Jack i zapytał: „Słyszałeś, co się stało?". Odpowiedziałem: „Tak, słuchałem radia". On zapytał: „Czy to nie okropne?", a ja powiedziałem: „Tak, Jack, to okropne". On oznajmił: „Podjąłem decyzję. Zamykam lokale" [...].

HUBERT: Czy omawiał z panem to, czy ma zamknąć lokale, czy nie?

RALPH PAUL: Nie; nie omawiał tego ze mną. Powiedział, że zamierza zamknąć lokale.

A może Paul mu kazał. Przekazując mu polecenie mafii, mógł powiedzieć: „Jack, musisz zamknąć lokale na najbliższych parę dni. Będziesz potrzebował dużo wolnego czasu, żeby znaleźć sposób, jak to załatwić".

Posner przytacza dowody, które zaprzeczałyby takiej hipotezie. Gdy Ruby po raz pierwszy słyszy o ataku na prezydenta w biurze „Dallas Morning News", daje się ponieść emocjom i już wtedy mówi o tym, jakie to musi być okropne dla Jackie Kennedy i jej dzieci. Płacze, wychodząc z redakcji gazety. Wiemy o tym jednak tylko z jego zeznania przed Komisją Warrena: „Wyszedłem z budynku gazety, poszedłem do samochodu i nie mogłem przestać płakać" [...]. Możliwe jednak, że płacze, szczególnie jeśli płakać zaczął dopiero później tego samego dnia.

W każdym razie dwa razy odwiedza swoją siostrę i wtedy już na pewno wie, czego mafia od niego oczekuje. Jego siostra leży w łóżku, dopiero bowiem przed kilkoma dniami wyszła ze szpitala po operacji. Ruby poszedł zrobić jej zakupy.

Posner: Ruby był u Evy z powrotem o godzinie 17.30 i siedział u niej dwie godziny.

Eva powiedziała, że wrócił „z zakupami jak dla dwudziestu osób [...], ale on wtedy nie wiedział, co robi". Poinformował ją, że chce zamknąć kluby. „I powiedział: «I tak jesteśmy bez grosza, więc będę milionowym bankrutem. Zamknę interes na trzy dni»". Ponieważ był w ciężkiej sytuacji finansowej, ledwo wychodził na swoje, gdy oba kluby otwarte były przez okrągły tydzień, jego decyzja o ich zamknięciu była znaczącym gestem [...].

Lecz jego siostra Eva była świadkiem głębi jego męki i nieumyślnie jeszcze ją powiększała. „Siedział na tym krześle i płakał [...] był aż chory z przejęcia [...] i poszedł do łazienki [...]. Wyglądał okropnie".

Jak powiedziała Komisji Warrena:

Eva Grant: [...] po prostu nie był sobą i naprawdę, klnę się na Boga, [powiedział:] „ktoś wyrwał mi serce". I jeszcze powiedział: „Tak źle nie czułem się nawet wtedy, kiedy umarł tatko, bo tatko był już stary".

Mówi, że jeszcze nigdy nie widziała go w tak złym stanie. To naturalne, że przyniósł więcej jedzenia, niż ktokolwiek byłby w stanie spożyć. Jedzenie to życie, a jego życie może się wkrótce skończyć. Proszę bardzo, może strzelić do Oswalda, ale co będzie, jeśli i on, Jack Ruby, zostanie przy tej okazji skasowany?

Po wyjściu od siostry poszedł na komendę główną policji w ratuszu, gdzie przesłuchiwano Oswalda. Nigdy wcześniej nie miał tam kłopotów ze wstępem, a teraz, kiedy kłębiły się wszędzie tłumy reporterów, wejście nie przedstawiało najmniejszych trudności. Był w budynku od godziny 18.00, oczekując, ale nie wiedząc, czy nadarzy się okazja podejścia do Oswalda na tyle blisko, by wykonać zadanie.

Posner: John Rutledge, policyjny reporter gazety „Dallas Morning News", znał Ruby'ego. Zauważył, jak wysiada z windy, skulony między dwoma reporterami z innych stanów, z identyfikatorami na płaszczach. „We trzech przeszli obok policjantów, skręcili w korytarz, minęli kamery i poszli dalej" – wspomina Rutledge. Po raz drugi zobaczył Ruby'ego, jak ten stał przed pokojem 317, gdzie przesłuchiwano Oswalda, i „wyjaśniał dziennikarzom spoza stanu, kim są ludzie wchodzący i wychodzący z pokoju [...]. Oni rzucali mu tysiąc pytań naraz, a Jack im wszystko tłumaczył [...]. Niedługo potem przechodziło tamtędy kilku śledczych i jeden z nich go poznał. «Ej, Jack, a co ty tu robisz?» «Pomagam tym facetom» – powiedział Ruby, wskazując na tłum reporterów" [...].

Victor Robertson, dziennikarz radia WFAA, również znał Ruby'ego. Widział, jak Ruby zbliża się do drzwi pomieszczenia, gdzie przesłuchiwano Oswalda i powoli je otwiera. „Uchylił drzwi na szerokość kilkunastu centymetrów – przypomina sobie Robertson – i powoli wchodził do środka, gdy powstrzymało go dwóch policjantów. [...] Jeden z nich powiedział: «Nie możesz tam wejść, Jack»".

Ruby prawdopodobnie wyszedł z policji tuż po 20.30 [...].

Pierwsza próba się nie powiodła. Teraz szybko udał się do mieszkania, gdzie zastał swojego współlokatora, George'a Senatora. Senator później zaświadczył, że wtedy „po raz pierwszy widział w jego oczach łzy". Następnie Ruby poszedł do swojej synagogi. Nic dziwnego, że czuł potrzebę modlitwy.

POSNER: W synagodze otwarcie płakał. „Nikt nie wierzył, że taki facet jak Jack w ogóle może płakać – mówił jego brat Hyman. – Jack nigdy w życiu nie płakał. Nie jest skory do łez…".

Tak, mówi wszystkim, że po prostu nie może znieść myśli, że ta piękność, była Pierwsza Dama, Jacqueline Kennedy, będzie zmuszona wrócić do Dallas i zeznawać przed sądem. Oczywiście, każdy może myśleć, co chce, ale da się chyba założyć z prawdopodobieństwem mniej więcej cztery do jednego, że Jack myśli o sobie. A gdyby nie chodziło o Jacqueline Kennedy, tylko o kogokolwiek innego, byłoby pewne na 99 procent, że myśli wyłącznie o sobie. Jego jedynym bogactwem jest życie, a ktoś chce mu je odebrać. Szlachetny kamień, rubin*, ma zaraz wylądować w ścieku.

Po wyjściu z synagogi kieruje się prosto na komendę policji.

POSNER: Gdy pojawił się na drugim piętrze posterunku, trafił na oficera w mundurze, który go nie poznał. Ruby spostrzegł kilku znajomych śledczych, krzyknął do nich i oni pomogli mu się dostać do środka. Gdy już tam się znalazł, powiedział, że „strasznie się przejmuje tą całą historią". Śledczy A.M. Eberhardt, który znał Ruby'ego i bywał w jego klubie, przebywał w sekcji do spraw włamań i kradzieży, gdy Jack „wsunął głowę przez drzwi i głośno się przywitał […]. Wszedł i powiedział mi «cześć», podaliśmy sobie ręce. Zapytałem, co tu robi. Powiedział, że tłumaczy różne rzeczy dziennikarzom […]. Powiedział: «Jestem tu w charakterze reportera», wziął do ręki notes i wyszedł".

Dobrze rozpoznał sytuację. Nie na darmo zajmował się w życiu przyjmowaniem zakładów, prowadzeniem variétés itp.: teraz przygotowuje grunt, by jak najwięcej dziennikarzy uznało, że nie może się bez niego obyć. Nigdy nie wiadomo, kiedy się otworzą właściwe drzwi i nadarzy się okazja. Znalazł się na posterunku i być może przed północą będzie miał szansę podjąć jeszcze jedną próbę.

POSNER: Po niecałej półgodzinie Oswald został przeniesiony z pokoju 317 do pokoju zebrań w suterenie, gdzie o północy miała się odbyć konferencja prasowa. Ruby pamięta, że gdy Oswald go mijał, „dzieliło mnie od niego jakieś pół metra czy metr".

To wyzwanie, które może się równać z pierwszym w życiu skokiem do basenu z wysokości 150 metrów. I Ruby nie potrafi się przemóc. Miał tylko wyjąć pisto-

---

* Ruby (ang.) – rubin (przyp. tłum.).

let i strzelić do Oswalda, ale nie mógł tego zrobić. Przecież od takiej wysokości dostaje się zawrotów głowy.

Własne tchórzostwo przyprawia go o mdłości, podobnie jak każdego z nas, gdy nie staje nam odwagi, by wykonać skok, do którego popycha nas jakiś wyższy instynkt albo chuligan, albo rodzic, albo starszy brat.

POSNER: W pierwszym przesłuchaniu zeznał przed FBI, że miał ze sobą swój rewolwer kaliber 38 w piątek wieczorem (Dokument Komisji nr 1252.9). Później, gdy zdał sobie sprawę, że noszenie przy sobie broni może zostać uznane za dowód działania z premedytacją, powiedział, że w piątek nie miał przy sobie broni. Jednak na zdjęciu Ruby'ego od tyłu, zrobionym tamtego wieczoru na drugim piętrze, widać, że marynarka po prawej stronie się wybrzusza. Jeśli był zabójcą na usługach mafii i dostał rozkaz zabicia Oswalda, strzeliłby do niego przy pierwszej nadarzającej się okazji. Oczywiście rozkazu zabicia Oswalda nie wykonałby ot, tak sobie. A jednak miał doskonałą okazję, kiedy tylko około metra dzieliło go od Oswalda, Ruby nie strzelił.

Posnerowi brakuje chyba daru empatii. To, że ktoś wydaje rozkaz zabicia Oswalda, nie znaczy wcale, że rozkaz można wykonać. Być może Ruby wciąż szuka możliwości wykonania zadania w taki sposób, żeby unieść głowę cało. To fantasmagoria, ale on nie jest przecież zawodowym zabójcą. Nie może przeboleć tego, że chyba nie da się wykonać rozkazu i uniknąć zarazem zapłacenia najwyższej ceny.

By złagodzić cierpienia swojego ego, cały czas pracuje nad wyrobieniem sobie stosunków.

PAPPAS: Wtedy wpadłem na Ruby'ego – o ile pamiętam, to był pierwszy raz. Podszedł do mnie, gdy czekałem na Wade'a, i zapytał […]: „Czy jest pan dziennikarzem?". „Tak" odpowiedziałem […]. Sięgnął do kieszeni i wyjął wizytówkę. Było na niej napisane „Klub Carousel". Byłem zdumiony. Nie wiedziałem, co to za jeden. Moje pierwsze wrażenie było takie, że to śledczy. Był dobrze ubrany, wydaje mi się, że nawet bardzo dobrze. [Nieco później] zapytał: „W czym problem?". Odpowiedziałem: „Usiłuję dodzwonić się do Henry'ego Wade'a". On na to: „Chce pan, żebym go tu sprowadził?" […]. Powiedziałem: „Tak, chciałbym, żeby tu przyszedł". On podszedł do biurka z drugiej strony i zadzwonił do Henry'ego Wade'a […].

Ruby wkłada coraz więcej serca w rolę, która pozwala mu się kręcić po drugim piętrze i czekać na okazję. To, że kocha tę rolę, to dodatkowa zaleta. Jak długo się będzie w nią wcielał, będzie mógł, niczym aktor, czuć się pełen energii; będzie mógł nie dopuszczać do siebie myśli o potworności swej prawdziwej misji.

Gdy tylko jednak wyjdzie z komendy policji, przeżyje istną noc Walpurgii. Najpierw krąży między biurami gazet, nosi różnym ludziom kanapki. Następnie przez godzinę rozmawia w samochodzie z Kathy Kay, byłą striptizerką w „Carousel", i jej partnerem, policjantem Harrym Olsenem o tym, jakie to wszystko musi być straszne dla Jackie Kennedy. Striptizerka płacze, mężczyźni też ronią kilka łez. Zjednoczeni współczuciem dla Jackie Kennedy, wszyscy troje czują dla siebie i pozostałych szacunek, i głośno to wyrażają.

Po nocnej włóczędze przez Dallas Ruby wraca do mieszkania i budzi George'a Senatora.

GEORGE SENATOR: Tak, było w tym coś niecodziennego. Było w tym coś niecodziennego; jak na mnie patrzył [...].

HUBERT: Czy wcześniej widywał go pan w takim stanie?

GEORGE SENATOR: [...] Zdarzało mi się go widzieć wrzeszczącego, jak już państwu mówiłem, ale teraz tak się jakoś dziwnie gapił [...].

HUBERT: Nie zrozumiałem. Gapił się?

GEORGE SENATOR: Jakby się gapił; no, nie wiem [...]. Nie wiem, jak to powiedzieć.

HUBERT: To znaczy, że Jack Ruby patrzył inaczej niż zwykle.

GEORGE SENATOR: Tak.

HUBERT: Czy różnica była znaczna?

GEORGE SENATOR: O tak.

Następnie Ruby budzi telefonem w klubie „Carousel" swojego „człowieka do wszystkiego", Larry'ego Crafarda, i wiezie jego oraz George'a Senatora pod wielką tablicę reklamową w Dallas, na której widnieje napis: IMPEACH EARL WARREN (Odsunąć sędziego Warrena). Wcześniej tego dnia Ruby bardzo się zdenerwował na widok notki w gazecie „Dallas Morning News", podpisanej żydowskim nazwiskiem Bernard Weissman, która sugerowała, że Kennedy popiera komunizm. Jest przekonany, że nazwisko Weissman wymyśliło John Birch Society, by winę przypisać Żydom.

A więc teraz on, Jack Ruby, będzie jednym z wielu Żydów winnych śmierci Kennedy'ego, choćby tylko pośrednio, jako że oni wybrali go na zabójcę Oswalda. Zatem Jack Ruby, Żyd, zapłaci drugą co do wysokości cenę. Jest kozłem ofiarnym, tak jak Żydzi w okresie Holocaustu, tak jak Żydzi, którzy wkrótce zostaną obwinieni za notkę podpisaną nazwiskiem Weissman.

Roztrzęsiony, fotografuje tablicę reklamową z napisem IMPEACH EARL WARREN, jak gdyby nie był to jedynie swego rodzaju materiał dowodowy, ale wybawienie dla kogoś w jego sytuacji. Zachowuje się wprawdzie jak wariat, ale cóż, mało który człowiek, któremu zlecono morderstwo, sprawia wrażenie stuprocentowo zdrowego na umyśle.

Dopiero w sobotę rano odwozi Larry'ego Crafarda z powrotem do „Carousel", a ten natychmiast kładzie się spać na sofie w biurze Ruby'ego.

Odgrywa się, dzwoniąc do mieszkania Ruby'ego o godzinie wpół do dziewiątej rano. Mówi szefowi, że w „Carousel" zabrakło żarcia dla psów. Ruby wpada we wściekłość za zakłócenie mu snu i kładzie Crafardowi do uszu jak nigdy przedtem. Mówi tak obraźliwie, że Crafard pakuje manatki i wynosi się z „Carousel". Jest na tyle zły czy podenerwowany, że wraca autostopem do domu, do Michigan.

Nieco później tego ranka, jak dowiadujemy się od Posnera:

Ruby włączył telewizor i oglądał relację z ceremonii pogrzebowej w Nowym Jorku. „Oglądałem rabina Seligmana – wspominał. – Wychwalał [JFK] i mówił, że to człowiek, który walczył w każdej bitwie, podróżował do wszystkich krajów świata, a strzelono mu w plecy w jego własnym kraju. Wzbudziło to we mnie ogromne emocje – sposób, w jaki to powiedział".

Nie ulega wątpliwości, że Ruby usiłuje znaleźć ważkie uzasadnienie dla czynu, który ma popełnić. Jest człowiekiem o zbyt dużym znaczeniu, by wykonać robotę tylko dlatego, że nakazała mu to mafia. Czuje się żydowskim patriotą, jego marzeniem jest odkupienie win całego wszechświata. Musimy zdać sobie sprawę z tego, że Ruby nie będzie usprawiedliwiał czynu, który rozkazano mu wykonać, dobrem mafii czy mafijnym profesjonalizmem („Mam go sprzątnąć i tyle") – nie, Ruby, jako amator, będzie się starał znaleźć szlachetną motywację.

Do popołudnia porusza się, jak się zdaje, bez wyraźnego celu. Wreszcie udaje się na Dealey Plaza. Widząc setki wieńców, które ludzie położyli tam, by uczcić pamięć prezydenta, Ruby wybucha płaczem w samochodzie – tak w każdym razie zeznaje.

POSNER: Gdy Ruby odjechał z Dealey Plaza, udał się chyba ponownie na drugie piętro posterunku policji, oczekując przeniesienia Oswalda, które jednak nie nastąpiło. Później zaprzeczał, jakoby był tam w sobotę, ponieważ, podobnie jak wcześniej, prawdopodobnie obawiał się, że może to zostać zinterpretowane jako wyraźne działanie z premedytacją. Komisja Warrena twierdziła, że „nie udało jej się jednoznacznie ustalić, czy Ruby pojawił się na komendzie policji w Dallas w sobotę, czy też nie". Jednak wiarygodne zeznania naocznych świadków potwierdzają jego obecność.

Wciąż szuka i wciąż płacze. Od piątku do soboty Ruby płakał lub przynajmniej miał łzy w oczach dziesięć do dwudziestu razy. Przypomnijmy raz jeszcze, że płacze nad sobą. Życie wymyka mu się z rąk. Niemniej jednak, by być w zgodzie z dobrym mniemaniem o sobie, płacze również nad Jackiem, Jackie i ich dziećmi.

Wkrótce znów zaczyna krążyć po swoim rewirze.

POSNER: [...] Późnym popołudniem [dziennikarze telewizyjni, siedzący w wozie transmisyjnym] ujrzeli na monitorach, jak Ruby chodzi po korytarzu na drugim piętrze komendy policji i wdaje się w rozmowę z Wade'em w gabinecie, do którego dziennikarze nie mieli wstępu.

Jest wręcz hiperaktywny.

POSNER: Thayer Waldo, dziennikarz „Fort Worth Star Telegram", przyglądał się, jak między godziną 16 a 17 Ruby rozdaje dziennikarzom karty wstępu do klubu „Carousel". Agresywnie zwracał na siebie uwagę, niektórych ciągnął za rękawy, innych klepał po plecach. Gdy doszedł do Waldo, powiedział: „[...] Oto moja wizytówka, są tu adresy obu moich klubów. Wszyscy mnie tu znają [...]. Jak tylko znajdziecie chwilę czasu, chciałbym, żebyście wszyscy do mnie wpadli [...] postawię wam drinka" [...].

Często zachowuje się tak, jakby jego życie miało się nadal toczyć dotychczasowym trybem. Zapomniał, zdaje się, że zamknął klub „Carousel". Żyje w dwóch stanach świadomości: istnieje w swojej własnej skórze, ale równocześnie odgrywa główną rolę w ważnym filmie, w którym nie obędzie się bez nieszczęścia.

W sobotę wieczorem, gdy Oswald pozostaje w zamknięciu w swojej celi na niedostępnym dla osób postronnych piętrze budynku policji, zaczyna się dla Ruby'ego kolejna długa podróż w ciemnościach. Nie wypełnił postawionego przed nim zadania i zapewne słusznie się spodziewa, że oni wkrótce mu o tym przypomną.

POSNER: Ruby był z powrotem w mieszkaniu przed godziną 21.30. Tam odebrał telefon od jednej ze swoich striptizerek, Karen Bennett Carlin, noszącej pseudonim artystyczny Mała Lynn. Przyjechała ona z mężem z Fort Worth do Dallas i pytała, czy w weekend klub „Carousel" będzie otwarty, bo potrzebowała pieniędzy. „Był strasznie zły i krótko ze mną rozmawiał – wspomina Carlin. – Zapytał: «Nie masz szacunku dla prezydenta? Nie wiesz, że prezydent nie żyje? [...]. Nie wiem, kiedy otworzę kluby. Nie wiem, czy je jeszcze w ogóle kiedyś otworzę»".

Jakże będzie mógł otworzyć swoje kluby? Jeśli nie zabije Oswalda, to mafia najpierw złamie mu nos, szczękę i kolana, a potem zabierze mu kluby. A jeśli wykona rozkaz, to kluby odbierze mu państwo. O dziesiątej wieczór Ruby dzwoni do swojej siostry Evy i żali się jej, jaki jest przygnębiony.

POSNER: Ruby ponownie zadzwonił do restauracji [Paula] o godzinie 23.18. Powiedziano mu, że Paul poszedł do domu. Następnie trzykrotnie próbował się tam do niego dodzwonić, o godzinie 23.19 dzwonił trzy minuty, o godzinie 23.36 dwie minuty i minutę o godzinie 23.47. Paul mówił, że źle się czuł. Ruby'emu powiedział, że „źle się czuje, idzie się położyć i on ma do niego nie dzwonić".

Tego wieczoru w więzieniu w Dallas odebrano anonimowe ostrzeżenie, że życiu Oswalda zagraża niebezpieczeństwo. Gdy kapitan Fritz później się nad tym zastanowił, to stwierdził, że mógł to być Ruby. Może faktycznie to był on. Pewnie uciekał się do wszystkiego, by znaleźć sobie usprawiedliwienie: „Miałem wszystko przygotowane na niedzielę, ale oni przewieźli Oswalda w sobotę w nocy".

Następnie dzwoni do swojego starego znajomego, Lawrence'a Meyersa, który przyjechał do Dallas na kilka dni.

Lawrence Meyers: [...] był wyraźnie bardzo przygnębiony [...] mówił bardziej nieskładnie niż zwykle. Facet mówił tak, jakby mu się wszystko w głowie pomieszało [...].

Zapytałem: „Jack, gdzie jesteś?" [...]. On powiedział, żebym przyszedł do niego na drinka albo na kawę [...]. Ja mu na to, że to głupi pomysł. Mam na sobie piżamę. Jestem po kąpieli. Leżę w łóżku. Chcę spać, ale, powiedziałem, jeśli masz ochotę na kawę, to wpadnij do mnie [...]. A on na to, że nie, nie, że ma coś do roboty. Że nie może do mnie przyjść [...]. Trochę to trwało, i na koniec powiedziałem mu: Jack, wiesz co, wyśpij się porządnie i zapomnij o tym wszystkim. Zadzwoń do mnie jutro o szóstej wieczorem [...] to zjemy razem kolację. On powiedział: dobra [...].

Griffin: [...] Z dokumentów FBI wynika, iż mówił pan, że podczas rozmowy Ruby powiedział panu między innymi: „Muszę coś z tym zrobić". Przypomina pan to sobie?

Lawrence Meyers: Oczywiście.

Możemy interpretować tę uwagę dwojako: muszę coś z tym zrobić, bo czuję taką potrzebę, albo: ktoś mi kazał coś z tym zrobić.

Ruby przespał jakoś tę noc i nazajutrz obudził się w okropnym nastroju.

George Senator: [...] Zrobił sobie jajecznicę z kilku jajek i kawę i wciąż miał w oczach ten wyraz. Nie wyglądało mi to najlepiej [...], jak mam to opisać? Ten wyraz jego oczu? [...].

Hubert: Czy bardziej chodzi o to, co mówił, czy jak?

George Senator: To, jak mówił. Nawet coś tam sobie mruczał, czego nie rozumiałem. I ubrał się zaraz po śniadaniu. A jak już się ubrał, chodził od dużego pokoju do sypialni i z powrotem z sypialni do dużego pokoju, i ruszał ustami. Co on tam mamrotał, to nie wiem. Ale nerwowo chodził w kółko.

Podczas rozmowy telefonicznej zeszłego wieczoru Meyers, mówiąc o Jackie Kennedy, powiedział: „Życie toczy się dalej. Ułoży sobie życie na nowo" [...].

Nie mógł powiedzieć nic gorszego. Wtedy Jack Ruby czuł się już całkowicie zjednoczony z Jackie Kennedy – byli dwiema połączonymi ze sobą, cierpiącymi duszami. Ruby nie chce sobie układać życia na nowo – on chce żyć po staremu.

To takie przykre. Nie może otwarcie prosić o współczucie, ale przepełnia go miłość własna. Wylewa łzy dla Jackie Kennedy, jak gdyby była ona piękniejszą częścią jego duszy, o której nikt nie ma pojęcia, ale wkrótce będzie to obojętne, bo wszystko przepadnie na dobre.

Męczy go poza tym jeszcze coś. Gdy się obudził w niedzielę, wciąż pamiętał o tym, o czym dowiedział się poprzedniego wieczoru: że Oswald ma być przewieziony o godzinie dziesiątej rano. Jeśli Ruby nie znajdzie się wtedy na policji, w więzieniu stanowym taka okazja może mu się już nie trafić.

Jednak postanowił, że się tam nie pojawi. W nocy podjął decyzję. Poniesie konsekwencje nieposłuszeństwa wobec mafii. Do diabła z nią. Nie będzie jej narzędziem.

Los jednak zadecydował inaczej.

POSNER: O godzinie 10.19, gdy Ruby jeszcze snuł się po mieszkaniu w bieliźnie, zadzwoniła do niego tancerka Karen Carlin [...] „Jack, dzwonię, żebyś przysłał mi trochę pieniędzy, bo zalegam z komornym i potrzebuję forsy na jedzenie, a mówiłeś, że jakby co, to mam dzwonić". Ruby zapytał, ile jej trzeba, a ona powiedziała, że 25 dolarów. Zaproponował, że pójdzie do miasta i wyśle jej tę sumę telegraficznie, przez firmę Western Union. Powiedział jednak, że „to chwilę potrwa, zanim się ubierze" [...].

Wyszedł z domu. Brakowało kilku minut do jedenastej. Po drodze minął Dealey Plaza i znów się rozpłakał.

Jeśli człowiek przez blisko dwie doby bił się z myślami, czy ma pociągnąć za spust, czy nie, bo tak czy owak czeka go śmierć albo kalectwo i bankructwo, to jasne, że płacze za każdym razem, kiedy coś mu o tym przypomina. Przypomina mu o tym, że o godzinie 10.00 przepadła jego ostatnia szansa.

Oswald jednak nie został jeszcze przewieziony do więzienia stanowego. Fritz postanowił pozwolić mediom jeszcze raz na niego popatrzeć. Zarządził sesję zdjęciową!

Ruby był w tym czasie w biurze Western Union, przesyłał swojej striptizerce 25 dolarów. Jego życie i tak miało niebawem lec w gruzach, dlatego chciał przynajmniej zrobić ostatni dobry uczynek.

POSNER: [...] cierpliwie czekał na swoją kolej, gdy klient przed nim załatwiał sprawę [...]. Wreszcie znalazł się przy ladzie. Całkowity koszt przekazu wyniósł 26,87 dolarów. Wręczył 30 dolarów i czekał na wydanie reszty, gdy urzędniczka kończyła wypełniać blankiet [...]. Przekaz Ruby'ego został przyjęty o godzinie 11.17. Gdy Ruby wyszedł z Western Union, od wejścia do komendy policji dzieliło go niecałe dwieście kroków.

I jakieś dwieście pięćdziesiąt kroków od sławy.

JACK RUBY: Przeszedłem odległość między Western Union a ogrodzonym wyjściem z policji. Nie wchodziłem chyłkiem do budynku. Nie kręciłem się po okolicy.
Nie kuliłem się, nie chowałem za niczyimi plecami, może kamera tak to pokazuje [...].

POSNER: Na drugim piętrze komendy policji, kilka minut po 11.00 Oswald został poinformowany, że zaraz zostanie sprowadzony na dół [...]. Zapytał, czy może się przebrać. Kapitan Fritz posłał po kilka swetrów [...]. Gdyby Oswald w ostatniej chwili nie zdecydował się na zabranie swetra, opuściłby budynek prawie pięć minut wcześniej, gdy Ruby jeszcze był w Western Union.

JACK RUBY: [...] Nie wmieszałem się w tłum. Nikogo koło mnie nie było, gdy szedłem wzdłuż barierki [...].

Warto wysłuchać sprawozdania policjanta z komendy w Dallas, Dona Raya Archera, wówczas w cywilu:

DON RAY ARCHER: [...] Widziałem, jak Oswald między dwoma policjantami idzie w stronę barierki [...]. W oczy świeciło mi jakieś jasne światło i [trudno mi było] dojrzeć, kto stoi po drugiej stronie barierki, [ale] dostrzegłem postać mężczyzny [...]. Obserwowałem Oswalda i policjantów [...] i pierwszą myślą, która mi przyszła do głowy, gdy ruszyłem – pierwszą myślą było to, że może ktoś wyrwał się z tłumu, żeby mu dołożyć. Ktoś dał się ponieść emocjom i skoczył, żeby mu dołożyć, [lecz] gdy ruszyłem, zobaczyłem, że ten człowiek jest już przy Oswaldzie, podnosi pistolet i strzela.

JACK RUBY: [...] Zdaję sobie sprawę, że to, co zrobiłem, jest straszne i że to było głupie, ale po prostu poniosły mnie emocje. Rozumie pan, panie sędzio?

SĘDZIA WARREN: Tak, rozumiem każde pana słowo.

JACK RUBY: Miałem broń w prawej kieszeni spodni i działałem pod wpływem impulsu, tak, to jest właściwe słowo – zobaczyłem go, i tyle mogę powiedzieć. Było mi wszystko jedno, co się ze mną stanie.

Ironia polega na tym, że Ruby rzeczywiście działał pod wpływem impulsu. Rozważał popełnienie tego czynu do piątku, miał doskonałe okazje i z nich nie skorzystał. Wreszcie, gdy przepadła ostatnia szansa, tak w każdym razie to widział, nogi same zaniosły go na komendę policji. Przecież przez dwa ostatnie dni było to centrum jego życia. I ku jego zdumieniu, Oswald tam był! Jak gdyby Bóg go tam sprowadził. Bóg dawał w ten sposób do zrozumienia: Jack Ruby ma jednak to uczynić. Wypełnił więc umowę. Można powiedzieć, że wypełnił dwie umowy. Po pierwsze, wykonał rozkaz mafii, ale ponieważ mówił o tym tak dużo, że sam w to w końcu uwierzył, zrobił to dla Jacka, Jackie i ich dzieci oraz dla narodu żydowskiego. Uwierzył w zmyśloną motywację i w końcu rzeczywiście zrobił to dla Jackie Kennedy.

Opisuje swoje uczucia Komisji Warrena w dość wyszukanym stylu. Nie istnieje nic trudniejszego nad połączenie elegancji z bogobojnością, no, ale Jack miał w więzieniu kilka miesięcy na to, by przygotować tę mowę:

[...] chciałem okazać miłość wobec naszej wiary (jestem wyznania mojżeszowego) i – nigdy nie używałem tego określenia i nie chcę się wdawać w szczegóły – nagle ogarnęło mnie uczucie, przemożne uczucie, że ze względu na pamięć prezydenta ktoś powinien oszczędzić jej koszmaru powrotu na miejsce zbrodni. Nie wiem, dlaczego przyszło mi to do głowy.

Tuż po tym, kiedy odebrano mu broń w tę feralną niedzielę, nie był jednak tak świętoszkowaty.

ARCHER: [...] zaprowadziliśmy go do biura więzienia, ja trzymałem z tyłu jego lewą rękę, ktoś inny prawą. Nie wiem, kto trzymał jego prawą rękę. Położyliśmy go na podłodze, wtedy jego głowa i twarz były ode mnie odwrócone. Zapytałem: „Co to za jeden?". [On odpowiedział:] „Znacie mnie wszyscy. Jestem Jack Ruby" [...]. Wtedy powiedział: „Mam nadzieję, że zabiłem tego sukinsyna" [...]. Wówczas ja się odezwałem: „Jack, chyba go zabiłeś", a on popatrzył mi prosto w oczy i powiedział: „Miałem zamiar strzelić do niego trzy razy".

POSNER: Gdy dotarli na drugie piętro, Ruby, podekscytowany strzelaniną, rozmawiał z każdym, kto się nawinął. „Nie udałoby mi się lepiej, gdybym to starannie planował – pysznił się. – Szansa była jedna na milion [...] musiałem chyba pokazać światu, że Żyd ma w sobie dość odwagi" [...].

A przez czterdzieści kilka godzin przedtem, we śnie i na jawie, łajał się: ty, Żyd, nie masz dość odwagi, żeby być płatnym mordercą, tylko Włochów na to stać. Chciał więc zostawić swoją wizytówkę – trzy strzały – chciał pokazać światu, że i jemu, Żydowi, starczyło odwagi na dokonanie egzekucji w czysto mafijnym stylu.

Lekarzom ze szpitala Parkland nie udało się uratować życia Oswalda.

POSNER: „Aż trudno sobie wyobrazić, żeby jedna kula mogła narobić tyle szkód – mówił doktor John Lattimer. – Przebiła klatkę piersiową, przeszła przez przeponę, śledzionę i żołądek. Przerwała główną tętnicę jelitową i aortę oraz największą żyłę, i rozerwała prawą nerkę. Rana była niewątpliwie śmiertelna".

Gdy Jack Ruby wdawał się w bójki w którymś ze swoich nocnych klubów, miał na rękach kastety. Przed Larrym Crafardem przechwalał się, że przeleciał każdą tancerkę, a jednak... a jednak... Podobnie jak Oswald, Ruby jest osobowością złożoną.

KAREN CARLIN: [...] Zawsze zadawał takie pytanie: „Czy uważasz, że jestem ciotą? Czy uważasz, że wyglądam jak ciota? Znałaś kiedyś ciotę, która była do mnie podobna?". Pytał mnie o to za każdym razem, kiedy się z nim widziałam.

JACKSON: Czyli on sam podejmował ten temat?

KAREN CARLIN: Tak; pytał: „Czy uważasz, że ja wyglądam jak ciota albo się tak zachowuję?".

Kolejna strona jego osobowości – kochał zwierzęta.

POSNER: W samochodzie został jego ulubiony pies, Sheba. „Ludzie, którzy nie znali Jacka, nigdy tego nie pojmą – mówił autorowi Bill Alexander – ale Ruby w życiu nie wziąłby tego psa ze sobą i nie zostawił go w samochodzie, gdyby wiedział, że zastrzeli Oswalda i wyląduje w więzieniu. Dopilnowałby, żeby pies został w domu z Senatorem, żeby nie stała mu się krzywda".

Tak, Posner ma absolutną rację, że Ruby nie planował zabicia Oswalda w niedzielę, o godzinie 11.21. To nie tłumaczy jednak, dlaczego ostatecznie – i to z powodów znacznie bardziej osobistych niż ból i kłopoty czekające Jacqueline Kennedy – dokonał tego czynu i okrył tajemnicą tysiące spekulacji dotyczących zagadki Lee Harveya Oswalda, jego życia i śmierci.

Część VIII

Duch Oswalda

1

Ukaranie Hosty'ego i śmierć barona

Baron De Mohrenschildt występował w naszej opowieści często, a agent specjalny FBI James Hosty był postacią epizodyczną. Ze wszystkich jednak ludzi z wywiadu i służby bezpieczeństwa, których kariery zostały zniszczone w wyniku zabójstwa prezydenta Kennedy'ego, ci dwaj ucierpieli najbardziej. Śledząc ich dalsze losy można trochę więcej zrozumieć.

Memorandum, do którego za chwilę nawiąże Priscilla Johnson McMillan, to wspomniany już wcześniej dokument „o objętości dwóch do czterech stron", podyktowany przez Hosty'ego na polecenie szefa tamtejszego oddziału FBI, J. Gordona Shanklina, po gniewnej wymianie zdań Oswalda z Hostym w biurze kapitana Fritza.

McMiLLAN: Jakieś dwie do czterech godzin po [zgonie] Oswalda dnia 24 listopada Shanklin wezwał do siebie Hosty'ego. Hosty przypomina sobie, że Shanklin stał za biurkiem i […] wyjął memorandum i list Oswalda.

– Teraz, kiedy Oswald nie żyje – powiedział – nie będzie rozprawy. Weź to i zniszcz.

Hosty zaczął drzeć dokumenty przy Shanklinie.

– Nie tu! – krzyknął Shanklin. – Wynieś to stąd. Nie chcę tych papierów trzymać u siebie w gabinecie. Zniszcz je.

Hosty wyniósł więc dokumenty z gabinetu Shanklina, podarł je na kawałki, wrzucił do klozetu i spuścił wodę. Kilka dni później Shanklin zapytał Hosty'ego, czy zniszczył list Oswalda i memorandum, a Hosty zapewnił go, że tak.

Komisja Izby Reprezentantów do spraw Zabójstw napisała w raporcie, że w roku 1963 Shanklin zaprzeczał, jakoby wiedział coś o tym liście. Gwoli ścisłości, biuro FBI w Dallas trzymało sprawę zniszczenia listu w tajemnicy do roku 1975.

McMiLLAN: Odpowiedzi [Hosty'ego] w wewnętrznej ankiecie FBI były następnie fałszowane przez Shanklina lub kogoś w kwaterze głównej FBI w Waszyngtonie, by wykazać „nieudolną pracę śledczą" w sprawie Oswalda. Hosty otrzymywał upomnienia od J. Edgara

Hoovera, został zawieszony w pełnieniu obowiązków [...] oraz przeniesiony na niższe stanowisko do Kansas City. Wiele lat później awans, do którego go przedstawiono, został zablokowany przez Clyde'a Tolsona, zastępcę J. Edgara Hoovera. Z wyjątkiem Shanklina i jeszcze dwóch agentów, wszyscy pracownicy FBI, którzy mieli coś wspólnego ze sprawą Oswalda w roku 1962 i 1963, zostali ukarani naganą, przeniesieniem, degradacją lub pominięciem przy awansie. Shanklin natomiast otrzymał od Hoovera kilka listów z pochwałami.

Trudno uwierzyć, że ten list rzeczywiście był tak prosty i jednoznaczny w treści, jak utrzymuje Hosty. Ironia polega na tym, że Hosty pracował dla legalnej części FBI, a nie COINTELPRO, dlatego rzeczywiście mógł mieć z Oswaldem tak małą styczność, jak twierdzi; Hooverowi jednak trudno byłoby zyskać co do tego pewność, ponieważ w wewnętrznych memorandach granic między rutynową pracą FBI a wyczynami COINTELPRO nie określano wyraźnie. Poza tym zniszczono dowody rzeczowe. Tym sposobem Hosty stał się elementem odpadów, które Hoover musiał ukryć pod płaszczykiem biurokracji. Został więc kozłem ofiarnym Hoovera.

W przypadku barona dysponujemy większą liczbą szczegółów. Wspominając, jak na Haiti dotarła do niego wiadomość o zabiciu Kennedy'ego, z przyjemnością napomyka o swej przenikliwości.

GEORGE DE MOHRENSCHILDT: Nie uważam się bynajmniej [...] za geniusza. Ale moją pierwszą myślą, gdy usłyszeliśmy [...] [o zabójstwie] od pracownika ambasady amerykańskiej w Port-au-Prince, który wspomniał, że nazwisko podejrzanego to Lee, Lee, Lee coś tam – zapytałem: „Może Lee Harvey Oswald?".
A on powiedział: „Tak, chyba tak się nazywa".

JENNER: Przyszło to panu na myśl?

GEORGE DE MOHRENSCHILDT: Przyszło mi to na myśl.

JENNER: Gdy tylko usłyszał pan, że sprawca nazywa się Lee?

GEORGE DE MOHRENSCHILDT: Gdy tylko usłyszałem, że sprawca nazywa się Lee. A dlaczego przyszło mi to na myśl? Bo on był nieobliczalnym szaleńcem.

Przez następne kilka tygodni rząd Haiti widocznie kilkakrotnie zmieniał zdanie o swojej relacji z De Mohrenschildtem. Wspomnienia George'a, *I'm a Patsy*, podają trochę konkretów.

[...] Doszły nas słuchy, że ktoś wpływowy w Waszyngtonie wysłał list do przedstawicieli rządu Haiti i nakazał wykreślić mnie z listy płac i jak najprędzej wydalić z kraju. Na szczęście, dzięki moim przyjaciołom, to drugie nie doszło do skutku. Później byliśmy poddani ostracyzmowi najpierw przez ambasadora USA Timmonsa, a następnie przez amerykańskich biznesmenów i pracowników administracji państwowej, z którymi dotychczas żyliśmy na bardzo dobrej stopie. Wreszcie dotarła do nas wiadomość, że przesłuchiwani są wszyscy nasi przyjaciele i znajomi w Stanach.

[...] Ostatecznie, po długim czasie, dostaliśmy oficjalne wezwanie do Waszyngtonu, by pomóc Komisji Warrena w dochodzeniu. Choć nie byliśmy w stanie wydatnie pomóc Komisji, zgodziliśmy się pojechać i zeznawać. Mimo iż nasze zeznania miały pozostać utajnione, zostały w całości opublikowane – trzysta stron rozmowy nie na temat – i rozprowadzane na prawo i lewo.

Pod koniec wspomnień podaje bardziej szczere wyjaśnienie tych spraw:

W miarę jak atmosfera w Port-au-Prince się zagęszczała [...] rozważaliśmy porzucenie mojego projektu [...] i powrót do Stanów. Prezydent Duvalier znalazł jednak wyjście z sytuacji. Poprosił doktora Herve'a Boyera, ministra finansów i sekretarza skarbu, a mojego dobrego przyjaciela, który pomógł mi załatwić badania na Haiti, żeby zaprosił mnie do jego gabinetu na rozmowę. [Boyer] powiedział zdecydowanym tonem: „Znalazłeś się w opałach. Jesteście z żoną na językach wszystkich. Nie porzucaj badań, ale wracaj do Stanów i jakoś oczyść swoje nazwisko. Jeśli ci się nie uda, to wróć, zwiń interes i wyjedź z tego kraju".

Tak się złożyło, że tego samego dnia przyszedł do ambasady adresowany do mnie i mojej żony list od pana J. Lee Rankina, członka Komisji Warrena. Pan Rankin zapraszał nas do Waszyngtonu, byśmy – jeśli zechcemy – zeznawali przed Komisją Warrena [...]. Oczywiście, paliliśmy się do współpracy, by dopomóc w rozpracowaniu tej zbrodni. Jeanne jednak upierała się, że nie pojedzie bez swoich dwóch psów – manchester terrierów. Po wymianie telegramów pan Rankin przystał na ten dodatkowy „psi wydatek". [...].

Ja zeznawałem pierwszy. Pytania zadawał mi Albert Jenner, prawnik z Chicago, który później stał się sławny w związku z aferą Watergate [...]. Muszę przyznać, że albo był on znacznie inteligentniejszy ode mnie, albo ja byłem oszołomiony całą tą sytuacją, w jakiej się znalazłem w Waszyngtonie; w każdym razie robił ze mną, co chciał.

Była to nie lada próba nerwów. De Mohrenschildt musiał bronić CIA i musiał bronić samego siebie. Jak pamiętamy, jego *modus operandi* było przypomnienie Agencji, że gdyby pochopnie się od niego odwróciła i tym samym zaprzepaściła jego niepewną szansę na zakup synekury na Haiti, to mógłby ją pogrążyć.

Pod koniec pobytu w Waszyngtonie George starał się chyba poprawić swoją sytuację na uroczystej kolacji.

Po zakończeniu męki składania zeznań zostaliśmy zaproszeni do luksusowej willi matki Jacqueline Kennedy i jej ojczyma, pana Hugh Auchinclossa. Ta willa znajdowała się w Georgetown. Fortuna Auchinclossów wzięła początek z powiązań rodziny Hugh z Johnem D. Rockefellerem seniorem, tym od ropy naftowej [...].

Prawie mimochodem De Mohrenschildt wspomina o tym, że był tam również Allen Dulles. Czy można podejrzewać, że to on poprosił Auchinclossów o wydanie kolacji? Dulles, który został niemal siłą zmuszony do odejścia z CIA po incydencie w Zatoce Świń, wciąż utrzymywał z Agencją wiele kontaktów; z pewnością miał kilka pytań dotyczących powiązań De Mohrenschildta z CIA. Nawet jako czynny dyrektor CIA nie wiedział zapewne o wielu drażliwych kwestiach, a teraz, odsunięty od władzy od ponad dwóch lat, pewnie martwił się tym, jak bardzo Agencja zamieszana jest w sprawę. Przecież to za jego kadencji podejmowała próby zabicia Fidela Castro.

Oczywiście, jeśli tego wieczoru udało mu się porozmawiać z De Mohrenschildtem na osobności, nie zostało to w żaden sposób udokumentowane. De Mohrenschildt poprzestaje na stwierdzeniu: „Dulles zadał mi kilka pytań o Lee".

Pamiętam, że zapytał między innymi, czy Lee miał powody, by nienawidzić prezydenta Kennedy'ego. Gdy jednak odpowiedziałem, że raczej podziwiał zmarłego prezydenta, wszyscy przyjęli tę odpowiedź z lekką dozą sceptycyzmu. Przeważała opinia, że Lee działał na własną rękę.

De Mohrenschildt jest, jak zwykle, gotów odwrócić uwagę od tego, co istotne:

Wciąż myślałem o nieszczęsnym Lee, porównywałem jego życie z życiem tych multimilionerów. Starałem się przemówić sobie do rozsądku – bezskutecznie. Wydawało mi się, że mam do czynienia ze spiskiem, spiskiem uporu i milczenia. Wreszcie Jeanne i Janet (Auchincloss) pozwoliły się ponieść emocjom, objęły się i popłakały, jedna nad śmiercią zięcia, druga nad śmiercią wielkiego prezydenta, którego darzyła podziwem.

– Janet – powiedziałem przed wyjściem. – Byłaś teściową Jacka Kennedy'ego; ja jestem zupełnie obcą mu osobą. Jednak poświęciłbym swój majątek i dużo czasu, żeby się dowiedzieć, kim naprawdę byli jego zabójcy. Nie zależy wam na przeprowadzeniu dalszego dochodzenia? Macie przecież nieograniczone środki.

– Jack nie żyje i nic tego nie zmieni – ucięła Janet.

Jak zwykle, opowieść De Mohrenschildta nie ma emocjonalnego ciągu dalszego. Najpierw coś się dzieje, potem znów coś się wydarza, ale między tymi faktami nie ma dużego związku. Rozwój akcji najskuteczniej powstrzymuje się, budując ją z oderwanych epizodów.

Byliśmy jeszcze w pełnym przepychu pałacu Auchinclossów, zbieraliśmy się do wyjścia.

– Byłabym zapomniała – powiedziała pani Auchincloss zimno. – Moja córka Jacqueline nie chce was więcej widzieć, ponieważ utrzymywaliście bliskie stosunki z zabójcą jej męża.

– Jej prawo – odparłem.

Hugh, który był człowiekiem małomównym, zapytał mnie nagle:

– A jak wygląda sytuacja finansowa Mariny?

– Nie wiem. Czytałem ostatnio, że dostała dość dużo pieniędzy od szczodrych Amerykanów – około osiemdziesięciu tysięcy dolarów.

– To jej na długo nie wystarczy – powiedział zamyślony, a sekundę później pokazał nam niezwykłą szachownicę: – To cacko wczesnoperskie, wycenione na sześćdziesiąt tysięcy dolarów.

Pożegnaliśmy się uprzejmie z Auchinclossami i pojechaliśmy do hotelu.

– Ten drań Hugh ma milionowe dochody – powiedziałem melancholijnie.

– Takie liczby nie mieszczą mi się w głowie – odpowiedziała ze smutkiem Jeanne.

De Mohrenschildt został zapewniony, że przez czas zeznawania przed Komisją Warrena jego synekurze na Haiti nic nie grozi. Lub, mówiąc ściślej, został i nie został. Działały tu siły o przeciwnych wektorach.

Na szczęście ambasador Haiti w Waszyngtonie został zapewniony przez Komisję Warrena, że jesteśmy uczciwymi ludźmi. Ambasador przekazał tę wiadomość prezydentowi Duvalierowi i mogliśmy bez przeszkód wrócić na Haiti. Jednak mój kontrakt doznał nieodwracalnych szkód przez towarzyszący sprawie rozgłos i dość szczególny stosunek ambasady amerykańskiej do nas. Prezydent Duvalier, przebiegły Papa Doc, wiedział ze swoich źródeł, że ambasada USA nie będzie już broniła moich praw i interesów. I ten szczwany lis miał absolutną rację – strumień płatności zaczął wysychać, a w latach późniejszych żaden z pracowników ambasady czy Departamentu Stanu nie posłużył mi pomocą w staraniach ściągnięcia niespłaconych w odpowiednim czasie należności.

Mimo to jednak De Mohrenschildt pozostał na Haiti do roku 1966, kiedy to oboje z Jeanne wrócili do Dallas.

McMillan: [...] jego życie jeszcze raz zmieniło się na gorsze. Nie udało mu się zbić fortuny na sizalu czy ropie naftowej, na co liczył. Kilku wydawców odrzuciło jego książkę o przygodach w Ameryce Środkowej. Jak zwykle też George odczuwał presję finansową. Całe życie spędził wśród rekinów biznesu i nigdy nie zarabiał tyle, ile potrzebował. Pogorszyły się jego stosunki z Jeanne. Rozwiedli się, ale wciąż mieszkali razem, nie utrzymując kontaktu z nikim z dawnych znajomych. Jeanne pracowała, George uczył francuskiego w małym college'u dla czarnych w Dallas [...]. Jakieś dziesięć lat po zabójstwie Kennedy'ego [...] popadł w depresję [...].

Posner, czepiając się pogorszenia zdrowia psychicznego De Mohrenschildta, stara się, jak może, by ukazać go jako człowieka trwale pozbawionego władz umysłowych:

Posner: [...] De Mohrenschildt był już dość niepoczytalny, gdy udzielał [Epsteinowi] ostatniego w życiu wywiadu. Przez prawie rok przed śmiercią cierpiał na paranoję, obawiał się, że „FBI i żydowska mafia" czyhają na jego życie. Dwukrotnie podjął próbę samobójczą, zażywając tabletki, a raz podciął sobie żyły w kąpieli. Gdy zaczął co noc budzić się, krzyczeć i okładać się pięściami, żona wreszcie oddała go pod opiekę lekarzy na oddziale psychiatrycznym szpitala Parkland. Badanie wykazało, że cierpi na psychozę. Zalecono dwa miesiące intensywnej terapii szokowej. Po zakończeniu leczenia De Mohrenschildt mówił, że był z Oswaldem w dniu zabójstwa, choć faktycznie spędził ten dzień z kilkunastoma gośćmi na przyjęciu w ambasadzie bułgarskiej na Haiti. Mimo niezrównoważenia De Mohrenschildta, Epstein i inni przytaczają ostatni wywiad, jakby był on niepodważalnym faktem.

De Mohrenschildt nie zasługuje na to, by przyczepiać mu etykietkę „dość niepoczytalnego" w okresie, gdy udzielał ostatniego wywiadu. Posner znów nie przytacza takich źródeł, które wskazywałyby na to, że w ostatnim miesiącu życia De Mohrenschildt pozostawał wprawdzie w stanie depresji, ale nie był psychicznie chory.

McMILLAN: Zdaniem Sama Ballena, który spotkał się z nim w Dallas na miesiąc przed jego śmiercią, „George był dla siebie bardzo surowy". Łajał się za utracone przyjaźnie, za niewykorzystane okazje i mówił, że zmarnował życie [...].

Ballen, który nie widział się z De Mohrenschildtem przez kilka lat, wyniósł ze spotkania smutne wrażenia. Jego zdaniem, mimo wszelkich wad, z których za największą uważał „zupełny brak odpowiedzialności", George był „jednym z wielkich tego świata". [...]. Zaprosił George'a do Santa Fe i zaoferował mu wyczerpującą fizycznie pracę na powietrzu, która najlepiej wpływała na jego samopoczucie. Później Ballen wspominał tę ich wspólną kolację tak, jakby spotkał się „z Hemingwayem przed samobójstwem".

Tak, De Mohrenschildt dał się złapać w sidła negatywnej samooceny; często dopada ona ludzi, którzy niegdyś znakomicie się zapowiadali, a obecnie nie mają już energii, by pracować nad swoim życiem czy karierą, i tylko roztrząsają to, co im się nie udało. Jednak biorąc pod uwagę ocenę Sama Ballena, Posner chyba zbyt pochopnie stwierdził, że De Mohrenschildt nie był przy zdrowych zmysłach, rozmawiając z Epsteinem o swoich powiązaniach z J. Waltonem Moore'em z CIA.

Możemy pożegnać się z George'em, przytaczając następujący fragment z książki Gaetona Fonziego *The Last Investigation*, w którym opisuje on stojący nad brzegiem oceanu w Palm Beach potężny dom, gdzie De Mohrenschildt mieszkał w roku 1977.

Dom był ukryty za wysokim żywopłotem [...] jak na ten wąski odcinek bogatej plaży na Florydzie, gdzie domy są zwykle albo pastelowe, zgodnie z obowiązującą modą, albo klasycznie, tradycyjnie białe, ten dom wydawał się dziwnie ponury [...].

Gdy wysiadłem z samochodu, zza domu nieoczekiwanie wyszła młoda kobieta. Była niezwykle piękna, wysoka, śniada, miała gładką twarz o wyrazistych rysach, długie kru-

czoczarne włosy i brązowe oczy o głębokim wejrzeniu. Miała na sobie obcisły czarny try-
kot i poruszała się gibko, z pełną zmysłowości swobodą tancerki. Jej opalone ciało perli-
ło się kropelkami potu; najwyraźniej ćwiczyła. Wytarła sobie czoło i ramiona małym
ręcznikiem.

— Przepraszam panią — powiedziałem, podchodząc bliżej [...]. — Szukam pana De
Mohrenschildta.

Zawahała się chwilę, badała mnie wzrokiem.

— W tej chwili nie ma go w domu. Jestem jego córką. Nazywam się Alexandra. Mogę
panu w czymś pomóc?

Powiedziałem jej, jak się nazywam i po co przyjechałem [...].

— Byłbym zobowiązany — dodałem — gdyby powiedziała pani ojcu, że chciałbym się
z nim spotkać i że zadzwonię później.

Nie dostaliśmy jeszcze oficjalnych identyfikatorów, mogłem więc zostawić tylko starą
wizytówkę, na której określony byłem jako śledczy senatora USA Richarda Schweikera.
Przekreśliłem na wizytówce nazwisko Schweikera i napisałem powyżej: „Komisja Izby
Reprezentantów do spraw Zabójstw". Kobieta wzięła wizytówkę i powiedziała, że powtórzy ojcu, że zadzwonię [...].

Około godziny 18.30 tego wieczoru zadzwonił do mnie [...] prokurator stanowy Palm
Beach, Dave Bludworth [i] powiedział, że w kieszeni koszuli De Mohrenschildta znaleziono moją wizytówkę. Około czterech godzin po mojej wizycie De Mohrenschildt wrócił do
domu Nancy Tilton. Córka powiedziała mu o tym, że byłem, i wręczyła moją wizytówkę,
a on włożył ją do kieszeni koszuli. Jak twierdzi Alexandra, nie wyglądał na zdenerwowanego, lecz wkrótce potem powiedział, że idzie na górę, żeby trochę odpocząć. Wtedy, zdaje się, wziął strzelbę, którą pani Tilton dla pewności trzymała koło łóżka. Usiadł w fotelu, postawił strzelbę na podłodze, włożył sobie koniec lufy do ust, pochylił się do przodu
i pociągnął za spust.

2

Po kataklizmie

Przez te czterdzieści kilka godzin, które Lee spędził w areszcie przed śmiercią,
Marguerite spodziewała się ciągnącej się miesiącami rozprawy i problem stanowiło dla niej to, z czego ona, Marina i dzieci będą żyć. Wiedziała, że za swoją polisę może dostać 836 dolarów i że dla jej nowej rodziny byłby to jakiś początek.

MARGUERITE OSWALD: [...] Mnie, proszę państwa, nie obchodzą kwestie materialne [...]. Myślałam, że ponieważ jesteśmy rodziną, to powinnyśmy się z Mariną
trzymać razem i razem stawić czoło przyszłości [...]. Myślałam, że [najlepiej

będzie, jeśli] zamieszkamy w moim mieszkaniu i jakoś będziemy sobie radzić. Powiedziałam nawet: „[...] dajcie nam szansę, jesteśmy przecież rodziną. Nie pozwólcie tej dziewczynie iść do obcych, tej cudzoziemce, Rosjance, która nie ma tu na miejscu matki".

Przez te niecałe dwie doby po zabójstwie Kennedy'ego, kiedy żył Lee, Marina być może również brała pod uwagę życie z Marguerite; razem mogły opracować jakąś strategię obrony Lee. Gdy jednak on został zabity, wszystko się sprzysięgło, by je rozdzielić. Zresztą Marina specjalnie za teściową nie przepadała; pracownicy tajnych służb, od których Marina była coraz bardziej zależna, Marguerite wręcz nie cierpieli; a menedżer, którego Marina wkrótce zatrudniła, widział, jakie ona ma świetlane widoki na przyszłość: Rosjanka, samotna wdowa po zabójcy prezydenta, już wtedy co dzień dostawała w listach niewielkie kwoty. Dobrzy Amerykanie nie mają nic przeciwko płaceniu dziesięciny od swoich sentymentalnych odruchów. Marguerite, czy się tego spodziewała, czy nie, miała zostać odcięta od Mariny i od pieniędzy.

MARGUERITE OSWALD: To było dwudziestego ósmego. Więc [powiedziałam] agentowi, który odwoził mnie do domu [...] że chciałam zawiadomić Marinę, że już jadę. Zapukał do drzwi. Otworzył rosyjski tłumacz z Departamentu Stanu, pan Gopadze. Agent powiedział: „Pani Oswald jedzie do domu i chce się pożegnać z Mariną i z dziećmi".

Gopadze odparł: „Ale my z nią teraz rozmawiamy i nagrywamy rozmowę. Powiemy, żeby się z panią później skontaktowała".

Od tego czasu nie widziałam się z Mariną.

Zobaczy ją jednak w telewizji.

MARGUERITE OSWALD: Marina po raz pierwszy pojawiła się publicznie i złożyła oświadczenie około dwóch tygodni temu, może trochę wcześniej. Wzięła udział w specjalnym programie telewizyjnym na kanale 4. w Fort Worth w Teksasie i oświadczyła publicznie, że ona myśli sobie w głowie, że Lee zastrzelił prezydenta Kennedy'ego. To okropne, żeby 22-letnia dziewczyna tak myślała [...]. Ona nie wie. Ale myśli, proszę państwa [...]. „Myślę sobie w głowie, że Lee zastrzelił prezydenta Kennedy'ego" [...]. Ona jest Rosjanką, może w Rosji tak się robi. Ale ja mówię, że tajne służby zrobiły Marinie pranie mózgu. Trzymali ją w odosobnieniu przez osiem tygodni – przez osiem tygodni, proszę państwa, nikt z nią nie rozmawiał.

Marina nie rozumie po angielsku. Marina nie zna żadnych faktów z gazet. Zna tylko takie fakty, o których mówią jej agenci FBI i tajnych służb. Niektóre fakty może wymyśliła sama już po wszystkim.

Pod koniec zimy 1964 roku Marina zerwała kontakty ze swoim menedżerem, Jimem Martinem – stała się podejrzliwa wobec wszystkich, którzy prowadzili z nią interesy – i kupiła dom w Richardson w stanie Teksas. Dopiero po złożeniu zeznań przed Komisją Warrena, po wielu miesiącach, przestała się obawiać uwięzienia i deportacji. Uważała wówczas, że Marguerite szkodzi sprawie; opanowała już lepiej angielski i rozumiała, co gazety piszą o ostatnich domysłach jej byłej teściowej na temat tego, że Lee został wrobiony.

RANKIN: Czy może nam pani opisać, jak układają się teraz pani stosunki z teściową?

MARINA OSWALD: […] Rozumiałam jej matczyną troskę. Ale w świetle tego, co się wydarzyło, jej wystąpień w radiu, w prasie, nie uważam, by była osobą trzeźwo myślącą, i sądzę, że jest częściowo winna. Nie oskarżam jej, ale uważam, że ponosi część winy za to, co się stało z Lee […]. Gdyby teraz kontaktowała się z moimi dziećmi... nie chcę ich okaleczać.

RANKIN: Czy zabiegała o spotkanie z panią po zabójstwie?

MARINA OSWALD: Tak, cały czas.

RANKIN: A spotkała się pani z nią?

MARINA OSWALD: Spotkałyśmy się przypadkowo w niedzielę na cmentarzu, ale nie chciałam z nią rozmawiać i odeszłam.

Nieco później tego samego dnia J. Lee Rankin musiał poruszyć drażliwy temat. Marguerite twierdziła publicznie, że Marina została poddana praniu mózgu, dlatego zaistniała konieczność wyjaśnienia tej kwestii.

RANKIN: Czy po zabójstwie prezydenta, FBI i tajne służby zadawały pani wiele pytań?

MARINA OSWALD: Na posterunku policji byłam rutynowo przesłuchiwana. A później […] tajne służby i FBI oczywiście zadawały mi wiele pytań – wiele pytań. Czasami FBI […] mówiło mi, że jeśli chcę żyć w tym kraju, to muszę pomóc w sprawie, chociaż niekiedy pytania były niedorzeczne. To tyle o FBI […].

RANKIN: Czy w tym okresie spotkała się pani z kimś z Urzędu Imigracyjnego?

MARINA OSWALD: Tak […].

RANKIN: Co pani mówił?

Marina Oswald: Mówił, że jeśli jestem niewinna, jeśli nie popełniłam przestępstwa przeciwko rządowi, to mam pełne prawo żyć w tym kraju. To był pewnego rodzaju wstęp do przesłuchania przez FBI. Powiedział nawet, że byłoby dla mnie lepiej, gdybym tym z FBI pomogła [...].

Rankin: Czy rozumiała pani przez to, że gdyby nie odpowiedziała pani na pytania, groziłaby pani deportacja?

Marina Oswald: Nie, tak tego nie zrozumiałam.

Zostało to powiedziane w delikatnej formie, ale jasno z tego wynikało, że byłoby lepiej, gdybym pomogła.

Tajne służby podejrzewały Michaela i Ruth Paine'ów. Michael był czynnym działaczem ACLU (American Civil Liberties Union – Amerykański Związek Praw Człowieka), a w oczach władz Teksasu była to organizacja radykalna. Następnie policja z Dallas znalazła list, który Lee napisał do Mariny w mieszkaniu przy Neely Street w kwietniu, przed dokonaniem próby zamachu na Walkera. Marina schowała ten list w rosyjskiej książce kucharskiej. Policja zleciła przetłumaczenie go i początkowo podejrzewała, że autorką listu była Ruth. Gdy pokazano ten list Marinie, ogarnął ją strach, że mogłaby zostać uwięziona lub deportowana, gdyby taiła jeszcze jakieś informacje o Lee.

Mniej więcej w tym czasie Marina zaczęła współpracować z władzami. Jej przyjaźń z Ruth się skończyła. Każda z nich miała do drugiej żal. Ruth o to, że Marina nie powiedziała jej o karabinie, o generale Walkerze i wyprawie Lee do Meksyku; Marina z kolei uważała, że bezmyślnością ze strony Ruth było pokazanie policji książki kucharskiej, ponieważ musiała wówczas bronić siebie kosztem ujawnienia tajemnic Lee. June i Rachel będą znane jako córki zamachowca.

To ciężkie zarzuty! Jednak niełatwo jest całkowicie zerwać stosunki z dobrą przyjaciółką tylko dlatego, że popełniła kilka błędów. Człowiek stara się wtedy doszukać wad, których nie można wybaczyć.

Rankin: Mówiła pani, że [...] Ruth Paine [...] chciała się z panią spotykać, bo miała w tym interes. Może nam pani wyjaśnić, co chciała pani przez to powiedzieć?

Marina Oswald: [...] Ona lubi być w centrum zainteresowania, lubi być zauważana. Jestem przekonana, że, na przykład, wszystkie moje listy do niej ukażą się w prasie.

Uważam tak dlatego, że chyba przy okazji pierwszych odwiedzin u Lee w więzieniu – była wtedy ze mną i jej dzieci też – starała się wejść w obiektyw, wypychała dzieci do przodu i mówiła im, gdzie mają patrzeć. Pierwsze zdjęcia, jakie się ukazały, pokazywały mnie i jej dzieci.

Marina osądza ten mały wyłom w kwakierskiej dobroci Ruth, tak jakby to uczynił Henry James. W perspektywie jego powieści bowiem drobna, niewybaczalna skaza charakteru niczym nie ustępuje ogromnej dziurze w niebieskim firmamencie.

Marina zrywa stosunki i z Ruth Paine, i z Marguerite. Ma dwoje dzieci, które chce wychować, i dlatego musi przeżyć. Musi się odciąć od przeszłości. Ze swoim silnym poczuciem zakorzenienia i skłonnością do obwiniania się na pewno jest świadoma, ile będzie ją kosztować radykalne odcięcie się od przeszłości po raz trzeci – raz zrobiła to, wyjeżdżając z Leningradu, drugi raz wyjeżdżając ze Związku Radzieckiego, a teraz żegnając się z Lee.

Nie mogło jej się udać. W świetle jej rosyjskich przekonań była żoną Lee, a więc osobą odpowiedzialną za jego czyny. Nie zawsze wydawało się Marinie oczywiste, że nie jest współwinna śmierci Kennedy'ego i policjanta Tippita. Jakże cierpieć będą dzieci tych dwóch ludzi w porównaniu z jej dziećmi! W rozmowie mogło jej się wymknąć, że gdyby Lee znalazł się na powrót wśród żywych i mogłaby z nim porozmawiać, „tak by go zrugała, że umarłby jeszcze raz", ale tylko pod wpływem chwili. Jej prawdziwym celem było odcięcie się od przeszłości.

> McMillan: […] Marina zaczęła się bawić bez opamiętania, dziećmi zajmowała się od przypadku do przypadku, jak najwięcej czasu starała się spędzać z kolegami i sąsiadami, zarywała całe noce w kręgielni albo w nocnym klubie Dallas „Music Box", gdzie szybko stała się ulubienicą wszystkich. Szczególnie jej wypady do klubu były z detalami opisywane w gazetach. Zdając sobie sprawę ze swej ówczesnej skłonności do autodestrukcji, Marina określa rok 1964 „swoim drugim okresem leningradzkim".

W roku 1965, po odrzuceniu wielu propozycji małżeństwa (podejrzewając, że być może mężczyźni kochają ją nie tyle dla niej samej, co dla świeżo zdobytych pieniędzy, gdy ktoś był dla niej miły, kłuła jak jeż), postanowiła wyjść za człowieka, któremu mogła ufać – wysokiego, eleganckiego Teksańczyka o dobrych manierach.

> McMillan: Dziś mieszka na przedmieściach Dallas na dziesięciohektarowej farmie hodowlanej wraz z Kennethem Porterem, którego poślubiła w 1965 roku. Rozwiedli się w roku 1974, lecz nadal żyją jak mąż z żoną. Kenneth kocha życie na farmie i jest doskonałym mechanikiem – „jednym z najlepszych", jak mówi Marina. To przystojny mężczyzna i oddany ojczym, co Marina ogromnie ceni, pamiętając własne trudne dzieciństwo.

W roku 1993 nadal mieszkała na farmie. Próbowaliśmy uzyskać jej zgodę na rozmowę z trzydziestojednoletnią wówczas June, dwudziestodziewięcioletnią Rachel i dwudziestosiedmioletnim Markiem, jej synem z małżeństwa z Porterem, ale Marina nie chciała nawet o tym słyszeć. Kto mógłby odmówić jej do tego prawa?

Myśl, że powstanie jeszcze jedna książka o niej i Lee, była dla Mariny ogromnie bolesna. Duchy zaczęły wnikać do jej umysłu niczym trujące wyziewy w horrorach. Nie chciała rozmawiać o przeszłości. Ledwie pamięta swoje zeznania przed Komisją Warrena. Teraz raczej gotowa jest twierdzić, że Lee był niewinny. A jeśli nie całkowicie niewinny, to co najwyżej należał do spisku, ale to nie on był człowiekiem, który pociągnął za spust. Ponieważ dowody nie są dla niej materiałem dość konkretnym, wkrótce powie, że sama już nie wie, co myśli. Gdyby tylko wiedziała, czy on to zrobił, czy nie. Jeśli nie popełnił tego czynu, jakże ogromnie ulżyłoby to June i Rachel. A co państwo o tym myślą? – zapytała. Właśnie staramy się znaleźć odpowiedź, odparliśmy.

3

Dowody

Czy Oswald zabił Kennedy'ego?

Jeśli odpowiedź ma się opierać na czymś więcej niż osobistej opinii, musi zmierzyć się z dowodami. Jednak dowody w tej sprawie to istna dżungla specjalistycznych ocen – czy Oswald zdążyłby strzelić w tak krótkim czasie, czy był wystarczająco dobrym strzelcem, czy był jedynym człowiekiem oddającym strzały na Dealey Plaza; i tak można by to ciągnąć w nieskończoność, próbując zbadać wszelkie możliwości, by wreszcie dotrzeć do przynoszącej rozczarowanie prawdy: dowody same w sobie nigdy nie rozwiążą zagadki. Z samej natury dowodów wynika bowiem to, że – dzięki pomocy wyspecjalizowanego prawnika – prędzej czy później same sobie zaprzeczają.

Czytelnik zapewne zgodzi się z autorem co do tego, że dowodów nie powinno się traktować z tak nabożnym szacunkiem, jakim darzą je niektórzy ludzie.

Specter: Czy użycie lunety wydatnie wpłynęło na celność strzelca? [...].

Sierżant Zahm: [...] szczególnie z odległości niecałych stu metrów [...]. Luneta pozwala wyraźnie widzieć cel, a przy tym nie wpływa na pewność ręki przy oddawaniu strzału [...].

Specter: [...] czy człowiek o umiejętnościach strzeleckich Oswalda byłby w stanie oddać taki strzał i trafić w ten biały znak?

Sierżant Zahm: Zdecydowanie tak [...]. Uważam, że jak na taki sprzęt i takie umiejętności, to bardzo łatwy strzał.

SPECTER: [...] czy człowiek o umiejętnościach strzeleckich Oswalda, przy użyciu takiej lunety jak jego, byłby w stanie trafić prezydenta w tył głowy? [...].

SIERŻANT ZAHM: [...]. To byłoby już trochę trudniejsze i prawdopodobnie trafienie do takiego celu stanowiłoby szczyt jego możliwości. Ale jeśli mierzył w korpus prezydenta, to musiał trafić w jakąś część jego ciała [...].

Można sobie wyobrazić scenę, jaka rozegrałaby się w sądzie, gdyby Oswald dożył rozprawy. Obrona przyprowadziłaby swojego eksperta, by złożył zeznanie przeciwne do zeznania sierżanta Zahma. Na pewno rozdmuchano by też kwestię wątpliwego umocowania lunety na karabinie Mannlicher Carcano, ponieważ pierwsi strzelcy, którzy testowali go dla potrzeb Komisji Warrena, musieli poprawić ustawienie lunety, by móc trafiać nawet do nieruchomych celów.

WESLEY FRAZIER: [...] Uważam, że muszę tu powiedzieć, że gdy otrzymaliśmy karabin, luneta była obluzowana. Widocznie wcześniej, gdy szukano na karabinie odcisków palców, została zdjęta. A zatem to, że była obluzowana w chwili, gdy otrzymaliśmy karabin, nie musi znaczyć, że była taka, gdy z karabinu strzelano.

Tu wywiązała się dyskusja techniczna. Podczas testów przy nakładaniu lunety konieczne było użycie podkładki, ale wtedy nie udało się do końca ustawić ostrości, wystarczająco jednak, jak stwierdził Frazier, „by karabin celnie strzelał".

Zapewne rozpatrywanie kwestii lunety w sądzie byłoby klasycznym przykładem dysputy ekspertów.

To są jednak jeszcze stosunkowo proste kwestie. Gdy natomiast dochodzimy do zaproponowanej przez Komisję Warrena teorii magicznej kuli, wkraczamy w dziedzinę zaawansowanej balistyki. Jest to teren dziewiczy nawet dla specjalistów z zakresu medycyny sądowej, a najwybitniejsi z nich – co zresztą można było z góry przewidzieć – z tą teorią się nie zgadzają.

Ta książka zatem pominie kwestie balistyki. Gdyby autor był prawnikiem, z przyjemnością wykazałby, że szanse na to, by jedna jedyna kula przeszła przez ciało Kennedy'ego i Connally'ego (następnie zaś wyszła z jego ciała, przebiła nadgarstek i na koniec utknęła w udzie, a badanie wykazało, że po tym wszystkim prawie się nie odkształciła), wynoszą mniej więcej 500 do 1, czy nawet 5000 do 1. Dałoby się pewnie zebrać kilkunastu ekspertów, którzy by to potwierdzili. Wtedy zadaniem prokuratora byłoby przedstawienie argumentów, również wygłoszonych przez ekspertów, że każda kula oraz każda rana od kuli stanowią układ tak niepowtarzalny, jak rysunek linii papilarnych czy odręczny podpis. Faktycznie, są dowody na to, że kiedyś kula trafiła człowieka w czoło pod takim kątem, że przeszła cały obwód głowy między skórą a czaszką i wyleciała niedaleko od punktu, gdzie weszła w ciało. Ale niech ktoś spróbuje powtórzyć ten strzał! Zgodnie z taką logiką, argumentem przemawiającym na korzyść teorii magicznej kuli jest to, że magiczna kula istniała. Po fakcie nie można mówić, że szanse były zbyt nikłe. Tym śladem podążałoby oskarżenie.

Podobnie jest z kwestią umiejętności strzeleckich Oswalda. Różni ludzie, w zależności od tego, czyje interesy reprezentują, oceniają je jako kiepskie, średnie, dobre lub wręcz znakomite. Podobnie oceniano trudność strzału – od bardzo łatwego, jak określił go w zeznaniu sierżant Zahm, po niemal niewykonalny.

Taka debata jest jednak sztuką dla sztuki. Strzelec może strzelać jednego dnia celnie, a drugiego pudłować. Dlaczego mamy bardziej wyrównanych rezultatów oczekiwać od człowieka strzelającego z karabinu niż od zawodowego koszykarza, którego celność nieraz zmienia się drastycznie z meczu na mecz?

Poza tym chodzi przecież o Oswalda. Byliśmy już świadkami tego, jak raz wpada w histerię, a raz jest najbardziej opanowany ze wszystkich obecnych. Jeśli po doczytaniu książki do tego miejsca czytelnik jeszcze nie zrozumiał, że możliwości Oswalda wahają się na ogromnej skali, to znaczy, że autorowi nie udało się osiągnąć zamierzonego celu. Rzecz polega bowiem na tym, że w szczytowej formie Oswald niewątpliwie mógł trafić do ruchomego celu z odległości siedemdziesięciu pięciu metrów, oddając dwa czy trzy strzały w przeciągu pięciu i pół sekundy, mimo iż w Rosji nie potrafił ustrzelić zająca z odległości trzech metrów. Wystarczy, że porównamy jego wystąpienie w audycji Stuckeya w Nowym Orleanie z nieudolnością, jaką zademonstrował jego rojący się od błędów życiorys pisany dwa tygodnie później, czy choćby histeryczny wybuch przy oficerach KGB w Meksyku, z opanowaniem podczas przesłuchania prowadzonego przez kapitana Fritza na policji w Dallas.

Pytanie, które powinniśmy sobie zadać, to zatem nie pytanie o to, czy Oswald posiadał umiejętności, które umożliwiłyby mu dokonanie tego czynu, tylko czy miał duszę zabójcy. To sformułowanie wydaje się jednak zbyt powierzchowne. Można przecież powiedzieć, że każdy żyjący człowiek, jeśli znajdzie się pod wpływem odpowiednio dużego stresu, jest potencjalnym mordercą, samobójcą czy jednym i drugim naraz. Doprecyzowane pytanie brzmi więc tak: czy Oswald, doprowadzony do skrajności, miałby duszę zabójcy?

Wiemy już o nim dość dużo. Zakładając, że dobrane przez autora fakty są reprezentatywne – co, zważywszy na to, że chodzi o Lee Harveya Oswalda, bynajmniej nie jest oczywiste – trudno uwierzyć, iż nie pociągnął za spust. Po pierwsze, nie pasuje do naszego pojęcia o Oswaldzie to, że mógłby pozwolić komuś innemu strzelić ze swojego karabinu Mannlicher Carcano z piątego piętra, a sam pałętałby się w stołówce cztery piętra niżej. Bo i po co? Jaki by miał w tym cel? Jeśli pozwolił, by inni użyli jego karabinu, to i tak był głęboko w sprawę zamieszany. A jednak według teorii spiskowych miał on być jedynie trybikiem w maszynie. To z pewnością byłoby za mało dla człowieka, którego portret odmalowaliśmy w tej książce. Jeśli ktoś w tym względzie myli się w ocenie jego charakteru, to zupełnie go nie rozumie.

Nawet jeśli ktoś wolałby myśleć, że Oswald był niewinny lub co najwyżej stanowił mało ważny element spisku, to mimo wszystko trzeba stwierdzić z całą mocą, że był zdolny do zabicia Kennedy'ego i że prawdopodobnie dokonał tego sam. Skoro to już zostało powiedziane, trzeba czym prędzej dodać, że gdyby rozprawa toczyła się z dala od Dallas, dobry prawnik mógłby Oswalda wybronić – absurd magicznej kuli przewierciłby dziurę w korpusie dowodów zgromadzonych przez prokuratora. Poza tym nikt nie wie na pewno, czy nasz bohater nie był jednym z kilku strzelców, choć działał sam. Szanse na to, że Oswald zdecydowanie jest winny i że grał w zabójstwie partię solową, wynoszą mniej więcej 3 do 4. Nie można uzyskać większej pewności, wciąż bowiem zbyt mało wiemy o powiązaniach Oswalda z FBI i CIA. Trzeba też wspomnieć o innych możliwościach. Z pewnością nie będziemy się zagłębiać w niemal nierozstrzygalne kontrowersje akustyczne co do tego, czy z trawiastego pagórka padł czwarty strzał (celem tej książki jest bowiem odtworzenie ludzkiego charakteru, a nie rysowanie wykresów fal dźwiękowych). Zresztą nie byłoby nic dziwnego w tym, gdyby rzeczywiście padł czwarty strzał, ale niekoniecznie musiał go oddać wspólnik Oswalda. Strzelcem mógł być inny samotny zabójca albo konspirator pracujący dla jakiegoś nie mającego żadnego związku z Oswaldem ugrupowania. Gdy królowie i przywódcy polityczni pokazują się publicznie przy różnych okazjach, można się spodziewać, że – zgodnie z obowiązującym we wszechświecie prawem – nastąpi kilka zbiegów okoliczności naraz i cel zostanie osiągnięty różnymi drogami. Z łatwością można sobie wyobrazić, że dwóch strzelców, z których każdemu przyświecał inny cel, wystrzeliło w odstępie kilku fatalnych sekund.

Żadna z powyższych hipotez nie pozostaje jednak w sprzeczności z założeniem, że Oswald – o ile wiedział – był jedynym strzelcem. Wszystko, czego się o nim dowiedzieliśmy, sugeruje skłonność do działania na własną rękę. Poza tym, choćby nie wiadomo jak uparcie szukać prawdopodobnego scenariusza, niezmiernie trudno sobie wyobrazić, by przywódca spisku wybrał go na strzelca. Chyba że spiskowcami byli inni amatorzy. Ale zawodowcy – wykluczone. Kto by mu zaufał, że trafi do celu? Każdy plan zakładający umieszczenie Oswalda w pozycji snajpera musiał być z góry skazany na niepowodzenie. Taka zresztą była teza oficerów CIA w znakomitej powieści Dona DeLillo *Libra* (Waga). Rzeczywiście, nie jest to możliwość całkowicie nie do przyjęcia: twoi polityczni wrogowie poniosą wielkie straty, jeśli zaplanowany przez ciebie czyn wygląda na ich spisek. Ale jednak... Jeszcze trudniej jest zaplanować następstwa fiaska niż dokonać przestępstwa i uniknąć kary.

Dotarliśmy do ostatniego pytania: dlaczego Oswald wybrał Kennedy'ego?

Wszystkie zeznania wszystkich świadków, którzy pamiętają jego uwagi na temat Jacka Kennedy'ego, są zgodne. To zjawisko niespotykanie rzadkie – zgodność! Panuje jednomyślna zgoda co do tego, że Oswald uważał JFK za stosunkowo dobrego prezydenta i lubił go. Tak w każdym razie mówił. Biorąc pod uwagę odruchową skłonność Oswalda do łgania przy każdej okazji, można się zastanawiać, czy nie wygłaszał pochlebnych uwag o prezydencie właśnie po to, by nikomu, a w szczególności Marinie, nawet nie powstało w głowie podejrzenie, że on już przemyśliwał nad projektem zabójstwa. Z drugiej strony jednak, zważywszy na to, że aż do ostatnich tygodni listopada nie miał w Dallas i w Nowym Orleanie możliwości zbliżenia się do tronu na tyle, by móc popełnić taki czyn, rozsądniej byłoby przyjąć, że rzeczywiście lubił Kennedy'ego (jeśli w ogóle można mówić o jego aprobacie dla konwencjonalnego polityka). Ale uczucia tak czy owak miałyby bardzo niewielki wpływ na dokonany przezeń czyn. Nie strzelałby do Kennedy'ego dlatego, że go lubił czy nie lubił. Sympatia lub jej brak byłyby nieistotne.

Przesunął się zatem punkt ciężkości. Nie twierdzimy z pełnym przekonaniem, że Oswald jest winny, tylko że istnieje takie prawdopodobieństwo, ale w takim razie co było prawdziwą motywacją jego postępowania?

4

Charakter

Odpowiedź nasuwa się sama, a wynika ona z naszego rozumienia jego charakteru – była to największa okazja, jaka mu się trafiła.

Zabójstwo prezydenta wywołałoby efekt podobny do trzęsienia ziemi. U Amerykanów skutki szoku utrzymywałyby się do końca wieku, może jeszcze dłużej. Ale kara dotknęłaby też Rosjan i Kubańczyków, którzy przez całe dziesięciolecia odczuwaliby skutki uboczne zabójstwa Kennedy'ego. Ale Oswald był ponad kapitalizmem i ponad komunizmem. Uważał, że został stworzony do celów wyższych niż przeciętni ludzie i że stać go na podobne dokonania, jakie udały się Leninowi. My wprawdzie wiemy już, że nie miał takich jak Lenin zdolności do osiągania wielkich celów i pod względem filozoficznym, i organizacyjnym, ale sam Oswald głęboko wierzył, że jego świetny koniec uświęci środki, dzięki którym do niego doszedł. Najgłębszą rozpacz odczuwał zapewne w chwilach, gdy nie postrzegał już siebie jako głównego twórcy nowego porządku świata.

Zważywszy na upokorzenie, którego doznał w Meksyku, i drugorzędną rolę, jaką grał podczas weekendów w Irving, ideologia polityczna Oswalda przypuszczalnie zatrzymała się ostatecznie na nihilizmie – wszystko musi sięgnąć dna, żeby mogła nastąpić poprawa. Możemy przypomnieć sobie w tym miejscu notatkę, którą sporządził na papierze firmowym linii holendersko-amerykańskiej, być może w drodze powrotnej do Ameryki:

Ciekawe, co by się stało, gdyby tak ktoś odważył się powiedzieć, że jest całkowicie przeciwny nie tylko rządom, ale i ludziom, całemu krajowi i wszelkim podwalinom społeczeństwa.

W tym zdaniu zawiera się kompletna motywacja zabicia Kennedy'ego. Warto znów zacytować fragment z *Mein Kampf*:

Wtedy właśnie zrozumiałem, że do poprawienia tych warunków wiedzie tylko jedna droga: *Głębokie poczucie społecznej odpowiedzialności za stworzenie lepszych podwalin naszego rozwoju, połączone z brutalną determinacją do usuwania nieuleczalnych guzów* (kursywa Hitlera).

Kennedy'emu udało się napełnić nadzieją amerykański etos. Był to zatem wystarczający powód, by uzasadnić konieczność „brutalnej determinacji do usuwania nieuleczalnych guzów". Jak na prezydenta Ameryki, Kennedy nie był zły; dlatego był zbyt dobry. Oswald pewnie myślał, że udało mu się zlokalizować guz – Kennedy był zbyt dobry. Świat przeżywał kryzys i istniała potrzeba stworzenia takich warunków, które uświadomiłyby ludziom konieczność ustanowienia nowego, innego społeczeństwa. W przeciwnym bowiem razie zgubne skutki kapitalizmu, w połączeniu z radziecką degradacją komunizmu, mogłyby doprowadzić ludzi do stanu, w którym całkowicie stracą wolę stworzenia lepszego świata.

Strzał w samo serce samozadowolenia amerykańskiego establishmentu stanowiłby taką właśnie terapię szokową, jaka potrzebna była światu, by się ocknął.

Wątpliwe, czy Oswald rozważał tego rodzaju kwestie. Bardzo możliwe jednak, że instynkt mówił mu, iż dla własnego dobra musi dokonać czegoś niezwykłego, i to jak najprędzej. Morderca zabija, by się uleczyć – dlatego słusznie morderstwo jest potępiane. To czyn w najwyższym stopniu samolubny.

McMILLAN: […] wybór trasy przejazdu prezydenta, która miała prowadzić pod oknem Oswalda, mógł oznaczać tylko jedno. Został on wybrany przez Los, by wykonać to niebezpieczne, lecz konieczne zadanie, które od początku było jego przeznaczeniem i dzięki któremu miał przejść do historii.

Jeszcze w marcu, mieszkając przy Neely Street, Lee napisał w liście do swojego brata Roberta: „Zawsze dobrze jest korzystać z nadarzających się okazji".

Możliwe, że chciał przez to powiedzieć, iż w postaci nadarzających się okazji objawiają się zamiary wszechświata wobec nas. Ponieważ prezydent będzie przejeżdżał pod oknami Składnicy Podręczników, Oswald nie ma prawa zmarnować tak wyjątkowej szansy. Czy znalazłby się na świecie człowiek równie skłonny skorzystać z okazji, „zarezerwowanej dla niego", jak pisze McMillan, wymierzenia kapitalizmowi ostatecznego, śmiertelnego ciosu? A on nie uderzy ani z lewa, ani z prawa, tylko po prostu w samą głowę. Jego przeznaczeniem było ucięcie głowy rozwojowi politycznemu Ameryki. Był narzędziem wybranym przez historię.

Interpretacji Priscilli Johnson McMillan czegoś brakuje – przecież po zabójstwie prezydenta Oswald miał wybór. Nie musiał być narzędziem, mógł być reżyserem. To wywołało w jego umyśle nowy konflikt – czy ma być narzędziem historii, czy reżyserem? To drugie mogło spełnić się tylko wtedy, gdyby został ujęty i stanął przed sądem. Gdyby zaś udało mu się dokonać zaplanowanego czynu i pozostać na wolności, ponownie skazany byłby na anonimowość. Tego nauczyła go próba zamachu na Walkera.

Uwięzienie zaś gwarantowałoby mu bardzo duże zainteresowanie. Jeśliby został skazany, mógłby samotnie żyć w więziennej celi; był już do tego w dużym stopniu przyzwyczajony. Mógł zresztą widzieć swoje dotychczasowe życie jako przygotowanie do spędzenia wielu lat w więzieniu.

Możliwe nawet, że myśl o własnej rozprawie popchnęła go do czynu. Cóż to dla niego za pole do popisu! Taka rozprawa mogłaby zmienić historię, tępych zmusić do myślenia, gnuśnych pobudzić do działania i pognębić władze. Musiał więc czuć się rozdarty pomiędzy pragnieniem ucieczki a konstatacją, że pojmanie, rozprawa i więzienie mogłyby mu przynieść znacznie większą sławę.

Osobisty stosunek Oswalda do Kennedy'ego miał zatem niewielki wpływ na jego czyn. Na wojnie można dokonać egzekucji człowieka, do którego żywi się szacunek lub sympatię; a Oswald postrzegał swój czyn jako egzekucję. Jeden wielki przywódca miał zostać zgładzony przez inną wielką osobistość – przyszłą osobistość. Przyszłość przekreśli teraźniejszość.

Gdyby nie udało mu się uniknąć konsekwencji zabójstwa, mógłby powiedzieć, co miał do powiedzenia. Mógłby sprawę zagmatwać i zostać skazany na karę więzienia, a gdyby siedział i dwadzieścia lat, to stworzyłby w tym czasie swoje polityczne kredo, dokładnie tak, jak Hitler, Stalin i Lenin. Gdyby skazano go na karę śmierci, to przynajmniej zyskałby nieśmiertelną sławę. Zadbałby o to na rozprawie. Wyłożyłby swoje idee.

Mógł jednak wcale nie brać pod uwagę tego, że furie, które obudził swoim czynem, pożrą go, nim zdąży wykrztusić choć jedną ideę. Pierwszym elementem, który przekreślił wymarzoną pamiętną rozprawę, były cztery strzały oddane do Tippita. Nie ma wątpliwości, że Oswald wpadł w panikę. Z chwilą zabicia Tippita zawaliła się z hukiem przemyślna konstrukcja jego ideologii, setki pięter zbudowanych z kart jego rozpolitykowanej wyobraźni. Znał Amerykanów na tyle dobrze, by zdawać sobie sprawę, że niektórzy mogliby wysłuchać jego idei, jeśliby zabił prezydenta, ale prawie wszyscy odsuną się ze wstrętem od faceta, który sprzątnął gliniarza, ojca rodziny. Ten czyn był na tyle niski, że większość ludzi straciłaby zainteresowanie wielkimi ideami, które chciał im przedstawić. Zabijając Tippita, zaprzepaścił swój wielki plan zostania jedną z wyroczni historii. Musiał teraz naprędce wymyślić sobie usprawiedliwienie: jestem kozłem ofiarnym.

Mogło nie przyjść mu na myśl to, że zamęt i paranoja, które nastąpiły po śmierci Kennedy'ego, ogromnie przyczynią się do zamulenia i zatrucia światowej atmosfery.

Może Oswald nie czytał Emersona, ale następujący ustęp z eseju *Bohaterstwo* daje nam pojęcie o tym, co myślał o sobie, siedząc na piątym piętrze i czekając na przejazd kolumny prezydenckich samochodów. Miał popełnić najbardziej bohaterski czyn, na jaki było go stać.

> Ufność w siebie jest istotą bohaterstwa. Jest to stan duszy wojującej; ostatecznym zaś jego celem jest bezwzględne odrzucenie fałszu i krzywdy oraz siła zniesienia wszystkiego, co może być zadane przez czynniki złe. Bohaterstwo pogardza drobnymi kalkulacjami i nie dba o to, że może być wzgardzone. Trwa z uporem, posiada niezwalczoną zuchwałość i dzielność, która nie da się zmęczyć. Przedmiotem jego żartu jest małość codziennego życia. Bohaterstwo działa w opozycji do głosu ludzkości i wbrew – przez pewien czas – głosowi ludzi wielkich i dobrych. Bohaterstwo jest posłuszeństwem wobec tajemnego impulsu charakteru jednostki. Nikt inny nie może poznać mądrości bohatera tak, jak zna ją on sam, ponieważ na swej drodze każdy człowiek widzi nieco dalej niż ktokolwiek inny [...] [bo] każdy taki czyn mierzy sam siebie miarą swej pogardy dla jakiegoś zewnętrznego dobra [...].

Gdyby wiedział, że historia nie uzna go za bohatera, tylko za antybohatera, byłby urażony do żywego. Rankiem 22 listopada wyszedł do pracy, zostawiając w plastikowym kubku resztki kawy rozpuszczalnej, a już dwa dni później wspiął się na sam szczyt narodowych obsesji – stał się naszym Duchem Numer Jeden.

Oswald ma wszystkie cechy, którymi charakteryzują się duchy – ambicję, skłonność do oszukiwania, poczucie misji i cichą frustrację z powodu przedwczesnej śmierci, gdy właśnie zaczynało się spełniać jego od dawna hołubione marzenie o nadaniu swojej osobie znaczenia. Czy znalazłby się w naszym stuleciu inny Amerykanin, który, nie osiągnąwszy wielkości za życia, teraz tak nas straszy?

Oddajmy głos bratu Lee, Johnowi, którego rzadko mieliśmy okazję słyszeć.

JOHN PIC: Od urodzenia, odkąd pamiętam, zawsze miałem poczucie, że Lee przydarzy się jakaś wielka tragedia [...]. Myślałem o tym nawet w dniu zabójstwa, wybierając się do pracy [...] i przyszło mi do głowy, że cóż – jego wielką tragedią była ucieczka z USA i potem powrót. Okazało się, że nie.

5

Wdowia elegia

Najpierw wdową została Jacqueline Kennedy, a następnie Marina. Jako druga wdowa już sama nie wie, co wie. Udzielała wywiadów przez trzydzieści lat, co daje w sumie ponad tysiąc godzin odpowiadania na pytania, a pytaniom wciąż nie widać końca. Niewykluczone, że ta kobieta jest ostatnim palaczem na Ziemi, który wypala cztery paczki papierosów dziennie. Czy może być inaczej? Jej przeszłość przepełnia poczucie winy, a przyszłość – lęk; tylko teraźniejszość jest czysta. Marina zawsze jest podejrzliwa wobec rozmówców. Czy mają interes w tym, żeby z nią rozmawiać? Ostatnio czuje, że zaczyna się dusić. Gdy wraca myślą do tego, co przeżyła, nie z litością – jak mówi – czy z żalem nad sobą, ale z nadzieją na zmniejszenie stresu, czuje, że coś ją dusi. Wciąż wraca myślami do tego wieczorzu, kiedy Lee siedział po ciemku na werandzie ich mieszkania w Nowym Orleanie i płakał. Coś mu wtedy straszliwie ciążyło, a ona nie wie co.

Z trudem przypomina sobie szczegóły. Po złożeniu zeznań przed Komisją Warrena została powszechnie oskarżona o kłamstwo, ale jest tylko człowiekiem i jeśli kłamała, to w dobrej wierze – ponieważ nie wiedziała, jak ma się znaleźć w tym mglistym świecie. Wspomnienia to się nasuwały, to ginęły w pamięci. Może w ten sposób działał po prostu mechanizm obronny, który pomógł jej się uchronić przed załamaniem. Ludzie mówili jej: „Jesteś taka silna", ale to nie było z jej strony okupione wysiłkiem bohaterstwo. „To tkwi w każdym z nas – po prostu człowiek postanawia, że nie umrze, i tyle. Nie ma się odwagi umrzeć".

Teraz, w wieku pięćdziesięciu dwóch lat, Marina zgadza się z tym, że nie potrzeba przyczepiać jej etykietki dobrej kobiety, złej kobiety, bohaterki, antybohaterki, osoby potraktowanej zbyt pobłażliwie czy osoby potraktowanej niesprawiedliwie. „Można być tym wszystkim naraz – mówi Marina. – Raz można być łajdakiem, a raz bohaterem".

„Jeśli mamy zgłębiać charakter Lee, to sama bym się chciała dowiedzieć, kim on właściwie był? Czy rzeczywiście takim złym człowiekiem? – myślę, że tak – ale to dla mnie trudne, ponieważ ja nie chcę go zrozumieć. Muszę państwu z góry powiedzieć, że nie lubię Lee. Jestem na niego wściekła. Tak, jestem na niego okropnie wściekła. Kiedy ktoś umiera, ludzie mają w sobie taką złość. Kochali swojego męża czy żonę przez długi czas, więc mówią: «Jak mogłeś umrzeć i zostawić mnie samą?». Tak, ale ja nie dlatego jestem na niego zła. Ja pytam: «Dlaczego mnie opuściłeś? W takiej sytuacji? Ty sobie umarłeś, a ja do dziś liżę rany»".

Mimo wszystko jednak jestem pewna na sto procent, że on tego nie zrobił, chociaż wciąż jestem na niego wściekła. Bo jak się chciał w coś takiego bawić, to mógł nie mieszać do tego żony i dzieci. Tak, wierzę, że to było jego zadaniem, może nawet kiedy pojechał do Rosji, ale muszę się najpierw dowiedzieć, co on

robił tutaj. To nie jest tak, że wszystko się nagle zdarzyło w Ameryce, ot, tak sobie. To był ciąg dalszy. Nie chcę przekonywać państwa ani amerykańskiej opinii
publicznej – muszę sama to sobie przemyśleć. Uważam jednak, że został do Rosji wysłany. Może. Tak uważam. Nie mam żadnych dowodów. Żadnych. Sądzę,
że był bardziej ludzki niż go ludzie opisują. Nie usiłuję zrobić z niego anioła, ale
interesowałam się nim, bo był inny, wiedziałam, że poszerzy moje horyzonty,
a wszyscy inni mężczyźni, którzy mi się podobali, albo już byli zajęci, albo mnie
nie chcieli".

Za każdym razem, gdy ogląda na ekranie aktora grającego Lee, ten aktor wcale
nie jest do niego podobny. Odwraca głowę tak jak Lee albo tak samo odgarnia
włosy, ale – mówi Marina – Amerykanie znają Lee tylko z kilku zdjęć i aktor stara się upodobnić do tych zdjęć. Ona widzi na ekranie innego Lee niż ten prawdziwy i nie zna jego psychiki. Dopiero musi ją odkryć.

Zapytaliśmy ją, jak by się czuła, gdyby Alika w Mińsku przejechała ciężarówka.
Czy gdyby wtedy została wdową, wspominałaby go z czułością? Powiedziała, że
tak. Myślałaby wówczas, że na początku układało im się nie najlepiej, ale że się
docierali i że stworzyliby udane stadło. Zaryzykowała przecież dla niego. Przepłynęła dla niego ocean. Oczywiście, już wtedy się go bała. Po troszku dociera-
ła do niej świadomość, że z nim nigdy nic nie wiadomo. O nie. Ale przynajmniej
można było mieć nadzieję.

Nigdy nie zapomni, że podczas ich ostatniej wspólnej nocy w Irving Lee
przymilał się do niej, póki nie położył się spać, ale ona odmawiała. Mówiła sobie: „Nie, jeśli teraz nie dam mu nauczki, to nadal będzie kłamał. Nadal będzie
O.H. Lee. Niech mi tu nie robi słodkich oczu". Chciała go ukarać.

Potem pomyślała: „A jeśli on rzeczywiście chciał być ze mną blisko? A jeśli to
ja wprawiłam go w zły nastrój?". To ją dręczy. A gdyby się kochali tamtej nocy?
Nie jest jednak właściwą osobą do rozmowy na takie tematy, ponieważ nie zna
się na sprawach seksu. Owszem, jest osobą zmysłową, ale nie rozpalającą zmysły. Mówi, że nie lubi seksu. Nie jest specjalistką, nie może mówić, jakie to wspaniałe, ponieważ nigdy tego nie doświadczyła. Dla niej nigdy akt miłosny nie kończył się potężnym akordem jak z symfonii Beethovena czy Czajkowskiego.

MARINA: W Teksasie słońce jest bardzo ostre, za ostre jak dla mnie. Kocham księżyc. Jest chłodny i srebrzysty – i taka jest moja melancholia. Ale niektórzy ludzie są jak słońce, męczą i palą. Rozumieją państwo? Ja nie jestem słońcem. Jestem księżycem […].

Patrzę na Amerykę i wszystko jest cudowne. Ale jak człowiek wejdzie do takiego, cholera, spożywczego, to na półkach stoi dwieście odmian płatków śnia-
daniowych. A to przecież tylko jęczmień, kukurydza, co tam jeszcze […]. Tylko
po to, żeby ktoś zarobił na tym kolejny milion. To takie niepotrzebne. Jeśli to jest

postęp, jeśli to jest dobrobyt, to głupi jesteśmy, że tego chcemy. Trzysta opakowań trucizny, może jedno czy dwa są dobre. Uważam, że do takiego postępu nie powinniśmy dążyć […]. Czy rozumieją państwo coś z tego? Czy myślą, że tylko narzekam?

Pytający: Nie, zgadzamy się z panią.

Po zabójstwie Kennedy'ego pamięta takie chwile, kiedy była bliska odebrania sobie życia. Zastanawiała się, kiedy się załamie. Przepłynęła ocean na próżno. Mimo wszystko jednak starała się żyć. Czuła się samotna. Codziennie. Najgorzej bolało ją to, że chyba bardziej kochała go pod koniec życia niż tuż po ślubie. Może żałoba dopiero miała się zacząć? Może! Nigdy przedtem czegoś takiego nie przeżywała. Była jak odrętwiała, ból jej nigdy nie opuszczał.

Nie wie, czy ich małżeństwo by przetrwało, ale mimo wszystko właśnie z Lee chciała ułożyć sobie życie. Całe życie. Miała w sobie trochę dobroci, tego można się było trzymać. W ten niespodziewanie ostatni czwartek, kiedy przyjechał ją odwiedzić, było mu głupio z powodu tego kłamstwa, podania fałszywego nazwiska O.H. Lee.

Kiedy wszedł, powiedział: „Cześć", zupełnie miło, a ona zimnym i nieprzyjemnym tonem zapytała: „Co ty tu robisz?".

Później nie mogła tego zrozumieć. Może jej nie kochał, może aż tak mu na niej nie zależało, ale swoje córki kochał bezgranicznie. Nawet trzydzieści lat później słyszała historyjkę o tym, jak to podczas tych ostatnich dni, mieszkając przy North Beckley, Lee bawił się z wnukami kobiety, która jako ostatnia wynajmowała mu pokój. Dzieci zwracały się do niego Mr. Lee. Zapytał jednego z chłopców: „Jesteś grzeczny?", a mały zaprzeczył, kręcąc głową, i powiedział: „Y-y", a wtedy Lee upomniał go: „Nigdy nie bądź tak niegrzeczny, żeby komuś stała się krzywda". To dziecko już dorosło, ale wciąż to pamięta, wciąż to opowiada.

Tego poranka, kiedy Lee wyszedł, w piątek 22 listopada 1963 roku, Marina nie wstała razem z nim. Chciała, ale on powiedział: „Nie wstawaj. Pośpij jeszcze". I po cichu wyszedł.

Zeszłej nocy położyła się później niż on. Lee już spał albo udawał, że śpi. Gdy Marina wstała w nocy, żeby zajrzeć do małej Rachel, spojrzała na niego. Jedynym światłem było słaba nocna poświata. Wystraszyła się Lee. Dotknęła go stopą, a on ją odepchnął. Potem leżał tak nieruchomo, jakby umarł. Nie ruszał się przez najbliższą godzinę. Marina zastanawiała się: „Czy on żyje?". Był taki nieruchomy. Jakby wyzionął ducha. Nie słyszała, jak oddycha. Musiała się nachylić, przysunąć bardzo blisko, wtedy dopiero usłyszała jego oddech – a już myślała, że umarł. Czy to nie dziwne? Przez tyle lat pamięta, że powiedziała

wtedy: „Dzięki Bogu, żyje". Przez całą noc ani nie wydał z siebie żadnego od-
głosu, ani się nie poruszył.

A rano zrobił sobie kawę rozpuszczalną w plastikowym kubku, wypił ją
i wyszedł do pracy.

Siedzi na krześle, drobna kobieta tuż po pięćdziesiątce, szczupłe ramiona pochy-
lają się pod ciężarem takiej winy, że aż by się chciało ją pocieszyć, przytulić jak
dziecko. Śladem jej piękności są niezwykłe oczy, błękitne niczym diamenty i błyszczące, jak gdyby Bóg światłem wynagradzał jej to wszystko, co do dziś ją nawie-
dza. Została jej dana iskra z godziny apokalipsy, której inni nie widzieli. Może jest
to światło ofiarowane ludziom, którzy doświadczyli boskiego cierpienia.

6

Trzecia wdowa

MARGUERITE OSWALD: Nie wierzę, że ten list jest jednym z nich. Mogę go zobaczyć?
Czy to list z Rosji? Nie wydaje mi się, z tego, co mogę stąd zobaczyć.

RANKIN: Zdaje się, że jednak jest, pani Oswald. Podam go pani. Proszę. Czy mówi pani o dowodzie nr 198?

MARGUERITE OSWALD: Tak. Przepraszam. Myślałam, że inny ważny list tego formatu zaplątał się między te listy z Rosji. Proszę mi wybaczyć, panie sędzio, ale to
dość trudne zadanie jak na moje siły.

Podczas składania zeznań Marguerite cały dzień grzebała w swoim pliku listów,
wyciągając „dokumenty, proszę państwa", które nie dowodziły niczego poza
tym, że spędziła wiele samotnych wieczorów, a głowę miała nabitą niewiary-
godnie podejrzliwymi scenariuszami. W prawniczej atmosferze posiedzeń Komisji Warrena te listy okazują się mało użyteczne. Marguerite marnuje czas na bła-
hostki, a posiadanie tych listów wciąż wydaje jej się tak istotne, jak na przykład
rodzinne nagrobki. Kto rusza z miejsca nagrobki na rodzinnym cmentarzu?
Rozmówcy powoli tracą cierpliwość:

KONGRESMAN BOGGS: Dlaczego pani syn zbiegł do Związku Radzieckiego?

MARGUERITE OSWALD: Nie mogę na to odpowiedzieć jednym zdaniem. Opowiem
wszystko od początku do końca, inaczej to nie będzie miało najmniejszego sensu. To właśnie robię od samego rana – opowiadam Komisji historię.

Kongresman Boggs: Może jednak postara się pani streszczać.

Marguerite Oswald: Nie mogę się streszczać. Powiem więcej – nie potrafię tego zrobić. Przecież moje życie i życie mojego syna – tak, jak je opowiem – przejdzie do historii.

Marguerite zniosła już wystarczająco dużo oskarżeń, pogardy i docinków ze strony innych ludzi (łącznie z członkami Komisji Warrena, którzy prawie nie kryli swej wrogości), nie ma więc potrzeby jeszcze raz stawiać jej w niekorzystnym świetle. Wydaje się pewne, że każda, lub prawie każda, deformacja charakteru Lee Harveya Oswalda wynikła z jej wychowania. Gdy się jednak to sobie uświadomi, trudno nie poczuć dla tej kobiety choć krzty współczucia. Jej psychika, podobnie jak psychika Lee, była zawsze skazana na ciężką pracę, a nie udawało jej się przecież tak wiele przedsięwzięć podjętych w najlepszej wierze – szczególnie jej pragnienie synowskiej miłości, choćby takiej, która zaspokoiłaby jej dumę. Nie jest przyjemnie oglądać życie Marguerite Claverie Oswald jej oczami. Synowie zawsze opuszczają ją najszybciej, jak mogą, a ich krnąbrne żony – krnąbrne w jej oczach – nie wierzą, że ona chce być dobrą teściową. Często się dla dzieci poświęca, ale one nie odpłacają jej miłością. Tylko obojętnością i lodowatym milczeniem. A na dodatek jej najukochańszego syna oskarża się o zabicie prezydenta. W głębi duszy Marguerite na pewno zastanawia się, czy rzeczywiście to zrobił – wie przecież, na jak wiele go było stać.

Krytycy Marguerite Oswald wytkną jej na pewno, jak bardzo lubiła znajdować się w centrum zainteresowania po śmierci Lee, i będą mieli rację: uwielbiała zwracać na siebie uwagę nie mniej niż jej syn. Pierwszy raz w życiu przemawiała do mas, a był to niemały skok od owej posady w Nowym Jorku, z której została zwolniona z powodu nieprzyjemnego zapachu potu.

Pamiętajmy jednak, że – mimo późnej sławy – umarła w samotności. Jej ciało zniszczył rak, jakby w odpowiedzi na zadawane mu wielokrotnie rany. Ale nie można tej kobiecie odmówić, że zmieniła coś swoim życiem, choć pewnie mało kto chciałby się znaleźć na jej miejscu. Teraz prawdopodobnie wykłóca się przy podziale następnych wcieleń, niezadowolona ze zbyt niskiego, w jej ocenie, wcielenia. „Wydałam na świat jednego z najsławniejszych i najważniejszych Amerykanów w historii!" – powie aniołowi protokolantowi, który będzie spisywał jej życiorys.

Pytanie: Czy ma pani tu jakąś rodzinę?

Marguerite Oswald: Nie mam żadnej rodziny, kropka. Wydałam na świat troje dzieci, mam siostry, mam siostrzenice, mam siostrzeńców, mam wnuki, a jestem sama jak palec. To jest odpowiedź na państwa pytanie i nie chcę więcej o tym mówić.

Taka właśnie była – ze swoim niewiarygodnym ego i skłonnością do oszukiwania samej siebie, swoją znoszoną z podniesionym czołem samotnością i nie mającymi końca upokorzeniami, bolesnymi jak wrzody.

Jest postacią godną pióra Dickensa. Mogłaby się równać z jego słynnym złośliwym sknerą Micawberem czy Uriaszem Heepem. Nie pada z jej ust ani jedno słowo, które nie byłoby w zgodzie z jej charakterem; Marguerite odciśnie piętno swej osobowości na każdym wypowiedzianym zdaniu. Ludzie bez motywacji literackiej raczej by do niej nie lgnęli, ale powieściopisarz potrafi ją docenić. Jako postać kreuje się sama.

Czas zakończyć tę smutną opowieść o młodym Amerykaninie, który mieszkał jakiś czas za granicą, a spoczął w grobie w Teksasie. Pożegnajmy się z długim marzeniem Lee Harveya Oswalda o politycznym triumfie, żoninej aprobacie i przeznaczeniu do wielkości. Kto z nas może powiedzieć, że jego marzenia nie pokrywają się po części z naszymi? Gdyby Theodore Dreiser nie zatytułował swojego ostatniego wielkiego dzieła *Tragedia amerykańska*, sam chciałbym tak nazwać tę podróż przez umęczone życie Oswalda.

ANEKS

Warto w tym miejscu przytoczyć kilka fragmentów raportu o dysleksji autorstwa doktora Howarda P. Rome'a z kliniki Mayo – tekstu zakopanego w 26 tomie Raportu Komisji Warrena, dowód nr 3134, s. 812–817.

Uważam, że ta przypadłość oraz skutki, jakie wywarła na Oswaldzie, choć być może w stosunku do całości materiału dowodowego zgromadzonego przez Komisję stanowi sprawę niewielkiej wagi, to kwestie istotne, ponieważ dodatkowo potwierdzają pochodzące z wielu źródeł opinie o wyobcowaniu Oswalda ze społeczeństwa, przejawianej przez niego w wieku szkolnym zaczepności oraz bezpodstawnie wysokiej ocenie własnych zdolności literackich.

Podobne cechy osobowościowe to bynajmniej nie wyjątkowe skutki życia charakteryzującego się powtarzającymi się raz po raz porażkami w każdej niemal dziedzinie. Dla osoby inteligentnej upośledzenie w posługiwaniu się językiem jest doświadczeniem szczególnie przykrym. Wydaje mi się, że w przypadku Oswalda spowodowana tym frustracja spotęgowała jego potrzebę udowodnienia światu, iż jest on zapoznanym „wielkim człowiekiem".

[...] cierpiąca na tę przypadłość osoba, niezdolna do czytania i pisania na takim poziomie, który mógłby być oceniany pozytywnie i nagradzany, usilnie poszukuje okazji do zwrócenia na siebie uwagi i zainteresowania w dziedzinie, w której niezmiennie osiąga niskie wyniki.

Ponieważ w naszej kulturze dużą wagę przywiązuje się do umiejętności poprawnego wysławiania się w mowie i w piśmie, na osoby w tym względzie upośledzone nakłada się niebagatelne sankcje. Jako że z reguły tracą one szacunek w oczach rówieśników oraz przełożonych (nauczycieli, rodziców, dorosłych w ogóle), skłonne są wyrabiać sobie wachlarz zachowań alternatywnych, które pomagają im żyć na tej przegranej pozycji: pozorną obojętność, agresywny opór oraz inne działania zastępcze, dzięki którym mają nadzieję zatuszować swoje upośledzenie i ukazać się w korzystniejszym świetle [...].

Istnieje wiele przykładów na typowe dla Oswalda próby używania poprawnej pisowni: *enorgies* zamiast *energies*, *compulsory* zamiast *compulsory*, *patriotc* zamiast *patriotic*, *opions* zamiast *opinions*, *esspicialy* zamiast *especially*, *disire* zamiast *desire*, *unsuraen* zamiast *insurance*, *indepence* zamiast *indepedendence*, *neglck* zamiast *neglect*, *immeanly* zamiast *immediately*, *abanded* zamiast *abandoned*, *nulus* zamiast *nucleus*, *triditionall* zamiast *traditional*, *imperilistic* zamiast *imperialistic*, *alturnative* zamiast *alternative*, *traiditions* i *trations* zamiast *traditions*, *neccary* zamiast *necessary*, *prefered* zamiast *preferred* [...] (lista ciągnie się przez kolejną stronę).

Mało kto ma dosyć cierpliwości, by czytać nieortograficzne zapiski, ale ja jako autor tej książki musiałem dla jej potrzeb zapoznać się z pismami Oswalda. Odkryłem przy tym, że nasz bohater, jeśli oczyścić jego myśl z zachwaszczających ją błędów ortograficznych i interpunkcyjnych, był nie tylko człowiekiem inteligentnym, lecz również niewątpliwie chronił się przed skutkami wpływu swoich błędów na innych ludzi. Dlatego pomyślałem sobie, że aby zrozumieć osobisty dramat Oswalda – to znaczy patrzeć jego oczami, jakie wywierał wrażenie na innych – powinniśmy czytać jego myśli na takim poziomie, na jakim on w swoim pojęciu je przedstawiał. Ergo, to, co czytelnik dostaje w tej książce, to nie jota w jotę słowa Oswalda, lecz produkt bardziej doskonały. Redaktorzy (autor i jego asystent) wypielili teksty Oswalda z błędów.

Warto powtórzyć to przynajmniej jeszcze raz: ukazywanie Oswalda w ciągłej walce w dysleksją to zaledwie powielanie powszechnej niskiej oceny jego osoby; z kolei poprawienie jego ortografii i interpunkcji przybliża nas do jego psychicznej rzeczywistości – której treścią było to, że on jeszcze okaże się najważniejszy. Należy dodać, że gdyby w dwóch radiowych debatach ze Stuckeyem nie pokazał, na co go stać w potyczce słownej, żadną miarą nie skłaniałbym się ku temu, by nakładać makijaż na jego pisarskie dokonania; z lektury notatek Stuckeya jednak jednoznacznie wynikało, że Oswald miał na tyle duży talent polemiczny, iż warto było bliżej się zainteresować tym, co ma do powiedzenia.

By dać czytelnikowi pojęcie o naturze wprowadzonych zmian, poniżej zacytujemy pół strony jednego z najgorszych jego tekstów w oryginale, fragment jego eseju o Mińsku, i poprawioną wersję tego tekstu.

Oto próbka tekstu napisanego przez Oswalda, bez żadnych poprawek:

It may be explained that in the Eastern custom, all citizens upon reaching the age of 16 years are given a gray-green 'passport' or identifecation papers. On the first page is a foto and personal information, on the following 4 pages, are places for registring address, this including rented rooms, on the next four pages are places for paticular remarks as to the conduct of the carier, a place better kept blank, the next three pages are for registering the places of work, then the next page is for marriage license and divorce stamps, these passprts are changes for a small chrge every five years, a lost passport can be replaced after a short investagation for 10 rubles, all persons regardless of nationality are required to carry these at all times in the Soviet Union, nationalities are allso marked on the passport, for instance, a Urakranion is marked Urakrinuien, a Jew is marked Jew, no matter where he was born [...]

I ten sam tekst po wprowadzeniu poprawek:

It may be explained that in the Eastern custom, all citizens upon reaching the age of 16 years are given a gray-green „passport" or identification papers. On the first page is a photo and personal information. On the following four pages are spaces for registering addresses, this including rented rooms. On the next four pages are places for particular remarks as to the conduct of the carrier – a place better kept blank. The next three pages are for registering the places of work; then the next page is for marriage licenses and divorce stamps. These passports are changes for a small charge every five years. A lost passport can be replaced after a short investigation for 10 rubles. All persons regardless of nationality are required to carry these at all times. In the Soviet Union, nationalities are also marked on passports. For instance, a Ukrainian is marked Ukrainian; a Jew is marked 'Jew' no matter where he was born [...]*.

Poniżej podajemy oczyszczone z błędów fragmenty pięćdziesięciokilkustronicowego rękopisu, o którym George De Mohrenschildt opowiadał Komisji Warrena:

Z DOWODÓW RZECZOWYCH KOMISJI WARRENA
TOM XVI, s. 287–336
Mińska fabryka radioodbiorników i telewizorów słynie w całym Związku Radzieckim jako główny producent części elektronicznych oraz odbiorników radiowych i telewizyjnych. W tym ogromnym przedsiębiorstwie, powstałym na początku lat pięćdziesiątych, obowiązki sekretarza partii pełni czterdziestokilkuletni mężczyzna mierzący 1,90 metra wzrostu, z długą historią członkostwa w partii. Sprawuje on kontrolę nad 1000 członków partii komunistycznej w fabryce oraz nadzór nad 5000 osób zatrudnionych w tym największym przedsiębiorstwie w Mińsku, stolicy trzeciej co do ważności republiki ZSRR, Białorusi.

Fabryka ta produkuje 87 000 dużych radioodbiorników oraz 60 000 telewizorów w różnych rozmiarach, a także radia kieszonkowe, których nigdzie w ZSRR nie wytwarza się na skalę masową. W tej fabryce powstało kilka modeli odbiorników łączących funkcje radia, fonografu i telewizora, które na Wystawie Radzieckiej w Nowym Jorku w 1959 roku pokazano kilkuset tysiącom Amerykanów jako towary produkowane na skalę masową. Po wystawie odbiorniki zostały jak należy odesłane drogą morską do Mińska i obecnie znajdują się w specjalnej przechowalni na parterze budynku administracji – w tej właśnie fabryce, gotowe na następną wystawę międzynarodową.

Pracowałem w tej fabryce przez 23 miesiące**. Może ona posłużyć za znakomity przykład średnich czy nawet nieco lepszych niż średnie warunków pracy. Fabryka zajmuje

---

* Polskie tłumaczenie tego fragmentu znajduje się na stronie 706 niniejszego apendyksu (przyp. tłum.).

** To musi być pomyłka. Oswald rozpoczął pracę w styczniu 1960 roku i zrezygnował z niej w maju 1962 roku – przepracował więc 28 miesięcy (przyp. aut.).

obszar 25 akrów w dzielnicy oddalonej o jedną przecznicę od głównej arterii miasta i zaledwie o dwie mile od centrum. Znajdują się tu wszystkie urządzenia potrzebne do masowej produkcji odbiorników radiowych i telewizyjnych. Zatrudnionych jest 5000 robotników na pełny etat i 300 na niecały etat; 58 procent pracowników stanowią dziewczęta i kobiety.

Na zmianie dziennej 500 osób pracuje przy ogromnych maszynach tłocznych i prasujących, gdzie z metalu wycina się ramy i obudowy do telewizorów i radioodbiorników.

Kolejne 500 osób zatrudnionych jest w sąsiednim budynku przy cięciu i polerowaniu drewna na obudowy. Cały proces produkcyjny, w większości niezautomatyzowany – cięcie, przycinanie i inne czynności, łącznie z ręcznym polerowaniem – odbywa się tu, w jednej fabryce. Fabryka ma też własną pracownię matryc, gdzie 150 pracowników pracuje przy 80 tokarkach i szlifierkach. Hałas w tym warsztacie jest niemal nie do wytrzymania, ponieważ metal zgrzyta o metal, a stalowe piły tną żelazne sztaby z prędkością jednego cala na minutę. Podłoga zabrudzona jest smarem używanym do chłodzenia obrabianego metalu, dlatego trzeba uważać, żeby się nie poślizgnąć; ręce robotników, którzy tu pracują, są tak czarne jak podłoga, i zdaje się, że już na zawsze [...].

Fabryka ma własny warsztat elektryczny, gdzie nad generatorami, kablami telewizyjnymi i przeróżnymi eksperymentami pracują ludzie, którzy ukończyli długie kursy w zakresie elektroniki. Zielone stoły są tu zarzucone robotą. Elektryczne gadżety nie są zbyt trwałe, głównie ze względu na niską jakość drutów, które ciągle się przepalają pod normalnie obowiązującym tu napięciem 220 woltów [...].

Jest też dział części plastikowych. Tutaj 47 kobiet i 3 osoby niepełnosprawne czuwają nad tym, by rozgrzany do czerwoności płynny plastik rozlewał się do kilku pras, z których wychodzi określona liczba pokręteł, uchwytów, izolacji do kabli itd. Ci pracownicy mają najgorsze warunki pracy w całej fabryce (która poza tym jest wzorcową fabryką w ZSRR) ze względu na szkodliwe wyziewy i wysoką temperaturę surowca. W ramach wynagrodzenia dostają 30 dni urlopu rocznie – tyle wynosi robotnicze maksimum. Obecnie w dość wielu fabrykach wykorzystuje się automatyzację, szczególnie w przemyśle zbrojeniowym. Jednak dla potrzeb cywilnych maszyn wciąż jest mało [...].

Zebrania kolektywu fabrycznego odbywają się niezwykle często.

Na przykład, w ciągu jednego miesiąca zgodnie z planem mają miejsce następujące zebrania i odczyty: 1 zebranie związku zawodowego, na którym omawia się pracę związku w zakresie zbierania składek, wypłacania diet na podstawie skierowań na urlopy itd.; 4 odczyty dotyczące informacji politycznej, co wtorek w przerwie obiadowej; 2 zebrania Komsomołu, 6 i 21 dnia każdego miesiąca; 1 zebranie komitetu produkcyjnego, złożonego z robotników, którzy omawiają pomysły na usprawnienie pracy; 2 zebrania partyjne na miesiąc, zwoływane przez sekretarza partii; 4 zebrania robotników komunistycznych, obowiązkowe, w każdą środę; jedno zebranie na miesiąc w sprawach sportu, nieobowiązkowe. Daje to w sumie 15 zebrań miesięcznie, z czego 14 jest obowiązkowych dla członków partii, a 12 dla wszystkich pozostałych. Zebrania te zawsze odbywają się po godzinach pracy lub w przerwie obiadowej. Nigdy nie odbywają się w czasie pracy. Opuszczanie zebrań jest niedozwolone. Po wielu latach surowej dyscypliny, szczególnie w reżimie stalinowskim, żaden robotnik nie pozwoli sobie na to, by za próbę wymknięcia się z zebrania czy nieuważne słuchanie prelegenta stać się ofiarą nieuniknionego postępowania dyscyplinarnego, wszczętego przez członków partii i fabryczny komitet partii.

Dziwaczny to widok: miejscowy człowiek partii wygłaszający polityczne kazanie do grupy zwykle krzepkich, prostych robotników, którzy w jakiś tajemniczy sposób zmienili się w kamienie. Zmienili się w kamienie – wszyscy, z wyjątkiem komunistów o twardych rysach i rozbieganych oczkach, szukających okazji do zarobienia premii za przyłapanie któregoś z robotników na nieuwadze. Dla kogoś, kto nie jest do tego przyzwyczajony, jest to smutny widok, ale Rosjanie podchodzą do tego filozoficznie. Kto lubi te odczyty? „Nikt – ale są obowiązkowe" [...].

By przedstawić reprezentatywny przekrój radzieckiej klasy robotniczej, proponuję przyjrzeć się życiorysom niektórych z 58 robotników i 5 brygadzistów zatrudnionych w warsztacie eksperymentalnym mińskiej fabryki radioodbiorników [...].

Sam warsztat mieści się w nic niewyróżniającym się niczym szczególnym piętrowym budynku z cegły. Punktualnie o godzinie 8.00 rano wszyscy robotnicy znajdują się już w budynku i na dźwięk dzwonka, którym dzwoni porządkowy (jeden z robotników, którego obowiązkiem jest pilnowanie, by inni nie wychodzili zbyt często na papierosa) maszerują schodami na piętro. Wyjątek stanowi 10 tokarzy, ponieważ tokarki znajdują się na parterze. Zadania w postaci planów i rysunków wykonanych przez brygadzistę Zonowa i młodszego brygadzistę Ławruka wydawane są poszczególnym robotnikom zgodnie z ich umiejętnościami, ponieważ wraz z upływem czasu każdy robotnik nabywa inne umiejętności i wiedzę. Pracę rozdziela się ściśle według tzw. poziomów płacowych. Poziomy mają numery od 1 do 5, a najwyższy (szósty) poziom to „mistrz". Na poziomie 1 robotnik zarabia około 68 rubli; na poziomie 2 – 79,50; na poziomie 3 – 90 rubli; na czwartym – 105 rubli; „mistrzowie" dostają około 150 [...]. Z wyjątkiem przypadków złej jakości pracy, premie są zawsze takie same, co sprawia, że skala płac jest mniej więcej stała. Robotnik może w każdej chwili złożyć wniosek o sprawdzenie, czy nie zasługuje na wyższy poziom płacowy. Komitet fabryczny wypłaca wyższe premie najlepszym warsztatom w nagrodę za dobry poziom produkcji.

Nasz kierownik warsztatu, Stiepan Tarasowicz, to krępy, doświadczony robotnik o szczerej, otwartej twarzy, któremu mimo braku wyższego wykształcenia (co jest dziś koniecznym wymogiem przyjęcia kandydata nawet na stanowisko brygadzisty) udało się ukończyć czteroletnią specjalistyczną szkołę wieczorową [...]. Stiepan jest prawie łysy, ma jedynie kosmyk włosów po lewej stronie głowy, który zawsze zaczesuje na drugą stronę, by zakryć świecącą łysinę. Ma 45 lat, jest żonaty, ma dwoje dzieci w wieku 8 i 10 lat. Trzeba w tym miejscu wyjaśnić, że Rosjanie żenią się na ogół później niż Amerykanie. Być może przyczyną jest fakt, że na przydział mieszkania często czeka się po 5, 6 lat, a ponieważ ludzie nie czują się materialnie zabezpieczeni, póki nie osiągną tego, o czym marzą wszyscy bez wyjątku – tzn. samodzielnego mieszkania – większość Rosjan zakłada rodzinę dopiero koło trzydziestki. Stiepan odpowiada przed komitetem i dyrektorem fabryki za utrzymywanie tempa i jakości produkcji. Jego brygadzista, Zonow, ma 38 lat, jest żonaty i ma piętnastomiesięczne dziecko. Nie tak dawno wyprowadził się z jednopokojowego mieszkania bez kuchni i osobnej toalety do nowo wybudowanego bloku, gdzie dostał dwupokojowe mieszkanie z kuchnią i łazienką – luksus, o którym większość Rosjan nie może nawet marzyć. Jest wysokim, chudym mężczyzną o pobrużdżonej twarzy; jego sposób bycia – nerwowy, spontaniczny i bezpośredni – zdradza, kim jest z powołania. Jego zadaniem jest pilnowanie, by warsztat pracował tak szybko i wydajnie, jak to tylko możliwe. Jego pomocnik, młodszy brygadzista Ławruk, jest dużo młodszy, o dziesięć lat, tajemniczy, przystojny i bystry. Awansował na to stanowisko dzięki dyplomowi ukończenia szkoły wieczorowej i charakterystycznemu mrukowatemu wdziękowi, jakim instynktownie emanuje w obecności przełożonych. Trzon warsztatu składa się z 17 „przodowników pracy", których zdjęcia wiszą na ścianie koło schodów, by wszyscy brali z nich przykład. Przodownicy to zwykle 6. poziom płacowy, czyli „mistrzowska" klasa robotników, którzy mają doświadczenie i w pracy, i w polityce.

Większość przodowników to mężczyźni w zaawansowanym wieku, 40–50 lat, i nie każdy należy do partii. Na nich spoczywa odpowiedzialność za wykonanie planu produkcji i – w większości – za wewnętrzne sprawy kolektywu.

Pozostałych 41 robotników dzieli się na dwie części: jedną stanowią młodzi, w wieku od 18 do 22 lat, którzy przepracowują w fabryce obowiązkowe dwa lata przed podjęciem studiów dziennych na tutejszym uniwersytecie lub jednym z instytutów; druga połowa to starsi robotnicy, którzy pracują w tej fabryce od 4–6 lat; mają od 24 do 30 lat i stanowią główną siłę roboczą fabryki. Siedemdziesiąt procent z nich ma rodziny. Mieszkania – niewielu. Większość wynajmuje pokój w dwu- czy trzypokojowym mieszkaniu i często płaci miesięcznie aż 20 rubli. Sytuacja mieszkaniowa jest tak tragiczna, że człowiek uważa się za szczęściarza, jeśli uda mu się choćby znaleźć kogoś chętnego odnająć pokój. Wynajmowanie pokoi jest też najpowszechniejszą formą spekulacji w ZSRR. Często osiąga niewyobrażalne, nierzeczywiste rozmiary, jak w przypadku pewnego mężczyzny, który odnajmował w lecie pokoje za 80 rubli miesięcznie, a sam mieszkał wówczas na daczy, czyli w domku na wsi. Tego rodzaju spekulacja jest zabroniona i grożą za nią kary, między innymi deportacja do innej strefy gospodarczej ZSRR na okres do sześciu miesięcy [...].

We wszystkich fabrykach i zakładach pracy w ZSRR działają komitety partyjne, na których czele stoją absolwenci wyższych szkół partyjnych; ich zadaniem jest kontrolowanie dyscypliny członków partii komunistycznej. We współpracy z dyrekcją danej fabryki kontrolują oni wszystko, co wiąże się z pracą, zmianami i wydajnością danej linii produkcyjnej. Oficjalnie sekretarz komitetu jest równy pozycją dyrektorowi fabryki. Ponieważ jednak komuniści zajmują w zakładach pracy wszystkie kluczowe stanowiska, człowiek partii ma faktycznie znacznie więcej do powiedzenia w kwestii robotniczej niż ktokolwiek inny. Dyrekcja nigdy nie odrzuca wniosków kogoś takiego: to równałoby się zdradzie stanu. Ludzie ci są nominowani na swoje stanowiska przez Komitet Centralny. Oni zaś z kolei mianują wybrane osoby na ogromnie pożądane przez partyjnych pracowników stanowiska sekretarzy partii w warsztatach i w sekcjach, a także praktycznie sterują kolektywem i są odpowiedzialni za wykonanie dyrektyw dotyczących zebrań, wykładów i działalności partyjnej w swoich komórkach.

Zebrania, *sobranija*, odbywają się prawie zawsze w porze obiadowej lub po godzinach pracy [i] trwają od dziesięciu minut do dwóch godzin [...]. Gdy obserwuje się te polityczne pogadanki, to nie można wyjść ze zdumienia, jak nieprawdopodobnie zachowują się słuchacze – stają się całkowicie odporni na jakiekolwiek odgłosy czy zakłócenia z zewnątrz. Po wielu latach surowej dyscypliny żaden robotnik nie pozwoli sobie na to, by zawsze obecni i czujni sekretarz i członkowie partii przyłapali go na nieuwadze i udzielili mu za to publicznej nagany [...]. W takich wypadkach najlepiej jest siedzieć cicho, choćby się było osobą energiczną i porywczą z natury. Pod portretem Lenina stoi sekretarz partii danej sekcji. W naszej sekcji jest to dziobaty mężczyzna w średnim wieku nazwiskiem Sobakin, niczym się z wyglądu nie wyróżniający okularnik. Ponieważ ma pomarszczoną twarz i błyszczące oczy, wydaje się, że za chwilę opowie jakąś pieprzną historyjkę albo dobry kawał, ale to się nigdy nie zdarza. Ma za sobą dwadzieścia pięć lat stażu partyjnego. Zajmowane przez niego wysokie stanowisko świadczy o tym, że wie, jak się urządzić. Na stojąco wygłasza z trzymanych przed oczami kartek „wiadomości" z bieżącego tygodnia, z całkowitym brakiem entuzjazmu i polotu, charakterystycznym dla mówcy, który wie, że nie musi zabiegać o uwagę słuchaczy ani martwić się tym, że ktoś nagle wstanie i wyjdzie.

Podobnie organizowane jest święto Pierwszego Maja i inne „pochody", jak również spontaniczne powitania ważnych gości. Pamiętam, że gdy byłem w Moskwie w 1959 roku, pewnego razu przechodziłem koło restauracji „Metropol", gdy nagle z bocznej ulicy wyszedł oddział dziesięciu milicjantów i zabronił ludziom przejść koło wejścia do restauracji, otoczył ich i na trzy minuty odciął drogę wyjścia (nie kierując ich na inną trasę, czego należałoby oczekiwać). Po upływie tych trzech minut, zgodnie z planem, pod restaurację podjechała jakaś ważna dama z zagranicy, spiesząc na przyjęcie wydane na jej cześć. Przeprowadzono ją przez „spontanicznie" utworzony powitalny tłumek, po czym milicjanci się rozeszli, pozwalając przechodniom iść dalej.

Inny incydent tego rodzaju zdarzył się w 1961 roku, kiedy to do Mińska przyjechała delegacja z Chin i miała przejechać z dworca na obrzeża miasta, gdzie miała zarezerwowany nocleg. Mimo iż była już godzina 22.30, ludzie z MWD biegali po blokach i akademikach wzdłuż całej tej trasy i kazali ludziom wychodzić na ulicę i witać nadjeżdżających gości.

Mimo że wcześniej nie było nic wiadomo o żadnej delegacji, kolejny „spontaniczny" komitet powitalny czekał na przejazd kolumny czarnych limuzyn i posłusznie machał w stronę samochodów o przyciemnianych szybach, z których trochę wystawały machające ręce o żółtawym kolorze skóry [...].

W mińskiej fabryce radioodbiorników pochody z okazji świąt państwowych (są dwa takie święta w roku: Pierwszy Maja i Rocznica Rewolucji) organizuje się w następujący sposób: dyrektywy partii przekazywane są z wyższych szczebli na niższe, aż dotrą do kolektywów fabryki i warsztatu. Tutaj zostają wcielone w życie przez sekretarza partii; on wydaje instrukcje, o której godzinie uczestnicy pochodu mają się stawić na miejscu zbiórki.

Tam rozdawane są transparenty, bębny i flagi, i maszerujących ustawia się w szyku. W Mińsku w te dni wszystkie ulice, z wyjątkiem zaplanowanej trasy [przemarszu], zostają wyłączone z ruchu – w tym celu ustawia się w poprzek nich ciężarówki. W połączeniu z dokładnym sprawdzaniem obecności zapewnia to dziewięćdziesięcioprocentową frekwencję. Maruderów i śpiochów snujących się po ulicach wciąga w strumień maszerujących robotników milicja lub ochotnicza „milicja obywatelska" z czerwonymi opaskami na ramionach. Każdy, kto się sprzeciwia, może później zostać dokładnie przesłuchany – a tego w każdym państwie policyjnym należy unikać jak ognia [...].

Często się słyszy, jakich dziwnych, a nawet niezgodnych z prawem postępków dopuszczają się ludzie, byle tylko znaleźć się wyżej na liście oczekujących na mieszkanie. By zyskać uprzywilejowaną pozycję na liście, oszukują na przykład, że mają o jedno lub dwoje dzieci więcej. Oddawanie nowych bloków mieszkalnych zawsze odbywa się z wielką pompą i po starannym przygotowaniu. Dla szczęściarzy, którzy dostają tam mieszkania i pokoje, jest to faktycznie ważna chwila, chwila, która wieńczy lata oczekiwań i – często – lata kombinowania. Garstka wybrańców otrzymuje zawiadomienie, że mają się wyprowadzić z dotychczasowego miejsca zamieszkania, zwykle jednego pokoju w długim bloku zbudowanym po wojnie, przeznaczonym do rozbiórki. Gdy tylko nowy blok [mieszkalny] jest ukończony [...] zostaje otwarty – mimo iż zdarza się, że brak jeszcze kontaktów w ścianach i desek sedesowych. Ale jakie to ma za znaczenie?! W roku 1960 w ZSRR zbudowano 2 978 000 mieszkań; w USA, łącznie ze stanami Alaska i Hawaje, 1 300 000 [...].

Odbudowa Mińska ma ciekawą historię, która odzwierciedla odwagę jego budowniczych. W systemie totalitarnym dzięki zaostrzonej kontroli można pobudzić do działania wielkie siły [...]. Rozwiązania architektoniczne w żadnym razie nie są nowoczesne, ale w tym stylu zbudowane są prawie wszystkie rosyjskie miasta.

Lotnisko wyznacza granicę miasta od wschodu; roztacza się z niego widok na dużą miejscowość, z pozoru miasto. Wysokie kominy fabryczne zdradzają jego przemysłowy charakter. Mówię, że to miasto „z pozoru", bo najwyższym budynkiem jest ośmiopiętrowy czarny dom rządowy stojący przy głównej ulicy, prospekcie Stalina, długiej na ponad 2 mile, jedynym tego rodzaju bulwarze w Republice [Białoruskiej]. Wszystkie pozostałe ulice są wąskie i brukowane i wiją się w zakrętach po mieście niby kamienne rzeki, wypływające z głównej ulicy i wpadające do ogromnych parków. Przy prospekcie Stalina mieszczą się prawie wszystkie ważniejsze budowle miasta. Ta prosta jak strzała główna arteria Mińska, biegnąca z północy na południe, obejmuje dużą część centrum; tu mieści się hotel „Mińsk" i Główny Urząd Pocztowy. Hotel został zbudowany w roku 1957 na bezpośredni rozkaz Chruszczowa, który bolał nad tym, że gdy składał oficjalną wizytę w stolicy Białorusi, w mieście był tylko jeden stary, chylący się ku ruinie hotel. Hotel „Mińsk" powstał w rekordowym dla całego ZSRR czasie: w ciągu trzech miesięcy. Ma ponad 500 pokoi. Jest nowoczesny, dobrze zbudowany (w kształcie pudła) i porządnie wyposażony. Służy wielu turystom podróżującym z Niemiec i Polski do Moskwy przez Mińsk.

Główny Urząd Pocztowy, zbudowany w roku 1955, zajmuje się pocztą wychodzącą i przychodzącą do Mińska. Wejście budynku zdobią cztery kolumny w stylu greckim.

Dalej przy prospekcie znajduje się sklep z ubraniami i sklep dla dzieci. Główny budynek kina, najlepszego w Mińsku, może pomieścić 400 widzów w małej, dusznej sali. Koło kina znajduje się sklep z obuwiem, naprzeciwko niego główna drogeria, sklep spożywczy i sklep meblowy. Dalej jest Ministerstwo Spraw Wewnętrznych, którym kieruje bezwzględny wojskowy, pułkownik Nikołaj Aksionow z „milicji obywatelskiej". Nosi on tytuł ministra spraw wewnętrznych. Za rogiem mieści się organ pomocniczy ministerstwa, KGB – Komitet Bezpieczeństwa Narodowego (wywiad i tajna policja). Naprzeciwko ministerstwa mieści się wiecznie zatłoczona księgarnia, a naprzeciwko księgarni jeszcze bardziej zatłoczona restauracja, jedna z pięciu w mieście, gdzie za dwa ruble można kupić smażony ozór lub kurczaka z ziemniakami i kapustą, zamiast tego, co tu nazywają kotletami (klopsy z mielonego mięsa i chleba), sznyclami (gdzie jest trochę więcej mięsa, a mniej chleba) czy befsztykami (klopsy z mielonej wołowiny bez dodatków), podawanych z ziemniakami i kapustą, czasami z makaronem. Te potrawy zawsze podaje się w stołówkach pracowniczych i barach samoobsługowych, które otwierane są wieczorami. Czasami można tam też kupić drożdżówki, kawę, owoce, sałatkę i pomidory. Koło letniego baru pod nazwą „Wiesna" jest piekarnia. Tu za 13 kopiejek można kupić niepakowany chleb (biały), za 7 kopiejek drożdżówkę (są różne rodzaje), a za 20 kopiejek chleb razowy. (Bochen chleba razowego jest dwa razy większy od białego, dlatego wychodzi taniej za kilogram i jest na niego większy popyt. Poza tym dzięki twardej skórce czarny chleb wyjątkowo długo zachowuje świeżość).

Naprzeciwko piekarni jest sklep ze słodyczami. To istny raj z dziecinnych marzeń, królestwo słodyczy, choć ze względu na klimat czekolada jest tu cztery razy droższa niż w USA. Za 4 uncje trzeba zapłacić 60 kopiejek. Na czekoladę jest spory popyt, bo Rosjanie to wielkie łasuchy. Tu zawsze jest tłoczno. Dalej znajduje się jedyny dom towarowy w Mińsku, GUM, co oznacza Państwowy Dom Towarowy. Można tu kupić wszystko, co sprzedawane jest w mniejszych sklepach specjalistycznych, i zapisać się na listę po lodówkę, odkurzacz, a nawet samochód (samochodów nigdzie nie można kupić w inny sposób). Na lodówkę (112 milionów sztuk sprzedanych w latach 1952–1958) trzeba czekać trzy miesiące, tyle samo na odkurzacz. W przypadku samochodów czas oczekiwania wynosi od 6 miesięcy do roku, w zależności od tego, na który z trzech rodzajów uiści się przedpłatę. Moskwicz, który kosztuje 2500 rubli, uważany jest za najlepsze auto, dlatego na niego trzeba czekać prawie rok; pobiedy i wołgi są nieco tańsze, a zatem można się spodziewać [dostawy] już po sześciu czy siedmiu miesiącach czekania. Samochody kupuje się tu na zamówienie. Ich sylwetki nie są zbyt imponujące. Moskwicz wygląda jak pudełko na kółkach, a wołga jak amerykański studebaker z roku 1938, na którym zresztą jest wzorowana. To „amerykańska pomoc przedwojenna".

Motocykle i telewizory można kupić na miejscu za gotówkę. Motocykl z dobrym silnikiem kosztuje koło 350 rubli, a jakością przewyższa nawet najbardziej skomplikowany samochód. Telewizory kosztują od 80 rubli (z ekranem 8,5-calowym) do 350 rubli (dobry jakościowo telewizor 22-calowy). Inne modele (małe telewizory przenośne) kosztują

190 i 145 rubli. W GUM-ie można też kupić gotowe garnitury z grubej tkaniny. Tańszy model, granatową dwurzędówkę za 110 rubli, a lepszy, jednorzędowy, za 250 rubli. Marynarka kosztuje 40 rubli, a dwie pary spodni nie mniej niż 15 rubli. Jest do wyboru kilka rodzajów tanich [marynarek?]. Kosztują zwykle 30 rubli.

Zanim dojdziemy do placu Stalina, końca centralnej części prospektu, natkniemy się na dwa bary samoobsługowe. Bary te mieszczą się dokładnie naprzeciwko siebie po dwóch stronach prospektu. Wystrój wewnętrzny i zewnętrzny jest w obu taki sam; oba serwują takie same dania w takich samych cenach. Dlaczego nie zostały rozmieszczone po przeciwległych krańcach prospektu lub chociażby po przeciwległych stronach placu, co byłoby sensowniejsze – nie wiadomo. Powód [prawdopodobnie] jest taki, że plany architektoniczne dla wszystkich miast w Związku Radzieckim przychodzą bezpośrednio z Moskwy, co, jak można sobie wyobrazić, nakłada na architekta wielką odpowiedzialność. Ponieważ w ZSRR za omyłkę płaci się głową, to logiczne, że budowanie ulicy w najprostszy sposób jest wyjściem najbezpieczniejszym. Kolejną ciekawą i charakterystyczną budowlą Mińska jest Pałac Związków Zawodowych. Mieści on aulę, pomieszczenia do prób i charakteryzacji trup amatorskich, które co jakiś czas dają tu przedstawienia, i małą salę do tańca. Nie jest to, jak można by się spodziewać, siedziba żadnego związku zawodowego. Związki w takiej formie, jaką znamy w Ameryce, tu nie istnieją (ponieważ zabronione są strajki i negocjowanie wyższych zarobków czy lepszych warunków pracy; oczywiście, poszczególni robotnicy mogą wysuwać wnioski, lecz wszystkie przechodzą przez ręce miejscowego komitetu partii, i w zależności od widzimisię komitetu albo są przekazywane dalej, albo odkładane na półkę). Pałac jest okazały, wygląda jak grecka świątynia ze statuami na szczycie spadzistego dachu, podtrzymywanego ze wszystkich stron przez wielkie kolumny z białego marmuru. Jednak gdy przyjrzeć się z bliska, te postacie to nie nadzy greccy bogowie, lecz, patrząc od lewej do prawej, mierniczy z cyrklem, murarz trzymający wiadro, lekkoatletka w dresie i bardziej symboliczna postać mężczyzny w dwurzędowym garniturze z aktówką w ręku – albo biurokraty, albo intelektualisty.

Trzeba wyjaśnić, że zgodnie z panującym w Europie Wschodniej zwyczajem po ukończeniu szesnastego roku życia wszyscy obywatele otrzymują szarozielony „paszport", czy, inaczej mówiąc, dowód tożsamości. Na pierwszej stronie jest zdjęcie i dane personalne właściciela. Na następnych czterech stronach pozostawiono miejsce na wpisywanie adresów stałego i tymczasowego pobytu, w tym także w wynajmowanych pokojach. Na kolejnych czterech stronach jest miejsce na uwagi dotyczące zachowania posiadacza dokumentu – lepiej, by pozostały niezapełnione. Kolejne trzy strony to rubryki na wpisanie miejsc pracy; następna strona przeznaczona jest na adnotacje o zawarciu małżeństwa lub uzyskaniu rozwodu. Dowody tożsamości wymieniane są za drobną opłatą co pięć lat. Zagubiony dowód można wymienić na nowy, po krótkim dochodzeniu, za dziesięć rubli. Wszyscy, niezależnie od narodowości, mają obowiązek nosić go zawsze przy sobie. W Związku Radzieckim w dowodzie tożsamości odnotowuje się także narodowość właściciela. Na przykład, Ukraińcowi wpisuje się „Ukrainiec", a Żydowi „Żyd", niezależnie od tego, gdzie się urodził. Imigrantom wpisuje się miejsce urodzenia. Na stronach poświęconych na „uwagi szczególne" (zwykle natury kryminalnej) imigranci mają wpisaną krótką biografię, np. Carlos Ventura, urodzony w Buenos Aires w 1934 r., zamieszkały w Buenos Aires do 1955 r., zawód student, w ZSRR od 1956 r. To wystarcza, by każdy, kto przeczyta tę notę w dowodzie, traktował Carlosa w odpowiedni sposób i pilnował, by nigdy bez konkretnego powodu nie oddalał się on zbytnio od miejsca zameldowania ani nie zajął zbyt wysokiego stanowiska w pracy. Jednak ogólnie rzecz biorąc, imigranci w ZSRR – stosunkowo nieliczni Francuzi, Hiszpanie i przybysze z Europy Wschodniej – traktowani są z szacunkiem większym, niż Rosjanie okazują sobie nawzajem […].

Dwanaście mil za Moskwą znajduje się „pokazowy" kołchoz na użytek turystów zagranicznych, którzy chcą zobaczyć autentyczny, przeciętny kołchoz. Można tam znaleźć niemal każdą wyręczającą człowieka maszynę, jaką można sobie wyobrazić, w tym automatyczne dojarki, paśniki, a nawet roboty myjące podłogi. W tym kołchozie, jak również w jego odpowiedniku położonym na południe od Leningradu, stoją porządnie zbudowane bloki mieszkalne z mieszczącymi się na parterze sklepami spożywczymi i odzieżowymi.

Każdemu, kto nie lubi być robiony w konia, proponuję pojechać 24 mile autostradą Moskwa–Brześć, do miejscowości Uesteech*, gdzie, pytając o drogę, można w ciągu pięciu minut znaleźć prawdziwy kołchoz – wioskę składającą się z małych lepianek z gliny i kawałków drewna, jakie widzi się w całym Związku Radzieckim. Choć to miejsce oddalone jest zaledwie o 50 minut jazdy od Kremla, nie ma doprowadzonej elektryczności ani gazu. O kanalizacji nawet tu nie słyszano, a jedyny automat do czyszczenia podłóg to miotła. W Związku Radzieckim istnieje 45 000 tego rodzaju kołchozów, jak również 7400 sowchozów zarządzanych bezpośrednio przez władze państwowe. Kołchoźnicy i ich rodziny to 65,5 miliona ludzi, co stanowi 31,4 procent całej populacji.

Wprawdzie kołchoźnik może posiadać własne kurczaki czy świnie, a nawet krowę oraz własny kawałek ziemi, zwykle ćwierć akra, lecz te „przywileje" nie stanowią przeciwwagi dla odcięcia od świata i ciężkiej harówki latem i jesienią. Obecnie, mimo iż w kołchozach wciąż nie ma elektryczności, w każdym domu jest głośnik, który nadaje program radiowy. To element propagandy wprowadzonej przez Stalina w celu „zbliżenia poziomu kulturalnego prowincjonalnych kołchozów do poziomu mieszkańców miast".

Dlatego choć w domach nie ma światła, nieustannie ryczą głośniki. Dzieci kołchoźników mają obowiązek chodzenia do szkoły, zresztą szkoła jest obowiązkowa dla wszystkich do osiągnięcia dojrzałości, tj. do czasu otrzymania dowodu tożsamości, do ukończenia szesnastu lat. Szkoły państwowe to na ogół klockowate dwupiętrowe budynki, prawie niczym się od siebie nie różniące. Nauczyciele zarabiają w tych ośrodkach oświatowych po 80 rubli miesięcznie. Dyscyplina, z punktu widzenia uczniów, jest surowa. Rozpoczynając naukę w szkole w wieku siedmiu lat, [uczeń] uczy się utrzymywać w czystości swój szkolny mundurek pioniera (którego noszenie jest obowiązkiem każdego ucznia), uczy się też stawać na baczność, gdy nauczyciel go o coś pyta lub gdy do klasy

---

* Trudno się zorientować na podstawie zapisu Oswalda, o jaką miejscowość chodzi (przyp. tłum.).

wchodzi dorosły. Nauka, szczególnie nauka języków obcych, stoi na wyższym poziomie niż w szkołach amerykańskich. Duży nacisk kładzie się na nauki przyrodnicze, na patriotyzm i historię Sowietów. W bardzo młodym wieku wpaja się uczniom poważny stosunek do nauki. Radzieccy uczniowie wydają się pilniejsi niż Amerykanie [...].

Państwowe ośrodki zdrowia dla młodych i starych są w ZSRR na porządku dziennym. Nad brzegiem Morza Kaspijskiego i Czarnego, w „zagłębiu urlopowym" Związku Radzieckiego, rozrzucone są tysiące domów wypoczynkowych, sanatoriów i szpitali. Jeśli robotnik chce zarezerwować sobie pobyt w jednym z tych miejsc, musi zwrócić się do komitetu zakładowego o skierowanie (*putiowka*) i rezerwację biletu, po udowodnieniu, że ma prawo do trzytygodniowego urlopu (w przypadku osób pracujących w warunkach zagrażających zdrowiu i górników jest to 30 dni). Może wykupić na trzy tygodnie miejsca w domu „Pietrowskij" w kurorcie Jałta nad Morzem Czarnym za 70 do 100 rubli, w zależności od jakości oferowanych usług. Jeśli robotnik należy do związku zawodowego (miesięczna składka wynosi 1 procent pensji), może opłacić tylko 50 procent kosztów, pod warunkiem, że zarezerwuje [urlop] w związkowym domu wypoczynkowym [...]. W usługach oferowanych przez domy wypoczynkowe zawierają się trzy pożywne posiłki dziennie, opieka medyczna, sprzęt sportowy i wodny, własna plaża, wycieczki i wszystko, co potrzebne podczas urlopu.

Robotnicy o skromniejszych wymaganiach mogą wybrać się na urlop do domu wypoczynkowego bliżej miejsca zamieszkania, w przypadku Mińska do miejscowości Zhomovich*, położonej w lesie sosnowym trzy godziny drogi od Mińska. Tutaj za te same usługi, minus plaża, owoce i słońce, płaci się tylko 25 rubli za dwa tygodnie.

W stolicy Białorusi działa 12 wyższych uczelni, w tym uniwersytet i politechnika. Instytucje te kształcą w interesie gospodarki państwowej wysoko wykwalifikowanych specjalistów. W mieście jest też wiele szkół średnich, szkół pomaturalnych, zawodowych i przyzakładowych. W tych szkołach odbywa się trudne pięcioletnie studia z przedmiotów zawodowych i politycznych. Domy studenckie mieszczą się przy odpowiednich instytutach, mieszkają w nich studenci spoza Mińska. Często ich liczba przewyższa liczbę miejsc w akademikach i wielu studentów musi wynajmować pokoje w mieście. W każdym pokoju, wielkości 15 na 15 stóp, mieszka od 5 do 6 studentów. Miejsca jest akurat tyle, by przy ścianach dało się ustawić metalowe łóżka, a na środku pokoju stół i krzesła. Na szafy nie ma już miejsca, więc studenci trzymają ubrania w walizkach pod łóżkami. W takich warunkach uczą się i mieszkają przez pięć lat, z trzymiesięcznymi przerwami na wakacje letnie. Jedno pomieszczenie do wspólnego użytku, wyposażone w kuchenki (do gotowania) przypada na osiem studenckich pokoi. O czystość pościeli, pokoi i całego akademika dbają sami studenci. Liczba studentów w ZSRR w roku 1960/1961 wynosiła 2 396 000. Ich liczba w Stanach Zjednoczonych to 1 816 000, czyli na 10 000 ludzi przypada 102 studentów. Wszyscy studenci wyższych uczelni otrzymują stypendia w wyso-

---

* Por. poprzedni przypis.

kości 40 rubli miesięcznie, niezależnie od wybranego kierunku. Za bardzo dobre lub celujące wyniki w nauce student może otrzymać do 50 rubli na miesiąc. Zatem w Związku Radzieckim wszystkim studentom płaci się za to, że się uczą, odwrotnie niż w USA, gdzie student musi płacić czesne. Oto dlaczego w Związku Radzieckim jest prawie trzy razy więcej inżynierów (159 000 w 1959 roku) i dwa razy tyle agronomów co w USA, oraz 477 200 techników i innych specjalistów. Oto dlaczego w Związku Radzieckim jest więcej lekarzy na 10 000 mieszkańców (18,5 w 1960 roku) niż w jakimkolwiek innym kraju na świecie. (W USA w roku 1960 [na 10 000 mieszkańców] przypadało 12,1 lekarzy). Mimo braku miejsc w akademikach i życia studentów w ciasnocie […] niewątpliwie moglibyśmy się wiele nauczyć od wymagającego i wysoce wyspecjalizowanego systemu edukacyjnego Związku Radzieckiego, systemu, który każdemu studentowi wpaja równocześnie wiedzę polityczną i zawodową. Podobnie jak fabryki i zakłady pracy, tak i każdy instytut ma swoje gremium partyjnych kierowników, osobne dla nauczycieli i profesorów, osobne dla uczniów i studentów […].

Stacja radiowo-telewizyjna w Mińsku to trzypiętrowy otynkowany budynek stojący przy ulicy Kalinina 6, w pobliżu rzeczki Świsłocz. Za nim wznosi się imponująca, wysoka na 500 stóp stalowa wieża nadawcza, najwyższa budowla na Białorusi. Ową wieżę i budynek otacza wysokie ogrodzenie, przy którym trzymają straż uzbrojeni wartownicy z psami. Na podwórze wchodzi się przez budynek, a do budynku nie wpuszcza się osób, które nie mogą wylegitymować się uzbrojonemu strażnikowi specjalną przepustką. Programy przygotowuje się w innym studiu bliżej centrum miasta, skąd gotowe już produkcje wysyła się do stacji, a następnie przesyła do nadajników. W ten sposób zabezpiecza się najwyższej wagi system komunikacji przed sabotażem lub przejęciem, jakie często udaje się latynoskim kontrrewolucjonistom i innym elementom malkontenckim.

W pobliżu wieży telewizyjnej, 4 przecznice od ulicy Dołgobrodskiej, stoją kolejne dwie wieże, mierzące po około 200 stóp wysokości. Nie są one przeznaczone do nadawania. Wręcz przeciwnie: te rzucające się w oczy wysokie konstrukcje, z przewieszonymi między nimi liniami wysokiego napięcia, to wieże zakłócające, służące do zagłuszania programów z zagranicy, nadawanych na wysokich częstotliwościach. Główne cele tych dwu wież to rozgłośnia monachijska i waszyngtońska Głosu Ameryki, choć czasami używa się ich też do zakłócania rosyjskojęzycznych audycji BBC i radia francuskiego. Także i tych wież pilnują uzbrojeni strażnicy, a wejście na ogrodzony drutem okoliczny teren jest wzbronione osobom nie posiadającym przepustek. Woltaż zużywany przez te wieże jest ogromny, szczególnie jeśli wziąć pod uwagę, że potrzebne przecież oświetlenie w miejscach pracy włącza się z dużym ociąganiem, nawet w pochmurne dni. Ironiczna i smutna jest myśl o tym olbrzymim marnotrawstwie i o staraniach, jakie podejmuje rząd ZSRR, by nie pozwolić rodakom zapoznać się z ideami innych ludzi. Ale zakłócanie obcych programów to zaledwie połowa działalności propagandowej Radia Moskwa. Nadaje ono również programy, których można wysłuchać na niskich częstotliwościach na pierwszym lepszym odbiorniku z falami krótkimi w Stanach Zjednoczonych – i to bez zakłóceń. W tych programach Radio Moskwa zapewnia, że żelazna kurtyna już nie istnieje, że nigdy nie istniała, i w ogóle jest kłamliwym oszczerstwem przeciwko Związkowi Radzieckiemu, zmyślonym przez reakcję, sic!!*[…].

Propagandę szerzy się również przy pomocy *agitpunktów*, czyli „punktów agitacji". Mieszczą się one w małych biurach otwartych 16 godzin na dobę. Ochotnicze dyżury pełnią tam członkowie partii i Komsomołu. Funkcją [tych biur] jest rozprowadzanie pamfletów, biuletynów i innej literatury partyjnej. Służą one również za miejsce mniej lub bardziej nieformalnych spotkań członków partii. Utworzone na początku lat dwudziestych, „punkty" były pierwotnie miejscami zbiórki uzbrojonych robotników, którzy mieli w razie potrzeby zdławić powstania „białych" i aresztować niewygodnych ludzi z okolicy. Teraz zadania „punktów" polegają na czym innym, ale wciąż wiadomo, że każdy może przyjść z donosem na obywatela, który w chwili nieuwagi wypowiedział się nielojalnie wobec państwa – telefon jest tu zawsze pod ręką. W książce telefonicznej Mińska jest tylko 12 kin, ale aż 58 *agitpunktów*. Można je rozpoznać z daleka po czerwonych flagach i sztandarach udrapowanych koło drzwi i okien.

Organizacja młodych komunistów (Komsomoł) skupia wszystkich młodych ludzi od 16 lat wzwyż, gdy tylko wyrosną z wieku pionierów. Dziewięćdziesiąt procent ludności w wieku od 16 do 26 lat należy do tej organizacji, choć legitymację partyjną można uzyskać już w wieku 19, 20 lat. Ludzie zapisują się do Komsomołu po ukończeniu 16 roku życia, gdy tylko dostają dowody tożsamości. Otrzymują legitymację komsomolską i muszą płacić niewielkie składki w wysokości 70 czy 80 kopiejek miesięcznie. Poza tym zobowiązani są uczestniczyć w zebraniach Komsomołu, w jesienne weekendy brać udział w wykopkach w kołchozach i nie schodzić poniżej określonego poziomu w nauce. Niewłaściwe zachowanie lub niesubordynacja kończy się wydaleniem z Komsomołu i stanowi blokadę dla rozwoju jednostki w Związku Radzieckim. Legitymację komsomolską bierze się pod uwagę przy zatrudnianiu w fabrykach czy w instytucjach rozpatrujących podania o przyjęcie na wyższe uczelnie, lecz wydalenia z Komsomołu zdarzają się dość często – około 20 procent członków zostaje wydalonych przed osiągnięciem wieku wymaganego do ubiegania się o członkostwo w partii. Wybór na klasowego, szkolnego lub zakładowego sekretarza Komsomołu zyskuje młodemu człowiekowi szacunek kolegów i daje władzę. Pewną drogą do sukcesu jest utrzymanie się na tym stanowisku w szkole czy na uczelni, dzięki pilnowaniu wysokiej średniej ocen i poziomu dyscypliny do czasu zaproszenia do wstąpienia w szeregi partii. Tak oto młodzi ludzie poznają przedsmak tego, co partia może dla nich zrobić, jeśli tylko będą prezentować odpowiednią postawę. W naszym warsztacie sekretarzem Komsomołu jest Arkadij _____, wysoki, przystojny i energiczny dwudziestoczteroletni Rosjanin o uśmiechu od ucha do ucha. Wygląda jak typowy chłopak z Teksasu czy Oklahomy. Jego ojciec jest drobnym biurokratą, a matka pracuje jako pielęgniarka. Dzięki temu mają duże, trzypokojowe mieszkanie. Jego brat, który również należy do Komsomołu, jest ostatnim i najmłodszym członkiem tej rodziny. Arkadij pracuje w naszej fabryce od pięciu lat, po odsłużeniu trzech lat w marynarce na Morzu Czarnym. Dopiero niedawno został wybrany na sekretarza Komsomołu w warsztacie, gdy jego poprzednik otrzymał legi-

---

* Oryginalna pisownia Oswalda: sich (przyp. aut.).

tymację partyjną. Na ogół bezkonfliktowy, jeśli się go nie rozzłości, poważnie traktuje swoje komsomolskie obowiązki i w co drugi dzień wypłaty (wypłata przypada na 5 i 20 dzień każdego miesiąca) zbiera składki w wysokości 1 procenta pensji, tj. 1 procenta z 80 rubli, czyli 80 kopiejek. Sporządza listę tych, którzy wpłacili składkę, i odpowiada za to, by pieniądze trafiły do fabrycznego komitetu Komsomołu. Sporządza również listy *dorożników* na następny miesiąc. *Dorożnik* to cywilny ochotnik, patrolujący ulice i parki w charakterze stróża porządku. Dostaje specjalną legitymację, a podczas służby nosi czerwoną opaskę na ramieniu [...]. Patrole chodzą w grupach trzy-, czteroosobowych; często rolę *dorożników* pełnią dziewczęta i kobiety. Ten zwyczaj jest stosunkowo nowy i nie bywa praktykowany na co dzień, tylko w soboty i niedziele, kiedy to po ulicach włóczą się grupki hałaśliwych nastolatków i pijacy. I jednych, i drugich widuje się teraz coraz rzadziej, przynajmniej częściowo dzięki staraniom tych „ochotników". Poza pomocą w sporządzeniu listy *dorożników* w warsztatach, od sekretarzy Komsomołu oczekuje się także dawania współpracownikom przykładu pracowitości i „poprawności" politycznej oraz pomocy w zapoznawaniu kierowników warsztatów i sekcji z pracownikami [...].

Siedziba Komitetu Centralnego partii mieści się przy ulicy Karola Marksa, w siedmiopiętrowym budynku w kształcie klocka z żółtego metalu i cegły. Prawie nie widać na nim krzykliwych ozdób, jakie widuje się na większości budynków w mieście. Imponujący tytuł pierwszego sekretarza Komitetu Centralnego Komunistycznej Partii Republiki Białoruskiej nosi obecnie niski, krępy mężczyzna pod sześćdziesiątkę, K.T. Mazarof. Rzadko widuje się go na ulicy. Zajmuje wraz z rodziną ogromny ośmiopokojowy apartament na najwyższym piętrze budynku rządowego przy prospekcie Stalina. Wejścia do budynku pilnuje dzień i noc umundurowany milicjant, który sprawdza dowody i nie wpuszcza osób niepowołanych. Tutaj mieszka również kilku ministrów, np. minister edukacji Poroshebed* i minister administracji E. Zhezhel. Mazarof nadzoruje i kieruje wszystkim, co dzieje się w jego republice. Ma władzę, jaką w Stanach Zjednoczonych nie cieszy się żaden gubernator, ponieważ jego sposobu sprawowania rządów nie może kontrolować czy podważyć sąd lub odgórny nakaz, jak to się często dzieje w Stanach Zjednoczonych. Mazarof podlega bezpośrednio Moskwie i Prezydium KC, na którego czele stoi Chruszczow. W święto 1 Maja i 7 Listopada pojawia się na trybunie w otoczeniu towarzyszy partyjnych, skąd od czasu do czasu macha uprzejmie ręką bez śladu uśmiechu na ustach [...].

Główną formą korupcji w ZSRR jest defraudacja i łapówkarstwo [...]. W roku 1961 przywrócono karę śmierci za defraudację większych sum z funduszy państwowych – w odpowiedzi na szeroko rozpowszechnione rozkradanie towarów i plonów oraz pieniędzy i obligacji państwowych. W każdym kołchozie pewien odsetek dóbr państwowych zostaje nielegalnie przywłaszczany przez kołchoźników na użytek własny w ramach rekompensaty za niskie płace, a zatem kiepskie warunki życia. Często dobra te sprzedawane są osobom prywatnym, sklepom bądź na bazarach pod gołym niebem. Takim dobrem może być, na przykład, ukradziona lampa czy prosiak, lecz również dziesiątki owiec czy krów

---

* Pozostawiam zapis nazwisk w „transkrypcji" Oswalda (najprawdopodobniej są to wersje zniekształcone) (przyp. tłum.).

ukryte na bagnach lub w gęstych lasach sosnowych. Właściciel sprzedaje je [czy to] pojedynczo, czy hurtowo, nieuczciwym kierownikom sklepów, którzy powinni kupować państwowe mięso i zboże po państwowych cenach, lecz kupują na czarnym rynku, a różnicę w cenie wkładają sobie do kieszeni, księgując zakup jako zakup po cenie państwowej. Tego rodzaju praktyki są bardzo rozpowszechnione. Wiele sklepów świeciłoby pustkami, gdyby miało polegać wyłącznie na sporadycznych dostawach drogiego mięsa złej jakości z rzeźni państwowych. Stanowisko kierownika niewielkiego nawet sklepiku z nabiałem czy warzywniaka otwiera przed ludźmi z najmniejszą choćby smykałką do interesów szerokie możliwości dokonywania lukratywnych transakcji. Przeciwdziałanie tego rodzaju interesom nie leży w zakresie możliwości władzy, ponieważ trudno jest zgromadzić dowody wykroczenia na większą skalę; zwykle są to drobne interesy. Takie przedmioty, jak na przykład urządzenia elektryczne, są często przedmiotem spekulacji, co często prowadzi do tego, że spod lady sprzedaje się towary wybrakowane. Za przykład może służyć konina używana zamiast wołowiny na rosół. Większość trybików w maszynie biurokratycznej można wprawić w ruch za pomocą sprawnie wsuniętego w dłoń banknotu dziesięciorublowego. Osoby zajmujące większość stanowisk w ministerstwie budownictwa, biurze wydającym dowody tożsamości i biurach meldunkowych oczekują wynagrodzenia za potrzebne wszystkim Rosjanom usługi cenione na wagę życia i śmierci, a mianowicie: uzyskanie przydziału na mieszkanie oraz oficjalne pozwolenie na zasiedlenie tegoż lokalu. Zgodnie z obowiązującym w ZSRR prawem bez meldunku w danym mieście człowiek nie może w nim pracować. Gdy już raz zdecyduje się na stanowisko czy rodzaj wykonywanej pracy, bardzo trudne i czasochłonne jest załatwienie pozwolenia na mieszkanie i pracę w innym mieście, dlatego ogólnie trudno jest się przenosić. Administrator bloku może się spodziewać 60–100 rubli za przybicie pieczątki na blankiecie podania o mieszkanie lub o [pozwolenie] wprowadzenia się do mieszkania zajmowanego przez rodzinę, która zamierza się przenieść do innego miasta (to powszechna metoda zdobywania mieszkania czy pokoju bez konieczności zapisywania się na tzw. listę oczekujących na mieszkanie, co oznacza z reguły czekanie od 5 do 7 lat na „mieszkanie" jednopokojowe) […].

W dniu wyborów wszyscy uprawnieni do głosowania idą do punktów wyborczych (zwykle są to szkoły) i głosują; dostają kartę do głosowania, którą wrzucają do urny. Na karcie widnieje jedno jedyne nazwisko kandydata na każde stanowisko. To się nazywa „głosowaniem". Ten system zapewnia 99 procent frekwencji wyborczej i z góry wiadome zwycięstwo kandydata. W każdym punkcie wyborczym znajduje się kabina do głosowania (można skreślić nazwisko podanego kandydata i wpisać nazwisko innego). W świetle radzieckiego prawa każdemu wolno to zrobić; nikt jednak z tego prawa nie korzysta, z tego oczywistego powodu, że każdy, kto wejdzie do kabiny, może zostać zidentyfikowany. W ZSRR krąży dowcip, że pod każdym, kto wchodzi do kabiny, zapada się podłoga. Jednak faktem jest, że gdyby cała populacja skorzystała z tych kabin, można by było obalić system. Lata dyscypliny i strachu sprawiły jednak, że ludzie boją się podejmować próby tego rodzaju demonstracji. A ponieważ potencjalny kandydat nie ma możliwości porozumienia się ze swoimi wyborcami, nie istnieje sposób na to, by wygrał czarny koń […].

SPIS WYSTĘPUJĄCYCH OSÓB

Gwiazdką oznaczone zostały pseudonimy. Nazwisk niektórych osób na ich prośbę nie ujawniono, podając jedynie imiona. Kilka kobiet zeznających przed Komisją Warrena występuje w raportach wyłącznie pod nazwiskiem mężowskim, z pominięciem imienia (np. Mrs Doe [pani Doe]), a nie Mary Doe); tak też wymienione są one w tym indeksie.

BONDARIN KONSTANTIN (KOSTIA) – student Mińskiego Instytutu Medycznego; w roku 1961 przez krótki okres sympatia Mariny

BONDARIN – profesor, pracownik Mińskiego Instytutu Medycznego

BOUHE GEORGE – nieformalny przywódca grupy rosyjskich emigrantów w Dallas

BOWEN JACK – współpracownik Oswalda w firmie Jaggars-Chiles-Stovall

BOYD ELMER – oficer policji w Dallas, obecny przy części przesłuchania Oswalda w dniach 22–24 listopada 1963 roku

BRENNAN HOWARD – świadek, który widział strzelca w oknie Teksaskiej Składnicy Podręczników

BREWER JOHNNY – właściciel sklepu obuwniczego, który widział, jak Oswald wchodzi do kina „Teksas" nie płacąc za bilet, i kazał kasjerowi wezwać policję

BRINGUIER CARLOS – uchodźca kubański, przeciwnik Castro; jeden z przeciwników Oswalda w nagrywanej w Nowym Orleanie debacie radiowej

BRUNEAU EMILE – kolega Charlesa Murreta; załatwił zwolnienie Oswalda z aresztu w Nowym Orleanie

BUTLER EDWARD – szef antykomunistycznej Rady Informacji Obu Ameryk; jeden z przeciwników Oswalda w przeprowadzonej w Nowym Orleanie debacie radiowej

CALL RICHARD – służył z Oswaldem w marines w Kalifornii

CAMARATA DONALD – służył z Oswaldem w marines w Japonii

CARRO JOHN – pracownik socjalny, który znał Oswalda w czasie jego pobytu w domu poprawczym w Nowym Jorku w 1953 roku

CLARK GALA – rosyjska emigrantka, która znała Oswaldów w Dallas

CLARK MAX – prawnik, mąż Gali Clark

CONNELL LUCILLE – przyjaciółka Sylvii Odio

CONNOR PETER – służył w Oswaldem w marines w Japonii

COODLEY SHERMAN – służył z Oswaldem w obozie szkoleniowym

CRAFARD LARRY – „człowiek do wszystkiego" w nocnym klubie Jacka Ruby'ego

CURRY JESSE – szef policji w Dallas

„GATOR" DANIELS – służył z Oswaldem w marines w Japonii

DELGADO NELSON – służył z Oswaldem w marines w Kalifornii

DE MOHRENSCHILDT GEORGE – rosyjski emigrant; najlepszy przyjaciel Oswalda w Dallas

DE MOHRENSCHILDT JEANNE – czwarta i ostatnia żona George'a De Mohrenschildta

DONOVAN WILLIAM – przełożony Oswalda w korpusie marines

DURAN SILVIA – we wrześniu 1963 roku sekretarka konsula kubańskiego w ambasadzie kubańskiej w Meksyku

DYMITRIUK LIDIA – rosyjska emigrantka, która znała Oswaldów w Dallas

DŻUGANIAN EDI – leningradzka sympatia Mariny

EVANS MYRTLE – pomogła Oswaldowi znaleźć mieszkanie, gdy wiosną 1963 wrócił do Nowego Orleanu

FAIN JOHN – agent FBI, który przesłuchiwał Oswalda w Dallas po jego powrocie do USA

FERRIE DAVID – współpracownik Guya Banistera i przywódca Cywilnego Patrolu Lotniczego w Nowym Orleanie, do którego Oswald należał jako nastolatek

FORD DECLAN – mąż Katii Ford

FORD KATIA – rosyjska emigrantka, która znała Oswaldów w Dallas

FRAZIER WESLEY – sąsiad Ruth Paine, pracownik Teksaskiej Składnicy Podręczników

FRITZ WILL – kapitan policji w Dallas; główny przesłuchujący po aresztowaniu Oswalda

GALINA (GALA) – przyrodnia siostra Mariny

GARNER MRS – właścicielka mieszkania przy Magazine Street w Nowym Orleanie, które wynajmowali Oswaldowie

GARRISON JIM – prokurator okręgowy w Nowym Orleanie, który postawił przed sądem Claya Shawa, wpływowego biznesmena, za udział w spisku na życie Kennedy'ego

GELFANT LEONID – znajomy Mariny i Larysy

GERACI PHILIP – nastolatek będący świadkiem pierwszej rozmowy Oswalda z Carlosem Bringuierem w jego sklepie w Nowym Orleanie

GERMAN ELLA – współpracownica Oswalda w mińskiej fabryce radioodbiorników; Oswald zalecał się do Elli przez dziewięć miesięcy

GOŁOWACZOW PAWEŁ – przyjaciel Oswalda i informator KGB

GRAEF JOHN – szef Oswalda w firmie Jaggars-Chiles-Stovall

GRANT EVA – siostra Jacka Ruby'ego

GRIGORJEW STIEPAN WASILJEWICZ – oficer KGB w Mińsku; oficer prowadzący sprawę Oswalda

GREGORY PETER PAUL – inżynier pochodzenia rosyjskiego, który znał Oswaldów w Dallas

GUZMIN IGOR IWANOWICZ – szef kontrwywiadu KGB na Białorusi w czasie pobytu Oswalda w Mińsku

HALL ANNA – rosyjska emigrantka, która znała Oswaldów w Foth Worth

HALL LORAN – przeciwnik Castro; twierdzi, że odwiedził Sylwię Odio z kimś podobnym z wyglądu do Oswalda

HOSTY JAMES – agent FBI, który dwukrotnie odwiedził dom Ruth Paine w poszukiwaniu Oswalda

INESSA – koleżanka Mariny w Mińsku

IRINA* – koleżanka Mariny w Leningradzie

JARMAN WILLIAM – współpracownik Oswalda w Teksaskiej Składnicy Podręczników

JACKOW PAWEŁ – oficer KGB związany z ambasadą ZSRR w Meksyku; widział Oswalda podczas jego ostatniej wizyty w ambasadzie

JOHNSON McMILLAN PRISCILLA – pisarka amerykańska, która przeprowadziła wywiad z Oswaldem w Moskwie; później autorka biografii Mariny

JURIJ – ojciec Wali Prusakowej

KATIA – pracownica fabryki radioodbiorników w Mińsku

KLEINLERER ALEX – rosyjski emigrant, który znał Oswaldów w Dallas

KORBINKA NELLA – studentka mińskiego Instytutu Języków Obcych, z którą Oswald – jak twierdził – miał romans

KOSTIKOW WALERIJ – oficer KGB zatrudniony w ambasadzie radzieckiej w Meksyku; spotkał się z Oswaldem podczas jego wizyty w ambasadzie

KUZMICZ LUDMIŁA – starsza siostra Larysy; żona Michaiła Kuzmicza, sąsiadka Wali i Ilji

KUZMICZ MICHAIŁ – lekarz, oficer MWD, współpracownik i sąsiad Ilji; szwagier Larysy

KRUGŁOW WŁADIMIR (WOŁODIA) – student, którego Marina poznała podczas wakacyjnej wizyty u Wali i Ilji latem 1957 roku

LARYSA (LALA) – najlepsza przyjaciółka Mariny w Mińsku; sąsiadka Wali i Ilji

Le BLANC CHARLES – współpracownik Oswalda w fabryce Reily Coffee

LIBIEZIN – sekretarz partii w mińskiej fabryce radioodbiorników

LICHOJ – pseudonim nadany Oswaldowi przez KGB, często używany w raportach śledczych

LUBA – ciotka Mariny; siostra Ilji

MAGDA* – pracownica mińskiej fabryki radioodbiorników

MARCELLO CARLOS – szef mafii w Nowym Orleanie

MAROW* – generał, postać fikcyjna, wyrażająca poglądy trzech wyższych oficerów KGB z Moskwy i Mińska, którzy pragnęli zachować anonimowość

MARTELLO FRANCIS – porucznik policji w Nowym Orleanie, który przesłuchiwał Oswalda po jego aresztowaniu za uliczną bójkę z Bringuierem

McVICKAR JOHN – asystent Snydera w ambasadzie USA w Moskwie w okresie, gdy do Moskwy przyjechał Oswald

MIEDWIEDIEW ALEKSANDER – ojczym Mariny

MIEDWIEDIEWA KŁAWDIA (KŁAWA) (Z DOMU PRUSAKOWA) – matka Mariny

MIEDWIEDIEW PIETIA – przyrodni brat Mariny

MIEDWIEDIEWA JEWDOKIA – matka ojczyma Mariny

MELLER ANNA – rosyjska emigrantka, która znała Oswaldów w Dallas

MIERIEŻYŃSKI JURIJ – student mińskiego Instytutu Medycznego; syn pary cenionych naukowców

MEYERS LAWRENCE – kolega Jacka Ruby'ego

MOSBY ALINE – reporterka UPI, która przeprowadziła wywiad z Oswaldem w Moskwie

MURRAY DAVID CHRISTIE – służył z Oswaldem w marines

MURRET CHARLES (DUTZ) – wuj Oswalda; mąż Lillian Murret

MURRET DOROTHY – kuzynka Oswalda; córka Lillian Murret

MURRET JOHN – kuzyn Oswalda; syn Lillian Murret

MURRET LILLIAN – ciotka Oswalda; siostra Marguerite Oswald

MUSIA – ciotka Mariny; siostra Ilji

NALIM – kryptonim nadany Oswaldowi przez KGB („śliski jak węgorz"); używany w niektórych raportach

NIECZYPORIENKO OLEG – oficer KGB zatrudniony w dziale konsularnym ambasady ZSRR w Meksyku, obecny podczas jednej z wizyt Oswalda w ambasadzie

NIKOŁAJEW – inżynier, który pracował z Ilją w Archangielsku; w przekonaniu rodziny Prusakowów biologiczny ojciec Mariny

NORMAN HAROLD – współpracownik Oswalda z Teksaskiej Składnicy Podręczników

O'BRIEN JOYCE MURRET – córka Lillian Murret

ODIO ANNE – siostra Sylvii Odio

ODIO SYLVIA (SILVIA) – mieszkająca w Dallas Kubanka, która zeznała przed Komisją Warrena, że Oswald był u niej w domu pod koniec września 1963 roku w towarzystwie trzech nieznanych jej Kubańczyków, podających się za dobrych znajomych jej ojca

ODUM HART – agent FBI, który kilkakrotnie kontaktował się z Mariną po zabójstwie Kennedy'ego

OFSTEIN DENIS – współpracownik Oswalda w firmie Jaggars-Chiles-Stovall

OKUI YAEKO – młoda Japonka, z którą Oswald długo rozmawiał na przyjęciu

OSBORNE MACK – służył z Oswaldem w marines w Kalifornii

OSWALD MARGUERITE CLAVERIE – matka Oswalda

OSWALD ROBERT – starszy brat Oswalda

OSWALD VADA – żona Roberta Oswalda

PAINE MICHAEL – mąż Ruth Paine, żyjący z nią w separacji

PAINE RUTH – przyjaciółka Mariny, u której Marina, June i Rachel mieszkały po powrocie Oswaldów z Nowego Orleanu do Dallas

PASIENKO INNA – studentka mińskiego Instytutu Języków Obcych

PENA OREST – właściciel baru „Hawana" w Nowym Orleanie

PIC JOHN – starszy brat przyrodni Oswalda

PIC MARGERY (MARGY) – żona Johna Pika

PISKALEW SASZA – student medycyny; starał się o rękę Mariny w Mińsku

PITTS JERRY – służył z Oswaldem w marines w Japonii

POWERS DANIEL – służył z Oswaldem w marines

PROCHORCZYK MAKS – pracownik mińskiej fabryki radioodbiorników; ożenił się z Ellą German

PRUSAKOW ILJA – wuj Mariny, pułkownik MWD

PRUSAKOWA TATIANA – babka Mariny; matka Ilji

PRUSAKOWA WALA (WALENTINA) – ciotka Mariny; żona Ilji

PRUSAKOWA-OSWALD MARINA – żona Lee Harveya Oswalda

QUIGLEY JOHN – agent FBI, który przesłuchiwał Oswalda po jego aresztowaniu w Nowym Orleanie

RANDLE LINNIE MAE – sąsiadka Ruth Paine w Irving w stanie Teksas

ROBERTS EARLENE – gospodyni pensjonatu w Dallas, gdzie Oswald mieszkał w listopadzie 1963 roku

RODRIGUEZ EVARISTO – barman w barze „Hawana" w Nowym Orleanie

RODRIGUEZ MIGUEL – służył z Oswaldem w Japonii; został zaatakowany przez Oswalda, wskutek czego Oswald po raz drugi stanął przed sądem wojennym

RUBY JACK – właściciel klubu nocnego w Dallas, zabójca Oswalda

SCHMIDT VOLKMAR – geolog pochodzenia niemieckiego, przedstawiony Oswaldowi przez De Mohrenschildta

SENATOR GEORGE – kolega i współlokator Jacka Ruby'ego

SHANKLIN GORDON – szef oddziału FBI w Dallas

SIMCZENKO ALEKSANDER – szef moskiewskiego OWIR-u (biura paszportowo-wizowego)

SNYDER RICHARD – konsul w ambasadzie USA w Moskwie w czasie przyjazdu Oswalda do Moskwy

SONIA – pracownica mińskiej fabryki radioodbiorników

SORRELS FORREST – agent tajnych służb w obstawie Kennedy'ego

STALINA – kierowniczka Inturistu w hotelu „Mińsk"

STRICKMAN EVELYN – pracownik socjalny; rozmawiała z Oswaldem i jego matką podczas pobytu Lee w domu poprawczym w Nowym Jorku w 1953 roku

STUCKEY WILLIAM – dziennikarz radiowy, który wyemitował wywiad z Oswaldem po jego aresztowaniu w Nowym Orleanie oraz zorganizował debatę radiową z jego udziałem

SURREY ROBERT – członek służby generała Walkera

SZYRAKOWA RIMMA – pilotka Inturistu, która opiekowała się Oswaldem w Moskwie

TACZINA INNA – studentka mińskiego Instytutu Języków Obcych, z którą Oswald – jak twierdził – miał romans

TAMARA – jedna z koleżanek Mariny z apteki przy Trzeciej Klinice w Mińsku

TANIA* – pilotka Inturistu w hotelu „Mińsk", która przez kilka miesięcy spotykała się z Oswaldem; informatorka KGB

TARUSSIN OLEG – najpoważniejszy kandydat do ręki Mariny w Leningradzie

TAYLOR ALEXANDRA – córka George'a De Mohrenschildta

TAYLOR GARY – zięć De Mohrenschildta

TIPPIT J.D. – policjant, który został zastrzelony w Dallas w godzinę po Kennedym

TOBIAS MRS – właścicielka domu przy Elsbeth Street, gdzie mieszkali Oswaldowie

THORNLEY KERRY – służył z Oswaldem w marines w Kalifornii

TITOWIEC ERICH (ERNST) – władający językiem angielskim student mińskiego Instytutu Medycznego, najbliższy przyjaciel Oswalda w Mińsku

TRAFFICANTE SANTO – mafioso miasta Tampa na Florydzie

TRULY ROY – przełożony Oswalda w Teksaskiej Składnicy Podręczników

VOEBEL EDWARD – kolega Oswalda ze szkoły średniej w Nowym Orleanie

WOSZYNIN IGOR – rosyjski emigrant, który znał Oswaldów w Dallas

WOSZYNIN MRS – rosyjska emigrantka, która znała Oswaldów w Dallas

WALKER EDWIN A. – generał, kontrowersyjny, skrajnie prawicowy działacz, mieszkający w Dallas; na jego życie dokonano próby zamachu

WHALEY WILLIAM – taksówkarz w Dallas, który po zabójstwie Kennedy'ego zawiózł Oswalda do pensjonatu

WILLIAMS BONNIE RAY – współpracownik Oswalda z Teksaskiej Składnicy Podręczników

WULF WILLIAM – kolega Oswalda z czasów licealnych w Nowym Orleanie

ZIGER ALEKSANDER – inżynier zatrudniony w mińskiej fabryce radioodbiorników, przyjaciel Oswalda

ZIGER ANITA – córka Aleksandra Zigera

ZIGER ELEANORA – córka Aleksandra Zigera

PODZIĘKOWANIA

Szczególne podziękowania kieruję do:

Ludmiły Pierieswietowej, która tłumaczyła ponad dziewięćdziesiąt procent wywiadów i miała o wszystkim tak przekonujące zdanie, że wywarła wpływ na kształt tej książki;
Mariny Oswald-Porter za zgodę na poddanie się bolesnemu dla niej rozpamiętywaniu wspomnień przez pięć dni z rzędu w Dallas i za uczciwość, która kazała jej być dla siebie surową i rozdrapywać dawne rany, by odnaleźć ziarno prawdy;
mojego dobrego przyjaciela, prywatnego detektywa Williama Majeskiego za wnikliwe komentarze podczas wspólnej pracy w Dallas i Nowym Orleanie;
Mary McHughes Ferrell, za niespożytą energię i szczodrość w udostępnianiu mi swojego przebogatego archiwum materiałów dotyczących zabójstwa Kennedy'ego. Szczególnie pomocna okazała się dla moich celów praca Mary Ferrell o finansach Oswalda. Podziękowanie składam również Gary'emu Shawowi, przyjacielowi i współpracownikowi Mary Ferrell;
oraz Jima Lesara z Archiwum oraz Centrum Badawczego Zabójstw w Waszyngtonie, gdzie znalazłem wiele materiałów do tej książki, korzystając z dostępu do kompletu dwunastu tomów Komisji Izby Reprezentantów do spraw Zabójstw, traktujących o zabójstwie Kennedy'ego.

Jestem zobowiązany następującym osobom za zgodę na przeprowadzenie z nimi rozmów (pseudonimy osób pragnących zachować incognito podane są w cudzysłowie): Rozie Agafonowej, Lubie Aksionowej, Galinie i Jurijowi Bielankinom, Musi Berłowej, Konstantinowi Bondarinowi, Walentinowi Borowcowowi, lekarzowi ze szpitala im. Botkina, Oldze Dmowskiej, Leonidowi Bencjanowiczowi Gelfantowi, Elli German, „Stiepanowi Wasiljewiczowi Grigorjewowi", Aleksandrze Grigorjewnej Romanowej, Pawłowi Gołowaczowowi, Ludmile i Miszy Kuzmiczom, „Igorowi Igorowiczowi Guzminowi", Nadieżdzie i Dementijowi Maknowcom, Galinie Makowskiej, „generałowi Marowowi", Jurijowi Miereżyńskiemu, Lidii Siemionownie Mierieżyńskiej, Walentinowi Jurjewiczowi Michajłowowi,

Olegowi Nieczyporience, Stalinie Pożałujsta, Saszy Piskalewowi, Innie Andriejewnie Pasienko (której wdzięczni jesteśmy dodatkowo za pomoc przy przekładach), Galinie Siemionownie Prokapczuk, Maksowi Prochorczykowi, Polinie Prusakowej, Walentinie (Wali) Prusakowej, Janinie Sabiele, Tamarze Sankowskiej, Larysie (Lali) Sewostjanowej, Albinie Szalakinej, Rimmie Siemionownie Szyrakowej, Anatolijowi Szpance, Stanisławowi Szuszkiewiczowi, Aleksandrowi Simczence, Soni Skopie, Miszy Smolskiemu, Nataszy Grigorjewnie Titowiec, Leonidowi Stiepanowiczowi Cagiko, Raisie Maksimowej Wiedienejewej, Inessie Jachiel, Raisie Romanownie Zinkiewicz i pani Ziger.

Dwóch rozmów, na których bardzo nam zależało, nie udało się odbyć. Don Alejandro Ziger mieszkał w roku 1992 w Argentynie i zmarł, zanim zdążyliśmy się z nim skontaktować. Wdowa po nim rozmawiała z Aleksem Levinem, lecz była już wówczas w podeszłym wieku, kiedy człowiek nie ma najmniejszej ochoty o nikim mówić źle. Dlatego jej uwagi na temat Oswalda miały charakter bardzo ogólny: „Był miłym młodym człowiekiem".

Sprawa z Erichem Titowcem przedstawiała się bardziej frustrująco. Wszyscy zgodnie twierdzili, że Titowiec był najbliższym przyjacielem Oswalda podczas jego pobytu w Mińsku. Obecnie jest lekarzem i prowadzi badania naukowe. Spotkał się z nami siedem razy, ale za każdym razem udawało mu się uniknąć dłuższej rozmowy. Tłumaczył się tym, że zamierza napisać o Oswaldzie własną książkę. Niemniej nie daliśmy łatwo za wygraną. Kilka razy zgadzał się wprawdzie na spotkanie, ale potem je przesuwał, a raz został gdzieś pilnie wezwany już po kilku minutach. Wyglądało na to, że to pilne wezwanie było wcześniej zaplanowane.

Rozmawialiśmy już z jego byłą żoną, która opisała go jako człowieka ogromnie skrytego, zimnego i dokładnie rozgraniczającego poszczególne dziedziny życia. Mało kto wypadłby korzystnie na podstawie oceny byłego małżonka, ale gdy poznaliśmy Titowca, odkryliśmy, że jest w tym trochę prawdy. Stał przed nami postawny, dobrze zbudowany mężczyzna, z którego emanowały sprzeczności – był pedantem i jednocześnie macho, zachowywał się jak rozpieszczony gepard. Pocieszaliśmy się tylko tym, że nawet gdyby zgodził się z nami porozmawiać, to całymi godzinami mógłby mówić o niczym, a nie zdradziłby ani słowem tego, co, jego zdaniem, byłoby nie wskazane. Ostatecznie zdecydowaliśmy, że obejdziemy się bez rozmowy z nim i pozwolimy mu rozwijać się jako postaci poprzez ukazywanie związków łączących go z innymi ludźmi.

Chciałbym również podziękować za pomoc następującym osobom: Henrykowi Borowikowi, Lenordowi Komarowowi, Anatolijowi Michajłowowi, Siergiejowi Pankowskiemu, Stanisławowi Szuszkiewiczowi i Dymitrowi Wołkogonowowi, jak również pracownikom KGB w Mińsku i w Moskwie, którzy zgodzili się ujawnić swe nazwiska: Edwardowi Iwanowiczowi Szyrakowskiemu, Iwanowi Zebrowskiemu, Walentinowi Dimidowowi, Jurijowi Kobaladzemu, Aleksiejowi Kondaurowowi.

Chciałbym również wspomnieć o pomocy, jaką służyli nam nasi współpracownicy w Mińsku: Sasza Batanow, Tammy Beth Jackson, Robert Libermann, Keith Livers, Marat i Sasza Palczinkow.

Z grupy współpracującej ze mną w Stanach Zjednoczonych chciałbym podziękować za pomoc następującym osobom: Lauren Agnelli, Henrietcie Alves, Stephanie Chernikowski, Ingrid Finch, Tamarze Gritsai, Borysowi Komorowowi, Aleksowi Levine'owi (z Buenos Aires), Maggie Mailer, Juliannie Pierieswietowej, Farrisowi Rookstoolowi III, Markowi Schillerowi, Anatolijowi Waluszkinowi oraz zespołowi z wydawnictwa Random House – Jasonowi Epsteinowi, Harry'emu Evansowi, Andrew Carpenterowi, Oksanie Kushnir, Beth Pearson, Veronice Windholz – oraz Howardowi Schillerowi z Los Angeles za projekt obwoluty.

W pierwszej kolejności wyrazy szacunku i wdzięczności składam Edwardowi Epsteinowi za ogromną wnikliwość i dociekliwość, a także następującym autorom, których książki posłużyły mi pomocą: Jean Davidson, Donowi DeLillo, Gaetonowi Fonziemu, Olegowi Nieczyporience, Carlowi Oglesby'emu, Geraldowi Posnerowi, Richardowi Russellowi oraz Anthony'emu Summersowi. Hitlerowi wprawdzie trudno wyrażać wdzięczność, a w przypadku Ralpha Waldo Emersona można dziękować jedynie cieniowi, lecz na podziękowania bez wątpienia zasługują także: Robert Oswald, William Manchester, Frank Ragano, Selwyn Raab oraz David Wise.

Osobno trzeba wspomnieć o zasłudze Priscilli Johnson McMillan. W drugiej części mojej pracy ogromnie dużo czerpałem z jej książki *Marina and Lee*. Mimo iż w wielu punktach zupełnie nie zgadzam się z jej interpretacją życia i charakteru Lee (gdyby było inaczej, po cóż miałbym pisać swoją książkę?), żadne inne opracowanie życia małżeńskiego Mariny i Lee nie obfituje w szczegóły tak dalece, jak dzieło McMillan.

Jak już wspomniałem wcześniej, Lawrence Schiller i ja mieliśmy w Teksasie okazję rozmawiać z Mariną przez pięć dni i większość czasu poświęciliśmy na wypytywanie jej o wspomnienia życia w Leningradzie i w Mińsku. Częściowo jednak spożytkowaliśmy ten czas na pytania o zgodność z prawdą wybranych fragmentów z książki Priscilli Johnson McMillan, które już wtedy zamierzałem zamieścić w swojej pracy. Trzeba Marinie oddać sprawiedliwość, że choć nie darzy już swojej dawnej przyjaciółki sympatią, to zazwyczaj potwierdzała, że wybrane fragmenty w zasadzie zgadzają się z prawdą. Nie była tylko skłonna uznać za właściwe słów wkładanych w usta jej i Lee w dialogach. Mimo to nie można jednak odmówić McMillan zasługi, że była pierwszą, jeśli nie jedyną autorką, która dostrzegła, że warto spróbować zrozumieć Lee Harveya Oswalda poprzez jego małżeństwo.

IBM I HOLOCAUST
Edwin Black

IBM i holocaust to zaskakujący, zdumiewający i wstrząsający dokument historyczny. Edwin Black drobiazgowo ujawnia, jaką rolę w przeprowadzeniu holocaustu odgrywał IBM, nowoczesna technika i systemy rejestrowania danych. Jak dotąd nikt nie poruszał publicznie tego zagadnienia. IBM i jego przedsiębiorstwa zależne świadomie przyczyniły się do znaczącego wsparcia Hitlera w realizacji jego niepojętych planów wyniszczenia narodu żydowskiego. Książka Blacka opisuje nie tylko nieznaną i wstrząsającą stronę zagłady Żydów, lecz ukazuje także naganną moralnie gospodarczą współpracę ponadnarodowej multikorporacji, uważanej powszechnie za godną szacunku firmę.

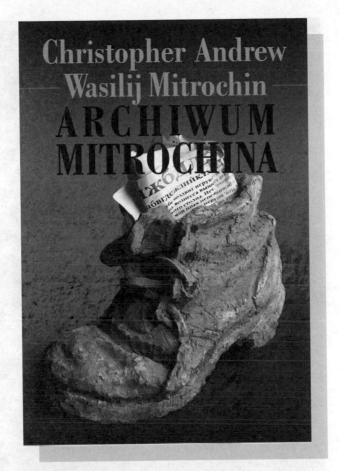

ARCHIWUM MITROCHINA
Christopher Andrew
Wasilij Mitrochin

W roku 1992 brytyjski wywiad przerzucił z Rosji współpracownika, którego nazwisko pozostawało w tajemnicy aż do ukazania się niniejszej książki. Wasilij Mitrochin był ponad 30 lat pracownikiem archiwum wywiadu sowieckiego, odpowiedzialnym od 1972 roku za przenoszenie tajnych materiałów z osławionej Łubianki do nowej siedziby KGB w Jasieniewie na obrzeżach Moskwy. Przez ponad 10 lat przepisywał tajne dokumenty mówiące o działalności wywiadu od czasów Lenina aż po 1984 rok. Jak twierdzą specjaliści z FBI, jest to najpełniejszy materiał, jaki kiedykolwiek udało się uzyskać. Niezwykłe archiwum, przemycane i ukrywane pod podłogą daczy, a następnie wywiezione za granicę, stało się źródłem do napisania tej pasjonującej książki. Christopher Andrew – wybitny specjalista od wywiadu – na podstawie materiałów przywiezionych z Rosji i uzupełnionych o szczegółowe badania naukowe oraz historyczne, daje nam do rąk zatrważające dzieło o tym, jak wywiad ZSRR przenikał nawet najbardziej obwarowane i chronione kręgi Europy i nie tylko.

David Irving

MARSZAŁEK RZESZY HERMANN GÖRING

1893–1946

biografia

MUZA SA

MARSZAŁEK RZESZY HERMANN GÖRING
David Irving

Świetnie napisana, pełna fascynujących i niekiedy zaskakujących szczegółów książka. Autor wykorzystał w niej bogate materiały źródłowe, m.in. ocalałe dzienniki Göringa, raporty z walk powietrznych pułku Richthofena, listy miłosne, jakie młody Herman pisał do swej wielkiej miłości – pierwszej żony Carin, sprawozdania szwedzkich lekarzy opiekujących się Göringiem – heroinistą, stenogramy sprawozdań z narad prowadzonych w Ministerstwie Lotnictwa Rzeszy oraz dokumenty amerykańskie.

Kurt Pätzold
Manfred Weissbecker

RUDOLF HESS

Ciekawa
historia

MUZA SA

RUDOLF HESS
Kurt Pätzold
Manfred Weissbecker

Rola Rudolfa Hessa w rozwoju narodowego socjalizmu w Niemczech oceniana bywa różnie. Jednym jawi się on jako człowiek o ograniczonych możliwościach działania i wpływach, o osobliwym, dziwacznym charakterze, a jego spektakularny lot do Anglii w maju 1941 roku nabiera wręcz wymiaru ofiary złożonej na ołtarzu światowego pokoju. Inni widzą w nim wiernego poplecznika Hitlera, który współuczestniczył w tworzeniu krwawej dyktatury. Kim więc w istocie był ów tak niejedno-znacznie oceniany człowiek? Autorzy biografii Hessa, która zainteresuje z pewnością zarówno specjalistów, jak i pasjonatów historii, kompletują i gruntownie analizują fakty z różnych etapów jego życia. W efekcie przełamują szeroko rozpowszechnione stereotypy, a funkcjonujący dotychczas wizerunek Rudolfa Hessa poddają wszechstronnej korekcie.

SERYJNI MORDERCY
Arkadiusz Czerwiński
Kacper Gradoń

Wstrząsające studium granic człowieczeństwa. Pierwsza polska publikacja szczegółowo opisująca zjawisko seryjnego zabójstwa. Portrety najsłynniejszych morderców; dogłębna analiza podłoża i motywów ich zbrodni dokonana przez młodych kryminologów z Uniwersytetu Warszawskiego. *Książka tylko dla dorosłych!*

NIEZBITY DOWÓD. METODY WYKRYWANIA ZBRODNI
Brian Innes

Fascynujący świat kryminalistyki. Ponad 200 fotografii z rzadko udostępnianych akt policyjnych. Opis 100 zbrodni z całego świata, pierwszego wyroku skazującego za morderstwo – wydanego pomimo braku zwłok, pierwszego przypadku udanego zastosowania analizy DNA w celu skazania przestępcy... Brian Innes to autor wielu publikacji z zakresu kryminalistyki oraz członek związku pisarzy zajmujących się tą tematyką – Crime Writters' Association.

Książka tylko dla dorosłych!

Warszawskie Wydawnictwo Literackie
MUZA SA
ul. Marszałkowska 8, 00-590 Warszawa
tel. (0-22) 827 72 36, 629 50 83
e-mail: info@muza.com.pl

Dział zamówień: (0-22) 628 63 60, 629 32 01
Księgarnia internetowa: www.muza.com.pl

Warszawa 2001
Wydanie I

Skład i łamanie: SEPIA DRUK Sp. z o.o., Warszawa
Druk i oprawa: P.U.P. ARSPOL, Bydgoszcz